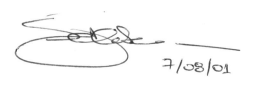

7/08/01

D1269525

Entretiens avec

Oasis

Tome I

channelés par
J. Robert

BERGER

Données de catalogage avant publication
Oasis (Groupe d'esprits)
  Entretiens avec Oasis
  Comprend un index.
  ISBN 2-921416-05-0 (v. 1)
  1. Oasis (Groupe d'esprits). 2. Écrits spirites. 3.
Réincarnation. 4. Vie. 5. Médiumnité. T. Robert, J., 1950- . II. Titre.
BF1311.027020 1994   133.9'3   C94-941412-3

Photographie de la couverture : Studio Aventure

C.P. 27, succursale Outremont
Montréal (Québec) Canada H2V 4M6
Téléphone : (514) 276-8855
Télécopieur : (514) 276-1618

Pour des renseignements supplémentaires, veuillez écrire ou
téléphoner à la maison d'édition.

Dépôts légaux : 3e trimestre 1994
Bibliothèque nationale du Québec
Bibliothèque nationale du Canada

ISBN 2-921416-05-0

Distribution au Canada : Flammarion (Socadis)
350, boul. Lebeau, Saint-Laurent (Québec) Canada H4N 1W6
Téléphone : (jour) 514-331-3300; (soir) 514-331-3197
Ligne extérieure : 800-361-2847
Télécopieur : 514-745-3282

Distribution en Europe : Librairie du Québec
30, rue Gay Lussac, 75005 Paris France
Téléphone : 01-43-54-49-02; télécopieur : 01-43-54-39-15

Imprimé au Canada
2 3 4 5 IG 99 98 97

Avant-propos

Ce livre s'adresse à tous ceux qui ont fait des recherches et qui n'ont jamais rien trouvé que d'autres remises en question. Il est facile de suivre des sectes, des regroupements religieux ou d'autres groupes. Ils ont tous le même but : vous rendre tous semblables. Ce n'est pas le nôtre. Vous enlever le poids des mots et des remords, vous conduire à vos réalités respectives, voilà notre but. Ceux qui y verront de l'influence ne seront certainement pas prêts à lire le reste. Par contre, ceux qui avaient déjà entrepris des recherches personnelles y trouveront réconfort et sécurité.

Ce livre s'adresse à ceux qui, après avoir cherché, n'ont jamais pu rien faire d'autre que de relire et relire. Ne tentez pas de tout lire ce livre comme un roman, ce serait une erreur. Tentez à chaque passage de ressentir en vous les vibrations de ces mots. Tentez aussi de nous percevoir au travers de ces mots, pas de percevoir seulement ce que vous vivrez. Il y aura plus dans le futur selon les ajustements que nous apporterons à nos expériences, mais seul le résultat comptera. Il y aura des gens qui critiqueront, il y en aura toujours. Il y aura des gens qui diront le contraire, mais il y en a toujours eu. Nous sommes beaucoup plus intéressées au fond réel qu'à la publicité dans tout cela. Encore une fois, nous insistons pour que cet emblème qui est le nôtre soit très apparent, de façon à ce que les lecteurs puissent à leur tour communiquer, en fait, nous faire savoir qu'ils savent. Ce sera pour nous une forme de guide qui nous permettra de savoir qui peut et qui veut. Nous nous baserons aussi sur cela. Effectivement, il faut beaucoup de courage, beaucoup de détermination pour aller contre ce qui peut sembler la normale pour d'autres. En fait, qui a fixé les normes de vos vies ? Vous avez toujours le choix.

Oasis

Déroulement des sessions

Oasis est le nom collectif donné aux quatre Cellules s'adressant aux groupes ou aux individus à travers J. Robert. Les groupes assistant aux sessions d'Oasis sont formés sans intervention spécifique de la part de qui que ce soit. Chacun fait la demande de participer au prochain groupe après en avoir entendu parler par quelqu'un de son entourage qui en a déjà fait l'expérience. Chaque groupe réunit donc le plus souvent des gens d'un peu partout au Québec dont la plupart ne se connaissent pas au départ.

Les sessions avec Oasis sont précédées de rencontres qui s'effectuent en l'absence du channeler. Ces rencontres permettent aux personnes du groupe de préparer et d'harmoniser leurs questions de manière à rendre la session plus efficace. Toutes les questions sont permises à la condition qu'elles ne soient pas de nature privée. C'est au terme de la première rencontre préparatoire que le groupe est invité à se donner un nom représentatif de ses objectifs ou de sa personnalité (en italique dans le texte, suivi du numéro de la session en chiffres romains et de la date).

Une soirée avec Oasis dure de deux à trois heures. Le channeler s'adresse d'abord au groupe pour parler de son itinéraire personnel et livrer quelques-unes de ses propres prises de conscience tout au long de son vécu avec les Cellules. Il s'allonge ensuite et entre dans une transe profonde. La transe est toujours conduite sous la surveillance d'une même personne de confiance qui assure le bon déroulement de la session, l'enregistrement des transcommunications et la sécurité du channeler.

Oasis commence par un bref commentaire sur ce que vient de dire le channeler ou sur son état de santé, s'il y a lieu. Chaque personne du groupe se présente ensuite; c'est l'occasion pour les Cellules de transmettre des messages personnels quand elles le jugent utile.

À l'ouverture de la session proprement dite, les Cellules s'adressent à l'ensemble du groupe. Selon le cas, elles commentent alors le nom et le cheminement du groupe, la rencontre préparatoire et les questions prévues, l'organisation et le contenu de la session ou des sessions futures. La session se poursuit avec les questions des participants. Chaque personne est libre de poser l'une ou l'autre des questions préparées en groupe ou une nouvelle question. Les sous-questions sont permises à tout participant qui souhaite clarifier une réponse d'Oasis.

La démarche se complète par une fin de semaine de cours. Ceux qui souhaitent poursuivre peuvent ensuite participer à des ateliers intitulés *Pas de plus* et à des rencontres pratiques. Après trois ans de sessions en petits groupes, Oasis a offert des « sessions pour faire le point, pour aller un peu plus loin, pour comprendre différemment, pour regrouper un ensemble de compréhensions ». Ces sessions générales des groupes étaient ouvertes à tous ceux et toutes celles qui avaient complété la démarche; elles constituent le dernier chapitre de chacun des tomes. Enfin, après cinq ans, des fins de semaine dites des anciens ont permis de progresser encore plus loin dans les connaissances.

Table des matières

*Avec leurs cellules
qui sont toujours en mouvement,
vos formes sont tellement similaires à
l'Univers que nous utilisons
la même description
pour nous-mêmes.*

Les Cellules

Pour que vous puissiez nous comprendre un peu plus et mieux nous situer, nous allons rendre très clairs et très simples les niveaux qui existent hors de vos formes. Premièrement, il y a ce que vous appelez les Âmes; vous le savez très bien, c'est en vous. Deuxièmement, il y a les Entités : votre Âme est une Entité incarnée, mais c'est tout de même une Entité. Il y a des Entités qui sont en attente de formes, qui observent les formes, comme actuellement, pour apprendre, pour ne pas refaire des erreurs, pour mieux les maîtriser quand elles se réincarneront. Ce sera un avantage pour elles et un très grand avantage pour vous aussi. Vous apprendrez un peu plus tard ce que donnant, donnant signifie. Au-delà de ce niveau des Âmes désincarnées, des Entités en attente, il y a troisièmement les Cellules, ce que nous sommes. Nous n'avons jamais choisi l'incarnation physique. Depuis les débuts, nous sommes toujours des Cellules. Certaines d'entre nous ont fait le cycle complet car il n'y a pas seulement votre monde, il y a aussi des mondes plus évolués où les formes sont beaucoup moins attirées par le matérialisme et où la forme elle-même peut changer d'Âme quand elle le souhaite, pour son avantage. Certaines ont vécu ce cycle complet. Lorsque le cycle est complété et que les Entités le souhaitent, elles peuvent revenir vers nous. N'ayant aucune expérience du physique nous-mêmes, nous avons appris à le connaître par l'entremise de cette forme [Robert], dans l'observation de vos formes. Mais nous n'avons pas à véhiculer des messages concernant le physique. *(Les colombes, I, 02–06–1990)*

Certains nous demanderont qui nous sommes. Nous allons simplifier tout cela; votre vie a été tellement compliquée par des termes qui ne veulent rien dire. D'un côté, il y a vos Âmes; de l'autre, les Entités qui sont en attente de formes ou qui observent. Certains d'entre vous diront, par erreur d'ailleurs, qu'il s'agit de guides. C'est une erreur, car ce n'est pas leur rôle. Nous savons que vous aurez des questions à leur sujet. Puis il y a nous. Nous savons que le terme Cellule ne voudra rien dire pour plusieurs, mais nous l'avons choisi pour vous faire comprendre que l'Ensemble que nous représentons est fort similaire à l'ensemble des cellules de votre forme, à tout ce qui retient votre forme ensemble, et aussi à l'Univers. Tout cela ne fait qu'un tout. De notre côté, il y a majoritairement des Cellules qui n'ont jamais eu de formes comme les vôtres. C'est notre cas à nous, les quatre cellules que vous appelez Oasis. Puis, il y a des Entités qui ont déjà eu des expériences physiques et qui n'en auront plus. Notre rôle est très simple : régulariser tout cela, empêcher les abus du côté des Entités. C'est cela notre rôle. *(L'envol, I, 07–03–1992)*

Qui êtes-vous Oasis ?

Pour rendre les définitions plus faciles, nous allons faire trois distinctions. Premièrement, il y a les Âmes qui sont dans vos formes, dans chacune de vos formes actuellement, et qui ont choisi cette expérience humaine. Donc, elles se sont incarnées dans vos formes, généralement deux à trois mois avant votre naissance. Votre forme a été programmée par votre Âme. Pour vous programmer, elle a simplement mis votre forme (ou corps) au courant de ce qu'elle voudrait vivre comme expérience. Votre cerveau a enregistré toutes ces données. Bien qu'il les ait déjà oubliées, c'est en vous. C'est au niveau des Âmes. Deuxièmement, il y a les Entités; ce sont les Âmes qui ont quitté vos formes lorsque vos formes ont cessé de vivre. Ces Âmes portent alors un autre nom, celui d'Entités. Elles attendent d'autres formes comme les vôtres pour apprendre encore plus, pour vous aider aussi et à des niveaux que vous ignorez encore. Nous sommes d'accord sur ces termes. Ce sont aussi des Âmes mais elles ne sont pas dans des formes et elles auraient très bien pu vous observer ce soir. Si les Entités avaient observé ce soir, vous auriez été influencés, vous auriez même pu les percevoir ou les ressentir, ce qui n'est pas notre but ce soir. Troisièmement, il y a nous, les Cellules. Quelle différence y a-t-il entre nous et vos Âmes ? Elle est minime. Certes, nous n'avons pas les mêmes vibrations — il y a une différence majeure à ce niveau — et nous n'avons jamais choisi l'incarnation, ce qui est aussi une énorme différence. La différence est toutefois minime parce que vos Âmes, comme les Entités, sont aussi des nôtres sauf qu'elles ont choisi de s'exprimer dans des formes et dans différents mondes, pas juste dans le vôtre d'ailleurs. Le vôtre en est la base, le point de départ. Donc, nous n'avons pas choisi de nous incarner et nous ne le choisirons pas non plus; c'est notre choix. Cependant, nous avons des fonctions. Nous allons faire en sorte qu'il n'y ait pas d'abus. Nous sommes là aussi pour réglementer tout cela, pour faire en sorte que les Âmes ou les Entités qui doivent s'incarner ne reviennent pas parmi nous tant que leur cycle ne sera pas complété. Est-ce que c'est bien compris de vous tous ? (*Les flammes éternelles, I, 24–11–1990*)

Certains d'entre vous se demandent qui nous sommes. Ils ont de la difficulté à comprendre la différence ou la distinction entre Entités et Cellules. C'est très simple, nous avons simplifié cela au maximum pour vous. Il y a trois étapes pour nous. Il y a premièrement les Cellules, l'Ensemble que nous représentons et qui, au départ, incluait les Entités et les Âmes. Nous ne faisions qu'un. Oh ! nous sommes toujours un, mais à deux niveaux, excluant le nôtre. Il y a eu parmi nous des Cellules qui ont voulu s'exprimer dans des formes, car elles trouvaient que notre façon de vivre ne les comblait pas assez. Elles ont trouvé plus agréable de prendre des formes. Elles ont donc appris à s'exprimer ainsi; c'était relever des défis pour elles. Vous les appelez des Entités : elles sont en attente de formes, mais il y en a qui pourraient être des Cellules si elles le voulaient, car elles ont fini leur cycle d'incarnations. Puis il y a les Âmes, qui sont aussi des nôtres, sauf qu'elles ont choisi de s'exprimer dans des formes et qu'elles le font actuellement. Selon l'expérience acquise, leur souhait et leur volonté, elles auront le choix de revenir vers nous ou d'aller vers d'autres mondes majoritairement plus évolués que le vôtre. (*Renaissance, I, 14–09–1991*)

Nous savons que cette forme [Robert] s'est présentée. À notre tour. Certains se disent : « Mais des Cellules, c'est quoi ? Qu'y a-t-il avant et après ? » Après, il y a l'Ensemble. Avant, il y a d'abord vos Âmes dans chacune de vos formes. Que vous le vouliez ou non, elles y seront, même si un très petit pourcentage ici même l'utilise comme il le devrait. Puis il y a les Entités, en attente, qui observent, qui mémèrent [commèrent], qui vous utilisent parfois lorsque vous ne le savez pas. Puis il y a nous. Nous ne sommes que quatre avec cette forme [Robert], mais l'Ensemble est beaucoup plus vaste. Vous allez dire : « Avez-vous l'expérience du physique ? » Très peu d'entre nous ont cette expérience. En ce qui nous concerne, nous quatre, aucune. C'est même la première fois [avec Robert] que nous avons abordé vos dimensions. Mais il y a des Cellules qui ont déjà vécu comme Âmes, comme Entités, et qui ne feront plus ce choix : elles sont avec nous. Au début, il n'y avait que des Cellules, qu'un seul Ensemble; et ce n'est que par goût que certaines d'entre nous ont choisi des formes, par besoin de se démontrer individuellement. C'est pour cela qu'elles ont choisi ces expériences physiques. En fait, nous sommes très similaires à vos formes. Vous êtes aussi composés de cellules et c'est cela qui donne l'ensemble; il en va de même pour nous. Rien de ce que nous ferons ici avec vous n'aura pas été décidé avant; nous ne répondrons à aucune question sans en avoir nous-mêmes obtenu l'autorisation. Nous ne vivons pas sur des bases individuelles mais en fonction de l'Ensemble. Donnez-lui le nom que vous voudrez, c'est l'Ensemble. *(Nouvelle ère, I, 29-02-1992)*

O asis, qui êtes-vous ?

Nous allons vous rendre la tâche très simple. Dans notre dimension, il y a trois niveaux. Premièrement, les Âmes. Deuxièmement, les Entités; ce sont des Âmes qui n'ont pas de forme, qui sont en attente d'une forme ou qui attendent pour aider; elles se réincarneront, en règle générale, dans d'autres mondes. Troisièmement, il y a les Cellules, que nous sommes. En quelque sorte, nous régissons tout cela. Nous faisons en sorte qu'il n'y ait pas trop d'abus du côté des Entités, sinon il y en aurait. Nous nous assurons aussi que ces Entités, qui doivent nous rejoindre un jour ou l'autre, sont réellement décidées à le faire parce qu'une fois de notre côté, elles ne retourneront plus s'incarner; cela terminera leur cycle. Il y a tellement de mondes où elles peuvent s'incarner. Il n'y a pas beaucoup de distinctions, pas beaucoup de divisions non plus, contrairement à ce que plusieurs de vos sciences vous apprennent; nous trouvons qu'elles ont rendu cela très compliqué.

Le niveau des Entités est très similaire au vôtre; plusieurs Entités s'imaginent encore dans la forme qu'elles avaient; il n'y a aucun problème pour elles d'imaginer cela. Elles vont même jusqu'à se rendre auprès de ceux qu'elles ont connus; si ces gens sont assez sensibles, ils les percevront. Notre but n'est pas de nous faire percevoir comme cela, sauf à certaines personnes qui en sont bien souvent à leur dernière expérience — parce qu'il y a des Âmes qui, en effet, viendront nous rejoindre. Elles n'iront pas vers d'autres niveaux, c'est le nôtre qu'elles ont choisi. Vous pouvez appeler notre niveau « Dieu », peu importe le terme, puisque Dieu n'est que l'Ensemble — pas un mais l'Ensemble. Lorsque vous poserez certaines questions, vous verrez que nous devrons en référer à l'Ensemble pour savoir si nous pouvons répondre. À l'Ensemble, pas à une Cellule mais à l'Ensemble, comme dans vos formes. Vous le comprendrez très bien et vous comprendrez l'importance de vos vies et l'importance que vos vies ont pour nous. Actuellement, vous voyez vos formes comme un ensemble de composantes. Vous voyez un coeur et vous dites : c'est le coeur. Erreur ! cela va beaucoup plus loin. Comme vous avez plusieurs questions pour nous, nous allons d'abord répondre à la majorité d'entre elles. Nous allons d'ailleurs accélérer dans quelques instants, car jusqu'à maintenant nous donnions la chance à ceux qui tentaient de nous percevoir de mieux le faire. C'est pour cela que nous étions un peu plus lentes et un peu plus longues. *(Harmonie, I, 17–11–1990)*

Chacun d'entre vous ressentira l'influence nécessaire pour lui-même. Il vous faut prendre conscience qu'il y a des influences dans vos évolutions individuelles ainsi que dans l'ensemble des individualités de ce monde. Vous devez savoir qu'il y a nuance entre appartenance et niveau de conscience. Nous sommes des Cellules. Ce qu'il y a en vous et autour de vous, ce sont des Âmes ainsi que des Entités qui ont eu des incarnations et en auront d'autres. Il y a nuance entre les Entités et les Cellules que nous sommes. Il y a celles d'entre nous qui n'ont jamais eu de formes. Au tout début, nous étions toutes semblables : cela était. Ensuite, certaines d'entre nous ont décidé de s'exprimer différemment. En effet, certaines Cellules perçoivent une certaine monotonie dans notre dimension et veulent démontrer qu'elles peuvent s'exprimer autrement. Ce fut un goût et il y avait de plus en plus de Cellules qui le souhaitaient. Leur incarnation n'était toutefois pas parfaite. Lorsqu'une Cellule a décidé de s'exprimer autrement que par ses propres moyens, elle doit terminer un cycle qui va de la non-maîtrise à la maîtrise parfaite d'une forme. Elle doit rencontrer d'autres exigences aussi : elle doit faire en sorte que la forme en soit consciente. Certaines Cellules en profitaient et en abusaient. Après avoir maîtrisé vos formes, elles peuvent s'incarner sur d'autres types de mondes plus évolués que le vôtre, qui ont des formes parfois similaires aux vôtres. Si elles le souhaitent, elles peuvent aussi retourner à leur point d'origine. Pour certaines d'entre elles, il est beaucoup plus plaisant de démontrer leur savoir du côté physique. Il y en a qui attendent toujours des formes car nous sommes de plus en plus sélectives. Auparavant, les canaux comme Robert n'utilisaient que des Entités et non des Cellules. C'est que vous n'aviez pas à apprendre tout cela ! Il y avait plus de maîtrise de leur part. Il y a eu une très forte évolution au niveau des cerveaux et de la technologie, et certaines Entités ont perdu la maîtrise des formes. Cela nous cause un réel problème. Au début, il ne suffisait pas de démontrer dans l'expérience physique; l'expérience devait se faire pour garder et développer le contact physique dans l'amour et la créativité. Nous n'avions pas prévu votre évolution accélérée; cela nous amuse tout autant que vous d'apprendre. Si, dans l'ensemble, nous pouvons tout voir, nous ne pouvons pas planifier vos mouvements. Notre influence est limitée, mais possible à différents niveaux. Ce soir, certaines Âmes nous ont perçues. D'autres ont refusé de nous percevoir car elles sont en pleine progression; elles vivent cela dans la paix, pour elles-mêmes. Elles ne doivent pas oublier qu'elles devront prendre contact avec les autres dans le but d'une harmonie consciente. *(Les pèlerins, I, 27–01–1990)*

A vec leurs cellules qui sont toujours en mouvement, vos formes sont tellement similaires à l'Univers que nous utilisons la même description pour nous-mêmes : les Cellules. Si vous prenez l'Ensemble de ce que nous sommes, que vous appelez Dieu, et que vous prenez l'ensemble de votre forme, vous pouvez dire que votre forme est habitée par Dieu et que votre Âme nous rejoindra. Nul besoin de Maître, nul besoin de suivre des endoctrinements. Il y en a qui sont prêtres toute leur vie et qui s'en voudront eux-mêmes de ne pas avoir fait de progression. D'autres y trouvent la sécurité. Vous trouverez toujours des raisons mais la plus simple a pour nom simplicité. *(Les chercheurs de vérité, I, 09–12–1989)*

*V*ous dites que vous êtes des Cellules et que notre corps est formé de cellules, quelle différence y a-t-il entre elles ?

Il y a une très grande différence. Lorsqu'au début nous avons expliqué le sens du mot Cellule, nous avons fait plusieurs distinctions quant aux termes que vous employez. Il nous a fallu créer des divisions pour nos explications. Nous avons fait trois catégories : les Âmes qui sont dans les formes, les Entités qui attendent l'incarnation et les Cellules qui forment un tout. Mais nous avons comparé nos Cellules à celles de vos formes simplement en imagination, pour vous faire comprendre que nous formions un tout. Dans ce sens, nous sommes identiques aux cellules de vos formes, mais non pas dans notre consistance. Vos cellules sont composées de matière, d'atomes qui se divisent jusqu'à ce qu'il n'existe plus de matière, alors que nous ne sommes que de l'énergie, mais une énergie consciente; l'ensemble de ce que nous sommes fait un tout. Ce n'est pas du format de votre forme. Rappelez-vous que, pour vous dire certaines choses, il nous faut avoir l'autorisation des autres. C'est la même chose pour votre forme : si une cellule n'est pas à l'aise et qu'elle n'a pas l'autorisation des autres, elle se détruira elle-même et ne causera pas de préjudice à votre forme. Par contre, si les autres cellules sont d'accord avec elle, cela vous causera un problème. Le plus petit problème est le cancer. Le plus grand est beaucoup plus radical, il lui suffit de sept jours pour entraîner la mort, mais ce sera pire que cela plus tard. *(Les chercheurs de vérité, IV, 21–04–1990)*

*Q*uelle est la différence entre les Cellules et les anges ?

Sommes-nous des anges pour vous ? Votre réponse pourrait nous flatter, sachez-le. Selon l'influence que vous aurez, selon votre foi, donc vos connaissances, nous pourrions être des anges; si vous enleviez les ailes, cela nous ferait plaisir ! Dans ce sens, cela pourrait être. Mais les Entités, voyez-vous, ne sont pas des anges; nous préférons le terme mémères [commères] parce qu'elles sont fort curieuses. Il faut être à notre place pour les voir agir. Elles ont choisi les incarnations, c'est leur choix. N'empêche qu'elles ont hâte de revenir en grande partie. Donc, c'est leur curiosité, leur volonté de faire ce cheminement. Nous ne vous disons pas que, de leur côté, il n'y en a pas des ratoureuses [qui prennent des voies détournées], qui ne vous influenceront pas, selon encore une fois ce que vous serez prêts à accepter, selon votre vision de la vie. Si, pour vous, un ange devait vous apparaître pour vous guider, pour vous conseiller si vous préférez, pour vous complimenter, si vous souhaitez réellement cela et que c'est perçu de leur côté, parce que vous avez la foi dans votre demande, vous pourriez avoir de grosses surprises. Les Entités sont parfois ratoureuses, elles s'amuseront avec vous. Mais dans le sens profond de votre question, cela dépend tout de même de votre compréhension. Nous vous remercions tout de même de votre compliment. Est-ce que cela répond à votre question ?

> *Pas vraiment puisque vous utilisez le mot Cellule et quand on lit d'autres communications données à des canaux comme Robert par des êtres qui ne se sont jamais incarnés, ils n'utilisent jamais ce mot. Ils disent : êtres de lumière, anges.*

Vous savez, les cellules de vos formes sont aussi de la lumière puisqu'elles peuvent aussi se dématérialiser et se rematérialiser. Il y a des gens qui aiment les choses compliquées. Encore une fois, notre but n'est pas de vous compliquer la vie, mais de vous la simplifier au maximum, même les mots. Vous voulez un beau roman ?... Nous sommes beaucoup de lumière, mais qu'est-ce que de la lumière en fait ? Comprenez bien une chose, nous sommes énergie et tout ce qui est énergie est lumière. Certaines personnes jouent sur les mots parce qu'elles sont influencées. L'Ensemble est tout de même un ensemble et l'utilisation du mot Cellule est une façon simple de vous expliquer qu'il y a un tout. Vous cherchiez ce que Dieu signifiait, nous vous l'avons déjà dit : c'est l'Ensemble. Nous voulons vous faire comprendre — et pour cela nous avons employé le terme cellule — que vos formes sont composées de cellules, que ces cellules forment un tout; c'est une manière de voir que vous comprenez et c'est la même chose avec nous. Si vous préférez l'expression être de lumière, c'est votre choix, mais c'est la même chose. Cependant, vous aurez beaucoup de problèmes à imaginer des êtres de lumière se rassemblant pour former un tout, parce que la lumière n'est pas de notre dimension selon votre compréhension de ce qu'est réellement la lumière. La lumière est l'énergie au point de vue individuel. Nous quatre [Oasis] sommes lumière lorsque nous sommes perçues de vos yeux — parce qu'il y en a qui nous perçoivent. Pour ces gens, nous sommes des lumières, mais nous sommes de l'énergie dans l'ensemble; c'est pourquoi nous apprécions le terme Cellule. Votre Âme est aussi lumière si vous préférez, dans le sens qu'elle vous éclaire, qu'elle peut bien vous diriger en vous éclairant. Les langues sont comme cela : beaucoup de termes, beaucoup de mots, mais les faits sont parfois différents. Est-ce que, cette fois, nous avons répondu à votre question ?

Oui, très bien.

Notre travail avec vous est un travail d'ensemble. Vous pouvez être certains d'une chose à notre sujet : nous savons où nous nous dirigeons, comme tout être de lumière, mais nous préférons nous appeler Cellule. C'est l'ensemble que nous voyons, le but à atteindre avec vous. Nous avons employé le mot Cellule parce qu'il y avait un ensemble à atteindre. Comparez ce groupe et chaque personne de ce groupe à des cellules; si vous préférez, vous pouvez les voir comme cela. Vous vous rejoignez tous. *(Alpha et omega, II, 21–07–1990)*

Q *ui sont les Cellules et comment se situent-elles par rapport aux anges et que sont les anges par rapport aux Cellules ?*

En fait, les anges existent beaucoup plus dans votre imagination; ils représentent ce que vous pourriez percevoir de l'extérieur de vos formes comme pouvant vous rassurer et vous aider. Les anges ne sont pas du tout tels que vos religions vous les ont décrits. En fait, ce sont majoritairement des Entités qui ont joué ce rôle. Il y a beaucoup de subtilité dans cela. Dans votre monde, au moment où cela ne pouvait être expliqué, il y a fort longtemps et en de très rares occasions, il y a déjà eu des dématérialisations chez des gens et on a cru alors qu'il s'agissait d'anges aussi. Mais, en règle générale, c'était beaucoup plus un phénomène d'imagination. Ce que cette forme [Robert] fait devant vous se faisait déjà il y a des milliers d'années et différentes méthodes pouvaient être employées pour obtenir ces résultats. Certaines personnes pouvaient effectivement le faire tout à fait éveillées et pouvaient alors passer pour des anges. Mais des anges comme tels, il ne s'agit que d'un mot, pas d'un fait ! Il y a surtout des gens qui se sont rendus fort intéressants avec cela. Malgré toute notre volonté de vous aider, nous ne pouvons pas nous matérialiser, nous ne sommes pas matière. Remarquez que certains parmi vous vont pouvoir nous situer dans cette pièce, nous voir. Transposez cela dans le temps, dans des contextes différents. Ceux qui nous voyaient et qui pouvaient voir des Entités croyaient voir des anges, car cela ne faisait pas partie de leur dimension. Remarquez bien que ce n'est plus appelé comme cela de vos jours. Il y a quelques milliers d'années, d'accord, les convictions des gens pouvaient les amener à penser que c'étaient des anges, mais actuellement cela n'a pas lieu d'être. Ce ne sont que d'anciens termes répétés à l'époque actuelle, pas la réalité. Donc, il y a plusieurs réponses à cette question. Anges ou archanges ? La réponse serait différente pour chacun de ceux qui les verraient; elle dépendrait surtout de leur habileté à voir, ou à percevoir si vous préférez. Ne dites-vous pas que parfois vos enfants sont des anges et le lendemain, des diables ? Ce que vous percevez de vos mots sont ce que vous voulez bien leur donner comme sens; ce n'est pas nécessairement la réalité. (*Les Âmes en folie, I, 24–04–1991*)

O n est tous des Cellules jusqu'à un certain point...

Vos formes sont composées de cellules, vos Âmes et les Entités étaient des Cellules et retourneront à la dimension des Cellules.

Mais quand les Âmes seront toutes redevenues Cellules, quel sera le but des Cellules et à quoi servira l'Univers ?

Cela n'est pas près d'arriver. Rappelez-vous, il y a plusieurs mondes, pas juste le vôtre. Cela n'aura jamais lieu.

Il n'y aura donc pas de fin des temps ?

Selon votre religion...

Selon l'hypothèse qu'on va tous redevenir Cellules ?
Y aura-t-il un temps où nos Âmes seront toutes des Cellules ?

Ce n'est même pas mesurable en années. Le fait que vous nous posiez cette question montre que vous n'avez aucune idée de l'étendue des mondes. Actuellement, malgré toutes les recherches et toutes les observations faites au niveau des astres, vous n'avez pas touché plus de un dix-millionième de la surface de ce qu'est l'Univers complet. Donc, ce n'est pas près de s'éteindre; c'est beaucoup plus grand que vous pouvez l'imaginer; il y a beaucoup plus de vies que vous ne pouvez croire. Vous mesurez sur cela les chances de visites d'extraterrestres. Ils ne sont pas tous intéressés à venir vous voir, sauf par intérêt d'observation sans plus. Il y en a qui sont là pour aider réellement, pour vous protéger les uns des autres; cela s'accentuera d'ailleurs.

Donc, si on est tous Cellules à la base, on va tous redevenir des Cellules.

Nous avons bien dit que c'était un choix. Lorsque les Âmes ou les Entités redeviennent Cellules, elles ne refont plus cette expérience en règle générale. Mais le moment où elles le feront toutes n'est pas prévu. Nous vous avons dit que l'époque que vous vivez actuellement, celle de votre monde, est la base. Si vous pouviez comparer cela avec d'autres mondes, vous verriez qu'il y en a qui sont beaucoup plus heureux et qui, eux, veulent garder cela. Au point de vue physique, votre monde est très bien. (*Alpha et omega, IV, 22–09–1990*)

*P*armi *les Cellules et les Entités qui vont assister à cette fin de semaine...*

Il n'y aura aucune Entité, seulement des Cellules. Aucune Entité ne sera présente à cet endroit, aucune influence extérieure non plus. Ne vous en faites pas. Lorsque nous allons polariser cet endroit, aucune personne ni Entité ne pourrait vous nuire; vous serez vraiment libres de faire le contact avec votre Âme et de trouver l'harmonie si vous le voulez. Ce sera votre choix. Continuez votre question.

*Quand vous avez commenté l'inspiration guidée qu'a reçue
Jean-Claude pour son tableau, vous avez parlé d'une Entité
qui était haïssable. Est-ce qu'il pourrait y avoir des Cellules
haïssables dans cette fin semaine ?*

Vous pensez à nous ?

Non.

Vous savez, nous sommes ratoureuses parfois, mais jamais
haïssables.

Quelle est la différence entre ratoureux et haïssable ?

Nous avons trouvé ces mots dans cette forme [Robert]; nous
n'utilisons des mots que pour exprimer nos images. Il apparaît
que ratoureux signifie prendre des détours et haïssable signifie la
même chose mais avec un peu trop d'insistance; en ce sens, un
haïssable pourrait même faire choquer les autres. Dans le sens de
la remarque que vous venez de faire, l'inspiration pour cette toile
ne pourrait pas se faire à cet endroit parce que les Entités n'y
auront aucun accès et, croyez-nous, lorsque nous disons aucun,
c'est aucun. *(Alpha et omega, III, 18–08–1990)*

*A**u tout début de la vie humaine, pourquoi les Cellules ont-elles
décidé de s'incarner dans une forme ?*

Nous allons vous donner un exemple pour vous le faire comprendre. Vous aller imaginer une journée très chaude où vous êtes
près d'une très belle piscine. Vous voyez plusieurs personnes qui
se baignent, mais vous êtes assise au soleil et vous avez très chaud.
Quelle est la première chose qui vous viendrait à l'idée ? De vous
baigner, n'est-ce pas ? C'est la même chose pour les Âmes.
Plusieurs en avaient assez d'attendre. Vous trouvez le temps long,
elles aussi ! Elles ont donc essayé de tenter l'expérience de créer
d'elles-mêmes de façon individuelle, c'était une simple démonstration de leur part. Bien sûr, nous parlons de votre monde actuel.
Il représente pour elles un défi beaucoup plus grand que d'autres
mondes et elles doivent le maîtriser. C'est pour cela qu'après avoir
réussi dans votre monde, elles ont le choix d'aller vers des mondes
beaucoup plus évolués en tous points ou de revenir avec nous; ce
sera leur choix. Mais, effectivement, au point de départ, c'était un

goût qu'elles avaient. Vous savez, lorsque vous voulez savoir comment les Entités réagissent, pensez à comment vous réagissez. Elles se sont adaptées à vos formes assez bien, donc elles pensent aussi comme vos formes; bien souvent, c'est le cas. Que faites-vous lorsque vous avez besoin d'aide ? Vous en demandez à ceux qui sont susceptibles de vous aider, sauf que vous faites une erreur lorsque vous le demandez à des Entités et que cela vous est accordé. Pourquoi ? Parce que vous ne savez pas à quelle Entité vous le demandez et cela peut vous causer de drôles de problèmes; ce n'est pas leur dimension réelle.

Donc, si je comprends bien, les Cellules ont autant besoin des formes pour se réaliser que les formes ont besoin des Cellules pour se réaliser.

Actuellement, c'est le cas, à condition que vous parliez des Entités qui veulent se réaliser; alors, nous sommes d'accord. Si vous dites que les Cellules comme nous ont besoin de vos formes, alors c'est faux. Par contre, l'aide que nous pouvons apporter est réelle. N'espérez plus qu'il y ait des Cellules qui partent directement pour aller vers vos formes, ce n'est plus possible. Des Entités, il y en a encore plusieurs, de haut niveau même, qui vont prendre des formes et ce, jusqu'à ce que vos mondes deviennent semblables aux autres, jusqu'à ce qu'il y ait beaucoup plus d'harmonie. Mais il faudra encore plusieurs milliers de vos années pour cela... et cela ne se fera pas directement par des Cellules, ni par d'autres mondes d'ailleurs. Ne mélangez pas Entités et Cellules. Les Entités ont une expérience à faire, une exigence à remplir, à prouver qu'elles peuvent vous maîtriser. Pas nous. Nous pouvons apporter de l'aide pour accélérer, vous aider encore plus; nous le pouvons. Actuellement, il y a 76 groupes semblables à celui-ci dans le monde; on est loin de trois millions tout de même. *(Symphonie, III, 08–06–1991)*

*P**ourquoi les Cellules ont-elles choisi de ne pas s'incarner alors que nous avons choisi ce cycle d'incarnations. Est-ce qu'il y a eu une faute originelle, comme on nous l'a dit...*

Grand mot.

Ou bien est-ce que c'est un choix libre pour se développer davantage ?

Un grand mot surtout dans le monde actuel où les péchés n'existent plus, originels ou autres. En fait, ce n'est pas une faute, c'est un goût qu'elles ont eu. La faute a été de laisser les formes s'exprimer d'elles-mêmes trop longtemps, de les laisser croire qu'elles pouvaient mener d'elles-mêmes leur vie et ignorer leurs buts réels. Ce n'est pas la faute des Âmes si vos formes ont progressé trop rapidement, majoritairement dans les 300 dernières années; et ce n'est pas plus facile actuellement. Nous ne parlons pas de faute; nous parlons plutôt positivement. Qu'est-ce qu'il y a à faire pour remettre cela en place ? C'est une bonne question et nous allons remettre cela en place avec vous d'ailleurs, n'ayez aucune crainte, cela se fera... Les Âmes ont simplement eu le goût. Une question pour vous... vous y répondrez avant que nous y répondions nous-mêmes. Vous êtes près d'une piscine, il faut très chaud et plusieurs de vos amis se baignent; en fait, ils se baignent tous. Qu'aurez-vous le goût de faire ? Vous baigner, n'est-ce pas ? C'est la même chose pour les Âmes, elles ne sont pas plus folles. Elles en voient qui réussissent à bien s'exprimer, à bien maîtriser les formes. Elles voient les formes qui en profitent et cela leur donne le goût de créer avec des formes, ce qu'elles ne font pas dans leur dimension; c'est une justification largement suffisante de leur part. Il y en a d'autres, comme nous, qui avons suffisamment à les regarder faire. Remarquez que, près d'une piscine, vous pouvez toujours vous asseoir à l'ombre où il fera moins chaud; vous pouvez aussi regarder ailleurs et vous aurez moins le goût de vous baigner. C'est une question de choix, vous savez. Ne vous baignez pas maintenant, il ne fait pas encore assez chaud ! *(Les Âmes en folie, I, 24-04-1991)*

S i c'est si important de vivre nos expériences pour grandir, pourquoi les Cellules ne les ont-elles pas vécues ?

Parce que, pour nous, il n'y avait aucun intérêt à vivre cela. Il y a des gens qui apprécient lorsqu'il fait chaud, d'autres non. Ce n'est pas une peur de notre part, nous n'avions tout simplement pas le goût de faire ces expériences. Vous nous avez demandé un remède miracle pour le foie, nous vous avons dit qu'il fallait être votre foie pour voir ce qu'il reçoit. C'est la même chose pour nous. Nous voyons ce que les Entités vivent, mais cela ne nous tente guère; c'était leur choix, pas le nôtre. Vous êtes libres de vos choix, elles sont libres de leurs choix et nous sommes libres des nôtres. (*Les Âmes en folie, IV, 20–07–1991*)

C omment devient-on une Cellule ?

Simplement, en n'étant pas Âme, en n'étant pas Entité. Il n'y a qu'une seule question à laquelle nous avons refusé de répondre : comment nous détruire. Nous avons dit dans des sessions antérieures que votre monde était actuellement à deux doigts de découvrir cette réalité. Soyez assurés que nous ne laisserons pas faire cela; nous ne le permettrons pas. Nous utiliserons des mondes extérieurs au vôtre pour vous empêcher de le faire. Si, pour répondre à votre question, nous vous disons quelle est notre base principale, nous vous disons aussi comment nous détruire. Aussi simple que cela ! Nous ne sommes pas stupides à ce point ! Trois pays dans ce monde actuellement sont sur le point de le découvrir. Ils ont déjà fait des expériences avec certaines matières, et ils sont très près d'y arriver. Ils ne s'y rendront pas. *(L'envol, I, 07–03–1992)*

Q uand vous dites qu'on pourrait vous détruire, vous apportez beaucoup de limites à ce que je voyais illimité.

Vous détruisez votre monde de la même façon parce qu'en nous détruisant, vous vous détruisez.

On détruit notre matière, pas la substance.

Vous croyez que pour détruire votre matière vous ne dégagerez pas des énergies énormes ? Pour détruire la matière, vous devez aussi dégager des quantités d'énergie énormes. [Demande d'autorisation] Si vous dégagez des quantités énormes d'énergie pour détruire la matière elle-même, vous ne le ferez pas avec des explosifs mais en recourant à l'accélération moléculaire. Ce faisant, vous provoquerez des champs magnétiques très intenses et des niveaux vibratoires inconcevables à ce jour dans vos idées, parce que vous n'avez aucune idée de ce que cela peut faire. Si vous détruisez une matière sans pouvoir localiser cette énergie, une chaîne de réactions se produira, pas seulement sur votre monde mais à l'extérieur aussi. L'équilibre, c'est la même chose que dans vos formes. Il ne vous suffit que d'un cancer, d'un simple virus, pas même visible à l'oeil nu, pour que vos formes se détruisent à la chaîne, les unes les autres. Que croyez-vous qu'il arriverait au monde dans lequel vous habitez si les recherches scientifiques actuelles conduisaient à anéantir la matière elle-même ? Ce serait comme dans vos formes. Donc, l'énergie qui retient la matière serait détruite aussi, et cela déstabiliserait l'Univers entier. Cela ne toucherait pas seulement votre monde mais les mondes extérieurs aussi. Pourquoi croyez-vous que depuis ces 10 dernières années vous avez eu autant de visiteurs de l'extérieur ? Ne soyez pas dupes ! Vos gouvernements le savent fort bien. Eux aussi ont reçu des ordres de ne pas dépasser certaines limites. Ils devront s'y soumettre, sinon croyez bien que nous n'aurons aucune hésitation. S'il fallait préserver l'Univers contre seulement votre monde, nous n'hésiterions pas à donner notre accord, pas seulement en pensant à nous mais à tous les autres mondes qui existent. Vous avez intérêt à le comprendre. À ce jour, vous avez préféré faire des guerres internes, sur de basses échelles. Nous ne croyons pas être obligées d'en arriver à de tels compromis; nous ne le croyons pas. Nous avons été chercher les aides nécessaires et ils agiront, ne vous en faites pas. Ne soyez pas trop inquiets en ce qui a trait à la destruction de la matière dans le sens que vous avez compris. Nous verrons à ce que cela ne se fasse pas. Ceux qui iraient contre cela paieraient très cher leur erreur. Notre but n'est pas que vous vous nuisiez, puisque cela nous nuirait aussi. Mais quelle mère de famille, quel père de famille n'hésiterait pas, pour se protéger lui-même et la famille qu'il aime, à détruire ce qui l'entourerait et qui pourrait le détruire lui-même. Le feriez-vous vous-même ?

Je crois que oui.

Vous le feriez avec certitude si votre vie et celles de ceux que vous aimez en dépendaient. Et nous parlons de centaines de milliards de milliards d'individus, pas d'un seul individu ! Vous êtes tellement occupés dans ce monde à vous découvrir vous-mêmes, à vous combattre entre vous, qu'il vous est difficile d'ac-cepter le simple fait qu'il y ait vraiment d'autres mondes ! (*L'envol, I, 07–03–1992*)

*P*lus tôt, on nous mentionnait le doute. Même à ce niveau et dès le début de cette session, nous avons répondu en vous disant : « Vous n'êtes pas obligés de nous croire, mais si cela résonne en vous comme étant bon, c'est cela qu'il faut croire. » Ne nous croyez pas, croyez-*vous*, c'est beaucoup plus important. Nous ne serons pas toujours devant vous dans une session pour expliquer tout cela. Un jour viendra où vous serez face à vous-mêmes et c'est là qu'il sera important d'avoir vos réponses. D'ici là, nous continuerons de tenter de vous apporter le meilleur support, du mieux que nous pourrons. Il a été dit : demandez et vous recevrez. Faites-le et vous verrez à quel point cela peut fonctionner pour vous. *(Diapason, III, 16–05–1992)*

*U*ne fois que l'Âme a choisi de vous rejoindre, qu'est-ce qu'il lui arrive ? Est-ce qu'elle reste perpétuellement au niveau des Cellules ?

Elle ne peut retourner vers le cycle des incarnations.

Alors quelles sont ses possibilités après ?

Vous voulez savoir ses passe-temps ?

Cela m'intéresse aussi, mais je veux savoir quelles sont ses possibilités après que l'Âme vous a rejointes ?

De soutenir vos mondes. Nos rôles sont fort simples : établir des énergies neutres, faire en sorte qu'il n'y ait pas d'abus du côté des Entités et, croyez-nous, nous y voyons réellement.

Vous êtes comme des gardiens à ce moment-là, comme des contrôleurs ?

Selon votre façon de penser, ce pourrait être cela. Mais nous stabilisons beaucoup plus qu'autre chose, sinon il y aurait beaucoup trop d'abus. Non seulement dans votre monde, mais dans tous les autres mondes. Lors de sessions privées, nous avons eu des gens comme vous qui nous ont demandé de faire en sorte d'enlever les influences de certaines Entités, même dans leur domicile. Ces gens ne savaient pas ce que ces Entités y faisaient. Ils avaient la force nécessaire pour les attirer mais ils ne savaient plus comment faire pour s'en débarrasser, même lorsqu'ils le demandaient. Cela nuisait donc aussi à l'Âme de leur forme. Nous avons accédé à leur demande dans ce but. Croyez-nous, l'Entité n'est pas restée longtemps, sinon sa présence aurait nui. Pour faire cela, il faut qu'on nous le demande. S'il n'y avait aucune demande de votre part, nous ne le ferions pas, par respect, par respect pour vos demandes aussi. Alors, nous rétablissons les énergies en voyant à ce qu'il y ait stabilité et en vous aidant aussi, comme ce soir. Il y a d'autres façons aussi. Nous ne le faisions pas de cette façon autrefois. Il nous arrive de nous « moderniser », si cela peut être le terme à employer. Nous croyons que, si des Entités pouvant être des Cellules ont décidé volontairement de rester avec d'autres Entités pour les aider, nous pouvons parfois accéder à leurs demandes. Mais notre rôle n'a rien de celui de vos policiers. Avec des mots, il serait fort difficile, voire même impossible, d'expliquer notre structure, nos dimensions. D'expliquer comment nous pouvons voir vos formes n'est pas non plus à la portée de votre compréhension. Nous avons accès à tout ce qui est matière tout de même, sauf aux formes. Nous devons parfois utiliser l'influence à ce niveau, mais en de très rares occasions, parce qu'habituellement vos Âmes ont accès à d'autres Entités, pas à nous. Cependant, si cela doit servir la collectivité, nous accédons à la demande.

Lorsque l'Âme décide de vous rejoindre, est-ce que c'est pour la fin des temps, est-ce que c'est éternel ?

Selon votre compréhension du temps, il en est ainsi. Dans notre dimension, cela n'est même pas une question. Nous sommes et cela est. Comme les mondes qui vous entourent. Regardez seulement le monde dans lequel vous vivez. Votre planète est encore en pleine mutation elle-même. Elle est loin d'être refroidie et, pourtant, vous dites que vous êtes dans des mondes évolués, des mondes vieux. Nous voyons votre monde comme étant jeune, très jeune même. Alors, tentez d'imaginer l'Univers, tentez seulement ! Ce qu'il vous faut bien comprendre, c'est que même votre monde est important dans la chaîne, dans le maintien, dans l'équilibre de l'Univers. Tout cela est important, et c'est la même chose dans vos formes. Lorsque nous vous disons que par leurs cellules vos formes sont identiques à l'Univers, c'est la même chose, sauf que vous n'avez pas encore le contrôle total de vos formes alors que nous avons celui de l'Univers. Nous tentons de vous faire comprendre vos forces le plus tôt possible parce qu'à ce moment-là, vous serez en équilibre avec le reste de l'Univers. Mais il y a encore trop de doute. Croyez-nous, vous n'avez pas besoin de comprendre la structure de ce que nous sommes, vous avez au-dessus de vos têtes, en regardant l'Univers, le miroir parfait de votre intérieur. Tout se tient, tout vit. Renier cela serait vous renier vous-mêmes. Voyez à quel point vos pensées sont importantes. (*Les colombes, III, 04–08–1990*)

Q*ui êtes-vous ?*

N'avons-nous pas déjà répondu à cela ? Qu'avons-nous donc oublié ?

De préciser comment sont les Entités.

Nous ne sommes pas des Entités. Nous les dirigeons plutôt. Notre rôle est de diriger et de faire en sorte qu'il n'y ait pas trop de désordre du côté de ces mémères. Celles qui ont déjà été des Entités, qui ont déjà terminé leur cycle, ne retourneront certainement plus vers ces expériences. Notre rôle est de mettre de l'ordre, de voir à ce qu'il n'y ait pas d'exagération. C'est notre rôle. Ne vous en faites surtout pas : lorsque nous éloignons une Entité d'une forme, elle comprend, elle n'a pas le choix. Elle sera plus tard une des nôtres. (*Nouvelle ère, I, 29-02-1992*)

Q*uel est exactement votre rôle ?*

Mettre de l'ordre. Nous avons observé des formes qui utilisent des Entités beaucoup trop mémères; rien n'en ressort, c'est toujours les mêmes bases. Dès que vous employez les Entités, vous employez le conscient. L'un ne va pas sans l'autre parce que les Entités utilisent la conscience, le direct. Vous ne pouvez pas avoir accès aux mêmes sources. De plus, les Entités vont avoir d'autres formes, ont le goût d'avoir des formes. Donc, elles vont exprimer ce qu'elles veulent vivre et ce n'est pas toujours adapté à tous. Notre rôle consiste à tout faire pour amener des gens tels que vous vers une conscience différente, de les amener à réaliser eux-mêmes leur vie sans l'aide de tout le monde, de façon à pouvoir réellement comprendre ce qu'ils sont. Pour le faire, il faut mettre de côté les Entités, retourner vers vos Âmes, leur faire percevoir ce que nous sommes, faire des réajustements. C'est très similaire à ce que nous faisons du côté des Entités. Ce que nous avons fait avec la forme devant vous [Robert], c'est une façon de maîtriser différemment, une façon de vous communiquer vos réalités profondes oubliées. Trop de fois nous avons observé des gens en appeler d'autres des Maîtres. Quelle foutaise ! Le seul Maître, c'est *vous*. Ce sera ce que vous voudrez vraiment de vous-mêmes. En fait, nous avions deux choix : tenter l'expérience actuelle, ce qui ne s'était pratiquement pas fait dans le passé, ou vous laisser encore une fois passer par des expériences de guerres plus nombreuses de façon à éliminer plus de formes et à laisser les formes qui survivront rechercher d'elles-mêmes, avec insistance, leur propre foi. Vous nous donnez raison : toutes les fois qu'il y a eu des guerres, les peuples se sont tournés vers les religions, vers leur foi, vers leur amour. Vos pleurs vous ont conduits à cela. À plus petite échelle, regardez vos réactions lorsque vous perdez un parent, un enfant. Vous espérez croire, au plus profond de vous, que cet être aimé sera encore mieux là où il sera et cela vous conduit à vous remettre en question, à rétablir de nouvelles bases. Nous tentons une approche différente, nous tentons de voir à quel point vous pouvez consciemment redéfaire ce qu'inconsciemment vous avez été programmés à vivre, de façon à ce que vous soyez beaucoup plus heureux dans cette dualité que vous représentez. Cela veut dire que nous ne tenterons pas de changer votre monde en entier, nous agirons sur une plus petite échelle. Nous faisons de tels essais non seulement dans votre pays, mais de plus en plus dans plusieurs autres. Nous avions commencé avec neuf pays, et le nombre de pays continue d'augmenter actuellement parce que nous avons aimé les réponses. Nous n'avons pas abordé plus de 1 % de ce que nous devons communiquer encore, de ce que nous voulons que vous soyez. Non, vraiment vous vous ignorez totalement... moins de 1 %. (*Diapason, I, 21–03–1992*)

Pourquoi avez-vous besoin de demander des permissions ?

Il nous faut l'accord de toutes les autres Cellules pour pouvoir influencer votre monde. Vous vivez aussi sous l'influence de textes écrits il y a 2000 ans. Il faut vous ajuster. Il y a unité de notre côté, aucune déchirure ni séparation. Nous sommes quatre et nous ne pouvons pas passer outre à des milliards d'autres Cellules. Il nous faut leur accord. De même qu'il suffit d'une seule cellule de vos formes pour influencer les autres [cancer], de notre côté, une seule Cellule peut perturber l'Ensemble. *(Les chercheurs de vérité, II, 17–02–1990)*

L a distance n'est pas réellement importante pour nous. Les 400 000 Entités présentes ce soir sont libres de rester près de vous ou d'aller explorer dans d'autres mondes sans y participer, comme vous quand vous voyagez. Nous sommes une barrière, elles ne peuvent avoir accès à notre dimension et nous pouvons ainsi maintenir l'ordre, sinon vous auriez encore plus de violence. Nous avons eu un cas où une personne voyait des apparitions le soir dans sa chambre; c'était réel. L'Entité qui était présente ne savait rien de cela et ne pensait pas être perçue. Nous avons fait deux demandes. À la personne, nous avons demandé si son choix était de vivre seule et ne pas sentir l'amour de l'autre monde — car l'Entité voulait l'encourager — ou, si c'était son choix d'éliminer d'elle toute influence possible. À l'Entité, nous avons demandé quels étaient ses buts et nous avons agi avec conviction pour la renvoyer. Nous l'avons ramenée dans cette pièce et elle s'est rendu compte qu'elle était perçue. Ce fut différent pour elle. Nous avons certains droits aussi, des droits de décision. Nous fonctionnons par groupes : le groupe des Entités et des Âmes de votre monde et les groupes des autres mondes, sauf que ces derniers sont plus évolués. Parallèlement, il y a le groupe des Cellules. C'est pourquoi nous devons demander des permissions, pour qu'il y ait unité, une chaîne. L'Univers est identique aux formes : c'est une chaîne et nous agissons comme modérateurs. Nous avons mentionné que plusieurs personnes disent des choses compliquées pour se rendre intéressantes. Vous les suivez en vous disant : « Un jour, je comprendrai ces termes compliqués. » Au lieu de cela, quand des gens vous rendent les choses compliquées, il vous est permis de leur sourire sans les traiter d'idiots. La réalité n'est pas compliquée. Nous ne sommes pas venues pour rendre ces termes complexes. Mis bout à bout, tous les livres portant sur ce sujet pourraient faire le tour de ce monde. À la base, cela va de la simplicité jusqu'à la complexité et même ceux qui ont écrit ne comprennent plus leurs livres. Comme Cellules, nous avons un droit de regard; notre mission n'est pas de rendre complexe mais plus simple. Pour certains d'entre vous, c'est votre compréhension actuelle qui complique ces définitions. Ce qu'il vous faut savoir, c'est qu'il y a deux divisions : la nôtre, qui va superviser et empêcher qu'il y ait abus; nous avons une influence décisive. De l'autre côté, pas dans l'espace, il y a une autre réalité temporaire mais les consciences ne sont pas aussi ouvertes même si les bases sont énergies : ce sont les Âmes et les Entités, dont font partie les guides. Dans chacune de vos vies, vous n'avez l'influence que de une à cinq de vos vies antérieures. Certains auront beaucoup d'expérience, d'autres préféreront les forces intuitives, la médiumnité, la clairvoyance, et diront qu'ils parlent à leur guide, mais cela ne peut les influencer. Cela n'est pas si complexe. Nous sommes toujours surprises de constater avec quelle facilité vous rendez vos tâches si difficiles. *(Les chercheurs de vérité, II, 17–02–1990)*

D *ans les sessions où vous nous avez donné des informations assez nouvelles pour notre compréhension, vous vous êtes arrêtées à certains moments pour demander la permission avant de nous donner la réponse. Cela m'intrigue. À qui demandez-vous la permission ?*

À l'Ensemble, que nous représentons. Pour employer vos termes, nous avons un mandat dans cette forme [Robert]. Il n'y a pas trois millions de Cellules qui l'influencent. Nous avons cru, dans l'Ensemble, que quatre Cellules devraient suffire. Certaines des questions posées sont dangereuses pour nous car il y a danger pour nous de vous en donner la réponse, alors que d'autres questions sont dangereuses pour vous car elles sont prématurées et qu'il y a danger pour vous d'en savoir davantage sur les influences extérieures. En bref, quelquefois, c'est pour vous protéger; d'autre fois, pour nous protéger ou protéger la forme qu'est Robert. Donc, c'est à l'Ensemble que nous avons dû référer. Rappelez-vous, nous vous avons dit que Dieu n'avait pas de nom, n'était pas un homme ou une femme, mais un Ensemble. Toutes les paroles utilisées à travers cette forme ont été soupesées, en toute connaissance de vos réactions et de l'action de ces paroles sur chacun de vous. Donc, nous n'utilisons pas ce que vous appelez le hasard. Nous devons aussi nous en référer à l'Ensemble; nous n'irions pas contre l'Ensemble dont votre Âme fait partie. C'est dans ce sens que nous avons agi. Est-ce que cela vous rend encore curieuse sur cette question ?

Oui et non. Votre fonctionnement m'intrigue. Vous êtes quatre Cellules qui répondez à nos questions. Il doit y avoir d'autres Cellules qui répondent à d'autres groupes. Je dois avouer humblement y mettre un peu de doute. Est-ce que vous répondez toutes de la même façon — parce que certaines de nos questions sont sûrement les mêmes — ou est-ce que vous êtes comme nous, un petit peu biaisées ?

Nous avons déjà répondu qu'il y avait 63 groupes dans le monde actuellement qui fonctionnent de la même façon avec des Cellules. Ce n'est pas énorme si on considère la population totale de votre monde; c'est un grain de sable. Mais nous avons aussi dit qu'habituellement, cela se faisait avec des Entités. Avec les Entités, les réponses étaient aussi diverses que les personnes capables de les contacter. Nous vous avons bien expliqué aussi, pour ceux et celles qui ont bien lu leur résumé de sessions, que l'époque actuelle se voulait être une période non seulement de grande activité dans ce monde, mais aussi de changements. Nous avons bien expliqué aussi que les Entités qui reprenaient de nouvelles formes allaient avoir beaucoup plus d'expérience. Donc, il fallait aussi faire cesser l'influence des Entités le plus possible pour que vous puissiez évoluer de façon plus directe. Effectivement, sur un point vous avez raison, mais nous n'aimons pas le terme biaisé pour qualifier nos réponses; cependant, on pourrait dire qu'elles sont filtrées. Dans les 63 groupes qu'il y a dans ce monde, les informations sont fort similaires, quoique les questions ne sont pas toutes les mêmes. Vous avez des réunions entre ces sessions avec nous, et nous en avons aussi, de façon à nous rendre compte des changements que nous apportons, des nouvelles valeurs aussi dont vous pouvez témoigner par votre exemple, du nombre de personnes qui participent et de la vitesse qu'elles prennent pour contacter leur Âme avec volonté. Nous n'analysons pas seulement vos formes, nous analysons aussi les résultats sur l'Âme en vous. Tout cela, nous l'analysons pour savoir si nous avons choisi la période idéale et les meilleurs milieux pour intervenir et savoir qu'est-ce que cela rapporte. Rappelez-vous que, pour contacter une Entité, les vibrations d'une forme comme la vôtre n'ont pas besoin d'entrer en une transe bien profonde et que cela ne modifie nullement les cellules d'une forme qui le fait. Par contre, pour contacter des Cellules, c'est autre chose : il faut modifier les vibrations des cellules de la forme [comme Robert] pour que celles-ci puissent ne pas avoir peur de nous; il faut aussi rendre le cerveau apte à comprendre. Jamais vous ne pourrez comprendre les efforts que cela nous a demandés. C'était planifié; il y a plusieurs centaines de vos années que nous nous y préparions. Effectivement, il y a des choses que nous ne dévoilerons pas trop vite. Nous vous avons dit, dès le début de cette session, que vous aviez déjà trop de barrières, trop de questions à poser pour aborder certains sujets. Nous n'avons pas dit cependant que nous ne répondrions pas aux sujets. Chaque chose en son temps, comme vous dites; pas plus vite que cela. Si vous étiez directement en contact avec nous, ce serait fort différent parce que communiquer par la parole est très long pour nous. S'il y a 10 ou 20 personnes, pour nous, il s'agit de 10 ou 20 cas différents sur lesquels l'analyse se fera. Il n'y a pas de hasard pour nous non plus, donc nous étudions les résultats et nous cherchons constamment de meilleures méthodes pour vous faire comprendre. Nous nous rendons bien compte qu'avec vos systèmes d'éducation actuels, tout est basé sur l'individualité — de plus en plus d'ailleurs — mais surtout de façon à ce que les cerveaux agissent comme les maîtres uniques d'une forme. Il y a 100 ans, vous n'aviez pas de numéros. Maintenant, vous en avez tous dès la naissance, donc vous êtes de plus en plus répertoriés, de plus en plus individualisés et il y a de moins en moins de recherches sur les valeurs. S'il n'y a pas de changements dans vos mondes actuels où les religions sont abandonnées, c'est que plusieurs ont perdu le goût de la recherche; ils attendent. Donc, cela correspondait pour nous à une ouverture. Pour mieux vous faire comprendre ce qu'est votre vie, c'est cela que nous faisons. Est-ce mieux compris ?

Oui, très bien. (*Les colombes, IV, 08–09–1990*)

*T*out à l'heure, vous avez demandé la permission. À qui avez-vous demandé la permission ?

À l'Ensemble des Cellules que nous sommes. Il nous fallait savoir ce que cette Entité, sur laquelle vous vouliez de l'information, devait vivre dans cette forme [Hachbar]. Donc, nous ne voulons pas lui nuire. Ce n'est pas nous qui suivons cette Entité, mais d'autres Cellules. Nous consultons ainsi parfois. *(Maat, I, 09–11–1990)*

Vous avez déjà parlé de l'imperfection de Jésus. Est-ce que vous, Oasis, en tant que Cellules, vous êtes la perfection ?

Oh ! vous savez, nous représentons l'Ensemble. Vous souvenez-vous, au début de cette session, nous avons dit : nous n'avons jamais eu de formes, notre travail est beaucoup plus de régir tout cela, d'éviter les abus. Soyez rassurés, nous ne voulons pas de formes non plus. Selon le sens que vous donnez au mot perfection, cela stipule faire des erreurs, agir; cela veut dire aussi de façon manuelle. Nous n'avons pas cette dimension. Nous avons cru parfois en certaines Entités et nous leur avons accordé certains pouvoirs que d'autres n'ont pas. Effectivement, il nous est arrivé de les surestimer parce qu'elles étaient plus convaincantes que d'autres, et il est arrivé que cela n'ait pas fonctionné. Mais ce n'est pas vu par nous comme des erreurs, car nous apprenons aussi. Toutefois, nous ne refaisons pas deux fois la même erreur, ce que vous ne faites pas. Vous parlez de perfection... Pour cela, il faudrait une base, une base consciente, pour que votre cerveau comprenne. Vous savez combien pèsent les objets, cela vous permet d'analyser un poids. Nous avons parlé de ce qui était bien et de ce qui était mal; vous en savez la différence. Mais pour que vous puissiez comprendre la perfection, sur quelle base jugerez-vous ? Pour comprendre ce qu'est la perfection, il faut l'avoir connue. Pour pouvoir l'admettre, c'est la même chose. Vous ne nous connaissez pas, vous n'avez aucune idée de notre dimension ni de ce que nous pouvons faire aussi. Donc, si vous nous demandez si nous sommes parfaites, nous sommes aussi parfaites que nous le pouvons. Encore une fois, selon l'Ensemble. Ce n'est pas parce qu'un groupe d'entre nous est près de votre monde actuel que nous pensons toutes la même chose de vous. Notre but est similaire, peu importe le monde où nous sommes, peu importe l'endroit. Nous voulons les mêmes résultats sauf que la collectivité, l'Ensemble, doit approuver ce que nous vous disons, sinon nous ne le disons pas. Dans ce sens, nous avons l'unanimité. Reformulez donc une autre question. *(Le fil d'Ariane, I, 28–09–1991)*

*E*st-ce que les Cellules ont atteint la perfection, la conscience de ce qu'elles sont, comme vous dites, dans le dernier échelon de la hiérarchie ?

Reformulez cela autrement, parce que vous mentionnez la perfection au niveau de la conscience. Cela stipulerait que nous avons des cerveaux.

Non, je veux dire la conscience dans sa perfection. Autrement dit, elle ne peut pas être plus parfaite.

Il faudrait être à notre place pour voir cela. Nous avons déjà dit qu'il nous faut être réunies pour prendre une décision. Même lorsque nous voulions dire certains propos par cette forme [Robert], nous avons été en quelque sorte censurées parce que ça aurait été trop loin. Même si nous faisons partie de l'Ensemble, nous arrivons à être différentes, à avoir des points de vue différents. Mais ce qui nous caractérise, c'est que nous écoutons l'Ensemble; c'est que nous admettons et c'est cela qui fait notre force. Si nous, en tant que quatre Cellules individuelles dans cette expérience, nous voulions désobéir en allant tout de même plus loin, oh ! sur le coup cela passerait, mais par la suite nous serions réprimandées et ces expé-riences cesseraient. C'est aussi simple que cela. Nous sommes régies par l'Ensemble pour ne faire qu'un et à ce niveau nous devons obéir aussi. Nous tenterons toujours d'être plus parfaites. Mais ce serait demander : êtes-vous parfaites à 5, 10 ou 50 % actuellement ? Nous ne saurions répondre. Nous faisons pour le mieux, et vu le nombre que nous représentons et l'entente qui existe, disons que c'est parfait actuellement. Mais parfait pour qui ? (*Le fil d'Ariane, IV, 14–12–1991*)

Vous avez tous notre amour pour votre cheminement qui débute.

*O*asis

*Nous aimerions
tant vous montrer notre
dimension, cet amour
qui se transmet,
cette vibration
continuelle.*

La dimension des Cellules

Parfois, nous aimerions tant vous montrer nos dimensions. Si c'était vraiment possible nous le ferions, ne serait-ce qu'une fraction de seconde. Trop démontrent l'amour par le geste, trop peu par le ressenti. L'amour se vit, il ne se dit pas. L'amour se vit, il ne se démontre pas. Ne cherchez pas l'amour avec vos yeux, ni vos sens. C'est toute votre forme qui s'exprimera dans l'amour. C'est ce qu'il vous faut rechercher, c'est ce qui vous donnera la foi. Certains parmi vous ont reçu de l'aide de notre part et ont cru que c'était le hasard. Très bien, nous n'en sommes pas offusquées, mais il serait bon que vous commenciez à croire que vous pouvez effectivement recevoir de l'aide de l'extérieur de vous. Il est permis d'en profiter.

Qu'est-ce qui nous dit que c'est de l'aide de vous qu'on reçoit ?

Habituellement, cela se fait dans des circonstances où vous ne pouvez plus rien faire, où vous êtes neutres. Et les événements se produisent. Cela se produit généralement lorsque vous ne pensez à rien, comme si votre cerveau cessait de fonctionner. Et tout prend place... Il peut s'agir de vos formes que nous empêchons de bouger. Il peut s'agir d'images qui vous parviennent dans la tête. Il peut s'agir de la même image qui vous revient sans arrêt, jusqu'à ce que vous acceptiez d'agir. Il peut s'agir de gens de votre entourage que nous forcerons à s'ouvrir pour que vous puissiez bouger. Dans les groupes, ce sont surtout les moyens que nous prenons. Pour deux d'entre vous que des problèmes accaparaient fortement, nous avons fait en sorte que ces problèmes se règlent rapidement. Parce que ces personnes étaient trop préoccupées, elles n'auraient pas avancé. Chez l'une, ce fut la rencontre de sa vie. Elle devait absolument trouver l'amour sinon elle n'aurait rien compris, et elle l'a trouvé dans l'autre groupe. Maintenant, c'est fait. Chez l'autre, ce fut à la cour. Peu importe. Ce qui compte, c'est que vous compreniez. Cela ne vous enlève rien que nous agissions pour vous, et lorsque vous serez totalement heureux, vous en profiterez encore plus et c'est très important. Rappelez-vous : si vous êtes heureux consciemment, votre Âme l'est. Si vous vous créez des obstacles, vous lui en donnez. C'est aussi simple que cela comme règle. Donc, il est très important que vous cherchiez absolument à être heureux, c'est la seule quête qu'il vous reste à faire. C'est pour cela que nous irons plus loin dans ces sessions de groupe avec des moyens visuels qui vous le feront voir. Vos sens seront tous mis en oeuvre pour comprendre ce qu'ils sont. Profitez-en pour placer vos formes; vous avez des meilleures chaises qu'auparavant et encore... Serait-ce comme cela dans la vie ? Serait-ce qu'en progressant vous ne vous sentez pas toujours plus confortables et qu'il soit difficile de reconnaître que vous êtes mieux qu'auparavant ? C'est tout cela l'acceptation des changements de soi : apprendre à reconnaître. *(Renaissance, IV, 07–12–1991)*

V ous avez dit : si seulement on pouvait voir votre dimension. Pourriez-vous nous expliquer cela ?

Nous pensions à ce qui se vit dans nos dimensions, à cet amour qui se transmet, à cette vibration continuelle. La foi de l'amour, c'est cela. Difficile à démontrer dans votre dimension. Cependant, isolez un moment de votre vie où vous avez été très heureux, où toute votre forme vibrait d'amour. Tentez de le vivre à chaque seconde de votre vie et vous verrez quelle est notre dimension. Nous avons de l'amour pour vous. Si nous n'avions pas cet amour, nous ne ferions pas ce que nous faisons actuellement. Pour nous, ce n'est pas seulement une vie que nous prenons en faisant cela, c'est plusieurs dizaines que nous allons aider. Vous vous êtes rendus à cette quatrième session par volonté, non par entêtement. Sinon, nous aurions tiré les ficelles nécessaires pour que vous n'y soyez pas. Cela aussi nous pouvons le faire. *(Renaissance, IV, 07–12–1991)*

J 'aimerais que vous nous décriviez votre monde.

Il vous serait très difficile de concevoir ce que nous pouvons être. Avec les sens que vous avez actuellement, qui sont très physiques, il vous est très difficile de comprendre comment des énergies peuvent à la fois être conscientes et avoir suffisamment de force lorsqu'elles le veulent pour bouger des formes telles que les vôtres — par des influences, direz-vous, mais tout de même. Pour bien nous comprendre, il vous faudrait aussi percevoir la matière comme nous la percevons. Vous êtes limités par des dimensions actuellement. Nous n'avons pas ces limites. Prenons une pomme, par exemple. Vous en voyez l'extérieur seulement alors que, pour nous, l'extérieur n'existe pas; il n'y a que des ensembles de molécules réunies les unes aux autres. Nous en voyons aussi bien l'intérieur que l'extérieur. Pour vous, c'est de la matière. Pour nous, ce n'est que la démonstration d'une certaine forme d'énergie à très basse vibration, tout comme vos formes d'ailleurs... C'est un peu comme si les atomes qui composent vos formes s'élevaient pour flotter dans l'air et que, tout à coup, par simple volonté, ils se réunissaient ensemble. Les Cellules, comme nous, comme les Âmes, comme les Entités aussi, sont des forces d'énergie ayant des cycles de vibration fort différents. Ne nous comparez pas à de l'électricité, bien sûr. Il existe très peu de mots pour décrire ce qu'est notre monde. Effectivement, si vous passiez immédiatement dans notre dimension, ce que vous verriez vous ferait peut-être un peu peur, non pas par l'apparence mais par la luminosité de notre monde. Vous n'avez aucune idée de ce que peut être cette clarté. Il n'y a pas une seule forme dans votre monde qui pourrait ouvrir les yeux face à cette clarté. Nous sommes à la fois une Cellule, malgré les milliards de Cellules qui nous composent. Il vous faut savoir aussi que, lorsqu'une seule des autres Cellules peut communiquer, comme lors de l'expérience que vous vivez actuellement, peu importe ce que sera l'information, les autres le savent et peuvent accorder ou ne pas accorder la permission de répondre. Donc, même si nous sommes quatre actuellement dans cette pièce, il nous faut quand même rendre des comptes et demander aux autres, mais cela se fait de façon immédiate. Vous avez des distances, mais nous n'en avons pas. Nous nous rejoignons constamment, nous sommes interreliées, un peu comme ces molécules qui composent la pomme. Nous pouvons être à un endroit par intérêt, mais nous pouvons aussi être ailleurs, ou pas du tout. Nous sommes des énergies conscientes. Il y a très peu de mots pour nous décrire dans vos formes. Nous pouvons être perçues, ressenties par certaines personnes, mais vous n'en avez pas encore l'habitude... Quelques instants, nous allons faire entrer des Cellules autour de vous. Ceux d'entre vous qui sont un peu plus habitués à percevoir vont percevoir un peu plus. *(Les flammes éternelles, II, 02–02–1991)*

M *oi, je chante des chansons, est-ce que vous savez chanter ?*

L'énergie qu'il y a dans notre dimension est fort similaire. D'ailleurs, vous pouvez l'entendre grâce à certains équipements qui servent à écouter ce qui se passe à l'extérieur de votre monde. Vos radiosatellites transmettent aussi ces sons; on les appelle « chant de l'Univers ». Ces sons sont fort similaires aux sons que nous émettons, mais pas dans le sens de votre question. Cela se fait plus souvent du côté des Entités par contre; elles modifient leurs énergies plus facilement. Nous, nous n'avons pas le choix de le faire mais les Entités le peuvent, sauf que ce n'est pas dans le sens où vous l'entendez. Vos chants font partie de vos façons de vous exprimer, de vous développer, de vous faire confiance. Ils font partie du développement de vos formes; nous, nous n'avons pas ces formes. *(Les flammes éternelles, II, 02–02–1991)*

J *'aimerais que vous commentiez un livre que j'ai lu dernièrement.*

L'avons-nous lu ? Continuez avec votre livre, parmi tant d'autres que vous avez lus... Demandez à Philippe, il en a lu plusieurs ! Il en lit beaucoup moins; il pourrait vous en prêter quelques dizaines et un peu plus même. Mais continuez votre question fort intéressante.

Je voulais que vous commentiez le livre La dernière valse des Tyrans de Ramtha ?

C'est votre question ?

Oui.

Beaucoup de foutaise. Beaucoup d'histoires, beaucoup d'imagination. Que vous êtes donc portés à vous poser des questions sur nos dimensions ! Que cela nous amuse ! Si vous saviez la simplicité qu'il y a. Votre dimension est compliquée comme ce n'est pas possible. Plus vous lirez de ces livres, plus vous poserez de questions, plus vous aurez peur. Nous aurions nous-mêmes très peur d'ailleurs. Dans nos dimensions, celle des Entités ou la nôtre, il n'y a pas grand place pour des tyrans. Pouvons-nous vous suggérer que les tyrans ont déjà deux jambes et des souliers dans les pieds. Ce n'est pas notre dimension. Pouvons-nous suggérer que Ramtha a trop écrit; il doit s'être fait des ampoules aux doigts. Lisez des choses plus sérieuses comme des bandes dessinées; au moins, vous pourrez vous amuser. Vous pourrez toujours alimenter un feu avec du bois; de même, vous pourrez alimenter vos craintes et vos peurs avec de la lecture, mais vivre est une autre dimension, fort différente. Il n'y a pas le bruit de vos automobiles dans notre dimension, il y a beaucoup plus de silence que cela. Personne ne crie non plus. Il y a bien ces mémères [commères], ces Entités, mais nous nous en accommodons. Notre commentaire a été très court : foutaise. Lisez moins, vous vous entendrez un peu plus. Vous allez vous rendre compte, si vous lisez moins, que les silences ne sont pas des silences, qu'il se dit beaucoup plus de choses, beaucoup plus de mots dans les silences que dans la parole. Pensez à cela lorsque vous rangerez ce foutu livre, qui est trop cher d'ailleurs. *(Harmonie, IV, 16–02–1991)*

I l y a deux livres dont je veux me servir comme livre de références pour m'aider à grandir et je voudrais savoir ce que vous en pensez. Ce sont des livres anglais qui sont la base de certains enseignements actuellement. Le premier est Science of Mind de Ernest Holmes.

Ce livre est quand même très technique, mais cela reste dans notre façon de voir. Dans un certain sens, il est très bien, il tient de la réalité. Vous voyez, Martin, qu'il y a du positif.

L'autre livre est A Course in Miracles publié par The Foundation of Inner Peace.

Le nom est très évocateur. Par contre, bien qu'il soit bien écrit et que ce soit bien vivable même, il ne faut pas tout prendre au pied de la lettre. Si vous y retrouvez des passages qui vous aident à passer au travers des expériences, qui vous encouragent à aller plus loin, ce sera valable. En fait, il y est beaucoup question de motivation. Il y a tout de même beaucoup de positif dans ces deux livres, mais il ne faut pas seulement les apprendre par coeur. Vous pourriez les faire lire à Daniel, on y parle beaucoup moins de tyrans !... Vous trouverez tout de même mieux que ces livres. Lorsque vous aurez trouvé le livre que vous cherchiez, le plus important est qu'il soit surtout positif et que vous ne vous y attardiez pas, sinon il deviendrait un modèle de vie alors qu'il ne serait pas le reflet de ce que vous êtes. C'est comme dans la vie, trop de gens s'arrêtent et ne vont pas plus loin. Donc, de vous arrêter sur un livre, même si vous l'appréciez beaucoup, ne vous ferait pas aller plus loin. *(Harmonie, IV, 16–02–1991)*

V *otre réponse à la question précédente ressemble beaucoup à votre réponse à ma question au sujet d'un autre livre, comment faites-vous pour évaluer d'une façon globale le contenu d'un livre ?*

Par ce que vous en avez déjà imaginé vous-mêmes.

Parfois on se trompe dans la façon dont on se l'est imaginé.

Oh ! croyez-vous ? Nous savons nous faire une idée, vous savez. Lorsque vous posez une question comme cela, nous comparons votre version à tout ce qui se rattache au livre. Nous ne sommes pas à un seul endroit, ne l'oubliez pas. Nous avons aussi parlé de l'auteur; nous tenons compte des deux. Si vous n'avez pas eu l'imagerie suffisante de ce que vous avez lu, nous irons voir ce que l'auteur pensait. La distance entre le stationnement de cet édifice ou les rues avoisinantes et la Chine ou le Japon est la même pour nous. Trouver un auteur n'est donc pas très compliqué et encore moins ce qu'il pensait. Vous n'êtes pas le seul à lire ces livres. Tout ce que vous pouvez penser, si cela nous intéresse, nous allons l'écouter. Nous ne sommes pas obligées de vous le dire à toutes les fois. Vous voyez qu'il y a des bons côtés à notre dimension. Nous puisons aussi dans tout ce qui est pensée similaire, pourvu que ce ne soit pas des mots. Si ces pensées étaient imagées, nous les prendrons en considération, surtout si cela doit nous servir pour une réponse. Il est déjà arrivé que des livres qui nous paraissaient non valables l'ont finalement été, et nous l'avons mentionné; cela dépend des cas. Peut-être que les livres étaient du même auteur. Il y des gens qui fabulent beaucoup lorsqu'il y a un intérêt monétaire à le faire. En fait, s'il fallait vendre un livre décrivant notre dimension, il ne se vendrait pas; vous auriez des pages blanches. En fait, vous aimeriez mieux l'entendre ou le vivre. Prenez tous ces livres qui touchent aux sciences ésotériques. Vous les rangez dans votre bibliothèque pour vous rendre compte qu'une fois lus, ils veulent tous dire la même chose, sauf qu'ils se compliquent beaucoup la tâche, question d'être tous plus intéressants les uns que les autres. Il faut faire une distinction entre réalité et roman. Si nous avons parlé de façon ordinaire du livre que vous lisiez, c'est qu'il était ordinaire. Vous êtes libre de penser que nous nous sommes trompées... nous n'avons pas de lunettes, vous savez. *(Harmonie, IV, 16–02–1991)*

*C*e que je trouve bizarre, c'est que vous semblez savoir et comprendre tant de choses alors que nous, dans nos formes, on semble ne rien comprendre. En s'incarnant, on semble s'être coupé d'une source. Vous n'avez pas de forme physique, vous avez une compréhension très large et vous avez beaucoup de réponses que nous n'avons pas. Comment cela se fait-il ? Est-ce l'incarnation qui nous ferme ?*

Il y a plus que cela. Vous êtes un petit groupe alors que nous nous référons à des milliards d'expériences. Si vous avez eu 3000 vies auparavant, c'est déjà beaucoup plus que le petit groupe ici. Nous prenons nos sources à différents niveaux. Il n'est pas difficile de voir les résultats de vies qui ne fonctionnent plus et de comprendre pourquoi. Nous avons le temps pour cela, dites-vous, alors que vous passez votre temps à autre chose. Donc, la compréhension vient de ce que nous pouvons analyser ces faits puisqu'il y a plusieurs faits à voir et à analyser. Nous ne prenons pas les exemples uniquement sur ce continent non plus. Effectivement, vous êtes tellement occupés à vivre que vous ne prenez pas nécessairement le temps de comprendre comment vous vivez. Donc, vous vivez avec des expériences cumulatives, parfois heureuses, parfois malheureuses, et vous faites vos vies comme cela. Cela vous convient ? Tant mieux. Cela ne vous convient pas ? Tant pis. Vous agissez tout de même comme cela. Et dans le monde qui se développe actuellement et que vous devez changer, c'est l'indifférence qui se développe. Il vous sera difficile de vérifier votre amour collectivement. Simple parenthèse : nous ne voulons pas faire de politique mais, vous savez, plusieurs nous ont demandé autrefois pourquoi le Québec semblait privilégié par rapport à d'autres coins du monde et s'il l'était vraiment. Nous pouvons vous répondre à cela actuellement. Vous êtes un terrain d'essai privilégié à bien des points de vue. Collectivement, il vous faudra vous prouver votre amour, voir à quel point vous vous tenez ensemble. Vous ferez un rejet ou une acceptation, mais tout s'est fait dans le sens de vous forcer à des décisions. Voyez que cela va plus loin que votre quotidien. Les expériences vont au-delà des pays, même vers des continents. Effectivement, à plusieurs niveaux des essais sont faits. Cela nous aide beaucoup à vous comprendre dans vos changements. *(Les Âmes en folie, III, 22–06–1991)*

*V*ous nous dites d'aller au-delà des connaissances... Plusieurs ici ce soir voudraient que la session se passe au niveau du senti. Est-ce que c'est possible de nous l'offrir ?

Ce que nous appelions bain d'énergie ? Vous faire revivre ce que nous venons d'offrir à Jean-Pierre ? Nous l'avons fait il y a plus de deux ans avec quelques personnes et il y en a encore parmi elles qui ne se sont pas retrouvées. Jusqu'à quel point vos formes peuvent-elles être prêtes à cela ? Ce sont des preuves que vous nous demandez en fait. Qu'est-ce que cela vous donnerait de plus : changer tous vos quotidiens d'un seul coup, refuser votre quotidien actuel ? Ce n'est pas un cadeau que nous vous ferions. Nous l'avons offert à Jean-Pierre parce que nous savions qu'il avait une demande à ce niveau, que sa forme était déjà prête à le subir; nous savons aussi les efforts qu'il lui aura fallu pour briser son foutu conscient, au niveau des connaissances livresques. Cela lui a demandé énormément d'efforts, énormément de volonté, énormément de pratique aussi. Nous savons fort bien qu'il saura le prendre comme un cadeau. Nous le lui offrons pour ses efforts, pour ses demandes répétées. Que de recherches il faisait pour percevoir, même lors de ses méditations ! Ce n'est pas au niveau du cerveau que nous sommes perceptibles. Comprenez bien que, si nous vous faisions vivre cela ici même, il n'y a pas plus de trois personnes qui pourraient vraiment bien le vivre. Au bout d'une heure, les autres ne seraient plus dans leur quotidien, et nous n'exagérons pas. Lors de la fin de semaine, plusieurs Cellules seront attribuées à chacun d'entre vous : c'est à ce moment-là que ceux qui seront prêts à le recevoir le vivront. Ceux qui attendent et qui crient pour recevoir, nous vous conseillons de mettre l'analyse de côté, vous n'êtes pas prêts. Vous nous demandez de renaître mais vous n'êtes pas sûrs de le vouloir; vous aimeriez ressentir l'Âme avant. Vous n'êtes pas placés pour faire de tels choix. Faites les premiers pas. Ne demandez pas le dessert avant d'avoir fait l'effort ! Vous voulez des preuves dans votre quotidien ? Nous pouvons vous en donner, pas à ceux qui nous nuisent par contre, mais à ceux qui veulent bien être ouverts et accepter de vivre. Pour chaque effort que vous ferez, nous en ferons un aussi; sachez au moins les reconnaître. Vous pourrez toujours demander à Jean-Pierre ce qu'il aura ressenti. *(Diapason, IV, 06–06–1992)*

P ourriez-vous nous faire vivre quelques instants l'amour de votre dimension ?

C'est pour cela que nous vous avons dit au début que nous allions faire entrer des Cellules pour ceux qui ont trop froid. Elles n'ont pas arrêté. Si vous deviez vivre un seul instant ce que Robert décrit comme 10 orgasmes et cela en moins d'une seconde, si vous deviez prendre le tour de vivre avec cela, vous ne voudriez plus de votre quotidien. Ce serait aussi un danger. C'est aussi ce qui encourage Robert à faire ce qu'il fait. Cela devient une drogue, vous savez. Rhéa sait très bien de quoi nous parlons; il y a Chantal aussi qui a perçu cela à plusieurs reprises. Disons qu'un millième de ce que vous pourriez ressentir est déjà beaucoup. Vous voulez savoir ce que cela peut être ? C'est très simple : vous avez juste à vous refermer un peu sur vous-mêmes et ne pas avoir trop d'idées, nous allons augmenter le nombre de Cellules dans cette pièce pendant quelques instants... Cela pourrait se faire aussi sur des bases individuelles. *(Harmonie, IV, 16–02–1991)*

P ourriez-vous nous décrire comment c'est dans votre dimension ?

Dans quel sens posez-vous cette question ?

On dit que, lorsqu'on meurt, on va au paradis et que, lorsque les gens meurent, ils sont bien. Est-ce que c'est vrai ?

Les gens eux-mêmes ne le savent pas. L'Âme est bien, bien sûr. Dans certains cas uniquement, plusieurs Âmes restent avec l'impression qu'elles sont encore des formes parce qu'elles regrettent beaucoup leur expérience quand cette dernière s'est arrêtée trop vite; ces Âmes ont des problèmes d'adaptation. D'autres sont heureuses de se retrouver ensemble. Le paradis, tel que vous le concevez est déjà sous vos pieds, vous y êtes tous les jours et vous ne le voyez pas, mais c'est actuellement au niveau des formes. Nous avons répondu à cela en vous disant que votre monde est l'un des plus beaux et c'est toujours exact.

Le vôtre, comment est-il ?

Vous comparez cela au paradis ? Vous seriez peut-être déçu : pas d'objets, pas de bicyclettes, rien de cela; mais nous avons des déplacements plus que rapides parce que pour nous les distances n'existent pas; c'est le même endroit partout. D'autres diront que notre monde est un monde de lumière. Effectivement, si vous aviez des yeux, ce serait vrai. L'électricité est aussi lumière. Toutes les sortes d'énergie, même celle de vos formes, sont lumineuses. Dans ce sens, c'est exact. C'est pourquoi nous sommes souvent perçues comme des points lumineux très intenses. Notre dimension... Il nous faut trouver des termes pour vous faire comprendre cela... Les sons peuvent être entendus parce que, même si nous n'avons pas vos bouches, les énergies qui se croisent, qui se contactent, sont très près des sons que vous pourriez entendre avec vos radiotélescopes; ils ressembleraient à des chants peut-être, à vos oreilles. Notre monde est lumineux selon nos perceptions, mais vous n'avez aucune idée de l'intensité. Prenons un exemple. Si vous étiez transportés consciemment dans notre dimension, vous ne pourriez pas ouvrir les yeux, c'est certain, et il n'y aurait pas une seule cellule de vos formes qui pourrait tolérer cela : vous voudriez nous rejoindre, vous seriez plus qu'émotifs, votre forme entière réagirait. Il est difficile de vous faire comprendre ce que serait une dimension où il n'y aurait de vécu qu'au niveau de nos intentions. Plusieurs de vos formes, lors des sessions, nous ressentent et deviennent émotives; c'est qu'elles réagissent aux perceptions de ce que nous sommes. Lorsqu'elles nous ressentent, elles deviennent complètement transportées, hors d'elle-mêmes; elles vont pleurer sans savoir pourquoi. Les cellules de vos formes réagissent, c'est une raison. C'est aussi pourquoi ce que nous avons fait il y a quelques années, que nous avions appelé bain d'énergie, ne sera pas refait avant plusieurs années. Trop nombreuses ont été les formes qui nous ont perçues, trop forts ont été les changements; vos dimensions ne les intéressaient plus. C'est comme tenter de vouloir inventer une automobile, sachant que cela existe déjà. Lorsque vos formes nous perçoivent totalement, elles ont des problèmes d'adaptation à leur dimension, comme si elles se disaient : « Mais à quoi sert de vivre », puis elles comprennent qu'elles font partie de cette source que nous sommes, qu'elles peuvent la canaliser, qu'elles peuvent l'utiliser. Pour ce faire, elles ont leur Entité, elles ont leur Âme — nous ne laissons tomber personne, ni Entité, ni Âme — et alors elles se rendent compte du but de leur vie et c'est là qu'elles font des changements et des modifications. C'est aussi une réponse à la question posée au début de la session au sujet des personnes qui disent : « Mais nous contactons des Cellules. » Dans leur coeur et dans leur Âme, elles vibrent comme si nous étions près d'elles, mais pas dans les faits. En d'autres termes, leurs formes recopient une part de nos vibrations, un peu comme une empreinte. Recopiant cela, elles croient être avec des Cellules et l'utilisent de cette manière, avec le nom, mais ce n'est pas ce qui se produit dans les faits. Si vous avez bien remarqué, dans les sessions passées et surtout dans les dernières, il n'y a pas eu beaucoup de visiteurs. Personne ne nous a demandé pourquoi il n'y avait pas autant de Cellules qu'auparavant à observer. La réponse est très simple : trop de vos formes pouvaient recopier leur énergie, c'était encore trop. Nous nous ajustons, nous l'avons dit. Il y aura des Entités de temps à autre ou de petits nombres de Cellules comme nous. Nous vous réservons plutôt les grands nombres pour le cours [fin de semaine], pour que vous puissiez comparer réellement. Vous le ferez, n'ayez aucune crainte. *(Symphonie, III, 08–06–1991)*

S i vous êtes ici ce soir, c'est que vous n'êtes pas comme tous les autres, c'est qu'il y a en vous une volonté, une curiosité en partie, mais il y a plus que cela. Il y a une volonté d'aboutir à un résultat. Étant donné le monde où vous vivez actuellement, nous comprenons fort bien vos demandes. Il doit y avoir place pour autre chose que le matériel, sinon vous perdrez et votre identité et votre individualité; nous ne parlerons même plus de simplicité. Selon la mission que nous avons dans cette forme [Robert], nous avons tout fait et nous ferons toujours tout pour que vous compreniez bien cela. Ce n'est pas plus facile pour nous de répéter. En fait, ce n'est pas nous qui répétons, c'est cette forme lorsque nos idées lui parviennent et que ces impulsions et ces images sont traduites en mots. Ces images sont toujours données avec amour pour que vous compreniez bien, pour que ce soit de plus en plus simple. Nous pourrions trouver des centaines de définitions de l'amour, et des millions s'il le fallait, parce que vous êtes tous différents. Avec un groupe comme le vôtre, nous tentons de ramener cela à une seule définition pour ne pas compliquer ce qu'est le sentiment de l'amour. Dans un autre groupe, nous avons dit aussi que de vivre ses émotions était se respecter. En effet, une personne qui se respecte a le droit de montrer ses émotions. Est-ce que ce serait comme pour vos couleurs ? Gênant parfois, suggestif, très suggestif ? Lorsque nous sommes avec un groupe, nous devons aussi tenter de percevoir ce que sont vos émotions, vos couleurs. Ce n'est pas facile, vous appelez cela de la gymnastique. Il nous faut non seulement aller vers cette forme [Robert] mais aussi tenter de percevoir ce qu'elle peut voir dans vos dimensions, ce qui est hors de notre compréhension. Cela nous demande aussi un effort, croyez-nous, et ce n'est pas toujours évident pour vous. Même si nous n'avons jamais été incarnées dans des formes, nous comprenons toujours de plus en plus et nous en sommes très fières. (*Les chercheurs de vérité, IV, 21–04–1990*)

*P*endant que vous nous parlez, où est l'Âme de Robert ?

De notre côté actuellement. C'est sa dernière incarnation. Elle ne reviendra plus sous ces formes, ni sous aucune autre forme. C'était déjà voulu. Lorsque cela se produit, lorsqu'une Âme peut quitter la forme aussi librement, le conscient de la forme en est aussitôt avisé. Cela demande une très grande maîtrise. C'est aussi pour cela que son cerveau, au début de cette session, a très bien maîtrisé la forme et nous a laissé savoir aussi les dangers qu'elle courait afin que son Âme revienne, ce qui s'est produit à quatre reprises dans cette session; c'est pour être bien certain que ce soit son Âme et non une autre qui revienne. Nous avons établi des codes avec les années. Françoise a d'ailleurs un code pour nous prévenir si nous n'étions pas assez nombreuses, afin que son Âme réintègre sa forme et lui redonne vie le plus tôt possible. Mais son cerveau est aussi au courant de ces codes et c'est une double protection. Nous ne laissons rien au hasard puisque le hasard n'existe pas. Il arrive parfois que son Âme reste dans sa forme. Cela nous aide à avoir un meilleur échange, un échange plus rapide. Mais nous ne l'utilisons pas souvent, car nous tenons à ce qu'elle vive son expérience jusqu'à la fin. *(Les pèlerins, III, 05–05–1990)*

E st-ce que vous connaissez toutes les langues ?

Nous utilisons les langues que la forme [Robert] aura déjà utilisées. Nous utilisons l'imagerie uniquement, pas le langage. Lorsque ce cerveau devant vous retransmet ces images par la parole, nous vérifions ce que vous avez reçu comme impulsions par ces mots pour être certaines que c'est vraiment notre pensée qui a été exprimée. Nous n'utilisons les mots que dans la communication par les formes; nous-mêmes, nous utilisons l'imagerie, votre Âme aussi. C'est pour cela que vos rêves sont importants. *(Alpha et omega, II, 21–07–1990)*

N ous trouverons d'autres méthodes s'il le faut, d'autres exemples. Avec la forme devant vous [Robert], nous avons travaillé plusieurs nouveaux projets, et nous en avons d'autres. Oh ! pour recevoir, il recevra encore, mais nous savons qu'il nous donne beaucoup. Nous avons encore besoin de cette forme, bien sûr. En fait, nous l'avons choisie pour une raison fort simple : pas parce qu'elle nous souhaitait, elle ne savait même pas ce que nous étions. Il y a un peu plus de 10 de vos années, elle ignorait totalement tout cela. Nous l'avons choisie pour sa simplicité, mais surtout parce que nous étions certaines qu'elle ne chercherait pas à s'influencer avec ce que nous dirions. Nous avons mis cette forme à l'épreuve à plusieurs reprises... Elle a toujours résisté : jamais elle n'a lu la transcription de nos sessions, jamais elle n'a voulu écouter les messages que nous avions pour elle. C'est cela qui nous a fait la choisir; en effet, nous savions qu'elle garderait sa simplicité et que ce qu'elle pourrait retransmettre serait de nous, qu'elle ferait les efforts nécessaires pour faire ce travail et le rendre à son terme malgré ses désavantages et l'usure qu'il entraîne. Robert aurait pu faire une vie de beaucoup meilleure à celle-ci et avec beaucoup plus de facilité même, monétaire surtout. Mais nous avons quand même vu à ce qu'elle ne manque de rien. [...] Donc, chacun de nos mots, chacune de nos paroles ont été étudiées avant la session, et nous faisons la même chose lors des sessions privées. En effet, nous ne perdons jamais de temps; nous ne le faisons pas pour nous, mais pour cette forme. Vous n'avez pas à la plaindre, c'était son choix et c'était aussi le nôtre; et nous savons qu'elle en est très fière. Après tout, n'oubliez pas que cette forme, telle que nous l'avons acceptée aussi, s'est mariée avec nous. Elle en porte le jonc et cela nous ne l'avons pas encore oublié. Donc, le travail que nous avons n'est pas une mince tâche. *(Maat, IV, 09–02–1991)*

*C*ompte tenu de ce que vous venez de nous dire, est-ce qu'on pourrait vous poser une question dans une langue étrangère puisque vous êtes capables de percevoir nos pensées ?

Dans certains cas, mais il ne faudrait pas oublier non plus que c'est ce cerveau qui nous retraduit tout cela par cette forme [Robert]. Donc, si cette forme a déjà eu des expériences similaires, nous pourrons recevoir l'information mais, en règle générale, les langages comme tels ne font pas partie de nos moyens de communication. Nous pouvons tout de même intervenir dans certains cas, mais dans certains cas uniquement. Par exemple, si quelqu'un traduit à une autre personne du français [langue de Robert] à une autre langue et qu'elle visualise bien ce qu'elle traduit, nous pourrons corriger si elle ne le traduit pas correctement. Les langues servent uniquement entre vos formes. Nous n'entendons pas ces voix ni les sons d'ailleurs, pas de vos dimensions. Il faut bien comprendre aussi les qualités de visualisation. Certaines personnes gardent ces images dans leur tête, ne les sortent pas d'elles et nous ne pouvons les capter. Nous avons expliqué au début de cette session d'ailleurs que les vibrations des Entités étaient différentes des nôtres. C'est ce qui fait qu'il y a des divisions dans nos dimensions. Mais il est plus facile pour nous de comprendre ce que les Entités disent, ou visualisent si vous voulez, car leur langage est plus similaire au nôtre. Donc, effectivement, cela demande beaucoup d'ajustements. Il y a des formes très ouvertes. Par exemple, si vous voulez visualiser quelque chose et que vous n'y croyez même pas, cela n'aura pas d'importance pour votre cerveau. Il vous communiquera une image, mais uniquement dans votre tête. Donc, il doit y avoir le désir de communiquer, le désir de visualiser. C'est pour cela que certaines personnes d'un autre groupe que le vôtre nous ont posé la question suivante : « Comment se fait-il que nous pouvons voir ce qui se passe dans un continent et pas ce qui se passe un étage plus bas ? » Voyez-vous, dans la collectivité d'un peuple, les gens ont des émotions, ils les traduisent en images, et pas seulement une personne mais des milliers, donc nous le comprenons. Nous pouvons voir ce qui se passe un étage plus bas si une personne d'entre vous est dérangée au point d'imaginer ce qui s'y passe, ou encore si nous ressentons les dérangements dans certaines formes, ce qui nous ferait nous poser certaines questions. C'est plus complexe que vous ne le croyez, mais chose certaine, les barrières de langues existent. Ceux qui vous diront qu'ils peuvent entendre dans toutes les langues, c'est qu'ils connaissaient déjà ces langues. Dans ses études, le cerveau de cette forme [Robert] a appris un peu d'anglais, un peu d'espagnol, et très peu d'allemand. Nous poser une question dans une autre langue que celles-là, ce serait inutile. Vous auriez sûrement une réponse mais cela dépendrait de l'habileté de la personne qui la poserait. *(Les Âmes en folie, III, 22–06–1991)*

*V*ous avez dit de visualiser, d'imager quand on veut communiquer avec des Cellules ou notre Âme, car vous ne comprenez pas les paroles. Comment faites-vous, ici durant les sessions, pour nous comprendre ?

Nous nous servons de ce cerveau [Robert] qui nous retransmet vos paroles en images directement, complètement. C'est une habitude pour cette forme. Toutes les personnes visuelles sont comme cela, leur cerveau image continuellement leur propos. *(Symphonie, III, 08–06–1991)*

I l y a beaucoup de personnes qui disent contacter des Cellules depuis qu'elles ont suivi les sessions et ces personnes sont semi-conscientes, est-ce possible ?

Elles ne contactent pas des Cellules, que ce soit très clair. Oh ! c'est toujours possible, nous avons dit déjà qu'il y aurait d'autres ouvertures, mais pour pouvoir nous contacter directement, il faudra que ces formes soient dans l'état de Robert actuellement. Autre point : nous devrons nous assurer aussi que la personne qui le fera ne nuira pas à sa propre famille. Vous savez ce que cela demande à une forme : une bonne partie de sa vie. Les besoins monétaires ne sont pas nos critères. Nous avons plus de choix que cela. Par contre, il faut bien comprendre que plusieurs nous perçoivent; avec les sessions privées et de groupes, ils ont réussi à nous percevoir et même très bien. Ce qui se passe chez ceux dont vous parlez est différent. Leur Âme va jouer le jeu, question de ne pas perdre l'intérêt dans tout cela. N'avons-nous pas dit dans plusieurs sessions que les Entités sont des mémères qui aiment beaucoup jouer des tours. L'Âme profite de tout, même de faire accroire. D'un autre côté, elle est aussi une Cellule, ne l'oubliez pas, donc ce n'est pas un mensonge, mais ce n'est pas non plus notre dimension. Nous pourrions aussi transmettre à travers des formes conscientes, mais ce n'est pas coutume; il nous faut alors passer par des Entités et nous devons avoir des buts précis pour le faire. Nous avons fait cela pour nos cours-ateliers [*Un pas de plus*]. Cette forme [Robert] ne maîtrise pas encore très bien cette technique, mais nous réussissons tout de même à passer. Il se plaint qu'il ne nous ressent pas, mais tout de même. Nous avons aussi offert des Cellules dans des cas très particuliers, mais encore une fois, ces cas sont très particuliers, nous le répétons. Nous ne le ferons pas pour ceux qui veulent gagner des sous. Il y a des Entités qui ne demandent pas mieux que de faire ces expériences et ce n'est pas à négliger non plus, même vos Âmes auraient beaucoup à vous apprendre. Vous pouvez les appeler des Cellules, si vous voulez; ce n'est pas un mensonge, mais ce n'est pas leur état actuel. D'autres vous diront communiquer par nous, même s'ils n'ont jamais entendu parlé de Cellules avant nous : foutaise que cela. Nous quatre avons à nous occuper de cette forme [Robert] en particulier. Oh ! nous intervenons, bien sûr, mais pas dans le sens que vous le croyez, pas par la parole à travers d'autres formes. *(Symphonie, III, 08–06–1991)*

E *st-ce le seul moyen que vous avez de communiquer avec nous, de passer par le channeler ou est-ce que vous pourriez faire projeter des images sur un téléviseur ou sur un mur étant donné que l'image est le moyen que vous privilégiez pour la communication ?*

Dans votre dimension, vu l'état de vos formes, nous n'avons pas d'autres moyens que ces cerveaux qui traduisent bien. Nous pourrions aussi faire vivre des événements ou forcer des formes à agir comme nous l'avons fait avec cette forme [Robert] afin de préparer notre cours, sinon celui-ci ne serait pas encore prêt. Nous avons fait agir d'autres formes aussi dans l'intérêt de nos besoins, en l'occurrence le cours et aussi une ou deux démonstrations dont Robert avait besoin pour comprendre. Donc, nous pouvons intervenir par d'autres formes. Vous savez, il y en a qui ont des remords, quoique cela vienne de leur morale, et ils agissent de façon différente. Nous avons certaines façons d'agir en ce sens. Mais que ce soit sur des téléviseurs ou sur des murs, les projections physiques d'images supposent des énergies et ne se font que de façon physique, avec des moyens physiques comme le projecteur ou la caméra. Nous avons une autre façon de vous faire voir des choses si vous êtes suffisamment ouverts. Nous pouvons vous faire percevoir nos présences, vous faire voir ce qui vous convient; l'influence à ce niveau est très facile pour tous. Nous développons cela, mais pas dans le sens d'interférer pour rien, ni pour jouer; ce n'est pas permis. Rappelez-vous, ce ne sont pas nos expériences que vous vivez, mais celles de vos Âmes. Nous devons être prudentes en cela. Notre but n'est pas d'interrompre vos vies, de vous empêcher de vivre ce que vous vivez et ce que vous devez vivre, mais de vous aider à bien comprendre pourquoi vous vivez, à passer au travers et à utiliser des informations que vous n'avez pas pour mieux comprendre les autres dimensions. Certains d'entre vous ont encore plus de 70 vies à vivre, d'autres 300 alors que d'autres en sont à leur dernière excursion. Donc, ces dernières auront des niveaux de compréhension différents, altérés. Pour certaines formes, le doute sera toujours présent. D'autres ressentent, trouvent que c'est bon et acceptent. Donc, au niveau de la communication, ces dernières nous percevront mieux et croiront plus facilement. D'ailleurs, pour obtenir de notre part et même de la part de votre Âme, il faudrait que vous commenciez par reconnaître que cela vient d'elle ou de nous, sinon pourquoi donnerions-nous ? Vous ne sauriez dire merci. Donc, cela demande une habitude, une ouverture, une forme de compréhension très ouverte. Projeter sur un mur, nous n'en voyons pas l'utilité réelle. Certaines personnes nous ont vues dans cette salle même; cela allait avec eux, cela s'accordait à leur forme de perception. Elles devaient comprendre cela pour leur évolution. D'autres ici même nous perçoivent et vivent bien ces énergies que nous représentons. Ils ne pourront toutefois s'adapter totalement puisqu'ils ne sont pas dans le même état. Mais jusqu'où faut-il accorder de l'importance au fait de percevoir notre dimension ? Il importe de le savoir. Prenons un exemple. Supposons que nous pourrions projeter notre dimension sur un mur, n'importe lequel. Comment réagiriez-vous ? Nous pouvons vous dire qu'il y aurait des gens qui, face à cette démonstration, se diraient : « Mais qu'est-ce que cela me donne de vivre ? » Ceux qui ont des problèmes diraient cela. D'autres diraient : « Cela ne me sert à rien de continuer à me forcer à vivre, je vais me traîner la patte car il y a mieux. » D'autres demanderaient constamment et ne voudraient rien faire. Rappelez-vous, ce n'est pas pour une démonstration que nous contactons Robert, mais pour vous aider, c'est différent. Effectivement, nous n'avons pas de téléviseurs... Il y a suffisamment de comédiens à observer dans votre monde ! *(Les Âmes en folie, III, 22–06–1991)*

À la troisième session, vous avez dit que les Cellules voulaient poser des questions. Moi, j'aimerais qu'une Cellule nous pose une question.

Ne sommes-nous pas cela ?

Une autre Cellule.

Laquelle des quatre ?

La troisième.

Très bien, sur quel sujet ?

À son choix.

Même si le sujet ne vous plaît pas ? Voici une question pour vous. Au niveau du doute, au niveau des limites imposées par la vie, quel niveau de force volontaire apporteriez-vous à votre vie et comment le feriez-vous, pour que cela puisse être positif, sans y mêler l'analyse et les contraintes de la vie quotidienne ? Aimez-vous mieux notre question ?

Je n'ai rien compris.

C'est pourquoi elles ne vous posent pas de question. C'est aussi pour cela que nous les empêchons souvent de placoter [jaser].

Est-ce que vous avez une réponse à cette question ?

Non parce que cette question s'adresse à vous. C'est vous qui aviez demandé cette question. Pour y répondre, il vous faudrait près d'une heure, ce que nous n'avons plus dans cette forme [Robert]. Vous savez le pourquoi des questions intellectuelles et vous en posez plusieurs. Mais nous ne serions pas dans cette forme si c'était utile à notre mission, mais dans une autre forme. Nous préférons vous poser des questions plus simples, qui sont plus résumées et qui apporteront, en ce qui nous concerne, les mêmes résultats. En fait, que ce soit l'une de nous quatre ou la 11 millionième Cellule qui pose la question, cela ne fait pas grand différence. Rappelez-vous, nous avons toutes le même but, sauf que nous avons une mission différente et que celle-ci est la nôtre. Si vous aviez seulement pu voir les mémères, ces Entités, au début de cette session, elles étaient toutes excitées. Elles avaient toutes des questions à vous poser, mais ces questions portaient tellement sur leurs vécus passés que cela ne vous aurait pas apporté grand chose. Le seul intérêt, c'est que par leur présence elles vous donnaient une énergie modifiée, différente, et cela nous permettait aussi de voir à quel point et jusqu'où vos propres Âmes se sentiraient influencées par l'extérieur. Cela nous permettra aussi de vous allouer plus de Cellules lors de notre cours [fin de semaine intensive], surtout pour les formes qui sont influencées par l'extérieur. Mais il nous fallait équilibrer cela, bien comprendre les niveaux, et c'est pour cela qu'il y avait des Entités ce soir. Pas de hasard ! Toutefois, ce n'étaient pas les mêmes Entités que la dernière fois. (*Les colombes, IV, 08–09–1990*)

P *arfois, j'ai l'impression que vous parlez du point de vue de quelqu'un qui n'a jamais connu l'incarnation. Vous ne savez pas ce que c'est le point de vue des formes, quand vous dites...*

Parenthèses. Nous vous avons dit que nous, personnellement, n'avons jamais été incarnées dans des formes, mais il y a des Entités qui ont terminé leur cycle. Dès que c'est terminé, nous savons ce qu'il en est. N'ayez aucune crainte, nous percevons très bien vos formes, vos dimensions, au niveau de la souffrance et des douleurs quelles qu'elles soient. Vos plaintes sont entendues aussi, n'ayez aucune crainte. *(Maat, II, 01–12–1990)*

Q *ue voulez-vous dire par témoigner de la vie ?*

Vous ferez cela beaucoup mieux à la fin de ces sessions. Parce qu'il y a encore beaucoup de barrières au niveau des mots, au niveau des connaissances. Prenez Maryvonne. Elle est ici depuis le début des groupes et elle a entendu plusieurs versions de nos réponses, mais les versions sont rarement les mêmes. Le résultat sera toutefois le même. Les mots ne sont pas les mêmes parce que vous êtes différents, parce que vous faites partie d'un groupe différent, dont les bases et les croyances sont différentes des autres groupes. Il faut nous ajuster à chaque fois. La même question pourrait être posée en session privée et nous ajusterions alors notre réponse à celui qui la pose, pour qu'elle soit mieux comprise. Pour bien résumer notre façon de vous voir, en ce qui nous concerne, un groupe est égal à une personne, comme vos cellules. Donc, il nous faut trouver des réponses qui conviendront à l'ensemble du groupe. Il y a encore des dizaines de questions que vous avez à nous poser sur des dizaines de sujets. Martin dirait des douzaines de sujets et c'est très bien. Plus vous aurez de questions, plus vous aborderez de sujets qui vous tracassent, qui vous retiennent dans vos vies, plus vous comprendrez ce qu'est la vie. Tout ce qui compte, c'est de faire en sorte que, consciemment, vous admettiez la vraie réalité pour vous en servir et cela vous amènera à mieux connaître la vie. *(Harmonie, II, 08–12–1990)*

V *ous lisez dans nos pensées...*

Dans les images de vos pensées, pas dans vos têtes.

Est-ce que vous voyez nos formes telles qu'elles sont ou est-ce seulement nos énergies que vous captez ?

Majoritairement vos énergies. Nous voyons vos formes telles qu'elles sont dans de rares exceptions, lorsque vos dons de visualisation sont très développés. C'est pour cela que nous vous donnons souvent l'exercice du miroir. Plus vous vous regardez dans les détails, plus nous vous voyons. Futé, n'est-ce-pas ? *(Symphonie, III, 08–06–1991)*

I l y a un domaine qui m'intrigue. Comment se fait-il que vous sachiez ce qui s'est passé il y a 3500 ans, ce qui va se passer dans 1000 ans, ce qui se passe en Chine actuellement et que vous ne sachiez pas ce qui se passe ici au sous-sol ?

Il nous est plus facile de prédire le futur d'un peuple comme tel, par exemple dans 1000 ou 2000 de vos années, car ce n'est qu'une prédiction, mais elle a beaucoup de chance de se réaliser tout de même. C'est qu'à partir des tendances actuelles, nous pouvons savoir vers quoi un peuple entier se dirige. Parce que c'est basé sur vos passés, c'est beaucoup plus facile à prédire. Comme il vous faut collectivement plusieurs centaines d'années pour changer d'idées, nous pouvons aussi nous baser sur les technologies d'autres pays, les comparer aux vôtres et prédire vers quelle technologie vous vous dirigez tout en évaluant vos chances de réussite selon les mentalités des continents actuels qui sont toutes différentes. En ce qui concerne un endroit particulier, la seule façon pour nous de savoir ce qui s'y passe, c'est quand vos formes sont perturbées. Ce n'est pas la forme [Robert] devant vous qui nous transmet cela, ce sont vos formes. Lorsque des bruits vous dérangent par exemple, cela modifie votre attention, celle de l'Âme aussi, et c'est entendu. C'est la seule façon pour nous de le savoir. Lorsque vous posez des questions sur une collectivité, c'est donc beaucoup plus facile pour nous, car il existe plusieurs sources de renseignements à ce niveau. Nous pouvons nous baser aussi sur l'évolution des Entités, sur l'ensemble qui reste pour voir leur évolution, leurs progrès, nous avons plusieurs points de repère à ce niveau. Nous avons aussi une autre source d'information :

nous avons mentionné au début qu'il existe des gens qui retransmettent très bien; ils ont appris ce que nous sommes et nous retransmettent bien l'information. Collectivement, il nous est donc facile de prédire; en effet, prédire l'évolution d'un monde est beaucoup plus facile car nous avons de nombreux points de repères, des points de comparaison, si vous préférez. En ce qui concerne cette rue, cet édifice ou ces enfants qui jouent, l'information provient de vous. Une fois que nous savons cela, si ces enfants imagent beaucoup leurs pensées, nous pouvons savoir ce qu'ils vivent, ce qu'ils font, mais ce n'est pas possible pour tous les enfants. Rappelez-vous que, si vous utilisez les mots, nous n'entendons rien et que, si vous visualisez, nous verrons. Ce n'est pas pour rien que nous vous l'avons répété à plusieurs reprises. Rappelez-vous bien aussi que ce ne sont pas seulement vos formes mais vos Âmes qui veulent transmettre, qui veulent des changements. Elles se font voir, mais si vous travaillez contre elles, cela ne nous est pas possible. Nous croyons avoir répondu à cette question. *(Symphonie, III, 08–06–1991)*

*V*ous *avez dit qu'il y avait plusieurs Cellules ici dans la salle, je ne sais pas combien il y en a. Est-ce que c'est possible d'en avoir chacun une ? Est-ce qu'on peut les garder en sortant d'ici ou doit-on les laisser ici ?*

N'y touchez surtout pas ! Elles ont toutes été autour de vous, il y en a plus de 776 000. Y en a-t-il suffisamment à votre goût ? Vous avez tellement analysé tout, point-virgule et virgule, même au point de revenir sur ce que vous avons dit... Imaginez : les Cellules étaient toujours là pendant ce temps. Il est bien que vous posiez des questions, mais n'oubliez pas que nos réponses vous seront remises par écrit. Profitez donc aussi de ce que vous pouvez percevoir de temps à autre. Il est normal que certaines consciences bloquent cela, elles ne sont pas prêtes actuellement à recevoir. Ne vous en faites pas, une fois que nous aurons polarisé les lieux où se tient la fin de semaine, vous allez comprendre, vous allez desserrer les freins. *(Symphonie, IV, 06–07–1991)*

*S*i *nous vivons encore des expériences dans une forme, c'est qu'il nous reste encore des choses à apprendre. Comment vous, les*

Cellules, n'ayant jamais vécu d'expériences dans des formes, avez-vous appris vos connaissances pour nous les faire partager ?

Vous savez, il y a des Cellules qui ont eu des formes et qui ont terminé leur cycle. Elles nous ont appris. Dans notre cas, cela ne nous empêche pas de voir ce qui se passe dans votre monde, ni non plus dans la forme qu'est Robert; en outre, il y a plusieurs expériences similaires. Dans des sessions antérieures, nous avons mentionné comment nous pouvions voir; ce n'est pas de la façon dont vous voyez. Nous avons dit que les formes qui étaient très ouvertes au niveau de la visualisation et de l'imagination communiquaient ces images. Lorsque vous voudrez nous communiquer quelque chose, souvenez-vous de visualiser notre image. Nous saurons que vous nous aurez appelées. Nous vous avons dit aussi qu'il en va de même pour les Entités ou tout ce qui est d'autres dimensions : n'utilisez pas des mots mais des images. Pouvons-nous vous dire qu'il y a beaucoup de gens qui visualisent et cela nous maintient à jour quant à ce qui se passe dans votre monde. Nous vous avons dit aussi, rappelez-vous, que les Entités étaient de vraies mémères. Donc, nous pouvons communiquer avec elles et elles nous font part de leurs expériences. En fait, sans avoir de forme, sans faire de démonstrations physiques, nous sommes tout de même très bien renseignées. *(Les Âmes en folie, III, 22–06–1991)*

Q uand vous entrez en contact avec nous, comment nous voyez-vous, comment nous percevez-vous ?

Au début, ce ne sont pas vos formes physiques que nous voyons mais les projections de celles-ci, l'énergie de vos formes. Supposons qu'une personne ait un cancer. Habituellement, elle le sait et lorsqu'elle le sait, elle l'imagine. Elle se voit malade et nous le percevons. Sachant cela, nous pouvons mieux analyser vos formes. Donc, les données que vous émettez et les expériences de l'Âme sont pour nous la source la plus importante d'information. Lorsque nous rencontrons vos formes pour la première fois, vos Âmes constituent le point de départ. Pourquoi cela ? Parce que nous ne pourrions jamais comprendre le but de vos vies si nous ne savions pas ce qu'elles veulent vous faire vivre. Cette information n'est pas dans vos cerveaux mais dans vos Âmes. Une fois que nous savons cela ainsi que les quelques données qu'elles nous retransmettent, nous vérifions votre niveau d'imagerie. Il nous est déjà arrivé de suivre certaines de vos formes durant 7 à 10 jours et de recueillir tout ce qu'elles transmettaient pour mieux les comprendre. Cela se passait pour les gens rencontrés lors de sessions privées. Lors de sessions de groupe, nous prenons les empreintes de vos formes à la première session et nous les réajustons lors des autres sessions. Cela nous donne un très bon aperçu des changements faits ou à venir. N'oubliez pas que tout ce qui vit vibre et même plus, que vous le modifiez par vos pensées. Si vous nous demandez si nous voyons un bras, ce n'est pas réel pour nous. Nous savons tout de même ce que c'est. Nous avons beaucoup appris aussi avec cette forme [Robert] au niveau du physique. Nous avons appris aussi avec les Entités et des Entités devenues Cellules; donc nous nous ajustons tant bien que mal à vos formes. Mais tout cela se passe différemment pour les Entités. Elles ont déjà les vibrations de vos formes, s'y ajustent facilement et transmettent mieux à ce niveau. Donc, l'aide apportée par des Cellules comme nous sera toujours différente de celle des Entités. Vous appelez cela profondeur. *(Les Âmes en folie, III, 22–06–1991)*

Mais quand vous dites que vous percevez nos formes ou ce qu'on ressent, est-ce l'aura que vous percevez ?

Lorsque nous mentionnons vos formes, c'est de l'énergie de vos formes que nous parlons. L'aura n'est qu'un prolongement énergétique, très changeant d'ailleurs. L'énergie de vos formes est celle qui pense, celle qui circule dans vos formes, les vibrations même des cellules de vos formes. Nous appelons cela l'empreinte de vos formes. C'est comme cela que nous vous voyons différents les uns des autres. Nous avons suggéré à certaines formes d'utiliser des miroirs, car cela nous permettait de les aider encore plus. En effet, lorsqu'elles se regardent bien, elles s'imagent bien et s'imaginent bien aussi, donc elles transmettent. En ce sens, nous pouvons vous voir, donc vous reconnaître. Les Entités le font autrement. Elles vont directement dans une forme et en ressortent; ce n'est même pas mesurable. C'est pourquoi certains d'entre vous les perçoivent lorsque cela se produit; cela dépend des expériences qu'elles veulent vivre. Notre but n'est pas de prendre vos formes, mais de mieux vous faire comprendre ce qu'est la vie elle-même. Pour cela, nous n'avons pas besoin de formes comme telles, mais surtout des expériences passées de vos vies et des pourquoi de votre vie actuelle. Ensuite, nous faisons de multiples ajustements pour bien tout comprendre, pour mieux voir vos formes. Cela peut vous paraître long mais cela nous prend une fraction de seconde. Une fois que c'est fait, dans le cas de nous quatre, l'une d'entre nous est occupée avec cette forme [Robert] pendant que les trois autres recueillent les informations. C'est comme cela que nous procédons. Il ne serait pas utile pour nous de voir l'extérieur de vos formes; ce ne serait d'aucune utilité en fait. *(Les Âmes en folie, III, 22–06–1991)*

*E*st-ce que cela serait possible de vous voir ?

Dans votre cas ? Est-ce que c'est cela votre question ?

Oui.

Il serait plus facile de fermer vos yeux pour cela, parce que tout ce que vous voyez avec vos yeux, vous l'analysez. Oh ! non seulement vous, mais les autres aussi. Donc, vous chercherez encore plus à voir et plus vous chercherez, moins vous verrez. D'un autre côté, si vous fermez vos yeux et que vous laissez courir votre imagination (puisqu'il faudra bien imager cela avec vos cerveaux), votre imagination trouvera à imager ce que vous percevez, mais ne cherchez pas à traduire. Il y en a ce soir qui nous perçoivent très bien. Cela fait partie du monde de la curiosité. Cette forme [Robert] n'a réellement jamais essayé de nous voir, mais elle vit un peu plus nos énergies. Vous employez le mot voir parce que vous avez des yeux. Nous préférons le mot percevoir, mais pour percevoir il faut fermer les yeux. Cherchez avec vos cerveaux d'où viennent les énergies pour savoir où elles se produisent dans vos formes et laissez le cerveau imager de la façon la plus simple. Plus que cela, ce serait des histoires. *(Les Âmes en folie, III, 22–06–1991)*

*C*omment vous percevoir ? J'aimerais bien, mais je n'y arrive pas.

Parce que vous analysez tout ce que vous percevez juste pour savoir si c'est bien nous. Ne cherchez pas seulement des signes, cherchez aussi au niveau de vos émotions. C'est le premier signe de ceux qui nous perçoivent, ils vivent des émotions qu'ils n'arrivent pas à exprimer, comme un supplément d'amour si vous voulez. C'est le premier signe. Cela demande aussi à votre conscient de faire de la place pour cela. Cela demande au conscient une ouverture suffisamment grande pour ne pas analyser ce qu'il vit, car la forme a alors des sensations, des émotions. Quand il s'agit de Cellules, c'est ce qui se passe. Quand il s'agit d'Entités, il y a des pensées fort diverses, des visualisations d'images dans vos têtes, de gens disparus ou de gens que vous ne connaissez absolument pas, des idées diverses. Avec nous, vous aurez en premier des émotions profondes, des perceptions très profondes. Celles-ci ne vous demanderont pas d'analyse, elles seront très vécues. Lors de cette fin de semaine, avec le nombre de Cellules présentes, vous aurez tout loisir de nous percevoir, soyez-en assurés. Elles seront continuellement présentes. En règle générale, la majorité ressent très bien lorsque les Cellules quittent les lieux, trop bien même. (*Les Âmes en folie, IV, 20–07–1991*)

Nous comprenons que, parmi vos Âmes, il y en ait aussi qui soient surexcitées, parce que l'excitation que chacun d'entre vous pourrait ressentir durant les trois prochaines semaines ne sera pas uniquement consciente. Comprenez bien qu'à chacune des rencontres que nous avons eues avec vous, votre Âme était consciente de notre présence, et aussi des forces et des volontés que vous aviez pour la contacter. Donc, si jamais vous êtes anxieux ou anxieuses, posez-vous la question : « Est-ce volontairement ou involontairement ? Se pourrait-il que ce soit mon Âme qui soit anxieuse et non pas mon conscient ? » Nous vous disons que oui. Anxieuse de quoi ? De prendre contact, de se laisser percevoir dans vos formes. Elles sont comme des enfants actuellement, anxieuses. Anxieuses aussi de pouvoir démontrer leur force, leurs capacités. Fiction, vous croyez ? Rien de cela. Vous savez, nos réalités sont beaucoup plus simples que vous le croyez. C'est la même chose pour vos Âmes. Ne cherchez pas quelles lois les régissent. Vos Âmes sont là pour y être. Ne pensez qu'à cela. (*Les colombes, IV, 08–09–1990*)

*P*ourquoi sommes-nous nerveux quand nous vous posons des questions ?

En fait, ce n'est pas la forme qui est nerveuse, mais l'Âme qui est anxieuse. Elle n'est pas nerveuse, elle est anxieuse. Pour elle, c'est une occasion de nous percevoir, donc de faire un retour vers une source d'énergie qui était la sienne et cela la rend anxieuse. D'un autre côté, ceux qui sont hyperconscients, ont un peu peur d'entendre certaines choses que nous dirions. Cela pourrait les changer trop rapidement. Nous ressentons vos formes au début des sessions de groupe, vous savez, lorsque nous avons des commentaires à faire. Bien souvent, ceux qui ont le plus peur reçoivent leur commentaire. Pas besoin de nous cacher quoi que ce soit. *(Renaissance, III, 09–11–1991)*

*E*st-ce que vous communiquez beaucoup avec nous dans nos rêves ?

Avec certaines personnes seulement, celles qui ne cessent de penser à nous; elles sont peu nombreuses. Il y en a qui ne nous laissent pas tranquilles; elles n'arrêtent pas de nous visualiser. À celles-ci, nous disons : ne craignez rien, nous vous entendons bien. Parfois, nous devons nous rendre dans leurs rêves pour leur faire comprendre que nous les entendons, comme nous changeons les rêves de cette forme [Robert] parfois. Ce n'est pas tout de demander, il faut agir. Si vous ne faites que nous demander sans croire, cela ne vous apportera rien de plus. Il ne s'agit pas seulement de demander, mais de croire que vous aurez... et vous aurez. *(Renaissance, IV, 07–12–1991)*

Nous vous offrons de retrouver encore plus le goût de vivre et pour plusieurs, de faire des contacts avec d'autres dimensions. Nous vous offrons une occasion de faire un voyage; vous avez le choix de voyager ou non. Il n'y a pas une seule personne qui n'ait pas à changer quelque chose pour le mieux dans sa vie, ne serait-ce qu'en elle-même. Vous avez tout notre amour.

*O*asis

Tout cela a un but :
vous faire comprendre
ce que vous êtes réellement
pour qu'en vous changeant,
vous changiez les autres.

Le but de l'expérience

Nous savons que plusieurs formes dans le passé utilisaient des Entités pour communiquer et qu'il y en a encore, mais leur but n'est pas le même que le nôtre. Il n'y a pas si longtemps selon vos normes que nous avons entrepris ce travail. Nous avons été forcées en quelque sorte à le faire. Nous avions cru que vos formes reviendraient à leur source, qu'elles feraient elles-mêmes des recherches. Ce ne fut pas le cas. Plus vos années passaient, plus vos formes devenaient conscientes d'elles-mêmes, plus vos cerveaux devenaient développés, et plus vous perdiez contact avec la réalité. La majorité des formes croient actuellement qu'elles peuvent faire des changements par elles-mêmes. Foutaise ! Il y a beaucoup plus que cela en vous. Il nous fallait, de notre côté, prendre des moyens pour vous comprendre mieux, pour voir ce que nous pouvions faire avec des cerveaux qui rejetaient la réalité de l'Âme parce qu'ils étaient de plus en plus développés. C'est notre travail actuel : de mieux vous faire comprendre tout cela dans un court laps de temps. Regardez dans le passé. Il y a eu des guerres, et dans un passé pas si lointain. La guerre était le seul moyen qui avait été trouvé pour que vous reveniez vers vos valeurs. Pensez-y bien : toutes les fois qu'il y a eu guerre, il y a eu retour vers des religions, vers des recherches personnelles. C'est tellement ancré en vous qu'il vous faut des douleurs pour comprendre, il vous faut la perte d'êtres aimés. Chaque fois que vous perdez des êtres aimés, vous faites des recherches, ne serait-ce que pour les contacter dans l'au-delà, sans comprendre. Nous nous rendons compte que cela ne change plus grand chose, que même les prières ne sont pas faites comme elles le devraient. Donc, il fallait agir. Nous avons intercédé en faveur de quelques formes dans ce groupe dans les deux dernières semaines pour qu'elles puissent être ici. Nous le ferons sûrement aussi dans les prochains mois. Nous faisons cela pour mieux vous faire comprendre aussi, pour voir à quel point vous tenez à vous-mêmes. *(L'envol, I, 07–03–1992)*

Notre mission, comme vous appelez cela, est beaucoup plus de vous faire prendre contact avec vos Âmes, afin d'aider vos Âmes à mieux maîtriser vos formes pour que vous-mêmes puissiez profiter de ce que vous appelez la vie et ce, à des niveaux très profonds. Pour cela, il faut aussi consolider vos formes conscientes, leur donner des exemples conscients, faire en sorte qu'elles veuillent ce contact avec l'Âme, et non pas comme vos religions ont tenté de le faire, c'est-à-dire en passant par des craintes, des doutes et la dévalorisation de ce que vous êtes réellement. Pour cela, il faudra mettre de côté ce que vous appelez les Maîtres pour comprendre que vous êtes déjà un Maître. Pour comprendre aussi que, si vous acceptez d'avoir des Maîtres, peu importe la discipline, c'est que vous vous refusez vous-mêmes d'être des êtres originaux, créatifs. Pouvons-nous vous faire une suggestion ? Mettez tout ce qui est enseignement de Maître de côté. Prenez ce qui vous convient, si vous le voulez, surtout si cela vous amuse, mais ne prenez pas cela pour du mot à mot, car vos Âmes étaient aussi des Cellules au début, avant qu'elles ne choisissent cette expérience, qui est la base d'ailleurs. Cela est notre but : faire prendre contact. Nous avons été très choyées il y a une de vos semaines. Ceux qui étaient présents à notre cours [fin de semaine intensive] ont vécu ce qu'était l'amour réellement. Plusieurs, pour la première fois de leur vie, ont pu être en contact avec leur réalité. Cela nous a réjouies car leurs Âmes viendront nous rejoindre plus rapidement. Plusieurs d'entre elles sauteront une étape, d'autres ont énormément abrégé leur cycle de vies tel que vous le connaissez actuellement. Cela nous a réjouies et cela a réjoui aussi leurs formes qui ont été très émues, à de multiples reprises. Leurs formes, tel des miroirs, ont été émues sans trop comprendre, mais elles étaient très heureuses d'être émues. Pleurs de joie. Notre rôle est beaucoup plus d'orchestrer tout cela, de trouver des moyens que les Entités n'ont pas toujours en leur possession étant donné leur goût, pour la majorité, de reprendre encore l'expérience physique. Mais il y en a plusieurs en attente et elles sont de plus en plus sélectives. Alors, c'est notre rôle de voir à ce qu'il n'y ait pas d'abus à ce niveau. Il n'y a pas de hasard à ce que vous soyez tous ici. Aucunement. Ce qu'il vous faut comprendre, selon le thème de votre groupe, c'est que les colombes peuvent aussi être à l'image de vos Âmes : pas toujours très stables, pas toujours au même endroit, dans des paysages très variés. Effectivement, ce que vous allez vivre est pour votre Âme en premier, mais votre Âme et vous avez un but en commun : le savoir. C'est ce que votre Âme veut et aussi ce que, consciemment, vous vous êtes donné comme choix : une évolution plus grande, plus rapide, avec plus de simplicité, pour mettre de côté tout ce qui aura été complexe dans les années que vous avez vécues auparavant. Nous sommes deux choses : simplicité et amour. Nous ne sommes pas ici pour nuire à aucune de vos Âmes, ni à aucune de vos connaissances, ni à la connaissance que vous avez de vos formes. Cependant, nous allons encore une fois vous demander de ne pas analyser mot pour mot, de ne pas analyser la simplicité que nous emploierons pour vous parler, car vous allez tout de même tout comprendre. Nous passons des images dans cette forme [Robert] et ce cerveau les traduit en mots. Voilà ce que nous sommes. *(Les colombes, I, 02–06–1990)*

P our terminer cette session, il vous faut savoir que l'expérience que vous vivez actuellement nous intéresse fortement. Nous aurions pu faire en sorte que cette forme côtoie encore plus de gens, nous aurions très bien pu le faire mais nous n'avons pas accepté cela pour une seule raison : nous n'aurions pas trouvé l'expérience valable. Il nous fallait avoir des gens ouverts pour pouvoir mieux nous rendre compte à quel point votre volonté peut permettre ce contact. C'est très intéressant et très important. Les gens qui devaient quitter ces groupes l'ont déjà fait. *(Les pèlerins, III, 05–05–1990)*

E *n quoi consistent les différents plans de l'Univers, les Cellules dont vous faites partie, les Entités, les guides ? Où se situe l'Âme dans tout ceci ?*

Les Cellules sont la base. Quant aux Entités, que vous les appeliez Âmes, guides ou Entités, c'est la même chose. De notre côté, ce qui est possible maintenant ne l'était pas il y a 30 ans, sauf pour quelques cas comme Moïse, Élie et Jésus, parmi les plus grands. Ces personnages ont été en contact direct avec des Cellules. Les mots étaient différents à l'époque. Très peu d'entre vous le savent. Prenons l'exemple de Moïse : il faisait des sessions similaires à celle de ce soir. Jésus mettait plus de « chimisterie » en cela. On reparlera de lui une autre fois. L'évolution actuelle en est une accélérée. Ce que nous faisons et qui nous est permis à nouveau, c'est dans le but d'accélérer le retour de certaines Âmes plus évoluées et de porter à vos compréhensions la présence de votre Âme en vous. Par exemple, quand vous étiez enfants, vos parents ne vous ont pas donné de la pizza à trois mois. Heureusement, cela ne vous a pas été permis, vous y avez été habitués graduellement. C'est la même chose pour vos Âmes. *(Les chercheurs de vérité, II, 17–02–1990)*

*V*ous avez parlé de neuf ans d'épuration et d'Âmes cédant leur place, que vous alliez être plus sélectives. Qu'entendez-vous par sélection ?

Nous ne permettrons pas aux Âmes qui préfèrent la violence dans des formes, par goût, d'avoir des formes et de les maîtriser sur d'autres plans. Nous serons très sélectives. Nous nous servons de notre influence pour que les Entités qui veulent revenir de notre côté puissent nous percevoir. À ce niveau, nous avons été sélectives, comme il y a toujours des gens qui dirigent les autres dans votre monde. Il y en a qui veulent progresser, comme dans votre monde il y en a qui veulent prendre contact avec leur Âme pour évoluer. Lorsque l'Âme a ce qu'elle veut, la forme aussi a ce qu'elle veut.

Pourquoi cette grande différence entre les deux ?

Parce qu'il y en a qui ont de l'expérience et d'autres pas, comme dans votre monde. L'influence sera plus forte de notre côté pour aider les autres à comprendre. Vous avez évolué plus rapidement après chaque guerre, pour plusieurs années, avec plus d'amour, quand les gens voulaient la paix et l'amour. *(Les chercheurs de vérité, II, 17–02–1990)*

*E*st-ce que c'est vous qui nous avez attirés vers vous pour cette expérience ?

Aucunement. Bien au contraire, nous avons agi sur certaines personnes pour qu'elles ne viennent pas, pour ne pas qu'elles vous nuisent. Mais il n'y a pas une seule Âme ici qui n'ait pas souhaité cette expérience. C'est elle qui a impressionné votre conscient. C'est elle qui a fait en sorte que vous trouviez sur votre chemin une personne qui, elle, nous avait côtoyées. Rendez-vous compte... lorsqu'une forme a des problèmes de digestion, nous ne pouvons rien faire. Nous voyez-vous parcourir ce monde et attirer tout le monde ? Il y aurait des voisins qui se plaindraient ce soir parce qu'il y aurait trop de monde dans la rue ! Nous pouvons cependant créer des événements qui font en sorte de créer une ouverture dans cet espace-temps que nous avons mentionné, ce qui nous permet de faire coïncider d'autres événements, de façon à ce que cette forme [Robert] rencontre d'autres personnes et qu'ainsi plus de personnes nous contactent. Mais nous n'avons pas utilisé cela et c'est ce qui rend cette expérience aussi valable. Vous l'avez voulu. Lorsque vous nous avez parlé de la foi, nous vous avons dit qu'elle pouvait déplacer des montagnes. Pouvons-nous vous suggérer que la plus grande partie de la foi est votre Âme. Elle croit en vous et lorsqu'elle croit en vous, elle fait en sorte que vos conscients se dirigent eux-mêmes dans la direction pouvant les influencer. Tout cela pour lui permettre de mieux vous contacter. Voyez à quel point vos vies sont intéressantes. Quelle belle expérience, tout de même ! Mais le plus gratifiant sera lorsque vous serez en contact direct à un point tel que, même si vous n'atteignez qu'une parfaite harmonie, vos portes s'ouvriront et les événements vont se régler d'eux-mêmes, comme pour plusieurs d'entre vous ici ce soir. Vos vies vont se réaligner : c'est la foi. *(Les pèlerins, III, 05–05–1990)*

*I*l fut un temps où nous observions uniquement, mais étant donné l'évolution du monde actuel, la tournure que cela a pris pour la majorité d'entre vous, il fallait que nous intervenions. Nous sommes très heureuses des changements que nous avons pu apporter. Très heureuses aussi du sérieux avec lequel la simplicité a été comprise, et nous continuerons ce travail tant que cette forme [Robert] nous le permettra. Nous vous encourageons aussi à nous poser des questions en ce qui concerne toutes ces foutaises qui vous ont été apprises lorsque vous étiez plus jeunes, de façon à libérer votre conscient, à libérer aussi les craintes qui sont encore en vous. Posez-nous toutes les questions que vous voudrez au niveau de votre évolution spirituelle, au niveau des craintes apprises, nous y répondrons. Il faut que vous soyez très libres, comme votre réalité profonde, pour bien accepter ce que vous appelez la vie et pour que l'ensemble de ce que vous appelez la vie vous accepte. (*Les colombes, I, 02–06–1990*)

Q ue se passe-t-il quand vous faites un bain d'énergie, le ressentons-nous ?

Nous avons dit que nous ne ferions plus cela avant 10 de vos années, dans le sens de ce que le bain d'énergie signifiait, dans le sens que nous l'avons fait. Si vous faites allusion à la présence des Cellules ce soir même, leur nombre est limité quoiqu'elles soient fort nombreuses. Leur nombre est mesuré, si vous préférez l'expression, selon vos propres capacités, pour ne pas vous influencer. C'est fait de façon volontaire, pour ne pas vous nuire. Les bains d'énergie avec des Entités et des Cellules ont été faits avec des gens capables de les subir. Malgré cela, et cela dans 63 pays du monde en même temps, il y a eu des changements profonds : changements dans les formes, changements de carrière, réorientations de vie, communication directe dans certains cas. C'est pour cela que nous ne pouvons pas permettre cela encore avant au moins 10 de vos années et peut-être plus. Nous ferons ces bains uniquement avec des gens qui ont déjà établis des contacts, pas autrement.

Quels ont été les résultats ?

Les résultats ont été concluants dans un sens. Nous savons que vous n'êtes pas prêts, parce que les contacts ont été trop profonds. Les gens ont été désemparés. C'était trop nouveau pour eux, même s'ils étaient sur le point de comprendre. Trop d'énergie dans un seul instant, trop de conscience de ce que nous sommes. Cela peut être un danger. (*Les colombes, II, 07–07–1990*)

N ous avons tout fait jusqu'à ce jour, dans ces sessions, pour vous rendre la vérité le plus simple possible, pour vous rendre vos réalités simples. Vous ne voyez pas ce que nous voyons, vous ne nous voyez même pas, du moins la majorité, car il y en a qui nous ont perçues et même vues. Pour nous, de vous rendre cela simple pour mieux vous faire comprendre votre réalité, c'est une mission. (*Les colombes, IV, 08–09–1990*)

C e que vous considérez comme progrès ne l'est qu'à la mesure de votre conscience, qu'à la mesure de votre niveau de compréhension. Nous allons vous expliquer cela autrement. En ce qui nous concerne, vous n'êtes pas des individus séparés. Lorsque nous prononçons des mots, nous les prononçons pour vous tous. Voyez ce qui se produit au niveau de vos progrès. Si nous vous posions la question suivante : « Entre un enfant qui fait ses premiers pas et un astronaute qui voyage dans l'espace, quel est le plus grand progrès technique ? » Si vous demandez cela à l'enfant, ce sera sûrement de faire ses premiers pas. L'astronaute dira : « Il y a longtemps que je sais marcher; le progrès, c'est l'espace. » En ce qui nous concerne, ce serait l'enfant parce qu'il sait déjà qu'il a tout à apprendre et que l'astronaute croira très certainement en savoir beaucoup plus que tout le monde et se croira au sommet de sa gloire. Comme pour l'enfant, il y a beaucoup de place pour l'adulte qui commence à se découvrir, qui apprend à se tenir debout face à lui-même. Avoir des jambes, c'est bien; mais, voyez-vous, plusieurs en ont et n'en ont pas en même temps. Vous tenir debout dans votre quotidien, vous accepter une fois debout dans la vie, vous accepter, pas ce que les autres pensent de vous mais ce que vous pensez de vous, cela compte, tout comme pour l'enfant qui fait ses premiers pas. Pour nous, vous en êtes à ce niveau, tous. Soit, il y a des expériences diverses, des perceptions diverses. Plusieurs ici nous perçoivent, mais cela ne devrait que confirmer la réalité. Le but n'est pas seulement que vous sachiez nous percevoir, mais que vous sachiez percevoir l'énergie de votre Âme et l'utiliser. Chacun d'entre vous a eu des expériences diverses. Certains en sont encore à analyser chaque mot, chaque phrase, chaque sujet, pour comparer, puis ils trouveront des gens qui leur diront le contraire. Il y a deux façons de vivre cela. Ou vous êtes négatifs et vous remettez en question et en doute ce que vous aurez appris vous-mêmes, ce qui ne serait pas souhaitable, bien sûr, puisque ce serait admettre votre doute constant. Ou vous admettez qu'il y a des versions différentes, et vous vous servez des différentes versions, même si elles sont contradictoires, et vous en profitez pour vous faire votre propre idée. Les mots ne seront toujours que des mots. Tentez d'expliquer l'amour avec des mots, tentez de faire comprendre le rouge à un aveugle avec des mots. L'amour et la compassion ne s'apprennent pas avec des mots.

Cependant vous aurez le choix de croître dans l'amour, à différents niveaux dans votre vie. Les mots ne résoudront les problèmes qu'avec des mots. Les mots ne vous donneront pas plus d'amour. [...] Plusieurs personnes ici ont été surprises de savoir et d'apprendre que nous pouvions aussi être détruites. Mais qu'y a-t-il d'éternel en fait ? Aucune matière sur votre monde actuel ne l'est. Nous sommes des énergies, nous avons le pouvoir d'influencer, de faire en sorte de modifier si nous le voulions réellement. Si nous devions nous unir réellement dans le but de détruire, même votre monde, nous le pourrions. Mais une seule d'entre nous ne pourrait même pas lever ce que vous appelez une plume. Pouvons-nous vous faire remarquer que, pour détruire un monde, il ne suffit que de l'influence ? La preuve, c'est que vous vous entre-détruisez déjà. Pour nous, nul besoin de détruire la nature. Vous êtes humains, vous êtes des formes, des formes très fragiles, influençables, modifiables encore. Cela pourrait être une façon pour nous d'agir. Mais pourquoi devrions-nous le faire ? Nul besoin, car ce n'est pas seulement les formes qui seraient punies mais aussi les Âmes, car elles se verraient confiner à leur dimension jusqu'à ce qu'un autre monde se crée avec une évolution semblable. Donc, le besoin n'est pas là. Il y a effectivement des technologies qui se développent actuellement, qui pourraient non seulement perturber mais également détruire une partie d'énergie. Nous surveillons cela actuellement. Si nous devions élaborer sur les comment, ne serait-ce pas dangereux pour nous ? La réponse est aussi près et aussi simple à comprendre, enfin pour nous, que les débuts de tous vos mondes. *(Maat, III, 13–01–1991)*

S i notre monde est si peu avancé, j'aimerais savoir qu'est-ce qui vous pousse à nous aider ? Pour nous faire avancer ?

Très simple : pour vous aider. Nous allons être très ingrates et nous allons vous dire que c'est pour aider les Âmes, mais cela vous aide indirectement. Que faites-vous lorsqu'une voiture ne va pas assez vite ? Supposons qu'elle manquerait d'essence. Vous poussez dessus, n'est-ce pas ? C'est un peu ce que nous faisons avec vous actuellement. Il y a chez vous un manque de goût de vivre, un manque d'intérêt, mais aussi un goût d'apprendre, un goût de contacter : ce sont tous des buts. D'un autre côté, nous pourrions vous dire que, si nous abandonnions totalement ces efforts, vous n'iriez pas aussi vite, cela prendrait beaucoup plus de votre temps et il y aurait sûrement beaucoup plus de souffrances aussi. *(Maat, II, 01–12–1990)*

Au lieu des mots, les perceptions extérieures, les influences positives extérieures devraient bientôt faire partie de votre quotidien. Le contact de l'Âme n'a pas toujours été une évidence pour chacun de vous, c'était même très subtil. Pour d'autres, il s'agit d'une foutaise, d'une partie de leur imagination, de leur cerveau. D'autres encore se demandent si l'Âme est dans un bras ou dans une épaule. Ils chercheront à savoir où elle est en chacun. L'Âme n'a pas de position comme telle, elle est dans votre forme; elle fait partie intégrante de vous, elle est votre réalité. Nous avons dit avoir un grave problème, à savoir la perte de contrôle de vos formes; c'est ce que nous travaillons à rétablir. Il n'était pas du devoir des Cellules de le faire, mais étant donné que les Âmes n'ont plus ce contrôle et que les Entités n'ont pas l'autorité nécessaire non plus pour le faire, nous devions intervenir d'une façon quelconque. Nous apprenons de plus en plus sur vos formes. Tout au long des sessions de groupe et des nombreuses sessions privées avec des gens toujours différents les uns des autres, nous avons appris beaucoup. Nous nous sommes rendu compte, entre autres, qu'il est plus difficile que nous l'avions cru de briser vos conscients, de briser l'état d'analyse constant. Nous avons compris que, malgré les influences que nous avions et les gestes que nous faisions poser, ce n'était pas toujours compris. Certains demandaient seulement pour demander, au cas où ils obtiendraient, sans aucune croyance. Lorsqu'ils avaient ce qu'ils voulaient, ils croyaient que c'était du hasard; ce n'était donc pas valable. D'autres croyaient que c'étaient leurs agissements qui faisaient en sorte qu'ils obtenaient ce qu'ils avaient. Nous avons fait beaucoup de tentatives. Donc, notre travail actuellement est de ramener ces connaissances à la simplicité même; nous l'avons fait dès les premiers groupes et nous mettons toujours l'accent là-dessus. Nous essayons de les rendre suffisamment simples pour que vous puissiez en oublier la complexité, pour que vous cessiez d'analyser tout ce qui vous arrive et pour que vous cessiez, lorsque c'est trop simple, de chercher des réponses compliquées ailleurs, au cas où d'autres médiums auraient des réponses différentes, juste pour vous rassurer. Comme le hasard fait bien les choses, si vous avez des réponses contraires ou différentes, cela remet le doute en jeu, vous empêche de bien vous voir et vous revenez encore une fois à la case départ. Avec le cours que nous aurons et ceux que nous avons eus, avec les ateliers que nous avons actuellement, il y a eu beaucoup de progrès. Toutefois, il vous reste encore du conscient à briser pour rendre la perception intérieure plus facile, plus simple, pour qu'il y ait des contacts directs, sans efforts, ni méditation. C'est un but constant pour nous. C'est pourquoi nous y travaillons avec tant d'acharnement. Pour nous, ce n'est pas le nombre de personnes qui comptera. Qu'il n'y ait que trois personnes dans un groupe nous importe peu, ce sont les résultats que nous voulons voir. Nous voulons voir à quel point il y en a qui veulent, à quel point il y en a qui sont prêts au changement. Nous avons observé beaucoup de changements dans les groupes précédents. Les changements de carrière, les changements dans les couples, les changements dans les façons de voir la vie ont été radicaux. Le changement dans la façon de se voir soi-même a été total. Il y a encore du cheminement à faire, mais nous avons bon espoir. *(Maat, IV, 09–02–1991)*

Vous dites que vous avez perdu le contrôle, alors vous ne savez plus comment faire ?

Nous ne savons plus quel sera le résultat, c'est exact. C'est aussi la raison pour laquelle nous faisons cela avec vous. De toute façon, saisissez bien une chose : si vos Âmes avaient le contrôle, il y a longtemps que votre monde serait différent; ce n'est pas le cas actuellement, loin de là.

Alors, c'est une manoeuvre de récupération qui se passe actuellement ?

Une belle manoeuvre dont vous faites partie, et heureusement pour vous ! Parce que dans un sens vous apprenez et c'est bien. Si vous saviez les efforts que nous faisons, que nous déployons à tous les niveaux possibles pour faire en sorte que les gens soient choisis dans ces groupes. Pourquoi croyez-vous ? Par hasard ? Il pourrait y avoir beaucoup plus de personnes que cela dans un groupe, mais nous n'y tenons pas. Sur une plus petite échelle, nous pouvons suivre les résultats et voir à quel point ils peuvent s'étendre. Sur une grande échelle, il est difficile de voir à quel point cela pourrait changer. De plus, s'il y avait 400 personnes, vous n'auriez pas le temps de poser trois questions dans une session; il faudrait donc de 10 à 15 sessions pour chaque groupe, et cette forme [Robert] ne pourrait le tolérer. *(Harmonie, II, 08–12–1990)*

Plusieurs pourraient même trouver à nous contredire, trouver des écrits ou des gens qui diraient le contraire de nous. Il en sera toujours ainsi. Si votre foi est à ce point atteinte qu'il vous faille trouver des comparaisons, vous aurez beaucoup de problèmes à nous suivre. Nous n'avons jamais exigé de qui que ce soit de croire tout ce que nous disons, bien au contraire. Nous avons quelquefois — et cela va vous brusquer — employé des termes ou des comparaisons pour bousculer votre doute, voire même votre intellect, de façon à ce que vous vous preniez plus en main. Qu'il y ait du doute en vous, c'est une bonne chose; cela veut dire que vous pensez. Mais de là à chercher des comparaisons, il y a une différence ! Notre but n'est pas de vous apprendre des mots, mais bien au contraire, de faire en sorte de simplifier votre vie, vos vies, d'enlever du poids de votre conscience, d'enlever ce qui est trop lourd, de vous encourager à aller plus loin dans vos vies. Plusieurs auront peur de cela, plusieurs douteront d'eux-mêmes, de leur capacité de réussir et mettront le doute en jeu pour se justifier eux-mêmes, soit de ne plus continuer, soit seulement pour se trouver une raison, une justification. Pour ceux que cela concerne, remarquez qu'habituellement, vous faites aussi la même chose dans votre quotidien et les gens font la même chose avec vous : ils comparent et doutent. Si vous devez toute votre vie comparer et douter, quand serez-vous vous-mêmes ? Qui vous reconnaîtra si vous n'arrivez pas à vous reconnaître vous-mêmes ? Nous pourrions prendre chacune des personnes ici présentes et leur dire : faites ceci, faites cela, et leur tracer leur futur, mais qu'est-ce que cela aurait comme valeur ? Vous viendriez tous les jours devant nous. Toutes les fois que quelque chose se produirait dans votre vie, que feriez-vous ? Vous chercheriez confiance en nous, vous chercheriez à vérifier chaque geste de votre quotidien, mais vous seriez des automates. Ce n'est pas notre but. De vous aider à vous réaliser davantage, à bien comprendre où vous en êtes dans votre vie, cela nous pouvons le faire et à plusieurs niveaux. Nous aimerions cependant vous faire comprendre un peu plus ce qu'est la foi, ce qu'est la croyance, ce que sont les valeurs réelles de vos vies, donc votre valeur. Vous savez laquelle ? Celle que vous mettez en cause continuellement en refusant de vous voir vous-mêmes, en faisant plusieurs gestes qui ne vous plaisent pas toujours, mais que vous faites tout de même pour amener des gens autour de vous à vous apprécier. Laissez tomber ces fausses valeurs, faites en sorte d'être appréciés pour ce que vous êtes. Certains diront : « Je vais perdre mes amis. » Si, pour vous, faire des efforts pour garder des gens à vos côtés est justifiable et que vous les appelez des amis, bonne chance ! C'est donc que vous ne vous appréciez pas non plus pour vous imposer tout cela. *(Harmonie, III, 09–01–1991)*

*V**ous avez dit que vous regardiez la situation actuelle et que vous faisiez des prédictions. Indépendamment des projections actuelles pour le futur, que peut-on faire pour le changer ?*

Vous changer immédiatement.

Quelle est la meilleure façon ?

En comprenant. C'est ce que nous faisons avec vous, nous vous apprenons, c'est notre but. En vous parlant aussi simplement, en faisant exprès pour mettre de côté les explications complexes qui ne vous apporteraient que l'analyse, nous avons l'espoir que vous mettiez de côté ce qui est complexe pour adopter ce qui est simple. Pour la suite, ne vous en faites pas, nous avons des buts : vous amener à mieux vous comprendre individuellement. Une fois que ce sera fait, une fois que vous aurez fait le ménage qui s'impose en vous, vous serez beaucoup plus ouverts et quand vous êtes plus ouverts, d'autres vont s'approcher de vous pour comprendre. Ils seront intrigués par vous, ce qui les entraînera vers les changements. Cela change le futur parce que cela change l'immédiat. Si vous ne changez pas l'immédiat, le futur ne changera pas, c'est simple. Les moyens trop simples ont été oubliés, nous allons vous réapprendre tout cela, le cours n'est que la base. Nous nous sommes rendu compte, surtout lors du dernier cours, qu'il y avait eu des pas énormes de franchis, et plus rapidement que dans les autres cours. Nous avons analysé cela et effectivement, il y aura encore des changements dans le prochain cours. Voyez-vous, nous nous adaptons à vous aussi. Nous ne sommes pas là pour que cela se fasse sur 200 de vos années. Nous pouvons vous confirmer que même les premiers groupes ont traversé quelques années d'évolution en moins de six mois. Cela veut donc dire qu'il y a eu beaucoup de changements, et pas pour le pire. Nous prévoyons très facilement que cela ira encore plus rapidement pour les groupes actuels, et pas dans 1000 ans. Nous allons nous adapter à chaque groupe individuellement, de façon à ce que ce soit encore plus compris, plus clair, plus simple encore. Dans les ateliers à venir, il y aura des changements plus rapides, plus compris. Cela s'appelle l'évolution. Nous nous adaptons aux changements. *(Symphonie, III, 08–06–1991)*

P*ourquoi avez-vous choisi de vous manifester ?*

En fait, il fallait bien que quelque chose se passe et cela pourra se faire grâce à ces groupes que nous avons faits, non seulement dans ce coin de pays mais dans les autres pays aussi. Nous ne nous sommes pas cachées du fait que le contrôle de vos formes était réellement perdu. Il fallait bien que quelque chose se passe quelque part, et sur une petite échelle en premier, pour voir vos réactions, votre goût d'apprendre, votre goût de vivre. Si nous nous rendons compte — écoutez bien cela — que vous avez trop peu le goût de vivre, nous ne ferons aucun effort et vous allez comprendre alors pourquoi nous sommes ici actuellement.. Nous vous l'avons dit, il reste encore sept ou huit de vos années de violence; vous n'avez rien vu encore. Il va falloir à travers cela des gens forts, capables de comprendre, d'être équilibrés, de récupérer leur foi quelque part en eux. Ce n'est pas le nombre actuellement, c'est le résultat pour nous qui compte. Nous sommes assez satisfaites, mais pas pleinement encore parce que nous n'avons pas été au bout de ce que nous voulons vous apprendre réellement. Nous le faisons avec cette forme [Robert] actuellement, avec d'autres formes aussi, et nous comparons les résultats. Mais cette forme n'a rien vu encore, elle est malléable. Il y en a beaucoup d'autres aussi. Dans tout ce que vous ferez dans votre dimension, comme dans la nôtre d'ailleurs, il y aura toujours un début. Un peu plus tôt dans cette session, nous avons dit que certaines personnes voulaient se rendre rapidement au but alors que d'autres prenaient leur temps [messages privés]. Nous aimons mieux cette dernière façon. Nous aurions pu prendre une autre forme que celle-ci, une forme qui aurait voulu aller rapidement, sans nous contredire parfois, qui aurait voulu faire les essais que nous voulions. Nous apprécions sa réticence [Robert], nous savons qu'il fait des choses qu'il n'aime pas et de force même, mais il le fait, ce qui nous permet de comparer à quel point une forme qui ne veut pas le peut tout de même. Nous apprenons beaucoup, mais vous apprenez beaucoup aussi. Vous savez, il y a une autre dimension à la connaissance. Si nous cessions complètement de tirer des ficelles à certains moments donnés de vos vies, pour vous aider bien souvent, pour vous faire comprendre des choses importantes, que se passerait-il ? La volonté individuelle dans un monde qui ne se reconnaît pas serait fort destructrice. Nous avons même employé des gens qui ne sont pas de votre monde; tout ce que nous pouvons, nous l'essayons. Tout ! Il faudra bien que vous réagissiez un jour dans l'intérêt de tous d'ailleurs. Vous êtes chanceux dans le fond, personne ici n'a été forcé, aucunement. Certaines personnes se sont senties acculées au pied du mur de leur réalité et ont préféré abandonner. C'est très bien, elles devront comprendre cela autrement. Vous avez choisi une ouverture plus grande, un retour vers vous-mêmes aussi; dans le fond, l'Âme est en vous. (*Symphonie, IV, 06–07–1991*)

I l y a quand même des formes qui sont toujours contrôlables; vous n'avez pas perdu le contrôle de toutes les formes ?

Mais qu'est-ce que 100 000 formes sur 5 milliards ? Au point où en est votre monde, dans votre évolution actuelle, ce n'est pas beaucoup, n'est-ce pas ? Prenons un exemple plus concret. Même si un sauveur se présentait actuellement sous une forme humaine, en prononçant les plus belles paroles, il ne serait même pas écouté. Vous cherchez l'extraordinaire, vous savez, des gens qui flottent, avec des couronnes de lumière... Pourquoi pas des ailes tant qu'à y être ? Des hommes-oiseaux-saints, des saints oiseaux : quelle foutaise ! Cela se produit dans les imaginations seulement et cela permet à certaines personnes de se rendre intéressantes, mais ça n'en fait pas une réalité. [...] Ce n'est pas un grand sage que vous attendez, mais la sagesse intérieure individuelle pour voir ce qu'est Dieu réellement, pour vous en servir. La vie n'est pas une punition, elle le devient seulement lorsque vous le voulez.

> *Par rapport aux modifications de nos formes par nos « pères »*
> *[autres mondes], est-ce que ce sont les gènes qui font que les*
> *Cellules perdent le contrôle des formes ou bien est-ce les Âmes*
> *qui ne veulent plus écouter ? Qu'est-ce qui bloque dans la*
> *communication entre le conscient et l'Âme ?*

L'ignorance. L'ignorance volontaire même, la peur qu'ont vos cerveaux de perdre le contrôle des formes, la peur de l'aventure, de ce que vous ne connaissez pas. Vous avez tellement bien développé cela avec les siècles que la majorité de vos cerveaux sont convaincus qu'eux-mêmes vont réussir la vie de la forme et rejettent ce qui n'est pas palpable, prouvable. Ce n'est pas la foi, c'est l'ignorance, l'ignorance de la réalité même. C'est pour cela que nous faisons des approches diverses pour voir à quel point vos cerveaux peuvent comprendre et percevoir. Dès que vous commencerez à comprendre et à percevoir, vous allez le communiquer parce que ce sera perçu par les autres; mieux, lorsque la porte de l'Âme est ouverte, elle en attire d'autres et plusieurs même. C'est ce qui se passe. Vous avez encore une sous-question ? *(Symphonie, IV, 06–07–1991)*

N̲ous apprenons avec vous, nous apprenons constamment d'ailleurs. Il est de notre avantage aussi de vous voir réussir dans cette vie, de vous voir vous ajuster comme il faut. Nous avons déjà dit que, de notre côté, le contrôle des formes doit être repris pour votre bien. Donc, avec ces réunions, il nous est permis d'apprendre et de vous aider en même temps, et ce, dans 63 groupes dans ce monde. *(Les Âmes en folie, II, 18–05–1991)*

V̲ous avez dit qu'il y avait plusieurs groupes qui travaillaient de la même manière que vous le faites avec Robert et nous. Est-ce qu'il y a une urgence actuellement pour qu'il y ait autant de gens qui travaillent. Est-ce qu'il y a quelque chose qu'on ne sait pas et qui doit arriver ?

Nous avons deux choix. Ou nous le faisons dans le but de changer des petits groupes pour que cela se comprenne mieux et que vous puissiez modifier vos agissements avant qu'il ne soit trop tard, et devenir plus heureux. Ou attendez-vous à vivre par vous-mêmes, vu que c'est ce que vous vouliez, des expériences collectives qui ne seront pas très amusantes. Cela aurait comme but de diminuer grandement vos populations d'ailleurs. Pouvons-nous vous dire que vous seriez plus à l'écoute alors ?! Ou vous vous détruisez vous-mêmes ou vous faites les efforts pour que cela ne se fasse pas. Bien sûr, il y a des intérêts différents dans ce monde, mais s'il existe des volontés, elles seront perçues par ceux qui en ont.

Vous dites : avant qu'il ne soit trop tard. C'est quoi trop tard, puisqu'on peut se réincarner, qu'on peut continuer d'essayer et d'apprendre encore ?

Il vous faut des formes pour cela. Si vos populations baissent des trois quarts, cela ralentira le cycle. Cela signifie aussi qu'il y a de fortes chances pour que vos formes soient plus qu'à l'écoute et fassent collectivement les efforts nécessaires, mais cela ralentira le cycle tout de même. L'actuelle expérience avec les petits groupes est une dernière tentative. C'est ce que nous voulions dire par « avant qu'il ne soit trop tard ». Vous avez le choix. Le plus amusant dans cela, c'est que, lorsque vous êtes bien avec vous-mêmes, lorsque vous êtes heureux avec vous-mêmes, vous ne le reconnaissez pas et ne gardez pas cela pour vous, dans le sens de le reconnaître pour soi et de le montrer aux autres. Cela rejoint très bien ce que nous vous disions au début de cette session à propos des orgasmes; cela rejoint très bien cette explication. Vous pouvez soit le vivre à chaque instant, à chaque seconde de vos jours, ou en faire une simple démonstration qui ne sera malheureusement pas continuelle. C'est la même chose avec votre bonheur : ce peut être une seule minute de joie mais ce peut être 24 heures aussi. Les choix sont les vôtres sauf qu'il viendra un certain temps où l'impatience pourrait être plus grande. C'est pour cela que nous vous parlions aussi de perte de contrôle. Il y a des tentatives pour que vous re-compreniez cela, mais si cela devient impossible, d'autres actions seront prises par vous-mêmes et cette fois ce sera compris. *(Les Âmes en folie, III, 22–06–1991)*

*P*our nous, le plus important était d'éclaircir avec vous des points clés de vos vies, de généraliser davantage, de démêler les termes, de rendre vos vies un peu plus agréables et de vous faire comprendre les autres points de l'existence. Tout cela a un but aussi : vous faire comprendre ce que vous êtes réellement, faire en sorte que vous puissiez vous accepter tels que vous êtes puis, par la suite, vous accepter non seulement vous-mêmes mais tout ce qui vous arrivera dans la vie. En vous changeant, vous changerez les autres. *(Les Âmes en folie, IV, 20–07–1991)*

*O*asis, *pourquoi acceptez-vous de répondre à nos questions ?*

Si nous ne le faisons pas, qui le fera ? Nous acceptons pour une raison très simple, pour voir à quel point vous pouvez vous changer vous-mêmes sans qu'il n'y ait de guerre, ni de souffrance physique, pour voir à quel point vous pouvez tenir à vos vies et à quel point vous pouvez les changer vous-mêmes. Nous répondons aussi à vos questions pour une autre raison. Il y a des millions de livres; de simples qu'ils étaient au début, ils sont devenus de plus en plus compliqués. Ils se répètent pourtant, mais avec des mots différents, ce qui ne vous simplifie vraiment pas la vie ! Nous vous répondons parce qu'un livre vous retransmet l'expérience d'une autre personne, pas la vôtre, parce qu'un livre ne peut vous répondre alors que nous le pouvons. Nous le faisons aussi pour une troisième raison : nous aimons vos formes parce qu'elles ont des Âmes qui sont comme nous, elles sont des nôtres. Vous devez comprendre une chose aussi : si ces Âmes vous aiment à ce point, c'est que nous vous aimons aussi. C'est cela, vous savez, le lien. Et par protection, aussi.

Dans quel sens entendez-vous « par protection » ?

Protection contre vous-mêmes. Parce que, si vous ne comprenez pas, vous allez vous autodétruire vous-mêmes de façon individuelle dans le futur. Le cancer en est une très bonne démonstration, mais vous n'avez encore rien vu. Si cela ne suffit pas, vos formes vont trouver d'autres façons. Jamais, dans le passé, nous n'avons observé dans ce monde autant de haine individuelle, autant de laisser-aller [relâchement], aussi peu de goût de vivre. N'est-ce pas déjà une bonne raison ? En venant ici recevoir une part de notre amour, vous avez accepté de vous offrir une part de votre propre amour puisque vous n'êtes pas ici de force. Vous allez vous rendre compte avec les jours, les semaines et les mois à venir, qu'il y aura des ficelles qui se tireront. Apprenez à le reconnaître, voyez-y notre façon de vous aimer. *(Renaissance, I, 14–09–1991)*

P *uisque vous nous donnez tant d'amour et que, ici-bas, on dit que donner c'est recevoir, qu'est-ce que vous venez apprendre ? Qu'est-ce que vous venez chercher avec nous ?*

Ce que nous venons chercher, c'est la certitude que le changement se fera. Ce que nous donnons, ce sont de nouvelles méthodes, de nouvelles approches pour que vous puissiez mieux vous comprendre. Beaucoup ne comprendraient pas ce que nous venons de vous dire dans ces quatre rencontres. Nous avons été encore plus loin avec vos groupes, plus loin qu'avec les précédents. Nous allons analyser cela de notre côté, comparer vos groupes aux groupes passés, et les prochains seront encore différents. Nous nous adapterons à vos changements. Notre espoir, c'est que vous compreniez, que vous retrouviez vos individualités, vos amours-propres, que vous cessiez d'être influencés par tout un chacun, que vous acceptiez le présent et que vous ayez le goût de vivre demain. Cela compte pour nous. Par le passé, vous avez dû subir des guerres, des séismes nombreux pour faire du ménage. Nous tentons d'éviter cela, sinon ce sont vos comportements, vos attitudes qui vont encore une fois recréer cela. Nous trouvons qu'il y a eu assez de temps perdu. Nous trouvons aussi que les essais de vie répétitifs de vos Âmes l'ont été sur de trop longues périodes et sans résultat final. Ce que nous voulons apporter, c'est la compréhension par vos cerveaux de la réelle identité de vos êtres. Vous vous ignorez, vous ne vous utilisez même pas, vous subissez vos vies et c'est cela que nous voulons modifier. Trouvez-vous que nous avons suffisamment de raisons ? Ce n'est pas le nombre. Si cela avait été le cas, nous aurions modifié cette forme [Robert] pour qu'elle voie plus grand, un plus grand nombre de personnes. Mais ce n'était pas notre but. Tous ces groupes isolés dans le monde, que nous suivons en même temps que celui-ci, ont le même but. Si nous nous rendons compte — et nous ne l'avons pas dit dans le passé — que certains continents nuisent, que certains pays nuisent trop, nous allons passer à l'action et vous comprendrez ce que ce sera. Pour nous, il importe que cette expérience dans votre monde se complète, que vos formes deviennent conscientes comme celles d'autres mondes. Ce n'est pas une mince tâche actuellement et cela demande beaucoup d'efforts... Et cela n'a rien à voir avec l'eau d'un bain trop chaud ! *(Renaissance, IV, 07–12–1991)*

Je comprends le geste d'amour. Est-ce qu'il y a aussi à travers cela une menace pour l'unité de l'être parfait, de Dieu, peu importe comment on l'appelle ? Est-ce que notre comportement sur la Terre, que notre attitude menace l'unité de l'être parfait ?

Vous ne trouvez pas ?

Est-ce que, dans tout cela, vous vous sentez menacées en tant que Cellules ?

Absolument pas, puisque nous avons plus de pouvoir que vous ne l'imaginez. Si nous décidions de faire du ménage, vous verriez que vous ne seriez pas nombreux. Nous avons ce choix. C'est très facile pour nous. Mais ce n'est pas notre but. Vos Âmes ont choisi la difficulté, l'expérience la plus difficile, mais tous ces changements, surtout depuis ces 20 dernières années, ont vraiment bouleversé vos coutumes, vos attitudes. Nous y avons vu quelque part des demandes, des cris de vos parts et nous espérons vraiment que vous comprendrez cette fois. Vous avez cherché Dieu parmi les hommes, vous l'avez même imagé avec des visages d'hommes. Il fallait que ce soit physique, mais cela n'a rien à voir. C'est pour cela qu'il vous est difficile actuellement de comprendre que Dieu n'est pas physique et qu'il vous est difficile de rejoindre cette énergie, d'en profiter. Pour nous, il y a encore beaucoup d'espoir de votre côté et nous y croyons. Mais il n'en demeure pas moins que certains pays, deux entre autres, vont apprendre bientôt. Il le faut ! Plus de 3000 ans de guerre, ça suffit. Nous allons y voir, mais cela demande le consensus, l'unité des Cellules. Et cela prend ce que vous appelez du temps. Nous n'agissons pas seules, mais avec l'Ensemble. Et lorsque nous devons poser un geste et que ce geste exige autant d'énergie que celle que nous devrons fournir, cela demande l'unanimité. Mais ce sera pour votre bien, pour que vous puissiez comprendre encore plus et avancer. Nous avons fait tellement d'essais, même sur votre coin de pays actuellement. Comment se fait-il que vous soyez isolés ? D'une langue isolée ? Pour plusieurs, cela tient du miracle, mais vous allez nous être utiles, très utiles. Vous allez avoir à faire des choix très bientôt, des choix collectifs, et cela nous aidera à comparer encore. Plusieurs ont demandé : mais qu'est-ce que le Québec a joué comme rôle dans le monde ? Un rôle d'unité, comme dans vos formes. C'est pour cela que vous avez été choisis, pour voir jusqu'à quel point, en ayant tout, vous pourriez devenir un. Nous ignorons si vous comprenez bien tout cela, dans tous les détails. *(Renaissance, IV, 07–12–1991)*

*P*ourquoi avons-nous commencé à faire ce que nous faisons avec cette forme [Robert] ? Pour une raison fort simple : nous avions perdu le contrôle de vos formes, et vous aussi. Jamais dans le passé cela n'a été à un tel point dans toutes vos vies. Nous avions deux choix. Nous avions le choix de faire ce qui avait bien fonctionné avec vos guerres : des éliminations massives afin que ceux qui restent puissent faire des recherches en eux sur la vie elle-même. Regardez vos comportements. Dans le passé, toutes les fois qu'il y a eu des guerres, vous avez effectué des retours massifs vers les religions, les sectes ou d'autres groupes religieux, des retours à l'intérieur de vous-mêmes. Vous avez continué d'aimer ceux qui n'étaient plus avec vous. Plusieurs d'entre vous ont perdu des êtres qu'ils aimaient et cela a renouvelé leur foi. C'était un choix. Nous nous sommes rendu compte que, même à l'époque actuelle, vous n'êtes plus touchés par cela et, si vous l'êtes, vous ne l'êtes que quelques heures. Regardez-vous ! Nous avons bien observé tous ces milliers de formes lors des récents conflits. Vous en êtes venus à écouter ces reportages comme la météo, sans que cela ne vous touche... vous êtes de plus en plus immunisés contre ces douleurs, plus qu'autrefois. Nous avons donc choisi une autre approche, plus radicale, la vôtre, celle des choix, celle de vous rendre conscients, celle de la compréhension que vous aurez vous-mêmes. Il y a autant de compréhensions dans cette pièce que d'individus, toutes différentes. Cependant, vous aurez tous compris la même chose à la fin de cette rencontre. Vous aurez compris que vos cerveaux vous mènent par le bout du nez et que vous ne savez pas comment les utiliser. Et nous ne parlerons même pas de l'Âme; elle n'est pas utilisée non plus. Ne cherchez pas à camoufler cela dans les religions, les recherches spirituelles ou la méditation. En ce qui nous concerne, la méditation, c'est du temps perdu. Que faites-vous lorsque vous méditez ? Vous recherchez, vous cherchez à entendre. Ce n'est pas comme cela que vous entendrez. Pourquoi faire le vide dans des formes qui sont pleines ? C'est bien plus pour oublier que vous méditez, pour chercher ce que vos yeux ne voient pas. En ce qui nous concerne, la vraie méditation se fait dans votre quotidien, dans l'appréciation de vous-mêmes, dans l'amour que vous avez pour vous. C'est se connaître. Mais dans votre vie actuelle, vous êtes portés à rechercher les émotions, les sensations fortes, comme pour vous éprouver. Plusieurs ici méritent le bonheur. En fait, vous le méritez tous, mais vous ne vous le donnez pas. Nous avons entendu un commentaire : « Et ma forme ! Ma forme n'est pas en santé, elle souffre ! » Que cette personne regarde bien ses agissements, qu'elle regarde bien ses recherches. Nous aurons une question à ce sujet dans votre session... et une réponse aussi, ne vous en faites pas. Donc, vous avez tous des choix : d'être manipulés de l'extérieur ou de choisir vous-mêmes. La différence est aussi grande qu'entre le choix de vivre ou de mourir. Vous pouvez justifier l'un ou l'autre choix. Mais nous vous offrons plus de facilité. Vous aurez le choix. [...] Nous savons — nous ne sommes pas dupes ! — que nous ne changerons pas tout ce monde, mais nous savons que de changer une seule personne en changera 10; et cela ira en se multipliant, pas seulement sur ce continent mais sur d'autres aussi. Il est important pour nous que cela se fasse ainsi. Pour nous, ce n'est pas le nombre qui comptera, mais la qualité qui en ressortira. Nous écouterons ceux d'entre vous qui choisiront d'être aidés par nous, et nous tirerons les ficelles nécessaires; nous ne le ferons pas pour les paresseux qui demanderont pour demander, juste pour voir. Ceux qui croiront, recevront; c'est certain ! Demandez à Annie : elle sait très bien ce que nous venons de dire. Quatre fois administrée ! Elle bat des records. Tous croyaient qu'elle serait enterrée aujourd'hui et elle est parmi vous. Ne fallait-il pas qu'elle croit ! En fait, vous ignorez cela : il nous a fallu énormément d'efforts pour nous diriger vers elle, pour lui faire voir qu'elle ne devait pas mourir maintenant, qu'il y avait beaucoup plus à établir avant. Vous direz, et vous aurez raison, que la foi déplace les montagnes; cela a été dit il y a plus de 2000 ans. La plus grande montagne de toutes, c'est votre foi. Vous pouvez l'utiliser ou vous détruire. Nous aimons ce qu'Annie a fait pour nous, et pour elle, et pour ceux qui l'entourent. Disons qu'elle a choisi d'aimer et de faire renaître autour d'elle ceux qui croyaient mourir. Et vous pouvez appeler cela un miracle, car c'en est un. Elle a le droit de s'aimer. Vous avez aussi ce droit, mais n'attendez surtout pas d'être rendus à ce point pour commencer à le faire. *(Nouvelle ère, I, 29-02-1992)*

*V**ous avez parlé de nos pouvoirs. Est-ce à dire que ce rôle que vous avez face à nous peut nous aider à redécouvrir ces pouvoirs, à les actualiser ?*

Tout à fait ! C'est notre but. En fait, plus vous allez utiliser vos vraies forces, votre vrai savoir, plus vous serez puissants et plus les gens autour de vous le comprendront. Cela va beaucoup plus loin. Nous ne vous apprendrons pas comment vous dématérialiser, car vos formes sont loin d'être prêtes à cela. Mais dématérialiser certaines idées pour les remplacer par vous-mêmes, vous y êtes prêts. Vous êtes tous à la recherche d'un même objectif : être heureux, retrouver l'amour de vous-mêmes et des autres. Combien y parviennent vraiment sans passer par les autres, sans jouer de jeu ? Regardez autour de vous. Il y a même des gens qui se fient à ceux que vous appelez des guides... ce sont des oeillères, pas plus ! Certaines personnes utilisent ce que vous appelez des guides; ils ne vivent plus leur réalité mais une fausse dimension de rêve. Nous savons que vous aurez aussi des questions sur cela. *(Diapason, I, 21–03–1992)*

D'autres vous demanderont jusqu'où peut se rendre notre influence. Il y a une distinction à faire. Si vous nous demandez si l'influence des Entités est forte, nous vous répondrons qu'elles ne peuvent qu'avoir une influence égale à celle que vous leur demanderez d'avoir, car d'elles-mêmes, sans demande de votre part, leur influence est nulle; elles ne peuvent pas vous influencer. L'Entité en vous, que vous nommez Âme, n'acceptera pas d'être influencée par des Entités extérieures qui ont à vivre leur propre expérience, sauf si votre Âme en fait elle-même la demande. Quant aux influences que nous avons, nous les Cellules, il en sera question lors d'une session future, mais sachez qu'elle est beaucoup plus grande malgré les faits. Les Entités qui sont dans l'attente d'une forme, que vous nommez guides, n'ont pas pour but de vous guider, sauf sur demande. Leur but est d'observer et d'apprendre. Les Entités sont directement influençables par nous. Il y a une hiérarchie dans notre monde comme dans votre monde. Nous pouvons influencer l'Âme dans votre forme, à sa demande, comme nous l'avons montré au début de la session [non retranscrit car il s'agit d'un problème relaté lors d'une session privée]. L'Âme avait fait une demande car sa forme aurait eu divers problèmes lors de son opération, au niveau de son coeur. Nous n'étions jamais passées dans une forme sous anesthésie générale. Ce fut une autre expérience importante pour nous, car nous avons aussi à apprendre. Voyez à quel point il existe un désir de communication très intense de notre part. Nous-mêmes, selon les mondes qui sont différents, devons constamment apprendre car nous n'avons pas choisi vos moyens d'expression. Si nous laissons cela de côté, il y aura encore plus de violence. Il y aura des violences qui seront plus directes pour éveiller vos consciences mais, en règle générale, ce sera plus global. *(Les pèlerins, I, 27–01–1990)*

O *béissez-vous à une loi divine ou est-ce par votre propre principe ?*

Vous mélangez les termes car ce sont des mots que vous employez. Nous sommes des faits; vous appelez cela Dieu. Dieu pour nous, c'est l'Ensemble. L'ensemble des Cellules, pas seulement une ou deux. Lorsque certaines d'entre nous ont décidé de s'incarner, de vivre des expériences physiques, elles ont modifié leur taux d'énergie, leur taux vibratoire. Elles ont fait un choix. Elles ont voulu s'exprimer dans des formes, donc elles doivent revenir à leur taux de vibration et, pour cela, elles devront terminer leur cycle. Elles ont commencé, elles doivent finir.

> *Vous m'expliquez les Entités, mais vous... Je parlais de loi divine en pensant à la création telle qu'on la conçoit, nous ici. Qui vous a créées ?*

Si nous répondons à cela, nous vous donnons encore une fois le moyen de nous détruire. Nous vous l'avons déjà dit et cela faisait partie de la transcription d'autres sessions que vous avez eue entre vos mains; c'était une question de Claude. Nous avons déjà mentionné qu'il nous était possible aussi, à de très rares exceptions, d'éliminer certaines Entités. Si nous vous disons comment cela se fait, vous avez des moyens dans ce monde qui pourraient beaucoup plus que nous nuire. C'est pour cela que nous devons être fort prudentes à ce sujet.

Excusez la naïveté de ma question, mais d'un autre côté, vous semblez avoir beaucoup de pouvoir.

Nous avons cela aussi. Vous aimeriez que nous soyons plus faibles ?

Non, pas du tout, mais j'aimerais que ce soit plus clair.

Plusieurs personnes ici appartiennent au monde de l'enseignement. Elles travaillent dans des classes où il y a les élèves. Entre vous et nous, lorsqu'il y a de l'ordre dans une classe, c'est que le professeur remplit bien sa tâche, parce qu'il maîtrise bien son travail, parce qu'il partage ses connaissances, parce qu'il est intéressant. Il peut y avoir 40 élèves devant lui, il sera tout de même seul. Donc, il a une méthode, une technique, mais il occupe aussi un rang plus élevé que les élèves au plan hiérarchique, comme vous dites; il a plus de pouvoir.

Le professeur a eu un mandat clair du directeur d'école.

Notre mandat en est un d'Ensemble. Nous ne sommes que quatre ici actuellement sur des milliards et des milliards; cependant, notre ligne [de pensée et de conduite] est la même. Nous faisons partie d'un tout. Que vous l'appeliez Dieu, que vous l'imaginiez comme une personne, cela n'a pas d'importance pour nous parce que c'est l'Ensemble. C'est pour cela d'ailleurs que toutes vos religions parlent d'unité. Il vous est difficile dans vos dimensions d'imaginer cela. Voyez-vous, lorsque vous vous adressez à nous, tous, vous nous parlez comme si nous étions toutes des formes. Vous pensez en tant que forme. Il vous est donc difficile de voir nos dimensions, parce que vous avez le sens de la vue pour voir et que vous vous fiez à ce que vous voyez. Comme nous ne pouvons pas être vues par vos yeux, il vous est difficile de nous imaginer. Il vous est difficile de voir de l'électricité et pourtant cela existe. Dans vos dimensions, lorsque nous percevons vos formes, ce n'est pas avec des sens comme les vôtres. Il y a plus de sept dimensions dans la nôtre pour voir vos formes. Nous ne voyons pas seulement ce que vous appelez les bras, ni la structure complète, ni les molécules; c'est l'ensemble que nous voyons. Si vous pouviez nous observer, vous ne verriez pas une, deux ou trois cellules, mais un simple Ensemble, un tout, uniquement. Par contre, les Entités ont choisi l'individualité, des expériences uniques; dans ce sens, elles se servent de leur imagination pour créer des formes imaginaires ou des formes qu'elles ont déjà eues. C'est leur dimension. Lorsqu'elles décident de nous rejoindre parce qu'elles ont complété leur cycle et qu'il y a certitude qu'elles n'auront pas l'idée de recommencer, elles peuvent nous rejoindre. Ce n'est pas seulement Oasis, même pas une, deux ou quatre Cellules, mais l'Ensemble qui décide. Vous pensez en fonction du temps et de l'espace, mais cela ne compte plus. Que ce soit la première Cellule ou la 208 milliardième, c'est la même chose; cela se communique en même temps. Elles ne sont pas toutes dans l'expérience que nous vivons nous-mêmes, actuellement. Nous sommes écoutées, nous sommes reprises, nous sommes même analysées, pour que les paroles prononcées par cette forme [Robert] n'entraînent pas d'abus. Lorsque nous permettons à des Entités d'assister à une session, il y a très peu de connexions entre elles et nous. Cela se fait tout de même. Nous avons des moyens pour cela. Effectivement, il y a un ordre. Nous avons simplifié cela au maximum. Nous vous avons dit : « Ne vous cassez pas la tête pour tous les niveaux, le fait de savoir est suffisant. » Il y a les Cellules, les Entités en attente, et celles qui sont dans vos formes et que vous appelez les Âmes.

Je vous remercie de votre patience et en relisant le texte, je vais comprendre encore mieux. Je voudrais poser ma question comme telle : l'Âme, le Soi divin, le Higher Self ?

La même chose. *(Alpha et omega, III, 18–08–1990)*

A vez-vous un rapport avec les êtres désincarnés qui ont pour mission d'aider les humains ?

Ces êtres ne sont que des mots, en ce sens que si vous allez chercher votre confiance à l'extérieur de vous, vous ne l'aurez jamais pour vous. Il y a des Entités prêtes à aider les humains. Toutefois, si vous apprenez à détourner ce qu'il y a en vous pour vous permettre de communiquer avec l'extérieur malgré la volonté de votre Âme — même si cela demande des efforts énormes, certains cerveaux peuvent faire cela —, si vous apprenez à aller chercher vos forces et vos conseils à l'extérieur de vous, cela équivaudrait à vivre pour d'autres. Vous sortez de votre réalité et vous ne vous reconnaîtrez jamais. Comprenez-vous mieux ?

Je pense que vous avez mal saisi ma question, je me demandais si vous étiez en rapport avec des êtres désincarnés.

Nous avons des relations avec les Entités sous différents rapports. Nous pouvons entretenir des rapports de direction, leur prodiguer des conseils; ce sont surtout des rapports de réprimande ou d'aide que nous avons avec les Entités. Notre but n'est pas de leur nuire, mais les Entités ont choisi elles-mêmes cette expérience. Nous pouvons effectivement leur montrer la voie; c'est ce que nous faisons actuellement. Toutes les fois qu'il y a une session comme celle-ci, lorsque vous écoutez les mots, lorsque vos conscients les comprennent, nous allons à un autre plan. Nous avons dit que nous avions fait entrer des Cellules; ce n'était pas pour nous, mais pour vous. Certaines personnes ici en ont profité grandement et ont rééquilibré leurs énergies. Tout ce qu'elles ont à faire, c'est d'accepter cela, d'être ouvertes et de remercier; de prendre cela pour acquis, si vous voulez, et cela se fera. Le doute veut dire se refermer, attendre des preuves; nous vous suggérons le contraire. Dans ce sens, nous pouvons avoir des rapports comme lors de ces sessions privées où nous allons aussi vers les Âmes. Jusqu'à ce qu'elles nous rejoignent, ce seront les seuls rapports. Avons-nous bien répondu cette fois ?

Oui.

Nous avons répondu à trois autres personnes avec notre première réponse. *(Maat, III, 13–01–1991)*

V ous avez mentionné que vous aviez déjà détruit des Âmes; dans quelle situation cela s'est-il fait ?

Il y a eu des Âmes — comme dans votre monde physique, mais cela arrive moins de leur côté — qui, malgré les avertissements des leurs, malgré les nôtres, continuaient tout de même de détruire des formes, de nuire aux autres Âmes qui étaient incarnées. Lorsque nous les avons détruites, ce fut par décision unanime, complète, et non seulement une partie de l'Ensemble. Cela se fait aussi avec l'accord des Entités, donc de vos Âmes. Lorsque cela doit se produire, c'est parce qu'il y a des dangers énormes pour les autres Âmes et parce que nous avons tout essayé. C'est très peu courant. Il y a des Âmes qui prennent l'empreinte des formes et qui retournent du côté des Entités et vivent comme si elles étaient déjà et toujours dans les formes, même si elles doivent nuire. Lorsqu'elles influencent trop les formes conscientes par leurs comportements, cela va encore plus loin et c'est la dernière étape que nous acceptons. *(Alpha et omega, IV, 22–09–1990)*

*V**ous êtes quand même intéressées au bien-être des formes, pas au fait qu'elles aient des richesses matérielles, mais qu'elles soient heureuses et en contact avec leur Âme ?*

Vous savez, vous nous donneriez trois de vos tonnes d'or et nous ne pourrions même pas les bouger; cela ne nous donnerait rien du tout. Ce ne sont pas ces biens qui nous intéressent. Si nous pouvions vous démontrer ce que sont ces mondes matériels en harmonie, vous comprendriez tout de suite que certaines Cellules aient eu le goût de faire cette expérience, car elles ont réellement le choix et cela leur est plaisant. Elles ont le goût parce que les formes écoutent, parce qu'au lieu d'être changeantes, les formes se comprennent elles-mêmes. Mais nous faisons abstraction de votre monde actuellement. Combien d'entre vous seraient prêts à se donner totalement pour les autres ? Très peu, n'est-ce pas ? Nous ne disons pas aider pour une seule journée, mais au point d'en mourir, de se donner totalement. Jacqueline l'a essayé, au détriment de sa forme d'ailleurs, car elle ne savait pas où elle allait. Robert le sait et il sait très bien que cela détruit sa forme, mais c'est son choix. *(Maat, II, 01–12–1990)*

*E**st-ce que parmi vos groupes on retrouve des dirigeants de pays, des scientifiques ?*

Sur des bases individuelles, oui. Il y a des scientifiques, sur des bases individuelles encore une fois; il y a des groupes qui sont concernés uniquement de sciences et qui ont des questions spécifiques. Mais ces groupes ont aussi des réponses qui les font analyser; ce sont des gens d'analyse. Il y a des groupes de dirigeants dans votre pays même. Nous aurions aimé que vous nous demandiez s'ils écoutent... Pas les dirigeants ! Quant aux scientifiques, ils sont très préoccupés par leur avancement, par la rapidité de leurs succès, par leur renommée, mais cela changera. En ce qui nous concerne, le groupe que vous avez actuellement est aussi un groupe de scientifiques et de dirigeants. Ne dirigez-vous pas vos vies de façon scientifique le plus possible ? *(Symphonie, III, 08–06–1991)*

J e voudrais savoir jusqu'à quel point vous pouvez influencer ce qui se passe ?

Vous n'en avez aucune idée ! Par contre, s'il nous fallait influencer tous et chacun d'entre vous, ce serait l'équivalent de dire à vos Âmes : « Foutez le camp de ces formes, nous allons faire l'ouvrage à votre place. » Or s'incarner n'est pas notre choix, c'est le leur. Cependant, lorsque les normes sont dépassées, lorsque cela dépasse l'entendement même, il nous arrive de devoir intervenir sur une grande échelle, mais pas actuellement car ce ne serait pas assez compris. Nous intervenons plutôt de façon plus individuelle actuellement.

Concernant une guerre comme la guerre du Golfe ?

Nous ne ferons rien.

Vous allez les laisser se battre ?

Tout à fait. Parce qu'ils doivent comprendre que les plus grands changements de votre monde sont survenus après des guerres. Il vous faut toujours des guerres pour comprendre l'existence d'autres niveaux. Certains comprendront que la science évoluera, ce qui s'est produit à chaque guerre; d'autres riront en voyant l'absurdité de ces gestes et d'autres rechercheront des niveaux de compréhension différents. Cela vous fait progresser très rapidement. Voyez ce qui se passe ailleurs avec les jeunes : ils sont très offusqués des guerres; ils ne savent pas pourquoi, mais ils le sont. C'est donc qu'en eux, il y a de l'influence et que cela commence à agir. Ce qu'ils en retireront sera beaucoup plus grand. S'il n'y avait pas cette guerre actuelle, cela n'aurait pas pris place. Il n'y aurait pas eu autant de recherches personnelles. Vos mondes sont ainsi faits, il est effectivement malheureux de le constater. Mais il y a changement. Beaucoup de Cellules et beaucoup d'Entités ont la même réaction qu'eux : trop de compassion. *(Harmonie, III, 09–01–1991)*

*E*st-ce que vous avez déjà influencé nos vies ou tiré des ficelles comme vous dites, avant même de nous connaître ou de nous rencontrer lors de ces sessions ?

Nous ne pensions pas à vous mais à des dirigeants de pays; nous l'avons fait à plusieurs reprises. Dans certains cas, nous avons influencé des individus qui ne viendront jamais dans ces groupes, dans le but d'en aider d'autres. Comment voulez-vous que nous agissions seulement par des sessions pour changer le monde complètement ? Pour vous changer, il faut vous comprendre, vous-mêmes en premier, c'est la meilleure façon, vous savez. Continuez cette question.

Je voulais savoir si vous aviez tiré des ficelles pour nous avant même de nous connaître, de nous rencontrer dans ces sessions ?

Dans certains cas, oui, nous l'avons fait. Dans d'autres, c'est votre Âme qui a tiré les ficelles de force parce qu'elle avait besoin de nous, sachant que votre forme changerait. Mais nous avons tiré effectivement des ficelles pour plusieurs ici... Pas pour le pire, admettez-le ! Parenthèse à ce sujet : pour certaines personnes, cela aura été de les prévenir d'une maladie grave; pour d'autres, de les aider dans leur emploi ou dans leur vie familiale; pour d'autres encore — imaginez cela — de les aider dans leurs impôts ou dans des cours de justice, pour voir à quel point nous pouvions influencer pour le mieux des gens entêtés. Nous essayons tout cela avec succès d'ailleurs. *(Symphonie, IV, 06–07–1991)*

*P*ourquoi veillez-vous sur nous, pourquoi le faites-vous ?

Nous le faisons parce que nous vous aimons, parce que nous trouvons que vous avez suffisamment souffert comme cela, n'est-ce pas une bonne raison ?

Au moment où les Âmes ont commencé à s'incarner, est-ce qu'elles ont laissé des Cellules là où elles étaient pour veiller sur elles au cas où elles ne se trouveraient pas libres avec les formes ?

Que sommes-nous nous-mêmes ? Que faisons-nous dans cela croyez-vous ?

Vous êtes des Cellules à qui on a demandé de rester et de veiller sur nous.

Bravo, vous avez compris. Il faut que quelqu'un supervise sinon ce serait le désordre complet. Vous faites cela aussi avec de petits groupes car, dès qu'ils deviennent énervés, ils brisent tout. Vous faites cela dans de petites sociétés. C'est la même chose avec vos Âmes. Si tout cela était pêle-mêle, à quoi bon faire des efforts ? *(Symphonie, IV, 06–07–1991)*

J e voudrais savoir jusqu'à quel point vous, les Cellules et les Entités, il vous est permis de nous aider et quels sont les pouvoirs réels de l'Âme ?

Dans un sens, le rôle des Entités est beaucoup plus d'observer que de participer comme tel. Leur droit d'ingérence est très limité. En ce qui a trait à vos Âmes, elles sont déjà dans vos formes. Si, dans vos formes même, elles n'arrivent pas à vous faire croire en elles, à faire en sorte que vous vous retourniez vers elles pour demander et que vous vous aimiez à un point tel que vous ne faissiez qu'un avec elles — ce qui est souhaitable d'ailleurs — elles pourraient vous permettre d'aller vers des Cellules. Notre pouvoir est beaucoup plus grand. Nous pouvons tirer des ficelles et nous l'avons fait combien de fois ! Mais nous ne le faisons pas pour rien. Il faut tout de même qu'il y ait des buts, des récompenses; ce n'est pas pour faire des preuves, nous ne ferons jamais cela. C'est à vous de faire vos preuves, ce n'est pas à nous de les faire pour vous. Notre pouvoir peut aller d'une simple aide dans vos vies quotidiennes jusqu'au retrait de l'Âme dans une forme. Mais nous ne nous servons de ce dernier droit que très rarement. Nous réglementons, nous faisons en sorte qu'il y ait de l'ordre. S'il faut être plusieurs pour modifier un courant de vie, nous le faisons. Mais il doit y avoir des buts pour cela. Alors que nous n'intervenions pas dans le passé, nous intervenons maintenant et nous le devons d'ailleurs. Cela a trop tardé. De vos côtés, mieux vaut utiliser vraiment les forces qu'il y a en vous et le vouloir que d'attendre d'être forcés de croire. *(Le fil d'Ariane, IV, 14–12–1991)*

*E*st-ce qu'il y a une hiérarchie dans votre monde de Cellules ?

Entre les Cellules, il n'y en a pas. D'ailleurs, il vous faut comprendre qu'à toutes les fois que vous nous posez une question, nous devons nous informer à chaque fois auprès des Cellules pour savoir si nous pouvons y répondre et quelle serait la meilleure manière de le faire. C'est ainsi qu'il y a une seule restriction, mais on nous permet parfois d'en aborder certains points. Hormis cette restriction, tous les sujets sont permis sauf que nous devons souvent nous en référer à l'Ensemble. Et si jamais les autres décidaient ou devaient décider que ces expériences devraient cesser, nous devrions le faire à l'instant même. Nous ne faisons pas cela par goût de prendre une forme et de nous exprimer, mais pour vous faire vous exprimer, vous retrouver vous-mêmes. Donc, nous verrons jusqu'où ces expériences actuelles conduiront. Si nous devions donner un pourcentage de notre satisfaction actuelle, nous dirions 70 %. Si vous étiez à l'école, vous passeriez tous. C'est très encourageant ! Mais nous modifierons nos approches, nous serons parfois plus radicales, plus rapides. *(Diapason, I, 21–03–1992)*

*J*usqu'à quel degré les Cellules interviennent-elles sur l'évolution du monde matériel ?

Cette question ne nous surprend pas de vous, en ce sens que vous allez sûrement analyser notre très courte réponse. Il faut bien comprendre que notre rôle à nous, les Cellules, est de faire en sorte qu'il n'y ait pas d'abus, ni d'interférence. À plusieurs reprises, nous avons eu à évacuer de certaines résidences des Entités un peu trop influençables et influençantes, en réponse à des demandes faites lors de sessions privées. Pouvons-nous vous dire qu'elles ont quitté rapidement ! Pour cela, il faut qu'une demande soit faite, ce qui implique votre niveau de connaissances et votre volonté, sans que vous ayez besoin d'y croire. Il suffit de demander. Donc, les interférences entre les Âmes et les Entités, oubliez cela. Il nous arrive aussi, pour des raisons fort importantes, d'influencer des Âmes (qui sont à notre avis des Entités, mais pour votre besoin de compréhension, appelons-les des Âmes) et, croyez-nous, elles écoutent. Juste pour bien vous faire comprendre cela dans votre dimension, voici un exemple. Supposons que vous soyez tous des Cellules, que vous soyez à notre place et que vous ayez devant vous des Entités qui vous ont laissé tomber dans le but de s'exprimer dans des formes physiques, qui n'ont pas complété leur cycle et qui demandent de réintégrer ce qu'elles étaient auparavant. Que feriez-vous ? Surtout si ces Entités ont nui à d'autres et si elles sont loin d'avoir complété leur cycle, vous ne pourriez pas les accepter parce qu'elles perturberaient l'influence et la totalité de vos énergies. Le nombre ne compte pas pour nous, car nous ne formons qu'un. C'est pourquoi il nous arrivera parfois de demander l'autorisation pour certaines réponses, parce qu'elles pourraient nuire à d'autres. À notre niveau, comme vous le dites si bien dans votre dimension, c'est un pour tous et tous pour un. Nous ne formons qu'un, comme dans vos formes. Nous avons apporté une extension à votre réponse. Vous aurez bien compris cela, et nous savons que vous aimez comprendre cela. Vous n'aurez qu'à mettre des parenthèses et à rajouter votre version. Ne prenez pas cela mal surtout, cela nous amuse tellement, surtout de voir l'analyse que vous en ferez. Pour vous encourager d'avoir écouté tout cela, à partir de la troisième session, vous allez vivre les énergies et ce sera très difficile à analyser; mais nous savons que vous aimerez l'expérience car vous percevez déjà très bien. Rappelez-vous cette question que vous aviez posée de façon très timide lors de la première session : « Est-ce que c'était Oasis que j'ai ressentie ? » Vous savez, que ce soit Oasis ou les Cellules, c'est la même chose. Donc, vous avez effectivement perçu notre dimension. Nos félicitations ! *(Maat, II, 01–12–1990)*

*Q*uand vous avez parlé de la fin de semaine qu'on passerait avec vous, vous avez dit qu'il n'y aurait pas d'Entités qui nous importuneraient, vous l'avez dit d'une voix ferme et vous venez de dire : « *Croyez-nous, les Entités nous obéissent.* » *Je vous perçois à un niveau hiérarchique supérieur aux Entités, comme une sorte de police ayant le rôle de surveiller, comme dans notre monde à nous.*

Vous nous rassurez.

Pouvez-vous expliquer un peu cela ?

Nos vibrations sont fort différentes des leurs. Mais encore une fois, elles sont des nôtres tout comme vos Âmes le sont. Si personne ne met de l'ordre, pour employer vos termes, les Entités pourraient changer de forme selon leur volonté, faire tout ce qu'elles voudraient, pas toujours mais cela pourrait devenir une habitude. Il nous faut parfois trancher en cela. *(Alpha et omega, III, 18–08–1990)*

*T*out à l'heure, vous avez parlé de sessions qui étaient planifiées, je me demandais par qui ?

L'ensemble des Cellules a planifié ces sessions avec vous non pas en faisant en sorte de choisir exactement toutes les personnes réunies ici, mais en planifiant nos réponses, sinon nos propos n'auraient aucune suite et vous n'arriveriez pas à tout comprendre en quatre rencontres. Si les questions bifurquent, ce qui est une possibilité, nous ramenons les questions là où elles devaient être, ne vous en faites pas. Continuez cette question. Nous n'influencerons jamais vos formes au point de vous faire faire des choses. Nous n'envahirons pas vos formes non plus, ni les Entités. N'ayez aucune crainte à ce sujet, les Entités nous écouteront.

C'était planifié par qui ?

Par l'Ensemble.

L'Ensemble de quoi ?

Des Cellules, par vos Âmes, pour obtenir un résultat, sinon cela ne serait que de la curiosité et cela ne vous ferait pas progresser. Voici une question pour vous : entre une situation hasardeuse et une situation connue, que choisiriez-vous ?

J'ai tendance à aller vers la situation hasardeuse.

Vous pourriez avoir beaucoup de surprises.

J'en ai.

Ce n'est pas le choix de tous. La majorité choisirait de ne pas se casser le nez. Donc, nous ne pensons pas seulement à vous ici, mais à l'Ensemble; c'est le sens de notre réponse, l'Ensemble.

Si j'ai bien compris, vous avez dit que ça fait 12 ans que c'est commencé, je me demandais pourquoi ?

Nous avons dit aussi que c'était une période que nous appelions nous-mêmes l'automne. Si vous voulez qu'il y ait des changements, il faut aussi que les Âmes viennent et échangent, il faut qu'il y ait plus de maîtrise intérieure dans vos formes. Les circonstances ont produit les résultats actuels; nous ne jouons pas à cela. C'est pourquoi il y a plus de pression pour que cela change. Il y a eu des moyens plus tolérants, plus doux, mais à toutes les fois qu'ils ont été utilisés, vous les avez tous oubliés : c'était trop facile, trop beau. *(Symphonie, I, 06–04–1991)*

*P*ourquoi, en tant qu'Oasis, ne choisissez-vous pas les thèmes d'exploration du groupe plutôt que de continuer à poursuivre *avec nos diverses questions ?*

Parce que, pour nous, il est très important de respecter chacun d'entre vous; sinon ce serait comme de vous donner des connaissances massives, de tenter inutilement de vous convaincre. Notre approche est fort différente. Nous préférons que vous vous convainquiez vous-mêmes avec des termes faciles, par de la simplicité, par des raisonnements qui vous sont faciles à comprendre mais qui respectent chacun d'entre vous. Il serait facile pour nous d'aborder tous les sujets que vous voulez de façon individuelle. Nous n'avons jamais posé de limites à vos questions, sauf à celles pouvant nous détruire. Nous pouvons répondre à toutes les autres questions. Nous vous accordons cela parce que, si vous posez ces questions, c'est qu'elles ont place en vous; et tant qu'elles ne seront pas sorties de vos formes et comprises, elles resteront en vous. Et toute connaissance que nous pourrions apporter serait mise par-dessus celles-ci et cela ne vous apporterait rien de plus... comme un livre. Donc, pour nous, il est beaucoup plus important, et plus sage aussi, d'éclaircir et de vous faire comprendre les points ennuyeux pour vous tous, par exemple des épisodes de vos passés qui vous ont fait peur inutilement... Vous aurez des questions sur la religion, sur les religions, sur les mondes lointains du vôtre, sur l'avancement collectif actuel de votre monde. Vous aurez des questions sur tout cela. Le fait d'être ensemble vous permettra d'observer que, somme toute, vous n'êtes pas si différents les uns des autres et de partager un point en commun, celui de vos réalités propres. *(Nouvelle ère, I, 29-02-1992)*

L'enseignement qu'on reçoit de vous, est-ce qu'on peut le partager ?

Vous avez fait un choix. Nous ignorons si c'est de l'enseignement que nous faisons; nous considérons cela plutôt comme un partage. Ceux qui n'auront pas assisté à ces sessions pourraient en lire les textes, mais cela ne veut pas dire qu'ils en comprendraient l'essence même. Vous avez choisi de faire cette démarche en groupe dans le but de partager ensemble, de vivre une émotion collective, d'arriver ensemble à l'arrivée. Si pour certains nous faisons de l'enseignement, cela reste tout de même un partage pour nous. C'est pourquoi nous avons préféré limiter les sessions de groupe; c'est pour ne pas *vous* influencer en fait, pour que vous ayez juste le temps de vous influencer personnellement selon vos choix, vos goûts. Nous avons choisi la simplicité pour cela parce que toutes les autres méthodes avaient été expérimentées, même dans des sectes, même dans vos religions. Même les chantages exercés par vos religions dans le passé n'ont rien fait d'autre que vous donner à craindre. Vous n'avez rien à craindre, sauf de ne pas être heureux dans la vie, et ce n'est pas cela que beaucoup recherchent. Beaucoup justifient leurs malheurs afin de les approuver, tellement le goût d'être heureux s'est perdu avec vos années. Ce que nous tentons de faire avec vous et que nous avons fait avec les groupes précédents, c'est de vous amener à avoir beaucoup plus de considération pour vous-mêmes, de vous faire entrevoir le plus possible vos possibilités. Vous n'arriverez jamais à deviner le nombre d'efforts que nous devons faire ne serait-ce que pour tirer une simple ficelle dans vos vies. Beaucoup parmi vous en ont profité depuis le début de ces groupes. Mais il fallait cela pour que vous y soyez aujourd'hui. Sachez reconnaître, mais sachez utiliser aussi. Vous pouvez partager, mais attendez d'être certains pour que cela ne vienne pas briser votre foi, ne vienne pas remettre en question ce que vous êtes à apprendre. Vous ne serez plus les mêmes dans deux mois, vous verrez. D'autres événements vont se produire dans vos vies. Il nous reste encore des ficelles à tirer et nous le ferons, ne serait-ce que pour renforcer votre foi, ne serait-ce que pour vous encourager à vivre. Nous avons vu des changements parmi vous, de grands changements, et ce dans les deux groupes [*Renaissance* et *Fil d'Ariane*] : beaucoup de volonté, beaucoup de goût et de plus en plus de courage. Il y en a parmi vous qui ont déjà fait des changements majeurs dans le but d'être eux-mêmes. Il vous faut accepter cela. *(Renaissance, IV, 07–12–1991)*

Vous avez tous notre amour. Lorsque nous disons cela, nous parlons de l'Ensemble des Cellules. Sachez aussi que vous avez tous notre attention, que nous entendons vos demandes, pas seulement nous que vous avez appelées Oasis, mais les autres Cellules aussi. C'est une période actuellement où, heureusement pour vous, vous avez tout de même notre influence et notre amour.

Oasis

*Il faut
un bon consensus
entre votre forme et votre Âme
pour utiliser les Entités;
mais votre vie reste
l'expérience de
votre Âme.*

Les Entités

L es Entités, que vous les appeliez Âmes, guides ou Entités, c'est
la même chose. Certains auteurs ont apporté des nuances à
cette définition. Ils décrivent les guides comme des Entités élevées
capables de vous aider. Nous n'avons qu'un mot pour tout cela :
belle écriture et belle foutaise ! C'est plus simple que cela, qu'il
s'agisse d'une Âme ou d'une Entité, peu importe. Quant aux
guides, ils ne sont pas pour tous. Certains ont ces présences autour
d'eux. Pour d'autres, c'est une source d'inspiration prouvant qu'il
y a contact, inspiration artistique, médiumnique; c'est de l'intuition très développée, peu importe ce qui se développera. Vous
dites de ces gens qu'ils ont des talents ou de l'inspiration. D'autres
Entités simples, qui ne pourront revenir dans des formes avant
des milliers d'années, sont autour de vous pour gagner de l'expérience, pour apprendre. Quand vous allez à l'école, vous avez des
devoirs; les Entités aussi y sont contraintes. Nous avons déjà parlé
de la période de violence actuelle, qu'elle constitue l'automne de
vos vies. Il faut qu'il y ait des pertes, c'est comme partie intégrante de vos vies. Il sera fort important d'avoir une pensée bien
ajustée, une pensée bien accordée à la vie. Méfiez-vous de ceux
qui vous disent : « Il n'y a rien de plus facile que de contacter son
Âme et ses guides; je n'ai qu'à écrire. » *(Les chercheurs de vérité, II,
17–02–1990)*

Q ui sont les guides spirituels ?

Les guides ne sont autres que ces mémères [commères] que
nous vous avons mentionnées, des Entités qui s'accrochent à des
formes qui le veulent. Nous vous disons que ce sont des mémères,
car elles n'ont pas complété leur cycle et feront tout ce qu'elles
peuvent pour interférer avec des Âmes qui vivent leurs expériences. Nous ne vous le cacherons pas, il y a certaines Âmes qui
aiment cela parce qu'elles trouvent ennuyant de vivre dans une

forme, parce que l'expérience que la forme vit n'est pas très agréable. Puis, soudain, cette forme prend conscience qu'il y a des forces à l'extérieur, elle se met à y croire même si elle ne croit pas à son Âme. Remarquez bien que, dans votre façon de vivre en général (nous ne parlons pas de la vôtre), vous allez toujours chercher de l'aide à l'extérieur, que ce soit pour vous soigner ou pour autre chose. Donc, vous vous rendez compte qu'il y a des forces extérieures qui peuvent vous influencer — entre parenthèses, seulement vous aider — et vous y prenez goût. Votre Âme se dit alors : « Mieux vaut cela que rien; peut-être comprendra-t-elle que j'existe; peut-être que cela l'amènera à un autre cheminement » et elle joue le jeu. Il faut aussi qu'il y ait certaines personnes qui puissent contacter ces Entités de façon à pouvoir en aider d'autres. Tous les moyens sont bons, sauf qu'il y en a qui jouent avec cela et c'est un danger pour eux. Les guides ne sont pas là pour vous guider, mais pour vous observer. S'il y avait un bon consensus entre votre forme et votre Âme, vous pourriez les utiliser aussi pour aider les autres et vous aider vous-mêmes par le fait même. Donc, cela dépend des buts à atteindre, il y a toujours des distinctions à faire.

À ce moment-là, je dois faire confiance à mon Âme ?

En premier lieu. Et votre Âme vous conduira vers l'extérieur si vous devez vivre cela. Il y a aussi ce que vous avez joliment nommé voyages dans l'astral. Ce ne sont pas vos consciences qui sortent de vos formes, mais l'Âme qui projette une autre dimension dans la vôtre. Oh ! vous pourriez vous voir, vous pourriez voir d'autres dimensions, c'est une réalité. Mais il y a des dangers à le faire, et vous aurez des questions à ce sujet dans le futur. Abstraction faite des dangers de faire ces sorties hors de vos formes, ces projections donnent le goût à l'Âme d'être plus souvent à l'extérieur. Vous voyez uniquement ce que votre Âme vous retransmet. Encore une fois, cela peut donner de la foi à certaines personnes qui cherchent à se raccrocher à des croyances pour s'encourager dans la vie. Nous vous l'avons dit : tout est valable. Voyez cela comme une échelle ou comme un escalier. Vous pouvez monter les marches une par une et vous rendre au sommet, ou sauter des marches et revenir en arrière. Il y aura tout de même des échelons à gravir. Pouvons-nous vous suggérer qu'en choisissant d'assister à nos sessions, vous avez décidé d'oublier les marches pour vous rendre au principal, et ce sera votre choix. *(Harmonie, I, 17–11–1990)*

*E*st-ce que les gens qui sont décédés peuvent interférer dans le milieu des vivants ?

C'est une très bonne question. La réponse est oui. Cela dépendra des efforts que vous mettrez consciemment pour les retenir près de vous après leur départ. La majorité des fois, les Entités se font percevoir dans les rêves; mais il arrive parfois qu'elles se manifestent visuellement — à de très rares occasions d'ailleurs — et parfois sous diverses formes, pour vous faire peur de temps à autre, mais ce sera surtout dans l'imaginaire. Ce n'est pas physique, simplement une projection de leur Âme. Elles ne soulèveront pas votre lit non plus, foutaise que cela. Elles le font dans un seul but : que vous les laissiez tranquilles. Lorsqu'une personne que vous aimez meurt, vous êtes portés à croire que c'est sa forme qui continue de vivre; ce n'est pas le cas. Parfois, l'Âme continue d'imaginer la forme pour retrouver d'autres Âmes qui ont partagé son expérience. C'est chose courante du côté des Entités. Le fait que ceux qui continuent de vivre et qui ont perçu les vibrations d'une personne décédée continuent de recréer ces vibrations en eux a pour effet d'attirer l'Âme de cette personne. C'est comme si vous l'appeliez constamment. Comme vous ne pouvez pas visualiser l'Âme elle-même ou l'Entité, peu importe, vous continuez de visualiser la forme qu'elle avait. Cela équivaut à une demande, vous savez; la majorité des fois, ces Entités croient qu'un contact est possible et cela les encourage. Certaines Entités veulent continuer ces expériences; mais la plupart d'entre elles veulent les cesser : c'est la situation la plus fréquente. Pour couper ce lien, plusieurs Entités vont choisir de se réincarner rapidement pour ne pas que les gens qu'ils ont connus aient trop de difficulté à poursuivre leur vie, parce que cela nuirait aussi à leurs Âmes qui, elles, auraient des formes perturbées. Pour couper court à cela, vous n'avez qu'à les remercier du temps qu'ils vous ont alloué et des formes qu'elles avaient. Vous n'avez qu'à le visualiser sans le prononcer et à leur demander aussi de prendre leur distance avec votre pensée et cela se fera rapidement. Nous comprenons le sens de votre question. Quelques instants... L'Entité à laquelle vous faites allusion actuellement, bien qu'elle soit sans forme, n'a rien fait jusqu'à ce jour pour vous éloigner réellement. Elle n'a aucune incarnation prévue avant deux de vos années. Mais cela devra se faire. (*Les colombes, II, 07–07–1990*)

Q *uelle est cette autre dimension où se rend l'Âme quand elle n'a plus besoin des formes ?*

Vous voulez savoir où les Âmes vont ?

Oui. Qu'est-ce qu'elles font, est-ce que c'est ennuyant ?

C'est une question très curieuse. Vous savez, les Entités n'ont pas de télévision, mais elles observent très bien. Leur dimension est différente, dans le sens que vous êtes limités par vos sens alors qu'elles n'en ont aucun. Cependant... Quelques instants, on nous fait des remarques... Comme d'habitude, toutes en même temps ! Si vous pouviez voir cela : elles ne s'ennuient pas, elles ne s'amusent pas, elles discutent toutes en même temps. C'est comme s'il y avait une foule où tous voulaient être entendus en même temps ! Vous savez, elles vivent dans un monde où elles peuvent utiliser leur imagination entre elles. Plusieurs gardent l'image de la forme qu'elles ont eue, plusieurs d'entre elles. D'autres gardent leur plan d'énergie uniquement. Cela n'a pas de réelle importance pour elles. Observer ceux qu'elles ont connus et qui continuent à vivre est très intéressant pour plusieurs d'entre elles. Elles aiment aussi que ceux qui vivent continuent de les entretenir en pensée, car cela les encourage à imaginer leurs formes plus longtemps. Au contraire, il y en a d'autres qui reprennent leurs dimensions, leurs formes d'énergie dans le but de ne pas nuire aux autres formes. Tous ces cas peuvent être pris de façon individuelle. En règle générale, elles ne s'ennuient pas. Elles peuvent observer d'autres mondes aussi, pas seulement le vôtre. Elles n'ont pas de « temps », c'est dans une autre dimension, vous savez. (*Alpha et omega, III, 18–08–1990*)

P *eut-on dire que toutes les Âmes qui ne sont pas incarnées sont dans un même espace ?*

Les Entités sont totalement libres d'observer d'autres mondes, ce qui a pour résultat de les encourager à mieux maîtriser vos formes, à mieux s'encourager elles-mêmes, à mieux encourager aussi certaines Âmes qui sont en ce moment incarnées, tout dépendant de leur mission. Effectivement, — pas ce soir dans cette pièce, nous avons dit qu'il y avait des Cellules — mais quelquefois, certains soirs, il y a eu dans cette pièce entre 300 000 et 500 000 Entités pour observer 16 ou 17 formes. Donc, ce n'est pas dans cette simple pièce qu'elles sont, mais où elles le veulent, dans la dimension qu'elles veulent. C'est leur choix, mais il n'en reste pas moins qu'elles devront passer à travers l'expérience entreprise pour ne pas nuire aux autres niveaux. Avons-nous répondu à cela ?

Oui.

Nous savons qu'il y a certaines croyances voulant que les Âmes soient toutes comme dans des bouteilles, dans des récipients énormes, en attente de leurs incarnations. Certaines croyances veulent cela, mais ce n'est pas exact. Lorsqu'elles savent qu'elles auront une forme, en règle générale, elles observent des Âmes qui vivent dans des formes ayant de très fortes similarités pour voir comment elles s'y prendront. Prenez vos sessions avec nous. Chaque fois qu'il y en a une, et ce dans ces 63 autres endroits du monde aussi, vous devriez voir combien il y a d'Entités qui veulent assister. Si nous n'avions pas de limite à ce niveau, vous vous sentiriez beaucoup plus qu'observés, vous vous sentiriez envahis, parce qu'elles veulent apprendre et rapidement ! De plus en plus, d'ailleurs. *(Alpha et omega, IV, 22–09–1990)*

*E*st-il possible que l'Âme d'une forme décédée puisse intégrer la forme d'une personne vivante ?

Autrement que de façon volontaire, tel que vous le pensez ? Aucunement. Premièrement, il arrive que certaines formes conscientes, très habiles, puissent être influencées par des Entités extérieures de façon à revivre une partie des influences de l'autre. Mais la presque totalité des dédoublements sont en fait des prises de connaissance intérieures profondes de vies passées qui refont surface, très souvent causées par des conjonctures de temps et d'événements. Deuxièmement, cela peut arriver à des formes qui ont subi des stress énormes. Troisièmement, cela peut arriver lors d'opérations où l'Âme s'absente pour voir un peu plus sa dimension et confond légèrement les formes au retour; cela dure un ou deux jours, sans plus. Quatrièmement, cela se produit dans certains cas de coma, très régulièrement même, quoique dans ces cas, l'Âme originale reprend sa forme lorsque la forme revient à elle. C'est pourquoi, dans ces cas, plusieurs se souviennent de bonnes expériences; ils ont vécu des projections. En règle générale, une Entité qui serait à vos côtés ne pourra pas entrer dans vos formes, votre Âme ne le permettra pas.

Et si la forme accepte la possession ?

Oubliez cela. Nous vous avons bien dit qu'aucune Âme ne quittera la forme de façon volontaire, sauf si la forme en termine elle-même, et il y aura alors des conséquences à subir. Vous n'êtes pas des gens ignorants, maintenant vous savez. Plusieurs pourront dire : « Mais nous ne le savions pas », mais vous, vous le savez maintenant.

Que sont-elles ces conséquences ?

Nous les avons déjà mentionnées : rejet de cette Âme par les autres, isolement, difficulté pour elle d'avoir à nouveau une forme. Il arrive que ces Âmes soient suffisamment tourmentées pour nuire et influencer les gens qui les auront poussées au suicide. Cela peut causer des déséquilibres chez ceux qui vivent à un niveau émotionnel très profond. *(Maat, II, 01–12–1990)*

*C*omment se fait-il que vous ne soyiez pas arrivées à vous incarner pour évoluer ?

Question de choix.

Ce n'est pas une certaine injustice ou une décision arbitraire de la part...

Croyez-vous que les Âmes aient été forcées à faire cela ? Aucune ne l'était. Elles ont demandé à s'exprimer, à démontrer de façon plus radicale, à échanger entre elles dans de plus petits groupes. C'est un défi pour elles, elles l'ont accepté. Nous ne les accepterons pas parmi nous tant qu'elles n'auront pas prouvé le contraire. Si vous pouviez simplement percevoir — dans votre cas disons voir — ce que sont les Entités dans leur dimension... Croyez-nous, elles sont mémères, de vraies mémères. Vous croyez que vous vous cassez la tête, vous n'avez rien vu. Elles observent vos dimensions physiques, les commentent tout le temps. Certaines tentent de se faire percevoir de vous, d'autres plus mémères, d'influencer vos vies; et le plus drôle, c'est qu'il y en a ici qui utiliseront ces mêmes Entités pour peindre, pour écrire, pour jouer leur rôle dans cette vie malgré leur Âme. Il y en a qui ont contourné leur Âme. Il leur arrive des situations plutôt loufoques dans la vie, voire même des dédoublements de personnalité dans certains cas. Les Âmes et les Entités ont choisi de s'incarner et elles aiment cela au point que même celles qui auraient le choix de nous rejoindre ne le font pas. Elles vont plutôt dans d'autres mondes plus évolués où il y a plus de facilité, nous le concédons, et où elles s'expriment réellement. Il n'y a pas d'injustice en cela. Elles ont fait ce choix et elles auront toujours le choix de continuer ou de nous rejoindre. Mais lorsqu'elles nous rejoindront, elles sauront qu'elles ne reviendront pas. Nous ne sommes pas inutiles dans notre dimension. Nous voyons à contenir ces mémères, nous voyons à ce qu'elles ne fassent pas d'abus et nous les aidons en quelque sorte, même si nos vibrations sont fort différentes. Nous n'avons pas modifié les nôtres, elles ont modifié les leurs. De retrouver leur vibration primaire, c'est leur problème et leur choix. Est-ce que nous avons répondu à votre question ?

Oui. (Harmonie, I, 17–11–1990)

E	*st-ce qu'après notre mort, nous deviendrons des Entités mémères jusqu'à la prochaine incarnation ?*

Cela dépend des cas.

Est-ce qu'on a le choix de ne pas être des Entités mémères ?

Vous voulez dire des Entités non mémères, des Entités simplement ?

Je veux dire des Entités qui évoluent de l'autre côté au lieu de...

Vous savez, cela revient au même. Si vous voulez évoluer de l'autre côté, vous vous tiendrez ensemble et vous observerez ce qui se fait ici-bas dans votre monde. Si vous avez de la chance, vous allez interférer avec une Entité incarnée, que vous appelez Âme, de façon à prendre pour vous les expériences que vous n'aurez pas à faire dans des formes et, ce qui est plus important, vous allez les ressentir et les vivre comme si vous étiez vous-mêmes dans une forme. Nous sommes d'accord que cela pourrait vous épargner une autre vie, mais vous serez mémère tout de même. À ce niveau, il y en a plusieurs qui aiment jouer des tours. Vous en feriez tout autant si vous trouviez le temps long. N'oubliez pas qu'elles ont connu la dimension du temps ! Nous n'avons pas cela, mais elles l'ont; c'est moindre dans leur dimension que dans la vôtre, mais tout de même. Nous vous avons dit que plusieurs voulaient ré-imaginer leur forme et qu'elles faisaient comme si elles conti-nuaient de vivre; mais comme elles se parlent entre elles, elles sont mémères tout de même. Cela ne les empêche pas d'apprendre. D'ailleurs, les enfants apprennent beaucoup plus en s'amusant qu'en lisant un livre. *(Harmonie, I, 17–11–1990)*

*Q*uand vous parlez d'Entité mémère...

Cela vous intrigue, n'est-ce pas ?

Dans notre vocabulaire, on parle parfois d'Entités négatives, d'Entités qui pourraient nous vouloir du mal. Est-il vrai qu'une Entité peut s'accrocher à une personne et entraver son fonctionnement ?

Les Entités vont s'accrocher à vous lorsque vous le voulez puisque, lorsqu'elles s'accrochent à vous, cela aiguise votre curiosité, puis vous vous habituez à les rapprocher de vous, à les attirer à vous. Il y a des Entités qui doivent vivre l'amour et il y en a d'autres qui doivent vivre la violence pour bien comprendre ce qu'elles font. Elles ne prendront pas de chance avec une forme qu'elles auraient, mais avec une autre forme. Mettez cela sur le compte d'une Âme non expérimentée ou d'un conscient qui ignore la réalité. Mais il est fort simple de repousser ces forces hors de vous : visualisez-les en train de s'éloigner de vous et prononcez les mots si vous voulez, votre visualisation en sera plus claire. Si vous êtes plus avancés dans vos formes de pensée, vous utiliserez les mots et votre cerveau créera les images très rapidement. Nous vous avons dit que notre rôle était aussi un rôle de surveillance.

Lorsque nous savons qu'une Entité accrochée à votre forme n'a rien à y voir et vous nuit, et qu'elle a été avertie de quitter, elle nous écoute. Nous en avons sorties de quelques maisons et, croyez-nous, elles sortent ! C'est dans leur intérêt. Il est important que vous y croyiez aussi, sinon votre cerveau fera comme si rien n'avait été fait. Si cela ne devait pas vous servir, ce ne serait pas utile; maintenant que vous savez, ce sera utile. *(Harmonie, I, 17–11–1990)*

E *st-ce qu'il existe des Entités néfastes, comme le diable ou des personnes qui sont possédées, est-ce que cela existe vraiment ?*

Dans la dimension des Entités ou dans la dimension de vos pensées ? Parce qu'ils existent beaucoup plus dans ce dernier sens. Il n'existe pas une seule Entité correspondant aux images cornues et enflammées que vous avez pu vous faire. Si vous saviez les blagues qui se font à ce sujet. Elles sont ratoureuses, mémères, mais sans plus. Il y a des règles. S'il n'y avait pas de règles ou si les Âmes qui sont en vous les transgressaient, votre monde ne serait pas vivable, il y aurait trop d'échange à leur niveau et cela vous nuirait. [...] Simple parenthèse, l'une d'entre nous insiste. Par suite de la question précédente, elle nous fait remarquer que les gens qui croient au diable, et peu importe le nom que vous aurez pour ces influences néfastes, vont bien souvent y croire parce qu'ils ont des dispositions pour y croire; ils vont donc créer cela, pas dans la réalité mais dans leur pensée, et ce sera comme réel. Ces gens ne font pas de bien autour d'eux. *(Harmonie, IV, 16–02–1991)*

J *e voudrais savoir s'il y a un nombre défini d'Entités qui attendent des formes ?*

Cela change continuellement car plusieurs terminent leur cycle. Leur nombre n'augmente pas, il diminue, et de force d'ailleurs. Si en petit nombre vous n'arrivez pas à vous entendre, imaginez à 8 milliards ou à 12 milliards. Ce n'est pas pour rien que cela se produit actuellement. Ce nombre fluctue comme cela se fait autour de certains mondes où il y a plus d'attentes qu'ici. *(Symphonie, IV, 06–07–1991)*

*V*ous avez dit que chaque forme avait une Âme. Actuellement, il y a à peu près cinq milliards de formes et, au début du siècle, il y en avait seulement trois milliards et demi. Si les Âmes ne se reproduisent pas, combien y en a-t-il de disponibles ?

Il vous est impossible de vous faire une idée de cela, vous n'avez pas assez de zéro du moins. Il y a des Entités qui refont l'expérience, qui reviennent. Nous vous avons dit qu'elles étaient mémères... Lorsqu'elles ont maîtrisé votre niveau, en règle générale, elles ne le refont pas, mais plusieurs reviennent tout de même. Elles sont libres autant que vous l'êtes. Vous n'avez aucune idée de leur nombre. D'autres vous quittent pour des mondes beaucoup plus évolués et, lorsqu'elles n'y rencontrent plus de défi et par goût d'être mères poules, elles reviennent s'incarner dans votre monde. Vous savez, ceux et celles qui aident trop et qui finissent par s'oublier. En fait, ce n'est pas tellement la quantité qui compte, vous seriez 13 milliards qu'il y aurait toujours preneurs. Le problème n'est pas là. S'il n'y avait pas preneurs, vous vous liquideriez entre vous, vous diminueriez vous-mêmes votre nombre, entre vous. S'il y avait un milliard de formes sans Âme sur un total de cinq milliards, il suffirait d'un an pour qu'il y en ait un autre milliard de moins. Basez-vous sur une chose : nous vous avons dit que nous ne vous laisserions pas tomber à condition que vous ne vous laissiez pas tomber vous-mêmes. D'où encore une fois la justification de notre présence. Vous êtes libres d'y croire ou non, mais nous sommes là tout de même. On nous rapporte qu'il a été parfois permis à certaines Entités de vous rejoindre, non pas de force mais sur une base volontaire, pour voir ce que cela pourrait donner avec d'autres types d'Entités, pour voir si cela pouvait modifier vos formes; mais certaines formes en ont profité pour évoluer beaucoup plus rapidement, ce qui a nui à d'autres aussi. C'est tout cela que nous mentionnions quand nous disions qu'il y avait toujours preneur. Nous tentons l'impossible dans cela aussi, mais remarquez que vous avez répondu par des contrôles de naissances dans plusieurs pays, et ce n'est qu'un début. *(Symphonie, IV, 06–07–1991)*

*Q*uand on est de l'autre côté, est-ce qu'on est bien ? Est-ce que les Entités sont bien ?

Vous parlez de ces mémères ? Vous savez, elles sont réellement ce qu'elles sont : des mémères. Elles observent, placotent [jasent], commèrent; elles font aussi en sorte que certaines de vos formes les perçoivent. Elles agissent en interaction avec vos formes, ce qui vous fait faire parfois des gaffes, des gestes que vous n'aimeriez pas poser si vous en étiez conscients. Vous en êtes responsables dans un sens, car vous cherchez à l'extérieur des réponses qui sont en vous. Donc, vous ouvrez des dimensions qui ne sont pas les vôtres et que vous n'avez pas à vivre. Vous leur laissez alors la chance d'interagir et, en quelque sorte, d'utiliser vos formes tout en ignorant ce qu'elles sont. Bien sûr, il y en a qui sont plus sérieuses et qui pourraient vous apporter de grands conseils, mais elles n'utilisent que les gens prêts à cela, ceux qui ont des buts, pas ceux qui veulent seulement faire des essais. Ce qu'elles font de leur côté est très simple. Plusieurs d'entre elles continuent de vivre comme si elles étaient dans des formes. Elles recréent vos formes en énergie et font comme si elles vivaient; cela les occupe. D'autres suivent les Âmes qu'elles ont connues et qui ont encore des formes et les encouragent dans leur cheminement. D'autres tentent d'interagir sur des nations complètes parce qu'elles s'y sont accrochées, et cela retarde bien souvent vos évolutions. Du côté des Entités, c'est très similaire à votre monde. Elles n'ont pas de guerres mais cela peut se ressembler dans les problèmes quotidiens, hormis le travail. Par contre, planifier leurs prochaines expériences est un véritable travail. Ce n'est donc pas très différent de votre dimension à plusieurs égards. Est-ce qu'elles boudent ? Oui, elles aussi, même entre elles. Elles ne s'acceptent pas toutes; c'est ainsi dans leur dimension. Elles ont des préférences entre elles comme vous en avez. Mais vous nous demanderez : « Que pouvons-nous retirer des Entités ? » Si vous savez en faire le choix, si elles vous conviennent vraiment, beaucoup d'Entités peuvent vous aider à avoir des réponses, mais par l'entremise de l'Âme, bien sûr, vous ne vous adresserez pas directement à elles. N'oubliez pas que votre vie reste l'expérience de votre Âme, pas celle d'Entités que vous ne connaissez pas. Par l'entremise de vos Âmes, vous pourriez avoir beaucoup de réponses : elles peuvent tirer des ficelles pour vous aussi. Mais il vous faut avoir une certaine maîtrise de tout cela. Vous pouvez aussi utiliser les Entités qui avaient des formes que vous aimiez dans votre entourage et qui ne sont plus de votre monde lorsqu'elles sont encore disponibles. Plusieurs continuent de vous suivre, d'autres choisissent de se réincarner, d'autres changent de dimension. Tout dépendra de l'ouverture que vous aurez et que vous voudrez avoir. N'oubliez jamais que cette ouverture ne se fera qu'en proportion de ce que vous aurez quand même mérité. Vous demandez beaucoup, mais donnez-vous autant que vous demandez ? Si votre réponse était oui, vous ne nous poseriez pas la question que vous venez de poser. *(Renaissance, I, 14–09–1991)*

*C*omment distinguer les bonnes Entités des mauvaises, celles que vous avez appelées les « mémères » ?

Règle générale, les mémères ne sont pas assidues autour de vos formes; elles vous amènent du doute, des remises en question sur vous-mêmes, autant sur ce qu'elles pourraient vous dire que vous faire faire. Par contre, les Entités de haut niveau n'ont que de l'amour à retransmettre; elles n'ont vraiment pas de temps à perdre — dans le sens des unités de temps que vous connaissez, bien sûr. Les Entités de haut niveau savent la valeur de vos vies; et encore une fois, si vous vous sentez grandir avec plus d'amour d'une fois à l'autre, vous saurez. S'il vous faut vous remettre en question et analyser à chaque fois, ne vous posez même pas cette question. *(Renaissance, III, 09–11–1991)*

*L*orsqu'une personne décède, est-ce que l'Âme s'en va automatiquement dans votre dimension ou est-ce qu'elle a des étapes à franchir ?

Tout dépendra de ce qu'elle voudra. Si elle a réussi ce qu'elle devait réussir, elle aura deux choix : ou de nous rejoindre, ou d'aller encore une fois du côté des Entités, mais avec l'assurance qu'elle ne reviendra pas; et, vous savez, elles reviennent rarement. Si elle n'a pas atteint son but, elle sera face aux siennes. Elle sera en mesure, avec d'autres groupes similaires, d'observer des Âmes qui réussissent là où elle a échoué, de façon à ne pas prendre de forme par erreur et à mieux les maîtriser, question de mettre toutes les chances de réussite de son côté. Mais elles ne vont pas souffrir dans des dimensions différentes, elles ne vont pas où sont les animaux, et ainsi de suite. Histoires que tout cela ! L'Entité rejoint les

Entités, un point, c'est tout. Elle ne va pas souffrir en enfer non plus; il n'y pas de flammes dans leur dimension... malheureusement pour les frileux.

Il n'y a pas d'étapes, de niveaux ?

Vous aimeriez cela ?

Non, mais il y a des Entités qui m'ont déjà dit que ça prenait quatre phases avant qu'elles soient complètement dans leur dimension.

Lorsque nous nous adressons à des Entités... Nous vous avons dit combien de fois qu'elles étaient mémères ? Des dizaines de fois ! Admettez-vous qu'il y a des humains dans la lune ?

Oui.

Qui se perdent même en se rendant à leur domicile ? Il en va de même pour ces mémères. Elles prennent parfois des chemins détournés. Elles sont libres, nous vous l'avons dit dès le début. Elles peuvent observer d'autres dimensions, ce qui veut dire qu'elles ne sont pas toutes dans une seule pièce, attendant d'être choisies. Si elles veulent rejoindre l'Ensemble, elles le font. Si elles veulent aller observer d'autres dimensions, elles le font. Si, dans votre compréhension, c'est une étape que d'observer quatre ou cinq dimensions, ce pourrait être vu comme cela. Mais elles ne vont pas dans des dimensions différentes pour se rejoindre. Cela n'est pas exact. Ce n'est pas comme dans vos sociétés, en ce sens que les gens ayant réussi se tiennent avec des riches, et les pauvres avec des pauvres. Ce n'est pas la même chose dans la dimension des Entités. Elles apprennent ensemble. Elles sont assez bien structurées tout de même; actuellement, elles observent en groupe. Il y a des groupes de mémères et des groupes sérieux, mais qui sont mémères tout de même. Elles vivent dans l'expectative d'une dimension humaine et elles se comportent en conséquence. *(Le fil d'Ariane, IV, 14–12–1991)*

*Q*uand tu parles...

Quand nous parlons. Il n'y a pas une seule Cellule, nous sommes quatre. Si vous parlez au singulier, nous ne savons pas à qui vous vous adressez.

Quand vous parlez de la personne, de l'être humain, vous parlez de l'Âme et vous parlez des Entités...

C'est le contraire. Nous parlons de l'Âme qui est dans une forme, qui fait un avec une forme; quant aux Entités, elles observent, elles attendent des formes.

Qu'est-ce que vous entendez par attendre des formes ?

Elles attendent que des formes soient disponibles, qu'une forme qui leur convienne se présente, mais cela ne se fait pas comme par le passé. Actuellement, cela se fait par choix. Continuez votre remarque.

Je me sens barrée.

Dans quel sens ?

Parce que les Entités...

Les Entités sont des mémères. Elles ont eu leur chance d'avoir des formes et n'en ont pas toutes profité. Et comme certaines en ont eues pour en abuser seulement, sans vouloir terminer l'expérience, elles ont été mises de côté au profit des Entités qui veulent vraiment progresser dans la maîtrise des formes... comme les vôtres. Nous pourrions dire qu'il y a des Entités dans vos formes, mais vous ne comprendriez pas. Ce sont les mêmes, sauf que nous préférons vous dire : dans vos formes, il y a des Âmes; à l'extérieur, en attente, il y a des Entités qui n'ont pas encore de forme mais qui en auront éventuellement. C'est cela la différence. Nous vous disons qu'elles sont mémères puisqu'elles discutent constamment des chances de réussite d'une Âme; elles prennent des paris aussi à leur façon. Elles se mettent de côté entre elles aussi; c'est très similaire à votre monde. Rappelez-vous qu'elles ont eu des formes; elles se comportent donc comme des formes. Mais il y en a tout de même plusieurs parmi elles qui pourraient être des Cellules. Elles mettent de l'ordre à leur façon. Toujours aussi barrée ? Soyez à l'aise.

C'est la première réunion.

Au début, tentez de percevoir ce qu'il y a ici plutôt que les mots et, vous verrez, cela prendra place. Ne vous découragez pas, vous n'êtes pas barrée du tout. C'est seulement le conscient qui tente de conserver ses acquis passés. Mais dès qu'il ressentira, il laissera tranquillement aller. Ne vous en faites pas. *(L'envol, I, 07–03–1992)*

*E*st-il possible de ne pas reconnaître qu'une Entité est collée à nous et qu'elle nous nuise, par exemple avec de la maladie ?

Foutaise que cela ! C'est vous-mêmes qui vous donnez vos maladies, pas les Entités extérieures. Lorsque cela vient de l'extérieur, vous le savez, vous le ressentez très bien. Par contre, lorsque cela vient de vous, de vos formes de pensées, bien souvent vous ne voulez pas le voir. Il y a nuance. *(Harmonie,I, 17–11–1990)*

*D*es Entités qui n'ont pas de corps peuvent-elles nuire à notre évolution ?

Tout à fait. En passant par vos formes, par des gens qui les utiliseront à mauvais escient, par mauvaise conscience aussi. Vous pouvez recevoir autant de mauvaises informations que de bonnes. C'était la crainte de cette forme [Robert] au début, puisqu'elle ignorait ce qui était dit à travers elle. Remarquez que cela a été dit il y a 2000 ans, en d'autres mots bien sûr puisque ces mots n'existaient pas. Le mot transe n'existait pas il y a 2000 ans, on appelait les gens qui faisaient cela des prophètes. N'a-t-il pas été dit : plusieurs faux prophètes viendront ? Il y en a eu tellement depuis ce temps ! Ne soyez pas aveugles ! Regardez toutes ces sectes, ces milliers de religions, ces milliers d'églises différentes. Toutes ont trouvé des adeptes, des gens qui y croient. Est-ce que cela les change ? Le mot religion est déjà une erreur en soi car il veut dire « qui relie les gens ensemble ». Où est donc votre individualité dans cela ? Il serait beaucoup plus juste de dire des « gouvernements religieux », vous les avez déjà. Rappelez-vous qu'ils faisaient des guerres il n'y a pas si longtemps. Ils ne parlaient pas seulement d'amour; ils se battaient pour des territoires aussi. *(L'envol, I, 07–03–1992)*

*D*ans la société actuelle, il n'y a pas de justice, il me semble. Une fois arrivé de l'autre bord, quelqu'un qui a fait une job épouvantable [très mal travaillé] , est-ce qu'il doit faire face à une sorte de justice et de quelle façon ?

Une telle Âme n'aura pas de forme aussi rapidement qu'elle le souhaiterait. C'est déjà beaucoup puisque cela l'empêchera d'évoluer vers d'autres mondes et d'autres milieux, d'avoir accès à des formes beaucoup plus grandes pour se démontrer elle-même. Vous souvenez-vous de ce que nous vous avons dit plus tôt dans cette session ? Les Entités peuvent éloigner d'autres Entités d'elles-mêmes. Cela les punit grandement. Lorsque vous vous posez ces questions, regardez ce que vous faites avec vos semblables dans votre monde actuel. C'est fort similaire à ce qui se passe chez les Entités. De faire en sorte qu'une Âme soit privée de forme pour plusieurs siècles, même si pour celle-ci le temps est loin d'être le vôtre, c'est énorme tout de même, puisqu'elle ne peut démontrer son savoir. Elle devra observer et se faire accepter, bien sûr. *(Harmonie, III, 09–01–1991)*

J'ai lu dans la transcription d'autres sessions que les Entités veulent apprendre toujours plus et décident de s'incarner plus rapidement, et qu'il y en a qui veulent en aider d'autres qui sont déjà réincarnées. Comment peuvent-elles aider ?*

Par l'influence dans le rêve, par des moyens de médiumnité aussi envers d'autres, comme d'autres le font avec d'autres formes que celle-ci [Robert]. Elles le feront aussi par collectivité, c'est-à-dire que, si elles le veulent et si cela leur est permis, elles peuvent influencer un groupe de formes qui le veulent également. Il s'agit là d'expériences parallèles; elles sont très peu nombreuses. Nous les observons très régulièrement. Il est de notre intérêt aussi de faire de votre monde, avant qu'il ne se détruise de lui-même par la pollution surtout, un monde plus agréable. Il n'y a pas tant d'Âmes que cela qui attendent, vous savez. Il y en a, bien sûr, mais au point de vue de leur évolution, plusieurs aiment la dimension qui est la vôtre. C'est pourquoi nous devrons les restreindre dans le nombre d'incarnations répétitives, sinon il n'y aurait pas d'avancement. Il y a donc une sélection des Entités qui s'incarnent actuellement, et de plus en plus d'ailleurs, pour donner l'exemple. *(Alpha et omega, IV, 22–09–1990)*

*C*omment peut-on ressentir les Entités qui nous observent ?*

Vous allez vous sentir influencés, vous allez sentir aussi que vous êtes observés et parfois, chez ceux qui sont les plus doués, vous pourriez même entendre des voix ou visualiser des images. Mais ne soyez pas dupes ! Aucune Entité n'a la force de lever ne serait-ce qu'une poussière. Donc, vous ne verrez pas de meubles se promener chez vous : elles ne le feront pas et elles ne pourraient pas le faire. Cela pourrait être fait à d'autres niveaux, mais nous ne vous dirons pas comment maintenant. Lorsque vous percevez, vous le ressentez. Lorsqu'une personne vous aime, vous savez ce que cela représente : vous le ressentez lorsqu'une personne vous aime ! C'est la même chose au niveau des Entités : vous les ressentez, et encore plus si vous avez vécu avec elles. Par exemple, vous avez perdu une personne que vous aimiez. Cette personne n'existe plus mais son Âme devenue Entité continue d'exister. Si vous la rappelez vers vous, elle pourrait choisir de se faire ressentir ou percevoir, ce qui vous donnerait des émotions comme si la personne aimée était à vos côtés. Vous n'avez pas à craindre cela, elles ne peuvent aucunement vous nuire. Elles peuvent vous aimer et vous encourager à vivre en vous montrant le chemin. *(Les flammes éternelles, I, 24–11–1990)*

*E**st-ce que les Entités peuvent nous influencer pour le dessin, les poèmes ou d'autres formes d'expression ?*

C'est ce que nous expliquions au début de la session concernant les compositeurs. Il s'agit simplement de se mettre en position de recevoir et c'est reçu. Les Entités ne demandent pas mieux bien souvent, mais il faut que l'Âme soit bien avec la forme, sinon elle fermera la porte et vous empêchera de recevoir. Si vous êtes bien avec vous-mêmes, heureux dans la vie, elle ouvrira une autre porte. Le donnant, donnant, c'est cela aussi. Si vous vous remettez en question tout le temps, si vous vous en voulez continuellement, comment voulez-vous que votre Âme vous laisse cette chance ? Vous n'êtes pas en harmonie avec elle si vous ne l'êtes pas avec vous-mêmes. Ceux qui sont en harmonie ignorent trop leurs capacités malheureusement. En fait, ils peuvent non seulement se servir des Entités, mais aussi faire en sorte que leur Âme fasse le travail pour eux. *(Les flammes éternelles, III, 11–05–1991)*

*C*omment peut-on entrer en contact avec ses guides ?

Cela dépendra de votre évolution. Certaines personnes font de la course automobile et d'autres ont peur d'approcher les voitures. Nous recommandons d'être prudents avec les gens qui sont vantards à propos de leurs guides, car ils ne sont pas nécessairement à suivre. Nous préférons les gens qui sont assez simples et qui se disent : « J'ai mes propres contacts, je ressens cela comme une réalité acquise », et qui n'ont pas de doute. Mais si vous vous dites : « C'est mon imagination », peut-être n'êtes-vous pas totalement prêts à comprendre. Vous subirez toujours l'influence des autres et vous vous direz : « J'aurais bien dû m'écouter. » Ensuite, vous aurez moins de doute. Chacun d'entre vous a déjà reçu un conseil, fait le contraire et pensé : « J'aurais bien dû m'écouter ! » La plus belle remarque, c'est : « Mon Dieu ! »; elle est valable car c'est vous. Il a été écrit que la foi déplacerait les montagnes. À l'intérieur de vous, la montagne, c'est le conscient et, pour certains, c'est toute une montagne, c'est volumineux. Lorsqu'il y a la foi, la conscience cède la place et il y a moins d'influences à ce niveau. La foi, c'est croire en soi et avoir la foi; il n'y a plus de doutes. Quand vous aurez une intuition, vous ressentirez cela comme votre vérité. Vous avez tous vécu des instants de votre vie où vous vous êtes dit : « C'est comme cela que je veux vivre tout le temps, je suis bien avec moi-même, je suis en paix à l'intérieur. » (*Les chercheurs de vérité, II, 17–02–1990*)

*D*ans certaines sessions, vous avez mentionné que certaines personnes avaient des guides qui les accompagnaient pour un enseignement.

Mais cela dépendait de la personne qui devait vivre cette expérience de vie. Nous avons aussi mentionné que certaines personnes, selon leur ouverture personnelle avec leur Âme, avaient cette possibilité. Alors, voyez-vous, il nous faudrait analyser chacune des personnes présentes pour vous dire s'il y a effectivement des Entités qui les accompagnent. Mais vous employez le terme de guides pour désigner ces Entités comme si elles guidaient vos vies alors qu'elles observent. Effectivement, les gens ici présents sont tous observés, mais n'oubliez pas que les Entités ont le droit de faire cela. Elles peuvent très bien observer pour apprendre, il n'y a aucun problème à cela. Il vous est permis d'utiliser ou de ne pas utiliser leur aide, d'où le danger de ne pouvoir faire la différence entre ce qui vient de l'intérieur et de l'extérieur. Car, en allant chercher des forces à l'extérieur, des influences qui ne sont pas de vous, vous rendez vos formes insouciantes et paresseuses de leur réalité. Cela rend aussi vos Âmes paresseuses, insouciantes même, et vous devenez différents. Vous pouvez continuer votre « oui, mais »...

Je n'ai plus de question.

Nous sommes ratoureuses vous savez ! Ne nous sous-estimez pas à ce niveau. Nous savions que nous allions nous amuser avec vous. *(Alpha et omega, I, 23–06–1990)*

C omment pourrait-on communiquer avec nos guides spirituels ?

Comment voulez-vous communiquer avec vos guides extérieurs, qui sont en fait des Entités, si vous refusez le contact direct avec votre Âme ? Mettez-vous à la place de votre Âme : comment pourrait-elle vous permettre une communication hors de la forme si vous ne communiquez pas parfaitement avec elle ? Ce n'est pas l'expérience de celle qui vous observe qu'elle a à vivre, mais la sienne. Ignorez-vous donc le but réel de la vie ? Vous voulez briser le cycle des incarnations ? Rien de plus facile : faites en sorte de réaliser le contact avec votre Âme. Lorsque l'Âme pourra contacter la forme de façon ouverte et volontaire et lorsque la forme en fera autant, l'Âme n'aura plus besoin d'incarnations dans des formes. Elle aura réussi. Tant que ce contact ne sera pas fait, les contacts avec les Entités que vous appelez guides ne pourront pas se faire. Plus vous ferez d'efforts, moins vous réussirez, et lorsque vous en aurez assez de ces efforts, vous reviendrez à vous-même. Toujours le même cycle. S'il vous était permis de contacter d'autres Entités, c'est que vous auriez déjà contacté votre Âme et, sachant cela, vous ne poseriez pas cette question. Donc, tout est question de compréhension. Pour y arriver, vous n'avez pas besoin de 20 ou 30 incarnations; cela peut se faire rapidement. Il faut habituer le conscient à l'existence de l'Âme. Plus les années passent, plus vos formes sont instruites et plus il nous est difficile de les atteindre. Il est difficile de rendre une personne consciente de ce qu'il y a en elle quand elle croit qu'elle est elle-même sa force et que tout est dans sa tête. Malheureusement, elle rejette alors toute autre valeur jusqu'à ce qu'il y ait des soi-disant hasards qui l'obligent à le faire. Il faut être conscient pour cela. Nous comprenons que cette première session puisse vous paraître confuse, mais ce que vous faites ce soir, c'est rompre la glace. Nous donnerons beaucoup plus de détails plus tard, mais nous irons aussi selon vos questions. Plus vos questions seront claires et précises, plus vous aurez de détails précis. *(Maat, I, 09–11–1990)*

V*ous avez mentionné qu'on peut demander à des Entités de nous aider mais que cela peut causer des problèmes. Pourquoi cela peut-il nous causer des problèmes ?*

Parce que vous pourriez vous fier plus à elles qu'à vous-mêmes, prendre l'habitude de la facilité. Rappelez-vous bien ceci : lorsque vous demandez et que vous recevez, n'est-il pas normal que l'autre demande en retour ? Cette demande pourrait ne pas vous plaire. Cela pourrait entraîner une très grande facilité, une dépendance même, et ce ne serait pas vivre vos vies; tout dépend de ce que vous demanderez. Nous préférons que vous demandiez à votre Âme avant, elle intercèdera mais pas n'importe comment, pas dans le but de vous créer des habitudes. Nous vous avons dit à de multiples reprises que les Entités sont généralement très mémères [commères], et c'est un fait. *(Symphonie, IV, 06–07–1991)*

V*ous dites souvent que les Entités sont des mémères. Il doit sûrement y avoir des Entités autour de nous qui ne sont pas mémères et qui pourraient vraiment nous aider. Je trouve que c'est presque un gaspillage qu'une forme soit seule. Ne pourrait-on demander à son Âme...*

Très bien, nous allons répondre. Qu'arriverait-il si chacune de vos formes pouvait contacter des Entités qui ont eu des formes qui étaient des scientifiques ? Que se passerait-il ? Mieux vaut ne pas trop y penser. Vous avez déjà perdu le contrôle de vos Âmes et de notre côté, c'est la même chose. Pourquoi vous donnerions-nous encore plus de pouvoir sur vos formes ? Vous seriez deux fois plus perdus. Regardez tout ce que vous avez fait, dès que des sciences entraient en jeu. Les recherches se dirigeaient toujours vers des armements, de nouveaux moyens de destruction; actuellement encore, on met au point des armes encore plus puissantes que les bombes atomiques. Tout cela se fait encore actuellement. C'est pour cela que vous n'avez pas davantage d'ouvertures avec les Entités. Nous avons expliqué les choses différemment dans notre réponse antérieure sur ce sujet. Nous avons dit que, si vous étiez trop ouverts, ce ne serait pas la vie de votre Âme mais celle des autres Entités que vous vivriez. Croyez-nous, il y a des Entités plus fortes que d'autres, comme il y a des gens qui s'imposent plus que d'autres dans votre monde, des gens qui dirigent plus que d'autres. Ce n'est pas toujours pour le mieux. C'est donc une barrière et c'est bien ainsi. Nous trouvons qu'il se perd beaucoup plus d'énergie dans la recherche de la facilité extérieure que dans la recherche que vous faites sur vous-mêmes; c'est pour cela que vous êtes seuls avec vous-mêmes.

Je ne me rendais pas compte que les Entités pouvaient être des scientifiques. Mais si on demandait à notre Âme de trouver quelqu'un pour nous aider, nous, mais pas nécessairement pour nous montrer comment faire des bombes... Si une forme s'ennuyait beaucoup, pourrait-elle demander à son Âme de lui choisir quelqu'un avec qui elle pourrait faire la conversation ?

Si vous demandiez à votre Âme de vous entendre avec vous-même ?

Elle ne répond pas.

Écoutez-vous bien ? Quelles sont les limites que vous vous êtes imposées dans votre propre vie dans les deux dernières années ? Combien les autres ont-ils eu d'influence sur vous ? À cela vous pouvez répondre, n'est-ce pas ? Donc, arriver à entendre votre Âme requiert des efforts personnels, pas seulement la recherche facile d'Âmes qui sont pleines d'amour. Vous en avez une; vous en auriez 10 que vous en demanderiez 40 dans trois mois. C'est cela l'humanité. Vous faites la même chose avec tout, nourriture, drogue et le reste. Vous ne vous limitez pas, vous commencez selon vos moyens, petit à petit, puis il n'y a plus de limites.

Pour le sexe, c'est la même chose. Certains commencent avec une personne, puis ils vont vers d'autres et encore d'autres. Ils n'ont plus de limites en rien. Vous dites que ce sont des gens vicieux; il y en aura toujours. En résumé, apprenez à être raisonnables, faites les efforts nécessaires et vous aurez peut-être plus qu'une Entité avec vous, vous aurez peut-être des Cellules, mais vous n'avez pas besoin d'en demander 3000 ! Est-ce mieux compris ?

J'en aurais demandé seulement qu'une.

Demandez la vôtre, continuez les changements que vous avez entrepris et qui vous demandent un peu plus de courage et vous allez aboutir vous aussi. Laissez-nous vous dire une chose : une personne qui est bien avec elle-même n'a pas besoin de force de l'extérieur; elle trouve des gens qui sont bien et ils sont bien ensemble. Si vous cessez de vous créer des limites, d'être influencés et influençables, vous vous ouvrirez vous-mêmes des portes et, selon ce que vous avez souhaité, cela vous sera accordé. Demandez et vous recevrez. N'avons-nous pas dit à plusieurs reprises que ce qui a été dit il y a 2000 ans est toujours valable aujourd'hui ? Mais ne demandez pas pour la facilité, pour fuir, juste pour vivre dans l'amour tous les jours et fuir votre réalité. Cela n'est pas vivre car vous ne voyez pas clair alors. Être dans l'amour tous les jours — nous avons dit ce que c'était l'amour, pensez bien à cela — ne veut pas dire se laisser influencer, pas se dissimuler vers de fausses amours extérieures dans des dimensions qui ne sont pas les vôtres; cela veut dire s'influencer soi-même afin d'être heureux. Nous trouvons que vos défis sont suffisamment grands comme cela. *(Symphonie, IV, 06–07–1991)*

C e qu'on appelle aujourd'hui nos guides, est-ce que cela *correspond un peu à ce que les gens perçoivent ?*

Il y a deux réponses à cette question selon les gens qui percevront ces guides. Premièrement, dans vos façons de vivre actuelles, vous êtes toujours portés à chercher de l'aide à l'extérieur de vos formes. Donc, lorsque vous voulez une réponse pour vous, vous recherchez à l'extérieur de vous alors que tout cela est déjà en vous. Il vous paraît incompréhensible de passer par votre Âme pour avoir une réponse étant donné que vous avez un problème et qu'elle ne l'a pas résolu; vous êtes donc portés à aller à l'extérieur de vous. Voici l'une des façons très simples qu'a l'Âme de vous approcher : elle vous laisse croire que l'aide vient de l'extérieur et répond à votre demande parce que, lorsque vous allez vers l'extérieur, vous êtes ouverts et, lorsque vous vous ouvrez, cela lui donne une chance de s'exprimer. Deuxièmement, avec des formes comme celle devant vous [Robert] ou des formes dans des états moins profonds, il existe une possibilité d'aller vers des Entités ou des Cellules; cela dépendra. Il y a aussi des mémères, des Entités qui commèrent continuellement et qui ne demandent pas mieux que d'interférer dans vos vies. Si vous êtes trop ouverts, vous pourriez avoir des surprises. Habituellement, l'Âme vous protège très bien de cela à moins que vous ne fassiez ce qu'il faut pour l'en empêcher. Il s'agit là d'exceptions. Nous avons observé des formes similaires aux vôtres qui s'étaient placées dans des conditions de réception profonde par volonté et où il y a eu substitution d'Âme. Les formes ne se reconnaissaient plus une fois conscientes. Cela aussi est une possibilité. Vous pourriez alors avoir une Âme plus évoluée ou bien une Âme qui n'a aucune expérience. Personne ne vous reconnaîtrait. Voyez-vous, ce n'est pas un jeu. *(Les Âmes en folie, I, 24–04–1991)*

J'ai déjà assisté à une rencontre individuelle avec un médium qui m'a parlé d'Entités qui sont mes guides. Au début de la session, vous avez dit que les guides n'existent pas...

Nous avons dit que les guides existaient beaucoup plus dans votre imagination. Vous les créez vous-mêmes ! Certaines personnes pourront profiter de certaines Entités, un peu comme cette forme [Robert] le fait. Certaines en abuseront même. Mais ce qui n'est pas bien, c'est que certaines formes conscientes utiliseront des Entités au détriment de leur Âme; et ces gens ne seront jamais eux-mêmes. Ce que vous ignorez par contre, c'est que certaines personnes croient avoir affaire à un guide alors que c'est leur Âme qui s'exprime ainsi. Cela se produit parce qu'il vous semble toujours plus facile de contacter ce qui est à l'extérieur de vous que ce qui est en vous. Le résultat est le même. Que vous croyiez que ce soit des Entités ou votre Âme, qui est aussi une Entité, quelle différence y a-t-il ? Il n'y en a pas. L'Âme aura le même résultat. C'est pourquoi tout dépendra de ce que vous voudrez réaliser, de votre but personnel. Donc, si votre travail consiste à vous diriger consciemment vers des Entités pour aider les autres, c'est très bien; mais si ce n'est pas votre but, que ferez-vous avec ces Entités ? Vous en avez déjà une à plein temps en vous. C'est d'elle qu'il faut profiter, pas des autres. Sinon, ce serait comme de vous dire : « Il n'y a aucune valeur en moi, seulement à l'extérieur. » Cela ne vous donnera que des rêves et les rêves ne sont pas réalité tant que vous ne les concrétisez pas, de même qu'une pensée n'est qu'un rêve si vous ne passez pas à l'action. *(L'envol, I, 07–03–1992)*

*Q*uand on rencontre un personnage, est-ce la fabrication d'un élémental que nous faisons ou la matérialisation d'une Entité ?

Les deux sont possibles. Certaines personnes pourront percevoir l'image d'Entités en projection de leur réalité passée. Il y a possibilité de contact aussi, non seulement visuel, mais aussi par la pensée. Si vous n'utilisez pas trop les mots et l'image, il n'y a pas de problème. Il y a aussi ceux qui créeront ce phénomène, tout simplement parce qu'ils peuvent percevoir des énergies comme celles que possèdent des Entités puis, à partir de ce point, créer par leur imagination ce que pourrait être cette Entité. D'où certaines images qui pourront soit faire peur, soit être irréalistes, ou très belles même. Tout dépendra de la personne qui voudra utiliser son imagination. Combien d'entre vous ont perçu cela ? Personne. Vous avez déjà une bonne partie de votre réponse. Combien d'entre vous ont des craintes au sujet des possessions, ont peur qu'une Entité prenne la place de leur Âme qui est aussi une Entité ? Personne.

> *Cette question fait référence aux personnes qui ont fait la rencontre d'êtres qui se sont présentés devant elles, leur ont dit plein de choses qu'ils connaissaient d'elles, puis sont disparus comme s'ils n'avaient jamais existé. Est-ce que ces êtres sont apparus soudainement ? Comment se fait-il qu'ils connaissaient ces choses à leur sujet ? Ces personnes pensent être les seuls à les voir.*

La question est différente de la précédente. La réponse est double. Il y a des gens qui sont très habiles et qui utiliseront la télépathie. Ils vous suivront, puis capteront toutes les idées que vous aurez puis, non pas pour vous faire peur mais pour se donner de l'intérêt, ils vous débiteront tout leur boniment. C'est une partie de la réponse. La deuxième partie rejoint davantage votre première question. Lorsqu'un besoin se fait sentir chez une personne, ce pourrait être une personne ici ce soir, un besoin de rencontrer une personne qui pourrait l'aider, lui porter secours, lui donner confiance ou même lui dire des choses, des paroles qui l'encourageraient à revivre, à regarder la vie, cela constitue une demande. Si cette demande est faite d'une façon suffisamment ouverte, avec confiance en ce qui pourrait se produire, elle équivaut à une prière, à une demande directe. Lorsque vous envoyez une idée à votre Âme, si elle ne peut vous maîtriser, si elle ne peut vous donner de réponse, elle utilisera une autre Entité qui aura suffisamment d'expérience pour se faire voir. Nous n'avons pas dit percevoir, mais voir. Et cette Entité retransmettra avec grand plaisir tout ce que votre Âme aura à vous faire comprendre ou autre chose. Cela arrive; nous l'avons observé à plusieurs reprises. Vous n'avez pas à vous en faire; prenez cela comme une curiosité. Effectivement, il vous serait compliqué, si cela vous arrivait, de convaincre une autre personne que ce phénomène existe et que cela se produit réellement. Le plus important, c'est que vous aurez été vous-même témoin et que vous en aurez profité. Cela pourrait être un pas de plus vers une autre dimension, une autre découverte qui vous encouragerait à vous rendre encore plus loin. Si la personne mentionnée n'est pas une personne qui se sert de son imagination, il y a une grande chance que ce fut une projection volontaire. Il y a eu certains cas où l'Âme elle-même faisait une projection de la forme dans laquelle elle avait vécu une autre vie. Si cela avait été Hélène, par exemple, elle aurait pu percevoir très bien ce qu'elle aurait été dans une vie précédente, comme une projection. Elle aurait pu entendre des conseils sur la vie actuelle; ce serait une simple projection de l'Âme qui garde contact avec la forme. Cela peut se produire dans différentes circonstances : besoin de s'extérioriser, besoin de partager, besoin de se faire encourager lorsqu'il y a manque d'intérêt dans la vie. Il nous faudrait analyser des cas pour mieux vous répondre. Lors de cette fin de semaine, nous vous expliquerons les influences possibles de notre côté. Quels seront ces niveaux d'influences ? Peuvent-ils être physiques ou n'utiliserons-nous que la pensée des autres ? Il est trop tôt pour vous le mentionner. Cela existe à un niveau différent du côté des Entités qui ont beaucoup plus de problèmes pour utiliser l'influence d'une personne consciente. *(Les chercheurs de vérité, III, 17–03–1990)*

*L*orsqu'on perçoit plusieurs Entités près de nous, que doit-on faire ?

Cela dépend de ce que vous voulez faire avec ces Entités. Vous pouvez imaginer ces énergies autour de vous comme lorsque vous prenez un bain et les utiliser pour vous donner confiance, pour être aussi plus créatif, au niveau de l'écriture dans votre cas. Vous pouvez les utiliser simplement. Étant donné le fait que les incarnations sont dorénavant choisies, plusieurs Entités qui pouvaient auparavant s'incarner selon leur bon vouloir ne le font plus. Elles chercheront alors à vous influencer, à se tenir le plus près possible de vos formes. Et les gens qui sont fort sensibles à ces énergies, comme vous, Chantal et Carole, et François aussi dans un certain sens, pourraient être perturbés parfois. Mais vous pouvez très bien leur demander de quitter. Elles n'auront aucun autre choix.

Est-ce que c'est bien de le faire ?

Encore une fois, cela dépendra de ce que vous voulez faire avec elles. Si elles vous ennuient, vous le leur dites aussi simplement que si c'était des gens que vous pouviez percevoir ou voir. Dites-leur que cela vous ennuie, que vous voulez être seule avec vous-même, et cela cessera. Mais vous pouvez les utiliser pour créer, elles vous aideront.

Vous avez dit dans un certain sens pour moi...

Nous savions qu'il y aurait une sous-question parce que les Entités ont fait un essai sur vous. Lorsque vous avez donné votre cours dernièrement, nous l'avons très bien supervisé. Les Entités présentes étaient fort nombreuses, à un point tel que vous, et même Robert, vous vous êtes sentis étourdis tellement elles étaient nombreuses. Les Entités ont déjà eu des formes et, lorsque vous émettez vos émotions, vous émettez une onde, c'est cela qui se perçoit. Les Entités en sont très friandes, pas comme cette forme

[Robert] par rapport à une certaine nourriture [pizza], mais dans le sens qu'elles sont attirées vers les émotions. Voyez-vous à quel point vos émotions sont importantes. Si vous êtes une personne qui utilisez vos émotions, vous émettez des ondes ou des vibrations, peu importe, mais les formes qui seront près de vous les percevront aussi. Vous avez déjà vu deux enfants pleurer; rajoutez deux ou trois autres enfants avec eux et ils pleureront aussi. Même s'il y avait un bouffon dans la pièce, les enfants pleureraient quand même. Les enfants ressentent ces vibrations, ils sont encore à l'état pur. Quand, une fois adultes, vous savez utiliser vos émotions, c'est bénéfique parce que vous développez votre sensibilité, mais c'est aussi bénéfique pour ceux qui sont autour de vous. Il a été écrit il y a plus de 2000 ans, bien que ce soit avec de faux exemples, que seuls les enfants verraient Dieu. Vous pouvez utiliser cet exemple. Pour revenir à votre sous-question, vous êtes une personne très émotive et lorsque vous pouvez percevoir ces vibrations extérieures, vous attirez à vous d'autres Entités. Cette explication pourrait être dangereuse aussi. En effet, certaines personnes émotives pourraient attirer d'autres Entités encore plus émotives. Mais le fait que vous le sachiez peut aussi vous permettre de faire un choix, de vous sentir supporté. Alors que d'autres autour de vous ne comprendraient rien. Si certaines Entités sont assez curieuses — nous avons même employé le terme mémère il y a une semaine —, utilisez-les. Vous avez une autre expression qui l'exprime très bien : qui se ressemble s'assemble. Si vous êtes une personne émotive, vous aurez des Entités émotives à vos côtés. Si vous êtes une personne violente, vous pourriez avoir des Entités qui l'ont été. Mieux vaut développer votre émotion que la violence. Une question pour vous François : qu'arrive-t-il lorsque vous ne pouvez compléter un travail et que cela vous manque ? Si une personne vous empêche de terminer un travail, quel sera l'émotion que vous aurez ?

Je remets à plus tard, mais je termine toujours.

Cela ne répond pas à notre question. Nous allons la reformuler autrement. Supposons que vous avez un travail à faire et qu'une personne vous empêche de le faire uniquement pour vous ennuyer, non pas par besoin d'aide, quel sera votre sentiment ?

Je lui dirai que ça me dérange.

Exactement, un peu de frustration. C'est la même chose pour les Entités qui ne peuvent plus se réincarner. Certaines d'entre elles sont frustrées. Elles chercheront des Âmes qui le sont, et cela nuirait doublement à vos formes. Nous vous avons dit que leur monde est semblable au vôtre. C'est aussi pour cela que certaines Entités, qui pourraient être des Cellules actuellement, sont restées du côté des Entités. Il y a une étude en cours en ce moment, pour emprunter vos termes, pour voir à quel point des Entités qui suivent des formes, telle la vôtre, pourraient évoluer dans leur milieu et si cela pourrait les exempter de plusieurs incarnations possibles. Mais ce n'est encore qu'une possibilité. Nous aurons le choix à ce sujet. Nous observons pour l'instant. C'est aussi pour cela qu'il est fort important qu'il y ait de plus en plus de maîtrise de votre part. C'est aussi pour cela — et nous sommes heureuses de vous dire cela malgré le mauvais état de cette forme — que nous avons décidé au tout début de contacter quelques formes, tel Robert. Cela fait partie d'une autre évolution, d'apprendre le plus possible à des gens tels que vous, d'enlever des craintes, d'apaiser vos consciences afin qu'elles veuillent le contact avec votre Âme. Mais cela ne sera pas regretté, vous verrez. Le simple fait de rendre vos formes conscientes et de leur permettre de contacter vos Âmes plus facilement les apaisera encore et apaisera aussi les gens autour de vous. C'est comme une roue. Disons que même si nous sommes nombreuses à pousser, cela n'ira pas aussi vite que dans vos imaginations. Tout de même, c'est une période fort importante pour nous. Car si nous réussissons cela, il y a de fortes chances pour que plusieurs cycles d'incarnations soient brisés, et ce sera plus que valable. Nous pourrions prendre quelques exemples ici même. Dans le cas de Chantal, lorsque le lien sera effectué, si nous avions un pourcentage à mettre actuellement sur la possibilité que cela brise la chaîne de ses incarnations, nous évaluerions à plus de 70 % ses chances de réussite. C'est la même chose pour Carole et François actuellement; il y a une très forte poussée à ce niveau. Que dire de Serge ! Lorsque nous avons mentionné au début de cette session qu'il faisait un sprint actuellement, il faudrait que vous puissiez percevoir à l'intérieur de cette forme les changements énormes. Ne vous sous-estimez pas. Le simple fait d'avoir semé l'amour en vous, l'a semé autour de vous. Nous vous avons observé lors de cette fin de semaine. Vous avez réellement progressé. Vous avez fait du bien autour de vous, vous avez apporté le rire à certains moments et à d'autres instants, vous avez apporté consolation à d'autres personnes qui en avaient besoin, ce que vous n'auriez pas fait il y a six mois ! Alors, les changements sont déjà énormes. Les gens ici présents ce soir, dans l'ensemble, ont tous fait une très grande progression parce qu'ils l'ont voulu. Et, lorsque vous le voulez, tout en vous veut réussir. Cela donne une chance à votre Âme de surgir parce que, lorsque vous nous écoutez, votre conscient écoute, mais les mots que nous employons sont tous calculés, tous, de façon à ouvrir une autre porte à votre conscient. Lorsque nous avons des problèmes comme ce soir, ce qui a très peu de chances de se reproduire, les mots que nous réussissons à vous communiquer sont toujours pesés au cas où la communication serait coupée. *(Les pèlerins, III, 05–05–1990)*

*E*st-ce qu'une personne qui décède peut nous aider ?

L'Entité ou l'Âme qui habite une forme que vous avez aimée garde la conscience de sa vie et de ses vies passées. Nous ne pourrons pas influencer une Entité qui refuse de les oublier. Lorsqu'elles ont quitté votre monde, elles ont quitté leurs expériences. Elles pourront se faire percevoir ou vous ouvrir à l'amour pour vous faire percevoir ce qu'elles sont maintenant. La mort, c'est la vie; la vie, c'est la mort. Pour répondre à vos croyances actuelles, sachez que les Entités ne pourront jamais faire bouger les tables qui se trouvent dans cette pièce. N'ayez aucune crainte à ce sujet, vous n'êtes pas au cinéma. *(Les pèlerins, I, 27–01–1990)*

*E*st-ce possible de communiquer avec des personnes qui sont décédées ?

Cela vous intéresserait ?

Oui.

Et de communiquer avec vous-même, à quel point cela vous intéresse-t-il ?

J'aimerais savoir s'ils ont des messages.

Des messages autres que ceux de la réalité de votre vie, très peu. Vous savez pourquoi ? Ils ne voudront pas influencer une vie qui n'est pas la leur. Il y a respect, voyez-vous, entre les Entités. La vie dans cette forme qui est la vôtre n'est pas la leur. Elles n'ont pas choisi votre forme; c'est une autre Entité qui a pris place. Elles doivent le respecter comme nous vous respectons. Jamais nous n'ordonnerons à une personne : « Faites ceci, faites cela. » Ce n'est pas notre but. Notre simple but est de vous faire comprendre cela, pour que tout prenne place. En ce qui concerne les Entités qui ont eu des formes que vous avez aimées, vous pouvez les aider et leur nuire. Vous pouvez les aider en les remerciant d'être ce qu'elles ont été. Pour cela, il ne faut pas visualiser les formes que vous avez connues, mais l'énergie qui était l'Âme dans ces formes. L'Âme continue, pas la forme. Vous gardez l'image de la forme cependant, et vous aimez penser à l'Âme comme si elle était toujours dans cette même forme, alors que dans la majorité des cas les Âmes peuvent avoir plusieurs milliers de formes. Pensez simplement qu'une Entité que vous aimeriez contacter pourrait aussi l'être par 12, 15 ou même 100 autres personnes qui l'ont connue dans d'autres formes, qui elles aussi ont des souvenirs. Voyez à quel point il serait difficile pour une Âme de ramener à votre attention une forme en particulier, dans une image plutôt que dans une autre. Et si elle le faisait, elle influencerait la vôtre et vous nuirait. Aucune ne choisira de le faire, sauf lorsque votre Âme le permettra pour des raisons bien particulières. Vous pouvez aussi nuire aux Entités en vous attardant trop aux souvenirs du passé. Nul besoin de vous dire que, lorsque vous pensez aux êtres qui ont existé, vous ré-attirez les Âmes qui habitaient leurs formes, surtout à cause des vibrations que vous avez connues et qu'elles ont connues. Cela fait en sorte que leur apprentissage est retardé. Elles n'ont pas votre perception du temps, mais elles ressentent très bien les changements que vous vivez, ce qui peut leur nuire. Par contre, si vous contactez votre Âme en premier, que vous faites le cheminement voulu, que vous avez l'ouverture nécessaire, que vous vous faites confiance tout en écartant les influences extérieures, que vous oubliez un peu plus le passé pour voir un peu plus devant vous, sans prévoir plus qu'une heure à l'avance, vous apprendrez à vivre, à donner, et vous recevrez somme toute ce que vous avez demandé. Ne cherchez surtout pas à garder le contact avec des personnes décédées pour des heures et des mois. Les contacts sont beaucoup plus rapides que cela. Le simple fait de penser à une personne disparue et de se sentir bien devrait être accepté comme un encouragement, comme le remerciement de la pensée. C'est suffisant, pourquoi établir un dialogue ? Cela ne serait pas nécessaire. Vous avez oublié de dire à quelqu'un que vous l'aimiez ? Il suffit d'y penser et les résultats feront que vous l'aurez contacté; vous le ressentirez très bien, surtout vous. *(Les colombes, I, 02–06–1990)*

L orsque vous avez parlé de visualiser l'énergie qui était l'Âme du mort au lieu de penser à son physique...

Lorsque vous imaginez intensément une forme qui a déjà existé, c'est ce que vous faites parce que vous rappelez à vous, à vos émotions, à votre pensée, le même schéma d'énergie qui existait auparavant. Cela équivaut à une demande. Si vous êtes plus habile, ce sera beaucoup plus rapide, puisque vous n'aurez qu'à imaginer cette personne, son énergie, comme étant devant vous, et ce sera perçu de façon instantanée. Vous discuterez alors d'Âme à Âme; c'est beaucoup plus rapide. Continuez votre question.

J'ai de la difficulté à imaginer seulement l'énergie au lieu du physique. Quand je pense à quelqu'un qui est mort, j'imagine plus son physique que l'énergie. Je peux imaginer une personne joviale, de bonne humeur, toute pleine de qualités et de défauts.

Lorsque vous fermez vos yeux, pouvez-vous ressentir les personnes à vos côtés ?

Je n'ai pas essayé vraiment.

Faites-le lorsque vous serez avec une personne que vous appréciez réellement car, voyez-vous, vous ne ferez pas cela avec vos voisins. Vous ne tenterez pas de rappeler à votre souvenir l'Âme d'une personne que vous n'aurez rencontrée qu'une seule fois. Vous le ferez donc pour des gens qui vous tenaient à coeur. Et s'ils vous tenaient tant à coeur, c'est donc dans votre imagination. Vous pouvez alors recréer un moment où vous avez vécu avec ces personnes. Lorsque vous aurez recréé l'ambiance, ce sera l'empreinte de l'énergie que vous aurez, parce que cela aura vibré en vous. Comprenez-vous un peu mieux ?

Oui, beaucoup mieux.

Donc, ce n'est pas toujours des formes, mais des instants vécus dont vous vous souviendrez, c'est la même chose. *(Les colombes, III, 04–08–1990)*

Q*uand une Âme a quitté sa forme et que c'est une Âme qu'on a connue et qu'elle nous offre son aide...*

Nous avons déjà dit à plusieurs reprises que vous ne pouvez avoir accès aux Entités. Lorsqu'une Âme n'est plus dans une forme, elle est une Entité. Votre Âme ne vous donnera pas accès aux Entités tant que vous n'aurez pas eu accès à elle.

Quand vous-mêmes, vous m'avez suggéré cette présence-là...

C'était différent avec vous [entrevue privée]. Nous vous avons montré comment percevoir les forces extérieures. Nous vous avons dit où vous situer et nous vous avons demandé de percevoir ce qui était à vos côtés. C'était pour vous personnellement, pour que vous vous en serviez comme un outil, parce que nous savons ce qui viendra pour vous.

Mais je voulais demander si, dans un cas comme celui-là, on pourrait nuire à l'évolution de l'Entité en question ?

Non, parce que c'était déjà planifié ainsi. C'était notre demande pour vous aider et cela a été fait avec l'autorisation de votre Âme, sinon nous ne l'aurions pas permis. Comprenez une fois pour toutes que tout ce à quoi votre Âme ne consent pas, tout ce qu'elle refuse de l'extérieur, ne se fait pas. Vous aurez beau faire tous les efforts que vous voudrez, rien ne se fera. Vous ne réussirez qu'à vous donner un mal de tête. Par contre, faites des efforts dans sa direction et elle en fera aussi dans la vôtre. Voilà la règle : donnant, donnant. Est-ce que c'est bien compris ?... Parce que c'est beaucoup plus facile pour vous. L'exemple que vous avez apporté est un travail que nous avions à faire à titre d'expérience. *(Alpha et omega, III, 18–08–1990)*

C*omment peut-on entrer en contact avec les Entités de notre choix ?*

Pour le faire, il faut généralement passer par votre Âme en premier, parce qu'il s'agit de son expérience de vie, alors que les Entités observent et regardent ce qui se passe dans vos vies. Savez-vous comment nous les appelons ? Les mémères, parce qu'elles sont comme des mémères. Elles vous observent, elles discutent vos réactions, vos agissements, les maîtrises de vos corps pour pouvoir faire mieux la prochaine fois. Donc, si vous contactez ces mémères ou ces Entités qui vous suivent, vous pourriez être influencés, faire des choses que vous n'avez pas à faire. Jusque-là, est-ce que vous comprenez cela ? Nous allons l'expliquer d'une autre façon. Comme les Entités sont des Âmes qui n'ont pas de forme, elles ont donc encore à revenir sur Terre pour vivre dans d'autres formes. Comme elles voudront épargner du temps pour ne pas refaire des erreurs et qu'il n'y a pas de corps disponibles aussi souvent, elles voudront faire ces expériences sans avoir de corps. Comment font-elles ? C'est très simple. Elles vous observent, elles tentent de vous influencer, de vous faire faire des choses qu'elles voudraient faire elles-mêmes dans des formes. C'est pourquoi il y a un certain danger à contacter des Entités. Donc, votre Âme vous protégera à ce niveau; elle leur dira de se mêler de ce qui les concerne. Est-ce que c'est un peu plus clair ?

Oui.

Donc, il est très important de passer en premier par votre Âme et après, si elle vous donne accès à l'extérieur, vous irez vers des Entités. Vous avez une autre chance ce soir, très grande et très importante d'ailleurs, celle de le savoir alors que vous êtes jeunes. D'autres vivent des expériences traumatisantes qui les dirigent mal dans la vie et ne sauront jamais pourquoi. Ce n'est pas pour jouer que les Entités sont là. Il y en a qui pourraient aider, il y en a qui aident d'ailleurs. En effet, il y a des gens qui font comme Robert, mais avec des Entités, et cela apporte une autre forme d'aide. *(Les flammes éternelles, I, 24–11–1990)*

S *i je pense à des personnes déjà décédées pour reproduire leur cheminement, de quelle façon puis-je me souvenir d'elles, si ce n'est en pensant à leur nom, à leur forme physique ?*

D'aucune autre façon. Vous utilisez l'imagination. Comment pouvez-vous vous souvenir d'une personne sans l'imaginer ? Le simple fait de prononcer le nom crée l'image en vous. Vous pouvez aussi créer une image et la garder en vous, intérieurement, ou faire en sorte qu'elle soit perçue comme une demande et cela deviendra une demande; donc cela sortira de vous. Si vous gardez cette image en vous, cela ne pourra pas leur nuire, mais si vous le faites comme une demande, de façon à les avoir à vos côtés, ce sera perçu et considéré comme une demande. Rien ne vous empêche non plus de simplement penser pour penser. *(Alpha et omega, III, 18–08–1990)*

*E*st-ce qu'on peut demander des faveurs aux gens décédés ?

Vous avez sauté deux sessions de groupe. Nous allons vous répondre plus rapidement parce qu'il y a beaucoup de questions à venir avant d'aborder ce sujet : oui, mais il y a une façon de le faire et surtout de le comprendre. Lorsque les gens décèdent, vous avez dans votre idée que ce sont les formes qui partent. Les Âmes n'ont aucune obligation de rester autour des anciennes formes physiques qu'elles ont côtoyées, aucune obligation. Vous les forcez à le faire lorsque vous n'arrêtez pas de penser à ces Âmes, de les attirer vers vous, de leur faire vivre des émotions qu'elles ont vécues ou qu'elles auraient dû vivre. Vous les empêchez de progresser. Ces Âmes n'ont alors qu'un seul choix, celui de revenir près des formes qu'elles ont aimées ou auraient dû aimer et d'imaginer d'elles-mêmes les formes qu'elles avaient. Lorsqu'elles le font, elles se font percevoir. Que se passe-t-il alors ? Vous commencez à les imaginer à vos côtés et vous entretenez des dialogues, des pensées. Comprenez-vous mieux cela ? Il y a beaucoup à dire. *(Maat, I, 09–11–1990)*

*T*out à l'heure vous avez dit que, si on faisait affaire avec des Entités, on leur nuisait ?

Dans certains cas. Prenons l'exemple d'une personne qui vient de perdre son père et qui avait des comptes à régler avec lui. Si elle ne l'a pas fait, cela reste en sa personne, à un point tel qu'un jour elle veut régler ses comptes. Elle imagine alors son père constamment, en pensée bien sûr, et cela équivaut à l'appeler. Rappelez-vous que les Âmes utilisent l'image et, lorsque vous visualisez l'image des personnes décédées, vous les appelez. Si elles sont réincarnées, vous pouvez même les déranger, leur nuire, voire les troubler. Tout dépendra de votre force à imaginer. Si elles ne sont pas incarnées, vous allez les appeler instantanément à vos côtés, bien souvent en ignorant qu'elles sont là, bien souvent en ignorant que vous pouvez régler vos problèmes directement et entendre les réponses très facilement. C'est une dimension que vous n'avez pas réellement approchée. Jouez un peu avec votre imagination et vous le comprendrez. Rappelez-vous que ce sont les images qu'elles comprennent. Effectivement, si l'Entité doit se réincarner et que vous interférez, cela lui nuira parce qu'elle aurait alors du regret de ne pas avoir réussi à faire s'exprimer une forme, une forme à laquelle elle tenait d'ailleurs... et vous ignorez encore à quel point vos Âmes ont du respect pour vous, vous n'en avez encore aucune idée ! Donc, effectivement vous pouvez leur nuire, mais vous pouvez aussi les aider en réglant vos problèmes rapidement. *(Harmonie, I, 17–11–1990)*

*E*st-il possible pour nous, de façon consciente et éveillée, de voir et entendre une Âme décédée, une forme décédée ? Est-ce que c'est possible de voir l'Âme d'une personne décédée ?

Avec vos yeux ?

Oui, de façon consciente et éveillée, pas juste dans nos rêves, en personne quoi.

Cela s'est déjà produit, et demande une grande pratique. L'Âme vous paraîtra comme matérialisée, mais en fait, vous serez peut-être le seul à la voir. Cela dépendra de ce que vous voudrez apprendre dans cette expérience et de l'apparence que l'Âme aura voulu garder après avoir quitté la forme. Certaines Âmes qui ont aimé une forme en garderont un modèle dans leur énergie et, très simplement, elles la copieront complètement pour une personne très ouverte, même des enfants en bas âge. C'est chose courante, très courante. Cela vous demandera d'être aussi simple qu'un enfant, de ne pas avoir de préjugé ni de peur inutile, juste d'ouvrir les yeux, pas seulement les yeux extérieurs, ceux de l'imagination aussi. N'avez-vous jamais observé les enfants qui parlaient tout seuls en jouant ? Vous avez fait cela vous-même, très jeune. La majorité des enfants ont déjà vu cela; ils ont joué avec d'autres enfants qui n'avaient pas de forme, ils s'en sont fait de bons amis jusqu'à ce que leurs parents leur disent que cela n'existe pas. Donc, c'est effectivement possible. Vous pouvez même nuire aux Âmes de ceux qui viennent de mourir en pensant trop à leurs formes, car il y a des Âmes qui restent très attachées. Parce qu'elles ressentent toujours ceux qui ont vécu avec leur forme, vous les empêchez de s'éloigner et vous permettez ainsi à tous les autres de vivre difficilement l'épreuve du deuil. C'est pour cela que, lors de certains décès, tous ressentent la perte avec beaucoup de douleur et ressentent très bien la personne disparue, l'Âme du disparu. Cela vous éclaire un peu plus.

Est-ce que l'Âme du décédé peut, d'une façon volontaire, forcer quelqu'un qui a encore sa propre forme à le voir ?

Cela demandera une personne très habile et qui a été habituée à le faire. Il devra y avoir un but pour cela. Nous avons des règles dans ces domaines, sinon il y en aurait beaucoup qui auraient peur. Ce n'est pas toujours permis. Du côté des Entités comme dans votre dimension, il y a des choses qui sont permises et d'autres non. Toutes ces peurs n'aideraient pas non plus puisqu'elles seraient des peurs d'ignorance, en fait. *(Harmonie, IV, 16–02–1991)*

À l'occasion, il m'arrive de voir des bulles blanches ou de magnifiques visages d'une beauté indéfinissable. Pouvez-vous m'expliquer ce phénomène ?

C'est la même chose que la question précédente. En règle générale, plus vous serez ouverts, moins vous aurez peur, plus vous le souhaiterez et plus cela se fera voir. Nous allons nous positionner pour que ce soit plus facile pour ceux qui nous observent de nous voir... Quelques-unes d'entre nous se sont placées à la droite de cette forme [Robert]. Si vous lui faites face, nous nous trouvons à votre gauche. Ceux qui nous perçoivent très bien, nous perçoivent comme des points blancs. En fait, pour nous qui n'avons pas eu de forme, c'est beaucoup plus notre réalité. Nous pourrions imaginer un visage; une Entité pourrait faire cela aussi pour vous, simplement pour se faire voir. Cela pourrait être une Entité qui vous suit, qui vous observe et qui déciderait de se faire voir pour observer votre réaction, sans plus, pour voir si vous avez peur de ce phénomène. Cela pourrait continuer mais, dès que vous aurez peur, vous vous direz que c'est votre imagination et cela cessera. Avons-nous répondu à cette question ?

Oui. (Harmonie, IV, 16–02–1991)

E *st-ce vrai que, lorsque quelqu'un vient de mourir, il ne faut pas trop lui demander de choses, le laisser tranquille ?*

C'est exact en grande partie. Vous ne connaissez pas vos limites. Il y a des gens ici même qui, lorsqu'ils insistent, insistent tellement qu'ils sont convaincants. Cela veut dire que, lorsque vous perdez un être que vous aimiez ou avec qui vous aviez quelque chose à régler de son vivant, vous continuez de penser à lui comme s'il était vivant. C'est tellement réel dans vos pensées que vous ré-attirez cette énergie vers vous, vous la forcez à réintégrer sa forme, non pas sa forme physique, mais la forme d'énergie et l'image de la forme physique qu'elle avait. Vous recréez vous-mêmes cet être, ce qui empêche son Âme d'aller vers ce qu'elle doit vivre et, plus que cela, vous vous empêchez vous-mêmes d'aller vers ce que vous devez vivre. À plusieurs niveaux, cela nuit. Il ne faut pas non plus que vous négligiez la force qu'ont plusieurs de ces Entités de rejeter vos forces de pensées. Cela aussi est une réalité. Mais si vous prenez des êtres que vous aimiez au plus profond de vous-mêmes et que vous vous y réattachez, vous allez d'abord perdre le contact avec votre quotidien et vous allez ensuite vous encourager faussement. Le jour où cette Entité sera rappelée vers une autre forme, vous ne comprendrez plus rien à la vie car, au lieu de percevoir votre réalité, vous percevrez une double fausse réalité. Y a-t-il des sous-questions à cela ?

Vous m'avez dit qu'il y avait 76 Entités qui m'observaient, j'espère que ce ne sont pas toutes des mémères ?

Nous avons dit qu'elles vous observaient, pas qu'elles vous utilisaient, sinon vous poseriez toutes les questions vous-même sans laisser de place aux autres; autrement dit, lorsque les Entités maîtrisent une forme, elles en profitent. C'est pourquoi nous vous avons dit qu'elles observaient. *(Renaissance, I, 14–09–1991)*

*L*orsque *vous disiez qu'il fallait enlever nos propres limitations, peut-on le faire nous-mêmes de façon consciente, ou bien faut-il absolument faire face à la personne avec laquelle c'est arrivé ? Si oui, qu'est-ce qui arrive avec une personne qui est décédée ?*

Ce n'est pas une seule question, mais trois que vous avez posées. Nous allons répondre à la dernière et vous allez reformuler cela plus clairement. Votre question n'est pas très claire. Ce que vous nous avez demandé en fait, c'est comment faire pour oublier les torts ou les regrets face aux gens qui ne sont plus de ce monde, de façon à vivre plus clairement et mieux avec vous-même, et aussi avec les gens qui vivent actuellement et qui ne sont pas sur la même longueur d'onde que vous ? Est-ce à peu près cela ?

Tout à fait.

Bien. Donc, il ne reste plus que deux questions. Nous allons en faire une seule. Votre question devrait être : comment faire pour être pleinement heureux aujourd'hui même, en tenant compte du passé et du présent ? Est-ce bien le sens de votre question ?

Oui.

Formulée ainsi, elle prendra moins de lignes. C'est très simple. En ce qui a trait à ceux qui sont décédés et que vous n'avez pas pu amener en vous, dans le sens de leur dire que vous les aimiez, il y a peu à faire. Vous pouvez imaginer le leur dire. Dans certains cas, cela réussit. Vos cerveaux sont, dans quelques cas, programmés pour oublier. Si vous êtes convaincus que vous avez commis une erreur avec des gens que vous aimiez en ne leur disant pas tout ce qu'il vous venait à l'idée de leur dire mais que, encore une fois, vous avez attendu qu'il soit trop tard, qu'ils ne soient plus là, pour en prendre conscience... Oh ! parfois il vous faut plusieurs années pour tout analyser, pour vous rendre compte que vous aviez des problèmes face à vous-mêmes, que ce que vous ne leur avez pas dit lorsque le temps le permettait, c'est que c'était contre vous que vous en aviez. Donc, pour ce qui est du passé, tentez d'imaginer ces gens comme étant vivants. Par l'imagerie, vous en viendrez bien à bout. Et, toujours en visualisant ces visages, dites-leur tout ce qui vous viendra sur le coeur. Encore une fois, nous tenons à vous avertir : ne vous refusez aucune émotion, aucun sentiment. Ne trichez pas. Il va falloir que votre forme passe par ces émotions, ces sentiments pour accepter, pour évoluer. Soyez convaincants. Rappelez-vous, ce que vous avez oublié de dire aux autres, c'est ce que vous avez oublié de vous dire et c'est aussi ce que vous vous refusez actuellement. Quant à savoir si ces Entités perçoivent... Dans certains cas, ceux qui ont été très perspicaces ont attiré à eux ces Entités depuis la journée du décès jusqu'à ce qu'elles aient compris. Dans d'autres cas, les Âmes sont déjà réincarnées; donc, le pardon aura lieu dans votre imagination, pas face à eux, mais face à vous-même. Vous savez pourquoi ? Très simple : pour ne pas refaire encore la même erreur. C'est cela la réponse à votre première question. Les peines sont là pour vous éviter de refaire les mêmes erreurs. Combien de fois n'avons-nous pas vu des gens ayant des regrets avoir l'idée brillante et amusante de faire célébrer des messes juste pour montrer qu'ils n'ont pas oublié les personnes décédées. Lorsque ces personnes vivaient, ils ne leur ont jamais dit qu'ils les aimaient, ils ne se sont jamais sentis appréciés. Juste après... une messe. Encore des mots qui ne sont pas perdus dans vos têtes, mais qui ne sont pas perçus par les Entités. Ceux qui célèbrent la messe le font pour des sous; ils n'imaginent pas non plus l'acte. Ils ne font pas cela pour la personne décédée, ils ne l'ont jamais connue. Comment voulez-vous qu'un prêtre qui célèbre une messe pour un défunt puisse diriger ses énergies d'amour vers cette Entité qui était aimée ? Il ne la connaît même pas ! Il ne sait même pas où diriger sa pensée. Donc, il joue un rôle de 30 minutes. Ce sont les faits. Donc, c'est dans le jour que vous vivez que vous allez avoir vos réponses, dans l'ouverture que vous accepterez face à vous-mêmes, ou plus simplement, dans l'amour que vous avez pour vous; pas dans l'orgueil, pas dans l'ego. Cela vous gêne de dire à vos parents ce que vous n'avez jamais dit : que vous les aimez ? Vous ne les avez jamais serrés dans vos bras, sauf lorsqu'ils pleuraient ? Faites-le donc lorsqu'ils riront la prochaine fois. Mieux que cela, faites-les rire, dites-leur que vous les aimez et que cela vous a pris plusieurs années pour vous en rendre compte, pour avoir le courage de le dire. Par contre, regardez comme il vous est facile de dire qu'une personne vous ennuie, qu'elle vous dérange, que vous ne l'aimez pas. C'est facile. Mais dès que vient le temps de faire jouer vos émotions et vos sentiments pour être tels que vous êtes, cela vous est difficile, voire même impossible. Au risque de nous répéter, une forme qui s'étouffe ainsi se suicide, actuellement plus que jamais. *(Le fil d'Ariane, I, 28–09–1991)*

Vous avez tous notre amour et nous vous remercions de la part de nous toutes.

Oasis

*L'Âme est
une énergie
venue s'exprimer,
jouir avec une forme
et lui rendre
la tâche facile.*

Les Âmes

Vous avez choisi le sujet de l'Âme. Selon les descriptions contenues dans vos livres, il s'agirait d'un principe de vie. C'est dans vos livres, bien sûr. Dans le même type de livre qui vous décrit un arbre, un avion, une automobile, un crayon, une maison. Des mots, il y a beaucoup de mots. Ces dictionnaires qui décrivent l'Âme comme étant un principe de vie ne la comparent qu'à un principe. Plusieurs personnes qui n'y croient pas conserveront ce principe de vie. Ils se diront : « Tant mieux si cela est et tant pis si cela n'est pas. » Vos religions, peu importe laquelle, ont toutes le même avis sur l'Âme : un principe, une existence certaine aussi, mais elles ne vont pas beaucoup plus loin. Elles vous disent, en parlant de Jésus, de Bouddha ou d'autres, qu'ils étaient les fils de Dieu et que, si vous voulez mériter d'être comme eux, vous devez être aussi parfaits. Donc, les religions vous ont fourni des idéaux, des images, des mots. Vous voilà donc plongés dans la vie avec des images, des mots, des buts à atteindre, mais tout cela sur une base consciente. Toujours des efforts conscients à faire dont plusieurs sont irréalisables. Au cours des siècles, n'avez-vous pas trouvé la remarque suivante fort à propos : la perfection n'existe pas en ce monde ? Vous vous en êtes imprégnés en vous disant : « C'est une porte de sortie, alors je n'ai pas à me justifier. » Fort bien, mais ce n'est toujours pas la réalité. Où se trouve l'Âme en cela ? Nous vous avons dit qu'en fait, conscients ou non, vous étiez tous aussi des parties de Dieu. Nous vous avons bien fait comprendre d'ailleurs que l'Âme était en chacun de vous, que vous pouviez l'utiliser en sachant bien comment demander, en domptant très bien votre conscient, en vous faisant confiance. Le plus important, c'est qu'il fallait demander. Vous employez aussi le terme énergie... à toutes les sauces, comme vous dites fort bien. Comme si les énergies étaient toutes les mêmes, comme si l'Âme n'était pas différente de l'énergie de vos formes réelles. Si c'était vrai, les gens qui font la polarité, qui défont ces noeuds d'énergie, auraient-ils quelque influence sur vos Âmes ? Foutaise que cela ! Votre Âme n'a pas la même énergie que votre forme, n'a pas de stabilité, de point défini, et peut très bien se tenir à côté de votre forme, comme au-dessous, comme au-dessus, sans la quitter. Vous ne pouvez modifier cette énergie qui est de l'énergie réelle, très consciente. Parfois aussi, les Âmes prennent par visualisation la même forme que vous, comme s'il y avait dédoublement. D'autres se tiendront en vous. Cela dépend des Âmes. Ces énergies que sont les Âmes sont libres de faire tout ce qu'elles peuvent faire. [...] Tout cela pour bien vous faire comprendre que les Âmes sont tout de même dans vos formes; elles font partie intégrante de vous. Vous pouvez rejeter cela, l'ignorer, penser à autre chose, mais cela ne changera pas le fait; elles y seront quand même. Le pire qui pourrait vous arriver, c'est qu'il vous faudrait beaucoup d'événements, pas toujours heureux, pour vous le faire comprendre. Cependant, dès l'instant où vous prenez contact avec votre Âme, où vous prenez le goût de découvrir, cela s'accélère. Des exemples se produisent dans vos vies (nous en avons mentionné quelques-uns ce soir), et plus vite vous allez les comprendre, plus vite vous saurez que c'est le résultat de votre contact. Donc, il n'est pas obligatoire d'y croire pour que cela soit; par contre, si vous y collaborez, cela agit et toujours selon la règle du donnant, donnant, toujours et surtout. Pour bien vous le faire comprendre, nous avons basé notre cours sur le contact conscient et le vécu. [...] En choisissant d'aller plus loin pour votre Âme, vous le faites pour vous en fait, car toujours selon la règle du donnant, donnant, ce que vous donnerez à votre Âme, c'est aussi à vous que cela va revenir. Certains d'entre vous peuvent nous percevoir, d'autres nous ressentir, d'autres nous voir, mais dans tout cela, le plus important n'est pas de nous voir mais de savoir que nous existons, comme vos Âmes. La seule différence entre les sessions de groupe et les sessions privées avec nous est que ce n'est pas votre Âme qui parle par cette bouche dans les sessions de groupe. Nous pouvons tout de même intercéder auprès d'elle et vous pouvez toujours percevoir. Lorsque cela se produira, vous penserez : « Curieux, mais lorsque que j'ai entendu cela, j'ai ressenti que c'était vrai. » Puis la majorité d'entre vous avez eu des rêves plus clairs, plus directs. Rappelez-vous ce que sont les rêves. S'il y en a qui ont des questions, posez-les maintenant. (*Alpha et omega, IV, 22–09–1990*)

*Q*uelle est la définition de l'Âme pour vous, Oasis ?

Une Âme est la même chose qu'une Entité, et les deux sont identiques à nous, les Cellules, sauf pour les niveaux de vibration. Il vous est difficile de le percevoir visuellement, mais les niveaux de vibration de ces énergies sont différents les uns des autres. Autrement, les Entités auraient accès à notre dimension avant que nous puissions les accepter. Elles ont déjà fait partie de nous et elles referont partie de nous, mais tant que leur expérience ne sera pas terminée — ce qui était volontaire de leur part —, elles ne nous rejoindront pas. Cependant, il y a très peu de différence entre le niveau de vibration des Entités et des Âmes, du moins dans le cycle d'incarnations que vous avez actuellement dans votre monde. D'une forme à une autre, les vibrations sont les mêmes. C'est pour cela que Robert lui-même peut percevoir ce que nous sommes, par habitude, mais il ne peut percevoir les Entités parce qu'il ne l'a pas appris. Donc, vos formes peuvent nous percevoir très bien et à différents niveaux, car nous sommes de simples formes d'énergie. *(Maat, II, 01–12–1990)*

Quand vous parlez de l'Âme...

L'Âme est une source d'énergie en vous, différente de votre forme, mais qui a su s'adapter. L'Âme peut quitter votre forme lorsqu'elle le veut. Toutefois, elle ne le fait pas par respect pour son choix, par respect pour vous. Si elle quittait votre forme, il faudrait vous attacher parce que votre conscient ne trouverait plus aucune raison de vivre. Tout cela est vraiment bien relié, sauf que vous n'utilisez pas ces liens. L'Âme se reflète souvent dans votre propre caractère, dans votre propre agissement. L'Âme n'a jamais cherché dans votre forme à être élevée sur un piédestal; elle n'a pas besoin de chandelles non plus ! Ce n'est pas cela qu'elle est venue chercher. Elle est venue s'exprimer, jouir avec une forme et lui rendre la tâche facile. Tant et aussi longtemps que vous rejetterez cela, votre cerveau tentera d'équilibrer autrement et cela ne fonctionnera pas toujours bien. Continuez votre remarque. *(L'envol, I, 07–03–1992)*

*Q*u'entendez-vous par réalités profondes ?

Les réalités profondes sont celles qui sont déjà présentes en vous mais que vous n'utilisez pas. En d'autres termes, plutôt que de vous servir d'une aide qui ne vous demanderait aucun effort, vous préférez entretenir des pensées, faire des efforts physiques et mentaux pour obtenir. Donc, votre réalité profonde, c'est la source qu'il y a en vous et qui peut vous donner toutes réponses et aides. Quelle est cette source selon vous ? Nous avons soufflé la réponse : l'Âme. Les deux, vous et elle, ne faites qu'un. Tout ce qu'il faut, c'est que le conscient accepte, c'est tout. Nul besoin de longues théories pour cela, juste un peu de pratique; et cela vous aidera à vous donner plus de foi en vous-mêmes. Il a été dit il y a 2000 ans que la foi remplacerait le doute et déplacerait des montagnes. Les seules montagnes qu'il y ait à déplacer sont conscientes, pas visuelles. *(L'envol, I, 07–03–1992)*

A vons-nous un ange gardien ?

Nous pouvons répondre à cette question de différentes façons. Si nous nous basions sur vos expériences religieuses antérieures, la réponse serait différente. En fait, deux réponses seraient plus adéquates. Il y a la version plus populaire qui vous dit qu'en fait votre ange gardien, c'est votre subconscient qui vous dicte vos réactions, vos émotions, vos sentiments et tout ce que vous devriez faire pour bien vivre. L'autre version, la nôtre, c'est que votre ange gardien est votre Âme. Faites ce qu'il faut pour qu'elle soit heureuse et vous serez heureux. L'inverse est aussi vrai. Si vous êtes heureux, si vous acceptez votre quotidien, si vous acceptez d'être vous-mêmes, en ayant le respect de vous-mêmes et en faisant savoir aux autres ce que vous valez, à ce moment-là votre Âme sera heureuse aussi. Ceux qui croient que les anges gardiens sont à leur côté, différents d'eux, qu'ils sont parfaits et qu'ils leur soufflent à l'oreille ce qu'il faut faire, peuvent continuer de rêver. D'autres diront : « L'ange gardien, c'est un guide. » Qui d'autre que votre Âme peut le mieux vous guider ? Certainement pas le conscient. Il n'est pas défendu du tout de croire que vous avez un ange gardien à l'extérieur. Cela va de toute façon se diriger vers l'Âme qui, elle, projettera son énergie à l'extérieur. D'un côté ou de l'autre, vous reviendrez à l'Âme. *(Renaissance, III, 09–11–1991)*

***Y** a-t-il une différence entre l'Âme et un esprit ?*

C'est la même chose, sauf que vous jouez sur les termes. Dans le signe de la croix, certaines personnes voient l'Esprit saint comme un ange, d'autres comme une Entité, tout dépendra de vos connaissances. En fait, l'Esprit saint est en vous, c'est votre Âme. Loin de nous l'idée de vous dire que les Entités pourraient être toutes des saintes. Il y en a plus de 300 000 qui ne sont pas d'accord actuellement ! Quelques instants que nous les remettions à leur place... Elles sont maintenant remplacées par des Cellules; plusieurs verront la différence. Parler des esprits est une façon de faire peur. Dans certaines croyances, les esprits étaient malins, ils pouvaient apeurer. En fait, il n'y a ni Âme ni Entité, ni même Cellule, si vous voulez, puisque ces mots décrivent tous les mêmes énergies. Vous pouvez dire qu'il y a un esprit en vous, ou qu'il y a une Âme en vous, ou qu'il y a une Entité en vous. Nul besoin de vous creuser la tête pour en trouver les nuances. L'énergie sera toujours de l'énergie, où qu'elle soit. *(Maat, III, 13–01–1991)*

***P** ourriez-vous nous dire de quoi se compose l'esprit ?*

Avez-vous bien réfléchi à cette question ?

Oui.

Effectivement, elle semble bien réfléchie. Auparavant, laissez-nous vous expliquer ce que nous sommes et vous comprendrez qu'il y a des gens, ici même d'ailleurs, qui croient que l'esprit est la pensée elle-même, le conscient. D'autres vous diront que l'esprit, c'est le subconscient. D'autres encore vous diront que l'esprit est le supraconscient. D'autres trouveront l'esprit dans nous-ne-savons-trop-combien de corps; c'est très compliqué. La réalité est beaucoup plus simple. Il y a vos Âmes, ce que vous savez tous. Il y a aussi des Âmes qui attendent des formes; vous les appelez des Entités. Elles ne se réincarneront pas nécessairement rapidement. Elles observent. Dans quelques rares cas, elles influencent, mais elles le feront de moins en moins. Puis, il y a ce que nous sommes, des Cellules. Plusieurs d'entre nous, la majorité même, n'ont jamais eu d'expériences avec des formes telles que les vôtres ni avec aucune autre forme. Nous sommes là, nous réagissons, bien sûr, et nous surveillons afin d'empêcher les abus; il faut cela. Mais rassurez-vous, de notre côté, il n'y a plus de retour vers les incarnations. Du côté des Entités, elles ont le choix. Après avoir refait des expériences jusqu'à ce qu'elles maîtrisent vos formes — et que vos formes les maîtrisent d'ailleurs —, elles ont le choix : ou elles vont vers d'autres mondes plus évolués, de conscience altérée, ou elles reviennent vers nous comme elles l'étaient au début. C'est leur choix, nous ne les forçons pas. Donc, notre réponse dépend du sens réel de votre question. Est-ce que vous nous parlez des Entités et des Âmes par rapport à vos formes, ou de la conscience par rapport à ce que l'esprit pourrait être ? Sachant cela, désirez-vous reformuler votre question ? *(Symphonie, I, 06–04–1991)*

*J*e suis à me questionner à savoir si l'esprit va être supporté par les particules spirituelles ?

Que c'est compliqué, trop même ! En fait, non. Vous l'ignorez puisque vous ne pouvez voir cela, mais l'Âme qui est dans chacune de vos formes a son propre cheminement à faire. Les Âmes recherchent toutes et chacune le meilleur moyen de maîtriser vos formes. Elles ne doivent pas recourir à de l'aide extérieure car ce ne serait pas valable. Elles doivent réussir grâce à leurs efforts. Comme c'était leur choix de s'incarner dans des formes physiques, comme elles ont voulu démontrer leur savoir, elles doivent maintenant le faire. Vous nous direz qu'il y a des Âmes qui contactent des Entités ou des Cellules par l'entremise de leur forme, ce que vous appelez voyance ou autrement. C'est vrai, mais il y a des buts à ces contacts, ne serait-ce que d'apporter de nouvelles consciences, de modifier les conscients, de les amener à mieux se comprendre. Il y a très peu de vos années, tout au plus 10 ou 12, que nous, les Cellules, par petits nombres, faisons ces expériences avec vous. Mais il fallait un début, sinon il y aurait eu trop d'exagération à ce niveau. Vous savez, les faux prophètes existent; même si c'était déjà écrit il y a un peu plus de 2000 de vos années, plusieurs ne l'ont pas compris. Donc, ce qu'il y a en vous est en vous et vous appartient en quelque sorte. Les Âmes vous ont choisi, donc vous pouvez en profiter. Les moyens qu'elles prennent pour influencer votre conscient, ce qu'elles vous font vivre pour que vous vous rendiez compte de leurs forces, cela reste leur choix. Et les moyens que vous choisirez consciemment sont encore une fois une question de choix. Certains diront qu'ils ont des moyens infaillibles de méditation, qu'ils entrent en contact avec leur Âme. D'autres diront qu'ils le font avec des cristaux. Peu importe ce que vous ferez, tous les moyens sont bons, sauf qu'il faut être prudents aussi pour ne pas croire à ce qui n'existe pas, pour ne pas vous conter des histoires qui vous arrangent, comme vous dites. Il faut être prudents pour ne pas que cela devienne comme des religions, que cela vous relie ensemble et vous attache, vous bande les yeux même. Nous avons choisi de vous toucher par les énergies qui seront dans cette pièce, en éclaircissant les termes le plus possible. Une des raisons pour laquelle nous avons choisi cette forme [Robert] est sa simplicité, simplicité qu'elle vivra, qu'elle communiquera. Vous n'avez rien vu encore. Nous préparons cette forme [Robert] pour une autre étape; c'est pour bientôt d'ailleurs. Vous en verrez de toutes les couleurs et nous aussi d'ailleurs. Donc, laissez les particules au nucléaire; l'esprit, c'est beaucoup plus simple que cela. Il y en aura toujours qui chercheront le compliqué, qui feront partie de regroupements très intellectuels. Il y aura toujours des gens qui en sauront plus que d'autres, qui détiendront des soi-disant secrets auxquels les autres n'accèderont qu'après plusieurs années et, bien sûr, moyennant beaucoup d'argent. Ce n'est pas notre but. Vous le comprendrez tout au long de ces sessions : 4 rencontres, pas 40. Cependant, ceux qui participeront aux sessions seront prêts lorsqu'ils y arriveront. Vous verrez ce que peuvent faire des particules lorsqu'elles se réunissent. Avons-nous répondu à cette question ?

Oui.

Vous avez une sous-question ?

Au risque de paraître curieux...

Vous l'êtes ! Vous ne risquez rien.

En ce qui concerne le phénomène qui fait que l'expérience est conservée, qui fait que les impressions sont enregistrées, dans quoi s'introduit cet enregistrement, quel est le support de l'enregistrement ?

Vous parlez des expériences passées et de celles de cette vie même ?

Je dirais que ma question porte sur cette vie ou sur les vies passées.

Les Âmes ne se servent généralement que d'une ou deux vies passées — dans certains cas très spéciaux, de trois autres vies — pour s'aider dans la présente vie. En règle générale, elles se servent d'une seule vie, et pas nécessairement de la dernière, mais de celle qui pourrait les aider le plus à réussir avec la nouvelle forme. Les moyens qu'elles prennent pour vous faire réagir dépendent non seulement de votre volonté, mais de votre ouverture. Bien sûr, comme chacun d'entre vous dans vos cerveaux, elles peuvent enregistrer toutes les expériences vécues, chaque seconde de votre vie actuelle. L'Âme n'oubliera rien. Bien sûr, elle passera outre aux expériences gastronomiques, mais ce qu'elle aura appris avec vous, ce qu'elle aura maîtrisé avec vous, elle ne l'oubliera pas. En fait, elle n'oublie rien, sauf que vous pouvez choisir d'y penser ou non. Rendez cela plus simple, vous vous compliquez la vie. Il ne s'agit pas de savoir comment l'Âme fonctionne dans les détails. Déjà, de savoir qu'elle est en vous et d'y croire est un premier pas. Le deuxième pas est de savoir reconnaître quand c'est votre conscient qui agit et quand c'est votre Âme. Le troisième pas, et le plus difficile d'ailleurs, est de seulement vivre dans cette conscience nouvellement développée, pas de savoir si l'Âme en a bien profité car elle pourrait vous dire la même chose. Combien de fois n'avons-nous pas entendu vos Âmes crier : « Mais qu'est-ce que tu attends pour en profiter ? » Combien de fois ne les avons-nous pas vues perdre patience elles-mêmes, parce que vous vous compliquez la vie avec des pensées parfois incontournables. Que vous vous compliquez la vie pour rien ! En fait, vous êtes tellement occupés à survivre que vous n'avez pas le temps de vivre. (*Symphonie, I, 06–04–1991*)

Quelle distinction faites-vous entre l'esprit et l'Âme ?

L'esprit, pour les formes conscientes, c'est le conscient; l'Âme, c'est l'Âme. D'autres, qui ne savent pas ce que c'est, disent que l'esprit, c'est l'Âme, et le conscient se divise alors en plusieurs niveaux. En ce qui nous concerne, l'Âme, c'est une Âme; dans votre langue, c'est cela. Ce n'est qu'un mot. Dans d'autres langues, elle s'appelle autrement, mais c'est la même chose. Cela dépend de ce que vous avez fait en vous comme divisions. Vous pouvez appeler votre Âme un esprit, cela ne fait pas grand différence pour nous, pourvu que vous sachiez de quoi vous parlez. (*Symphonie, IV, 06–07–1991*)

*E*st-ce que nous avons chacun une Âme distincte ou y a-t-il seulement une Âme universelle qu'on appellerait le Christ ?

Que cette question nous amuse ! Ne vous en faites pas, nous sommes parfois « ratoureuses » [faire un détour pour atteindre son but]. Laissez-nous démêler cette question. Il y a en chacun de vous une forme, vous l'avez tous constaté; mais il y a aussi une Âme distincte. Lorsque les Âmes ne sont pas dans vos formes, on les appelle des Entités. On les appelle Âmes lorsqu'elles ont des expériences diverses qui les amèneront toutes au même résultat. Elles ont fait un choix, elles remplissent leur mission. Lorsqu'elles auront terminé leur cycle d'incarnations et qu'elles nous rejoindront, elles feront partie d'un tout, même si elles sont distinctes : une seule pensée générale, plus de décisions diverses. Il n'y a rien de ce que nous faisons actuellement qui n'ait pas été étudié, même dans les sessions privées. Il nous arrive aussi de refuser de répondre à certaines questions. Nous-mêmes devons consulter. Ce n'est pas le cas des Entités : elles peuvent se consulter entre elles, s'incarner ou attendre diverses époques pour le faire, peu importe. Lorsqu'elles choisissent de s'incarner, elles le font d'elles-mêmes. Lorsque leur cycle sera terminé — nous disons bien complètement terminé —, qu'elles auront bien maîtrisé la forme, elles feront un autre choix. Elles peuvent soit rejoindre ce que nous sommes, l'Ensemble — que vous appelez Dieu d'ailleurs; peu importe le terme, c'est l'Ensemble —, soit s'incarner dans un autre monde. Encore une fois, c'est leur choix; nous ne les forçons pas. Il y a des mondes tels que nous comprenons nous-mêmes la tentation des Âmes de s'y réincarner. Ils n'ont rien à voir avec le vôtre. Il y a pourtant des Âmes qui repoussent cela. Avez-vous bien compris cela ?

Pas tout à fait, mais j'ai besoin de temps pour comprendre;
c'est semé dans mon intelligence.

Vous savez, nous pourrions employer plusieurs termes, mais nous préférons rendre cela plus simple. Dieu c'est l'Ensemble, peu importe le nom que vous emploierez, ce sera toujours l'Ensemble. Vous pourrez y référer, mais pour vous y appuyer uniquement. *(Maat, I, 09–11–1990)*

*E*st-ce vrai que l'Âme, pour grandir le plus vite possible, peut s'incarner dans différentes dimensions en même temps ?

Tout à fait faux. Lorsqu'une Âme prend forme, elle prend une forme et c'est tout. Lorsqu'elle quitte sa forme, lorsqu'elle cesse de vivre, elle peut observer d'autres dimensions sans y participer; elle ne peut qu'observer. Une question pour vous : supposons que ce soit très chaud aujourd'hui et que vous voyiez des gens dans une piscine qui s'amusent, qui se rafraîchissent, que vous vient-il à l'idée ?

J'ai envie de me baigner aussi.

C'est la même chose pour elle. Si elle observe des dimensions plaisantes, des dimensions où la vie est plus simple et plus belle, et qu'elle revienne dans votre réalité, que croyez-vous qu'elle veuille ? Vivre l'autre dimension. Mais pour cela, il lui faut réussir l'étape présente. Donc, elle veut mettre toutes les chances de son côté. Lorsqu'une forme a complété la compréhension de ce qu'elle devait comprendre, pourquoi croyez-vous qu'elle a tout ce qu'elle veut ? C'est fort simple : l'Âme a peur que la forme régresse et de perdre ainsi son expérience. D'où l'importance de reconnaître lorsque vous êtes heureux et de vouloir conserver à tout prix cet état. D'où l'importance aussi d'admettre comme valable toute expérience de vie, même si elle est malheureuse, de vous mettre dans la tête que c'est toujours valable, que vous avez quelque chose à comprendre de chaque expérience. Et alors vous comprendrez la vie autrement. Il y a deux façons de vivre un événement difficile : pleurer sans cesse ou aller de l'avant. C'est la même chose pour l'Âme. Donc, elle a vraiment avantage à vous rendre heureuse. Mais il faut que vous en preniez conscience. *(Le fil d'Ariane, IV, 14–12–1991)*

J e voudrais poser une question pour quelqu'un qui est absent, une question qui le préoccupait beaucoup.

Seulement à poser sa question, à notre avis, celui-ci en aurait pour des jours et des jours !

Il y en a deux actuellement qui le préoccupent le plus.

Combien de pages pour les résumer ? Non pas dans le résumé de la réponse mais dans la question elle-même, car cette personne pose des questions très longues parfois. C'est une blague tout de même !

Est-ce que les Âmes se multiplient ?

Aucunement. Nous pouvons nous réunir comme vous le faites actuellement dans ce groupe, mais nous gardons tout de même nos identités. Nous avons dit que nous n'avons jamais fait nous-mêmes [les quatre Cellules appelées Oasis] l'essai des formes par les incarnations. Mais il y a des Cellules qui l'ont déjà fait par le passé et qui ne le referont plus. C'était leur cheminement et nous devons aussi le respecter. Nous pouvons éliminer des Cellules aussi, c'est une possibilité. Nous ne faisons qu'un, par notre pensée, par notre volonté; en cela, nous ne faisons qu'un. Croyez-nous, lorsque nous disons un, c'est un ! Nous ne vous souhaitons pas cela, car lorsque nos influences sont dirigées dans l'unité, il n'y a pas de matière pour résister. C'est pour cela que, lors du bain d'énergie, nous avons vérifié la résistance de vos formes pour savoir à quel point nous pouvions nous approcher de vous sans les endommager. C'est aussi pour cela que, lors des sessions de groupe, lorsqu'il y a des spectateurs, nous faisons attention au nombre de Cellules présentes pour ne pas que cela vous influence. Nous avons des lois, comme vous en avez, mais nous n'avons pas de cour. Nous décidons dans l'Ensemble. Continuez. (*Alpha et omega, II, 21–07–1990*)

C omme il y a un nombre fixe d'Âmes depuis le début de la création, est-ce ce même nombre d'Âmes qui circule toujours ?

Dans la majorité des cas, c'est exact. En ce qui concerne votre monde, cela change fort peu. (*Alpha et omega, IV, 22–09–1990*)

*J*e suis sur ma chaise, combien y a-t-il de personnes sur ma
chaise ? Il y a moi et il y a mon Âme. Il y a une seule
personne, moi, mais il y a aussi mon Âme...

C'est un très bon calcul.

*Et alors si je continue le calcul, il y a deux êtres et il n'y a
qu'une seule personne. Moi et mon Âme, ça fait deux êtres ?*

Cela fait un être double. C'est ce que nous appelons la dualité dans l'unicité.

J'aimerais lui donner un nom à cet être double-là...

Pourquoi pas miroir ?

Je voudrais l'appeler matière et antimatière.

Oh, que c'est simple ! Vous trouvez cela simple ?

Oui, j'adore ce truc-là.

Vous allez faire peur à votre Âme.

Est-ce que vous êtes mon Âme ?

Pas tout à fait. Bien que votre Âme soit comme nous, elle a
choisi son expérience; elle nous rejoindra, c'est certain. *(Maat, I,
09–11–1990)*

*M*a question porte sur l'ancien système de croyance des
Hawaïens. Tout à l'heure, on parlait de dualité, Âme et corps,
est-ce qu'il existe une tricité d'esprit consciente analytique des
cellules du corps physique, émotionnel et de l'Âme ? Est-ce que cette
théorie des Hawaïens est valable ?

Tout à fait, mais cela dépend du niveau de conscience que
vous avez pour le comprendre. Vous pouvez le comprendre facilement, mais pas tous les gens ici. Ce que nous voulons faire, c'est
de simplifier cela, très radicalement même, parce qu'il n'est pas
besoin de comprendre tout cela dans les détails pour en prendre
conscience. En fait, c'est beaucoup plus simple. Si vous préférez
voir cela en triple, vous pouvez voir l'ensemble de la forme, que
vous pourriez appeler conscience, vous pourriez voir les cellules
comme étant une sorte d'entité séparée, si vous voulez, une force,

une vibration différente, et vous pourriez voir l'Âme ou l'Entité dans cette forme. Il est très clair que l'ensemble des vibrations comptera, mais il est beaucoup trop difficile de vous l'expliquer. Nous préférons vous donner des exemples et vous en aurez plusieurs. Comme vous aurez aussi plusieurs types de questions. *(Maat, I, 09–11–1990)*

*M*on Âme et moi, est-ce qu'on est une seule personne ou deux ?

Êtes-vous bien sûrs qu'il s'agit d'un enfant ? À la fois deux et à la fois un. En voici un exemple. Si tu prends une bouteille et que tu la remplis de sable, tu auras deux objets : une bouteille et du sable. Cependant, tu ne tiendras que la bouteille dans tes mains et cela ne fera qu'un, n'est-ce pas ? Donc, deux dans un. Est-ce que tu comprends cela ?

Oui.

C'est la même chose avec toi. Tu as ta forme et ton Âme, mais tu ne vois qu'un. Cependant, c'est tout de même deux. Ce qui change, vois-tu, c'est l'utilisation que tu en feras. Si tu te sers du sable, il en restera moins dans la bouteille, mais il y en aura encore. C'est la même chose avec ton Âme. Tu peux l'utiliser, tu peux lui parler, même si tu n'as pas l'habileté pour tout comprendre. Elle fera en sorte de te faire rêver, de te faire voir des gens que tu aimeras afin de t'aider. Vois-la comme une amie que tu ne peux voir, mais qui est en toi. Plus tu auras confiance en elle, plus tu seras heureux. N'oublie pas que, comme le sable, ton Âme est fort ancienne comme nous. Elle a eu, comme le sable, des expériences, des manipulations. Crois-nous, tu ne peux avoir de meilleure amie. Est-ce que c'est bien compris ?

Oui.

Nous te remercions. *(Les colombes, période réservée à des enfants, III, 04–08–1990)*

J'aimerais savoir comment l'Âme et la forme sont connectées parce que j'ai compris, puisque vous vous adressez à nous en parlant à notre conscient ou à notre Âme, que c'était quelque part *séparé. J'ai conclu dernièrement que la forme était jetable après usage. Je me demande si j'ai bien compris ou s'il y a plus que cela. Autrement dit, quand je dis « je », est-ce que ce je-là va mourir avec la forme ou si sa connexion avec l'Âme fait qu'il fait aussi partie de la même matière ?*

Très bonne question ! L'Âme est en tout temps connectée à votre forme, en tout temps, en ce sens qu'elle doit vivre une expérience et elle voudra la vivre. Si vous nous demandez si après vos morts vos formes continuent d'exister, vous le savez, non. L'Âme en gardera l'expérience. De dire que vos formes sont jetables, ce n'est pas exact. Vous les jetez vous-mêmes lorsqu'elles ont terminé de vivre, pas nous. Mais l'Âme gardera l'expérience. Ce qui fera la différence entre vous tous est simple : ce sont vos niveaux d'ouverture, votre sens de partage avec l'Âme, la confiance que vous aurez à ce niveau, ce que vous lui laisserez faire dans vos vies. Nous vous avons dit qu'effectivement, de notre côté, nous pouvions vous faire agir de façon différente lorsque nous en avions le besoin, lorsque cela s'avérait nécessaire, mais nous intervenons vers vos Âmes en premier. Vous pouvez leur demander aussi ce qui vous plaît. Nous vous avons dit à plusieurs reprises comment le faire. Vous savez, vos Âmes sont dans vos formes même lorsque la vie n'existe plus dans vos cellules. Lorsqu'elles sont assurées qu'il n'y a plus de vie et que ce sera permanent, elles quittent vos formes. C'est une énergie consciente, donc cela explique aussi votre façon de penser lorsque vous dites « je ». Lorsque vous dites cela, vous parlez de l'ensemble, vous ne pouvez pas dissocier consciemment l'Âme de la forme dans votre pensée. Ceux qui seront plus ouverts parleront des deux et obtiendront le résultat pour les deux. Ceux qui cherchent, chercheront des preuves, auront des expériences de vie différentes, pas nécessairement très agréables, jusqu'à ce qu'elles comprennent. *(Les Âmes en folie, III, 22–06–1991)*

Vous avez dit que l'Âme s'exprimait par l'art et la médiumnité. Est-ce qu'elle a d'autres moyens d'expression ?

L'intuition, l'art, la médiumnité, vos agissements. Certaines personnes en aideront d'autres et cela leur semblera leur réalité complète. Dans le monde où vous vivez actuellement, c'est aussi une forme d'art de donner sa vie entière à ces gens. D'autres personnes pourront chanter et, lorsque vous les entendrez, vous penserez : « Lorsque je les entends chanter, je suis bouleversé. » Ils toucheront vos émotions, comme vous dites, au plus profond de l'Âme. Les moyens sont nombreux, mais le but sera toujours le même. Certaines personnes écriront, c'est aussi une forme d'art. Peu importe la forme d'expression choisie, les gens qui auront un contact avec leur Âme pour créer, perdront la notion du temps. Tout leur semblera irréel. Lorsque celui que vous appeliez Léonard de Vinci créait, il était complètement bouleversé. Il ne croyait pas lui-même à son talent, il refusait d'être vu lorsqu'il faisait cela, de peur d'être brûlé lui-même. C'était aussi une forme de transe, de transfert. (*Les pèlerins, III, 05–05–1990*)

J *e veux savoir si cette semaine, malgré tout le brassage que j'ai vécu, c'est mon Âme qui s'exprime ou ma personnalité et mon conscient ?*

C'est une très bonne question. Vous vous faites confiance et lorsque vous vous faites confiance, vous avez un peu plus de foi en vous, vous rajoutez de la valeur à votre croyance en vous et, lorsque cela se produit, l'Âme peut prendre place et utiliser votre intuition pour vous faire dire les mots valables lorsque c'est nécessaire. C'est ce que vous avez expérimenté dans votre cas, donnant, donnant. Certains utiliseront le mot cadeau; d'autres, le mot miracle; nous préférons l'expression donnant, donnant. Vous avez fait une ouverture, vous avez eu ce qu'il fallait, la parole nécessaire et surtout, au moment voulu, l'ouverture. Votre notion du temps est très fausse, il y a des ouvertures dans votre temps. Ne les appelez pas dimensions modifiées, ce sont des ouvertures. Nous pouvons vous donner un exemple. Vous avez tous vécu un moment dans votre vie où vous vous êtes dit : « Je n'ai pas vu le temps passer, cela a passé tellement vite. » Vous n'aviez pas vu cette journée ni même cette heure non pas parce que vous étiez occupés, mais simplement parce que vous avez modifié vos vibrations pour entrer dans une autre dimension de votre temps. Cela vous a fait perdre la notion de ce qu'est le temps. Cette forme [Robert] actuellement n'a plus cette notion-là; elle est dans une autre dimension où votre temps n'existe plus, comme nous d'ailleurs. Le temps n'est qu'une unité de pensée. Le temps voyage beaucoup plus rapidement dans vos propres pensées que dans la réalité. Vous pourriez tout aussi bien utiliser le terme unité de pensée. Tout cela est modifiable. C'est ce qui permet aussi à certaines personnes très habiles de faire certaines régressions dans ces mêmes unités de temps. *(Les pèlerins, III, 05–05–1990)*

Q *uand on dit que les yeux sont le miroir de l'Âme, est-ce que c'est exact ?*

Vous avez les yeux verts. Si vous souhaitez avoir les yeux bleus, vous les trouverez beaux. Si vous les souhaitez verts, vous les trouverez très beaux. Si vous les souhaitez brun foncé, vous les trouverez moins beaux. C'est la même chose en ce qui concerne le fait que les yeux reflètent l'Âme. Si vous voyez des yeux qui reflètent l'amour, la compassion, vous pourriez dire que cette personne reflète son Âme. Vous le direz par jugement, parce que pour vous les yeux seront le point d'attrait. Les yeux peuvent effectivement être un point d'étude d'une personne. Mais ne serait-ce pas seulement son caractère que vous y lirez, parce que cette personne vit une harmonie profonde ? Comme nous l'avons mentionné au début de cette session, l'Âme ne s'exprime pas par modification d'une forme. Certaines personnes sensibles voient dans les yeux des signes permettant d'analyser une personne. Certains iront encore plus loin et analyseront les yeux pour y trouver les maladies; elles pourront vous dire que vous avez tel ou tel problème au foie, aux reins ou à un autre organe selon les signes qu'il y a dans vos yeux. C'est réel d'ailleurs. Ces personnes pourraient vous dire aussi que, si vous avez ces problèmes, c'est que vous avez aussi des problèmes de comportements et que votre Âme à ce point ne maîtrise pas votre forme. Mais vous iriez uniquement par déduction. Ne vous fiez pas à cela... Ce qui ne vous empêche pas d'avoir de beaux yeux. *(Alpha et omega, IV, 22–09–1990)*

O *n dit souvent que la vie, c'est le plus beau cadeau. Je voudrais savoir si l'Âme s'accélère plus avec une forme ou quelle est la différence entre la dimension d'ici et la dimension où vous êtes ? Est-ce que l'Âme apprend plus lorsqu'elle a une forme ou là où vous êtes ?*

Nous observons d'où nous sommes, nous ne participons pas comme tel. Les Âmes qui n'ont pas de formes, c'est-à-dire les Entités, sont là pour observer. Elles apprennent, bien sûr, mais surtout comment elles maîtriseront une autre forme. Ce n'est pas comme si elles avaient à vivre dans une forme, c'est fort différent. Si on vous racontait comment piloter un avion, il est fort probable que vous ne voudriez pas le faire pour autant mais, si vous étiez réellement un pilote, vous apprendriez deux fois plus et vous verriez les choses différemment. Vous savez, les Entités ont choisi des formes, c'était leur expérience, leur volonté et c'est intéressant pour elles. D'après ce que nous avons observé, la majorité d'entre elles veulent refaire leurs expériences. Elles apprennent en observant, bien sûr, mais elles voudront tout de même faire leurs expériences. Avons-nous répondu à cette question ?

Oui. (*Alpha et omega, III, 18–08–1990*)

E st-ce que l'Âme meurt ?

Aucunement ! Mais il y a un moyen de la détruire cependant, et cela nous l'observons de très près actuellement. Vous faites actuellement dans vos mondes des expériences capables de nuire grandement à cela. Vous voulez que nous vous posions une sous-question ? En fait, nous pourrions nous la poser; cela va vous aider. Est-ce qu'entre nous nous pouvons détruire des Âmes ? Nous le pouvons et nous l'avons déjà fait. Nous l'avons fait dans certains cas très précis, après avoir tout tenté, tout démontré. Ces Âmes n'avaient d'autre but que de monter les Entités contre nous parce que nous n'arrivions pas à les accepter sans qu'elles aient terminé leur cycle complet; certaines, très peu nombreuses, en arrivaient à vouloir détruire le travail des autres, les efforts des autres. Après avoir tout essayé, après leur avoir tout démontré, il nous est parfois arrivé d'en éliminer, mais très très rarement. Actuellement, avec ce qui se passe dans vos recherches très avancées sur l'antimatière, le risque devient énorme. D'ailleurs, ces peuples extérieurs dont nous avons déjà parlé sont ici pour cela aussi. Vous verrez, ce projet n'aura pas lieu comme tel, cela coûtera très cher, mais vous l'apprendrez. C'est un peu pour nous protéger aussi. Vous voulez savoir si les Âmes sont destructibles ?

Nous le sommes aussi. Mais si nous sommes détruites, vous pouvez être sûrs d'une chose : tout le reste se détruira en même temps. Et avant que nous laissions faire cela... vous ne risquez pas de voir cela ! *(Nouvelle ère, II, 23-03-1992)*

*O**n dirait que l'Âme demande peu de chose, c'est tellement simple. Qu'est-ce que l'Âme veut que vive le conscient, la forme ?***

Elle veut rendre vos vies aussi simples pour vous permettre de voir à quel point la simplicité égale l'amour et l'amour égale le silence. La plus belle forme d'expression de l'amour est parfois le silence. Lorsque vous faites le silence en vous, vous créez une ouverture pour vous aimer. Certaines personnes exprimeront l'amour par le chant, d'autres par la confiance en eux. Vous pouvez employer le terme amour pour plusieurs définitions. En fait, c'est très simple. Nous l'avons tellement mentionné de fois : nous sommes simples, vous êtes compliqués. *(Les pèlerins, III, 05–05–1990)*

*Q**uand l'Âme décide de prendre une forme, elle choisit un plan de vie, c'est son choix, pas nécessairement le choix d'autres Âmes.***

Lorsque l'Âme décide de prendre une forme, c'est son choix, elle n'est pas influencée par une autre.

L'Âme choisit une réalisation dans un but précis.

Tel que nous l'avons mentionné.

On dit toujours qu'on est sur la Terre pour accomplir des choses.

Pour vous accomplir, pas accomplir des choses. Vous ferez des choses lorsque vous vous serez accompli, pas le contraire. Mais vous ferez de belles choses lorsque vous vous serez bien accompli. Ne vous en faites pas, ce n'est qu'un jeu de mots; nous avons pris le tour avec cette forme [Robert]. *(Maat, IV, 09–02–1991)*

*E**st-ce qu'une Âme qui prend forme est obligée de vivre toutes ces atrocités ?***

Ce que la forme lui fait vivre ?

Oui.

Tout dépend de ce que la forme souhaitera elle-même. Nous l'avons déjà dit, nous ne vous avons pas caché les faits. Il est tellement difficile, pour ne pas dire pratiquement impossible dans plusieurs cas, de maîtriser la forme ! Nous vous avons dit aussi que nous avions perdu le contrôle de vos formes, et c'est vrai. Cela veut dire que certaines formes vivent complètement dans l'ignorance, qu'elles veulent décider elles-mêmes pour leurs formes et, s'il y a blocage à ce niveau, il n'y a rien à faire. Elles pourraient faire les pires atrocités et leurs Âmes ne pourraient rien y changer. Regardez seulement ce qui a modifié vos comportements physiques depuis les 20 dernières années : une pratique religieuse qui n'a presque plus lieu, une moralité abandonnée de plus en plus. Il y avait un bon côté du moins à cette religion; les gens se respectaient davantage entre eux. Cela donnait au moins plus de contrôle. Nous n'en avions pas plus, mais il était plus facile pour vous de trouver l'équilibre. Maintenant que vous avez rejeté en grande partie tout ce qui était Dieu et que vous êtes à la recherche d'un autre afin de pouvoir croire, nous espérons qu'il y aura changement. Nous espérons que, dès que vous saurez comment vous servir non seulement de vos Âmes mais de toute cette dimension que vous ignorez, vous l'utiliserez. Nous savons qu'au début de cette session cette forme [Robert] a abordé le sujet. Que d'exemples nous avons dû lui faire vivre pour qu'elle accepte d'en parler. Et pourtant cette forme nous reçoit. Donc, imaginez, pour ceux qui ne veulent rien comprendre, la difficulté que nous pouvons avoir. C'est tout cela qui se passe. Nous ne sommes pas ici pour fonder une religion, bien au contraire. Nous espérons que vous vivrez cette vie selon votre propre religion, que vous apprendrez à développer votre foi, votre amour. Religion veut dire : qui relie les gens, qui relie les groupes. Si vous faites cela sur une base individuelle, vous allez tous vous rencontrer un jour ou l'autre, comme l'amitié qui a uni ce groupe, comme la foi qui s'y est développée, une foi à partir des recherches individuelles. Et cela a commencé à porter ses fruits chez plusieurs. (*Le fil d'Ariane, IV, 14–12–1991*)

*E*st-ce qu'on peut savoir quelle expérience notre Âme doit vivre dans cette vie présente ?

Très simple, si vous arrivez à contacter celle-ci et à vivre en harmonie avec vous-mêmes, vous avez une Âme qui a beaucoup d'expérience. Si vous n'arrivez qu'à être en colère et si vous n'arrivez pas par vos moyens dans votre vie, demandez-vous à quel point votre Âme peut être aussi inexpérimentée. Cela peut être une simple valeur d'observation, pas un fait, rappelez-vous cela. En fait, une Âme pourrait n'avoir que 7 incarnations et avoir une très bonne maîtrise et une autre 4000 et n'en avoir aucune. Il y a des Âmes qui s'incarnent par habitude et qui aiment tellement ce qu'elles font comme expériences qu'elles les renouvellent. Elles apprennent, bien sûr, elles accumulent des expériences. Lorsqu'elles rencontrent des formes — et là nous tenons à faire une parenthèse — qui vont au devant d'elles, il y a changement. Lorsqu'elles rencontrent des formes paresseuses, ce qui veut dire des formes qui poussent l'instruction au point de croire qu'elles dirigent leurs vies, vous pouvez être certains que vous aurez des Âmes paresseuses parce qu'elles savent très bien qu'elles ne peuvent plus rien dans ces formes, qu'elles attendront des résultats de la forme. *(Harmonie, II, 08–12–1990)*

*E*st-ce qu'être à l'écoute de l'Âme, c'est ce que vous appelez la simplicité ?

Nous avons tellement donné d'exemples pour vous démontrer à quel point tout pouvait être ramené à la simplicité. Votre Âme n'a pas 8 jambes ni 12 têtes; vous pouvez l'imaginer comme cela mais vous aurez mal à la tête. Votre Âme n'est qu'une simple énergie, une parcelle de nous. Elle se fout bien de vos automobiles, mais ce dont elle ne se fout pas, c'est de ce que vous pensez d'elle. Elle n'est que pensée, pensée créatrice, et elle a choisi l'expression par vos formes. Ce qu'elle a commencé, elle doit maintenant le terminer. Il n'est pas question qu'elle abandonne vos formes, elle continuera son cycle. C'est pourquoi elle veut de plus en plus de contacts et qu'elle accélère tant. Les Âmes veulent que certaines expériences se terminent, même si elles doivent pour cela tout donner. C'est pour cela que certains d'entre vous se sentent gâtés. Mais attention, nous devons vous mettre aussi en garde. Si vous n'en profitez pas dans la bonne direction, c'est le contraire qui se produira : donnant, donnant. Ceux qui sont en affaires savent très bien ce que cela veut dire. C'est la même chose pour vos Âmes. Que vous employiez le terme cadeau ou tout autre mot, vous recevrez si vous savez donner.

Ce que je comprends, c'est que je retourne chez moi, je retourne dans ma vie, je regarde dans la simplicité...

Pourquoi retourner dans votre vie ? Vous y êtes déjà ! Ce sont les influences qui vous nuisent. Vous êtes actuellement dans une phase d'influences. Vous tentez par tous les moyens de vous protéger de cela. Mais il y a des gens dans votre entourage qui vous utilisent. Comprenez cela et vous reviendrez vers la simplicité. Nous sommes très heureuses que cela vous amuse. Nous vous avons mis en garde et nous ne le faisons pas souvent. La simplicité se retrouve partout autour de vous, dans la nature elle-même. Les arbres n'ont pas tant changé avec les siècles, les nuages n'ont pas changé non plus, le soleil est le même. Est-ce que c'est si compliqué ? Ce qui a été compliqué avec les années, c'est ce que vous avez modifié, pas ce que la nature a modifié. (*Les pèlerins, III, 05–05–1990*)

C '*est le temps de donner à mon Âme ce qu'il lui faut pour remplir sa mission, mais comment savoir quelle est la mission de l'Âme ?*

Une personne qui apprend bien à s'écouter, qui apprend à se faire confiance, qui apprend à reconnaître ce qui est bon pour elle et, plus important encore, à reconnaître que les épreuves qu'elle vit sont aussi bonnes que ce qui est bon, ne s'éloigne pas de ce que l'Âme doit vivre. Analyser la mission d'une Âme, vu d'où nous sommes, est d'une grande facilité : nous lui demandons, nous observons ce qu'elle a vécu et nous lui demandons ce qu'elle doit vivre. Dans votre dimension, ce n'est perceptible qu'au niveau de l'acceptation de votre vie. Expliquons-nous. Prenons une personne heureuse dans son travail, qui est comblée par son travail, qui est bien avec elle-même et qui est heureuse aussi dans sa vie familiale ou avec les gens qui l'entourent. Même si elle est handicapée, elle sait accepter son handicap et se dit : « J'ai sûrement à comprendre quelque chose, je verrai ce que la vie me réservera; je vis, c'est ce qui compte. » Cette personne apprend, cette personne sait se reconnaître et sait accepter. Ce faisant, elle pratique son donnant. En échange, l'Âme peut lui montrer deux choses : soit qu'elle fasse en sorte que cette personne obtienne ce qu'elle demande en guise de remerciement, même si la demande remonte à un ou deux ans, ou que la personne en profite pour faire un pas de plus pour elle-même et redonner cela à sa forme. En fait, le plus important, c'est de savoir s'écouter, de savoir s'apprécier, de savoir se reconnaître; le reste viendra tout seul. Ce n'est pas vous qui devez maîtriser l'Âme, c'est elle qui doit maîtriser la forme. Lorsque cela se fait, les deux en profitent. Avons-nous mieux répondu ?

Oui. (Maat, III, 13–01–1991)

*Q*uand une Âme a programmé un certain cours d'idées, qu'est-ce qui la fait changer ?

Ceux qui croient détenir eux-mêmes le pouvoir de leur vie. Les Âmes sont semblables à vous, en ce sens qu'à force de répéter, qu'à force de faire des efforts vers vous, elles se fatiguent. Si elles ne peuvent être entendues, si votre conscient fait tout ce qu'il peut pour ne pas entendre, elles attendent, même si elles ont tiré des ficelles pendant plusieurs de vos années pour que votre vie prenne place. En effet, si vous n'arrivez pas à reconnaître à juste titre que ce qui vous arrive ne provient pas toujours de vous, vos Âmes vous laissent vous prouver à vous-mêmes jusqu'à ce que vous compreniez que votre vie n'a pas toujours de sens, jusqu'à ce que les événements cessent de se produire, jusqu'à ce que vous consta-tiez que les gens qui paraissent vous aimer ne sont pas sincères. Tout cela peut faire partie d'une séquence. Donc, il arrive effec-tivement qu'elles se fatiguent, tout comme vous, de faire des efforts inutiles. Par contre, ici même, nous avons observé que plusieurs Âmes sont très énervées ce soir, en grande partie par notre présence, mais aussi à cause des efforts conscients que vous déployez actuellement. Vous verrez, nous avons une règle qui vaut aussi bien du côté des Cellules et des Entités que du vôtre : le donnant, donnant. Vous la comprendrez mieux tout au long de ces sessions. Vos Âmes sont à l'écoute, l'êtes-vous ? *(Symphonie, I, 06–04–1991)*

Entretiens avec O*asis*

*E*st-ce possible d'augmenter notre communication avec notre Âme ?

Tout dépend de votre ouverture. Votre Âme pourra communiquer avec vous soit par le rêve, soit par l'intuition profonde, mais en règle générale, elle entend toujours ce que vous dites. Sauf qu'il y a un problème avec vous tous : vous ne savez pas encore comment faire. Vous employez des mots. Nous-mêmes, nous n'entendons pas les mots; vos Âmes non plus. Par contre, lorsque vous imagez, c'est bien perçu autant de l'Âme que de nous. Alors, ceux qui prient seulement avec des mots se prient eux-mêmes parce que leur prière n'est pas entendue. Si vous priez en visualisant, ce sera bien perçu et nous le comprendrons. C'est pourquoi nous répondons à ceux qui nous demandent comment nous rejoindre : « Vous n'avez qu'à imaginer notre image. » Nous le savons; nous avons appris cela de vous. Nous savons que vous nous avez représentées par le symbole qui se rattache à nous. Nous le comprenons. Si vous voulez être plus en contact avec l'Âme, visualisez ce que vous voulez. Pas besoin de le visualiser constamment, une fois suffit, ce sera bien perçu. C'est pour cela que, lorsque vous rêvez, vous n'entendez pas des mots mais vous voyez des images. Ceux qui sont plus habiles vont parler et associer les images en même temps dans leur tête pour que ce soit encore plus clair. Ce n'est qu'une question de pratique, c'est tout. Ceux qui croient être en contact avec leur Âme ou avec Dieu — rappelez-vous l'Ensemble — en priant du matin au soir avec des mots vont simplement être fatigués... surtout au niveau de la langue ! Cela ne donnera rien de plus. D'ailleurs, vous priez sans savoir comment, vous priez toujours en vous adressant à l'extérieur de vous. C'est donc que vous vous ignorez au point de ne pas savoir que votre forme n'a, en réalité, qu'un seul vrai contact avec Dieu et c'est par votre Âme. Votre Âme sait comment parler par l'image, mais elle a aussi des vibrations différentes de celles de votre forme et vous pouvez les recopier. Donc, intercédez par celle-ci et vous obtiendrez. N'a-t-il pas été dit il y a 2000 ans : demandez et vous recevrez ? Pourquoi, avec autant de demandes formulées, n'avez-vous pas tous reçu ce que vous vouliez ? Parce que cela n'a pas été entendu, tout simplement. Il y va aussi de notre avantage que vous ayez ce qu'il vous faut. Plus vous serez ouverts, plus vos Âmes évolueront vers vos formes et plus il y aura maîtrise des deux côtés, moins elles auront besoin de faire tous ces efforts et plus votre monde changera. Oh ! il y a plusieurs sous-questions à cela. *(Les Âmes en folie, I, 24–04–1991)*

À tous les instants, on meurt à quelque chose. Quand nous allons sortir d'ici, après les informations que vous nous avez données, nous aurons changé, nous serons morts à quelque chose. Ma question est celle-ci : lorsque nous vivons pleinement, comment pouvons-nous faire pour utiliser pleinement notre potentiel ? On nous dit qu'on n'utilise notre cerveau qu'à 5 %. Qu'est-ce qu'on fait du 95 % ? Avant de mourir, j'aimerais bien l'utiliser.

Nous allons répondre à cela en vous donnant une façon beaucoup plus directe d'utiliser votre potentiel. Vous pourriez utiliser 5 % de votre cerveau et 100 % de votre Âme et battre ceux qui utiliseraient 60 % de leur cerveau, parce que vous avez dans l'Âme des ressources infinies, des réponses à tout ce que vous voudrez. Regardez seulement au niveau de vos inventions : elles étaient déjà créées bien avant qu'elles ne soient inventées et ceux qui les ont créées, les ont vues rapidement dans leur tête. C'est la même chose pour les grands compositeurs. Ils n'étaient pas plus développés au niveau de leur cerveau mais ils créaient des partitions musicales inédites, bien souvent sans connaître la musique. C'est cela avoir une ouverture vers l'Âme. Le nombre de fois que vous mourez dans une journée est incroyable ! Chaque fois que vous n'abordez pas à fond vos pensées, celles-ci meurent en vous de même qu'une part de vous, pour ne pas l'avoir concrétisée. Quand comprendrez-vous que créer commence par une idée et continue ensuite dans le geste et que, toutes les fois que vous abandonnez une idée créative qui vous est positive, c'est une part de vous qui est déçue et qui meurt tranquillement. À force d'accumuler ces déceptions, vous devenez amorphes, vous ne voulez plus vivre, vous vous dites que de toute façon rien ne va dans votre vie, rien ne se réalise. Nous ne parlons pas de votre vie en particulier, comprenez-le, c'est un exemple. Donc, c'est cela qui se passe. Toutes les fois qu'une idée meurt, c'est une partie de vous qui meurt. Pas besoin de vous servir de 80 % de votre cerveau. D'ailleurs, les gens qui le feraient utiliseraient beaucoup plus leur mental que leur Âme. Pas besoin d'être très développé au niveau du cerveau pour se servir de son Âme. Peut-être désirez-vous reformuler cette question autrement ?

Est-ce la prière qui nous amène à utiliser pleinement notre Âme ?

Nous allons vous expliquer ce qu'est la prière de la façon que vous la pratiquez. Comment faites-vous pour faire parler un perroquet ?

Je lui suggère des choses et il les répète.

Pas tout à fait ! Pour faire parler un perroquet, vous répétez vous-même, jusqu'à ce qu'il ait dans son cerveau l'écho de ce mot. Et il vous faut le faire souvent, sinon le perroquet oublie. La prière, de la façon que vous la faites, c'est la même chose : une tentative de vous convaincre de ce que vous voulez obtenir. Vous associez une prière à une demande. Normal, n'est-ce pas ? Donc, vous priez pour quelque chose qui vous est très cher. La prière vous sert à répéter cette image en vous. C'est la méthode la plus longue parce que vous pouvez en venir à ne pas y croire, ce qui ferme la porte à de futures demandes. Lorsque vous voulez demander, visualisez ce que vous voulez comme il faut, au point de le créer dans votre tête. Voyez-vous avec l'objet, s'il s'agit d'un objet, ou avec la personne, si vous voulez un rapprochement avec elle. Mais de grâce, cessez d'y penser après ! Sinon, ce serait comme un perroquet qui répète et cela dénoterait un manque de confiance dans l'obtention de ce que vous voulez. La prière faite de mots qui se répètent toujours ne vous donnera rien, sauf de vous faire répéter. Au moins, vous saurez cette prière par coeur. Mais la prière sans l'image ne vaut rien et nous ne l'entendons pas. Que faites-vous lorsqu'une personne vous demande constamment la même chose, jour après jour ? Comment réagissez-vous ?

Je me dis que je ne dois pas lui avoir répondu la première fois.

Ou elle n'a pas compris, n'est-ce pas ? Mais c'est une réaction intérieure. Consciemment, comment réagissez-vous si cette personne vous fait toujours la même demande ?

Je vais la considérer comme un perroquet.

C'est exactement ce que nous faisons avec vous lorsque vous priez sans cesse sans y croire. Nous n'intervenons pas dans ces cas, parce que cela équivaut à demander pour que nous intervenions nous-mêmes sans que vous ne fassiez quoi que ce soit. Ce n'est pas juste, c'est passer par dessus votre Âme, aller au-delà de ses capacités propres. Pourquoi ferions-nous cela ? Nous n'avons aucune raison de le faire. Cela ne développera pas votre croyance en vous, ni votre foi; c'est juste une mauvaise habitude. Nous aussi, nous comprenons la prière comme vous venez de nous la décrire.

Cela rejoint votre réponse à la question sur la foi. Il suffit de visualiser ce qu'on désire et de l'oublier parce qu'on croit ?

Tout à fait ! Et lorsque votre souhait se réalise, cela vous met en bonne voie de croire que votre foi est valable. Mais lorsqu'il y a un seul doute, cela veut dire que vous n'y croyez pas : ce n'est plus de la foi. Alors, votre demande ne se réalise pas et vous répétez encore la même demande jusqu'à ce que vous y croyiez. C'est pour cela que vous avez parfois des résultats après deux ou trois de vos années seulement. Bien souvent, vous obtenez ce que vous avez demandé longtemps après que vous n'y pensez plus. Il faut laisser du temps pour que cela se réalise. Est-ce bien compris tout cela ?

On se court-circuite nous-mêmes en n'y croyant pas ?

Exactement, et tous les jours. Voyez que le résumé est de plus en plus court. *(Renaissance, II, 05–10–1991)*

*E*st-ce que l'Âme a aussi la nostalgie parfois ?

L'Âme a la nostalgie parce qu'elle n'en peut plus parfois, parce qu'elle n'en peut plus de tout faire pour faire comprendre, de tenter de convaincre la forme. Des Âmes ont crié au secours à plusieurs reprises. Il y a eu aussi plusieurs formes qui se sont suicidées; il y a eu une très forte augmentation dans les huit derniers mois. Il y a plusieurs façons pour les Âmes qui n'en peuvent plus de retourner à leur dimension lorsque les formes ne peuvent plus elles-mêmes se contrôler. Lorsque les formes ne peuvent plus accepter le fait de la dualité, elles préfèrent s'autodétruire plutôt que de continuer l'expérience. Ne jugez pas ces gens comme des gens malades. Parfois, ils sont plus intelligents que vous ne pourrez jamais le croire, trop même. Tout cela prive une Âme aussi. Mais l'inverse est aussi possible. *(Les pèlerins, III, 05–05–1990)*

*Q*u'est-ce que Dieu non manifesté et manifesté ?

Dieu manifesté, vous allez le voir dans une forme qui est épanouie, qui est créative, qui ne regarde pas en arrière mais qui se demande si, dans l'heure de la vie qui suit, elle aura le temps de faire tout ce qu'elle veut. C'est une forme qui s'exprime. Beaucoup d'artistes le font, beaucoup de mères de famille le font aussi. C'est sa plus pure expression. Il ne s'agit pas de gens qui, dans des états seconds, disent faire des voyages à l'extérieur de leur forme. L'Âme aura tout le temps de faire ces voyages. Rappelez-vous qu'elle prend votre forme parce qu'elle a choisi de s'exprimer. Donc, une forme libre d'expression s'exprime comme Dieu le veut. Le contraire est facile à imaginer, il y en a trop : ceux qui attendent que d'autres agissent à leur place; ceux qui pleurent tous les jours sur leur quotidien sans vouloir le changer; ceux qui attendent les millions du ciel sans vouloir vivre. La différence est simple. C'est la différence entre faire du surplace et passer à l'action. Avons-nous répondu à cela ?

Oui, mais le Dieu non manifesté.

C'est tout le contraire. Ce sont ceux qui ne font rien, qui rejettent ce qu'ils sont; ceux qui vivent trop mentalement, qui se ferment à toutes formes d'ouverture. C'est tout le contraire de passer à l'action. Il faut beaucoup de courage à un compositeur, juste pour avoir un peu de concentration sur des images qui défilent dans sa tête et de se laisser composer, comparativement à celui qui va se casser la tête pour composer. La différence est dans le lâcher prise, dans le plan complet des deux dimensions. Le contraire, c'est de ne rien faire. *(Renaissance, II, 05–10–1991)*

*S*i j'ai bien compris, vous avez dit que, lorsqu'on désire ne plus revenir, on n'a qu'à en aviser notre forme. Est-ce que cela peut vouloir dire que, si on veut finir de se réaliser, on pourrait dire à la forme qu'on désire revivre pour vivre autre chose ?

Ce n'est pas tellement à votre forme que vous devez le dire mais à votre Âme, de façon à pouvoir le vivre comme elle. Nous aimerions que vous compreniez que, lorsque vous êtes bien en vous, lorsque vous êtes pleinement heureuse, votre Âme l'est aussi. C'est une forme de communication et d'acceptation pour nous. Lorsque vous allez dans votre propre direction pour être heureuse et que votre Âme l'est aussi, il y a communication. Nul besoin qu'elle vous parle dans les oreilles; nul besoin de dire que vous voulez terminer cette vie et que ce soit la dernière. Communiquez, réglez ce qu'il faut régler pour être heureux, et ce sera déjà une preuve. Actuellement, de seulement maintenir le bonheur en vous est déjà un défi dans vos quotidiens parce que cela implique de se connaître parfaitement. Cela veut dire être heureux même dans le malheur, parce que vous allez y voir non pas le malheur mais l'apprentissage, du positif. Vous pourriez vous dire : « Très bien. J'ai une forme qui est très malade mais d'un autre côté cela me donne la chance de m'ouvrir, sinon je ne tiendrais pas en place, je serais partout à la fois ». *(Nouvelle ère, II, 23-03-1992)*

*V*ous avez parlé d'Âmes paresseuses. Parfois je me sens paresseuse dans mon cheminement, comment pallier cela ?

Lorsque nous mentionnons qu'une Âme est paresseuse, c'est que cette Âme ne veut plus faire les efforts pour que la forme elle-même fasse les efforts nécessaires pour la contacter, mais cela a un but. Lorsque vos formes en ont assez de leurs tracasseries et qu'elles savent que l'Âme a lâché prise à l'intérieur, que l'Âme ne tente plus de maîtriser la forme, la forme croit qu'elle peut en toute liberté se diriger elle-même. Il s'ensuit un relâchement; nous préférons utiliser l'expression Âme paresseuse lorsqu'une Âme ne fournit aucun effort. Lorsque le moment viendra, elle prendra place. Mais il est vrai que certaines Âmes ne font aucun effort dans une vie, simplement pour voir à quel point vos formes peuvent lâcher prise. C'est la seule fois où nous avons employé ce terme. L'intérêt des Âmes actuellement n'est pas de vous faire perdre votre temps, bien au contraire. Il y a eu relâchement au niveau des incarnations dans les 300 dernières années, mais cela va s'accélérer. *(Les pèlerins, III, 05–05–1990)*

C 'est donc dire que nos Âmes n'ont pas seulement pour but de *progresser. Il y a des Âmes qui peuvent avoir un mauvais but, qui ne vont pas évoluer vers le mieux mais vers le pire ?*

Que faites-vous avec un enfant lorsque vous lui montrez constamment quoi faire et qu'il fait à sa tête ?

La mère le dispute.

C'est la même chose de notre côté. Nous les mettons de côté aussi parfois pour qu'elles observent vraiment; nous les forçons à le faire. Sinon vous n'avancerez à rien non plus et vous resterez au même endroit. Ce n'est pas un but, ce n'est même plus un jeu : ce qui n'était pas régi auparavant l'est maintenant; il n'y a plus de perte de temps. Ce que nous faisons avec vous va se faire sur une plus grande échelle dans plusieurs de vos années. Nous apprenons avec vous actuellement et nous cherchons, soyez sans crainte, à trouver des recettes de plus en plus évoluées pour vous aider facilement à vous retrouver. Il faut comprendre que nous avons toutes les chances au monde de réussir à atteindre le but que les Âmes se sont donné. Nous ne travaillons pas pour vous rendre malheureux, c'est tout le contraire. Pour cela, il faut parfois vous brasser; il faut parfois vous ouvrir les yeux de force pour ne pas que vous vous endormiez. Il faut des exemples comme Annie pour en encourager d'autres, pour encourager celles et ceux qui n'ont aucune raison de mourir et qui s'éteignent de force. Quel gaspillage ! Respectez-vous, ouvrez-vous ! *(Nouvelle ère, II, 23-03-1992)*

Q uand on meurt, l'Âme va dans quel plan ?

Cela dépend de l'évolution de l'Âme. Ce n'est pas le nombre de vies qui compte. Certaines Âmes en ont 200 et sont aptes à revenir vers nous ou à aller vers d'autres mondes. Il y a 10 mondes plus évolués avec des formes similaires aux vôtres, moins axés sur le matérialisme mais avec plus de partage. Il y a 83 000 autres mondes dont les formes sont différentes. Certains vous feraient rire, d'autres vous feraient crier d'horreur. Il y a aussi des formes, dans certains mondes très éloignés du vôtre, qui ont des conflits constants et qui y habitent avec des Âmes différentes de celles de votre monde. Dans la religion que vous avez pratiquée, il en a été fait mention comme étant l'enfer et le purgatoire. En effet, comme dans votre monde physique, il y a eu des Âmes qui ont aimé l'expression par la violence. Nous avons fait un tri en cela. Il fallait des mondes pour combler le choix de ces autres Âmes; elles y sont servies. Elles ont des formes qui se plaisent dans la violence. Elles n'ont pas l'avance technologique nécessaire pour se rendre dans d'autres mondes et ne pourront pas nuire. La distance est très grande pour vous, pas pour nous. L'Âme a le choix selon son évolution. Elle peut être en attente d'une autre forme si cela lui est permis par les siens ou ne pas avoir de forme, ce qui ne pourra que la servir. Maintenant, elles doivent réapprendre et doivent faire le choix entre elles. Certaines Entités pourraient attendre plusieurs siècles car elles doivent apprendre. La distance n'est pas réellement importante. Comme ces 400 000 Entités ce soir, elles restent près de vous ou peuvent être libres d'aller explorer dans d'autres mondes mais sans y participer, comme vous quand vous voyagez. (*Les chercheurs de vérité, II, 17–02–1990*)

*D*ans l'évolution d'une Âme, est-ce qu'on se limite à la Terre ou à d'autres mondes ?

Elle est totalement libre. Elle peut vous apporter toutes les connaissances que vous voulez si vous apprenez à demander, si vous ne croyez pas que c'est votre imagination. Elle n'est pas limitée. Cependant, elle vous donnera ce que vous voudrez jusqu'à ce que vous soyez convaincus qu'elle agit pour vous; et dès lors, vous agirez ensemble. Il n'y a aucune limite à ce que vos formes peuvent demander. C'est à son avantage, rappelez-vous... Elle ne demande pas mieux que de passer à un autre plan. Votre monde n'est pas le seul, mais ce n'est peut-être pas le plus agréable; il y en a d'autres qui sont très enviés. Tant que les Âmes n'auront pas compris comment faire pour maîtriser une forme, elles n'auront pas accès à des niveaux où les formes sont maîtrisées. (*Nouvelle ère, I, 29-02-1992*)

*E*st-ce que les Âmes incarnées communiquent entre elles ?

Surtout pendant la période de rêve alors que vos formes sommeillent. Mais elles gardent tout de même contact avec la forme lorsqu'elles le font. Cela se fait de façon fort courante. (*Les colombes, IV, 08–09–1990*)

E *st-ce que nos Âmes possèdent des pouvoirs, par exemple, celui de prédire le futur probable ?*

Tout à fait. (*Les colombes, IV, 08–09–1990*)

E *st-ce que notre Âme est capable de nous accorder des choses qu'on peut lui demander ?*

Si elle ne peut créer cela, elle fera en sorte de vous mettre en présence de gens capables de vous donner ce que vous lui demandez ou de vous faire vivre des événements vous aidant à les obtenir.

Donc, notre Âme travaille toujours pour nous ?

Lorsque vous travaillez pour elle : donnant, donnant. C'est une règle de notre côté comme du vôtre. (*Les colombes, IV, 08–09–1990*)

L *orsqu'une personne a d'énormes difficultés et réussit à passer à travers, a-t-elle eu de l'aide des Entités ou des Cellules ?*

Laissez-nous éclaircir ce point. Plusieurs personnes croient à tort que ce que vous appelez des guides et qui sont en fait des Entités peuvent les aider, les influencer même. Elles n'ont pas raison tout simplement parce que les Entités devront se réincarner aussi; ce n'est pas leur expérience mais celle de votre Âme. Votre Âme était une Cellule au début; elle a donc beaucoup d'expérience. Si vous lui permettez l'ouverture, si vous êtes ouverts, si vous vous faites confiance, si vous faites confiance à votre intuition surtout, vous aurez ses réponses; elle vous aidera dans votre quotidien, elle vous guidera. Mais si vous vous fiez aux Entités autour de vous, elles pourraient même s'amuser avec vous, vous conduire dans des chemins différents de ceux que vous devriez prendre. Cela pourrait vous aider sur le coup, à l'instant même, mais cela pourrait ensuite vous nuire pour plusieurs de vos années, car vous auriez comblé le choix d'une autre Entité que la vôtre, votre Âme. C'est aussi un piège. D'où l'importance de faire la différence entre ce qui vient de vous et ce qui vient de l'extérieur. Il y aura parfois de l'aide de l'extérieur lorsque votre Âme le permettra, lorsque le contact sera déjà établi avec vous-mêmes. Alors seulement, il vous sera permis d'aller à l'extérieur pour avoir un surplus d'aide; ce n'est pas le cas actuellement. Mieux vaut vous donner la chance de recevoir l'aide de votre Âme et même de croire que cette aide provient de votre Âme. Vous serez ainsi convaincus de votre force et non pas de la force qui vient de l'extérieur de vous. D'ailleurs, ne sous-estimez jamais la force de votre Âme, car plus vous l'utiliserez consciemment, plus elle travaillera pour vous. Plus votre Âme travaillera pour vous, plus vous voudrez la percevoir, et c'est comme cela que vous établirez le contact. Nous appelons cette règle le donnant, donnant. Cette règle régit d'ailleurs toutes vos vies, chacune des expériences vécues. Donnez à votre Âme et elle vous donnera; nuisez-lui et vous serez nuisible; aimez-vous et vous aimerez les autres; partagez et il vous sera partagé. Toujours le donnant, donnant. Pas besoin d'analyser pour cela ! Vous-même avez appris cela dans la peinture. Alors que vous cherchiez comment créer, vous vous êtes rendu compte qu'il était possible de tout modifier sans même la volonté, dans l'oubli, dans le lâcher prise. Nous vous avons même fait l'offre d'apporter de l'aide extérieure, pour vous, pour vous aider encore une fois à comprendre. Cela mettra de l'emphase et, n'oubliez pas, cela convaincra les autres et encore plus vous-même. *(Alpha et omega, I, 23–06–1990)*

*V**ous avez dit que les Entités et les Cellules aidaient beaucoup notre Âme à cheminer, est-ce que notre Âme peut aider les Cellules et les Entités ?*

Elle est déjà bien trop occupée avec elle-même pour aider les autres. C'est elle qui vit son incarnation, pas les Entités. Celles-ci apprennent bien sûr, comme nous apprenons avec vous, mais nous apprenons sur un plan différent en passant par cette forme [Robert] parce que vous vous exprimez et que nous percevons très bien cela. Donc nous apprenons sur une autre dimension avec vous. *(Alpha et omega, IV, 22–09–1990)*

*Q**ue fait notre Âme quand nous dormons ?*

C'est une très bonne question. Parfois, elle reste dans votre forme, parfois elle sort de votre forme. Elle retourne alors vers les siens pour prendre courage. Parfois, elle vous fait voir aussi dans vos rêves ce qui vous entourera, car les rêves sont des projections de l'Âme. Il arrive que votre cerveau rêve, mais c'est votre Âme qui vous fait généralement voir des choses. Elle vous parle dans le rêve. Elle vous parlera aussi dans vos intuitions, mais ce sera pour plus tard. Effectivement, elle est totalement libre mais elle reste toujours en contact avec votre corps. N'avez-vous pas tous vécu cette sensation de tomber dans le vide, de manquer une marche et de ne voir que du noir, d'avoir peur et de vous réveiller en sursautant ? C'est que votre corps se rend compte que l'Âme n'y est plus de façon consciente et prend peur car il ne voit plus de réalité. Il ne voit plus pourquoi il vit toujours si l'Âme n'y est pas. Donc, il ne voit rien, ce qui ramène votre Âme dans votre corps tout de suite. C'est pourquoi vous sursautez... vous revenez dans votre monde. *(Les flammes éternelles, I, 24–11–1990)*

P *arfois, on sent comme si quelqu'un nous touche, qu'il est proche de nous, et nous ne le voyons pas : qu'est-ce que c'est ?*

Trois fois sur quatre, c'est votre Âme qui vous flatte, qui s'approche de votre corps pour vous faire comprendre qu'elle est là. Elle vous encourage. Nous vous l'avons dit, vous n'êtes pas seuls, vous êtes deux : votre corps conscient et votre Âme. Deux. Si vous pouvez flatter votre Âme avec des images, des mots, pourquoi ne le ferait-elle pas, elle aussi ? Surtout si vous l'appelez.

Pourquoi le sent-on vraiment physiquement si c'est l'Âme ?

Parce que votre Âme est faite d'énergie et que vous pouvez la percevoir. Vous ne sentirez jamais votre Âme vous prendre la main comme tel, mais vous allez sentir des frissons, vous allez avoir l'impression qu'il y a quelqu'un à vos côtés. Ce que nous appelons la perception.

Alors qu'est-ce que j'ai ressenti lorsque j'ai senti quelqu'un me toucher ?

L'imagination de votre cerveau. Vous savez pourquoi ? Parce que votre cerveau va rejeter tout ce qu'il ne voit pas. Donc, dès que quelque chose comme votre Âme vous approche, il tente de vous faire peur, de vous le rendre irréel, en vous disant qu'il s'agit d'extraterrestres ou d'autres personnages. Cela peut vous faire peur ou vous rendre curieuse, mais cela vous fera généralement plus peur qu'autre chose et vous passerez à autre chose. Vous n'irez pas plus à fond. C'est un jeu du conscient. L'Âme n'a pas de mains comme tel, mais vous pouvez l'imaginer facilement. Imaginez-la comme un souffle arrivant à vos côtés. Vous pourriez percevoir le souffle, ou l'énergie, sauf qu'il vous traverse et vous ressentez de l'amour, de l'affection, et vous êtes bien dans cet état. Si vous avez peur, c'est que votre cerveau le perçoit et veut vous faire peur. Vous vivez dans un monde qui analyse tout, un monde très rationnel. *(Les flammes éternelles, I, 24–11–1990)*

P *ourquoi fait-on parfois un geste avec l'impression de l'avoir déjà fait avant ?*

Parce que vous l'avez sûrement fait avant. Il n'y a personne ici qui n'ait vécu moins de 1000 vies. Donc, en faisant un mouvement ou en vous rapprochant d'un travail que vous avez fait dans le passé, il est tout à fait normal que vous ayez parfois des souvenirs. Ce ne sont pas vos cerveaux qui se souviennent de ces images, mais votre Âme qui les lui envoie. Et cela vous surprend parce que vous ne les avez pas pensées; cela vient du plus profond de vous. Il arrive aussi que votre Âme ait pu aller un peu vers le futur, juste pour vous encourager à aller voir ce qui s'en vient pour vous. Vous l'auriez perçu aussi et cela vient de l'intérieur de vous. *(Les flammes éternelles, I, 24–11–1990)*

M *a question porte sur l'impression de déjà vu. Est-ce la même chose pour les endroits que pour les gestes déjà faits ?*

La même chose. Vous avez presque tous vécu cela d'ailleurs. L'impression de déjà vu, de déjà vécu, c'est la même chose. *(Les flammes éternelles, I, 24–11–1990)*

P *ar rapport à la question des gestes et endroits déjà vus, comment se fait-il que cela se produit avec la même personne ?*

Ce que vous voulez dire, c'est pourquoi certaines Âmes reviennent dans des formes avec d'autres Âmes qu'elles ont connues ?

Non. Je veux dire que le geste posé dans une autre vie se refait avec la même personne.

Vous faites allusion à la question du déjà vu.

Oui.

C'est parce que cela ne provient pas des personnes mais se passe au niveau des Âmes. Lorsque deux Âmes se rencontrent et qu'elles ont déjà vécu des expériences ensemble, elles se reconnaissent. Comment faire en sorte que vos cerveaux ne rejettent pas cela ? Tout simplement comme pour la surprise dont nous parlions un peu plus tôt : elle vous fait croire que vous avez vécu ensemble, et vous y croyez. Elle vous donne le sentiment de déjà vécu et c'est vrai, mais pas au niveau des formes. Cependant, l'endroit pourrait être le même, mais pas les personnes comme tel. Nous avons parlé d'une autre possibilité, celle des projections du futur. Effectivement, lorsque vos cerveaux vous font voir des images du futur, il y a des rencontres qui se font avec d'autres Âmes, elles se reconnaissent. Donc, lorsque vous vous rencontrez et que vos cerveaux les revoient, vous ressentez le même sentiment de déjà vu. *(Les flammes éternelles, I, 24–11–1990)*

Dans le mouvement Eckankar, quel est le pourcentage de vérité dans ce qu'ils appellent le voyage de l'Âme ?

Le pourcentage réel : 0,0005 %. Vous avez plus de chance de faire un voyage vous-mêmes, mais avec vos valises. *(Alpha et omega, IV, 22–09–1990)*

Qu'est-ce qu'on voit dans un voyage astral ?

Tout ce que l'Âme voudra voir, sa dimension. Ce peut être d'autres Âmes dans d'autres pays. Lorsque cela se produira, vous verrez des formes, surtout la forme que l'Âme aura prise. Ce pourrait être aussi des couleurs, des énergies. Ce pourrait même être l'intérieur de votre forme ! Peu importe ce que l'Âme voudra vivre, elle le fera si votre forme n'a pas peur. Il n'y a pas de limite, cela dépend de vous. Cela dépend aussi de la crainte que pourra avoir l'Âme de quitter votre forme et qu'une autre Âme prenne sa place. Si votre forme perçoit bien l'Âme, connaît très bien ses vibrations, ce sera comme une clé dans la serrure d'une porte : aucune autre Âme ne pourra entrer car votre forme la rejettera. Donc, ceux qui peuvent faire ces contacts entre l'Âme et la forme dans des états altérés sont des gens qui ont réussi à trouver les vibrations exactes de leur Âme, au point qu'aucune autre ne puisse y avoir accès. Il y a aussi des causes accidentelles, des incidents où des Âmes plus aventureuses ont fait des sorties hors de leur forme et l'ont perdue. Cela s'est vu, mais elles sont maintenant plus prudentes qu'auparavant.

Pourquoi cela m'arrive surtout lorsque je suis malade ?

C'est semblable au délire, en ce sens que vos cerveaux créent ces images. Il ne s'agit pas de sortie hors de votre forme mais de créations similaires aux rêves, mais tellement réelles que votre Âme peut vous amener à voir sa dimension. Prenez les gens qui font des fièvres très intenses. Ceux qui les observent vont dire qu'ils délirent. C'est généralement le cas aussi, sauf que bien souvent, leurs cerveaux vont voir des dimensions différentes et l'Âme en profitera pour aller à l'extérieur de la forme. Il y a plusieurs causes possibles. Dans votre cas, cela a été différent. Vous avez eu des perceptions plus claires du passé, des perceptions plus claires de ce qui vous entoure, mais uniquement créées par le cerveau; c'est une autre possibilité d'ailleurs. Il y a des gens très habiles pouvant voyager dans les expériences de l'Âme. Rappelez-vous, lorsque l'Âme prend votre forme deux à trois mois avant votre naissance, la forme est informée complètement de ce que l'Âme veut, même de ce qu'elle a vécu; c'est toujours en vous. Vous n'y avez pas accès mais c'est en vous et, dans certains états, vous pouvez y retourner. Cela vous donne l'impression d'avoir été n'importe où dans le monde. Effectivement, si vous avez 2000 ou 3000 vies, vous avez vu beaucoup aussi et cela peut vous sembler très réel. C'est une approche du voyage dans le temps, puisque le temps n'existe pas. Regardez le soleil, il est toujours au même endroit, la lune aussi. Vous faites du surplace en fait, rien ne change, sauf vos conceptions. (*Les flammes éternelles, III, 11–05–1991*)

*O*n parle de corps physique et de corps astral, c'est quoi le corps astral ?

Certains utilisent le terme astral pour désigner des projections de vos formes. Or les seules projections possibles — nous sommes très sérieuses à ce sujet — sont celles de l'Âme, qui vous reprojette ce qu'elle a vu, les endroits où elle va. Pour qu'il y ait projection, il vous faut avoir beaucoup de confiance et être sans peur; il faut croire que votre Âme reviendra dans votre forme. Ce n'est pas votre conscience elle-même qui sort; elle se relie à l'Âme en quelque sorte. Donc, prenez ces corps dans vos pensées et effacez-les comme vous avez effacé les particules et les molécules : c'est trop compliqué. La réalité est beaucoup plus simple que cela. Vos corps ne se dédoublent pas. Il y a seulement une projection de la conscience vers l'Âme, une plus grande ouverture. Plus grande est l'ouverture, plus facile sera votre voyance, que ce soit une sortie hors du corps ou tout autre moyen. En ce qui concerne les corps astraux, etc., mieux vaut regarder la Lune : elle, au moins, est réelle. Plusieurs cherchent tellement de convictions hors d'eux-mêmes ! Ils cherchent à faire en sorte aussi que leur réalité soit différente, question de s'encourager, de ne pas se rendre coupables. Vous devriez plutôt avoir plus d'ouverture intérieure face à ceux qui vous empêchent d'être vous-mêmes, qui vous limitent, même ceux qui vivent près de vous et qui vous empêchent d'être vous-mêmes; c'est vraiment réel. Être vous-mêmes. C'est ce que nous voulons que vous soyez, pour mieux vous comprendre, mieux nous comprendre. En fait, vous ne faites qu'un. Nous aussi. *(Symphonie, I, 06–04–1991)*

*Q*uand vous dites que l'Âme tire des ficelles, est-ce possible que pour atteindre un but, elle le fasse avec une personne dans un autre pays ?

Tout à fait, la distance n'a pas d'importance pour nous. Cela se passe par influence. Nous interréagissons par l'intermédiaire de formes qui sont plus ouvertes, qui s'écoutent plus, qui vivent, ou encore par l'intermédiaire de formes qui, lorsque le moment se présente, ont des moments d'inattention qu'il nous est permis d'utiliser pour influencer vitement. Lorsque cela se produit, les formes réagissent sans comprendre, comme si c'était dans leur intérêt d'agir ainsi sans comprendre. C'est une forme d'interréaction. Dans d'autres cas, nous agissons volontairement avec des formes qui comprennent et qui agissent. Tout dépend du temps que nous avons pour réagir et faire réagir, autant les Cellules que les Entités. Mais il est plus difficile pour les Entités de vous faire réagir, car cela ne leur est pas réellement permis sauf dans des cas extrêmes, comme nous l'avons mentionné. Il y a des joueuses de tours dans ce monde aussi. *(Les Âmes en folie, IV, 20–07–1991)*

*Q*uand on dit que l'Âme tire des ficelles, vous référez à des Entités et aux Cellules ?

Si l'Âme est suffisamment ouverte avec sa forme, qu'elle est sur le point de réussir des contacts, de faire en sorte qu'il y ait vraiment union entre les deux et qu'il est réellement de son intérêt qu'elle réussisse, elle fera tout ce qu'elle pourra de son côté. Ce pourrait être par l'intermédiaire d'une forme à vos côtés. Elle pourrait très bien contacter l'Âme d'une autre forme pour qu'elle fasse un geste pour vous aider, mais ce ne sera pas fait juste pour le plaisir de voir si elle peut le faire. Elles font cela entre elles lorsque c'est vraiment obligatoire. Elles ont des règles à suivre, toutes. La vie est une expérience individuelle, vous savez. Vous aurez donc compris qu'il y a plusieurs façons d'interréagir sur vos formes. Plus vous serez ouverts à le comprendre, plus vous allez entendre et plus vous allez voir des réponses; cela rendra vos vies beaucoup plus simples. Cependant, cela exige qu'il y ait beaucoup moins d'analyse. *(Les Âmes en folie, IV, 20–07–1991)*

*E*st-ce que l'Âme peut aller jusqu'à permettre ou provoquer un accident ou une maladie ?

Jamais ! Jamais cela ne se produira ! Vous êtes tous tellement habiles pour vous rendre malades vous-mêmes. Pourquoi l'énergie de l'Âme devrait-elle agir ou interagir pour vous faire casser une jambe, pour vous faire attraper un cancer ? Voyons donc ! Oubliez cela. Les Âmes ne prennent pas des formes pour les faire souffrir; ce serait une perte de temps et elles n'en ont pas à perdre. Lorsqu'une forme souffre, l'Âme souffre aussi. Elle l'a choisie et vit ce que la forme vit. *(L'envol, III, 09–05–1992)*

*Q*u'est-ce qui fait qu'il arrive des accidents ?

Vous-même. Ce n'est pas l'Âme qui tombe par terre, c'est vous ; ce n'est pas l'Âme qui conduit l'automobile, c'est vous ; ce n'est pas l'Âme qui tombe dans des marches, c'est votre forme. Peut-être étiez-vous distraite ? Il ne faut pas mettre constamment la faute sur l'Âme.

Je ne voulais pas mettre la faute sur l'Âme mais, lorsque ce n'est pas une fausse manoeuvre, qu'est-ce qui fait que cela arrive comme cela ? Lorsque ce n'est pas causé par une fatigue.

Voulez-vous dire par le Saint-Esprit ?

Non.

Les formes ne tombent pas malades pour rien. Il y a des raisons sous-jacentes, que ce soit génétique — ce n'est pas votre cas — ou une maladresse. Quelle autre cause cherchez-vous ? Que l'Âme reprogramme la forme de façon à ce qu'elle soit malade à telle heure, tel jour ? Ce n'est pas comme cela que ça se passe.

Je pensais à moi, à comment cela m'est arrivé.

Racontez-le aux autres.

Je me suis assise dans une chaise suspendue et la chaise est tombée. Justement j'étais fatiguée et je me suis assise pour me reposer.

Vous n'aviez pas vérifié la solidité auparavant ?

On m'avait dit que c'était bien installé mais je n'ai pas vérifié.

Heureusement que la chaise n'était pas au 60ᵉ étage !

Il faut apprendre à faire confiance.

Et à vous-même ? L'Âme ne pouvait pas retenir cette chaise au plafond. Elle ne pouvait pas non plus assourdir le bruit causé par votre chute, ni enterrer vos cris. Mais si vous en aviez vérifié la solidité sans faire confiance — ce n'était pas aux autres qu'il fallait faire confiance, c'était à vous — et aviez regardé vraiment si tout cela était solide... C'est la même chose qui se produit au volant des automobiles ou lorsque vous marchez sur une surface glacée. Vous savez que c'est dangereux mais vous y allez tout de même. Si vous tombez, c'est la faute de qui ?

Du trottoir.

Et de la personne qui est sur le trottoir aussi. Si vous vous étiez suspendue à cette chaise pour voir si elle était solide, est-ce que cela se serait produit ?

Probablement pas.

Cela ne se serait pas produit. Quelle leçon de vie cela vous donne-t-il ?

Apprendre à me faire confiance.

Exactement. À faire ce qui vous conviendra à l'avenir, pas ce que les autres vous diront; à vous assurer par vous-même que cela vous convient avant que cela ne convienne aux autres. C'est payer très cher une leçon. Comprenez-vous bien que ce n'était pas programmé ? L'Âme ne vous a pas fait vivre cela elle-même. Si elle avait pu, elle vous l'aurait fait éviter. Vous appelez cela des accidents; c'est donc qu'il y a des causes, c'est donc qu'il y a des raisons physiques bien souvent. Et si ces raisons ne sont pas des objets, regardez si ce n'est pas plutôt une inattention qui aurait causé cet accident et regardez la raison. Vous trouverez des réponses sans vous demander constamment si cela a un lien avec l'Âme. *(L'envol, III, 09–05–1992)*

 i cet accident est dû à de l'inattention de la part de quelqu'un d'autre, à qui est-on censé faire confiance ?

À vous-même, pour ne pas le vivre.

Si une voiture nous frappe et qu'on se trouve paralysé ou si on est en voiture et que quelqu'un d'autre nous rentre dedans ?

Nous n'avons pas de voiture nous-mêmes. Ce sont des technologies que vous possédez, ce sont des risques que vous encourez. Vous connaissez tous les dangers qu'il y a à traverser une rue et à marcher sur un trottoir. Vous savez que vous risquez de vous faire happer par un véhicule. Vous connaissez ces risques, comme ceux de la vitesse en automobile aussi. Si vous revenez 1000 ans en arrière, il n'y avait pas ces véhicules, bien sûr, mais il y avait beaucoup de crimes aussi d'une autre nature. · Comprenez que cette chaise suspendue, c'est la même chose que si vous étiez sur un trottoir : c'est inattendu. Ce n'est pas l'autre personne qui vous a frappée, c'est le véhicule. Donnez-nous une autre raison à cela, une autre façon.

Vous avez parlé de crimes. Une personne qui est poignardée, violentée, c'est un accident qui arrive. Elle se retrouve handicapée et ce n'est pas de sa faute.

Habituellement, lorsque cela se produit, ces personnes se sont toujours senties insécures dans les instants auparavant. Cela ne se produit que très rarement dans des endroits où vous vous sentez très en sécurité. Vous parlez de meurtre, de crime, de violence alors que les portes sont barrées ?

Oui.

Vous parlez de ceux qui défoncent les portes pour commettre des crimes ? Précisez votre question, car nous pourrions passer tous les cas de criminalité pour en trouver le pourquoi.

Comment éviter le crime ou tout autre danger ?

Ressentez-vous, écoutez-vous. Les animaux peuvent très bien percevoir le danger. Comment se fait-il que vous ayez oublié cela ? Parfois — et chacun d'entre vous l'a vécu déjà — vous avez ressenti que quelque chose n'était pas pour vous, que cela comportait un danger. Vous aviez deux choix : aller de l'avant et prendre des risques, ou vous en exempter. Il y a deux mois, juste avant l'écrasement d'un vol aux États-Unis, trois personnes ont refusé de prendre ce vol sans savoir pourquoi. Elles avaient peur sans comprendre. Elles ont eu raison. Le bon sens aurait dit à chacune d'elles : « Mais il n'y a pas de danger. Tu as peur pour rien. » Qui aurait pu lui dire après : « Tu n'aurais pas dû » ? Apprenez à vous écouter, à ressentir le danger et vous prendrez des moyens pour l'éviter. Vous ne pouvez pas éviter qu'une personne vous suive pendant des mois, ou des jours, ou des heures, et attende l'endroit propice pour agir. Soyez plus alertes, mais il ne faut pas non plus généraliser. *(L'envol, III, 09–05–1992)*

*E*st-il vrai que notre Âme a le potentiel de maîtriser la matière, *de faire de la dématérialisation et de la matérialisation ? Si oui, est-ce que c'est utile et comment le faire ?*

Lorsque vous nous dites cela, nous savons que vous pensez matière extérieure à vos formes, objets. Ce n'est pas pour votre dimension actuelle, pas pour vos niveaux de connaissance. Nous ne disons pas que c'est impossible. Mais dans votre façon de voir la vie actuellement, oui. Comprenez bien que les plus habiles d'entre vous maîtrisent déjà la matière tous les jours : votre forme. Et c'est exact, puisque votre forme est matière. Si vous nous demandez si votre forme, une fois consciente de l'Âme, peut maîtriser d'autres formes, que ce soit pour guérir ou pour aider, c'est aussi très exact. Nous savons que Robert vous en a parlé un peu. C'est un début seulement pour pouvoir maîtriser la matière. Demandez-lui s'il aimerait créer dans ses mains une plante ou un autre objet ? Il vous dira très certainement non. Dans son cas, il aimerait mieux l'acheter. Par contre, si votre question est de savoir s'il est possible de modifier la maladie, de modifier la forme elle-même, vos formes, s'il est possible de vous montrer comment le faire avec vous-mêmes pour que vous puissiez le faire avec les autres, la réponse est affirmative, et à des niveaux que vous ignorez totalement. Vous n'êtes pas obligés d'être aux côtés d'une forme pour que cela se fasse. Vous pourriez être à l'autre bout de ce monde et modifier une autre forme. Oh ! cela demande de la pratique, mais cela se fait. Quant à savoir si une forme peut se dématérialiser et se rematérialiser dans un autre coin de ce monde, c'est faisable. Toutefois, cela exige une maîtrise du conscient très rare dans votre dimension, mais c'est faisable. Ce serait certaine-ment la fin des transports en commun ! Il faut qu'il y ait des besoins. Mais tant qu'il vous sera appris que cela ne se fait pas, cela vous créera des limites. Nous avons dit au groupe précédent : vous croyez aller vite, avoir un monde très développé, mais votre planète n'est même pas encore refroidie. Elle est en pleine ébulli-tion en dessous de vous. Vous êtes un embryon actuellement, mais cela pourrait se développer très vite... Quelques instants, nous observons un phénomène [chanson]. Nous pouvons vous dire que certains se font actuellement jouer sur des cordes sensibles. Comment une chanson peut-elle leur faire oublier toute leur vie ? Comment font-ils pour vivre l'amour le temps d'une chanson comme si la vie n'avait pas eu lieu avant et tout oublier de nou-veau dans cinq ou six heures. Comment se fait-il que vos formes retiennent tant le malheur et si peu le bonheur ? Il vous faut tellement d'événements pour cela. Très curieux ! Cette forme nous a bien traduit ces paroles : de ne pas laisser passer l'amour, c'est une chance. Les gens ont entendu, mais ils ne le feront pas. *(Renaissance, II, 05–10–1991)*

*V**ous avez dit qu'on ne devait pas avoir de Maître, que notre Maître devait être intérieur...*

Sinon, vous insultez votre Âme.

Moi, j'ai toujours pensé que Jésus était le Maître par excellence, qu'en pensez-vous ?

Comme vous l'êtes. (...) Vous avez des Maîtres *en vous*. Nous préférons vous dire que vous avez des Âmes qui, elles, sont aussi parties de Dieu, de l'Ensemble, qu'elles n'ont pas les cheveux longs et bouclés — nous ne raconterons pas d'histoire à ce sujet. Ce n'est pas il y a 2000 ans mais actuellement que vous pouvez les utiliser. C'est beaucoup plus neuf !

Oasis, votre enseignement ne pourrait-il pas être considéré comme un enseignement de Maître ?

Vous dites cela pour nous flatter ?

Oui et non.

Si c'était le cas, nous serions compris de tous. Ce ne sont pas tous les gens dans ce monde qui voudraient nous écouter parce qu'ils auraient peur du phénomène. C'est pour cela que nous choisissons des formes simples pour communiquer, pas des formes qui jouent un rôle, sinon il y aurait encore des Jésus qui joueraient des rôles. *(Les colombes, IV, 08–09–1990)*

*C**eux qu'on appelle des sages ou des Maîtres sont-ils des Cellules qui reviennent simplement pour aider ?*

Quelle belle foutaise ! Il n'y a pas de Maîtres dans votre monde. Il n'y a que des gens plus conscients que d'autres de leur valeur, que des gens qui utilisent davantage leur Âme, uniquement cela. Donc, ils vont puiser aussi dans une forme de connaissance globale, ils utilisent d'autres Entités pour retransmettre une forme de sagesse. Leur seule sagesse réside dans leur choix d'Entités pour retransmettre ces messages. Pour ce qui est des Maîtres, oubliez-les, vous en êtes tous. Certains sont passés maîtres dans l'art d'embrouiller leur vie, d'autres sont passés maîtres dans la sagesse intérieure. Vous êtes tous des Maîtres. *(Harmonie, III, 09–01–1991)*

Vous avez tout notre amour dans ce cheminement que vous entreprenez. Soyez égal à vous-même. Vous avez tout notre amour pour cela, et celui de vos Âmes.

Oasis

*Vos Âmes
sont des amies
de grande valeur;
c'est ce qui justifie
les incarnations
répétées.*

Le cycle des incarnations

Nous savons que certains d'entre vous se demandent qui nous sommes. Nous quatre [Oasis] n'avons jamais eu de formes comme les vôtres, aucune expérience physique d'aucune forme. Pour simplifier, nous ferons en sorte que vous compreniez seulement les divisions qu'il y a entre nous. Nous allons rendre cela très simple et ce sera la réalité. Il y a les Âmes dans vos formes, ce que vous savez tous. Puis, il y a les Entités en attente de formes. Puis, il y a nous, les Cellules. Oh ! ce n'est qu'un mot, comme le mot Âme, comme le mot Entité. En fait, nous sommes toutes reliées, sauf qu'en ce qui nous concerne, nous n'avons jamais choisi l'incarnation. Il y en a parmi nous qui ont déjà eu des formes, mais qui ne recommenceront pas l'expérience. Donc, notre rôle est beaucoup plus relié au contrôle des Entités, de leurs choix. Notre rôle est de faire en sorte qu'il n'y ait pas d'abus, que les Entités gardent la dimension actuelle de leur choix. Autrement dit, si elles ont choisi l'expérience de votre monde, elles doivent la vivre au complet tant qu'elles n'auront pas compris ce qu'elles doivent comprendre, c'est-à-dire tant qu'elles n'auront pas réussi à maîtriser la forme et à faire en sorte que la forme démontre qu'elle a aussi maîtrisé l'Âme. Après que les deux ont acquis cette maîtrise, les Âmes ont le choix de nous rejoindre ou d'aller dans un autre monde physique plus évolué. C'est leur choix , nous n'imposons pas cela. Après tout, celles d'entre nous qui ont choisi de s'exprimer dans des formes l'ont fait librement et c'est tout aussi librement qu'elles feront ce choix, mais seulement lorsqu'elles auront complété leur expérience. Donc, nous voyons à ce que les étapes ne soient pas sautées. Très récemment, nous avons fait en sorte qu'il y ait une meilleure organisation des réincarnations, pas nécessairement des Entités qui décident de s'incarner, mais de celles qui observent. Nous avons fait en sorte que celles-là soient vraiment bien regroupées, selon les expériences. Cela leur évitera de faire des incarnations inutiles et modifiera votre monde. Donc, vous y gagnerez tous... elles aussi ! Tout cela, toute notre dimension, est à l'image de vos mondes physiques, à l'image de vos formes qui sont elles-mêmes à l'image de toutes ces galaxies extérieures. Tout cela n'est qu'une question de compréhension. C'est la même chose à plus grande ou à plus petite échelle; tout cela fonctionne de la même façon. *(Diapason, I, 21–03–1992)*

U ne Âme est dans une forme et une Entité est une Âme qui n'a plus de forme. Lorsque l'Âme quitte la forme et passe au plan des Entités, il y a une suite. Elle est mise en demeure de démontrer son évolution dans ses choix auprès des siens. Il y a évolution aussi chez les Entités. Au début, elle s'incarnaient par goût. Lorsqu'elles ont aperçu d'autres Entités dans d'autres plans, avec d'autres existences plus évoluées, elles ont voulu briser ce cycle. Elles ont fait des démarches pour cela, comme vous le faites ce soir, dans le but d'aider les meilleures d'entre elles. Cela a débuté il y a quatre ans [1986]. Ces Âmes plus évoluées, qui font plus de recherches et qui ont plus de volonté, contactent plus facilement les formes qui recherchent le contact de l'Âme. Plus les Âmes seront habiles, plus rapide sera leur évolution, et plus la vôtre sera rapide. *(Les chercheurs de vérité, II, 17–02–1990)*

E *st-ce qu'il y a plusieurs Cellules qui vont s'incarner dans les prochaines années ?*

Il y a des cycles déjà entrepris par des Entités. Nous aimerions parfois prendre place, pas nous quatre comme telles, mais d'autres Cellules. Nous sommes limitées, car les Cellules ont aussi beaucoup de volonté, tout comme en ont les Entités. En cela, elles sont aussi d'accord. Il y a des Entités qui ont beaucoup d'expérience mais qui devront continuer. Si votre question était : « Y aura-t-il plus de contacts entre les Cellules et vous ? », notre réponse serait affirmative. C'est pour cela aussi que, lors de cette fin de semaine, ce sera non pas des Entités mais des Cellules qui seront présentes, pour que vous puissiez bien voir la différence entre l'Entité en vous, qui est votre Âme, et les Cellules. *(Les chercheurs de vérité, IV, 21–04–1990)*

E st-ce qu'il y a actuellement des gens sur la Terre qui sont des Cellules qui se sont incarnées ?

Les Cellules n'ont jamais eu de forme, ou en ont déjà eue et ne refont plus cette expérience.

Actuellement sur la Terre, est-ce qu'il y en aurait des incarnations spéciales, des Entités en mission spéciale ?

Des Jésus ?

Oui, dans le genre.

Dans le genre, il y aura toujours des grands sauveurs. Plusieurs s'ignorent. Jacqueline a essayé cela, de sauver le monde. Il existe différents types de sauveurs, vous savez. Si vous avez en tête des Jésus, sachez qu'il y en a un en chacun de vous, mais il n'est pas crucifié... il s'ignore ! Vous avez tous les mêmes valeurs mais vous vous refusez de les reconnaître. Donc, effectivement, vous-même avez la même valeur que Jésus, sauf que celui-ci l'a exploitée et vous, vous la cherchez. Mais son Âme a su mériter la forme même s'il était loin d'être parfait. Rappelez-vous, l'Âme ne demande pas une forme parfaite, les saints n'existent que dans vos livres. Elle ne demande qu'à maîtriser une forme, il y a une très grande nuance à cela. Une forme maîtrisée y gagne beaucoup. *(Maat, III, 13–01–1991)*

V ous parlez de mission de vie, mais ce n'est pas clair pour moi. Est-ce que vous pouvez l'expliquer ?

Les missions de vie sont des missions individuelles, en ce sens que vous n'avez pas tous la même mission. Pour comprendre le lien qui vous reliera à votre Âme, les cheminements seront divers et les influences passées seront diverses. Ce que vous devrez faire vous-même pour tout comprendre sera différent de ce que devra faire la personne à vos côtés et ainsi de suite. Parce que votre Âme a déjà des vies passées différentes des autres. La vie précédente pourrait influencer la vie actuelle, comme il se pourrait aussi qu'il n'y en ait aucune. L'Âme se sert de tout ce qu'elle a comme influence pour se faire connaître à la forme. De tout ce qu'elle a ! La mission d'une vie est de vous rendre à ce terme, et vous avez tous le même point à atteindre. Certaines personnes diront : « Très bien, mais vous nous dites que nous pourrions vivre 400 ans. » Alors pouvons-nous vous suggérer que, si vous vivez en moyenne 50 ans par vie, vous n'aurez qu'à faire 10 vies dans une même vie. Et vous auriez beaucoup plus de chance d'obtenir des résultats sur une longue période parce que vous seriez consciemment conscient de votre vie, donc de toutes vos expériences, et cela vous apporterait des résultats beaucoup plus rapidement. Il y aurait beaucoup moins de souffrance et de maladies aussi : donnant, donnant. Aviez-vous terminé cette question ?

Non. Je voudrais savoir si dans l'astral...

Vous pouvez appeler cela la spiritualité, c'est la même chose. C'est en vous, de toute façon.

J'ai l'impression parfois que tout a été programmé dans la spiritualité, dans l'astral, et que finalement on vient ici et le chemin général de notre vie a été décidé, même s'il y a des choses qui peuvent arriver...

Très bien, vous en avez assez dit. Pouvons-nous vous poser une question à notre tour ? Combien de fois vous êtes-vous dit que la vie était lourde ?

Des fois...

Comme tous les gens ici présents ont eu l'occasion de le faire. Alors, vous dites que c'était déjà programmé. En fait, oui, mais pas ce que vous croyez. L'Âme a un seul but et s'il lui faut 3000 vies pour l'atteindre, elle les aura; mais ce sera 3000 formes qui devront subir tout cela. Dans certains cas, ce sera agréable; dans d'autres, beaucoup moins. N'oubliez pas qu'il n'y a qu'une seule Âme dans chaque forme, qu'une seule Entité : ne trouvez-vous pas que c'est du gaspillage parfois ? Vous faites la même chose avec les produits de consommation actuellement. Vous achetez et rejetez des produits qui sont encore bons. Alors, effectivement, l'Âme sait ce qu'elle doit atteindre, mais d'un autre côté, vos conscients sont déjà programmés. Vous les avez programmés par vos religions, par vos maladies. Vous avez même eu des professions, qui existent toujours d'ailleurs, pour régler vos problèmes parce que vous n'avez pas toujours le courage de les régler vous-mêmes. Votre société vous prend en main constamment. Comment voulez-vous que votre Âme se batte contre tout cela ? Combien voulez-vous de vies pour cela ? Vous trouvez la vie actuelle lourde ? Il y en a deux autres qui la trouvent lourde aussi : premièrement, votre Âme et, deuxièmement, votre forme au complet, c'est-à-dire des milliards de cellules. Il y a et il n'y a pas programmation. Dans certains cas, il faudrait une dé–programmation, mais nous préférons le terme re–programmation. Est-ce que c'est plus clair ?

Un peu mais pas tout à fait.

Reformulez une autre question.

En résumé, c'est programmé sauf que, dans les circonstances et l'environnement qu'on se donne, on met comme un frein à la programmation qui est établie.

Cela s'appelle la crainte, le doute; cela s'appelle aussi l'ignorance, parce que vous ne savez pas comment faire autrement. Voici un exemple. Prenez un enfant de sept ou huit de vos années et montrez-lui à lire; donnez-lui ensuite tous les livres contenant les informations de base sur les métiers, les professions, la santé, sur tout, en fait. Isolez cet enfant et dites-lui : « Très bien, fais tout cela et tu seras quelqu'un. » Pouvons-nous vous suggérer que, même s'il lit tous ces livres, il n'aura rien compris parce qu'il n'aura pas la pratique et la visualisation des problèmes. Ce ne sera pas ce que vous lirez dans des livres qui comptera. Nous savons ce que vous pensez : « Oui, mais si je ne puis lire dans un livre, qui m'informera ? » Pouvons-nous vous suggérer que vous n'êtes pas ici pour rien et que nous ne cherchons pas à compliquer les termes. Nous savons qu'ils sont suffisamment compliqués comme cela. Bien au contraire vous aurez remarqué, nous l'espérons du moins, que vous ne faites pas seulement écouter des mots ici ce soir. Pour la majorité d'entre vous, nos paroles se dirigeront directement à vos coeurs et cela aura été du vécu. *(Les colombes, II, 07–07–1990)*

En fait, la mission de l'Âme est d'avoir le contrôle de la forme. Est-ce la seule mission ?

Et de faire en sorte que la forme en soit consciente. Donc, c'est tout un défi. Il ne s'agit pas seulement qu'elle contrôle votre forme. Elle pourrait prendre une forme totalement paralysée; elle n'aurait rien accompli malgré cela, sauf si cette forme paralysée en est consciente et l'utilise aussi. Et cela fait toute une différence. *(Renaissance, II, 05–10–1991)*

V ous avez parlé beaucoup de choix. Quand elle se réincarne et qu'elle choisit sa mission, l'Âme fait-elle son choix toute seule ?

C'est une très bonne question; elle n'a jamais été posée à ce jour. En règle générale, elles s'influencent entre elles; elles savent fort bien le faire, de façon démocratique pourrions-nous dire, parce que les abus sont de plus en plus éliminés. Par exemple, il ne manquait pas d'Entités pour prendre la forme de Carmen, mais les Entités ont cru ensemble que, si elles attendaient cette autre Âme qui était dans une autre forme, celle-ci parviendrait à son but avec cette forme; c'est pour cela qu'elles ont attendu. Notre contribution a été de faire en sorte qu'aucune autre Entité ne prenne sa forme. C'était notre part d'influence. Cela se règle entre elles maintenant. Est-ce mieux compris ?

Oui. *(Alpha et omega, IV, 22–09–1990)*

V ous dites que les Entités se réincarnent seulement avec votre permission ou la permission du groupe, est-ce qu'il y en a qui se faufilent ?

Cela s'est déjà produit. Tout dépend du bien-fondé de l'incarnation. Il y a des mondes sur cette même planète qui n'ont pas votre évolution et il y arrive parfois des échanges. Dans certains cas de coma également, de même que dans les quatre à cinq premières années de vie. Cela se passe sous l'influence du groupe des Entités qui a commencé son propre tri à ce sujet. Il y a aussi des Âmes qui persistent malgré ces pressions à continuer leur incarnation et les formes finissent par s'enlever la vie. Certaines formes ont eu des sensations extrasensorielles alors que leur heure n'était pas encore venue. Dans le futur, ce ne sera pas permis. *(Les chercheurs de vérité, II, 17–02–1990)*

P ourquoi les Entités choisissent-elles l'incarnation et les Cellules pas ?

C'était au tout début. Certaines ont tenté des expériences, un peu comme si vous faisiez toujours le même travail et que vous vous disiez : « Et pourquoi pas un peu de changement ? » De notre côté, cela a été fort similaire. Certaines d'entre nous ont vu des formes qui leur semblaient agréables à manoeuvrer; comme expérience, elles se sont dit : « Nous pourrions créer avec des formes, avoir de nouveaux moyens d'expression. » Mais il y en a eu d'autres, comme nous, qui se sont dit : « Il en faudra de ce côté aussi pour faire l'équilibre. » Nous étions très bien où nous étions, nous n'avions aucun besoin de faire ces expériences physiques. Mais rassurez-vous, il n'y a plus de Cellules qui quittent notre monde — vous pouvez l'appeler ainsi — pour votre monde. Déjà le nombre d'Entités actuel cause certains problèmes. Il y a beaucoup moins d'incarnations, mais il y a beaucoup plus d'influences autour de vos formes de la part des Entités. Actuellement, les Entités qui s'incarnent sont mieux choisies. Les Entités sont ce qu'elles sont. *(Les pèlerins, III, 05–05–1990)*

V *ous parlez de réincarnation...*

C'est pour cela que nous avons fait cette parenthèse, sinon nous n'aurions pas pu répondre à cela.

Est-ce que du fait qu'on ait pris une forme, on s'est éloigné de Dieu ? Est-ce qu'on est pris dans un engrenage ? Est-ce qu'il va falloir vivre plusieurs incarnations sur cette Terre ou est-ce qu'on a le choix ?

Nous avons déjà observé des formes ayant plus de 4000 vies, d'autres ayant seulement 60 ou 10 vies. Vous pensez consciemment. Vous nous avez dit que vous choisissiez, mais en fait vous ne choisissez rien. C'est votre Âme qui a choisi votre forme, pas votre cerveau qui a choisi votre Âme. Faites bien la distinction. N'avez-vous jamais remarqué que, dans votre monde actuel, il y a des gens très paresseux et d'autres qui le sont moins ? N'avez-vous jamais remarqué qu'il y a des gens qui ont des professions où ils refont continuellement les mêmes gestes, des gens qui font un travail très manuel qui vous ennuierait totalement, et qui aiment le faire ? Vous avez déjà vu cela ? Vos Âmes font la même chose. Si vous n'allez pas de l'avant, si vous ne les forcez pas, elles vont aussi devenir paresseuses. Elles vont laisser vos formes se con-trôler, faire leurs erreurs. Tout dépendra de vous, de votre goût de participer à votre vie, de faire ces contacts intérieurs pour pouvoir progresser. Rappelez-vous, plus votre Âme aura ce qu'elle veut, plus vous aurez ce que vous voulez, donnant, donnant. De là l'im-portance de ne pas vivre seulement psychologiquement dans cette vie, mais de chercher d'autres dimensions en vous et d'en profiter, d'en vivre. Il y a des gens parmi vous qui en sont à leur dernière expérience d'incarnation actuellement et qui profiteront de ce lien avec nous, des sessions à venir, pour concrétiser leur attente, leur lien avec l'Âme. Très bien ! Lorsque l'Âme aura compris que la forme sait, lorsque la forme se servira de l'Âme, vous aurez com-pris. Votre vie sera plus facile parce que l'Âme fera tout ce qu'elle pourra pour influencer les formes à vos côtés, pour ne pas que vous perdiez ce contact. C'est le but de votre Âme. Si votre but dans la vie est de bien vivre, de ne manquer de rien, d'avoir à vos côtés des gens qui vous aiment, vous l'atteindrez mais pas si vous allez uniquement à l'extérieur de vous, sinon vous allez chercher longtemps. *(Les Âmes en folie, I, 24–04–1991)*

J *'ai beaucoup de difficulté à concevoir comment des Cellules peuvent décider de s'incarner compte tenu que ce n'est quand même pas facile avec les difficultés de vivre dans une forme ?*

Par simple goût.

Est-ce que ce n'est pas dû à une déchéance ?

Aucunement. À force d'observer les autres, certaines Cellules ont eu le goût de participer, de démontrer ce qu'elles pou-vaient faire et elles ont fait ce pas. Prenez une journée où il fait très chaud. Vous êtes sur le bord d'une piscine où tout le monde se baigne sauf vous, et il fait très chaud. Vous savez que, si vous allez à l'eau, vous y resterez peut-être, mais il fait tellement chaud et les autres vous semblent tellement s'amuser ! Que faites-vous ? Difficile de résister, n'est-ce pas ? C'est la même chose pour certaines Cellules. Elles ont observé les résultats, pas toujours les plus difficiles. Elles ont vu que certaines Âmes pouvaient s'ex-primer fort bien par des formes, créer de belles choses. Elles ont voulu faire la même chose, pour se rendre compte ensuite que ce n'était pas toujours facile, qu'elles perdaient une grande partie de leur pouvoir d'influence; mais c'était leur choix. Ce n'est pas toujours aussi évident lorsqu'elles sont incarnées que lorsqu'elles observent; malgré tout, elles aiment tout de même cela. Rappelez-vous ce que nous vous avons dit lors de vos décès de forme : l'Âme ne quitte pas la forme, tant qu'elle n'a pas l'assurance, la certitude que le conscient n'y est plus, par respect et par amour, peu importe ce que cette forme aura vécu et les difficultés qu'elle aura eues avec la forme. Sinon, elles quitteraient vos formes bien avant ce moment, mais cela ne leur est pas permis; cela aussi fait partie de notre tâche. Il y a surtout des cas de suicide où c'est la forme elle-même qui veut en finir et, malgré les influences énormes, il n'y a rien à faire. Ce sont des formes trop conscientes de la vie. *(Alpha et omega, IV, 22–09–1990)*

*N*otre Âme peut donc choisir de s'incarner ou non ?

Votre Âme est totalement libre de prendre votre forme. Lorsqu'elle a choisi de le faire, elle ne change plus de forme par respect et par amour, par goût de partage et cela ne devient pas seulement votre expérience mais aussi la sienne. C'est pour cela que nous avons cette règle du donnant, donnant. Ce soir, vous vous donnez une chance mais vous lui en donnez une aussi. Elle saura vous redonner cela, peut-être dans vos études, peut-être avec des amis que vous n'osiez pas approcher et qu'elle vous fera rencontrer; ce sera son choix. Rien n'empêche que vous pourriez lui demander ce que vous voulez. N'a-t-il pas été écrit il y a plus de 2000 ans : demandez et vous recevrez ? C'est à vous que vous devez faire les demandes. Le plus beau dans cela, c'est que vous n'avez même pas besoin d'y croire. D'ailleurs, il n'a pas été écrit à qui vous deviez demander mais simplement de demander. Donc, demandez-*vous*-le, demandez-vous-le avec foi, avec conviction, et vous obtiendrez beaucoup plus rapidement. Pour répondre encore à votre question, votre Âme avait totalement le choix de prendre votre forme ou une autre, mais elle croyait avoir plus de chance avec la vôtre. *(Les flammes éternelles, I, 24–11–1990)*

*D*e quelle façon l'Âme choisit-elle la forme ?

Selon ce qu'elle croit obtenir à partir de la génétique d'une forme, dans l'observation des parents eux-mêmes et selon ses propres expériences passées. Peut-elle se tromper ? Bien sûr que oui ! Mais elle tentera d'apprendre selon la forme qu'elle aura. Deux à trois mois avant vos naissances physiques, chacune de vos formes a été informée exactement de ce que l'Âme voulait. Pourquoi croyez-vous que vous ressentiez parfois des déceptions aussi fortes sans pouvoir les expliquer si vous ne saviez pas déjà en vous que ce n'est pas correct ? Sauf qu'il vous a été montré à oublier, à aller de l'avant sans comprendre, à rapporter des sous. Voilà ce que vos sociétés actuelles vous montrent : à rapporter, à vous oublier de plus en plus, comme si vous étiez des machines qui doivent tout faire. Donc, c'était beaucoup plus facile auparavant qu'actuellement. L'instruction que vous avez tous reçue a contribué grandement à l'oubli total. Vous avez tous des numéros actuellement, même les nouveau-nés ! Comment pouvez-vous vivre pleinement comme cela ? Vous savez déjà, dès que vous regardez à l'extérieur et que vous êtes en âge de comprendre, que vous serez aussi un numéro qui devra rapporter. Vous faites tous un tour de force actuellement pour tenter de comprendre, pour tenter de revenir vers vos réalités. Si nous n'en étions pas convaincues, cette session de groupe n'aurait pas lieu; nous vous laisserions chercher et vous compliquer la vie puisque vous le faites tous très bien. Nous préférons redéfaire le trop compliqué, pas seulement pour vos formes mais aussi pour vos Âmes qui, elles, ne maîtrisent plus grand chose. Nous savons qu'il y a des milliers de livres contenant diverses théories, diverses croyances, diverses expériences d'individus; mais vous ne trouverez jamais dans un livre, quel qu'il soit, votre expérience propre, votre propre vécu et l'ensemble des recherches vous conduisant à vous-mêmes. Ceux d'entre vous qui ont lu énormément et qui continuent de lire, c'est qu'ils n'ont pas trouvé. C'est cela le mot. Il faut donc s'arrêter, mettre de côté les connaissances des autres et utiliser les vôtres. Il faut vous demander : « Très bien, où suis-je donc rendu dans cette vie ? Qu'est-ce qui me plaît ? Qu'est-ce qui me déplaît ? » Vous reviendrez à coup sûr vers vous-mêmes. Si nous vous demandions de faire une liste de tout ce qui vous déplaît, vous écririez très vite; mais vous ne prenez même pas ce temps. Il faudra vous retrouver et nous y verrons. *(Nouvelle ère, I, 29-02-1992)*

*L*es Âmes incarnées dans des pays en guerre se réincarnent-elles toujours dans ce même esprit de guerre ? Il me semble que c'est néfaste comme esprit, comme façon de vivre. Comment se fait-il qu'elles n'évoluent pas davantage ?

Parce que certaines Âmes veulent avoir absolument raison. Elles refont expérience sur expérience. D'autres qui vivent dans ces continents se réincarneront dans d'autres continents et ne s'habitueront pas à cela. Laissez-nous vous expliquer cela de façon différente. Certaines Âmes ont fait en sorte de maîtriser les formes à un certain niveau, de façon à les garder plus conscientes. Pour ce faire, elles ont utilisé des religions de façon à ce que les formes restent le plus possible unies ensemble, pour pouvoir un jour trouver une autre manière de les maîtriser, que ce soit par un changement de religion ou autrement. Ce n'est pas le cas dans la région du Proche-Orient. Les Âmes y ont décidé, et ce de façon consciente, et même plus que cela, de s'endoctriner, naissance après naissance; les formes y sont forcées, il n'y a pas de libre choix à cet endroit. Cela représente un plus grand défi pour les Âmes et pourrait conduire à une réussite un jour. Rien n'empêche une Âme de maîtriser une forme dans ce contexte; la forme devra alors jouer le jeu, mais face aux autres uniquement. Pour cela, il faudrait analyser chaque cas. Remarquez qu'actuellement cela ne fait pas l'unanimité. *(Harmonie, III, 09–01–1991)*

*V*ers quoi tend l'évolution des Âmes ?

Plusieurs Âmes ont choisi de couper court à leur expérience pour faire place à d'autres Âmes. C'est ainsi que certaines formes dans le coma n'ont pas eu les mêmes Âmes à leur réveil. Ces gens sont actuellement changés; ils cherchent davantage la paix et expriment plus ce qu'est la réalité de la vie. Certaines formes ont aussi décidé de s'éliminer d'elles-mêmes, par faiblesse, et se refusent la vie. Cela ne peut pas être évité par les Âmes. *(Les pèlerins, I, 27–01–1990)*

*V*ous disiez que l'Âme a un but : c'est sûrement d'apprendre. Est-ce qu'elle choisit pour apprendre l'expérience comme telle ou une expérience particulière ?

Elle a choisi l'incarnation simplement pour en venir à bout. Elle avait voulu s'exprimer dans une forme, elle en a abusé, et elle doit maintenant faire son cycle au complet. Pourquoi devrions-nous accepter une des nôtres qui n'a pas choisi notre façon de s'exprimer, qui aurait choisi des formes parce que c'était plus palpable, plus amusant pour elle. C'est maintenant son expérience. Son cheminement est le sien sauf que, pour la période de vie actuelle, nous devons faire plus. Tant mieux pour votre Âme, tant mieux pour vous aussi. Vous avez tout avantage à en profiter. Si vous voulez seulement voir défiler vos vies pour 5 ou 10 de vos années, soit ! Mais vous pouvez rendre votre vie plus agréable en explorant toutes les facettes de l'incarnation, incluant la dématérialisation et sa première phase qui est la lévitation, en développant aussi la compréhension et le visionnement de ce qui se passe loin de vous. Ce sont des facettes de la vie que vous n'avez pas encore explorées et qui, croyez-nous, sont beaucoup plus importantes que vos emplois actuels. Mais il y a tant de choses que vous ignorez au niveau de la matière. N'a-t-il pas été écrit encore une fois... Vous savez, nous ne vous demanderons pas de réciter la Bible. Il y a certains passages qui vous ont tous marqués et c'est pour cela que nous les employons; ils provenaient d'un personnage fort amusant d'ailleurs, que vous appelez Jésus. Celui-ci avait certains pouvoirs, il est vrai, mais n'a-t-il pas aussi écrit que ce qu'il a fait pourrait être fait par d'autres et encore mieux ? (...) Mais il viendra un temps où vous et votre Âme ne ferez qu'un et ce sera alors votre dernière vie. Actuellement, vous vous supportez tous les deux. Lorsque vous vous serez parlé, lorsque vous vous serez compris, votre Âme vous guidera pour vrai et vous laisserez tomber votre handicap. *(Les colombes, II, 07–07–1990)*

Vous *dites qu'une Cellule qui a choisi l'expérience d'une forme doit vivre un cycle complet. Qu'est -ce qu'un cycle complet ?*

Le cycle complet se termine lorsque l'Âme peut contacter la forme et que la forme peut en faire autant, mais de façon volontaire. Lorsque ce mariage s'établit, cette union ne peut se dissocier pour aucune raison; c'est fort similaire à ce que nous vous expliquions pour la foi. Lorsque l'union est établie, l'Âme n'a nul besoin de refaire l'expérience de l'incarnation. L'Âme a alors deux choix. Elle peut continuer de s'incarner dans d'autres mondes beaucoup plus évolués, en ce sens que le matériel existe tout de même, beaucoup même, mais où il sert beaucoup plus à la collectivité qu'à l'individu. Ou encore, elle peut nous rejoindre, si son choix est définitif. Ce choix se devra d'être définitif; nous le vérifions nous-mêmes. Lorsque l'Âme est rendue à ce point, elle fait le saut elle-même, et ses vibrations sont alors très augmentées. Nous allons mieux vous faire comprendre ce que nous appelons des vibrations. Il y a des gens qui disent que nous sommes des êtres de lumière. Nous avons vu cela lors de la dernière session de groupe, non dans le vôtre. Cela nous amuse dans un sens; nous ne savions pas que nous étions si lumineuses. Tout de même, c'est une image très figurative d'énergie. Comparez cela à vos moyens d'éclairage. Vous pouvez comparer cela à l'éclairage d'une ampoule dont vous voyez les vibrations d'éclairage. Sa lumière se propage à une vitesse beaucoup moins grande que celle du quartz et du laser. Leurs ondes sont différentes; les vibrations de la lumière en sont aussi différentes. Donc il y a trois niveaux différents, trois vibrations différentes, trois forces d'éclairage différentes. En ce qui concerne les Cellules, les Entités et les Âmes, c'est la même chose. Une Âme perd beaucoup de ses forces de vibration dans une forme. C'est justement pour cela, pour se ressourcer, qu'il lui arrive de sortir de vos formes, même dans le rêve. Mais elle ne peut nous rejoindre, ni se mêler à nous. C'est pourquoi nous avons employé le terme de sphères différentes. Nous pourrions donner aux Entités les forces nécessaires pour nous rejoindre mais c'était leur choix d'être ainsi, pas le nôtre. Nous respectons cela. *(Les colombes, III, 04–08–1990)*

E *st-ce que toutes les Âmes ont des étapes à franchir ? Par exemple, est-ce que toutes les Âmes doivent passer par les Entités mémères ou si, dépendant des choix qu'on fait, on peut prendre des chemins différents ?*

Vous parlez au niveau des formes ou des Âmes ?

Des Âmes.

Celles-ci ont toutes un but en commun. Rendre une forme consciente de leur présence de façon à ce qu'elle puisse vivre une vie partagée. C'est cela que nous appelons donnant, donnant. En effet, l'Âme vous redonnera toujours l'attention que vous lui aurez donnée; elle fera en sorte que les événements dans vos vies coïncident... comme par hasard ! C'est pour cela que nous vous disons qu'il faut retrouver votre simplicité. Nous ne répéterons jamais assez souvent ces paroles écrites il y a plus de 2000 ans : seuls les enfants verront Dieu. Les enfants n'ont pas l'instruction que vous avez; ils sont simples, ils perçoivent très bien cependant. Alors, le seul but qu'ont les Âmes, c'est de rendre les formes conscientes de leur présence et de faire en sorte que les formes les contactent aussi, pour qu'il y ait échange, pour que leur mission se termine aussi. Il y a de fausses croyances dans votre monde à savoir que les Âmes prennent plaisir à revenir et à revenir. Elles reviennent avec plaisir, bien sûr, mais dans le but d'atteindre un résultat. Lorsque le but est atteint, sauf de très rares exceptions, elles passent à un autre plan, à un autre monde, ou elles nous rejoignent; cela dépend d'elles. Lorsque les formes ont contacté leur Âme, elles ont beaucoup plus de portes ouvertes : elles peuvent contacter l'extérieur, d'autres Entités, et même des Cellules; cela dépendra de la demande. Rappelez-vous qu'à partir de maintenant, ce n'est plus avec des mots que vous devez apprendre à demander, mais en visualisant ce que vous voulez. Croyez que vous l'obtiendrez et vous l'aurez. *(Alpha et omega, III, 18–08–1990)*

*E*st-ce qu'il y a un but ultime que les Âmes, les Entités ou les Cellules recherchent ? Est-ce que c'est l'harmonie, le bonheur ?

Vous parlez au niveau d'une forme ou des Entités entre elles ?

Non, je veux dire dépassé ce stade-là, les Entités, les Cellules ou une Âme qui a déjà été incarnée, est-ce qu'il peut y avoir d'autres expériences sur d'autres plans ? Est-ce qu'elles peuvent se rejoindre dans un but ultime à atteindre ?

Outre la maîtrise parfaite des formes, de voir celles-ci parfaitement harmonieuses, créatives, à volonté, à souhait, il n'y a pas plus que cela à chercher, mais ces mondes existent. Ils sont avancés technologiquement soit, mais cela ne prime pas; ils utilisent cela pour leur bonheur uniquement. *(Alpha et omega, IV, 22–09–1990)*

Q uel est le but de la réincarnation ?

Les Âmes se servent des formes de façon répétitive jusqu'à ce qu'elles les maîtrisent bien. Le plus important dans cela, c'est que les formes utilisent et maîtrisent l'Âme aussi. Une vie complète, une vie réussie est une vie où l'Âme maîtrise bien la forme et où la forme se sert bien de l'Âme. Dans ce sens, il y a coopération. Dans un autre sens, l'Âme obtient la démonstration de son savoir, ce qui termine ses expériences d'incarnation ou lui permet de les continuer sur un cycle différent, beaucoup plus évolué que le vôtre. Votre forme y trouve son profit puisque l'Âme fera tout ce qui sera en son pouvoir pour influencer les événements de votre vie, pour qu'ils aient lieu. Donc, vos vies sont plus faciles, moins tourmentées. Vos Âmes sont des amies de grande valeur. C'est ce qui justifie les incarnations répétées. Il est très important, de votre côté, non seulement que vous sachiez cela, mais que vous fassiez les efforts nécessaires pour aller dans la direction de votre Âme. C'est donnant, donnant : ce que vous ferez dans sa direction, elle le fera dans la vôtre et cela vous aidera, soyez-en certains. Est-ce que c'est bien compris de vous tous ?

Non, je n'ai pas bien compris.

Partons du fait qu'il y a une Âme dans chacune de vos formes, et que ces Âmes choisissent l'expérience dans vos formes seulement pour prouver face aux autres Âmes, et surtout face à nous, qu'elles ont réussi à briser leur cycle d'incarnations. Pour que ce cycle soit brisé, nous avons imposé une règle. Lorsque les Âmes ont voulu s'incarner dans des formes physiques comme les vôtres et briser ce lien direct qu'elles avaient avec nous, nous leur avons posé une condition pour revenir : vu qu'elles voulaient s'exprimer dans vos formes, elles devaient non seulement les maîtriser mais aussi apporter la preuve que les formes le savaient. Lorsque c'est fait, lorsque cette complicité, ce mariage a lieu, il n'y a nul autre besoin de se réincarner si elles ne le veulent pas. Elles peuvent revenir avec nous et les autres Cellules, ou se réincarner dans d'autres mondes. Cela restera leur choix. *(Les flammes éternelles, II, 02–02–1991)*

E *st-ce qu'il y a des Âmes qui choisissent de vivre avec d'autres Âmes avec lesquelles elles ont déjà vécu ?*

Cela se produit régulièrement. Elles le font parce qu'elles n'avaient pas complété ensemble ce qu'elles devaient compléter. Ce n'est pas une obligation. Lorsque les Âmes choisissent de s'incarner ensemble, c'est parce qu'il y aurait ainsi de la facilité à passer une étape importante et parce que cela simplifierait aussi leur tâche. Il y a des vies où ce doit être planifié ainsi parce que les gens ont à vivre ensemble. (*Les flammes éternelles, II, 02–02–1991*)

Q *u'est-ce qu'un cycle ?*

Dans quel contexte... au niveau des Âmes ? Nous avons parlé de cycle en parlant de ce que les Âmes devaient vivre, du cycle ou des cycles qu'elles devaient entreprendre afin de maîtriser vos formes. Ce n'est qu'un fait, une réalité; il n'y a pas à redire à ce sujet. C'est un peu comme si vous nous disiez : à quoi serviraient les feuilles qui tombent à l'automne si elles repoussent au printemps. Cela aussi est un cycle. Si les feuilles ne tombaient pas, elles ne repousseraient pas et le sol ne serait pas enrichi. De même, s'il n'y avait pas de morts dans votre dimension, les Âmes ne pourraient revenir dans d'autres formes et évoluer un peu plus dans ce monde. C'est une forme de cycle, comme pour les feuilles, sauf que les guerres font tomber les formes plus vite. (*Les flammes éternelles, II, 02–02–1991*)

E *st-ce qu'on choisit le moment de s'incarner ?*

Tout à fait. Encore une fois, vous pensez comme une forme. Nous savons que vous êtes dans une forme. Rappelez-vous que de deux à trois mois avant la naissance, l'Âme programme la forme, mais que le contrôle est perdu. Tout ce qui est fait au début est fait. Nous avons, à de multiples reprises, comparé vos vies à de grandes pièces de théâtre, où vous aviez le choix d'être assis et de regarder les autres jouer leur rôle, d'être à monter les marches vers la scène ou de jouer votre rôle. C'est cela vos vies. Vivre son rôle n'est autre que de se laisser vivre avec toutes les influences extérieures et intérieures, les influences intérieures en premier pour que se réalisent vos pensées. Cependant, pour que les rêves se réalisent, comme tout dans votre vie d'ailleurs, il faut les garder dans votre pensée; puis il faut les imaginer comme si c'était la réalité et, enfin, le secret dans tout cela, lâcher prise. Donc, ce que vous devez faire, c'est de semer une idée très fortement au point de l'imaginer ou de la visualiser, ce qui est beaucoup plus que de la croyance, cela devient pratiquement de la foi. Une fois que c'est fait, lâchez prise. Donnez-lui une chance de se réaliser. Si vos rêves ne se réalisent pas actuellement, c'est parce que vous y pensez constamment. Plus vous y pensez, moins ils se réalisent. Et moins ils se réalisent, plus vous cherchez des portes de sortie, plus vous travaillez pour les réaliser, pour finalement vous apercevoir plusieurs mois après que cela se fait... mais vous l'aviez oublié. Toute pensée suit le même cheminement : cela équivaut à une demande. Demandez et vous recevrez. Cela vous a été dit, mais vous l'avez demandé à vos curés et ils n'ont fait qu'écouter et parfois pardonner, en faisant la même chose. Donc, c'est à vous qu'il faut demander. Demandez en croyant que vous aurez et vous aurez. Demandez en doutant et vous douterez. Si vous êtes en bonne forme, vous obtiendrez quand même, mais vous ne reconnaîtrez pas d'où cela provient et ce ne sera pas un gain pour vous. *(Maat, II, 01–12–1990)*

A *u moment où on trépasse, pourquoi choisit-on de revenir si on est bien là ?*

Vous parlez comme une forme, pas comme une Âme. Ce que vous voulez savoir, c'est pourquoi une Âme revient alors qu'elle est si bien dans son milieu. C'est parce qu'elle n'aura pas le choix de le faire. Il faut qu'elle complète son cycle d'incarnations. Elle a voulu une forme, il faudra qu'elle la maîtrise. Une fois qu'elle aura réussi à le faire, elle pourra revenir vers nous ou aller vers d'autres mondes où les Âmes maîtrisent bien leur forme. Ce sera son choix. Elle peut observer pendant des milliers d'années si elle le choisit, mais lorsqu'elle croit pouvoir réussir, elle tente sa chance. N'en faites-vous pas autant dans vos vies quotidiennes ? Elles ne sont pas plus idiotes, vous savez. Lorsqu'elles veulent maîtriser une forme, qu'elles s'en sentent capables, elles tentent leur chance. Il le faudra bien un jour ou l'autre, sinon elles ne feront qu'observer et elles ne profiteront pas des autres mondes, des autres niveaux. *(Maat, IV, 09–02–1991)*

*V*ous avez dit que les Âmes n'avaient pas le choix de venir prendre une forme, qu'elles devaient le faire. Alors, qu'est-ce que ça donne à une Âme de venir ici prendre la maîtrise de la forme ? Pourquoi d'autres prennent d'autres façons d'apprendre ce qui se passe dans des formes, comme vous les Cellules ?*

Parce que nous n'avons pas choisi de nous exprimer par des formes alors que les Âmes ont choisi la matière comme telle, par goût, par défi. Ce ne sont pas toutes les Cellules qui ont décidé de s'incarner, c'est ce qui fait la différence. Une fois que les Âmes ont décidé de le faire, que c'était réellement leur choix, nous n'y pouvions plus rien. Elles ont voulu faire ces essais, elles doivent les continuer, ne serait-ce que par respect pour vos formes. C'est aussi simple que cela, ne cherchez pas de complication dans tout cela. *(Maat, IV, 09–02–1991)*

*E*st-ce qu'il y a un avantage pour les Âmes de pouvoir faire cette expérience-là après être retournées à l'état « Âme » ?*

Leur avantage, c'est de réussir, parce que si elles ne réussissent pas, elles devront continuer de refaire cette expérience. C'est un gros avantage. C'est pourquoi elles y consacrent tant d'efforts. De pouvoir changer le monde pour pouvoir nous rejoindre, c'est la condition. Si elles ne passent pas à travers ce qu'elles ont commencé, elles ne nous rejoindront pas. Qui s'assemble se ressemble. C'est vrai même pour nous. Elles ont voulu avoir des formes, qu'elles s'y expriment ! Vous y trouverez vos avantages, elles y trouveront les leurs : c'est aussi simple que cela, pas besoin de grandes théories... vous appelez cela « fafiner », polir les raisons. Nous aimons mieux être directes. *(Maat, IV, 09–02–1991)*

travers les incarnations, est-ce que l'Âme progresse toujours ou peut-elle régresser ?*

Habituellement, lorsqu'une Âme a progressé dans une forme, il n'y a rien qu'elle ne fera pour ne pas avancer dans une forme future. Autrement dit, lorsqu'une Âme a évolué dans une forme, elle ne régresse pas dans une autre. De là l'importance d'agir au plus vite avec vos formes, de façon à les rendre très conscientes. Pas pour les formes qui auront plus tard l'Âme qui est maintenant en vous, mais pour le bien-être de votre forme actuelle ! Regardez ce que vous faites lorsque vous jouez à la loterie : vous prenez un billet au cas où vous gagneriez, vous essayez habituellement d'avoir l'intuition de prendre le bon billet, du moins vous faites ce qu'il faut pour cela, surtout dans les loteries qui vous donnent le choix. Les Âmes font la même chose. Lorsqu'elles prennent vos formes, elles croient réellement que ce sera la bonne forme, qu'elles réussiront à la maîtriser. Il n'y a pas une seule Âme qui, lorsqu'elle prend une forme, ne croit pas qu'elle aura du succès avec celle-ci. Sinon, qu'est-ce que cela lui donnerait de s'incarner sachant que cela ne se fera pas ? Pour s'amuser ? Oubliez cela. Elle croit réellement qu'elle réussira. Donc, elle croit en vous. À vous d'en faire autant ! *(Harmonie, III, 09–01–1991)*

*P*ourquoi *les Âmes, les Entités, ont-elles décidé de commencer à s'incarner et de ne pas toujours rester des Cellules ? Pourquoi ont-elles décidé de s'incarner dans ce monde-là ?*

Ne vous est-il jamais arrivé de trouver votre vie ennuyante ? De vouloir faire plus ? Regardez autour de vous, il y en a plusieurs qui pensent ainsi. Il en va de même pour les Entités. Elles étaient Cellules, elles en ont vu d'autres qui s'amusaient, qui apprenaient, et elles ont eu le goût de faire la même chose, de démontrer qu'elles pouvaient aussi créer. C'était leur choix, nous n'avons pas fait ce choix.

Pourquoi ce choix-là ?

Vos formes se sont multipliées aussi. Il y avait donc des demandes, des formes en attente, puis il y a eu des preneurs. Maintenant, vous en êtes à un point où vos vies ne sont pas toujours raisonnables, où votre technologie ne vous apporte pas tout ce que vous voulez, où vos formes supergâtées se retournent vers elles-mêmes et se demandent : « Est-ce la réalité ? Est-ce cela la vie ? » Cette forme [Robert] s'est déjà posé cette question. Plusieurs d'entre vous aussi. Nous vous l'avons dit, votre présence ici n'est pas un hasard, c'est un pas de plus encore une fois. Ne rendez pas les Âmes, ni les Cellules responsables de votre situation. Ce qu'il vous faut comprendre, c'est que vous avez le droit de profiter de votre Âme, sinon vous allez subir la vie, pas la vivre. Mais il vous faut faire les premiers pas dans ce sens. Vous avez encore une sous-question ?

> *En fait, tout ce qui se passe, toute la souffrance vient de ce que les Âmes ont commencé à s'incarner, ont fait des bêtises, en ont profité et paient pour leurs erreurs ?*

Oh ! que c'est généralisé. Si ça se passe ainsi, ne serait-ce pas plutôt parce que vous faites cela trop consciemment ? Ce ne sont pas vos Âmes qui ont inventé vos bombes ! Le problème, c'est que vous vivez trop consciemment. Trop ! Dans une collectivité réelle, intellectuelle, vous créez et vous vous donnez tout. Et tout ce qui vous semble simple est rejeté parce que trop simple. Il faut que ce soit plus compliqué, sinon les gens comprendraient plus rapidement, n'est-ce pas ? Donc, tout est de plus en plus compliqué, et vos formes sont de plus en plus stressées; elles agissent d'elles-mêmes. Nous l'avons dit, nous n'avons pas honte de le dire et nous vous le confirmons : il y a effectivement perte de contrôle de vos formes de notre part, et même de la part des Âmes dans vos formes. Elles n'ont plus de contrôle, elles n'arrivent plus à maîtriser vos formes. Au moins il y avait une chance lorsque vos religions vous tenaient, cela vous forçait à entrer en vous-mêmes, à vous poser des questions. Maintenant, tout semble permis. Les criminels n'existent plus. Le bien et le mal sont de plus en plus difficiles à différencier puisque ce qui était bien auparavant peut tout aussi bien être mal actuellement et ce qui était mal il y a cinq ans peut être bien aujourd'hui. Une mutation complète se produit actuellement. En fait, elle a commencé il y a plus de 60 de vos années, mais elle est plus qu'accentuée actuellement. Vous croyez avoir tout vu de la violence ? Vous n'avez rien vu ! Encore sept de vos années [jusqu'en 1998] et vous en verrez de toutes les couleurs. Nous avons appelé cette période l'automne de vos vies. Plusieurs vont mourir. Vous croyez avoir tout vu dans le domaine des maladies ? Surprise : deux autres maladies attendent de se manifester et elles seront plus radicales encore que le sida, plus rapides; la deuxième ne prendra que sept jours pour entraîner la mort, sans espoir de rémission. C'est ce dont vous vouliez nous parler ? Des pleurs, des souffrances ? Nous voyons, mais que pouvons-nous faire ? Vos formes ne sont pas maîtrisables. Ce n'est pas pour rien qu'il y a des sessions actuellement dans ce monde. Vous êtes l'essence. Cela commence par des embryons; considérez ces sessions comme des embryons. Un choix vous est offert. Vous voulez changer ce monde ? C'est en vous changeant que les autres verront le changement. Le changement ne se fera pas par la parole, il va se faire par l'exemple. Donc, effectivement, il y aura encore plusieurs de vos formes qui disparaîtront, qui n'auront pas la force ni la volonté de continuer, qui ne seront pas maîtrisables. Il faut que cela se fasse, sinon vous allez vous entre-détruire de plus en plus. Dans votre monde, vous avez choisi de le démontrer physiquement en polluant la nature et même l'eau, cette soupe chimique !... Vous savez, ce ne sont pas les Cellules qui ont pollué vos cours d'eau mais vos formes déraisonnables qui croyaient tout possible. Cela n'a plus de sens : c'est pour cela que vous cherchez à comprendre actuellement. Que des formes s'éliminent d'elles-mêmes ? Certainement. Mais regardez comment vous agissez ! Vous cherchez toujours à comprendre lorsqu'il y a douleur. Lorsque ceux que vous aimez meurent, vous cherchez à vous accrocher à l'intérieur, vous cherchez à comprendre. Vous ne vous préoccupez plus alors de vos véhicules ni de vos maisons, et vous comprenez que vous aimiez. N'avez-vous jamais observé qu'il est plus facile de dire à ceux que vous venez de perdre que vous les aimiez, que de le leur dire lorsqu'ils sont vivants. Vous leur donnez des fleurs lorsqu'ils sont morts, mais aucune lorsqu'ils vivent. Observez, vous verrez. Ce qui devrait être une fête, une ouverture, un partage, se termine par des pleurs et plusieurs formes de culpabilisation. Est-ce mieux compris maintenant ? *(Symphonie, I, 06–04–1991)*

*E*st-ce vraiment nécessaire à l'homme d'atteindre une évolution de transcendance pour finir le cycle d'incarnations ?

Mais ce n'est pas l'homme qui vivra cela, c'est l'Âme lorsqu'elle maîtrisera votre forme. Pour cela, vous n'avez pas besoin d'être de faux saints, pas besoin d'être crucifiés non plus, juste d'être vous-mêmes. La journée où vous ferez ce qu'elle veut, que vous serez heureux d'être comme cela, que vous ne maudirez pas chacun de vos jours, que vous ne serez pas malheureux de vous réveiller le matin, vous saurez qu'elle est heureuse puisque vous le serez vous aussi. Ne vous posez pas de questions. Ne vous demandez pas si votre Âme en est à sa dernière incarnation, ce n'est pas cela qui compte. Ce qui compte, c'est de savoir si votre incarnation actuelle vous plaît ou non et, si elle ne vous plaît pas, de le lui dire et de prendre les moyens pour qu'elle vous écoute. Vous avez en grande partie choisi cela avec nous. Vous allez voir, nous passerons le balai. En fait, transcender quoi ? vers quoi ?

> *Que l'Âme puisse transcender son corps au point de vue énergie, de devenir lumière, de devenir Cellule.*

Mais elle est déjà cela. Pourquoi le demanderait-elle ? Elle peut, si elle le veut, quitter votre forme quand elle le souhaite mais elle ne le fera pas, par amour pour vous, par amour pour elle-même aussi, par respect pour son choix, par respect pour vous. Mais si elle le voulait réellement, elle le ferait. C'est de penser à vous qui compte. Votre Âme fera son chemin à travers cela. Plus vous serez heureux, plus elle le sera parce que vous ferez ce qu'il faut pour qu'elle le soit. C'est cela le donnant, donnant : vous donner pour lui donner. Elle donnera et elle recevra, et vous en serez bénéficiaire, vous pouvez en être certain. L'erreur serait de trop vivre l'intérieur, de ne pas assez vous fier à ce qu'elle a à vous apporter et de vouloir, vous, la changer. Il faut bien comprendre cette distinction : lorsque votre forme cessera de vivre, lorsque les cellules qui la composent ne vivront plus, l'Âme continuera, pas votre forme. N'est-il donc pas important de vivre votre vie lorsque vous êtes vivants tout en profitant de ce qu'elle est, sachant qu'elle profitera de votre forme de toute façon ? Demandez et vous recevrez, vous a-t-il été dit. Vous avez tous demandé à l'extérieur de vous. Il avait été oublié de mentionner : demandez-*vous*-le. Donc, vous avez demandé à l'extérieur et vous attendez encore. (*Renaissance, I, 14–09–1991*)

E st-ce qu'on peut revenir juste pour le plaisir de revenir ?

Ce fut permis dans le passé mais plus maintenant. Nous ne sommes pas ici, dans cette expérience, pour nous amuser avec des

Âmes qui s'amusent à revenir jouer. Ce n'est pas le cas. Au contraire. *(Le fil d'Ariane, IV, 14–12–1991)*

Q *uel est le sens d'avoir à vivre plusieurs vies si on part du principe que le karma n'existe pas ?*

Que se passe-t-il dans le monde de l'enseignement lorsqu'un élève ne fait aucun progrès, reste à la même place, n'étudie jamais ? Que se passe-t-il lorsque la fin de l'année arrive ?

Il double.

Et lorsqu'après avoir doublé, il refait la même chose encore une fois, que lui arrive-t-il ?

Dans le système d'éducation actuel, on ne peut pas le faire tripler.

Mais cela se faisait autrefois ! C'est la même chose avec vos Âmes. Certaines sont plus pressées que d'autres; d'autres sont forcées d'être pressées parce que les formes les y poussent. Dans certains cas, cela se voit. Vous devez comprendre une chose aussi : lorsque les Âmes ont choisi de s'incarner dans des formes physiques, elles l'ont fait par goût, par défi. Cela ne veut pas dire pour autant qu'elles sont pressées; certaines le sont, d'autres moins; d'autres veulent aboutir, ce qui est le cas de la majorité des Âmes ici présentes. Le but des Âmes a toujours été le même. Pour terminer leur expérience, elles doivent faire en sorte que la forme le sache et en profite. Tant et aussi longtemps que cela ne sera pas compris, elles vont refaire des cycles. Ce n'est pas une punition pour elles; elles n'ont pas à punir les formes. Tout au contraire, elles font cela par goût, mais il y en a qui sont paresseuses comme certaines de vos formes. N'y voyez pas des punitions; n'y voyez pas des occasions de voir les réactions des formes qui se punissent elles-mêmes. Elles n'iront nulle part avec cela. Croyez-nous, ces jeux ne fonctionnent plus pour elles non plus; il n'y a plus de temps à perdre à ce niveau. Vous n'avez pas besoin de vos Âmes pour vous punir. Lorsque vous voulez le faire, vous le faites très bien vous-mêmes. *(Nouvelle ère, II, 23-03-1992)*

J *'aimerais que vous nous parliez du XIVe dalaï-lama. Est-ce toujours la même Entité qui se réincarne ?*

Nous avons observé ce personnage très controversé actuellement. Il ne s'agit pas d'une Entité qui se réincarne de façon répétitive pour retransmettre des enseignements qui sont continuellement sans changement. Ce serait aussi ennuyant pour cette Entité que pour vous de toujours faire le même travail. Souvenez-vous, nous avons dit que les Cellules ne choisissaient plus de forme, sauf dans de très rares exceptions. Elles ne s'en mêlent plus et elles ne s'en mêleront pas tant qu'il n'y aura pas retour des Entités vers les Cellules. Voilà qui élimine la possibilité de Cellules dans cette personne. La réalité est que cette Entité en est à sa dernière incarnation physique. Elle ne reviendra pas par masochisme. Les connaissances acquises très jeunes par ces personnages font en sorte qu'ils jouent bien leur rôle mais aussi qu'ils comprennent bien toutes les études passées que ce soit sur leur religion ou sur les méthodes de conviction et de güérison ou d'autres méthodes. Les gens choisis pour jouer ce rôle ne sont pas tous de la même famille. Ces descendances se font par choix, par sensation de choix. On doit percevoir une Âme suffisamment forte pour pouvoir maîtriser une forme et pouvoir donner l'enseignement à cette forme pour maîtriser son Âme. Si nous vous avions appris, dès votre naissance et à tous les jours, des enseignements différents et très progressifs, vous seriez un personnage aussi ou même plus important que lui et vous auriez la conviction en vous-mêmes d'être des nôtres; cela déteindrait sur vous. Avec ces millions d'années écoulées, il est normal que ce personnage ait une image différente, qui peut sembler plus élevée pour d'aucuns, dans certains cas. Vous ne devez pas oublier que ce personnage a aussi un bagage d'éducation très conventionnel, un titre de docteur. Cela ne s'est pas appris dans un monastère. Le meilleur conseil que nous pouvons vous donner est de cesser de voir à l'extérieur les images que d'autres ont bien voulu vous faire percevoir. C'est pour cela qu'il y aura cette fin de semaine. Pour bien vous faire prendre conscience de vous-mêmes. Plus vous le souhaiterez, plus cela se réalisera car ce que vous voulez réellement, ce n'est pas de convaincre le conscient mais de convaincre votre Âme, ce qui est beaucoup plus profond. *(Les chercheurs de vérité, III, 17–03–1990)*

P ourquoi autant d'incarnations ?

Pourquoi, lorsque vous faites une erreur, la refaites-vous deux fois, trois fois ? Pour apprendre à ne plus la faire. Vos Âmes choisissent habituellement d'autres incarnations après observation. Les Âmes en observent d'autres. Pas une seule forme ici n'a pas, à un certain moment de sa journée, des Entités qui l'observent pour voir comment elles s'y prendront elles-mêmes. Elles apprennent comme vous apprenez dans les écoles. Elles n'ont qu'un seul but, qu'un seul souhait, que vos formes deviennent vraiment conscientes de leur existence et que vous soyez deux à vivre cette vie, que ce ne soit plus les autres qui la vivent à votre place. Nous comprenons que certaines formes sont très bien dirigées par des Âmes, qu'elles s'expriment très bien et même mieux ! Nous admirons cela aussi. Nous avons toujours admiré les arts parce qu'ils sont des portées supérieures à la conscience elle-même. Lorsque vous utiliserez votre talent de peintre — vous-même pourriez être un compositeur tellement il y a d'idées dans votre tête —, vous comprendrez ce que nous disons. Vous vous exprimerez non plus seulement pour vous, mais pour votre Âme, et cela vous rendra différente. Vous savez quels sont les pires peintres ? Ceux qui peignent avec leurs yeux. Les meilleurs ? Ceux qui peignent avec leur coeur et qui ne sont pas conscients. Cela fait une grande différence. C'est ce qu'ont fait ceux qui ont réussi. *(Diapason, I, 21–03–1992)*

D ans cette vie-ci, est-ce qu'on peut demander à son Âme d'évoluer plus rapidement dans la prochaine vie ?

S'il y a prochaine vie ! Autrement dit, si vous complétez la mission actuelle, il n'y en aura pas d'autre. D'un autre côté, ce que vous faites actuellement, c'est aussi d'accélérer cette compréhension. *(Harmonie, III, 09–01–1991)*

L e contact que nous avons fait avec notre Âme dans cette vie-ci, ce que nous avons fait avec vous, est-ce que ce sera tout à recommencer dans une vie prochaine ?

Tout dépendra de la forme que l'Âme pourra trouver. C'est pourquoi nous vous disons de ne pas baser vos vies actuelles sur vos vies futures. Réussissez-les actuellement. Si votre vie est réussie actuellement, il n'y en aura pas d'autres. S'il y a place dans votre esprit, dans votre conscience, pour vous dire : « Je ne suis pas certaine de réussir, mais si ça ne se fait pas dans cette vie-ci, ce sera dans la prochaine. », ne serait-ce qu'une toute petite place, c'est que vous acceptez de croire que vous n'aurez pas la force de réussir. Cela va vous donner des limites de comportements, des limites d'agissements, ou des limites tout court. Visualisez plutôt votre vie actuelle comme étant réussie. Voyez-vous déjà heureux et vous le serez, pas dans une vie prochaine mais dans votre vie actuelle. Déjouez nos statistiques. Nous ne demandons pas mieux que cela. Si vous réussissez à terminer votre cycle, nous ne perdrons pas la face parce que nous vous avons dit [qu'il vous restait] 10 vies. Au contraire, vous nous démontrerez votre force et cela va nous encourager à vous aider encore plus. *(Le fil d'Ariane, IV, 14–12–1991)*

*P*ourquoi avez-vous dit que j'avais une Âme avec beaucoup d'expérience ?

Le but général de votre vie est d'observer, de faire le point. Vous irez à plusieurs endroits, vous comparerez ce qui se fait ailleurs. Ce qui vous énerve dans la vie, c'est la rapidité des changements. Pour vous, l'idéal serait de vous rendre dans un endroit éloigné pour vous ressourcer et mieux comparer. Prenez votre rôle comme neutre, un rôle d'observateur. Dans votre vie, tout ce qui est complexe vous tombe sur les nerfs. *(Les pèlerins, I, 27–01–1990)*

*E*xpliquez-nous ce qu'est une Âme ancienne ?

Une Âme ancienne, c'est une Âme qui a beaucoup d'expérience. Une Âme ancienne peut avoir seulement 200 incarnations, comme elle peut en avoir 3000 ou 10 000. Vous avez employé un terme que nous employons lorsque nous mentionnons l'expérience d'une Âme. Rappelez-vous, l'ex–périence. Pour nous, c'est une forme d'Âme ancienne. *(Les pèlerins, III, 05–05–1990)*

C omme vous avez dit que tous ici avions plus de 1000 vies, sommes-nous de vieilles Âmes ?

Il y a des Âmes qui ont eu 30 vies et qui sont très vieilles parce qu'elles ont observé et se sont incarnées dans un but valable, pas juste pour s'amuser, pas juste pour au cas où elles réussiraient. Donc, le nombre de vies ne veut rien dire. Vous pourriez avoir 4000 vies et être effectivement une vieille Âme ou être une jeune Âme inexpérimentée n'ayant pas choisi des formes adéquates ou très gourmandes de vos vies. *(Les flammes éternelles, I, 24–11–1990)*

Q ue veut dire Âme expérimentée ?

Des Âmes qui ont vécu plusieurs centaines d'incarnations. *(Maat, I, 09–11–1990)*

J 'aimerais revenir aux vieilles Âmes. Au début, vous avez dit que c'était mon cas : comment l'utiliser ?

Dans le sens de la sagesse comme telle. Pour en profiter, il faut la laisser agir. Laissez-la s'exprimer à travers votre forme, c'est pour cela que nous disons que vous avez des formes, et non des corps. Une vieille Âme trouvera toujours le moyen de s'exprimer avec sagesse. Votre forme pourrait très bien la laisser s'exprimer. Vous allez avoir plus confiance, plus de termes sages, plus de réponses à tout. La vie, pour une personne qui a une vieille Âme, ne se subit pas, elle se vit avec assurance; elle ne se vit pas avec poids. Il y a beaucoup d'avantages à cela. *(Les Âmes en folie, II, 18–05–1991)*

Q uand il y a un enfant qui naît, comment savoir si c'est une jeune Âme qui débute ou une ancienne ?

Qu'est-ce que cela peut vous faire ? Que cette Âme soit jeune ou ancienne, qu'est-ce que cela change ?

Rien.

Rien, puisqu'elle y sera tout de même. Ce qui compte cependant, c'est qu'elle soit utilisée de telle sorte que cette forme se souvienne. Le nombre d'incarnations ne sert qu'à vos egos... Qu'une

Âme soit ancienne ou non n'a aucune importance. Nous avons observé des Âmes qui, après seulement une dizaine d'incarnations, ne sont plus retournées dans votre monde alors que d'autres ont plus de 2000 ou 3000 incarnations et n'y arrivent toujours pas. Donc, ce n'est pas le nombre d'incarnations qu'il faut justifier, mais ce que l'Âme aura reçu et ce qu'elle donnera. Il n'est pas important de savoir ce qu'il y a dans l'enfant, mais de faire en sorte que l'enfant perçoive, qu'il garde l'amour autour de lui, qu'il puisse vous percevoir. Sinon il sera comme les parents; il développera sa propre façon de percevoir la vie, sans comprendre qu'il n'a pas besoin de travailler autant pour tout avoir. Il sera donc en recherche constante. *(Nouvelle ère, I, 29-02-1992)*

*J*e voudrais savoir s'il y a des Âmes qui sont obligées de venir dans des formes, que ce soit contre leur volonté ?

Aucunement. Sauf qu'actuellement, les Âmes sont plus choisies que jamais. Il faut qu'il y ait changement dans votre monde actuel. Nous trouvons que la souffrance a déjà pris suffisamment de place. Nous croyons qu'il faut des Âmes plus évoluées et que les autres observent. *(Harmonie, III, 09–01–1991)*

*E*st-ce qu'il y a un tour de rôle pour les Âmes à venir ? Est-ce que c'est chacune leur tour ou bien un choix ?

Nous l'avons dit très clairement aux autres groupes. Il fut un temps où la maîtrise de vos Âmes sur vos formes était quand même très bonne, mais actuellement ce n'est plus le cas; c'est plutôt le contraire. Vos formes se sont développées beaucoup plus rapidement que nous ne l'avions prévu, et pas dans le sens que nous l'avions prévu non plus. La grande majorité de vos cerveaux croient pouvoir tout planifier, être en possession de la forme elle-même; ils se referment aux ouvertures et même à des intuitions simples, ce qui fait que l'Âme ne peut pas toujours vivre dans vos formes et que vous allez de mauvaise expérience en mauvaise expérience. Nous ne sommes pas dans cette forme [Robert] juste pour le plaisir. Nous ne nous étions jamais mêlées de cette dimension sauf que, dans les temps actuels, si nous laissions faire tout cela, il y aurait plus que de l'exagération. Des Âmes inexpérimentées, il y en a encore, sauf qu'elles seront de plus en plus restreintes. Elles devront observer plutôt que de jouer leur rôle dans une forme jusqu'à ce qu'elles aient mieux compris les manières de maîtriser la forme. Pas pour la posséder elle-même, mais pour faire ce qu'elle aurait toujours dû faire : s'exprimer. Vous n'avez aucune idée de ce que pourraient être vos vies si vous pouviez utiliser votre Âme, aucune idée. Que vous vous compliquez donc la vie ! En cela, vous êtes tous passés maîtres. Nous allons bientôt donner un coup de balai dans cela. *(Le fil d'Ariane, I, 28–09–1991)*

*C**omme l'Âme décide de se réincarner, est-ce qu'elle peut choisir une époque passée ou future ?*

Elle ne choisira pas une époque passée, mais une époque présente ou une époque future. Les Âmes ne sont plus seules à décider de leur incarnation maintenant, étant donné que le nombre de vos formes est plus restreint sur certains continents. C'est la même chose dans leur dimension. Elles se choisissent entre elles selon leurs chances de réussite. Cela se passe de plus en plus dans ce sens. Elles ont compris que, si elles ne peuvent terminer une expérience, elles doivent céder la place à une autre. Donc, ces incarnations répétées inutilement n'auront plus lieu, sauf dans certains pays, mais ce sera très limité. Pas dans le continent actuel du moins. Disons qu'elles sont sélectives. *(Le fil d'Ariane, IV, 14–12–1991)*

*E**st-ce qu'on se réincarne toujours dans le même sexe ?*

Absolument pas.

On entend toujours dire : « C'est un homme et il s'est réincarné dans un autre homme. »

Ce n'est pas une règle. Pour une Âme, ce critère est le dernier en importance dans son choix de forme.

Puisqu'une Âme met tout en place avant de se réincarner...

Mais tout de même pas le sexe ! Vous souhaiteriez cela ? Et si toutes les Âmes voulaient être dans des corps de femmes, qu'arriverait-il ?

J'ai ma réponse.

Vous n'avez qu'à regarder ces endroits où il n'y a que des femmes qui travaillent. Ce n'est pas encore l'harmonie. Elles ont toutes des Âmes cependant ! Le sexe n'a vraiment rien à voir avec cela. *(L'envol, IV, 30–05–1992)*

Q*uand l'Âme termine-t-elle le cycle des incarnations ?*

Lorsqu'elle a fait vraiment la preuve, devant nous, qu'elle maîtrise bien la forme et que la forme en est consciente. Ce sont les seules preuves : que vous soyez conscients, que vous l'admettiez et qu'elle-même le sache. En d'autres termes, quand les deux se comprendront pour faire un. Cela peut se faire, même si nous disons à certaines personnes qu'il leur reste encore 20, 30, 100 ou 200 vies, peu importe. Si, dans une même vie, il y a virement de situation, ce sera tout de même la dernière vie si l'Âme le souhaite. Cela ne veut pas dire qu'elle voudra nous rejoindre pour autant. Elle pourrait rejoindre une autre dimension physique qu'elle aura eu le loisir d'observer et qui lui plaira. Ce sera son choix; nous ne l'obligerons pas. Mais, dans votre cycle actuel, tant que l'Âme n'aura pas compris cela... Elle sait très bien ce qu'elle doit faire d'ailleurs. Mais de maîtriser vos formes n'est pas chose facile. Et que vous maîtrisiez l'Âme ne l'est pas non plus. Le premier pas à faire, il y a une personne ici qui vous l'a signifié. Il est certain que cette personne va vouloir aller plus loin : non pas remercier son cerveau, mais vouloir trouver d'où vient cette énergie. Comment utiliser davantage cette énergie ? Voilà ce que seront ses prochaines recherches. Elle le comprendra bientôt. Cela va l'amener directement à l'Âme. Elle va s'y appuyer, va lui faire confiance. Ce faisant, l'Âme va tout faire pour qu'elle soit heureuse aussi. C'est aussi du donnant, donnant. Si votre Âme maîtrise bien toute cette technique, elle aura effectivement réussi son coup et votre forme vivra heureuse. Ce n'est pas plus compliqué que cela. Ne cherchez pas les 8 ou 10 corps ésotériques. Foutaise que tout cela ! Vous en avez assez d'un physique. *(Le fil d'Ariane, IV, 14–12–1991)*

*Q*uand sait-on que c'est notre dernière vie ? Est-ce qu'il faut atteindre un certain niveau ?

L'abandon de soi, la confiance totale dans la vie. C'est habituellement facile à discerner. C'est la journée où vous vous direz : « Je n'ai plus peur, ce qui doit arriver va quand même arriver » et où cela arrivera; la journée où vous aurez l'amour autour de vous et où vous pourrez en donner aussi; la journée où vous cesserez de penser que ceux qui vous quittent vous quittent; la journée où vous serez bien avec vous-mêmes, sans aucun regret. Vous le saurez. Il arrive aussi, dans la majorité des cas, que cela se fasse au décès même, dans ces quelques instants où l'Âme quitte la forme et où la forme se rend compte qu'elle a compris. Ici encore, il y a des cas différents. Cela pourrait être aussi lorsque vous sentirez qu'en vous il y a réellement la vie et que vous aurez le goût de retransmettre cela. Prenez la forme devant vous [Robert], elle n'est pas parfaite. Elle fait beaucoup d'exagération, du moins dans la nourriture : c'est une blague, car son Âme n'est pas préoccupée par ce qu'il mange; nous le sommes beaucoup plus. Cette forme a compris une chose et elle en est tellement certaine que c'est devenu la foi : elle a fait ce qu'elle devait faire, elle rend ce qu'elle doit rendre, elle ne garde pas ses connaissances pour elle, elle les retransmet et à tous les niveaux. Vos formes ne sont pas faites pour faire cela [transe], il faut les modifier beaucoup. Nous ne vous disons pas que vous devrez tous faire cela, nous tentons seulement de vous faire comprendre l'idée d'abandon, de confiance. Cette forme [Robert] a-t-elle eu des épreuves ? Elle en a eues. L'avons-nous testée ? À de multiples reprises. Nous ne le faisons pas inutilement. Donc, l'abandon de soi est aussi une des règles. Dans son cas, il s'agit de la foi dans ce qu'il fait. Nous ne pourrions le faire si son Âme ne nous avait pas autorisées à le faire. Comme il s'agit de sa dernière incarnation, comme il a compris ce qu'il devait comprendre et comme le contact avec son Âme s'est très bien fait, nous avons pu accéder à cette forme, malgré Robert qui a encore beaucoup de volonté consciente. Nous savions qu'il allait y venir. C'est la même chose dans vos vies. Vous pouvez vous battre pour que tout se passe comme vous le voulez consciemment, vous pouvez vous en faire, vous pouvez boire pour oublier, manger pour étouffer vos formes, peu importe ce que vous ferez pour vous justifier. Peu importe ce que vous ferez pour justifier l'état de survie. Il y a une force que vous ignorez et celle-ci est beaucoup plus forte que vous ne pourrez jamais imaginer. (*Harmonie, I, 17–11–1990*)

Q *ue doit-on comprendre pour arrêter le cycle d'incarnations et retourner vers les Cellules ?*

Vous parlez en tant qu'Entité ou en tant qu'être humain ?

Quelle est la différence ?

Si vous parlez en tant qu'être humain, ce n'est pas d'arrêter de vivre mais de vivre. Si vous parlez en tant qu'Entité, c'est de pouvoir vous exprimer plus pleinement dans une forme, totalement.

Qu'est-ce que je dois atteindre en tant qu'Entité pour cesser le cycle d'incarnations et avoir le choix de redevenir Cellule ?

Nous avons répondu à cela en premier dans cette session en vous disant que le seul et unique but de vos Âmes était de rendre vos formes pleinement conscientes de leur existence et, en plus, de faire en sorte que vous les utilisiez. Donc, d'admettre des deux côtés. Lorsque nous observerons que ce but est atteint, nous donnerons l'autorisation de revenir vers nous. Sinon, les Âmes doivent refaire l'expérience. Elles ont voulu cette expérience, elles doivent la compléter. C'est bien suffisant ! Vous verrez, ce n'est pas si simple. La forme devant vous [Robert] fait cela. Nous n'aimons pas qu'elle compare son travail avec nous à celui d'un chauffeur de taxi car nous trouvons cela diminutif, mais nous respectons ce qu'elle pense d'elle. Nous savons que, pour qu'elle fasse ce travail, il aura fallu qu'elle comprenne, qu'elle se donne. C'est la même chose pour l'Âme dans cette forme. Nous n'aurions pu faire ce travail si elle nous l'avait défendu. Rappelez-vous : toutes les mêmes. Nous savons qu'elle a compris, que cette forme a compris. Nous ne disons pas que vous devez tous devenir comme cette forme [Robert], mais lorsqu'un tel échange se fera dans votre vie, lorsque vous créerez de la même façon, vous aurez compris cela. (*Diapason, I, 21–03–1992*)

*A*ctuellement, est-ce qu'il y en a beaucoup pour qui c'est leur dernière vie ?

En pourcentage, pas plus de 3 %, mais cela en fait quand même plusieurs. Cela devrait aller en augmentant. *(Maat, IV, 09–02–1991)*

*L*ors de la première session, vous avez dit que certains étaient dans leur dernière vie, qu'ils avaient une vieille Âme. Est-ce que c'est important de savoir cela pour notre développement maintenant, pour apprendre à vivre ?

Ce pourrait être important dans un sens parce que, si vous savez que c'est votre dernière vie, vous voudrez qu'il en soit ainsi et vous voudrez profiter de l'expérience qu'a votre Âme. Nous mentionnons souvent la règle du donnant, donnant. Si votre Âme a dit que c'était votre dernière vie, c'est qu'elle a réussi ce qu'elle voulait. Il est important de savoir que, si vous lui avez donné cela, vous pouvez exiger d'elle aussi et faire ce que vous voulez. C'est important. Qu'une Âme soit très ancienne, c'est une bonne chose pour certaines personnes, car elles auront plus de connaissances si elles le veulent et elles pourront y puiser. Les raisons sont multiples. Nous n'avons pas dit cela à tous, seulement à certaines personnes pour qui c'était nécessaire. À d'autres, nous avons mentionné des influences de vies passées ou d'une vie passée pour qu'ils se reconnaissent, qu'ils sachent ce qu'ils vivent et ce qu'ils devront vivre. Sachant cela, ils pourront modifier. Nous ne prononçons pas de termes pour rien. Si nous faisons cela, c'est que la personne concernée l'utilisera et vous êtes libres d'entendre ou non. *(Les Âmes en folie, II, 18–05–1991)*

*E*st-ce qu'on peut décider que notre vie actuelle sera notre dernière vie ?

Il vous faudra beaucoup de volonté, dans le sens de la compréhension, du rejet total de toutes ces valeurs que vos sociétés vous ont imposées. Toutes ces impositions ont moulé vos caractères. Rappelez-vous seulement la signification des couleurs. Si vous êtes bien, oubliez tout cela et ne donnez aucune valeur à cela. Si votre Âme a aussi, selon les incarnations, vécu ce qu'elle devait vivre, qu'elle maîtrise bien votre conscient ou votre forme et que la forme peut la percevoir, votre question n'aurait pas lieu d'être puisque ce serait effectivement votre dernière incarnation. Les premières paroles de cette session ont été dans le même sens, lorsque nous avons expliqué le but de vos vies. Pouvons-nous vous suggérer que, si vous posez cette question, c'est que votre évolution est suffisamment avancée, que vous le comprenez déjà ? (*Les chercheurs de vérité*, IV, 21–04–1990)

*V*ous avez dit que, lorsqu'une personne avait deux ou trois vies à vivre et qu'elle faisait le contact avec son Âme, elle en était en fait à sa dernière vie. S'il lui restait deux ou trois vies, va-t-elle vivre les expériences de ces vies dans ce qu'il lui reste d'années à vivre dans cette vie-ci ?

L'Âme tentera de résumer tout cela, mais elle ne perdra pas de terrain, comme vous dites. Elle ne perdra pas un pouce de l'expérience acquise parce qu'une fois son contact établi, elle cherchera absolument à ce que la forme obtienne le mariage avec elle et, lorsque ce sera acquis, elle tentera premièrement d'aider la forme pour la remercier, de faire en sorte que ses jours soient plus doux, plus faciles, et deuxièmement de vivre à travers cela des expériences pour elle-même. C'est sa façon de se remercier elle-même. Avons-nous répondu à cela ? Redévelopper encore votre question.

Donc, dans les trois vies qu'il lui restait...

Plutôt que d'employer ces termes, dites-vous plutôt que c'était trois vies dont l'Âme croyait avoir besoin pour bien réussir la maîtrise d'une forme qu'elle avait choisie. Si ce n'est plus nécessaire, cela ne l'est plus. Il n'y a pas de karma dans cela, pas besoin de revivre trois vies de plus pour passer à des expériences qu'elle avait mal maîtrisées. C'est le but final qui compte, uniquement. Donc, lorsque l'Âme a atteint ce point, il ne s'agit pas pour elle de remaîtriser davantage la forme puisque c'est déjà fait. C'est ce qui lui permettra d'accéder à d'autres niveaux et de faire son choix. (*Alpha et omega*, IV, 22–09–1990)

*C*omment agir pour aller vers notre dernière vie ?

Plus vous serez conscients de la réalité de l'Âme, plus vous serez capables de la percevoir en vous, et plus vous serez capables de croire que c'est elle qui fait que tout va bien dans vos jours. Cela demande beaucoup de foi; cela demande aussi de mettre l'orgueil de côté plus souvent qu'à son tour. L'automatisation de vos vies... sinon vous allez trouver vos vies fort ennuyantes. Des groupes comme ceux-ci se forment justement pour briser l'actuel, pour ramener le conscient vers une dimension qu'il apprendra à accepter. C'est aussi le but de notre cours avec vous : vous faire admettre avec facilité, sans vous casser la tête... *vous* admettre et admettre l'Âme, et pas seulement avec des mots mais dans vos quotidiens. *(Nouvelle ère, III, 02-05-1992)*

*Q*uelles sont les caractéristiques d'une personne qui en est à sa dernière incarnation ?

C'est généralement une personne qui, au niveau physique, n'arrive pas à rester au même endroit une seule journée; c'est une personne qui veut tout voir et qui, tout au long de sa vie, n'arrive pas à se rattacher à une seule personne, mais à des centaines s'il le faut. Ce sont des gens universels, des gens qui voyagent beaucoup, qui aiment tout le monde, qui s'attardent à tout le monde et qui n'ont aucune crainte de mourir. La forme devant vous [Robert] est comme cela; elle n'a aucune crainte non plus. Nous n'avons pas besoin de lui rappeler qu'elle ne vivra pas très vieille. Elle le sait déjà. C'est déjà dans sa programmation depuis sa naissance. Les seules fois où cette forme s'est cassé la tête, c'est quand elle résistait... pour finir par comprendre que cela ne valait pas la peine de résister. D'ailleurs, cette forme apprendra deux fois plus vite, surtout dans les prochains mois. Nous la forcerons à cela. Nous n'avons pas le choix, car vous devez vous aussi apprendre rapidement. Vous ne le ferez pas comme le font les autres, mais avec plus de vécu, de façon à ce qu'il y ait moins de mots et que vous ressentiez cela. Notre but n'est pas de faire en sorte que vous ayiez à prendre un dictionnaire pour comprendre chacun de nos mots; nous aurions pris une forme plus intellectuelle si cela avait été le cas. Nous souhaitions au contraire un cerveau capable de vous retransmettre avec plus de simplicité. Là aussi nous savons faire nos choix. *(Nouvelle ère, III, 02-05-1992)*

*Q*ue fait l'Âme après sa dernière incarnation ?

Elle a le choix. Elle peut retourner dans une autre forme, aller dans un monde plus évolué ou revenir avec nous, les Cellules. Elle gardera conscience de chacune de ses expériences. Certaines Âmes peuvent avoir seulement 3 incarnations et d'autres, 2000. Une Âme expérimentée est une Âme qui est consciente de sa réalité. Lorsque vous voyez des gens dans la société qui travaillent moins, vous dites qu'ils sont paresseux. Il y a aussi des Âmes qui sont paresseuses. Cela explique le retour répété d'une Âme, ses multiples réincarnations. Il y a actuellement plusieurs Âmes capables d'aider les autres à prendre conscience de la réalité. *(Les pèlerins, I, 27–01–1990)*

*Q*uand une Âme fait sa dernière vie dans ce monde-ci, qu'est-ce qui fait qu'elle choisit un monde plutôt qu'un autre ?

Il y a une suite dans cela. Après ce monde-ci, qui est l'un des plus difficiles et des plus beaux aussi (nous parlons de la matière), elles ont le choix, réellement le choix, de revenir vers nous ou d'aller dans d'autres mondes. Selon le niveau de maîtrise acquise, elles ont des possibilités, des choix à faire. Cela ne regarde vraiment qu'elles. Tout ce que nous pouvons faire nous-mêmes comme Cellules, c'est de nous assurer qu'elles n'iront pas dans des mondes pour lesquels elles ne seront pas prêtes. Cela nous occupe beaucoup. *(Symphonie, I, 06–04–1991)*

*E*st-ce qu'on peut savoir maintenant si notre Âme va choisir un autre niveau ou rejoindre les Cellules, en le souhaitant consciemment ?

Vous voulez dire qu'une forme puisse conseiller l'Âme elle-même ?

Oui.

L'Âme ne suivrait pas votre conseil parce que ce choix est fort important pour elle. Elle pourrait le faire mais, dans le fond, cela pourrait lui donner le goût du physique. Si elle n'en a pas le goût, si son choix était de nous rejoindre, elle le ferait tout de même et se trouverait à vous transmettre une déception. Donc, votre Âme ne vous écouterait pas. Voyez-vous, il y en a qui pourraient être des Cellules et qui gardent leur taux de vibration plus bas pour rester avec les Entités, pour les aider. Cela n'existait pas auparavant mais cela se fait maintenant pour accélérer. Cependant, vous pouvez faire autre chose. En accédant aux connaissances de votre Âme, vous l'aidez à terminer son cycle, et plus vite votre Âme aura terminé son cycle, mieux vous serez parce qu'elle pourra vous aider plus rapidement. Donnant, donnant. Même si cela ne se fait pas du jour au lendemain, il arrivera des exemples, des faits, des hasards — même si le hasard n'existe pas —, pour vous le faire comprendre. Nous aurons aussi des exemples pour vous, pour bien vous faire comprendre cela. C'est aussi le but du cours [fin de semaine intensive]. *(Les colombes, III, 04–08–1990)*

*E*st-ce que c'est sage d'aimer vivre sa vie, même si on veut accéder à un certain niveau de perfection et qu'on ne veut pas que ce soit la dernière même si c'est difficile parfois ?

Comment pourriez-vous choisir vous-mêmes consciemment, ou imposer cela à votre Âme ? Vous savez fort bien que, lorsque votre forme n'existera plus, ce ne sera plus cette réalité mais une autre que votre Âme voudra. Que vous aimiez vivre cette vie au point de ne pas vouloir que ce soit la dernière, nous pourrions vous répondre : « Vivez-la comme si vous viviez deux vies, non pas en travaillant doublement, mais en jouissant de chacune de vos journées pour démontrer aux autres votre bonheur, c'est très bien. » Si vous le faites comme il faut et que vous vous rendez compte que les événements de votre vie se déroulent tout seuls, que tout prend place, vous n'aurez pas besoin de nous le demander : ce sera la dernière incarnation et vous le ressentirez fort bien puisque les événements vous y conduiront.

Réapprenez qui vous êtes et vous saurez qui nous sommes. Vous avez tout notre amour pour cela et nous vous en remercions. À bientôt.

Oasis

*Vous utilisez
le conscient pour tout,
pour maîtriser la forme et diriger
vos vies et, plus vous le faites,
plus vous devenez
inconscients.*

Le conscient

J'aimerais que vous expliquiez la dualité entre la forme et l'Âme. Est-ce que l'Âme a une conscience, que la forme en a une autre, et que les deux essaient de n'en faire qu'une ? Comment cela fonctionne-t-il ? Qu'est-ce qu'on est au départ, une Âme, une forme ?

Vous êtes tout cela à la fois. Vous êtes aussi une forme consciente et une Âme consciente. Pourquoi cela ne fonctionne pas ? Vous savez, nous n'avions pas ces problèmes il y a plus de 1000 de vos années. Il nous était beaucoup plus facile de maîtriser les formes. Celles-ci étaient moins nombreuses et les connaissances moins nombreuses aussi. Avec tout ce que vous avez acquis depuis, vous en êtes venus à penser que vous étiez déjà consciemment des êtres complets, que vos connaissances, vos apprentissages, pouvaient dicter chacune des conditions de vie. Vous en êtes venus à croire que vous étiez complets, uniquement dans la pensée. Cela s'est fait avec les siècles. Mais dans tout cela, il restait tout de même l'Âme. L'Âme qu'il y a en vous a tout intérêt à ce que tout s'accélère, car son seul but, et la seule condition que nous ayons fixée, est qu'elle puisse prendre contact de façon volontaire avec votre conscient et que le conscient le demande aussi de façon à ce que le contact puisse se faire. Lorsque ce mariage s'établit, nul n'est besoin de se réincarner, aucunement. D'où l'importance de vos recherches, d'où l'importance du voulu, de la foi. Vous pouvez chercher, mais si vous n'avez pas cette connaissance, vous ne trouverez pas le but. Effectivement, il y a une dualité. Cela provient encore une fois des connaissances conscientes, de l'enseignement aussi en quelque sorte. Il n'est pas facile pour une personne qui analyse tout, qui est déjà consciente de sa réalité physique, de se dire : « Pourquoi devrais-je abandonner une partie consciente de moi-même pour prendre contact avec une autre partie de moi, si cela doit changer ma vie ? » Il y a de l'égoïsme en cela, vous savez. Nous vous avons dit par le passé que vos formes sont comme des enfants, de grands enfants. Vous pouvez jouer le jeu des adultes et refuser une réalité qui demeurera cependant en vous, avec tous les exemples et toutes les embûches que cela causera dans vos vies. Ou vous pouvez jouer votre rôle, votre simple rôle, et faire les démarches nécessaires pour faciliter ce contact intérieur. Nous vous donnerons aussi les moyens pour y parvenir. Mais avant de vous donner tout cela, il faut éclaircir plusieurs points qui vous compliquent la vie actuellement. Tant de détails, tant de mots, et si peu de vécu ! C'est cela que nous voulons vous aider à bien comprendre; nous voulons vous aider à vous réaliser. Cela vous demandera de mettre de côté votre ego, de mettre de côté une accumulation de connaissances pour retrouver votre simplicité. Vous êtes vous-même une personne simple dans son expression. Mais vous agissez comme si vous aviez les bras tendus, pleins de livres. Ce que nous vous suggérons, c'est de vous mettre les mains dans le dos, de laisser tomber ces livres et de marcher parfois sur eux pour en prendre conscience, pour être vous-même, non pas la copie d'une autre copie, non pas la copie d'une somme de connaissances appartenant à quelqu'un d'autre, mais vous-même. Brisez le conscient, adaptez-le à la réalité et votre question n'aura plus lieu d'être. Pour y arriver, il faut amadouer le conscient, le diriger, lui faire voir, lui donner le goût. Lorsque vous étiez petite, bien avant que vous ne marchiez, vous aviez vu les adultes et vous les aviez trouvés très haut; vous aviez peur qu'ils vous écrasent sans vous voir et vous avez voulu vous-même vous tenir debout. Vous avez trébuché comme tous les autres, mais vous avez eu cette volonté de vous relever et de marcher, parce que cela vous semblait plus normal que de vous traîner. Alors, il y avait la volonté. Mais une fois que vous avez su faire cela, il vous était devenu trop facile de marcher pour vous remettre à ramper. C'est la même chose avec vos formes lorsqu'elles ont trop de connaissances; elles ne vivent qu'avec cela et laissent la simplicité de côté; elles laissent l'ouverture possible de côté comme s'il fallait acquérir encore et encore des connaissances. Jusqu'à quel point ? Effectivement, il y a dualité dans cette unicité que vous êtes, mais c'est actuellement voulu. Encore une fois, vous-même avez eu plusieurs exemples pour vous décourager d'être ici. Plusieurs personnes vous ont dit que cela n'était pas assez avancé. Nous les remercions de vous avoir dit cela. Cela va justement vous permettre d'avancer. Peut-être y aura-t-il moins de pages dans notre livre, mais vous aurez à les vivre, non plus à les lire. Vous avez cette chance d'avoir une forme qui ne vous cause aucun problème. Il faudra en profiter. Non pas pour les autres, non pas pour apprendre cela aux autres, mais pour vous l'apprendre à vous. Avons-nous répondu à cette question ? Vous n'êtes pas certaine. Soyez à l'aise si vous n'avez pas compris, soyez à l'aise si vous avez une sous-question. Vous n'êtes pas ici pour que nous ne répondions qu'à une partie de votre question, mais à la partie principale du problème posé. *(Alpha et omega, I, 23–06–1990)*

P *ourquoi est-ce si difficile pour plusieurs personnes de faire du détachement ?*

Par manque de compréhension de la réalité. Prenez seulement l'exemple de la forme devant vous [Robert]. Lorsque Robert ne peut nous percevoir, cela peut être comparé à un détachement aussi, il est fort malheureux. Il se fie sur nous, mais il est vrai que nous nous fions sur lui aussi. Il y a des efforts qui sont conscients, qui sont dirigés pour cela. C'est la même chose en ce qui concerne votre question. Cela suppose que, consciemment, il y a un problème et que vous voulez le garder pour vous de peur que le conscient perde justement la réalité de sa propre forme. Ce n'est qu'un leurre, voyez-vous, car le conscient vous le fait voir ainsi par égoïsme. Dans le fond, il se dit qu'il est le seul à pouvoir maîtriser votre forme parce qu'il raisonne; il se dit que c'est sa création. Il est vrai que votre cerveau et la génétique ont fait en sorte que vos formes puissent croître. Il est donc normal que le conscient croie que c'est lui qui vous maîtrise. Mais ce qui a été oublié, surtout dans cette forte croissance matérialiste, c'est la réalité de vos vies mêmes. Plusieurs n'en peuvent plus de penser à cela. Regardez le nombre de suicides; il triplera dans les deux prochaines années [300 %]; cette augmentation se fera majoritairement chez les jeunes. Le nombre de suicides augmentera aussi des deux tiers [166 %] chez les gens âgés. Ce sera énorme. Le plus grand problème, c'est que les Âmes expérimentées ont pris des formes qui vivent à une époque qui n'est plus expérimentée. Elles se retrouvent hors contexte avec des formes qu'il est devenu pratiquement impossible de maîtriser. C'est ce qui justifie notre intervention, car les expériences se communiquent, vous savez. Plus il y aura de gens capables de contacter non seulement leur Âme mais d'autres Entités ou Cellules, plus ce sera utile. Il faudra un jour ou l'autre que cette roue s'arrête, qu'il y ait évolution, qu'il y ait une volonté très forte. Vous avez reçu beaucoup d'aide extérieure de mondes plus évolués, surtout au cours des cinq dernières années [1985-1990] et énormément dans les trois derniers mois. Ils ont exercé beaucoup d'influence auprès de vos gouvernements. Ce n'était qu'un support extérieur. Vos sociétés ressentent les changements, mais ne peuvent pas toujours les faire dans la paix et l'amour. D'ailleurs, il y a des nations qui sont en guerre depuis 5000 de vos années et elles continuent encore à être en guerre même aujourd'hui, tout comme votre planète continue aussi sa propre évolution. *(Les colombes, I, 02–06–1990)*

C *omment aider notre forme, notre conscient, à être encore plus à l'écoute de notre Âme ?*

Nous vous donnerons les moyens pour y arriver. Vous savez, vos conscients sont conscients. Pour les rendre conscients de la dualité en vous, pour qu'ils cessent de se battre, cela doit être fait de façon visuelle afin que les conscients se souviennent; nous ne pouvons pas le faire dans cette forme [Robert] dans son état actuel. Le plus que nous pouvons faire, comme nous le faisons avec vous actuellement, c'est de nous rendre dans vos formes surtout au moment où vous posez vos questions, de dialoguer avec votre Âme pour savoir comment elle s'y prendra et pour l'encourager à le faire. Nous le faisons à chaque fois. Vous n'êtes pas ici seulement pour entendre des mots, mais aussi pour obtenir des résultats. *(Les colombes, I, 02–06–1990)*

L *'idée du mariage alchimique suffit pour créer, dans l'ego, l'angoisse de l'anéantissement. Qu'arrive-t-il de l'ego, de la personnalité, de la mémoire, qu'est-ce qu'on est après avoir fait l'expérience du contraire ?*

C'est une crainte pour vous personnellement. Voyez-vous, vous ne changerez pas comme cela, du jour au lendemain. Jusqu'à ce jour, votre vie est passée par l'analyse, par beaucoup de mots, beaucoup de livres, moins de vécu cependant. Nul besoin de vous dire que les livres sont des vécus d'autres personnes, donc vous avez partagé des vécus. Maintenant que vous avez le choix d'avoir votre vécu, vous craignez de ne plus être ce que vous étiez, de trop changer, de voir votre ego s'abaisser d'un niveau, de ne plus être le même au vu et au su des autres. Ne vous en faites pas, vous ne vendrez pas votre voiture pour une charrette à chevaux; les changements n'iront pas aussi loin. Vous ne vous achèterez pas de pantalons bleus de travail non plus. Vous resterez toujours le même sauf que votre compréhension sera différente : vous serez beaucoup plus exigeant envers les événements de la vie, vous saurez distinguer à l'avenir les mots futiles d'un exemple vécu, vous saurez désormais prendre uniquement ce qui sera bon pour vous et rejeter les mots inutiles, enfin, il y aura très certainement concrétisation d'idéaux, et nous savons que c'est une crainte pour vous. Ce pourrait être envers les enfants qui pensent au suicide; il y a une raison pour que cela vous tienne à coeur. Est-ce que cela touche l'ego ? En grande partie, parce que prendre contact avec la vie veut aussi dire prendre contact avec ce qui n'est pas toujours beau. Vous aurez beau vous entourer de roses, de ne sentir que cela, de ne voir que cela, rien n'empêche qu'il y a des chardons de l'autre côté de ces roses. Il y en a qui pleurent, il y en a qui souffrent, il y en a qui se suicident parce qu'ils ne voient plus de roses. Ne vous en faites pas, vous ne vendrez pas votre propriété pour rester dans une tente, cela non plus ne se fera pas. Vous saurez la différence. Dans le contact avec l'Âme, l'Âme ne vous changera pas, tout au contraire, c'est vous qui allez demander à changer. Pourquoi cela ? Parce que vous aurez compris ce qu'est la vie, pas seulement des mots, mais la perception complète de celle-ci. Lorsque vous allez vous baigner, vous pouvez faire le tour de la piscine, ou regarder l'eau uniquement et vous dire que c'est rafraîchissant, prendre des livres qui expliquent ce qu'est une piscine, lire sur leur construction, analyser même les molécules de l'eau. Pouvons-nous vous dire que cela ne vous rafraîchira pas plus. C'est de prendre contact avec elle qui fera le changement, mais vous pourrez tout de même sortir de cette piscine. C'est sûr, cela aura été utile. C'est la même chose avec l'Âme. Si votre forme a des craintes, votre Âme ne lui fera pas peur. Dans un premier temps, elle trouvera une façon de vous amadouer, une façon pour vous d'y venir graduellement. Elle ne vous forcera pas. N'ayez aucune crainte si les changements sont perceptibles seulement par vous et par des gens très sensibles. Il y a des gens qui sont heureux et qui ne savent pas pourquoi, mais ils le sont. Il y en a d'autres qui disent : « Pour être heureux, il faut travailler 20 heures par jour, accumuler beaucoup d'argent pour avoir une sécurité, payer sa maison »... tous ces idéaux matériels ! D'autres sont heureux en voitures luxueuses, d'autres en métro. Ce qui change en cela, c'est ce que vous pouvez réellement vivre. Ce que vous pouvez réellement percevoir et ce que vous en ferez. Vivre, c'est aussi savoir partager. Nous ne parlons pas des biens matériels mais des faits de la vie, aider les autres en vous aidant vous-mêmes. Donc, vous vivrez les changements sans aucun problème. Dormez bien, n'ayez aucune crainte, votre conscient vous fera un peu peur, tentera même de vous insécuriser, de vous donner le doute : c'est normal. Vous êtes un être très conscient qui analyse beaucoup, donc le conscient ne veut pas perdre cela. Le contact avec l'Âme ne vous permettra que de mieux profiter du conscient. Les réponses sans analyse, c'est beaucoup moins fatigant, surtout si vous aimez ces réponses. D'aider les autres sans vous casser la tête, de faire en sorte que les gens qui vous approcheront dans le futur seront des gens d'évolution similaire ou plus grande. Si vous vous êtes rendus à ce point, si vous êtes ici ce soir malgré le doute que vous aviez au début, il a fallu qu'en vous il y ait beaucoup de volonté, beaucoup de poids, même invisible, quelque chose de bon malgré la peur que vous avez du changement. Ne vous en faites pas, vous vivrez très bien cela.

J'ai une autre question.

Nous savons cela, mais il faut dire que votre question était très longue, comme notre réponse. Mais nous n'avons pas répondu uniquement pour vous. C'est pour cela que nous avons fait des détours. *(Alpha et omega, IV, 22–09–1990)*

*V*ous avez mentionné plus tôt que le contact avec mon Âme était presque fait, mais qu'il manquait le comment. Est-ce que cela veut dire que la volonté d'établir le contact avec mon Âme n'est pas suffisante ?

Cela veut dire que le conscient ne sait pas comment lâcher prise parce qu'il ne sait pas, lui non plus, comment il raisonne pour faire ce qu'il fait et comment il doit s'y prendre pour vous laisser le faire sans vous faire peur, sans changer vos habitudes. Donc, cela se fera de façon graduelle, n'ayez aucune crainte. (*Alpha et omega, IV, 22–09–1990*)

*L*ors de la première session, vous avez dit que les Entités ne pouvaient pas lever ou déplacer des objets, mais que cela pouvait se faire à d'autres niveaux, que vouliez-vous dire exactement ?

Que cela pouvait se faire au niveau de vos conscients. Vous savez, vous êtes de la matière et la matière parle à la matière. Vous pourriez tous, avec grande pratique, parler à la matière. Vous pourriez tous, avec une très grande pratique, vous dématérialiser et vous refaire à l'endroit voulu. Vous pourriez tous dématérialiser des objets. Ce sont toutes des possibilités, non seulement physiquement mais aussi psychologiquement. Vous pourriez psychiquement modifier la matière; c'est ce qui fait ces changements intenses, ces déplacements d'objets, etc. Vous forcez la matière à se déplacer, à se modifier subitement; mais comme ces matières n'y sont pas préparées, elles réagissent. Les simulateurs nucléaires et les accélérateurs de particules font cela. Les personnes très habiles, même si elles ignorent ce qu'elles font, peuvent très bien déplacer les objets en forçant leur dématérialisation temporaire et comme ces objets n'y sont pas prêts, ils réagissent : c'est une relation de cause à effet uniquement. (*Les flammes éternelles, III, 11–05–1991*)

J'ai souvent l'impression que le cerveau a été développé de façon à ce qu'il nous fasse percevoir la personnalité propre et complètement indépendante de notre Âme.

Vous avez raison et c'est pour cela que les Âmes ont perdu le contrôle de vos formes ou, si vous préférez, les Entités et nous aussi.

Vous dites que mon Âme à moi a perdu le contrôle de mon corps ?

Tout à fait.

Donc, la voix que j'entends dans ma tête ou que j'ai l'impression d'entendre, est-ce le résultat de mes pensées ? J'ai très peu de chance que cela vienne de mon Âme.

Vous voulez un pourcentage ? 20 à 23 %. Le reste provient d'analyses ou de résidus d'analyses qui vous donneront un résultat. Tout cela est causé par votre forme d'éducation, vous savez. Tout est fait actuellement de façon à vous faire comprendre que vous êtes des personnes complètes et que plus vous aurez d'éducation, plus vous aurez la maîtrise de vos vies, plus vous aurez une belle retraite aussi, plus vous serez préparés pour vos vieux jours. Même si vous n'avez que 20 ans, nous le redisons, vous pouvez très bien être dans vos vieux jours. Donc, vous en arrivez à penser — nous disons bien penser — que vous devez absolument maîtriser chacun de vos mouvements, chacune de vos pensées dans le but que vous vous êtes fixé. Supposons que vous ayez 20 ans et que votre rêve soit d'avoir une belle propriété, une épouse qui ne travaillerait pas, des enfants et une belle retraite; si vous le planifiez comme cela, c'est que c'est votre rêve. Que faites-vous avec vous-mêmes ? Vous enclenchez un processus de survie et à tous les niveaux. Une personne qui planifie bien pousse tous ceux qui sont devant elle de façon à se rendre à son rêve et lorsqu'elle l'a atteint, que fait-elle ? Imaginez que vous ayez eu tout ce que vous vouliez et encore plus, que feriez-vous ensuite ? Vous vous diriez : « Bien, j'ai réussi, je me suis rendu là où personne ne s'est rendu et je possède tout. » Pensez-y : auriez-vous tout ou rien ? Quel serait donc le but de la vie s'il n'était que matériel ? Rien ! Vous ne seriez pas plus valables qu'une chaise parce que la chaise vous survivrait, pas le contraire. Considérez ce que vous appelez des vidanges [ordures]. Actuellement, elles sont mises dans des sacs verts pour la postérité, en ce sens que dans 2000 ou 3000 ans, ceux qui feront des recherches sauront ce que vous mangiez alors que votre forme n'existera plus depuis très longtemps. Nous vous disons cela pour vous faire comprendre que la matière, c'est de la matière, quelle qu'elle soit. Que ce soit une fleur, un animal, un meuble, il s'agit toujours de matière; ils sont tous destructibles. Par contre, vous avez une Âme dans votre forme, ce qui vous donne un deuxième choix : celui de vous en servir. Il y a longtemps que vous ne mangez plus avec vos doigts... quoique cela vous arrive à l'occasion. Voyez-vous, vous avez une Âme et vous ne l'utilisez pas. Cela équivaut à manger avec vos doigts, à vous diriger à l'aveuglette, en fait. *(Harmonie, II, 08–12–1990)*

*C*omment peut-on percevoir notre si grande force intérieure ?

En l'utilisant, en n'ayant pas peur de le faire, en ayant confiance que cela existe, en faisant aussi tout ce qui sera en votre pouvoir pour déjouer le conscient. Même si votre conscient vous dit non, si vous savez que c'est bon pour vous, faites-le tout de même. Commencez par demander. Lorsque vous verrez se réaliser votre demande, vous l'utiliserez de plus en plus. C'est comme cela que vous développerez votre foi, même si elle doit déplacer la montagne consciente que vous êtes. *(Harmonie, III, 09–01–1991)*

*N*ous allons donc intituler cette session : les inconscients conscients et les conscients inconscients. Cela ne veut pas dire la même chose; ce ne sera pas compliqué, vous verrez. Nous parlons de vos formes lorsque nous parlons des conscients inconscients. Nous parlons de vos formes qui ne se connaissent pas, du peu de réalité que vous faites de vos vies, du peu de réalité quant à la valeur accordée à vos formes. Vous avez sans doute remarqué que nous employons le terme forme. Certains d'entre vous se considèrent comme des corps inertes qui ont peur, non seulement d'eux-mêmes, mais de ce qui pourrait leur arriver s'ils changeaient. Ils ne peuvent pas concevoir que cela pourrait être mieux, plus agréable. Ils ne se croient pas capables de ces changements. Vous aurez des surprises. Nous disions que vos conscients sont inconscients et c'est très réel. Nous avons dit antérieurement que vous considériez vos formes comme des objets, des pièces réunies. La science actuelle vous a démontré qu'un coeur peut être changé. Bientôt il y aura des reins portatifs, etc. Déjà, vous perdez un bras et pour 50 000 dollars vous en avez un autre qui est très ressemblant et peut-être même plus habile. Donc, vous en venez à croire que vos formes sont des pièces. Quelle foutaise ! Si vous considérez vos formes de cette manière, vous allez non seulement attirer facilement la maladie, mais vous ne comprendrez pas vos vies non plus. C'est l'inconscience qui vous cause tous vos problèmes actuellement. Voici de simples remarques pour vous le faire comprendre. Vous n'avez pas besoin de penser pour respirer. Vous n'avez pas besoin non plus de penser à votre coeur pour qu'il batte. Vous n'avez pas besoin de penser à vos reins pour qu'ils fonctionnent; il en va de même pour le foie. Et que dire de toutes ces glandes, de toutes ces parties qui ont leur indépendance, leur réalité et auxquelles vous n'avez pas besoin de penser pour qu'elles fonctionnent ! Vous voulez nous faire croire que toutes ces pièces, comme vous les traitez, ne peuvent réagir entre elles ? Foutaise ! Que ce soit le coeur, le foie ou un autre organe, ils sont bien réels et ils fonctionnent. Ce qui ne fonctionne pas par contre, c'est la façon dont vous les traitez. Vous les traitez avec tant d'indifférence, vous les nourrissez tellement mal, et non seulement avec la nourriture mais aussi avec vos pensées. Vous vous culpabilisez continuellement. Que font vos formes ? Elles reprennent cela à leur propre compte, elles se culpabilisent. Elles atteindront le même niveau de culpabilité que vous aurez développé, et si vous avez moins bien nourri votre foie, il sera plus fragile. Si vos idées envers vous-mêmes sont aussi fragiles, le foie sera la première partie de votre forme atteinte. Vous ne faites qu'un tout ! Lorsque nous parlons de l'inconscient conscient, nous parlons de ce qu'il y a à l'intérieur de vous et que vous ne voyez pas, bien sûr, de toutes ces fonctions qui vous tiennent en vie. Les cellules de vos organes sont conscientes aussi, elles sont toutes interreliées les unes aux autres. L'énergie dans votre forme n'est pas seulement dans un bras, dans une jambe ou dans un pied, elle est partout. C'est la même énergie qui parcourt toute votre forme. Comprenez bien ceci : vos pensées se communiquent de la même façon dans vos formes. Vous êtes une personne libre, votre forme est libre de son développement, libre de son fonctionnement aussi. Vous vous restreignez pour vous étouffer, vous vous empêchez de vivre ? Votre forme répond de la même manière. Pas besoin de vous compliquer la vie, c'est comme cela que ça fonctionne. Vous êtes maîtres de vous-mêmes, vous le savez tous, mais vous êtes portés à juger selon vos agissements, uniquement. Vous oubliez trop ce qu'il y a à l'intérieur de vous. Observez les personnes qui ont des maladies et qui savent qu'elles vont mourir. Si elles veulent vivre, si leur souhait est de vivre, que vont-elles dire ? « Si je peux guérir, je vais changer. » Puis elles revivent toute leur vie. D'autres, contentes d'être malades, se sentent soulagées par la maladie et ennuyées de voir ceux qui pleurent pour elles. Ne vous est-il jamais arrivé de penser que, si une seule personne peut guérir d'une maladie, les autres le peuvent aussi ? Ne vous est-il jamais arrivé de penser que, si les autres personnes ne guérissent pas, c'est qu'elles s'ignorent, qu'elles ne le veulent pas et que leur maladie les arrange temporairement, ou encore qu'elles font un peu trop confiance à l'extérieur, aux statistiques... vous connaissez cela ? Vous voulez rendre une personne malade, dites-lui que les symptômes actuels vont conduire à la maladie X; elle vous écoutera, surtout si vous êtes un spécialiste de la santé, et vous verrez qu'elle ne sera pas épargnée. Combien de fois, dans les établissements appelés hôpitaux, n'avons-nous pas observé des gens se fier totalement à des diagnostics ? Vous allez mourir dans deux mois. Effectivement, c'est ce qui se produit : les statistiques, vous savez ! Si dans 10 ans ces statistiques reportent la mort à huit mois, les spécialistes diront : dans huit mois. Ils sont intéressés aux statistiques plutôt qu'à ceux qui ont survécu. Donc, vous voulez vivre, vous voulez avoir la santé ? Soyez en santé dans vos pensées en premier ! Vous allez voir que, tout au long de ces sessions, vous allez apprendre à être encore plus vous-mêmes. Vous développerez le respect de soi en premier, et les autres vont vous respecter par la suite. Nous avons suscité plusieurs sous-questions. Cette session sera fort intéressante. *(Symphonie, II, 04–05–1991)*

Vous avez parlé de conscience altérée, pouvez-vous en expliquer le sens ?

La conscience altérée est une conscience où la conscience elle-même à l'état d'éveil n'y peut rien. C'est comme une deuxième conscience, plus profonde, à un niveau tel que cela devient du vécu et que vous savez pertinemment que vous ne pouvez rien y changer. C'est une conscience altérée. Cela rejoint le thème de cette session : l'inconscient conscient, le conscient inconscient. *(Symphonie, II, 04–05–1991)*

*L*orsque je parle de ma forme et de mon Âme, qui parle ?

De façon consciente, c'est votre cerveau parce que vous y pensez avant. Lorsque c'est l'Âme qui s'adresse à vous, cela réagit immédiatement sur vos intentions, sur vos sentiments. Vous percevez tout immédiatement et cela met de l'émotion dans vos voix. Vos cerveaux peuvent répondre rapidement, mais vous avez tout de même le temps d'y penser. Lorsque c'est l'Âme, c'est comme du vécu et c'est très rapide. Mais l'Âme ne se manifeste pas pour des futilités et elle s'adresse surtout à des gens qui ont développé la facilité de visualiser des images, à des gens très visuels qui peuvent retraduire des images en paroles et les vivre en même temps, un peu comme ce cerveau fait [Robert]. C'est une bonne question. *(Symphonie, IV, 06–07–1991)*

*Q*uand vous dites « vous et votre Âme », en ce qui concerne le « vous », vous vous adressez à qui exactement ?

Au conscient. Le conscient, c'est aussi votre forme, vous savez.

Est-ce que c'est aussi notre Âme ?

Lorsque nous disons « vous », il ne s'agit pas de l'Âme mais de la forme, du conscient qui lui peut s'adresser à l'Âme. Parce que ce ne sont pas toutes les personnes ici présentes qui ont fait ces contacts. Lorsque nous dirons « vous », certaines personnes comprendront qu'il s'agit d'eux-mêmes. Donc, nous ne pouvons pas aller à chaque personne et dire « vous » en croyant que c'est l'Âme et la forme qui comprennent. C'est vous qui le savez. Nous ne pouvons pas expliquer cela à chaque personne ici présente; elles savent fort bien ce qu'elles vivent. Lorsque nous parlons de l'Âme, nous le mentionnons dans ce terme. En règle générale, nous allons dire « vos Âmes » ou « votre Âme ». Lorsque nous disons « vous », nous parlons à vos conscients qui régissent cela. *(Les Âmes en folie, I, 24–04–1991)*

*V*ous avez dit tantôt du rapport entre l'Âme et le cerveau, qu'il fallait que le canal soit ouvert, que vous vous adressiez à *certaines personnes en disant « vous » et que cela englobait l'Âme et la forme alors que cela signifiait seulement la forme pour d'autres.*

Parce que, dans leur pensée, c'est très clair pour eux.

Ceux-là pour qui c'est moins clair...

Oh ! vous savez, pour ceux qui croient que c'est clair, ce n'est pas toujours clair non plus.

Comment arriver à ouvrir le canal qui fait que la communication se fait entre l'Âme et la forme ?

En vous faisant confiance, en cessant de douter de vous-même, en allant toujours au devant de ce que vous voulez, en cessant d'attendre que la vie vous donne et en prenant. Si vous attendez, l'Âme attendra. Elle attendra que vous soyez convaincu que rien ne se passera, que vous ayez eu de mauvaises expériences pour comprendre. Pour mieux vous le démontrer, nous allons vous poser une question : quelles ont été tout au long de l'histoire humaine les périodes où il y a eu les plus grands retours à la foi ? Toutes les fois qu'il y a eu des guerres, toutes les fois qu'il y a eu des catastrophes mondiales, toutes les fois qu'il y a eu des maladies généralisées dans votre monde, qu'avez-vous fait ? Vous vous êtes tournés vers Dieu, peu importe qui Dieu représentait. Vous vous êtes raccrochés à votre foi, vous avez cherché des solutions autres. Vous faites la même chose à petite échelle lorsque vous perdez quelqu'un que vous aimez. Vous vous raccrochez à Dieu, vous souhaitez que son Âme soit bien, toujours en pensant à l'être humain. C'est la même chose. Vous allez le regretter bien sûr, mais vous allez tout de même y penser. Voici une autre preuve. Lorsque vous connaissez une personne qui souffre de maladie et qui va mourir, quelle est votre réaction lorsqu'elle décède ? « Enfin, elle a cessé de souffrir, elle sera mieux où elle sera ! » Vous avez tous une part de confiance en vous, une part de foi, mais vous l'utilisez seulement lorsque vous y êtes forcés, alors que le contraire serait plus valable. Avez-vous déjà essayé d'enfoncer un clou avec votre poing, surtout dans ce que vous appelez du bois dur ? Il y a de fortes chances pour que vous vous blessiez, n'est-ce pas ? C'est la même chose pour l'Âme, sauf que le clou, c'est votre conscient. Ne dites-vous pas que certains ont la tête dure ? Donc, à ce niveau, vous voulez comprendre mais en ayant des preuves. Pas de preuves, pas d'existence. Vos Âmes n'ont rien à prouver. Vous avez tout à démontrer cependant, et vos Âmes ne feront rien contre, au contraire ! *(Les Âmes en folie, I, 24–04–1991)*

A u sujet du conscient qui demande à l'Âme, cela me ramène toujours au problème de division dans la même personne. Si le « je » qui demande, c'est aussi un peu l'Âme, comment se fait-il qu'il doive demander ? Est-ce qu'on associe le conscient... Peut-être que je ne sais pas ce qu'est le conscient. Est-ce que le conscient, c'est l'ego ?

Le conscient, vous lui faites jouer le rôle que vous voulez. Grâce à lui, vous vous bâtissez une personnalité, vous jouez un rôle, vous croyez même vos mensonges. Tout dépendra de ce que vous avez comme évolution, comme compréhension. Vous voulez croire en votre Âme, n'attendez pas qu'elle sorte de votre forme pour se faire voir à vous. Commencez donc par y croire, commencez par croire aussi qu'elle vous donne ce qui est bon et, vous verrez, des changements se produiront. Effectivement, si vous n'obtenez pas, vos conscients diront : « Tu vois, cela n'existe pas, c'est moi qui dirige », alors que d'autres personnes diront : « Je, c'est comme nous. » Donc, le conscient se construit individuellement selon vos connaissances, selon votre vouloir, selon le rôle que vous voudrez jouer dans la vie. C'est à cela que nous faisions allusion à propos de la forme devant vous [Robert] au début de cette session. Les essais de dédoublement que nous avons faits avec lui nous ont aussi permis de nous rendre compte jusqu'à quel point il retomberait face à lui-même, à quel point il ne voudrait pas jouer un autre rôle. Nous avons besoin pour le futur de cette forme de savoir cela, pour qu'il soit lui-même, pour voir la solidité de sa forme. Ce fut un exercice de notre part et il a été concluant : son conscient n'a pas joué le rôle de l'ego, il ne se donne pas de faux rôles et il n'y croit pas non plus; donc, il reste neutre et simple. Nous faisons nos choix de formes; il n'y a pas de hasard dans cela. C'est la même chose avec vos formes, n'en attendez pas moins. Si vous jouez un rôle dans le quotidien, le rôle de votre emploi par exemple, vous vous jouerez un rôle face à vous-mêmes, face à l'importance que vous accordez à votre réalité vraie et cela vous jouera des tours. Certaines personnes en viendront même à croire que le conscient et l'Âme sont la même chose puisqu'elles auront des réponses à tout ou presque. Elles auront des réponses dans leur tête mais elles ne les vivront pas. Cela se passe à un autre niveau que la tête, vous savez. Cela se passe dans toute votre forme et c'est aussi une forme d'orgasme. Lorsque vous avez un orgasme, ce n'est pas juste dans votre tête, c'est dans toute la forme. Lorsque vous serez avec votre Âme, ce sera la même chose : dans toute la forme et sans doute aucun. Vous ressentirez cette sorte de chaleur intérieure qui se traduira par un surcroît d'amour, non seulement pour vous mais aussi pour les autres. Ne vous en faites pas, vous ne ferez pas le trottoir pour aimer tout le monde, mais vous aurez de la compassion. Vous comprendrez les autres et vous ne les analyserez pas. *(Les Âmes en folie, III, 22–06–1991)*

Q *u'est ce qui a déclenché l'évolution rapide de nos formes ?*

Les études. Vos formes sont de plus en plus instruites. C'est cela qui change. Plus vos formes sont instruites, plus elles cherchent des vérités, les leurs surtout, plus elles cherchent à jouer un rôle, plus elles y croient. C'est cela le problème et c'est plus... Vous avez ce que vous appelez des professionnels, les théologiens en font partie... c'est une blague, bien sûr ! Ils doivent justifier leur titre. Vous n'avez jamais vu un docteur jouer le rôle d'un docteur ? Vous avez tous joué à cela plus jeunes car cela vous donnait de l'autorité. Vous exigiez que le malade s'étende. Vous jouez tous des rôles comme cela. Plus vous êtes instruits, plus vous croyez à votre rôle et, ce qui est plus important encore, plus vous voulez le conserver. C'est une chose importante à comprendre. Donc, avec les niveaux d'éducation actuels, vous vous créez des rôles et cela vous tient éloignés de vos réalités aussi. Même si vous étiez tous des médecins, il y aurait des malades. Même les médecins tombent malades ! De tout connaître, de tout savoir, passe encore ! mais qu'est-ce que cela vous donnerait ? Mieux vivre, tout posséder et après, qu'en ferez-vous ? Vous allez mourir comme tout le monde. Vos réalités sont toutes aussi différentes les unes que les autres. Vous n'avez pas grand choix, vous devez emprunter des cheminements individuels pour que cela devienne l'ensemble, c'est cela vos vies. *(Les Âmes en folie, II, 18–05–1991)*

V ous avez dit que nos formes et nos cerveaux se sont développés plus vite que vous ne l'aviez prévu. Qu'est-ce qui a accéléré le processus de développement ?

Votre technologie, vos guerres. Voyez-vous, il est beaucoup plus simple pour vos cerveaux de se développer entre eux, de faire abstraction de tout ce qui est trop intériorisé. Nous sommes très loin de vos sciences nucléaires, de vos ordinateurs, mais cela fait en sorte que vos cerveaux se sont développés comme des muscles. Oh ! pas tant que cela tout de même, mais suffisamment pour couper le lien, le vrai lien qu'il y a. Cela changera graduellement. Par le passé, vous avez eu recours aux guerres. Cela aussi était une forme d'automne, un ménage, question d'éliminer certaines formes, certaines Entités. Elles n'ont pas été renouvelées de la même façon. Encore une fois, nous sommes en train de changer cela. Ce sera plus évolué, vous verrez, plus d'Entités observeront. Remarquez vos comportements passés. Il vous faut toujours une guerre ou encore une peine atroce pour vous retourner vers vous-mêmes, pour retourner vers Dieu ou autre chose. Lorsque vous ne souffrez pas, vous n'y pensez pas. Quelles sont vos réactions lorsque vous voyez un acte qui vous fait très mal ? Vous dites : « Oh mon Dieu ! », et cela vous touche profondément. Cela vous retourne à l'intérieur de vous-même, vous rapproche de ce que vous devez être. Vous avez appris comme cela. Toutes vos guerres vous ont rapprochés de vos religions. Plus il y a de souffrance dans votre monde, plus vous vous ouvrez à l'intérieur. Nous vous proposons le contraire, soit de vous ouvrir de façon plus naturelle, d'avoir plus d'amour pour vous-mêmes. Oh ! nous ne sommes pas dupes. Nous savons qu'actuellement, dans tous ces 63 groupes que nous avons, cela ne changera pas tout; d'un autre côté, il faut bien un début, une semence quelque part pour que cela se sache. Il y en aura, même parmi vous, qui vivront des choses douloureuses, la perte de gens qu'ils aimaient, mais cela va les rapprocher encore plus. Vous avez encore beaucoup à apprendre. Il y en a encore ici qui sont restés accrochés à leurs valeurs religieuses, comme à une petite couverture d'enfant. Vous aurez des questions pour nous à ce sujet aussi. Vous n'êtes pas réellement limités dans vos questions. Mais nous aimerions bien que la majorité d'entre vous aient le temps de faire leur première approche avec nous. Considérez cette session comme une ouverture. *(Le fil d'Ariane, I, 28–09–1991)*

V *ous nous avez dit d'être simples, en particulier à moi. Comment être simple ?*

Être simple, c'est le contraire d'être compliqué. Cela veut dire de ne pas chercher à savoir si ce que vous apprenez est simple ou non, de l'adapter pour vous, de ne pas le compliquer. Et si ce que nous vous disons est trop compliqué, vous le laissez de côté et vous allez vers ce que vous êtes prête à recevoir. Nous disons parfois des paroles qui ne concernent pas tout le monde, mais nous faisons en sorte qu'elles touchent la majorité. Pour certains êtres, simple veut dire que c'est trop simple; il faut qu'il y ait du compliqué, du théorique, du scientifique, des phrases de 20 mots pouvant se résumer en 3 mots; il leur faut de l'intellectuel parce que, comme le cerveau est habitué de raisonner dans l'intellectuel, il trouvera cela trop simple, il le rejettera et ne voudra pas le vivre. Quand nous disons simple, c'est uniquement pour forcer votre compréhension individuelle vers l'entendement de vous-même. Nous n'employons jamais de termes vraiment complexes; nous avons rarement élaboré des sujets au point de les rendre très intellectualisés. Nous l'avons déjà fait dans un groupe qui voulait se compliquer la vie, juste pour leur montrer. Oh ! qu'ils ont aimé cette session. Ils ont même pu l'analyser. Ce qui est simple ne s'analyse pas; ce qui est simple, ce qui est vécu avec simplicité — notre mot favori — devient du vécu au fur et à mesure. Vous voulez savoir comment Marie-Paule a vécu les sessions ? C'est très simple : elle a écouté; elle n'a pas analysé comme la majorité; elle a écouté en elle et en a profité pour mettre en pratique à mesure. C'est là que ça devient moins simple. Les egos sont comme des nuages : lorsque vous soufflez dessus, ils partent. La journée où vous comprendrez cela, vous saurez que l'ego n'existe pas, qu'il n'est qu'une imagination de vos conscients pour vous accorder une valeur individuelle, qui n'existe pas elle non plus. Est-ce qu'être simple veut dire comprendre ce qu'est l'ego ? Être simple veut dire ne pas en avoir de visible, mais être conscient de sa propre valeur, pour soi. Nous pouvons vous parler de ce qu'est l'ego. Regardez ce qui s'est passé avec Jean-Pierre; nous sommes certaines qu'il nous permettra d'en parler. Il y a seulement deux ans, il mettait plus d'efforts pour maintenir son rythme, ses responsabilités, pour s'en donner aussi, être présent, jouer un rôle. Où en est-il aujourd'hui ? Il pousse cela de plus en plus loin du revers de la main parce que cela n'avait rien donné, parce que cela ne l'a conduit qu'à un changement : la volonté d'avoir plus, d'avoir du différent. C'est cela devenir simple : mettre de côté à la fois les connaissances, les groupes, la méditation. Jean-Pierre, comment décririez-vous la partie actuelle de votre vie concernant tous ces sujets que nous venons de mentionner ? À quel point en êtes-vous vraiment rendu ?

J'ai laissé aller, j'ai laissé tomber, je fais confiance.

Vous devriez vous asseoir à côté de Marie-Paule; vous seriez tous les deux contagieux. C'est cela le secret de la vie. Réussir à comprendre que tout ce que vous auriez su aurait pu vous aider, bien sûr, mais malgré cela vous pouvez avoir encore plus en acceptant vos réalités. Combien de fois n'avons-nous pas dit que vos vies sont simples, que vous êtes très simples à l'intérieur de vous-mêmes... Ce sont vos pensées qui sont compliquées, pas vos formes. Quels sont ceux d'entre vous qui, depuis leur naissance ont eux-mêmes fait grandir leur forme par leurs pensées ? Quels sont ceux qui, par leur volonté, ont fait tripler, quadrupler la grosseur de leurs organes ? Vous étiez tous trop occupés à jouer, à vous faire caresser pour y penser. N'est-il pas vrai que, si vous n'avez pas réussi à faire cela par vos pensées, c'est que cela s'est fait tout seul, sans votre foutue pensée quotidienne ? Comprenez donc qu'il en est de même pour vos quotidiens : laissez agir ! Nous sommes d'accord sur le fait de penser à une chose qui vous plaît, mais laissez-la se semer dans votre tête. Comprenez aussi que, lorsque vous étouffez vos formes par des comportements qui vous sont imposés ou par des quotidiens que vous n'acceptez pas, c'est à votre forme entière que vous vous en prenez lorsque vous dites vous en prendre à vous-mêmes. Lorsque vous développez de l'agressivité, les personnes qui vous voient sans vous connaître ne le savent pas. C'est vous qui êtes agressifs, pas les autres. Ce sont vos formes qui vont y goûter et, si vous dépassez certaines limites, vous allez être malades. Ne dites-vous pas qu'il n'y a pas plus sourd que celui qui ne veut entendre et que certains sourds entendent mieux que ceux qui entendent ? Ce que nous vous souhaitons, c'est de bien comprendre la fable de l'enfant prodigue vieille de 2000 ans. Elle signifiait : revenir à soi-même, être conscient des libertés intérieures, des choix que vous avez dans votre vie. Vous avez le choix de vivre des problèmes, d'avoir une forme qui en aura, de maudire la vie parce que vous n'avez pas d'Âme soeur et de bons amis. Mais avant de maudire la vie, prenez un miroir. Jamais dans votre histoire, il n'y a eu autant de suicides qu'actuellement; dans trois ans, leur nombre aura doublé. Trop d'amour, croyez-vous ? Pensez-y. Vous vous demandez pourquoi nous agissons ? Vous en connaissez tous les raisons. C'est pourquoi cela ne nous fait pas grand chose que certains ne croient pas en nous. Peu nous importe; nous en voyons les résultats par contre. Nous vous avons même donné l'opportunité de nous contacter facilement, par la visualisation. Plusieurs ici l'ont fait, l'ont tellement fait qu'ils n'ont pas pu relâcher cette pensée pour demander ce qu'ils voulaient. Nous le savons quand vous nous appelez, n'ayez aucune crainte. Mais demandez clairement ce que vous voulez, pas avec des mots, visualisez-le. Vous voulez vivre un changement ? Visualisez-le. Faites certains efforts de votre côté, nous en ferons. Au début de cette session, nous vous avons offert de faire un effort pour chaque effort fait de votre côté. Ce n'est pas parce que nous vous haïssons que nous vous disons cela. Rien ne nous obligeait à forcer cette forme [Robert] à avoir un groupe supplémentaire. Nous avons fait en sorte de forcer les événements de la vie de cette forme pour l'obliger en quelque sorte à le faire, sachant fort bien ce que cela lui ferait. Nous l'avons tout de même accordé parce que nous savions que, dans ce groupe, il y avait beaucoup à comprendre. Nous avons observé la réaction de Gilles, cette volonté qu'il avait de rendre à terme cette expérience de groupe; nous avons observé et fort bien ressenti l'amour qu'il avait pour vous tous et, parfois aussi, le manque d'amour envers lui de ceux à qui il en donnait tant. Nous avons observé cela avec Marie aussi. Nous avons observé car nous savions qu'il y aurait des résultats à travers tout cela. Certains nous disent merci, mais ne font rien. Avant de nous dire merci, demandez-vous si vous ferez quelque chose. N'acceptez pas de perdre du temps; vos vies sont tellement courtes. Vous aimeriez tous avoir le goût de vivre 48 heures en 24 heures ? C'est simple : ayez juste un peu le goût de vivre, juste un tout petit peu. Nous savons que cela aussi est très simple, mais c'est un fait. *(Diapason, IV, 06–06–1992)*

***P**ourquoi sur la Terre y a-t-il des gens qui peuvent tuer quelqu'un sans que cela ne les dérange alors que d'autres n'oseraient jamais poser ce geste ?*

Parce qu'il y en a qui n'ont pas de conscience. Parce qu'il y a des formes qui, génétiquement aussi, ne sont pas très équilibrées. Pour vous répondre plus directement, parce que le meurtre est convaincant pour ceux qui ont appris à le faire une fois, tout comme le mensonge est convaincant. En d'autres termes, lorsque vous vous répétez toujours la même chose, même si c'est faux, vous y croyez, n'est-ce pas ? Celui qui tue une fois peut le faire plusieurs fois parce que, pour lui, cela rend service à d'autres. Nous ne comparerons pas cela au monde animal. Vous savez fort bien qu'entre eux les animaux se dévorent. C'est la même chose entre vous. Parfois, cela se produit comme cela. Mais vous ignorez les changements que la mort d'une de ces personnes peut provoquer autour d'elle. C'est l'ensemble qu'il faut voir, pas juste la perte d'une vie, mais les retombées bénéfiques que cela peut avoir aussi. Ramenons cela à une plus petite échelle. Lorsque vous perdez une personne que vous aimiez au plus profond de vous, cela vous touche même si vous lui aviez dit que vous l'aimiez. Vous allez changer; vous allez changer votre optique de vie. Si vous travailliez 20 heures par jour, nous pouvons vous prédire que vous n'allez plus en faire que 6 ou 7 pour avoir le temps de vivre un peu plus. Vous ramènerez vos limites à des niveaux acceptables. Cela vous redonnera plus de temps avec les gens que vous aimerez. Ce n'est qu'un exemple, bien sûr. Mais lorsqu'une personne meurt, tuée par une autre, ce peut être un drame, mais ce peut être un bien aussi. Oh ! pas pour la personne qui est morte mais pour l'entourage. Ne négligez pas cela. Lorsque l'automne vient — c'est votre saison actuelle —, la nature perd ses feuilles; si elle ne les perdait pas, qu'est-ce qui engrais-serait vos terrains pour qu'elles repoussent à nouveau ? Vos vies sont similaires; il y a certaines pertes pour renforcir, pour que d'autres reviennent. Nous vous l'avons dit : les choix seront plus limités. Nous avons exclu de cette réponse ceux qui tuent par plaisir ou par folie. Ne nous demandez pas, d'ailleurs nous allons y répondre, si vos accidents d'automobile sont tous planifiés. Foutaise ! *(Le fil d'Ariane, I, 28–09–1991)*

*V*ous avez répondu à la question du bien et du mal par un exemple de meurtre. Vous avez dit que certaines personnes ont la conscience et que d'autres ne l'ont pas. Comment faire la différence entre la conscience et l'interprétation que chacun de nous se fait de la mort ?

Encore une fois, de façon individuelle.

Si vous dites qu'il y en a qui n'ont pas la conscience...

Nous ne voyons pas cela comme vous. Nous voyons chacun d'entre vous, vos raisonnements, vos façons de voir la vie, alors que vous voyez les vôtres et seulement le reflet des autres. Pour mieux expliquer cela, voici un exemple. Lorsque vous ouvrez un de vos journaux qui fait mention d'une personne qui a perdu la vie de façon très brutale, vous voyez l'ensemble, n'est-ce pas ? Pour la personne qui a commis ce meurtre, toute sa vie, son expérience du passé plus la journée, justifie son geste. Et vous ne savez pas non plus ce que la personne tuée avait à voir dans cela. Donc, si vous voulez analyser tout ce qui se passe en tous et chacun, bonne chance ! Même ceux que vous appelez des psychiatres n'y arrivent pas, bien souvent avec eux-mêmes non plus. Donc, analyser tout un monde, savoir ce qu'est le bien et le mal pour chacun : oubliez cela. Si vous agissez avec votre conscience de façon à être heureux, vous allez l'être et c'est ce qui donnera l'exemple aux autres. Cela doit passer par vous en premier, pas par les autres. *(Le fil d'Ariane, I, 28–09–1991)*

*C*omment faire pour éliminer le doute ?

Pensez moins et agissez plus. Le doute est présent chez les gens qui analysent trop, pensent trop, cherchent des solutions avant de les vivre. Ceux qui disent : « Très bien, je dois réaliser ceci, mais si je le fais qu'arrivera-t-il ? » n'arriveront pas à trouver de solutions puisqu'ils douteront d'eux-mêmes. Par contre, si vous allez de l'avant, même si vous faites une erreur, vous ne la referez pas deux fois. Surtout, rappelez-vous de retenir ce qui est positif, et non ce qui est négatif. Plus vous le ferez, plus vous aurez de réponses. Plus vous vivrez dans le négatif, moins vous vous ferez confiance, plus vous douterez de tout, de vous, de ce qu'il y a en vous et moins vous comprendrez. Donc, le doute prend place chez ceux qui analysent trop, n'agissent pas assez, sont trop préoccupés de ce que les autres pensent d'eux-mêmes et davantage préoccupés à penser aux autres qu'à eux-mêmes. Lorsque vient le temps de prendre une décision, ils n'en sont pas capables. Voilà ce qu'est le doute. *Les Âmes en folie, III, 22–06–91*

C omment faire pour enlever le doute ?

En acceptant les erreurs. Vous voulez enlever le doute ? Passez à l'action, cessez de penser parce que, si vous analysez toujours tous vos agissements, vous allez toujours trouver un doute, sur tout et en tout. Par contre, si vous faites au fur et à mesure ce que vous voulez, ce que vous croyez bon pour vous, sans l'analyser et en vous fiant uniquement à ce que vous ressentez à l'intérieur de vous, une fois la décision prise, vous réussirez. Il vous faut bien comprendre que le doute lui-même peut être nécessaire dans certains cas pour vous apprendre à ne pas en avoir, pour vous apprendre que passer à l'action en tout temps ne peut que vous aider, pour vous apprendre qu'analyser vous ralentit. Cela veut dire faire confiance. Ceux qui font confiance n'ont pas le doute. Le doute va s'insérer chez ceux qui sont plus faibles et qui ont peur de ne pas réussir du premier coup, peur de ne pas être entendus de l'Âme correctement. Nous vous avons dit comment faire pour y arriver : utilisez l'imagerie, la visualisation, pas uniquement les mots; votre cerveau utilise les mots, mais pas votre Âme et nous non plus. *(Les Âmes en folie, II, 18–05–1991)*

E st-ce possible d'être dans un gros débat entre le conscient et l'Âme ?

Tout à fait ! Cela pourrait s'appeler remise en question avec soi-même et ce pourrait être perçu par le conscient comme une demande de changement profond qui donnera de l'incertitude.

Comment savoir à ce moment-là où se diriger ? On devient comme perdu.

Qu'arrive-t-il lorsque vous donnez trop à un enfant ? Que devient-il ? Gâté. C'est la même chose au niveau de l'Âme. Lorsque le contact s'établit d'une façon différente de ce qu'elle avait prévu, plus rapidement disons, elle s'énerve. Elle devient toute perdue, elle se demande si elle perdra ce contact et elle fait en sorte de modifier le conscient alors qu'il y a ouverture pour qu'il comprenne. Le conscient, bien sûr, ne comprend pas ce qui arrive. Il a peur de perdre la maîtrise de sa forme, ce qui entraîne des confusions, des goûts de changement et des goûts d'instabilité aussi. Est-ce bien ce que vous mentionniez ?

Oui.

Quelle est donc votre question ?

La façon dont je vois cela, c'est que l'Âme devient gâtée et en veut encore. J'aimerais que vous approfondissiez le point à savoir que le conscient est perdu et comment faire pour le replacer ?

Vous savez, lorsque vous donnez sans recevoir, sans demander en retour, c'est ce qui se passe. D'un autre côté, pour équilibrer cela, c'est très simple : exiger d'elle, tout simplement. Votre Âme reçoit, elle doit donner, c'est une règle. Exigez de votre Âme ce que vous voulez, visualisez ce que vous voulez obtenir et dites-lui qu'elle vous aide en cela. Bien sûr, vous devrez vous aider aussi, mais elle fera le bout de chemin qui manquera, tirera les ficelles qu'elle pourra. Supposons que vous faites tout ce qu'il faut pour contacter votre Âme, que vous en êtes certaine, que vous percevez, etc., et que d'un autre côté vous avez un problème à votre emploi avec une personne qui vous est par ailleurs utile pour votre avancement. Pensez à ce problème tant que vous voudrez, cela ne réglera rien. D'un autre côté, il y a une approche que l'Âme peut prendre. Il y a une Âme dans l'autre personne. Selon la règle qu'elle est obligée de suivre, si vous visualisez bien le problème, que vous le voyez comme résolu, elle fera tout ce qu'elle pourra de son côté jusqu'à ce que vous l'acceptiez et le compreniez. Lorsque ce sera réglé, acceptez que cela provienne d'elle et continuez de demander. De toute façon, elle vous demandera en retour. Voyez-vous, la vie c'est cela. Ceux qui disent que vivre, c'est vendre, ont oublié un mot : vivre, c'est se vendre à soi-même, se comprendre afin de comprendre les autres. Votre Âme fait cela tous les jours. Ne dites-vous pas : vendre son Âme pour réussir ? N'écoutez pas ceux qui disent : « Je donnerais mon Âme pour cela ! » Il n'y a pas d'échange possible à ce niveau, pas de retour, pas de taxe. Cela devrait vous faire plaisir, c'est à peu près la seule chose qui n'est pas taxée.

Si je comprends bien, si notre Âme est tout énervée, est-ce que cela veut dire qu'elle est contente de notre choix ou qu'on accélère les choses ?

C'est parce qu'elle est surprise et qu'effectivement, l'ayant surprise, vous avez accéléré. Vos Âmes prévoient tout ce qu'elles peuvent, mais elles ne savent pas toujours comment cela va aboutir. Lorsque vous les déjouez dans leur propre jeu, qu'elles n'ont pas prévu le contact de cette façon, elles doivent s'adapter, tout comme ceux qui les utilisent bien et qui ont tout ce qu'ils veulent l'ont appris. C'est la même chose pour ceux qui découvrent; ils sont un peu euphoriques lorsque ce qu'ils demandent se réalise. Il en va de même pour l'Âme. Pour elle, sa mission se trouve accomplie, ce qui lui permettra soit de couper court à ses cycles d'incarnations ou d'aller dans un monde très différent. Ce serait énervant, n'est-ce pas, si vous étiez à la place d'une Âme ? C'est comme lorsque vous avez conduit votre voiture pour la première fois, cette fausse sensation de liberté, l'impression de pouvoir aller n'importe où... à condition de payer, bien sûr ! C'est ce que ressent l'Âme lorsqu'elle maîtrise sa forme, lorsque la forme s'en sert, puisque c'est son but. Normal qu'elle soit énervée... mais pas de malheur, de joie ! Acceptez cela calmement, laissez votre Âme s'exprimer par vous, et elle vous fera savoir facilement ce qu'elle ressent. Vous verrez des situations se réaliser d'elles-mêmes, des gens qui vous tournaient le dos revenir vers vous. Ne dites pas que c'est vous qui avez changé; ce n'est pas un nouveau parfum non plus qui fait se retourner les gens sur votre passage. Acceptez de croire que cela provient d'un autre niveau. (*Les Âmes en folie, II, 18–05–1991*)

C *omment neutraliser notre conscient pour permettre à notre visualisation d'atteindre l'Âme lorsque notre conscient le refuse ?*

C'est une très bonne question. L'Âme est toujours consciente de ce qui se passe en vous. D'accord, il y a des conscients qui rejettent totalement, c'est un fait. Cependant, cela pourrait être causé par l'éducation de la personne, ou par une façon de voir la vie qui lui donne l'impression qu'elle dirige elle-même sa vie. Cette façon de voir fait en sorte de bloquer tout ce qui pourrait être hors du commun; c'est le cas de deux personnes de ce groupe qui ne sont pas venues ce soir. Elles ont pensé et elles ont eu peur : peur des changements, peur du futur, peur d'être différentes. Cela crée le doute et le doute coupe tous les contacts avec l'Âme; il ne vous renvoie qu'au mental, qu'à l'étude de ce que le cerveau peut manipuler lui-même. Cela produit des gens qui doutent d'eux-mêmes, qui n'acceptent jamais de prendre une décision par eux-mêmes, qui analysent tout sans cesse, même leurs propres choix et leurs propres décisions, qui préfèrent faire les bouffons dans la vie plutôt que de l'affronter. La peur, c'est cela; elle provient de cette fausse croyance qui veut que, si vos conscients perdent le contrôle total, vous n'aurez pas votre place dans cette société, alors que c'est tout le contraire. Vous pouvez vous servir de l'aide extérieure à un point que vous imaginez à peine, mais cela implique des changements, des changements de mentalité et des changements d'habitudes. Non seulement dans le cours mais surtout dans le dernier atelier, nous avons commencé à le démontrer en montrant à modifier volontairement humeur et physique, ce qui amène à comprendre la valeur et la force de l'Âme. Ceux qui ne le veulent pas n'y arriveront pas. Impliquez la peur si vous voulez, mais sachez qu'il n'y a aucune limite pour ceux qui veulent, aucune. Il a été écrit il y a plus de 2000 ans : demandez et vous recevrez, mais il n'a pas été dit quoi demander. Il n'y avait aucune limite non plus. C'était exact, sauf que vous analysez constamment : puis-je, aurais-je, etc. Le fait d'accepter les erreurs, d'accepter de ne pas toujours être bien compris, de laisser à votre Âme la chance de s'exprimer dans votre forme va vous conduire vers elle. Nous avons compris une expression utilisée par cette forme [Robert] au début de la session lorsqu'elle parlait de prisonnier. Certaines

Âmes sont effectivement prisonnières des formes, car celles-ci refusent la progression dans leur vie, refusent de se faire aider, refusent de faire ouvrir la clé de la vie. *(Les Âmes en folie, II, 18-05-1991)*

J'aimerais voir et ressentir de la même façon que mon Âme ressent et perçoit les choses que je vis. Comment faire ?

Il s'agit de ne pas limiter le conscient lui-même à la possession fausse qu'il croit avoir de la forme elle-même. Cette question dénote tout de même une ouverture. Toutefois, il faut réapprendre à vos cerveaux, même au vôtre, quelles sont leurs limites. Vous ne trouverez pas cela dans un livre. Vous allez le trouver dans la pratique, dans une plus grande ouverture, et surtout en vous débarrassant de toutes ces façons de penser qui ne vous font que chercher et qui vous empêchent de vivre. Nous allons vous le montrer. Vivre avec l'Âme ne veut pas dire seulement faire tout ce qu'elle veut. Cela veut dire vivre, cohabiter avec elle. Cela veut dire être pleinement heureux vous-mêmes, consciemment. Cela veut dire vous accepter totalement, défauts et qualités. Plus vous mettrez le conscient au courant de ce que vous êtes, plus vous comprendrez tout cela. Ne vous en faites pas. Les premières sessions servent surtout à tout redéfinir les termes. Mais nous irons beaucoup plus loin dans les détails. Ne songez pas à vivre uniquement avec l'Âme, ce serait une erreur. Celle-ci doit s'exprimer dans votre forme; il faut seulement que vous puissiez le reconnaître. Tout cela vous sera montré. *(Le fil d'Ariane, I, 28-09-1991)*

J'ai de la difficulté à me démêler. Le cerveau est comme doué d'une volonté propre, l'Âme est douée d'une volonté propre et la forme aussi. Moi, où suis-je là-dedans ?

L'ensemble. Vous êtes la partie consciente qui dirige le tout et qui essaie de tout maîtriser à la fois, mais qui parfois laisse une partie s'exprimer davantage qu'une autre. Laissez-nous vous le démontrer autrement, par un exemple. Vous connaissez tous des gens qui, après une maladie, contractent une autre maladie. Ces gens laissent leur forme s'exprimer d'elle-même. Ils croient qu'ils sont dus pour cela. Ces gens n'écoutent pas les autres et ne s'écoutent pas eux-mêmes. Ils laissent leur forme s'exprimer. Donc, c'est l'anarchie dans leur forme. Dans vos sociétés, quand tout le monde veut diriger en même temps, cela ne va pas, n'est-ce pas ? C'est la même chose dans vos formes. Donc, elles se dirigent vers des maladies plus ou moins graves. Il en va de même pour ceux qui ne vivent que consciemment. Ils croient avoir des réponses à tout. Ils ont beaucoup d'études, mais finalement ils ne sont pas plus heureux pour autant. Ils n'auront jamais le courage d'agir. Puis, il y a ceux qui peuvent faire la différence entre le savoir physique conscient et celui de l'Âme, et qui peuvent utiliser les deux. La forme suivra parce que, si vous êtes heureux, la forme le sera et elle voudra croître avec cela. Il est très facile de savoir si vous faites ce que l'Âme veut : demandez-vous si vous êtes pleinement heureux et sans regrets, si vous êtes capables d'accepter tout ce que vous êtes et tout ce que vous faites, et vous aurez votre réponse. Si vous vous donnez des limites, des restrictions, vous lui en donnez également, et psychologiquement vous vous en donnez aussi; votre conscient se débat avec tout cela. Il cherche à regrouper autour de vous des gens qui sont comme vous. Il a été dit il y a plus de 2000 ans qu'à moins de renaître, nul ne verrait Dieu. Ce n'était pas renaître physiquement dont il s'agissait, mais de renaître dans la conscience de la forme elle-même, dans la pleine valeur de la forme. Et nous allons vous le proposer. Votre nom de groupe signifie un peu cela : suivre un fil conducteur. En fait, c'est beaucoup plus que cela pour nous. Ce serait de couper le cordon ombilical au bon endroit, question de vous laisser vivre pour vous. Cela vous allez l'apprendre. *(Le fil d'Ariane, I, 28–09–1991)*

Q uelle est la différence entre le conscient, le supraconscient et l'Âme ?

L'Âme n'a rien à voir avec le fonctionnement de vos cerveaux. Le cerveau peut accepter cette autre forme d'énergie qu'il sait fort bien présente dans votre forme et s'en servir, comme il peut la rejeter et bâtir une structure intellectuelle totalement ignorante de ce fait et refusant ce fait. C'est un peu ce que vous êtes venu apprendre d'ailleurs. Tout le monde sait ce qu'est le conscient en fait, c'est lui qui écoute actuellement. Le supraconscient est une autre division de votre cerveau, qui n'oubliera pas une seule virgule de cette session, mais qui gardera en réserve ces connaissances pour le jour où vos expériences les demanderont. D'autres disent que c'est un peu l'ange gardien. En fait, c'est un peu la partie de vous-même qui tient toutes les connaissances et même une partie de la morale, d'ailleurs, qui vous accorde le oui ou le non. Mais ce n'est pas l'Âme. Certains diront, selon leurs croyances, que le supraconscient, c'est l'Âme parce qu'à cet endroit se situe toute connaissance et le sens de la justice aussi. Mais ce n'est pas le cas. Une personne totalement démente a aussi le supraconscient mais pas nécessairement l'Âme. Il y a beaucoup plus de divisions que cela dans vos cerveaux. Supraconscient signifie au-dessus de la conscience, une part inaltérable, mais c'est faux. Vos scientifiques vous disent qu'il n'y a pas plus de 5 à 7 % de vos cerveaux qui est utilisé. Mais dans ces 5 ou 7 %, acceptez de croire qu'il y a encore 100 % de la valeur, avec les divisions que cela impose. L'Âme est d'une énergie totalement différente de celle de vos formes; elle s'y est adaptée puisqu'elle a choisi de s'incarner, mais elle n'est pas forcée d'y vivre. *(Le fil d'Ariane, III, 16–11–1991)*

*O**n connaît la forme, on connaît l'Âme, est-ce que l'esprit existe parallèlement à l'Âme ?*

Vous voulez dire au niveau de l'Âme elle-même ? Si l'Âme a un esprit ?

Non, parallèlement à l'Âme. Est-ce qu'on mélange l'Âme à l'esprit ou est-ce que l'Âme est supérieure ? Existe-t-il un esprit divin qui est parallèle à l'Âme ?

Vous avez retourné trois fois à l'envers votre question. Encore une fois, certaines personnes vont dire que l'esprit, c'est le supraconscient, que c'est une partie du cerveau supérieure aux autres, qui prendra les décisions sans que vous y pensiez. Vous savez, tout cela n'est qu'un jeu de mots. Nous demandez-vous si l'Âme est régie par une partie de vos formes qui lui est supérieure ? Est-ce cela votre question ?

Non.

Dans ce cas, reformulez votre question, car vous avez formulé trois questions dans une, mais en cherchant à définir trois termes différents. Ne mêlez pas esprit et Âme, ce n'est pas la même chose. L'esprit c'est l'entier, la partie complète de ce que vous êtes; c'est la compréhension de la matière même; en d'autres termes, c'est l'ensemble. C'est la compréhension totale indépendamment du cerveau de la forme, c'est l'ensemble. C'est ce qui réunit tout. L'Âme est encore distincte de cela. Reformulez maintenant votre question.

Je vais y revenir si vous permettez. (Le fil d'Ariane, III, 16–11–1991)

Q u'est-ce qui empêche l'Âme d'atteindre toutes ces dimensions ?

La forme. La conscience de la forme. Pas plus que cela. Vous avez reçu tellement de conseils simples il y a 2000 ans ! Il vous a été dit de vous aimer afin d'aimer votre prochain, pas le contraire. Il ne vous a pas été dit : faites vos preuves envers votre prochain pour vous aimer. Nulle part cela n'a été dit. Il a été dit de demander pour recevoir. D'accord, il y a eu ambiguïté : vous avez demandé à l'extérieur. Prenez le Notre Père. Lorsque vous dites « Notre père qui êtes aux cieux », ce n'est pas à l'extérieur de vous. Cessez de regarder en l'air, regardez-vous. Les cieux sont au centre de vous. Votre père, c'est votre Âme. C'est bien plus simple que vous ne le croyez. Faites l'essai; c'est cela qui va vous convaincre. Pas besoin de demander de grosses choses en premier, demandez de simples choses dans votre vie quotidienne. Visualisez-les très clairement, ressentez ce que cela fera pour vous, comme pour vous convaincre, et vous l'aurez. Ce n'est pas compliqué. Pourquoi certaines personnes qui doivent mourir continuent-elles de vivre selon vous ? Parce qu'elles ont compris qu'elles peuvent continuer de vivre. Pourquoi des cancers en phase terminale se mettent-ils à régresser et à disparaître, si ce n'est parce que les personnes se sont convaincues, hors de tout doute, avec foi, qu'elles doivent continuer de vivre ? Vous recherchez constamment vos réponses dans des pilules, vous apprenez à avoir confiance à l'extérieur de vous, alors que le remède le plus puissant de votre monde ne vous coûte pas un sou :

le rire. Quand apprendrez-vous à rire de vous-mêmes ? à enlever le sérieux de cette vie qui est devenue un poids actuellement ? Tant de responsabilités ! Que nous trouvons dommage que la majorité des gens attendent d'être sur le point de mourir pour revoir leur vie et dire : « Si j'avais su ! » Notre but c'est cela : de vous ouvrir les yeux avant d'en être rendus à ce point. C'est une chance pour l'Âme, mais aussi une chance pour vous, la chance de mieux vivre et de pouvoir accepter de vivre. *(Nouvelle ère, I, 29-02-1992)*

*C*hoisirez-vous vraiment l'envol ? Choisirez-vous vraiment ces changements à venir ? Les ferez-vous consciemment ou faudra-t-il vous forcer encore une fois à être vous-mêmes ? Vous croyez être conscients, mais en fait vous êtes trop inconscients pour cela. Ce qui veut dire que vous pourriez vraiment vous envoler si vous le choisissiez; vous pourriez le faire vous-mêmes, pas seulement avec votre conscient inconscient mais consciemment, avec tout l'amour auquel vous avez droit. À ce jour, vous utilisez le conscient pour tout, pour diriger vos vies et, plus vous le faites, plus vous devenez inconscients. Disons que vous êtes à côté de votre vie et que vous la regardez passer. Vous cherchez des miracles dans tout, dans les énergies... Nous avouons que cette forme [Robert] nous a bien fait rire au début de cette présentation. Chercher des miracles dans toutes sortes de techniques ne va bien souvent que vous donner du rêve, des croyances pas toujours réalisables, des douleurs pour plusieurs. Nous le disons encore une fois, ces techniques sont encore inconscientes. Nous comprenons que vous vous encouragiez entre vous en « rétablissant des énergies », en trouvant toutes sortes de produits miraculeux. Nous savons que cela peut aider certains ou donner confiance à d'autres; mais c'est de vous-mêmes que cela doit venir. Nous avons toujours été surprises de voir à quel point il est triste de constater la maladie. N'y a-t-il pas plus inconscient que cela ? Nous savons qu'il y a des maladies plutôt difficiles à éviter, qu'elles viennent de vos gènes, mais toutes les autres ont une seule et même source : l'inconscience. Le seul vrai mal que vous ayez, c'est le mal d'amour. C'est l'amour qui vous manque le plus, et non seulement l'amour mais la conscience de l'amour, l'application de l'amour. Qui parmi vous ne se souvient pas de s'être fait très mal lorsqu'il était très jeune et de s'être rendu compte que sa mère, seulement en soufflant sur le bobo, avait enlevé le mal en lui disant qu'il était beau, fin, gentil, et que c'est pour ça qu'elle lui enlèverait son mal ? Qui parmi vous n'a pas alors oublié ses pleurs en riant ? Qu'est-ce que cela veut dire ? Que, maintenant que vous êtes adulte, le simple souffle d'une personne aimée sur vous ne change plus rien ? Avez-vous déjà oublié cette ouverture ? Vous avez toujours cela en vous, mais votre foutu conscient vous étouffe, vous garde cette douleur, par orgueil bien souvent, du fait de ne pas être capables d'avouer vos douleurs vous-mêmes. Lorsque nous employons le terme douleur, c'est à tous les niveaux. Le manque d'amour est une douleur, tout comme la douleur physique. Laquelle fait le plus mal ? Les deux ! Parce que le manque d'amour se vit à différents niveaux et la maladie aussi. Nous venons d'entendre des objections : « Le sida est un manque d'amour alors que c'est justement par l'acte sexuel qu'il s'attrape ! » Comme cela, ce n'est pas aimer. L'amour physique bien vécu ne devrait pas être un défoulement mais le partage d'un résultat, une récompense, pas une recherche pour reposer vos neurones suractivés par une semaine de travail ou un manque d'amour personnel. Il y a des nuances dans l'amour; beaucoup l'ont oublié. Chacun d'entre vous, rappelez-vous que, toutes les fois que vous avez eu de l'amour pour vous-même, vous en aviez pour d'autres. Et si vous aviez aimé par-dessus tout quelqu'un d'autre sans vous aimer vous-même auparavant, cela n'aurait jamais fonctionné, peu importe l'intérêt que vous auriez eu pour l'être aimé. En termes plus simples, l'amour n'est pas à sens unique; il va vers soi en premier, et vers les autres après. Nous vous avons dit que vos formes étaient inconscientes, même de la maladie. Vous êtes tellement programmés qu'actuellement vous vivez avec des stress, des craintes. Pour certains, ce sera la peur du sida; pour d'autres, celle du cancer. C'est tellement acquis dans vos consciences que vous justifiez ces peurs; et c'est cela qui vous conduit à toutes ces nouvelles techniques, à ces courses aux miracles, aux solutions extérieures pouvant dissimuler les raisons intérieures. Oh ! nous pourrions vous conter des histoires, nous le savons, mais à quoi bon. Nous trouvons que vous vous en contez déjà suffisamment comme cela en refusant bien souvent la vraie réalité de votre vie. S'envoler, cela veut dire ouvrir son conscient à une dimension intérieure consciente, accepter de partager pour soi l'amour qu'on a trop souvent eu pour d'autres et qui n'était pas justifié. Vous voulez revenir sur votre passé, sur vos problèmes familiaux, sur l'amour maternel ou paternel que vous n'avez pas eu ? Quelle foutaise ! Vous le voulez cet amour ? Il est toujours là ! Ce n'est pas en reculant 30 ans en arrière dans l'amertume que vous le trouverez. C'est en renaissant, en prenant votre envol, en affirmant que vous aimez, en prenant cela du côté positif. Même s'il vous faut 20 ou 30 ans pour vous rendre au point où vous pourrez dire « je vous aime », ce ne sera pas perdu. Vous allez à l'école pendant 7, 10 ou 20 ans pour vous rendre compte finalement que vous allez apprendre encore et que vous apprendrez toujours. S'il a fallu 20 ans pour aller chercher votre droit à l'amour, en pensant seulement à cela, en passant par-dessus les problèmes que cela aurait pu causer, dites-vous bien que c'est une grande réussite et que cela doit être vécu. Qui parmi vous commence sa journée en voulant seulement se faire plaisir ? Qui vit sa journée pour lui-même et non pour les autres ? Rares... Se faire plaisir, c'est avouer que vous vous aimez par-dessus tous les problèmes. Qu'est-ce qu'un problème en fait ? C'est une conscientisation d'un blocage, d'un manque d'ouverture, d'une peur, de la crainte que de changer fasse plus mal que de ne pas changer. Donc, bien souvent vous préférez ne pas changer. Regardez le mal que vous vous faites entre-temps. Vous croyez que les autres vous jugent ? C'est une possibilité. Mais qu'est-ce que cela peut changer puisque vous pouvez faire en sorte que ces gens vous jugent différemment tous les jours et vous pouvez être différents tous les jours. Donc, ces gens perdraient leur temps. Vous avez ce que vous appelez des choix, vous en avez toujours eu d'ailleurs, mais qu'en avez-vous fait ? Vous avez cru que subir était un choix. C'est faux; c'est très faux. Subir, c'est vivre trop consciemment et pas assez avec soi-même. La journée où vous penserez que pour aimer il faut analyser l'amour pour savoir s'il en vaut la peine, vous saurez que vous n'aimez pas, vous le saurez. On ne choisit pas cela parce que cela se vit. Lorsque cette forme [Robert] a eu ses problèmes de gorge, c'était la même chose : trop de conscience. En fait, c'est que le conscient punissait la forme en faisant en sorte qu'elle ne puisse même pas s'exprimer lors des sessions. C'est cela qui s'est produit. Le conscient, le cerveau conscient de cette forme croyait pouvoir ainsi nous punir en nous empêchant de l'utiliser. Voyez jusqu'où le conscient peut détruire s'il le veut, et très rapidement ! Ce qu'il faut bien comprendre — cela n'a pas encore été démontré lors des ateliers mais cela viendra plus tard —, c'est dans quel état de vibration votre cerveau doit être pour pouvoir s'écouter. Lorsque vous êtes trop conscients, c'est impossible. Prenons l'exemple de cette forme [Robert] : il aura fallu cinq jours de conscient actif pour réussir à faire comprendre à cette forme qu'elle ne comprenait rien; mais il n'aura fallu que cinq de vos minutes pour que le cerveau, essoufflé, lâche prise et entende ce qu'il refusait d'entendre. Vous êtes comme cela aussi, mais vous êtes sur des vibrations tellement élevées consciemment qu'il vous est difficile de faire vos choix. Vous allez selon vos réactions. Donc, vous vivez vos émotions sans les comprendre, ce qui forge vos tempéraments, vos caractères. Cela ne veut pas dire que vous allez vous aimer plus, mais vous allez sûrement vous poser plus de questions. Lorsque vous étiez jeunes, vous ne vous posiez pas ces questions, vous viviez, vous vous complétiez. Vous l'avez déjà oublié. Ce n'est pas de vous donner du rêve qui compte pour nous, mais de vous faire rêver éveillés, de vous faire rêver à ce que vous voulez vraiment, à ce que vous souhaitez pour vous. Rien n'est trop beau ! Si vous n'aviez pas été comme cela, si bien faits, si bien créés, aucune Âme n'aurait pris vos formes pour s'exprimer. Vous avez tout ce qu'il faut, sauf que vous êtes un peu trop conscients. Un peu trop conscients... Pas conscients dans le sens que vous l'entendez actuellement mais trop conscients de l'inconscience de chacun d'entre vous. Et cela vous porte à poser des gestes contre vous-mêmes. C'est ce point que nous voulons travailler avec vous. Nous ne voulons pas seulement vous donner de faux espoirs mais que vous vous donniez de l'amour pour cela. Nous ne sommes pas dupes; nous savons que nous ne vous changerons pas en trois jours. Mais, dans une vie, il est toujours temps d'agir. Pour certains d'entre vous, les changements ont déjà débuté. Nous y tenons et nous ferons tout pour que cela fonctionne dans votre quotidien; nous le ferons, peu importe ce que cela coûtera. Lors de sessions de groupes et de sessions privées aussi, nous avons observé que certains avaient parfois des réactions contraires à celles auxquelles ils s'attendaient. Il faut bien comprendre que nous ne sommes pas dans cette forme pour apporter du rêve mais des réalités, que vous êtes totalement libres de vouloir devenir différents, ou de rester comme vous êtes et de subir non seulement les autres mais vous-mêmes. Si nous devons vous amener à être plus conscients et que cela vous cause des douleurs, c'est que cela doit être vécu ainsi. Comprenez bien qu'il nous serait facile de prendre chacun d'entre vous et de vous diriger jour après jour dans votre quotidien : « Faites ceci, faites cela; évitez ceci mais mangez cela. » Nous pourrions le faire mais ce ne serait pas la vie de vos Âmes que vous auriez, ce serait la nôtre, et ce n'est pas notre but. Nous trouvons qu'il est beaucoup plus simple que vous vous dirigiez vous-mêmes consciemment, avec amour, plutôt que ce soit nous qui vous disions toujours quoi faire. Ce ne serait pas une solution. Vos parents l'ont fait avec vous : est-ce que cela a changé quelque chose ? Pas vraiment. La majorité d'entre vous a encore des problèmes. Nous avons tenté de le faire avec cette forme [Robert]; avec tout ce qu'elle avait de chances avec nous, elle s'est tout de même entêtée. Nous savons que c'était des crises d'adolescence, nous y sommes habituées, mais nous savons aussi que cette forme le fait avec amour pour nous. C'est la même chose avec vous; c'est notre façon de vous aimer, vous savez. Si cela devait s'avérer difficile parfois, ne voyez pas le côté négatif, trouvez le positif, trouvez l'amour en vous dans cette difficulté. Bien souvent, vous verrez qu'il s'agissait du contraire de ce que vous pensiez. Le temps que cela prendra pour y arriver, c'est vous qui le déciderez. Nous savons que nous allons forcer certaines formes parmi vous. Pourquoi ? Parce que nous aurons besoin d'elles pour en aider d'autres, mais aussi pour elles-mêmes. Nous savons que cette introduction est un peu longue. *(L'envol, II, 11–04–1992)*

J *'essaie de comprendre. Je comprends qu'on est venu vivre une expérience, mais il doit y avoir un pas de plus que cela...*

Vous êtes tellement préoccupé par cela que vous vous empêchez de vivre. Ne pensez pas comme votre Âme : vous n'êtes pas l'Âme, mais une forme consciente qui cherche à comprendre. Vous n'êtes pas une Entité ni une Âme. Vous avez une Âme en vous, d'accord, mais ne tentez pas de vivre sa vie dans cette forme, tentez de vivre la vôtre. Lorsque vous vous sentirez heureux dans votre quotidien, lorsque vous vous direz : « Je suis bien comme cela », c'est que votre Âme sera bien. Lorsque vous vous direz : «Je ne suis pas bien dans ma peau», elle ne le sera pas non plus. C'est là que vous aurez intérêt à comprendre et à écouter. Non pas faire ce qu'elle veut en premier, mais faire ce que vous voulez. Ressentez-le, vivez cela. Il n'y a pas une seule personne ici qui ne sache pas ce qu'est être bien, ce qu'est être mal. Utilisez cela. C'est ce qu'il faut comprendre. Ne tentez pas de vivre ce qu'elle a à vivre; vivez ce que vous voulez vivre. Elle vous en donnera l'autorisation ou non. Vous comprenez cette nuance ? Ce n'est pas encore certain. Reformulez votre question autrement.

Je ne vois pas deux choses différentes entre moi et mon Âme.

C'est parce que vous associez l'Âme au conscient. Ce sont deux choses différentes. Lorsque vous disparaîtrez de cette forme, lorsque votre forme cessera de vivre, que sera-t-elle ? Rien. Elle se détruira d'elle-même, pourrira. L'Âme va continuer. Donc, il y a deux formes de vie en une. C'est cela qu'il faut que vous admettiez, sinon vous allez tenter de vivre consciemment, avec bonne conscience. Ce n'est pas la même chose. Cela va vous porter à vous croire vous-même, à croire que tout fonctionne bien si vous avez raison. Certaines personnes sont très heureuses et ont totalement exclu l'Âme de leur vie. Serait-ce qu'elles ne méritent rien ? Au contraire ! Elles n'ont peut-être pas utilisé l'Âme comme telle, consciemment, mais elles ont été heureuses tout de même. Donc, effectivement, si vous voulez vivre comme une seule personne, il vous faudra tenir compte à chaque instant de toutes vos attentes, des joies comme des malheurs dans votre vie, de tout à la fois. Cela ne vous donnera pas accès à l'aide totale que votre Âme pourrait vous apporter. Ce n'est pas votre conscient qui irait chercher les réponses, c'est elle. Si vous avez besoin d'un surplus d'énergie, d'un surplus d'amour, c'est elle qui ira le chercher, pas votre conscient. Ce que nous voulons vous amener à comprendre, c'est que vous ne réussirez pas si vous vivez juste pour vous consciemment. Mais si, par contre, vous comprenez que votre Âme a aussi des attentes et que vous savez y répondre, cette fois vous réussirez. Ne voyez pas votre forme comme formant un tout comme tel. Nous avons dit : la dualité dans l'unicité. Donc, deux réalités en une seule. Quand vous serez portés à analyser, surtout ne mélangez pas ces deux états d'être; ne pensez pas comme une

Âme. Elle a voulu s'exprimer dans une forme et votre tâche de tous les jours, c'est cela : de vous exprimer de toutes les manières possibles, de développer des talents latents, peu importe, de vous exprimer. Donc, inutile de penser comme elle puisque c'est elle qui doit penser. Mais d'un autre côté, sachant que vos cerveaux actuellement sont à ce point développés qu'ils tenteront eux aussi de s'approprier tous ces mérites, il faut bien comprendre comment cela fonctionne, sinon vous n'irez nulle part.

> *J'ai toujours pensé que c'est tellement intimement lié et que, lorsque je parle du « je » comme entité, je parle de mon Âme, sans quoi cela ne tient pas. Je sais que mon corps va pourrir et va mourir.*

L'erreur dans cette façon de penser — nous comprenons très bien votre façon de voir et de penser —, c'est qu'à un certain moment donné de votre vie vous aurez une solution dans votre tête que vous allez croire être celle de l'Âme, alors que ce sera votre conscient qui jouera ce rôle, et c'est là que vous perdez la réalité. Plusieurs personnes, même ici, ont joué un rôle auquel elles ont tellement cru qu'elles se se sont attribué des pouvoirs qui n'existent pas ou des pouvoirs qui sont normalement attribués à l'Âme même si ce n'était pas le cas. Donc, à certains moments donnés de vos vies, si vous pensez comme vous le faites actuellement, vous vous donnez des pouvoirs qui ne sont pas des pouvoirs. Sachez remettre les pouvoirs là où ils sont et à qui ils sont. Disons que vous êtes mandataires d'une énergie que vous pouvez utiliser et consulter à volonté. Mais, pour vous faciliter la tâche, vos cerveaux ont cru bon de s'immiscer entre les deux et de ne faire qu'un avec le conscient. C'est ce qui cause des problèmes actuellement. C'est le rôle que jouent vos formes — et plus particulièrement vos cerveaux —, et qui n'est pas leur rôle; leur rôle est d'admettre. Si nous prenons votre raisonnement globalement, vous avez raison. Mais, dans les faits, nous préférons ne pas vous apprendre votre réalité ainsi, sinon vous allez vivre des émotions que vous ne pourrez pas expliquer, sinon vous allez vivre des perceptions qui vont vous faire agir différemment des autres et vous ne pourrez pas expliquer vos comportements. Si vous vous mettez à vibrer comme votre Âme, totalement, au point d'oublier le conscient de vos formes, attendez-vous à être attachés dans peu de temps parce que vous allez vivre des dimensions qui vont vous transporter littéralement. Vos Âmes ne vibrent pas comme vos formes, sinon vous seriez des Âmes. Il faut le comprendre. Donc, nous préférons vous faire comprendre qu'effectivement vous êtes deux et non un, et que vous devez utiliser l'une pour que l'autre puisse comprendre et admettre, sinon vous allez vous jouer du violon et perdre le contact avec la réalité un jour ou l'autre. Beaucoup, dans le passé, ont perdu leur propre identité comme cela. Nous savons que vous êtes très équilibrés, que vous savez faire vos choix, mais la mémoire oublie, vous savez. *(Diapason, I, 21–03–1992)*

*C*omment utiliser les liens entre l'Âme et le conscient ?

En mettant de côté toutes ces fausses croyances qui vous ont été enseignées. En réapprenant comme des enfants ce qui est plus simple : l'amour de vous-mêmes. En faisant en sorte que cet amour soit à chaque instant une recherche personnelle jusqu'à ce que cela soit vraiment vous-mêmes, en tout temps. En étant heureux dans ce que vous faites. Si vous ne l'êtes pas, votre Âme ne s'exprimera pas et vous chercherez à combler cela par des sources extérieures. *(L'envol, I, 07–03–1992)*

*E*st-ce que le subconscient, c'est mon Âme ?

Le subconscient est une division du cerveau qui essaie d'être un peu plus rationnel, mais ce n'est pas l'Âme. L'Âme est tout à fait indépendante de la forme, une énergie parallèle à celle de la forme, qui peut maîtriser la vôtre si vous lui donnez la chance de le faire. Dans un certain sens, vous pouvez lui nuire, mais vous vous nuisez aussi en même temps, car vous n'allez pas à fond dans vos capacités. Parfois votre Âme enverra dans votre subconscient certaines images déjà vues pour vous encourager. D'autres fois, elle vous donnera par l'intuition des conseils. Beaucoup croiront que ces conseils provenaient du subconscient. Tout dépendra de la connaissance que vous aurez. Ne mêlez surtout pas l'Âme avec les divisions de votre cerveau ou, si vous préférez, avec les différents niveaux qui vous servent à mieux la comprendre. Cela n'a rien à voir. *(Harmonie, III, 09–01–1991)*

S i j'ai bien compris tantôt, vous avez dit qu'il y avait des Âmes
qui ont quitté des formes parce que leurs cerveaux étaient
rebelles.

Plus que cela même, en ce sens qu'il n'y avait aucune possibilité de maîtrise, que ces cerveaux rejetaient tout, même la compréhension humaine. Veuillez continuer votre question.

*Concrètement, est-ce qu'on peut dire que Saddam Hussein est
un cas de ce type ?*

Pas tout à fait. Saddam veut maîtriser un peuple. Il veut
reprendre ce qu'il croit lui appartenir. Disons qu'il a des visions
trop grandes, qu'il a des visions qui lui sont propres. Voyez
comme cela rejoint bien ce que nous avons dit plus tôt dans cette
session au sujet de ceux qui gouvernent les religions. Ces hommes
ou ces femmes de tête réussissent à convaincre des peuples entiers
par leur foi et, lorsqu'ils n'y arrivent pas, ils le font de force. Donc,
ces populations n'ont pas le choix, elles sont endoctrinées très
jeunes. Saddam Hussein a su profiter de tout cela. Vous avez un
très bel exemple d'une personne qui est loin d'avoir le contact avec
son Âme. Il croit qu'il maîtrise tout lui-même. Il vous réserve
encore des surprises. *(Harmonie, III, 09–01–1991)*

A u sujet de la maîtrise de la forme par l'Âme, je me rends
compte que j'ai changé beaucoup, mais il y a encore des
*moments où j'ai l'impression que je perds les pédales complètement,
je perds le contrôle, mon scénario négatif reprend le dessus.
Qu'est-ce que je peux faire pour arrêter cela ?*

La même chose que ceux qui apprennent à tricoter : ils trico-
tent deux fois plus et parviennent ainsi à maîtriser le tricot. Votre
cerveau fera tout ce qu'il pourra pour garder le contrôle de votre
forme. Il vous donnera des peurs, des craintes, des blancs de
mémoire. Il fera tout, tout pour qu'il n'y ait pas une deuxième
réalité à votre vie. C'est cela notre perte de contrôle. Donc, ce qui
vous arrive ne fait partie que du processus de changement. Voyez
le bon côté dans toutes choses, nous vous l'avons dit. Le bon côté,
c'est que cela se soit déjà produit et le meilleur côté, c'est qu'il y ait
des rechutes. Au moins, vous pouvez ainsi comparer les deux.
Mais laissez le cerveau se calmer, laissez-le faire ce qu'il veut et

vous reviendrez très vite vers ce que vous souhaitiez parce que le cerveau est comme un enfant, il se fatigue et s'endort parfois. Lors du cours, on vous remettra un instrument capable de vous aider à maîtriser cela. *(Harmonie, IV, 16–02–1991)*

*E*st-ce que le supramental existe réellement ?

Le supramental est une autre division de vos cerveaux. Il existe, bien enfoui très souvent, et il aurait de bonnes solutions à vous proposer, mais comme elles ne proviendraient pas d'un niveau très conscient, vous auriez peur de trop changer; les solutions seraient trop radicales. C'est aussi du supramental que sortent beaucoup de vos rêves et beaucoup de vos intuitions. Donc, vous avez le choix de développer cette partie de votre conscient qui vous apporterait des solutions et qui vous changerait, soyez-en sûr, ou de vivre de façon superficielle, consciente, avec des connaissances acquises mais non vécues. Dans ce dernier cas, ça fait des gens qui savent tout, mais qui n'ont rien fait; ils ont des solutions mais n'agissent pas eux-mêmes. C'est pour cela que nous vous disons que vous allez trop à l'extérieur. La réponse est en vous, sachez le reconnaître. *(Symphonie, I, 06–04–1991)*

*V*ous avez parlé de communication entre le conscient et l'Âme, qu'est le subconscient dans tout cela ?

C'est lui qui fait le lien entre ce qui doit passer vers le conscient et ce que l'Âme doit entendre. C'est aussi lui qui va vous faire rêver en quelque sorte, qui va vous envoyer l'intuition, les images, parce qu'en fait les intuitions ne sont pas des mots, elles sont toujours des images. Pensez-y. Vous visualisez toujours lorsque vous avez une intuition. Ce ne sont pas des mots. Ce peut être un visage, une situation ou autre chose, ou simplement — lorsqu'il s'agit d'une intuition très profonde — une sensation intérieure dans votre forme qui approuve, un peu comme une émotion, et vous n'aurez même pas le goût d'y penser; vous agirez. Formulez une autre question sur cela. Aimez-vous mieux que nous revenions à vous un peu plus tard ?

Oui. *(Les Âmes en folie, I, 24–04–1991)*

*E*st-ce que Uri Geller a une Âme très développée, car on lui accorde des pouvoirs spéciaux ?

Vous souvenez-vous de ce que nous vous avons dit au début de cette session concernant les molécules ? Une personne ayant beaucoup de volonté peut retransmettre aux molécules une autre programmation, ce qui fait en sorte que ces mêmes molécules sont transformables : elles perdent leur valeur. Cela n'a rien à voir avec les yeux de cette personne mais beaucoup plus avec les connaissances qu'elle a. Cette personne, si elle le voulait, pourrait tout aussi bien guérir plusieurs cas de cancer en modifiant les cellules des formes pour qu'elles se guérissent. Vos cerveaux ne sont pas encore très développés à ce niveau, parce qu'il n'y a pas une seule personne ici qui ne pourrait en faire autant avec elle-même, sauf que vous avez moins confiance en vous que la personne mentionnée. C'est fort similaire comme effet à ce qui se fait dans d'autres mondes où des formes entières comme les vôtres peuvent se dématérialiser et se rematérialiser à un autre endroit. Cela demande de la volonté et de la confiance mais surtout une foi absolue. *(Les flammes éternelles, II, 02–02–1991)*

*L*orsque je travaille en classe j'entends trois sons de cloche, c'est quoi cela ?

Cela n'a rien à voir avec la forme elle-même, ni avec l'énergie de la forme. C'est beaucoup plus le fruit de votre cerveau que de votre forme; cela n'a rien à voir avec la forme. Il n'y a rien de plus à rajouter sur cette question. Vos cerveaux peuvent parfois vous faire entendre des sons qui ne sont pas émis ni captés par l'oreille, et ils peuvent très bien y croire. Cela n'a rien à voir avec votre forme et ne provient pas de l'extérieur. *(Les flammes éternelles, II, 02–02–1991)*

*C*omment interpréter le mal ?

Reformulez votre question autrement : le mal que vous vous faites, le mal que vous faites aux autres ou le mal que les autres vous font ? La réponse sera différente.

Comment percevoir ce qui est bien ou mal pour soi ?

N'avez-vous pas des sentiments et des émotions ? Une question pour vous : que se passe-t-il lorsque vous faites un geste qui vous plaît ? Que ressentez-vous ?

J'ai un bon sentiment.

Lorsque vous faites quelque chose que vous n'aimez pas, comment vous sentez-vous ?

Je ne me sens pas bien.

Quelle était votre question déjà ?! En fait, à chacun de vos jours, vous savez toujours quand vous faites bien ou quand vous faites mal. Sauf qu'à force de faire mal et de vous convaincre du contraire, à force de vous répéter à vous-mêmes que c'est bien, vous ne savez plus distinguer le bien du mal car vous avez convaincu votre cerveau par votre propre programmation que, lorsque vous faites quelque chose qui n'est pas bien mais qui vous convient, c'est bien. Donc, vous vous trichez vous-mêmes mais à force de tricher, tricher n'est plus tricher et fait partie de vous. Soyez honnêtes lorsque cela ne vous convient pas. Lorsque vous faites quelque chose qui n'est pas bien, attendez-vous à ce que cela vous soit redonné. D'une façon ou d'une autre, cela vous sera redonné. Pas nécessairement par les autres, mais par vous-mêmes. Vous vous punissez tous tellement bien, pourquoi les autres le feraient-ils pour vous ? Nous ne sommes pas dupes. Nous savons très bien que chacun d'entre vous sait lorsqu'il fait bien et lorsqu'il fait mal, sauf que vous refusez souvent de l'admettre. Vous le comprendrez tout au long de ces sessions. *(Le fil d'Ariane, I, 28–09–1991)*

*L*orsque l'Âme quitte le corps, est-ce qu'on quitte aussi la conscience ?

Faux. Vous quittez la dimension consciente actuelle, mais tous les acquis demeurent. La preuve, c'est que certaines Âmes restent accrochées à leur dernière forme, mais pas à la forme physique. Elles la recréent et cela peut parfois nuire aux gens qui viennent de perdre ceux qu'ils ont aimés. Ils vont les percevoir, et même les voir dans certains cas, tellement ces Âmes sont restées attachées, tellement elles ont aimé l'expérience qu'elles ont vécue.

Il y en a d'autres qui vont garder leur expérience consciente comme un acquis, comme elles garderont toutes les autres; elles prendront ce qu'il faudra, mais elles conserveront quand même l'expérience. *(Les Âmes en folie, I, 24–04–1991)*

Notre but n'est pas de forcer vos conscients, mais de vous aider à être plus conscients. Voyez cela comme étant un pas de plus pour vous. Vous avez tous notre amour.

Oasis

*Demandez
et vous recevrez.
Demandez-vous-le,
demandez-vous-le avec foi,
avec conviction.*

La prière

Quand on vous adresse une prière, est-ce que vous l'entendez ?

Q Bien sûr. Cependant, nous n'entendons pas la prière de ceux qui l'adressent comme s'ils la lançaient en l'air, sans trop y croire. Le plus intéressant dans une prière, ce ne sont pas les paroles, vous le savez déjà. Le simple fait d'y penser est beaucoup plus rapide. Rappelez-vous, nous n'utilisons pas des mots mais des images pour communiquer. Que ce soit avec une Entité, un groupe d'Entités, ou avec nous-mêmes, tout ce qu'il vous faut, c'est une pensée dirigée vers nous, en bonne connaissance de ce que nous sommes, mais de façon imagée uniquement. Lorsque nous transmettons vers cette forme [Robert], nous n'employons pas de mots. C'est son cerveau qui les retransmet. Il nous faut réécouter tout ce qui se dit pour bien nous assurer que cela correspond à l'image. C'est la même chose de votre côté. Si vous faites une prière et que vous voulez nous l'adresser, vous n'avez qu'à y penser, ce sera suffisant. Mais dans quel sens pouvez-vous utiliser la prière pour nous ? En quoi la prière pourrait-elle nous aider ?

Quand je vous adresse une prière, c'est pour avoir une réponse pour moi ou un souhait.

Dans ce cas, le sens de la prière n'est pas celui que vous croyez. Utiliser des prières déjà connues et faire que la prière soit plutôt une demande sont deux choses différentes. Selon les convictions religieuses déjà établies, vous aurez beau réciter 30 Notre Père pour que nous vous aidions, si vous ne faites que réciter, nous nous lasserons, tout comme vous. Le simple fait d'entendre répéter continuellement n'a aucun avantage si ce n'est de vous convaincre que vous savez bien cette prière par coeur.

Cela peut aussi être pour voir plus clair dans un chemin à suivre ?

Par la prière elle-même ? Oui, cela pourrait toujours vous autohypnotiser à la longue. Ce n'est pas le sens de la prière. Nous l'avons déjà expliqué dans une session précédente. La prière comme telle est toujours pour vous, mais de façon individuelle. Vous n'êtes pas obligés de réciter des prières déjà connues, vous pouvez en écrire une vous-mêmes. Mais si vous faites une demande, c'est différent. Vous pouvez toujours prier pour vous et nous adresser vos demandes. Nous y accéderons. Si la prière vous aide à entrer dans une forme de concentration, cela peut être une idée. D'un autre côté, si vous saviez à quel point vous êtes tous suivis, que ce soit par des Entités ou dans certains cas par des Cellules ! Nous savons tout ce qui se passe; vous aurez beau prier et prier tant que vous voudrez, nous écouterons tout de même la demande. La prière, pour nous, n'a pas plus d'utilité, mais si elle vous donne confiance de votre côté, tant mieux. (*Les chercheurs de vérité, III, 17–03–1990*)

M a question porte sur la valeur du signe de la croix et du Notre Père ?

Nous avons expliqué dans des sessions précédentes ce que pouvait être le Notre Père et le signe de la croix. Lorsque vous dites « Au nom du Père », c'est au nom de l'Ensemble. Dites « Au nom de Dieu », si vous voulez; c'est la même chose. Le Fils, c'est vous, pas son fils Jésus, vous, l'Âme en vous, si vous préférez; c'est en vous. Et la conscience est l'esprit de paix dans cela, l'union, l'union consciente. Si cela peut vous aider, faites-le; si cela peut vous aider à prendre conscience de vos valeurs, très bien. Rappelez-vous, tout ce que vous pouvez retirer, que ce soit de la religion ou de nous, prenez-le de façon positive, de façon à vous en servir pour vous, pour vous aider uniquement. C'est un outil. (*Alpha et omega, III, 18–08–1990*)

T out à l'heure, vous avez mentionné qu'il était préférable de se souvenir d'une image pour vous appeler plutôt que de mots. De quelle façon peut-on...

Vous avez déjà créé une image de nous. N'avez-vous pas, Françoise, conçu un emblème ? C'est une image qui nous associe à un nom. Il faut comprendre qu'étant donné que nous n'avons jamais eu de forme, nous avons dû trouver des associations qui pourraient vous relier à nous. Il arrive que plusieurs d'entre vous puissent nous appeler et avoir des sentiments à notre égard, comme s'ils pouvaient nous percevoir en fait. Si vous pouvez recréer dans votre imagination l'énergie que vous percevez actuellement, cela équivaut à nous appeler. Nous le percevons et c'est une demande.

> *Si on ne perçoit pas l'énergie que vous dégagez, comment à ce moment-là, à part l'emblème, peut-on vous visualiser, vous percevoir ?*

Vous savez, si vous ne pouvez percevoir notre énergie actuellement, il nous sera fort difficile de nous laisser percevoir autrement. Parce que toutes les personnes qui nous ont bien perçues — il y en a plusieurs ici même — lorsqu'elles ont ressenti cela, nous étions à leurs côtés, sans exception. Nous vous avons déjà dit aussi que votre plus grande force était l'imagination. Au tout début, cela demande de la pratique pour forcer votre forme à percevoir ce qui n'est pas elle-même. Lorsqu'une demande est faite, nous travaillons aussi dans ce sens, pour vous aider. Ce peut être par des événements, des hasards — comme si cela existait —, par des rencontres que nous pourrions vous faire faire dans le but de vous aider à comprendre. Nous avons plusieurs moyens pour cela. (*Alpha et omega, III, 18–08–1990*)

*P*ouvez-vous préciser votre propos concernant le fait « d'aller chercher de l'aide à l'extérieur » ?

Il est trop tôt pour que nous répondions à cette question. Vous aurez tout de même cette réponse plus tard au cours des sessions; n'ayez aucune crainte, nous ne l'oublierons pas. Nous n'avons pas pour but de vous donner des connaissances, mais d'éclaircir vos connaissances de façon à ce que vous gardiez seulement ce qui est utile là où vous en êtes actuellement, pas le surplus. Certains d'entre vous retiendront quelques-uns de nos propos; d'autres, non. Il ne s'agit pas de retenir tout ce que nous disons, mais seulement ce qui vous convient. Notre but n'est pas de vous embrouiller, ni de vous dire quoi faire non plus. Nous voulons faire en sorte, et nous ferons tout pour cela, que vous puissiez comprendre de vous-même. Ce sera valable parce que cela ne vous apportera pas de doute. Comme cette session est pratiquement la première pour vous, vous avez encore des milliers de questions à nous poser, toutes aussi intéressantes les unes que les autres. Dans ce groupe, 11 personnes ont refusé de poser leurs questions face à la mort et ont des craintes profondes. Lorsque vous vous occupez trop de vos formes, vous en arrivez à oublier votre réalité profonde. D'où l'importance, à toutes les fois que surgit une question, de la développer à fond pour être certain de bien comprendre. Personne ici n'a le droit de prétendre savoir plus qu'un autre, au contraire ! Vous n'avez pas choisi un développement personnel, individuel, parce que vous savez fort bien que vous n'auriez pas eu toutes les réponses, même si vous aviez lu tous les livres disponibles. Vous avez plutôt choisi une démarche de groupe. Laissez-nous vous dire une chose : dans notre optique, un groupe n'est qu'un, pensez-y bien. C'est aussi pour cela que nous vous avons dit de demander lorsque vous aurez besoin de nous. Nous vous avons même dit comment vous y prendre. Si vous ne pouvez percevoir nos énergies, vous n'avez qu'à imaginer l'emblème et vous aurez la perception de nous. C'est une question d'habitude de votre part. *(Maat, II, 01–12–1990)*

*V*ous avez dit qu'on pouvait vous demander en visualisant l'emblème. Est-ce qu'on a intérêt à passer d'abord par l'Âme et comment l'Âme peut-elle s'offusquer si l'on s'adresse directement à vous ?

Elle ne le fera pas, pour une simple raison. Si vous deviez passer par des Entités, elle ne vous laisserait pas faire. Elle vous ferait voir toutes sortes d'expériences diverses pour vous en décourager. Lorsqu'il s'agit de Cellules, c'est fort différent. Ce sont les Cellules qu'elle veut rejoindre, donc, vous ne lui nuirez pas. C'est une distinction à faire. *(Harmonie, III, 09–01–1991)*

*L*orsqu'on s'adresse à vous et que vous nous répondez, est-ce sous forme de rêve ?

Nous vous répondons de deux façons : soit que nous envoyions en vous une image très claire qui vous donne une réponse, soit que nous accédions à votre demande et que vous ayez un résultat direct. Les deux façons sont possibles. Vous comprenez cela ?

Oui.

Tout dépendra de votre demande. Si nous le pouvons et que nous trouvons que cette demande est justifiée, qu'elle pourrait vous aider dans votre cheminement personnel, et s'il nous fallait influencer quelqu'un d'autre ou des événements de votre vie, nous le ferions directement. Par contre, si vous n'avez pas assez confiance en cela, nous ferions en sorte de vous faire voir la réponse. D'un côté comme de l'autre, vous auriez une réponse. Surtout ! lorsque vous aurez formulé cette demande une fois, cessez de la répéter. Une fois suffit pour que nous comprenions. Sinon, nous attendrons que vous cessiez de poser la même question pour vous donner une réponse. *(Harmonie, III, 09–01–1991)*

*O*asis, comment vous contacter ?

Cela a été mentionné à plusieurs reprises dans cette session. Pas par des mots surtout, sinon vous allez répéter souvent ! *(Harmonie, III, 09–01–1991)*

*P*ouvons-nous ou devons-nous communiquer avec vous quotidiennement et, si oui, comment le faire ?

Nous pensions avoir déjà répondu à cela.

Devons-nous ?

Seulement lorsque vous en avez réellement besoin. Si vous le faites juste pour vous prouver que vous le pouvez, nous ne viendrons pas chaque fois. Qu'arrive-t-il lorsque vous appelez au secours pour rien ? Est-ce que les gens viennent chaque fois ? Et combien de fois viennent-ils ? Ils finissent par croire que vous n'avez pas réellement besoin d'aide. Il en va de même pour nous. Si vous n'abusez pas, si vous nous appelez lorsque vous avez vraiment besoin de nous, nous y serons. Si, par contre, vous faites cela juste pour vous prouver, nous allons juste vous observer jusqu'à ce que vous admettiez que cela puisse se faire. *(Le fil d'Ariane, III, 16–11–1991)*

*E*st-ce qu'il faut toujours passer par notre Âme lorsqu'on fait une demande ?

C'est la première des conditions. Certaines personnes le font consciemment; elles sont très habiles, elles savent très bien visualiser, créer. Elles peuvent se faire influencer directement par des Entités et elles trouveront une Entité pour le faire, mais cela ne donnerait rien car cela punirait non seulement la forme mais l'Âme elle-même qui a suffisamment de problèmes pour maîtriser sa forme. Si l'Âme doit aller à l'extérieur pour trouver ses réponses, à quoi bon son expérience de vie dans la forme ? Ce qu'il vous faut toujours comprendre, c'est que le seul lien que vous aurez avec l'extérieur sera celui de votre Âme. Dès que vous avez à demander quelque chose, formulez votre demande à l'intérieur de vous-mêmes et si votre demande vous semble honnête, de juste valeur et non pas exagérée, elle sera retransmise ou votre Âme elle-même y pourvoira et cela se fait très bien. Mais si vous n'avez aucune conviction et que vous préférez croire aux valeurs extérieures à vous, il y aura un problème simplement parce que vous n'aurez pas droit à cet accès. Nous croyons que le but de vos vies, le but de l'Âme et de la forme, et les moyens que vous prendrez pour y parvenir seront les vôtres. Certains diront : « Très bien, mais je préfère une méthode fondée sur les couleurs qui sera bien adaptée à moi-même pour m'équilibrer, pour prendre confiance dans la vie, dans ma forme et pour mieux percevoir mon Âme. » Cela peut être une autre méthode. D'autres vous diront : « Moi, je préfère la méditation ou une concentration profonde à l'intérieur, j'obtiens un résultat. » Bien, toutes ces méthodes sont valables mais le temps et la volonté que vous y mettrez fera la différence. Si cela ne fait votre affaire qu'une fois de temps à autre et que vous vous dites : « La spiritualité ?... Lorsque j'ai le temps ! », vous verrez que ce sera plus long et que votre Âme ne vous écoutera que lorsqu'elle aura le temps. Puis vous en viendrez à dire : « Cela n'existe pas et cela ne répond pas à mes besoins ou ne répond plus à mes besoins » et ce sera le découragement pour quelque temps. Puis, vous y reviendrez : « J'étais plus heureuse lorsque je cherchais cette vérité, lorsqu'il y avait une vibration d'amour en moi »; puis il y aura recherche encore une fois. Les demandes se feront toujours par vous-mêmes et en vous. Si vous utilisez l'influence des autres, comment pourrez-vous y parvenir ? Il y aura mélange de convictions, un mélange de croyances et de doutes. Avons-nous répondu à votre question ? Ce ne sera pas le nombre de questions qui comptera mais la certitude d'avoir bien compris. *(Les chercheurs de vérité, III, 17–03–1990)*

*P**our communiquer avec notre Âme, est-ce qu'on est obligé de parler ou de formuler comme on le fait avec vous, ou est-ce qu'on peut juste ressentir quelque chose et dire un mot puis c'est assez ?*

Tout à fait, mais vous pouvez aussi seulement visualiser puisque votre Âme ne comprendra pas les mots.

Juste ressentir, est-ce que c'est assez ?

C'est la même chose que visualiser parce que, pour ressentir, il faut que vous visualisiez de toute façon. C'est fort similaire lorsque vous voulez nous contacter. Vous aurez beau prononcer le mot Oasis, nous ne l'entendrons pas, mais le simple fait de visualiser ce que nous représentons pour vous, ce sera immédiat. *(Alpha et omega, IV, 22–09–1990))*

*A**u sujet de la prière, lorsqu'on fait une demande, comment expliquer un résultat négatif ? Par exemple, si une personne a un problème physique, qu'elle essaye de comprendre son mal ou sa maladie et que, malgré son cheminement médical et psychologique, elle n'arrive pas à diminuer son problème. Lorsqu'elle prie, il y a deux possibilités : amélioration ou continuité. S'il y a continuité, pourquoi ce refus ? Est-ce un refus de l'Âme ou celui des Cellules ?*

Est-ce que ce pourrait être aussi l'incroyance à la prière elle-même ? Simplement le fait de prier et de vous dire : « Mon travail est fait, maintenant. »

Quand elle prie, elle sait très bien ce qu'elle dit.

Vous savez, entre dire et croire... Ce doit être perçu beaucoup plus profondément. Nous avons déjà dit que ce n'est pas le nombre de prières qui compte, mais la direction qu'elle prend. La prière est une base; vous pouvez appeler cela les fondations de la foi. Mais la prière est aussi un test qui sert à vérifier la profondeur de vos croyances. Pouvons-nous vous apporter un exemple ? Supposons, tel que vous l'avez mentionné, que les faits sont véridiques et que vous priez depuis deux ou trois mois. Selon votre perception du temps, cela peut vous paraître long ou court; mais pour nous, c'est encore trop court pour être calculé. Supposons que c'est véridique et qu'au bout de deux mois, après un léger changement pour le mieux, le problème revenait comme auparavant. Vous avez alors deux choix. Vous pouvez vous dire : « Ça n'a servi à rien, je n'ai pas la bonne méthode », et vous plaindre : « Ma prière n'est pas bonne, ça ne fonctionne pas, ce n'est pas juste. » Ou encore vous pouvez vous dire : « Est-ce que c'est un test pour voir à quel point j'ai de l'endurance, pour savoir si ma croyance est valable ? » Devriez-vous en rire ou en pleurer ? Vos formes ne sont pas stupides non plus. Elles sont au courant de vos émotions, pas trois jours plus tard, pas deux heures plus tard, mais à l'instant même où vous pensez. Si vous voulez convaincre vos cellules que vous voulez la guérison, vous n'y arriverez pas seulement par une prière. La prière est pour le conscient, pour vous habituer à vouloir demander et à pouvoir demander. C'est ce que vous ressentez au moment de la prière qui compte. Si vous n'avez pas les vibrations des mots et de la pensée totale de l'ensemble de cette prière, votre prière ne sera pas perçue. Comprenez-vous mieux ? Est-ce certain ?

Oui.

Vous pourriez prier aussi avec des couleurs, non pas en associant une couleur avec un problème, mais en vivant ces couleurs. Si une couleur vous apporte la paix, imaginez-la plus souvent. Si, d'un autre côté, vous êtes plus à l'aise dans la méditation et la prière, il faut que le conscient soit convaincu de leur valeur, car il faut que vous vibriez intérieurement de façon à être en accord avec la prière. Cela ne peut pas guérir tous vos problèmes physiques, car ils sont parfois associés à des maladies héréditaires et, lorsque ces maladies sont dans vos formes, ce n'est pas évident que la pensée les guérira. *(Les chercheurs de vérité, IV, 21–04–1990)*

Vous qui avez des connaissances religieuses profondes, ne vous a-t-il pas été dit aussi : « Demandez et vous recevrez » ? Il ne vous a pas été dit de demander n'importe comment, n'importe où. Mais demandez-*vous*-le et vous recevrez ce que vous voudrez. Visualisez si vous voulez, mais demandez tout de même. Vos possibilités sont sans limite. Si vous voulez réellement les percevoir, travaillez avec la visualisation. En cela, nous pourrons vous aider. Par contre, si vous accordez à nos réponses la simple valeur de connaissances, vous serez comblés aussi. Cependant, vous vous direz : « J'ai appris, mais je n'ai pas vécu. » Entre la simplicité de vivre et la complexité de vivre, il y a une différence. (*Alpha et omega, I, 23–06–1990*)

S i des malades prient avec leur crucifix, est-ce que cela va les rendre plus malades ?

Dans certains cas, surtout si ces gens qui prient voient la douleur de Jésus sur leur crucifix, ils verront leurs propres douleurs. Donc, ces gens ne comprennent pas pourquoi, mais ils acceptent de souffrir comme Jésus l'aurait fait. Donc, ils acceptent la maladie. Par contre, ceux qui prient pour ne plus souffrir, le font bien souvent dans l'ignorance. Ils prient sans savoir qu'il faut qu'ils prient pour eux-mêmes. Prier, vous savez ce que cela veut dire ? Cela veut dire demander. Prier, c'est demander. Quand vous priez pour obtenir une réponse, ne dites-vous pas : je vous prie de m'accorder ? Donc, vous vous demandez. Si vous priez à l'extérieur de vous ou si vous priez toujours des saints, etc., vous n'aurez rien parce que la prière passe par vous, parce que c'est pour vous. Est-ce que c'est bien compris ?

Oui.

Nous allons vous donner un exemple. Vous savez qu'il y a des gens qui prient pour différentes raisons, n'est-ce pas ? Vous allez regarder notre cher musicien et vous allez vous dire en dedans de vous : j'aime ce qu'il vit car c'est sa réalité. Maintenant, vous allez lui demander ce qu'il entend. Il vous répondra : « Je n'ai rien entendu. » Donc, ce que vous ne dites pas est ignoré. Vous avez des corps, servez-vous-en donc. Ceux qui prient font la même chose : ils ne savent pas comment. Vous voulez être entendus dans vos prières, dites-le. Vous voulez dire à une personne que vous l'aimez ? Cessez d'attendre qu'elle vous le dise, elle ne vous entend pas... Dites-le ! (*Les flammes éternelles, I, 24–11–1990*)

P eut-on demander de l'aide pour nous aider dans une
compétence dans laquelle on est moins habile ?

Tout dépendra si vous voulez faire les efforts nécessaires. Si
vous ne faites que demander et que vous ne faites rien, cela n'aura aucune valeur. Par contre, si vous vous faites confiance et que
vous faites tout ce qu'il faut pour développer cette nouvelle compétence, tout se réalisera et effectivement, vous recevrez de l'aide.
Pas si vous faites le contraire. Tous les grands compositeurs ont eu
en premier une connaissance de base de la musique pour recevoir
ensuite les impulsions et les directives nécessaires pour composer,
sinon ils n'auraient jamais pu composer. Si vous voulez de l'aide
dans un domaine, il vous faut prendre conscience de tous ces
efforts qu'il vous faudra fournir et le vouloir. Alors vous recevrez
l'aide. Il vous faudra apprendre aussi à recevoir, à être en état de
recevoir, à modifier les vibrations de vos formes. Une forme très
stressée, surexcitée, ne peut recevoir. Pour recevoir de l'extérieur,
il faut aussi porter attention, comme pour l'intuition d'ailleurs, à
tout ce qui viendra de vous, tout ce qui viendra de votre cerveau.
Vous saurez très bien que cela n'est pas de vous. Pour cela, il faut
que vous fassiez aussi une partie des efforts nécessaires. (*Les
flammes éternelles, III, 11–05–1991*)

S 'il arrive quelque chose comme un accident et qu'on est stressé
et qu'on demande une protection, est-ce qu'on va l'avoir ?

Avant ou après ?

Avant.

Donc, vous ne savez pas qu'il y aura un accident, donc vous
ne pouvez pas demander. Qui d'entre vous n'a jamais besoin de
protection ? Vous avez tous le choix. En fait, vous demandez tous
les jours de la protection, sauf que vous n'y croyez pas. C'est cela
la différence ! Demander réellement de la protection ou de l'aide
veut dire non seulement y croire, mais le vivre. Le vivre à un point
tel que, dans votre esprit, il ne fait aucun doute que vous avez de
l'aide, pas seulement lorsque vous en avez besoin mais en tout
temps. C'est ce que nous voulions vous expliquer au début de
cette session lorsque nous vous disions d'être vrai, de ne pas tricher, d'avoir totalement confiance en vous. Oh ! vous ferez des

erreurs, mais elles vous aideront à mieux progresser, à pouvoir aller de l'avant. Que feriez-vous de vos vies s'il n'y avait pas d'erreurs ? Juste jouer... vos vies seraient longues et vous chercheriez des problèmes. *(Les flammes éternelles, III, 11–05–1991)*

J'aime être en contact avec mon Âme et je sais que je peux lui demander des choses, mais la plupart du temps, je ne sais pas quoi lui demander sauf de s'occuper de moi.

Ne trouvez-vous pas que c'est suffisant ? En faisant cela, vous êtes très ratoureuse, vous lui laissez la porte ouverte à tout. Son discernement devra être très grand, mais le vôtre aussi dans la compréhension, sinon vous n'apprendrez pas à reconnaître ce qu'elle fera pour vous. C'est un peu comme si vous lui disiez : « Montre-moi le monde, j'accepte tout. » Lorsqu'elle vous donnera une simple fleur, saurez-vous reconnaître que cela vient d'elle aussi bien qu'un vison ? Vos valeurs ne sont pas les mêmes ! Bien souvent, une fleur a plus de valeur qu'un vison, tout dépend de qui la recevra. Vous avez demandé et, comme tout être humain, vous attendez des preuves. Donc, premièrement, sachez reconnaître qu'elle existe. Deuxièmement, ayez confiance qu'elle existe et ce, dans chaque instant de votre vie. Troisièmement, demandez-lui quelque chose, mais n'oubliez pas la règle du donnant, donnant. Ce qu'elle vous donnera, vous devrez aussi lui rendre, ne serait-ce qu'en lui disant merci, ne serait-ce qu'en reconnaissant et en ne doutant pas que cela provient d'elle, sinon elle se fatiguera, tout comme ceux ou celles qui ont beaucoup donné aux autres en n'attendant rien en retour. Ils n'ont pas compris que la règle du donnant, donnant s'appliquait aussi à eux, n'est-ce pas Jacqueline ? Ils apprennent à leurs dépens que leurs formes raisonnent — leurs formes ! nous n'avons pas dit le cerveau —, que chacune des cellules de leur forme comprend et interréagit sur les autres. Si vous reconnaissez la réalité du donnant, donnant, votre forme et vos pensées s'ajusteront. Si vous allez uniquement vers la connaissance, vers la conscience, vers l'extérieur de vous, en sens unique, sans rien attendre en retour, vous allez brûler vos formes au sens réel du terme; vous allez les épuiser au point de ne plus être vous-mêmes, au point de ne plus vous reconnaître. Ce faisant, les autres ne vous reconnaîtront pas non plus, et vous croirez qu'ils ne vous comprennent pas. Vous croirez que les autres ne sai-sissent pas ce que vous êtes. Donc, l'interrelation qu'il y a déjà dans vos formes, entre la conscience et la forme elle-même, est déjà un Univers en soi. Il y a deux façons de voir tout cela. Ou vous regardez votre forme et votre pensée et vous vous dites qu'ils for-ment un tout, et vous l'acceptez dans l'ensemble sans vous analyser plus longtemps, comme vous pouvez le faire en regardant l'Univers au-dessus de vos têtes, tout comme vous pouvez voir et comprendre qu'il y a plusieurs étoiles, plusieurs planètes, et accepter le fait pour ce qu'il est en vous disant : « Cela existe et cela me convient. J'accepte que cela existe puisque je le vois. » Ou encore vous analysez tous les détails de ce que vous voyez et vous y passez votre vie entière. Les limites ne sont qu'en vous. De notre part, nous préférerions que vous acceptiez l'Ensemble, de comprendre que vous n'êtes pas différents d'une goutte d'eau qui est, à notre avis, la matière la plus résistante qui soit. Plus résis-tante que le diamant en fait. Vos formes sont aussi composées d'eau. Vous êtes comme la goutte d'eau : résistants. Si vous le voulez, vous pouvez vous consumer mais le plus important, c'est que vous êtes constitués comme l'eau : en une seule partie. Il ne faut pas ignorer non plus que l'eau a une mémoire, mais c'est encore trop nouveau pour vos technologies actuelles. En fait, toute matière a une mémoire, mais vous n'en êtes pas encore ren-dus à le découvrir. C'est ce qui vous empêche de vous modifier à volonté; cela se fera un peu plus tard dans votre temps. Vous êtes effectivement comme une goutte d'eau, un ensemble, une unité. Vous voulez voir votre pensée jouer avec le subconscient et le supraconscient ? Vous voulez trouver des divisions en vous ? Quel en est le besoin ? Cela ne servirait qu'à vous prouver qu'il y a des divisions en vous : « Ah ! ce n'est pas ma faute, c'est mon subconscient qui me dit cela, je ne voulais pas te dire ces mots blessants, mais en fait, je voulais te le dire sans le dire, ce n'est pas ma faute, j'ai cela dans mon subconscient. » Puis, lorsque viendra le temps de percevoir les énergies venant de l'extérieur de vous, d'avoir des intuitions, vous ne direz pas que c'est votre Âme, vous direz que c'est le supraconscient qui a accumulé toutes les con-naissances de votre Âme et que vous pouvez y puiser. Pouvons-nous vous suggérer que, si vous cherchez dans votre cerveau, vous analyserez et vous douterez ? Par contre, si vous réfutez... Et nous comprenons qu'en psychologie, il est fort utile de comprendre les dimensions de votre cerveau où se règlent et où se placent les formes de pensées, les agissements. Bientôt, ils vont vous greffer des classeurs ! Ceux qui travaillent dans ce domaine peuvent utiliser les mots pour comprendre ces niveaux. Mais chacun de vous ne doit qu'accepter ce qu'est l'ensemble. Vous êtes ce que vous êtes, un point c'est tout : un ensemble. Il ne vous vient pas à l'idée d'analyser votre automobile à toutes les fois que vous conduisez. Vous savez qu'elle démarre, qu'elle avance et qu'elle recule et vous savez habituellement où vous allez. Nous vous suggérons de voir vos formes comme des véhicules qui peuvent avancer et reculer, et à qui vous pouvez aussi demander d'aller où vous le voulez. Si vous vous considérez de cette manière, il vous faudra comprendre aussi qu'il y a un conducteur... Certaines personnes ont des réactions ! Disons qu'il y a un deuxième conducteur qui peut vous aider, vous servir de carte, de boussole, dans certains cas. Ce qui compte, c'est l'ensemble, pas ce qui compose l'ensemble. Lorsque vous aurez réellement compris cela, vous aurez fait un pas énorme et vous aurez même compris l'essentiel. Cessez donc d'analyser, il est grand temps que vous viviez, sinon vous ne serez plus supportables. Nous ne le disons pas à Louise seulement, mais à l'ensemble, pas à chacun d'entre vous, mais à quelques-uns, à ceux qui trouvent que cela leur convient. Si cela ne vous convient pas, c'est peut-être que cela vous convient trop bien ! À vous de discerner. *(Maat, III, 13–01–1991)*

C omment faut-il parler à son Âme ? Comment faut-il s'adresser à elle ?

Faites-vous allusion à la prière ?

Je ne pensais pas nécessairement à la prière.

En fait, lorsque vous vous adresserez à votre Âme, c'est qu'elle se sera déjà adressée à vous; elle aura déjà pris contact. Si vous l'ignorez, vous aurez beau communiquer par images, par sentiments, ou par émotions (ce qu'elle ressent très bien), comment saurez-vous qu'elle vous entend ? Très simple ! Lorsque vous ferez ce que vous entendrez en vous et que cela aura du résultat, vous aurez compris que votre Âme sait et elle recommencera pour que vous soyez bien certains que cela venait d'elle, que vous l'ayez entendue. Comprenez l'importance de l'intuition, d'avoir confiance en vous ! Nous disons bien en *vous* et cela fera comme une roue. Vous pouvez penser que cela provient du conscient, vous dire que cela vient de votre subconscient : « Je l'écoute et cela réussit ! » En effet, vous pouvez vous en flatter, mais votre Âme se tannera [lassera]. Vous percevrez vos intuitions comme venant de vous et lorsqu'elles viendront de vous, cela ne réussira plus et vous vous direz : « Mon étoile ne brille plus, je n'ai plus de chance. » Lorsque vous entendrez en vous des conseils, foutez-vous de savoir d'où cela vient, faites-les. Lorsqu'il y aura en vous le message de prendre telle et telle nourriture, faites-vous confiance. Votre Âme prendra tous les moyens possibles, elle vous donnera tous les conseils possibles pour se faire comprendre. Vous aimez la nourriture, elle vous en donnera; si vous n'écoutez pas et que vous êtes malades, tant pis pour vous. Elle essaiera autre chose. Lorsque vous commencerez à écouter votre Âme et qu'elle le saura, et lorsque vous saurez que cela provient d'elle et non pas de votre subconscient ou d'ailleurs, l'échange débutera. Vous pourrez demander et vous verrez qu'elle écoute très bien. C'est à son avantage et au vôtre aussi. Vous pourrez vous en servir dans votre travail, pour influencer aussi ce qui devrait arriver dans la vie que vous souhaitez. Tout cela sera possible. Si vous le faites de façon consciente en vous disant que c'est vous, cela n'ira pas loin. *(Harmonie, I, 17–11–1990)*

*E*st-ce que je peux demander à mon Âme d'aller chercher des connaissances ailleurs et de me rapporter des informations qui pourraient m'aider ?

Seulement si cela vous aide à avoir un meilleur contact avec votre Âme et un meilleur résultat dans votre vie, et si cela peut l'aider elle aussi. La règle du donnant, donnant doit toujours s'appliquer. Si vous le faites par égoïsme, oubliez cela. Si vous le faites en ayant dans votre idée que vous passez réellement par votre Âme et que vous n'avez aucun doute là-dessus, elle vous répondra. Si vous le faites pour tester votre Âme, comme vous dites, elle ne fera rien; elle attendra que vous fassiez vos essais et qu'ils soient terminés. Sinon vous vous attribueriez ce résultat

consciemment et votre Âme n'aurait pas fait un seul pas.
(Harmonie, II, 08–12–1990)

*A*vec la guerre actuelle au Moyen-Orient, est-ce que prier pour la paix dans le monde est une perte de temps ?

Est-ce que c'est une blague ? Prenez deux milliards de personnes qui prieront, cela n'arrêtera jamais un missile.

Donc, on perd notre temps.

Vous perdez le vôtre ! Ceux qui n'ont rien d'autre à faire ne le perdent pas parce qu'ils ont confiance en la prière, mais ceux qui savent agissent. Prenez 30 personnes, séparez-les en deux groupes de 15 placés face à face, puis dites à l'un des groupes : « Soyez réceptifs à ce que nous allons vous transmettre. » Même si les 15 autres personnes en face d'elles leur retransmettent l'amour, l'amitié, ou tout ce que vous voudrez, il y a fort à parier qu'elles n'entendront rien. Cela ne date pas d'hier. Regardez ce que font les gens au Moyen-Orient. Ils sont des centaines de millions à prier, pourtant ils sont en guerre. Que s'est-il passé lors de la dernière guerre mondiale ? Les victimes priaient aussi et cela ne les a pas empêchés d'être mutilées, même lorsqu'elles priaient. Vous n'avez pas compris le sens de la prière, voilà notre réponse. Vous priez toujours pour obtenir, vous ne faites pas une demande. Vous priez à l'extérieur de vos formes, vous priez Dieu, mais vous ne passez pas par l'Âme. Oh ! vous êtes entendus dans vos prières. Une question pour vous, vous répondrez à cela : qu'arrive-t-il lorsqu'une personne vous demande toujours la même chose et se répète continuellement, comment réagissez-vous ?

Cela devient ennuyeux.

Et vous n'entendez plus, n'est-ce pas ?

Oui.

L'ensemble des Cellules n'est pas plus idiot. Il se fatigue d'écouter la même chose sans savoir ce que vous voulez réellement. Lorsque vous priez sans savoir, cela équivaut à vous poser une question indéfiniment. Toutes les prières ont été créées pour vous-mêmes, pour intercéder auprès de vous-mêmes. Mais les prières n'ont pas à être toutes les mêmes. Une simple demande est une prière. Une simple pensée est une prière. Une simple visualisation est une prière. Tout cela est entendu. Essayez donc d'imaginer ce que vous appelez un Je vous salue Marie, en photographie ! Vous voyez ? C'est pour cela que nous n'entendons pas vos prières. Nous utilisons l'image, pas les mots. Par contre, si vous visualisez ce que vous voulez, nous l'entendrons. (*Harmonie, III, 09–01–1991*)

S i la prière vient de l'Âme...

Ce n'est pas l'Âme qui prie, c'est la forme qui prie d'être entendue.

Si on veut prier avec son Âme, méditer, est-ce que ça peut faire comme une prière qui part de l'Âme ?

Une seule remarque sur votre question. Vous ne priez pas avec l'Âme, vous priez votre Âme de vous entendre. Il y a nuance. Vous lui demandez. Une prière est une demande, sauf que nous vous demandons de cesser d'utiliser les mots. Visualisez ce que vous voulez et ce sera entendu.

Si une personne n'est pas capable de visualiser.

Foutaise que cela. Si vous êtes capable de visualiser le vide en vous, vous êtes aussi capable de visualiser ce que vous voulez, n'est-ce pas ?

Mais ce n'est pas facile de faire le vide.

C'est pour cela que nous vous disons de ne pas faire le vide, mais de visualiser ce que vous voulez. Pourquoi tentez-vous de faire le vide ? Vous êtes des êtres pleins, vous n'êtes pas des bouteilles vides. Cela ne serait pas utile. Donnez-nous une seule raison de faire le vide ?

Pour calmer le mental.

Vous voulez calmer votre mental ? Trouvez plutôt des solutions à vos problèmes, sinon il s'énervera de ne pas avoir de résultats. Si vous croyez qu'en faisant le vide vous allez oublier, vous faites erreur. Plus vous jouerez ce jeu avec vous-mêmes, plus votre conscient se trouvera renforcé dans sa volonté, comme pour vous faire voir que vous ne pouvez pas vous dissimuler. Donc, si vous voulez réellement méditer, c'est très simple : pensez à vous-mêmes, regardez où vous en êtes et visualisez plutôt le résultat. C'est une méditation, car cela revient à dire que vous pensez à vous. Ce qui compte ce n'est pas le comment, c'est le résultat. *(Harmonie, III, 09–01–1991)*

Vous dites que, lorsque nous faisons une demande, on doit demander à notre Âme et laisser aller ensuite. Il y a d'autres façons reconnues pour travailler à d'autres niveaux, par exemple en répétant des affirmations. Qu'en pensez-vous ?

Pour vous rendre moins conscients ? En faisant cela, vous ouvrez des niveaux du subconscient et cela ouvre la porte à des réalisations, mais vous n'êtes pas des perroquets, pourquoi toujours répéter ? Pour vous rendre moins conscients ? Nous vous disons le contraire. Soyez très conscients, soyez même des êtres hyperconscients. Plus vous serez dans vos demandes, plus elles seront réalistes et plus elles seront entendues. Vous aurez beau les répéter tant que vous voudrez, au point de fatiguer votre conscient, vous ne développerez pas votre foi de cette façon. Il y a des gens qui prient devant des murs constamment, qui répètent eux aussi; cela n'empêche pas les bombes d'arriver. Parmi ceux qui ont prié, des centaines de milliers sont morts tout de même. Il y a des dimensions, il y a des réalités. Si votre agir fait en sorte que quelque chose se produise, il est inutile de répéter une prière pour l'empêcher de se produire; vos agissements sont plus forts que les prières parce que vous ne croyez pas en elles. Nous savons qu'il y a des méthodes. Nous les entendons continuellement, elles existent. Mais nous vous avons dit le contraire : simplifiez. Demandez, mais demandez pour vouloir. Nous vous avons dit de visualiser pour obtenir et vous aurez. Vous n'êtes pas sourds ? Nous non plus, votre Âme non plus, les Entités non plus, vos voisins non plus. Toutes ces dimensions sont reliées les unes aux autres. Utilisez la méthode que vous voudrez, pourvu qu'elle réussisse. Toutefois, nous vous suggérons de choisir la plus courte pour ne pas vous habituer à trop répéter, pour ne pas vous ennuyer et pour ne pas créer, dans votre forme, des délais à vos demandes. *(Harmonie, IV, 16–02–1991)*

E st-ce par la prière que nous pourrons nous rapprocher de notre Âme ?

Une simple parenthèse : ne cherchez pas à vous rapprocher, vous êtes déjà à la même place. Oh ! ce n'est qu'un jeu de mots de notre part, ne vous en faites pas, votre question est très bien. La prière, c'est bien, mais pas lorsqu'elle est faite de manière répétitive. Trente Je vous salue Marie ne valent rien. Nous vous saluons une fois et cela suffit.

Comment prier ?

Pour vous-même, pas à l'extérieur. Nous vous avons dit que Dieu est l'Ensemble et que votre Âme en fait partie. Qu'elle vous ait choisi prouve que vous en faites aussi partie à votre dimension. Donc, lorsque vous dites si bien « Mon Dieu ! », vous êtes dans la vérité; tous et chacun ont cela d'ailleurs. Lorsque vous priez, ce qui équivaut à faire une demande, et que vous le faites dans la foi, dans la croyance, votre demande sera exaucée. Toutefois, il est très important de comprendre que les Âmes n'emploient pas les mots pour communiquer. Nous-mêmes, nous ne les comprenons pas. Nous comprenons vos images cependant. Imaginez ce que vous voulez, imagez surtout et ce sera compris. Répétez-le, ce ne sera pas entendu. Vous portez énormément attention à ce que vous dites, mais pas beaucoup à ce que vous voyez en même temps. Pourtant, c'est le seul lien qu'a votre Âme avec vous. Pour l'établir, elle utilise le rêve d'ailleurs. Donc, si vous priez avec des mots, ajoutez-y l'image et ce sera compris. C'est pourquoi nous avons répondu à ceux qui nous ont demandé comment nous percevoir : vous n'avez qu'à imaginer notre emblème; nous savons que c'est rattaché à nous et nous comprendrons. C'est comme cela que nous fonctionnons. C'est aussi pour cela qu'il y a des délais entre ce que nous envoyons au cerveau de Robert et ce qu'il peut déduire. Il nous faut parfois reprendre aussi. Avons-nous répondu à tout cela ?

Alors, se sentir proche de Dieu, c'est en réalité être près de son Âme ?

C'est aussi considéré comme faisant partie d'être, pas plus que cela : être. Très bonne question. *(Symphonie, I, 06–04–1991)*

T *ous les groupes qui méditent à travers le monde pour la paix*
dans le monde, est-ce que cela a eu une incidence pour l'arrêt
de la guerre ?

Aucunement ! Dans les faits, les bombes sont tombées quand même. S'ils avaient agi, cela aurait fait autre chose. Prenez un million de personnes qui prient en même temps et qui prient tous à répétition. Nous vous avons dit ce que cela faisait : personne ne les écoute. Par contre, s'ils agissent, s'ils se placent eux-mêmes devant ces bombes, cela fera bouger vos politiques. Prier et méditer pour vous-mêmes, pour mieux vous comprendre, pour mieux comprendre comment agir plus tard, est très bien. Plutôt que de vous réunir dans le but de changer le monde par la prière, nous vous suggérons d'apprendre à jouer aux échecs ou à danser, ce sera au moins efficace. Nous vous l'avons dit, visualisez si vous le voulez, mais demandez des choses réelles, réalisables et réalistes. Comment voulez-vous changer une période qui doit avoir lieu ? Elle aura lieu de toute façon. Pouvez-vous empêcher vos hivers par la prière ? Fera-t-il plus chaud au mois de février si vous priez tous ? Nous aimerions bien voir cela, prévenez-nous... Aucunement ! Vous ne changerez pas le cours de vos températures en priant, mais vous pourriez avoir plus chaud si vous agissiez pour être heureux. Passez à l'action, n'entretenez pas seulement des pensées. Les seuls qui utilisent les forces de pensée, vous les appelez des politiciens et vous les remplacez rapidement. Ceux qui agissent restent. *(Symphonie, I, 06–04–1991)*

A *u sujet de la communication avec l'Âme et le subconscient,*
cela voudrait donc dire que, si j'ai bien des demandes et que je
n'obtiens pas de réponse pour plusieurs d'entres elles, c'est parce que
le subconscient les a rejetées tout simplement ?

Parce que le conscient est trop fort. Soit qu'il retourne les demandes sans les envoyer à votre Âme, en vous faisant croire qu'elles ont été transmises, soit qu'en vous-même, au plus profond de vous-même, vous croyez avoir les solutions et pouvoir résoudre vous-même ces problèmes ou obtenir vous-même ces demandes. D'un côté, vous demandez et de l'autre, vous ne voulez pas recevoir la réponse. Donc, le subconscient ne retransmettra pas vos demandes, sachant très bien qu'en surface, ce sera rejeté. Vous comprenez cela ? Tout dépendra de la subtilité que vous aurez face à vous-même. Si vous êtes parfaitement ouverts, que vous croyez et que vous avez besoin de ce que vous demanderez à l'Âme, cela vous sera rendu. Mais n'oubliez pas de visualiser, n'utilisez pas de mots. Si vous demandez juste au cas où votre Âme voudrait vous donner, vous allez être surpris, vous n'aurez rien. Encore une fois, rappelez-vous ce qu'il a été dit il y a plus de 2000 ans, que la foi déplace les montagnes. Il n'était pas question des montagnes physiques ! Pour plusieurs d'entre vous, une simple pensée est énorme, lourde, même au niveau des conséquences, et elle équivaut à une montagne. Donc, si vous avez beaucoup de foi, ce qui suppose que vous ne passiez pas votre temps à tout analyser, si vous croyez, vous aurez. Cela implique la croyance. La croyance est très importante, pas la remise en question, pas le doute. Vous croyez ou vous ne croyez pas. La croyance ne se mesure pas. Lorsque vous en serez au point de demander et de savoir que vous allez avoir, donc de remercier avant d'obtenir tellement vous êtes sûr d'obtenir, la question ne se posera même pas, vous aurez. C'est cela la foi : remercier avant d'obtenir, remercier avant même de poser la question. Très bonne question ! *(Les Âmes en folie, I, 24–04–1991)*

L orsqu'on a l'impression que l'Âme ne progresse pas assez rapidement, qu'on demande à l'Âme ce qu'elle voudrait et qu'on n'obtient pas de réponse, disons la nuit dans les rêves, est-ce à dire que l'Âme est comblée ou qu'on ne perçoit pas ce qu'elle veut ?

Elle ne vous a peut-être pas entendu non plus. Vous savez, vous associez toujours le temps au progrès. C'est une fausse dimension. Certaines Âmes peuvent avoir fixé l'atteinte de leur but (de s'exprimer dans une forme) sur 80 de vos années. Si cela s'est produit avant, cessez de lui demander ce qu'elle voulait, elle le sait déjà, elle l'a déjà eu. Donc, maintenant que vous lui avez donné ce qu'elle veut, si vous êtes bien avec vous-mêmes, vous pouvez lui demander autre chose, non pas ce qu'elle veut mais ce que vous voulez. Une forme d'échange, donnant, donnant. Mais il faut être réalistes aussi dans vos demandes et lui laisser du temps pour ce qui est irréaliste. Pendant le temps où vous serez impatient d'obtenir ce que vous avez demandé, profitez-en pour regarder ce qu'il y a autour de vous. Vous verrez des choses que vous n'arriviez pas à voir autrefois. Peut-être qu'elle ne vous répond pas justement pour cela, pour vous laisser une chance consciemment de voir ce qui vous entoure. Les raisons sont parfois diverses. Ne dites-vous pas « courtiser l'Âme » ? Cela a toujours été exact comme terme. Que faites-vous entre vous, même entre conjoints encore une fois, lorsque vous blessez votre conjoint et que vous vous rendez compte que vous n'auriez pas dû agir ainsi. Vous vous adoucissez, vous trouvez des moyens de vous exprimer qui sont plus doux, plus ratoureux, plus langoureux. Vous faites ce que vous ne faites pas consciemment habituellement, question de vous faire pardonner. Vos Âmes ont essayé pendant tellement longtemps d'établir un contact que plusieurs se sont fatiguées, mais elles refont l'expérience tout de même. Donc, c'est à vous de faire les efforts nécessaires jusqu'à ce que vous les ressentiez bien. Après, il n'y pas réellement de limite, sauf celle de votre imagination. En ce sens, courtiser l'Âme est réel, et c'est ce que vous faites tous actuellement. Une session comme celle-ci va au-delà de la compréhension consciente. Ne vous en faites pas, vos Âmes sont beaucoup plus préoccupées actuellement à percevoir nos formes d'énergies qu'aux mots que le cerveau entendra. Donc, effectivement, vous courtisez ce soir alors que d'autres vont danser. (*Les Âmes en folie, III, 22–06–1991*)

*L*orsque vous parlez de faire une demande, qui fait la demande ?

Votre conscient. Plus il sera conscient de la demande, mieux ce sera, moins il doutera. (*Les Âmes en folie, III, 22–06–1991*)

*S*ouvent, on dit que le conscient n'a pas toujours de bonnes intuitions. Si on fait la demande et que l'Âme nous donne ce qu'on veut, cela veut-il dire que ce que le conscient demande c'est bon ?

C'est pour cela que nous vous avons dit de remercier avant d'obtenir. Lorsque vous aurez reçu ce que vous aviez demandé, dites-vous que cela vient d'elle, même si vous n'en êtes pas convaincus. Cela l'encouragera; au moins, elle saura que vous aurez pensé à elle. (*Les Âmes en folie, III, 22–06–1991*)

C omment visualiser quelque chose d'abstrait ? Admettons que
j'ai quelque chose de spécial à faire un soir et que je veux
réussir tout simplement ?

Vous repassez cet événement à vivre dans votre tête. Une ou deux fois seulement mais dans le sens que vous voulez le vivre. Cela fera en sorte que votre forme s'y sera préparée et, pour elle, ce sera comme de revivre cet événement une deuxième ou une troisième fois. Mais ne faites pas seulement penser que cela réussira ! Votre cerveau se demanderait comment cela pourrait réussir et, lorsque vous y seriez, vous pourriez faire des erreurs parce que vous analyseriez au fur et à mesure. Au contraire, si vous imaginez les gens qui y seront, que vous vous voyez avec eux et que vous dites : « Très bien, j'agirai comme cela et comme cela », l'événement se passera exactement comme vous l'aurez imaginé. Par contre — juste pour bien vous faire comprendre l'imagerie —, si vous écriviez cela et que vous ne faisiez que le lire, sans le visualiser, rien ne se produirait. Votre cerveau n'aurait même pas compris. Ne dites-vous pas que l'imagination est créative ? *(Les Âmes en folie, III, 22–06–1991)*

Q uand on fait une demande et qu'on se dit que c'est bon pour
notre Âme, même si l'Âme n'a pas de notion de temps, si on
sait que c'est bon, est-ce que cela devrait se faire ?

Comment fait-on pour reconnaître ?

Oui.

Mais si vous demandez à l'Âme avec confiance, vous allez obtenir. Le temps que cela prendra sera le temps que vous aurez la patience d'attendre. Plus cela se fera facilement, plus vous saurez reconnaître ce qui prend plus de temps. Effectivement, ce que vous demandez se réalise de toute façon, que cela prenne 10 ou 20 de vos années. Cela dépendra de ce que vous aurez demandé, cela dépendra aussi de ce que vous vivrez vous-mêmes et voudrez vivre pour vous. Soyez donc à l'écoute de vos demandes. Sont-elles réalisables ou irréalisables ? Votre demande peut-elle être vécue sans nuire à d'autres ou devra-t-elle nuire à d'autres pour se réaliser ? Soyez réalistes dans vos demandes ! Votre Âme en tiendra compte. C'est plutôt rare que ce soit bon pour vous seulement. En règle générale, toute décision entraîne des conséquences pour les autres aussi. *(Les Âmes en folie, III, 22–06–1991)*

Quand je veux obtenir des choses, je me le dis dans ma tête, mais je n'arrive pas à les mettre en images pour parler à mon Âme. Comment visualiser ce qu'on pense ?

Cela se rapproche beaucoup de la prière, en fait. Que vous vous adressiez à votre Âme ou à l'Ensemble, que vous appelez Dieu, votre demande ne sera jamais entendue si vous l'exprimez avec des mots. Pour être entendus, vous pouvez exprimer vos demandes de deux façons. Une première façon consiste à utiliser des images, un peu comme ce que vous appelez des films ou des photos, bien que nous préférons les films car ils ont une suite tandis que les photos s'arrêtent sur un point fixe à la fois. L'autre façon est celle du vécu, de la foi qui fait en sorte que vous n'avez même pas à vous poser de questions, parce que cela devient du vécu intérieur. Vous le ressentez en vous et vos réponses sont aussi ressenties. Voici un exemple, juste pour ceux qui trouvent difficile de ressentir ce qu'ils vivent. Lorsque vous faites quelque chose de bien, vous le ressentez, cela vous rend heureux, et vous savez tous où cela se situe en vous. C'est la même chose lorsque vous faites quelque chose qui n'est pas bien. Vous le savez que ce n'est pas bien; vous le vivez mal et vous vous en faites. Lorsque vous arriverez à demander ce que vous voulez en le ressentant, ce sera perçu immédiatement et vous aurez vos réponses aussi vite. C'est beaucoup plus rapide que les images parce que, de notre côté comme du côté de votre Âme, il faut que nous puissions savoir s'il ne s'agit que d'imagination de votre part et si vous allez accepter les résultats comme provenant de votre Âme ou de nous. Votre Âme doit s'en assurer avant de donner. Donc, si vous n'arrivez pas à mettre des images sur ce que vous voulez, c'est que vous n'avez pas cette faculté actuellement. Il vous faut donc développer vos émotions intérieures, y associer ce que vous voulez comme résultat; ce sera aussi une forme de programmation de vos formes, et les résultats seront rapides. Avez-vous bien compris cela ?

Vaguement.

Dans ce cas, reformulez une autre question.

Je veux vivre des choses que je perçois comme étant bien, mais il n'y a rien qui se passe. Il me manque un bout pour faire en sorte que les choses s'accomplissent.

Vous savez, il ne faut pas seulement s'écouter dans cela, il faut aussi prendre les moyens. Nous allons donner des exemples concrets; ils ne toucheront pas nécessairement toutes les personnes ici présentes, seulement celles à qui ils conviendront. Prenez une personne qui veut se séparer de son conjoint. Imaginez qu'elle rêve à cela, qu'elle le veut, qu'elle sait très bien dans quel état elle sera lorsque ce sera fait et y rêve même, bref qu'elle le souhaite de tout son être mais ne fait rien. Elle aura des agissements déplaisants qui forceront les événements, mais elle attendra. Vous aurez beau associer à votre demande toutes les émotions et tous les sentiments possibles, et même toutes les images que vous voudrez, aussi claires soient-elles, si vous n'arrivez pas à prendre votre décision, qui la prendra ? Redonner à l'Âme le choix d'une décision est se camoufler sa réalité. Lorsque vous savez ce que vous voulez, il faut avoir aussi le courage d'agir, de faire les premiers pas vous-mêmes, d'en avoir tout le bénéfice. Il est bien de demander et de souhaiter mais, lorsque vous en serez rendus au point où vous le vivrez comme si c'était fait, il ne vous restera qu'à le faire et à vous fier à la vie, dont votre Âme fait partie; votre Âme se chargera de tirer les ficelles nécessaires. S'il vous vient à l'idée de demander, mais que par contre vous n'arrivez plus à imaginer ce que ce sera, c'est que vous avez devancé les étapes et que vous n'avez pas tout compris. Donc, cela signifie qu'il faut retarder votre demande. En règle générale, lorsqu'il y a eu changement dans vos vies, c'est parce que vous avez agi, parce que vous avez bougé, parce que vous avez cessé de souhaiter pour vous mettre à prendre. *(Renaissance, I, 14–09–1991)*

C'est une question qui me fatigue depuis le début et je vais essayer de la poser le plus simplement possible.

Voyez comme nous avions raison ! Si nous avions abordé un sujet, votre question vous aurait fatigué jusqu'à quand ?

Supposons qu'on visualise l'Âme sœur, qu'on a demandé quelqu'un de libre et non pas quelqu'un de marié...

Combien de fois ?

Je ne sais pas combien de fois. Pourquoi arrive-t-il que ce soit des gens mariés que l'on rencontre ? Qu'est-ce qu'on fait avec cela ?

Bien souvent, ces gens mariés font la même chose. Ce n'est pas parce qu'ils ont été mariés ou qu'ils le sont encore qu'ils ne veulent plus vivre. Qui vous dit qu'ils ne veulent pas justement un changement ?

Ils n'en sont peut-être pas tout à fait conscients. Je n'en sais rien.

Si vous faites une telle demande, vous ne pouvez pas choisir la personne comme on choisit de la marchandise. D'un autre côté, selon ce que vous aurez demandé, selon les possibilités, ces gens s'approcheront de vous et vous les percevrez de façon différente, selon ce que vous aurez réellement demandé. Dans ce domaine, vous ne pouvez pas passer votre commande. Vous pouvez espérer, souhaiter, visualiser. Si vous êtes très honnête, vous savez que vous avez visualisé beaucoup. Votre question est très curieuse du moins. Si vous vous faites confiance, lorsqu'une personne sera pour vous, vous le saurez. Dites-vous bien une chose : cette personne peut être mariée, c'est un fait, mais qui vous dit qu'elle n'a pas fait une demande aussi. Les gens mariés qui cherchent ont les mêmes droits que vous, le droit de continuer de vivre, d'être aimés. Vous avez tellement présents à l'esprit les bouts de papier signés. Cela ne veut rien dire. Vous êtes pratiquement le seul monde où les gens signent des contrats entre eux. Mais vous pouvez formuler cette question autrement.

Ça va, merci. (Renaissance, IV, 07–12–1991)

*L*orsque j'ai des questions à poser à mon Âme, que je veux lui dire « merci de ton aide », qu'elle m'aide à faire quelque chose, *comment faire pour imager ces choses-là ?*

Pour ceux qui ne le savent pas, il faut bien comprendre une chose : vos Âmes n'entendent pas les mots mais comprennent uniquement les images. Il y a une autre chose aussi que vous devez savoir : comme elles sont dans vos formes et que vos énergies se modifient, elles perçoivent les émotions, les sentiments, les changements de vibration en vous. Cela se traduit par une satisfaction et elle le perçoit bien. Lorsque vous dites merci à votre Âme, votre satisfaction se répercute dans votre forme et se perçoit; c'est bien dirigé. C'est la seule distinction que nous pouvons apporter : image ou émotion, elles perçoivent très bien les deux. *(Le fil d'Ariane, I, 28–09–1991)*

Q *uelle est la meilleure façon de demander ?*

Une question pour vous : quelle a été votre façon de demander dans le passé ?

Vague.

Imprécise, sans savoir quoi attendre. Comment pouvez-vous obtenir en étant vague ? En n'étant pas convaincue que vous obtiendrez. C'est la seule façon. Et à force de demander de cette manière et de ne pas obtenir, vous en arrivez à être vague, à ne pas savoir si vous avez été entendue, à ne pas être sûre de recevoir, donc à ne rien recevoir. Comment vous a-t-on appris à demander ? Par la prière. Quelle belle foutaise ! Qu'avez-vous fait ? Vous avez répété continuellement des mots qui ne veulent rien dire pour nous. Que cela vous rassure : nous n'entendons pas vos mots. Que vous répétiez une prière 10 millions de fois, pour nous cela équivaut à ne rien dire. Nous voyons des images par contre, ce qui peut être retransmis. Nous pouvons percevoir à la limite des émotions vécues très profondément par vos formes. Si vous demandez clairement en voyant très bien ce que vous voulez, nous comprendrons, et non seulement nous mais l'Âme aussi... et vous obtiendrez. Surtout, lorsque cette image sera très claire en vous, laissez-la aller, cessez d'insister et passez à autre chose, sinon l'Âme croira que vous jouez un jeu, que vous n'êtes pas certaine. Donc, elle a tout intérêt à pouvoir agir librement et cela vous apportera la foi en vous-mêmes, pas le doute. Si, toutes les fois que vous recevez, il vous faut faire une autre demande pour croire, elle se lassera et attendra une demande importante. Pour elle, ce n'est pas un jeu; elle veut être certaine que vous l'utiliserez. Donc, pas besoin de répéter des prières constamment, pas besoin non plus de visualiser pendant des mois ce que vous voulez, car cela ne restera qu'un rêve. Demandez une fois, clairement, et mettez-y les émotions nécessaires. Une question pour vous : lorsque vous aviez deux à trois ans et que vous demandiez quelque chose à votre mère, que faisiez-vous ?

J'étais sûre de l'obtenir.

Vous insistiez ? Votre comportement changeait quand vous vouliez vraiment quelque chose ?

Je le voyais, je le vivais.

Alors comment ferez-vous maintenant pour demander ? Vous avez compris ? Vous apprendrez, ne vous en faites pas. (*Nouvelle ère, I, 29-02-1992*)

*E*st-il possible de faire une demande à l'Âme et de ne pas la recevoir parce que l'Être suprême, ou appelez cela comme vous voudrez, décide que ce n'est pas la bonne chose qui devait nous arriver ?

Qui est l'Être suprême ?

L'énergie suprême.

Si c'était vous-même ! C'est cela qui se passe. Vous émettez une demande. Sur le coup, vous y croyez, mais vous émettez ensuite une restriction. C'est donc que vous vous fiez sur l'extérieur pour l'obtenir. Dans la vie, si vous n'arrivez pas à passer par votre Âme en premier pour obtenir, à lui redonner ce qui lui revient, à quoi cela servirait-il ? À simplement demander et posséder ? Vous seriez comme un enfant gâté; vous demanderiez pour attendre une réponse en retour. C'est en vous qu'il faut développer une foi. Pas une foi dans ce que vous demandez mais une foi de ce que *vous* demandez. En d'autres termes, lorsque vous faites une demande, ce n'est pas en une tierce personne que vous devez croire, pas en Dieu, mais en vous-même. Vous devez avoir la foi dans l'interaction qui se produira. Demandez en croyant que vous recevrez. En d'autres termes, demandez et croyez avoir déjà reçu et vous recevrez. Mais cessez de demander une fois que vous avez demandé ! Dans votre cas, vous redemandez plusieurs fois.

Lorsqu'un enfant — vous avez vécu cela dans le passé — demande constamment la même chose, que faites-vous ?

Je lui dis d'arrêter de le demander.

Et vous voudriez que votre Âme fasse le contraire ? Si vous avez la foi, vous demandez une fois. Vous vivez en vous ce que vous avez demandé pour être bien sûre d'avoir toutes les données nécessaires et vous vous voyez dans la situation finale comme ayant reçu. C'est comme cela que vous obtiendrez. C'est en agissant ainsi que votre forme prendra l'attitude nécessaire pour obtenir.

C'est humain d'avoir des rechutes, de douter.

Vous croyez cela ? Qui a formulé cette norme ? Nous ne l'avons pas ! Qui a dit que c'était humain de souffrir ? Qui a dit que c'était humain de mourir ? Qui a dit que c'était humain de vieillir ? Des rechutes... vous avez vu le chemin de croix trop souvent. Cela vous est montré très jeune : si tu manques une fois, essaie de nouveau, recommence. Il y a des gens qui ont les genoux plus solides que d'autres; certains ont la tête plus dure que d'autres. Il faut comprendre que la rechute est un phénomène humain, mais ce n'est pas une donnée humaine. Autrement dit, certaines personnes acceptent des rechutes; d'autres prennent les moyens pour que ne plus rechuter et corrigent ce qui doit l'être pour ne plus retomber à l'avenir. Une question pour vous : que se passe-t-il dans votre forme lorsque vous vivez une rechute ?

Je pleure. Je crie.

Et cela vous démoralise ?

Non.

Votre forme, bien sûr. Pas le conscient mais la forme, oui. Continuez.

On dirait qu'une fois que la crise est passée, c'est bien.

Que faites-vous lorsqu'un enfant fait une crise pour rien ?

Je le prends dans mes bras et je lui dis que je l'aime.

Si cet enfant continue de pleurer ? Que faites-vous avec ces enfants qui pleurent sans raison, juste pour obtenir quelque chose de vous ?

Je lui dis qu'il est trop gâté.

Vous comprenez ce que vous vivez ?

Ce n'est pas de la gâterie, c'est de l'insécurité, ce n'est pas pareil.

Comme vous arrangez les événements à votre façon ! L'enfant qui a beaucoup, qui reçoit beaucoup, l'enfant gâté, que vit-il selon vous lorsqu'il cesse d'être gâté ou lorsqu'il a peur de ne plus être gâté ?

De l'insécurité.

Qu'avez-vous vécu, nous disiez-vous ?

De l'insécurité.

Il faut comprendre que ce qu'une forme peut avoir dans une vie, ce qu'elle peut vivre devient parfois de l'habitude et que cela l'empêche de voir ce qui est beau. Bien souvent, il est inutile de donner davantage à quelqu'un parce qu'il ne le voit plus et que cela le mène à être encore plus gâté; donc cela n'apporte rien de plus dans sa vie. Il faut que vous compreniez cela aussi. Il est important de comprendre que, dans la règle du donnant, donnant, il ne s'agit pas simplement d'obtenir des biens matériels ou de vivre dans l'aisance, et de seulement remercier l'Âme. Il vous faut sentir que, dans votre vie, vous lui redonnez ce qu'elle veut aussi. Vous vivez déjà dans la facilité; c'est parce que les écarts sont chiffrés que vous voyez la différence entre votre situation et celle des autres, et c'est la crainte qui vous fait vivre l'insécurité. Vient un temps où un enfant qui reçoit ne sait plus dire merci. Vient un temps où il faut dire merci avant de recevoir pour pouvoir recevoir. Songez bien à cette phrase. *(L'envol, III, 09–05–1992)*

Est-ce qu'il faut être dans un état spécial lorsqu'on fait une demande ou le contact se fait-il automatiquement par le simple fait de demander quelque chose ?

Vous avez oublié de dire qu'il faut y croire. Tout le monde sait qu'il y a une Âme dans la forme. Demander, c'est une chose, mais il faut apprendre à demander. Nous en avons parlé beaucoup déjà dans cette session. Vous pourriez demander à la journée longue, 24 heures par jour, sans arrêt et ne rien obtenir. Si vous demandez seulement au cas où vous pourriez recevoir, vous n'obtiendrez rien. Si vous demandez en sachant que vous avez déjà, vous l'aurez. Demandez à l'Âme. Prenez pour acquis que l'Âme est l'essence d'une forme. Si vous demandez et que vous ressentez cela en vous, vous recevrez. Mais si vous vous demandez si vous recevrez, si vous demandez en vous demandant si vous recevrez, il vous faudra apprendre à mieux demander. Nous l'avons très souvent mentionné dans le passé. Apprenez à dire merci avant de recevoir. Vous verrez, cela aide à croire. *(L'envol, III, 09–05–1992)*

*E*st-ce qu'on peut traiter notre Âme comme une amie ? Est-il possible qu'il y ait dialogue entre notre forme et notre Âme ?

Bien sûr. Votre Âme ne comprendra pas les mots, mais elle comprendra les images. Pour nous, c'est la même chose. Vous voulez communiquer avec nous ? Faites-le avec des images, pas avec des mots. C'est la même chose avec votre Âme. Que vous lui trouviez un nom, c'est votre choix. Mais vous pouvez effectivement penser à elle comme étant votre meilleure amie, car c'est un fait; cela aidera votre cerveau à faire la différence. Une amie, c'est mieux qu'une chose. *(Diapason, I, 21–03–1992)*

Plus vous serez aptes à demander, plus vous apprendrez à vous ouvrir, plus vous en profiterez. Si vous ressentez trop d'amour, c'est que vous avez bien ressenti cela. À bientôt vous tous.

*O*asis

*Vos formes
sont intelligentes,
conscientes. Elles n'ont pas
une seule cellule qui ne puisse
dialoguer avec l'ensemble.*

Les formes

Maintenant, qu'est-ce qui vous différencie ? C'est très simple. Vous tous qui êtes présents ce soir, vous êtes faits de la même façon. Vous êtes faits de la matière que vous appelez le « corps » et que nous appelons la « forme », parce qu'elle sert à s'exprimer, à se démontrer face aux autres et que vous avez besoin de cette matière pour le faire. Il y a autre chose en vous : l'Âme, l'énergie de vie, celle qui peut réellement vous aider. Nous pouvons affirmer sans nous tromper qu'elle est très certainement la meilleure amie que vous aurez dans votre vie. C'est elle qui vous a choisi, sachant ce que vous aurez à vivre tout au long de la vie. Le premier avantage que vous avez sur les autres, c'est que vous en saurez beaucoup plus à ce niveau. Le deuxième avantage, c'est que votre Âme est beaucoup plus ouverte que chez les adultes, elle nous entend très bien actuellement; nous la contactons comme nous vous contactons et cela vous fera faire un pas énorme. Vous allez apprendre tout cela. Donc, il n'y a rien qu'elle ne sait pas. Vous pourriez lui jouer des tours, ne pas aller dans la direction de ce qu'elle a choisi de vous faire vivre et cela vous procurerait des problèmes tout au long de votre vie : des découragements, des manques d'ambition. Ou bien vous pourriez faire appel à elle, ressentir cet amour qu'il y a en vous et apprécier d'être en vie. Mais cela ne vous fera pas oublier vos problèmes si vous y pensez continuellement. Pouvons-nous vous suggérer que les problèmes n'existent pas ? Nous aimerions vous faire comprendre que ce que vous appelez problèmes ne sont que des chances de mieux comprendre la vie. En effet, les gens qui croient aux problèmes vivent avec des problèmes et apprennent à voir d'autres problèmes dans leur vie. Y a-t-il des questions sur ce que nous venons de vous dire ? *(Les flammes éternelles, I, 24–11–1990)*

Les formes ont la conscience des cellules. Il n'y a pas une cel-lule qui n'ait pas la conscience de sa réalité et la conscience de l'ensemble. Après des siècles d'inconscience, l'anarchie s'est développée. Certaines cellules se révoltent elles-mêmes, se rebellent. Vos cellules sont de plus en plus conscientes de leur pouvoir sur l'ensemble. Elles refusent le rôle unique du cerveau. Elles refusent de passer au second rang et se révoltent. C'est l'anarchie et le cancer. Il y a aussi les cas, différents, d'évolution génétique individuelle. Voyez-vous maintenant la complexité pour une Âme d'être aux prises avec tout cela ? Elle doit convaincre sa forme de sa réalité exacte. Il y a de plus en plus de personnes qui réajusteront les énergies. Elles devront être de plus en plus directes pour ne pas nuire aux autres énergies. La méthode de Carole est exacte. L'habileté qu'ont vos formes de s'autodétruire est inépuisable; elles ont même trouvé le moyen de nuire au système immunitaire. Sachez qu'aucun traitement n'est aussi puissant que l'imagination, la foi et le rire, qui sont actuellement les moyens les plus puissants pour contrer vos maladies. Croire à, c'est confirmer aux cellules qui vous composent que vous êtes conscients, que vous acceptez. Une fois que c'est accepté, le temps d'attente est fort court. Cela demande actuellement une maîtrise et une volonté peu commune. Ce qui nous surprend, c'est la vitesse avec laquelle cela évolue actuellement. *(Les pèlerins, I, 27–01–1990)*

*U*ne cellule est un ensemble organisé, parlez-nous de cet ensemble.

Pour désigner ce que nous représentons, nous avons utilisé le terme Cellule, pour que cela soit plus compréhensible pour vous. Lorsque nous voulons que vous compreniez bien l'ensemble de vos formes, nous parlons aussi de cellule, car pour vous ce mot réfère effectivement à l'ensemble de votre forme, à ce qui la compose. La compréhension de chacune des cellules forme le tout que vous êtes. De notre côté, c'est le même principe sauf que, dans vos formes, il est possible que vos cellules se rebellent, ce qui cause des discordes dans vos formes, ce que vous appelez la maladie. De notre côté, la discorde n'a pas de place. Ce que nous représentons est équivalent à ce que représentent vos formes et ce que représente l'Univers d'ailleurs. Vous pouvez vous représenter votre planète comme étant une seule cellule.

Si on dit que chaque cellule doit évoluer...

C'est surtout pour vos formes. De notre côté, nous sommes toutes identiques. Si vous faites la comparaison avec les Entités, c'est différent, car elles doivent retrouver leur évolution primaire. De leur côté, il y a donc évolution, mais du nôtre, cela n'a pas changé. C'est toujours la même énergie, quoique notre nombre peut changer, mais très peu. Continuez votre question. (*Les pèlerins, III, 05–05–1990*)

*O**n dit souvent que nous avons sept corps, est-ce que c'est vrai ?*

Foutaise que cela ! Vous ne trouvez pas cela plus simple avec un seul ? Que feriez-vous si vous aviez sept corps ? Vous auriez sept consciences ?

Non, je pense que ce sont des corps vibratoires, par exemple le corps physique, astral, éthérique, etc.

Rendons cela plus simple. Vous avez votre corps physique qui a une vibration. Si vous voulez en avoir six et que vous croyez en avoir six, c'est qu'il y a cinq mémères [Entités] avec vous et vous pouvez vivre leur présence comme des corps puisqu'elles peuvent imaginer qu'elles en ont un. C'est beaucoup plus simple comme cela et vous avez ainsi moins de chance de vous tromper. Cela en a amusé plusieurs, pas seulement dans votre dimension mais aussi dans la nôtre. Il y en a qui croient — et lorsque nous disons « croient », le mot est très faible — que ce que vous venez de mentionner existe vraiment. D'autres sont même allés jusqu'à suggérer qu'il y avait aussi sept niveaux de conscience... Pauvres de vous !

Pourquoi ont-ils inventé cela ?

Pour se rendre intéressants, parce que cela leur apporte des adeptes, parce que cela donne une chance aux intellectuels de se casser la tête sept fois plutôt qu'une. Vous savez, les plus grandes découvertes de vos mondes ont été faites lorsque les inventeurs avaient la tête vide. Regardez ceux qui composent, bien souvent ils le font alors qu'ils font autre chose, pas en se concentrant. Einstein lui-même faisait ses meilleures découvertes alors qu'il faisait autre chose, alors qu'il ne pensait pas. Tout a été fait comme cela, toujours, toutes les inventions. Au contraire, il y en a qui fabulent, qui vont croire et croire à ce qu'ils pensent. Imaginez, sept corps ! Devront-ils aussi multiplier par sept les frais funéraires ? Si c'était le cas, nous vous suggérons de vous recycler dans les frais funéraires, du moins dans les préarrangements [arrangements funéraires payés de son vivant], ce serait très rentable.

Ils disaient que certains corps mouraient en même temps que le corps physique, sauf le corps astral qui, dans un sens, était le moyen de transmission de l'Âme vers l'au-delà.

Que c'est amusant ! Votre Âme n'a pas besoin de tout cela. Lorsqu'elle quitte la forme, elle sait très bien où elle se trouve, n'ayez aucune crainte pour elle. Elle peut s'imaginer continuer dans la forme qu'elle avait, surtout si elle y était très attachée, surtout si elle a appris beaucoup avec elle, mais pas sept formes. *(Harmonie, I, 17–11–90)*

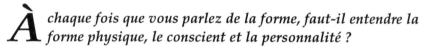

À *chaque fois que vous parlez de la forme, faut-il entendre la forme physique, le conscient et la personnalité ?*

Tout à fait. *(Alpha et omega, IV, 22–09–1990)*

J *e vous trouve bien compliquées lorsque vous parlez de forme.*

Vous aimeriez mieux « corps inerte » ? Comparez. Pour nous, une chaise est un corps. Lorsque nous parlons de forme, nous parlons de ce que vous êtes. Une forme, c'est fait pour s'exprimer, pour agir, pour être différent des autres. À ce jour, les religions ont tenté de vous rendre tous pareils : les mêmes agissements, les mêmes croyances, une même foi malade et incompréhensible. Elles ont veillé à ce que vous leur apportiez vos sous cependant. Là n'est pas notre but ! Nous voulons vous faire comprendre que tant et aussi longtemps que vos formes sauront être originales, différentes, vous vous exprimerez comme cela. Et vous saurez que vous utilisez d'une façon différente des autres votre vraie source d'énergie, non pas celle qui fait mouvoir la forme, mais l'autre. Est-ce que c'est toujours compliqué ?

Oui.

Dans ce cas, reformulez votre question autrement.

Lorsque vous parlez de l'Âme, de la forme, du spirituel, du rapprochement avec Dieu, je n'y comprends plus rien.

Tout cela ne fait qu'un. Qu'est-ce qui n'est pas compris ? Vous parlez du rapprochement avec Dieu : nous vous disons que c'est en vous constamment. Ce n'est pas compliqué à comprendre. Ce qui est compliqué, ce sont toutes ces théories que vous avez apprises, toutes aussi différentes les unes que les autres. Qu'est-ce qu'elles vous ont appris de plus ? À rendre en vous, dans un endroit bien limité de votre compréhension, des consciences dirigées vers des niveaux non palpables. Ce que nous vous disons est beaucoup plus simple que tout cela. Nous vous avons dit dès le début de cette session de mettre de côté toutes vos connaissances; elles ont été trop longtemps complexes et compliquées. Partez de la base que votre forme — c'est vous — a une Âme, que cette Âme est reliée aux Entités et à nous, sauf que nous ne l'accepterons pas parmi nous tant et aussi longtemps qu'elle n'aura pas maîtrisé votre forme consciemment et que vous ne serez pas consciente de son utilisation. Tant et aussi longtemps que ce ne sera pas fait, elle ne sera pas admise parmi nous et elle a ce but, soyez-en certains. Donc, vous avez vraiment intérêt à être bien avec vous-mêmes. Ce n'est pas compliqué. Ce qui est compliqué, ce sont les moyens à prendre, tous ces détours pour être heureux. Nous n'avons pas l'intention de jouer avec vos croyances spirituelles, de vous dorer la pilule avec de fausses théories pour donner du poids à ce que nous sommes. Nous sommes beaucoup plus simples que vous ne l'imaginez. Lorsque nous dirigeons des mots vers cette forme [Robert], c'est pour que vous compreniez, simplement. (*L'envol, I, 07–03–1992*)

Dans la première session, vous avez dit que vous éclairciez ce que sont nos formes par rapport à l'Univers. Est-ce que ce soir, à travers tout ce que vous avez dit, vous nous avez donné l'enseignement pour voir le monde comme moins complexe ?

Ce que nous avons dit, c'est que l'intérieur de vos formes est comme l'Univers. Vous n'avez qu'à voir chacune de ces planètes, chacune de ces étoiles comme étant des cellules. Ces mondes chantent, mais vous ne pouvez les entendre, sauf à l'aide de certains de vos équipements. Il n'y a pas une seule matière, incluant la chaise qui vous supporte actuellement, qui n'ait pas ses chants, ses vibrations. Même la chaise connaît sa réalité. Alors imaginez, *vous* ! Vos cellules savent et c'est aussi ce qui fait que certaines personnes peuvent retourner dans... Cela ne nous sera pas permis, quelques instants... Très bien, nous allons le dire autrement : dans l'Univers, leur propre matière. Vous avez appelé cela dématérialisation. C'est fort nouveau pour votre monde et très peu pratiqué, mais c'est couramment fait dans d'autres mondes. Tout cela n'est que force de conscience et compréhension. N'a-t-il pas été écrit, encore une fois, il n'y a pas si longtemps, un peu plus de 2000 de vos années, que la foi déplace les montagnes. Pour conclure, disons que nous n'avons pas tout éclairci, bien sûr, mais ce qui a été dit dans cette session est énorme. Il faudra que vous en relisiez la transcription à quelques reprises. En ce qui concerne l'Univers, voyez l'atmosphère qui règne de façon visuelle dans cet Univers comme si c'était dans votre forme. Voyez-y le calme, la paix, les chants. Ayez un peu d'imagination et vous comprendrez. Nous aurons d'autres exemples dans les sessions qui suivront. Si nous rajoutions encore à la session actuelle, ce serait un peu trop. Nous allons donc continuer votre période de questions. Une parenthèse : heureusement que nous ne sommes pas des Entités car nous serions mémères, surtout en ce qui concerne vos formes. Nous sommes suffisamment mères poules comme cela. (*Les colombes, II, 07–07–1990*)

*M*oi, je pensais que ce qui me marquerait serait écrit dans mes mains.

Disons plutôt que cela marquera vos mains, mais il n'y a rien d'écrit dans vos mains. Si vous aviez les mains sales, vous n'auriez pas de futur. Un bon conseil : fiez-vous donc à ce que vos mains font plutôt qu'à ce qu'il y a d'écrit à l'intérieur, ce sera plus utile. Soyez sérieux ! Rien n'est écrit sur vos formes. Il serait simple de prendre les empreintes de vos mains sur des feuilles et de tout vous dire sur vos vies. Si vous étiez amputés des deux mains, ce serait sous les pieds ? Foutaise ! (*Les flammes éternelles, II, 02–02–1991*)

T antôt dans la soirée, vous avez mentionné que les cellules de notre corps avait une forme d'intelligence...

Plus qu'une forme. Elles sont ! *(Maat, I, 09–11–1990)*

N ous avions des sujets fort intéressants pour vous, ne serait-ce qu'au niveau de la médecine, de la maladie elle-même, des perceptions que vous en avez, de leur réalité. Ne serait-ce qu'au niveau des cancers, la réalité est fort différente de ce que vous croyez, mais elle est tellement similaire aux autres maladies. Juste sur ce sujet, nous pourrions vous révéler beaucoup de points importants et sur la mort elle-même, mais seriez-vous prêts à les entendre et jusqu'à quel point ? Ce sont tous des sujets qui, un jour ou l'autre, vont vous tracasser dans la vie, peut-être même vous empêcher de faire un pas de plus, vous embêter. Qui d'entre vous n'a pas encore perdu une personne qu'elle aimait par la maladie ? Qui d'entre vous n'a pas peur d'avoir le cancer ? Qui d'entre vous n'a pas même un peu peur de la mort ? Autant de sujets, autant de questions. Jusqu'à quel point pourriez-vous utiliser, dans certains cas, des Cellules, et majoritairement des Entités ? À quel niveau leur est-il permis de vous aider ? Quelles sont leurs limites et les nôtres ? Quels sont les pouvoirs des Âmes, leurs pouvoirs réels ? Quelles sont les divisions dans vos formes, les structures qui apportent la guérison ou la maladie ? Est-ce que l'Âme peut intervenir dans cela et jusqu'à quel point ? Juste pour répondre à ces trois dernières questions, il faudrait plusieurs heures; mais nous pourrions simplifier et rendre cela plus facile. Que de sujets il y aurait. Que de richesses il y a en chacun de vous, trop conservées ! Même si chacun d'entre vous pouvait rêver d'un monde parfait, sachez bien que si votre propre monde intérieur ne vous est pas acceptable, il en sera certainement de même de votre monde extérieur. Combien d'entre vous vont vivre des relations forcées ? Oh ! par sécurité, disent certains. D'autres disent : « Qu'est-ce que je ferais si je n'avais plus la sécurité de mon conjoint ? », ou encore : « Je déteste le travail que je fais, mais d'un autre côté, j'ai du travail au moins. » Dans un tel cas, la forme est très occupée à faire en sorte de se détester elle aussi, pour que la personne comprenne la stupidité de ce qu'elle fait. Au moins, lorsqu'elle sera malade, elle n'ira pas travailler ! N'oubliez pas l'interrelation des cellules dans votre forme, de toutes les molécules qui la composent. Tous les atomes sont conscients. Il n'en est pas un seul, même dans vos ongles, qui ne l'est pas. Plusieurs d'entre vous disent : « L'enfant qui meurt à deux, trois ou six mois d'un cancer n'était pas conscient. » Sachez que, lorsque la mère portait cet enfant, elle faisait aussi partie des cellules de l'enfant. Ce que la mère et le père vivaient, l'enfant le ressentait. Même après un mois, les cellules connaissaient déjà leur destinée, savaient déjà ce qu'elles avaient à vivre. La mère le vivait; l'enfant aussi. Vous voulez savoir lorsque cela se décide ? Entre deux et six mois avant une naissance. Même si l'Âme est déjà dans une jeune forme, habituellement deux mois avant la naissance, elle ne peut pas intervenir à ce niveau et pour une raison fort simple : ce ne sont plus des cellules indépendantes qu'il y a mais celles de la mère qui communiquent. Si entre deux et six mois, la mère qui porte un enfant vit refoulement, chagrin refoulé, stress profond, qu'elle ne le désire pas, peu importent les raisons, pourvu qu'elle le vive profondément, cet enfant saura déjà qu'il n'est pas bienvenu. Les cellules de la forme sauront aussi le stress que cela demandera de vivre et se programmeront déjà pour se détruire. Cela va aussi loin que cela. Vous direz : « Où est le cancer là-dedans ? » Nous avons une surprise pour vous : les cellules cancéreuses ont toujours fait partie intégrante de vous, elles se sont toujours développées. C'est vrai de tous les humains depuis le début. Ce fait est de plus en plus connu, mais il n'est pas très simplifié. Nous ne tenons pas compte ici des statistiques puisqu'elles portent surtout sur des animaux. Tout de même, nous pouvons vous assurer que les cellules cancéreuses ont toujours fait partie intégrante de vous depuis votre naissance. Lorsque le cerveau est libre de faire son travail, libre d'émettre les ordres qu'il faut au niveau des globules blancs et de certaines hormones surtout, ces cellules ne continuent généralement pas de se développer; elles sont détruites. Lorsque vos cerveaux sont trop occupés, lorsque vos formes produisent trop d'adrénaline, lorsque vous êtes trop stressés, votre cerveau ne peut plus répondre à la demande; vous l'accaparez trop sur d'autres plans. Vous vivez dans des mondes comme cela. Votre système immunitaire devient plus faible, surtout à cause de l'adrénaline qui l'affaiblit grandement. La diminution des globules blancs dans vos systèmes donne une chance aux cellules qui sont cancéreuses de se regrouper, de prendre forme ensemble. En fait, c'est cela le cancer. Ceux qui sont trop stressés, trop occupés par ce qui se passe autour d'eux, qui s'oublient trop, épuisent les cellules de leurs formes, les fatiguent, et les cellules répondent à leur demande. Combien d'entre vous n'ont jamais entendu une remarque du genre : « Je suis tellement fatigué que j'en meure », « Mieux vaut mourir que de vivre cela », « Mon travail me fait mourir » ? Vous vous donnez des ordres. Si, de surcroît, vous êtes fatigués, votre cerveau sera porté à donner des ordres dans le sens qu'il faudra. Nous avons simplifié cette démonstration mais cela reste quand même le fait. Rappelez-vous que chacune des cellules de votre forme est consciente. Donc, si la mère vit déjà un stress profond, si elle ne peut percevoir en elle l'espoir de donner la vie mais souhaite plutôt la perdre, si elle souhaite avorter de cet enfant plutôt que de le mettre au monde, elle n'aura pas besoin de le faire. Regardez les cas de leucémie actuellement, surtout chez les jeunes. Regardez ce qui arrive dans la vie de ces enfants dans les cinq, six ou huit mois (dans certains cas) avant que cette maladie se déclare. Vous verrez que ces enfants auront été soumis à des stress énormes, des pressions venant de tous côtés. Ils n'auront pas été écoutés, ils auront été mis de côté. Vous verrez aussi que l'un des deux membres de la famille n'aura pas vraiment fait partie de cette famille. Cela équivaut à une condamnation. Vous avez voulu des formes instruites, vous avez donc des formes conscientes. Plus vos formes seront renseignées sur les maladies, plus elles sauront comment se les donner. Demandez et vous recevrez : c'est aussi valable pour la maladie ! Comment se fait-il que dans tout cela il y ait des gens comme vous qui disent : « Nous avons cherché, mais nous aimerions voir une autre réalité de la vie. » Quel est donc cet élan, cette poussée intérieure qui vous force à aller plus loin ? L'espoir ? Peut-être. Un goût nouveau de vivre ? Peut-être. Nous souhaiterions que ce soit plutôt une élévation de la conscience vers l'intérieur, une nouvelle prise de conscience. *(Maat, IV, 09–02–1991)*

S *i l'ensemble de notre forme a perdu un organe après une opération, par exemple la glande thyroïde, est-ce que l'ensemble de la forme est changé ?*

Cela dépend de la pensée qu'entretient la personne. Prenons une personne ici, qui sait déjà que ce n'est pas une partie d'elle, mais une partie de l'ensemble. Cela change la pensée, vous verrez. Supposons que vous vous fassiez extraire un poumon. Si vous êtes une personne forte, équilibrée, sachant fort bien que c'est une partie de l'ensemble et non pas un organe qui ne fait plus partie de votre forme, vous penserez à l'ensemble et, par conscience, par volonté, vous forcerez l'ensemble à se rééquilibrer. Vous ne ferez peut-être pas de jogging, mais d'un autre côté, vous allez reprendre la vie beaucoup plus rapidement que la personne qui s'apitoiera sur l'organe manquant et qui basera toute sa vie sur cela. Vous avez abordé un autre problème, celui de vos salles d'opération. Dans vos cerveaux, il y a une partie qui analysera tout, qui gardera en mémoire chaque instant de cette opération et qui associera une image à chaque symptôme que vous aurez. Si les personnes qui vous ont opéré ont passé des commentaires désagréables, si elles n'étaient pas en très bonne forme ou s'il n'y avait pas une bonne harmonie dans cette équipe, vous aurez tout noté, au complet, même si vous n'en avez pas le souvenir au réveil. Cela aura été. Puis, lorsqu'arrivera le moment de votre vie où, à cause de ce poumon, vous serez privé d'une certaine jouissance, vous vous en voudrez immédiatement, bien souvent sans savoir pourquoi. Par contre, nous avons observé les résultats dans quelques salles d'opération où il y avait une musique et moins de mots échangés : les guérisons sont beaucoup plus rapides et les gens peuvent accepter beaucoup plus leur opération, et ce, dans la majorité des cas. Il s'agit encore de cas très rares. Souvenez-vous de ce que nous vous avons dit au début. Prenez une personne qui s'est faite extraire l'appendice, placez-la dans une salle de réveil à côté d'une personne qui vient de subir une chirurgie exploratoire et qui a un cancer. Par ignorance de la cause des maladies, placez ces deux formes côte à côte. Que croyez-vous qu'il se produira ? Trois fois sur cinq, et ce, dans les deux années à suivre et dans certains cas trois années au plus tard, le cancer se développe chez le patient qui ne l'avait pas. Cela peut vous sembler une histoire. Attendez encore trois ou quatre ans et le phénomène sera bien connu. Cependant, il y aurait une solution à ce problème; elle est trop coûteuse, mais elle existe : des salles spécialisées pour des problèmes spécialisés. Ne dites-vous pas que dans la vie qui s'assemble se ressemble ? C'est la même chose pour les maladies. Dans un peu plus de 30 de vos années, ce problème sera réglé mais, d'ici là, ils analyseront la situation pour voir s'ils en ont les moyens. Il y a trois semaines, nous avons observé un laboratoire au Massachusetts où des chercheurs ont trouvé un produit pouvant combattre le cancer; cette information devrait être connue très tôt s'ils en ont la permission. Actuellement, ils étudient le coût du produit à la vente par rapport au coût des soins, pour savoir ce qui rapportera le plus. Il existe déjà trois formules chimiques capables de guérir le cancer d'intestin, du foie et de la prostate. Elles sont bien connues des laboratoires mais actuellement ce ne serait pas payant de les mettre sur le marché. Donc, pour ce dernier produit, nous ignorons encore ce qui arrivera. En ce qui concerne le sida, d'après les recherches que nous avons faites, comptez encore deux de vos années avant qu'ils ne découvrent une formule; ils sont très près de la solution. Encore une fois, la question à se poser est la suivante : croyez-vous que vos formes accepteront d'être guéries ? Nous ne le croyons pas. Vous allez développer l'une des trois autres maladies qui attendent dans vos formes, aussi graves les unes que les autres, plus expéditives. Elles sont déjà dans vos formes. Il y a huit mois, nous avions dit qu'il y en avait quatre, mais l'une d'elles s'est déjà manifestée dans plusieurs formes. Elle est encore plus expéditive : sept jours. Vous verrez que les cancers seront comme les grippes. Ils seront beaucoup moins pris au sérieux lorsque l'autre maladie fera son apparition sur une plus grande échelle. *(Harmonie, II, 08–12–1990)*

*Q*uelle était la personne qui connaissait le phénomène de ne plus avoir un organe et qui vivait bien, comme si elle l'avait encore, ou quelque chose du genre ?

Ce que vous cherchez à savoir, c'est ce qu'une personne peut vivre intérieurement en pensant qu'elle a toujours un organe qu'elle n'a plus ?

Oui, c'est mieux dit.

C'est surtout plus court.

C'était qui la personne qui la connaissait ?

Elle-même. Et pas dans d'autres vies, mais actuellement. Ce que vous mentionnez comme phénomène ne provient pas de la personne elle-même comme telle, mais du cerveau lui-même qui voit sa forme comme un ensemble complet. Cela rejoint très bien ce que nous vous disions au début de cette session : l'ensemble. Votre cerveau considère la forme comme un ensemble, donc il n'accepte pas qu'il vous manque un doigt ou un bras parce qu'il a été programmé à percevoir sa forme dans l'ensemble, pas dans ses parties. Après une amputation, il continue par conséquent d'avoir les mêmes sensations, comme s'il avait toujours le membre manquant. Comprenez-vous tous un peu mieux ce que nous vous avons dit au début de cette session ? C'est pour cela que nous avons forcé cette question. Vos formes connaissent la base sur laquelle elles fonctionnent, mais vos pensées la camouflent ! Il vous est encore trop difficile de comprendre qu'en étant plus simples vous découvririez tout, puisque vos sociétés vous font prouver le contraire, à savoir que plus vous en apprenez, plus vous avez des chances de réussir. Curieux, n'est-ce pas ? C'est pourquoi le contrôle des formes par les Âmes est perdu actuellement, pour plusieurs. *(Harmonie, II, 08–12–1990)*

*P*ourquoi y a-t-il tant de femmes qui ont de la difficulté à devenir enceintes ?

Pour deux raisons. Il faut prendre en considération que, chez certaines formes, au niveau biologique, c'est pratiquement impossible. Si ce n'est pas une question génétique, il faut comprendre qu'il peut y avoir aussi dans vos vies — tout dépendra comment vous vivez votre vie de couple — des changements à apporter, des exemples à vivre. Votre Âme peut être sur le point de maîtriser une forme et ne permettrait pas que quelque chose vienne complètement perturber ce qu'elle doit faire. Comprenez qu'elles sont aussi jalouses de vos formes que vous auriez le droit d'être jalouses d'elles. Il faut comprendre autre chose aussi : vos formes sont toutes programmées. Regardez ce qui se passait il y a seulement 20 de vos années au niveau de la procréation. Vous étiez comme forcées de devenir enceintes, forcées d'avoir des enfants même si vous n'en vouliez pas. C'était cela ou de vivre seule. Il n'y a pas si longtemps de cela. Donc, ce n'était pas des choix mais des obligations. Certains couples souhaitaient vraiment par-dessus tout avoir des enfants et, dans leur amour, ils pouvaient en avoir. Ils vivaient leur vie en ce sens. Que s'est-il passé avec vos formes, selon vous ? Très simple : il y a eu programmation massive afin de pouvoir redéfaire ce qui avait pris plus de 300 ans à faire. Explication : il est apparu sur le marché divers produits contre la procréation. Vous avez appris à vos formes à ne pas donner la vie avec des moyens artificiels; nous n'avons pas besoin de les énumérer, vous êtes tous adultes. Qu'est-ce que cela a fait en réalité ? Cela a entré en vous une possibilité de choix, la possibilité d'affirmer en vous le choix d'avoir ou non des enfants, le choix de pouvoir retransmettre la vie quand vous le voudrez, ou non. Mais combien de temps cela prendra-t-il pour que votre forme accepte de redonner la vie ? Le temps de cesser de prendre un produit contraceptif ? Foutaise ! Cela prendra le temps qu'il faudra pour que votre forme soit assurée que vous ne changerez pas d'avis. Mais la programmation de vos formes se retransmet de naissance en naissance. Donc, ce qui va se produire est très simple. Si rien ne change d'ici environ 70 de vos années, il sera pratiquement impossible de vous reproduire avec les moyens actuels, car il y aura retransmission de gènes pouvant interdire les naissances, par choix des parents. Pourquoi votre science actuelle investit-elle tant dans la « reprocréation » par des moyens de laboratoire ? Pour implanter en vous... ce qui vit déjà. C'est pour cela. Disons qu'ils ont devancé les années. Nous pouvons vous dire avec certitude que, dans tout au plus 35 de vos années, ce sera tellement au point que vous passerez vos commandes : couleur des yeux, cheveux, caractère. Regardez seulement vos façons de vivre : vous faites des choix dans tout. Il vous faut toujours tout obtenir rapidement, comme vous le voulez, car vous êtes trop occupés à travailler. Cela a développé en vous le sens des valeurs; donc, vous en voudrez là aussi pour votre argent, pour ne pas dire pour vos relations. Ce sera chose acceptée. Donc, chez certaines formes, c'est déjà retransmis. Nous allons encore plus loin dans cela. Cela pourrait aussi bien être une mère — et nous ne parlons pas de votre cas — qui a eu un enfant et qui n'en voulait pas. Tout le temps qu'elle a porté l'enfant, elle n'en voulait pas... Que va-t-il se produire selon vous ?

Elle va le rejeter.

Ce faisant, c'est chacune des cellules de la forme du nouveau-né qui commencera sa reprogrammation dans le sens du rejet et le manque d'amour de sa mère l'aidera en ce sens. Que se passera-t-il plus tard lorsque cet enfant voudra à son tour avoir des enfants ? Il aura des problèmes à en avoir parce que la forme elle-même ne sera pas convaincue que c'est une possibilité et que ce serait valable. Trois générations suffisent pour rendre une forme complètement stérile à ce niveau actuellement. Oh ! ce n'est pas seulement causé par ce que nous venons de dire, mais aussi par vos nourritures, vos radiations, par ces milliards d'ondes nocives qui vous traversent tous les jours. Prenez une personne travaillant devant un ordinateur, c'est un cas facile à comprendre. Si elle y passe plus de quatre heures par jour, elle vient de perdre 10 % de ses possibilités de procréer; si elle y passe plus de six heures par jour, c'est plus de 45 % des chances qui sont éliminées, et ce, s'il n'y a qu'un seul ordinateur. S'il y en avait tout autour d'elle, ce pourcentage augmenterait encore. Vos formes sont constamment influencées par tout cela. Rappelez-vous : comme toute matière, il n'y a que vibrations. Amplifiez-les, elles se modifient. C'est ce qui arrive avec vos fours à micro-ondes, mais à plus basse échelle. C'est la même chose qui se produit. Vous surexcitez les cellules de vos formes et lorsqu'elles atteignent un stade où elles ne peuvent plus continuer, elles se modifient. C'est une bonne explication pour le cancer; ce n'est pas la seule cependant. Donc, si vous avez concentré toute votre attention pour devenir enceinte et que vous êtes sous les radiations constantes de ces appareils, que croyez-vous qu'il se produit ? Vous dirigez toute votre attention, toute votre concentration, sur des cellules localisées de votre forme et c'est à cet endroit que vous allez souffrir le plus. Ce pourrait être aussi bien une simple crainte d'avoir un cancer, un cancer du sein par exemple, peu importe. C'est vous qui dirigez tout cela. Vos limites sont peu définies actuellement. L'endurance peut varier. Chez certaines personnes, cela peut prendre une année seulement; chez d'autres, quatre ou cinq années; chez d'autres encore, trois mois suffiront. Nous ne pouvons pas changer cela. Nous n'avons parlé que d'ordinateurs, mais il y a encore pire. Vos cellulaires actuels sont encore plus puissants... Et nous pourrions continuer comme cela pendant longtemps. Comprenez à quel point vous modifiez vos vies et qu'il nous est difficile de vous faire changer cela. Même si nous apportions la preuve formelle que le développement des cancers est attribuable à ces appareils, personne ne les rejetterait. Utiles, diriez-vous. On ne change pas le progrès, diriez-vous. Mais c'est un fait. Les grandes industries comprennent déjà cela. Mais qu'est-ce qu'une vie pour elles par rapport à des milliards en revenus ? Très peu. Elles vont plutôt imputer cela à vos nourritures. En partie, elles auront raison. (*Nouvelle ère, I, 29-02-1992*)

Q u'est-ce que la culpabilité ? Comment faire pour transformer ce sentiment-là ?

La culpabilité n'est rien d'autre que l'ignorance de soi-même; c'est une programmation de vos formes vers l'ignorance de vous-mêmes. Cela se produit lorsque des gens vous utilisent et lorsque vous ne vous utilisez pas vous-mêmes. La culpabilité provient seulement des valeurs rattachées à une forme et non à ce qu'elle transporte en elle. Pensez à ceci : si vous rendez votre forme coupable ou dans un état de culpabilité pour une raison que vous connaissez, savez-vous que vous rendez aussi l'Âme coupable au même niveau ? Quelles raisons aurait-elle de vous imposer cet état ? Donc, la culpabilité vient d'une mauvaise connaissance et d'une mauvaise utilisation de votre forme. En mots plus simples, elle vient du fait qu'une personne se laisse manipuler par une autre et, dans l'acceptation de ce fait, vit cet état. Si vous acceptez ces faits, des faits d'être, ces états, vous ouvrez la porte à des gens qui sauront vous utiliser, qui sauront vous étouffer et vous empêcher de vous exprimer. Notre but, c'est aussi de détruire la culpabilité. Nous venons d'entendre un commentaire. Une personne vient de penser : « Mais ce serait de l'égoïsme de penser à soi seulement. » Foutaise que cela ! Le vrai sens de l'égoïsme, c'est de s'oublier soi-même pour aller vers les autres seulement, c'est de passer par les autres pour obtenir un résultat pour soi. Cela, c'est de l'égoïsme et non de l'amour de soi. Trop de gens donnent sans se donner. L'égoïsme a été fort mal expliqué dans le passé. (*L'envol, I, 07–03–1992*)

Y a-t-il une nécessité de la souffrance pour arriver à évoluer ?

Fort bien, nous allons donc aborder le sujet de la souffrance. Vous avez donc servi à introduire notre sujet car c'était celui que nous avions à vous proposer. Vous avez choisi une très bonne question. Lorsque vous abordez la souffrance, vous l'abordez par section. Vous associez la douleur à des membres, à des organes, comme si tout était séparé dans vos formes, comme des casse-têtes. Et vous raisonnez de la même manière : vous vous cassez la tête. Une personne associe une douleur à un point fixe et vous traitez ce point fixe. Lorsque ce point devient moins douloureux, vous cherchez un autre point douloureux qui pourrait avoir causé la douleur et ainsi de suite, par déduction, et après plusieurs traitements chimiques, vous vous dites que cela a soulagé la douleur. Notre approche est différente. Plutôt que d'aborder la maladie directement par la thérapeutique, nous avons toujours examiné les causes des maladies, les pourquoi. C'est ainsi que vos pensées sont directement reliées aux maladies. Votre nourriture y est aussi reliée parce qu'avant de manger, vous y avez pensé, vous avez fait un choix. Tout cela concerne en gros la forme, l'ensemble seulement, les pourquoi. Ce que nous aimerions vous démontrer est fort différent. Vous aurez des questions concernant la souffrance et la douleur, concernant les différentes causes possibles mais, pour bien comprendre, il faut commencer avec l'intérieur de vos formes. Lorsque nous voyons vos formes, quelles qu'elles soient, nous voyons l'ensemble, pas seulement une tête, un bras, une jambe. Nous considérons toujours vos formes comme une seule pièce. Pour nous, il n'y a pas de coeur ou de poumons lorsque nous vous observons, mais un ensemble de cellules, toutes reliées les unes aux autres, toutes. Enfin, nous sommes comme cela aussi, de même que les Entités; l'Univers est aussi comme cela, de même que vos formes. Nous savons qu'avec la chimie actuelle vous pouvez traiter séparément un coeur, mais ce que votre science ignore et n'a pas encore réellement découvert, quoiqu'il y a un embryon de recherche dans cette direction actuellement, c'est qu'en soignant un organe vous en attaquez un autre et ainsi de suite. Donc, c'est toujours l'ensemble de vos formes qu'il faut soigner. Vous voulez soigner le coeur ? Vous y arriverez en stimulant le reste de votre forme à aller vers le coeur. Il faut toujours utiliser les cellules les plus fortes contre les plus faibles. Votre science découvrira très bientôt que les cellules sont toutes connectées ensemble, qu'elles proviennent d'organes, de muscles ou d'autres parties du corps. Difficile à comprendre, n'est-ce pas ? Il n'y a pas une seule cellule qui compose vos formes qui ne puisse dialoguer avec l'ensemble. Pourquoi croyez-vous qu'il y a des cas de cancer ? Les cancers ne sont que des cellules qui se rebellent, qui n'en peuvent plus de combattre, qui ont choisi cela. Au tout début de nos observations, cette maladie provenait surtout de formes qui n'en pouvaient plus elles-mêmes de la vie et qui, avec les années, s'étaient oubliées elles-mêmes dans la vie, comme si elles ne voulaient plus vivre. Petit peu par petit peu, leurs cellules en sont venues à se rebeller contre des organes faibles, en premier, puis cela s'est communiqué dans la forme au complet. Nous avons observé par la suite que le cancer se reproduisait de façon génétique dans plusieurs cas. Ce que vous ignorez et qui est très important — et vous en serez très bientôt avisés —, c'est que, si vous placez dans une même pièce une personne ayant un cancer et une autre personne faible au niveau de la santé mais qui n'a pas le cancer, il y a trois chances sur quatre pour qu'elle développe un cancer si elle a de l'ouverture. Nous avons observé ce qui se fait dans des laboratoires actuellement, majoritairement en Russie et sur une moins grande échelle en Californie. Des chercheurs ont placé plus de 300 cellules dans des bocaux fermés, à quelques centimètres les uns des autres. Puis, à l'extrémité, ils ont placé une cellule malade dans un bocal fermé. Ils se sont rendus compte qu'après seulement quelques heures, toutes étaient atteintes. Ils ont refait l'expérience avec plus de 800 bocaux, tous scellés et placés dans une même pièce, de telle sorte qu'une seule cellule a pu transmettre la maladie à toutes les autres sans qu'elle puisse le faire grâce à l'air. Ils ont fort bien isolé le problème. Sur une plus grande échelle, dans une société, placez les cellules innocentes d'une forme, par exemple celle d'un enfant qui ne s'attend pas à cela, à côté d'une personne très atteinte, et il y a trois chances sur cinq que cet enfant développe aussi le cancer surtout si cette personne s'est donnée elle-même son cancer. C'est pourquoi on assiste à une multiplication des cas de cancer. Ne les attribuez pas uniquement à votre pollution. Elle y contribue assurément, mais elle n'est pas la cause la plus importante. Lorsque vous penserez à guérir, ne pensez pas seulement à la guérison de l'organe atteint. Vous devez renforcer les cellules saines pour qu'elles puissent contribuer à la guérison des cellules plus faibles. Votre médecine fait tout à fait le contraire actuellement. Lorsque les médecins soignent les cellules faibles, celles-ci n'encouragent pas les plus fortes, elles les affaiblissent. Mais il y a plus important : lorsqu'il y a anesthésie des formes, le système immunitaire est pratiquement inopérant pour une période allant de 6 à 12 mois. N'avez-vous pas remarqué qu'après des opérations, les gens attrapent facilement des grippes et tout ce qui passe ? C'est pour cela qu'actuellement, on se dépêche de sortir les malades des hôpitaux dès qu'on le peut, pour ne pas qu'ils y attrapent d'autres maladies. C'est aussi pour cela que ces gens sont faibles pour 6 à 12 mois. Il y a tant à apprendre sur vos formes. Actuellement, cela ne semble pas être le problème puisque les opérations se font à la chaîne, que les différentes maladies sont entremêlées dans les hôpitaux, et les cancéreux côtoient des enfants de près, comme si les médecins n'en connaissaient pas déjà le danger. Ils prétextent que d'isoler les malades entraînerait des coûts élevés, mais ils n'ignorent pas le problème. La preuve ? Plusieurs hôpitaux ont établi des pièces réservées uniquement aux cancéreux en phase terminale, sous prétexte que ces malades peuvent ainsi être avec leurs familles. Vos pensées ont toujours été d'une très grande importance. Que vous vous sentiez libres, ouverts, prêts à recevoir, prêts à comprendre, cela peut vous aider. Par contre, quand vous vous refermez sur vous-mêmes, vous refermez aussi vos formes sur elles-mêmes. Lorsque vous avez de l'angoisse, vous croyez que ce n'est qu'au niveau de la pensée ? Foutaise ! C'est toute votre forme qui est angoissée et encore une fois, les cellules les plus faibles sont les premières attaquées et cela se communique. Ce qu'il faut, c'est vous débarrasser des pensées négatives, faire en sorte d'avoir dans votre entourage des gens plus ouverts, faire un travail qui vous convient et surtout d'aimer cela. Prenons le travail par exemple. Quand vous aimez le travail que vous faites, vos formes en font autant avec elles-mêmes et les cellules se renouvellent d'elles-mêmes de façon normale. Quand vous n'aimez pas votre travail et que vous persistez à le faire, votre forme conclut que vous forcez vous-même la note et que vous ne vous aimez pas suffisamment. Elle restreint donc son développement. Ce que vous reflétez à l'extérieur, votre conduite, est ce que votre forme reflète à l'intérieur. Cet exemple ne portait que sur le travail, mais aucun aspect de votre vie n'est à négliger ! Que dire des relations amoureuses lorsqu'elles existent ? Vous vous forcez à vivre ensemble ? Votre forme fera la même chose avec vous. Des limites ! Les limites que vous allez vous imposer par la pensée, votre forme vous les imposera jusqu'au jour où elle en aura assez. Et vous savez tous ce que vos formes font lorsqu'elles n'en peuvent plus : elles trouvent une maladie, elles vous forcent à vous arrêter, à réfléchir. Plus votre problème sera grand — c'est donc qu'il n'y aura pas trop d'amour à vos côtés —, plus votre maladie sera grave afin que vous puissiez vous faire soigner et vous laisser aimer. Nous avons observé vos hôpitaux... Nous pouvons vous dire une chose : il n'y a pas de gens heureux, mais il y a beaucoup de personnes qui ne demandent qu'à l'être. Donc, ne considérez jamais vos formes comme des pièces détachées. Vous allez toujours régler le problème en considérant l'ensemble. [Bruits de plomberie] Nous n'avons pas cela... nous découvrons toujours. Ne nous posez surtout pas de questions sur la plomberie ! Il y a beaucoup de détours et beaucoup de retours mais, comme dans la pensée, cela coule. Nous aimons jouer sur les mots comme cela ! Nous allons donc passer à vos questions sur le sujet que nous venons d'aborder. Nous n'avons qu'amorcé la question de façon à vérifier votre intérêt. Nous allons maintenant répondre aux questions que vous avez sur ce sujet, puis nous continuerons avec vos questions régulières. *(Harmonie, II, 08–12–1990)*

Q *u'est-ce qui arrive à notre forme lorsqu'il y a anesthésie générale ?*

C'est très simple, vous paralysez votre forme entièrement, y compris votre système immunitaire et cela retarde. L'anesthésie générale peut aussi déclencher d'autres formes de maladies pas toujours évidentes. Dans les pays où les salles d'opération sont propres et stériles, il y a moins de risques de nouvelles maladies, moins de risques de complications. Effectivement, vous endormez la forme au complet. Il y aurait plusieurs moyens susceptibles d'aider vos formes à récupérer plus rapidement. Encore une fois, nous nous basons sur les mêmes points de vue. Vous endormez le cerveau, bien sûr, et lui endort toutes les fonctions vitales de la forme. Par contre, pensez-y bien, vous n'endormez pas les cellules de la forme et elles continuent d'agir. Vos formes perçoivent les vibrations, par exemple la musique. Elles ont besoin de garder un contact parce qu'elles ont perdu celui du conscient de la forme. Elles écoutent tout ce qui se passe dans la pièce : remarques, commentaires, souvent négatifs et moqueurs. Vos formes continuent de raisonner même sous anesthésie générale, mais pas au niveau de la conscience comme telle, au niveau des cellules entières. Il est fort important de comprendre que, si ces mêmes cellules comprennent ce qui se passe et sont encouragées à guérir, elles vont guérir rapidement. Dans ce cas, elles guérissent encore plus rapidement sur ces tables d'opération, quand le cerveau cesse de fonctionner régulièrement, car elles comprennent alors plus rapidement. Ce point de vue n'est malheureusement pas accepté de la science médicale, parce qu'elle assisterait alors à des changements spectaculaires. Si ces formes étaient reprogrammées lors de ces mêmes opérations, vous ne retrouveriez pas les mêmes formes au réveil. Cela se fera dans un peu plus de 70 de vos années. Malheureusement, plusieurs souffriront d'ici là. *(Symphonie, II, 04–05–1991)*

C e que vous avez dit de l'anesthésie, est-ce vrai de toutes les formes d'anesthésie ?

L'anesthésie générale, pas localisée. L'anesthésie localisée n'a aucune conséquence pour vos formes, sauf qu'il y a possibilité de reprogrammer vos formes plus rapidement parce que vous êtes conscients. Cela va de pair avec des formes très évoluées à ce niveau. *(Harmonie, II, 08–12–1990)*

C omme les cellules de la forme sont conscientes sous anesthésie générale, comment arriver à les aider, à les programmer par des moyens concrets, dans les salles d'opération ?

En faisant en sorte que, sous anesthésie, les formes reçoivent une programmation et des encouragements, à des niveaux qu'elles comprennent directement, pas avec des moyens détournés qui seraient nocifs. Pour que cela réussisse, il suffirait d'inclure dans ces salles d'opération ce que vous appelez des écouteurs ou encore une autre forme de sondes pas très employées présentement que l'on placerait sous les formes et qui traduiraient les mots en vibrations uniquement. Le plus important serait que les chirurgiens qui opèrent, même si c'est pratiquement impossible à la vitesse avec laquelle les soins sont prodigués actuellement, puissent connaître un peu plus leurs patients, de façon à leur donner les stimuli extérieurs capables de les aider. Vous-mêmes, vous n'écouteriez pas une forme de musique lourde (nous ignorons le terme exact), une musique fort énervante. Actuellement, si vous aimez le classique, la musique lourde vous énervera; le contraire est aussi valable. Si les formes en état d'anesthésie générale reçoivent des impulsions qui ne sont pas souhaitables, elles deviendront entièrement stressées. Ceux qui opèrent pourraient simplement utiliser une musique qui plaît au patient ou, pour une fois, des mots encourageants. Il faudrait qu'il y ait moins de placotage [bavardage] inutile aussi dans ces salles d'opération. Cela donne aux formes l'impression qu'elles ne sont que manipulées et non pas soignées. Poussée à l'extrême, cette situation fait qu'elles ne guérissent pas. En général, elles rechutent si elles ne peuvent recevoir d'aide de personnes qualifiées qui y croient. Il en va de même pour les organes transplantés. Si la personne n'y croit pas, cela ne réussira pas. Si celui qui fait la transplantation n'est pas lui-même convaincu lors de l'ouverture de la forme, il y aura rejet. Votre médecine actuelle en est vraiment aux balbutiements à ce niveau, vraiment au point de départ. D'accord, vous maîtrisez de plus en plus de technologies, mais il faudra bientôt comprendre l'ensemble. Cessez de voir vos formes comme des morceaux face à la maladie. Actuellement, c'est ce que la société vous fait comprendre. « Ne vous en faites pas, nous aurons une solution dans un mois. » Que vaudra la vie lorsque vous ne serez que des pièces détachées ? Comment en finirez-vous ? Est-ce que cela enlèvera la violence ? Nous ne le croyons pas. Pour en revenir à ces salles d'opération, il faut créer des climats convenant aux cellules d'une forme, à leur forme de conscience. De toute façon, vous savez fort bien vous-même qu'une bonne part de votre cerveau reste simplement conscient, un peu plus de 20 % d'ailleurs. Outre les vibrations perçues par la forme, le cerveau lui retransmet les mots qui sont dits. Rappelez-vous bien ceci : une personne sous anesthésie complète est l'équivalent d'un enfant naissant. Elle perçoit fort bien tout ce qui vient de l'extérieur, même si elle ne comprend pas; cela est perçu et devient réaction. Elle ne sait pas pleurer mais sa forme peut réagir. Sensible, n'est-ce pas ? Lorsque nous vous disons que vos formes sont intelligentes, conscientes, c'est tout cela que nous observons, des réactions très humaines, plus humaines que celles du conscient bien des fois. Comme vous ne le prenez pas assez en considération, c'est aussi dommageable que la maladie ou sa cause elle-même. Nous tenons à faire un commentaire sur la salle d'accouchement. Cet endroit est très froid, comme une mini-salle d'opération. Ce n'est pas assez humain; il n'y a pas assez de contacts motivant une naissance, une vie. Les accueils qu'elle procure sont comparables à ceux que vous réserveraient des endroits superpollués. Nous allons vous faire une remarque amusante : n'importe quelle personne consciente, à l'âge que vous avez actuellement, aurait peur en venant au monde de voir des gens habillés comme cela, de voir tous ces gens qui vous regardent derrière des masques. Si, en plus, vous ressentez les douleurs de votre mère, vous pleureriez tous, même de peur. Où voyez-vous le côté humain là-dedans ? Rendre sécuritaire une naissance n'est pas acclamer la vie ! Rarement, avons-nous vu applaudir, rire ou féliciter comme cela devrait se faire, même féliciter l'enfant. Par contre, nous avons entendu : « Au suivant ! » Et une autre personne prend place. Dès la naissance, vous êtes poussés dans des endroits peu familiers où vous n'êtes que des numéros. S'il n'y avait pas l'amour de la mère qui sait ce que veut dire la naissance, ces endroits seraient comparables à des salles de torture et cela, ce n'est pas toujours beau à voir. Nous comprenons que la maladie vous soit miroitée si facilement. Toutefois, nous comprenons difficilement que ces mêmes mères, lorsqu'aucune raison physique ne le justifie, ne puissent pas accoucher là où elles le désirent, dans la nature ou à n'importe quel autre endroit. Si la mère est contrariée, l'enfant le sera car ils sont reliés, ils ne font qu'un, comme vous et votre Âme d'ailleurs. Ne vaut-il pas mieux leur créer des ambiances, des atmosphères ? Vous pouvez faire la même chose avec votre Âme et avec votre conscient, d'ailleurs. Vous avez peur des hôpitaux, personne ici ne souhaite y aller, mais combien font en sorte de ne pas y aller ? *(Symphonie, II, 04–05–1991)*

*P*ourquoi le mal l'emporte-t-il toujours sur le bien ? Je fais référence à la session sur la souffrance et les maladies, à *l'expérience de communication entre 1 cellule malade et 800 cellules saines qui a conduit les 800 à être contaminées. Pourquoi l'inverse ne s'est-il pas produit ?*

À cause de la faiblesse au niveau de la compréhension totale. Regardez comment vous agissez dans votre monde actuellement. Supposons qu'au bulletin de nouvelles il vous est annoncé un drame terrible dans tous ses détails et que, par la suite, il y ait une annonce fort heureuse. Laquelle vous marquera le plus ?

Le drame.

N'est-ce pas ? Au point où le lendemain vous direz à vos semblables : « Es-tu au courant de ce qui s'est passé ? » Vous ne parlerez pas du cas où il y avait de l'amour ou du positif. Non, vous parlerez du malheur. Cela fait partie de votre quotidien actuellement. Vos journaux ou les autres moyens de communication ne transmettent que cela, et vous en redemandez. Vos formes en concluent la même chose, que c'est ce que vous voulez pour réagir. Donc, elles vous en donnent. Lorsque vous comprendrez le contraire, lorsque vous vous direz : « Je n'ai pas à vivre cela, cela existe d'accord, mais je n'ai pas à vivre cela » et que vous ferez vous-mêmes les démarches, non seulement pour trouver ce qui est heureux à vivre mais aussi pour le rechercher, vous modifierez alors votre façon de voir et votre forme aussi. D'où la nécessité d'une re-déprogrammation de vos formes afin qu'elles puissent voir la différence; mais ce n'est pas le cas actuellement. Comprenez-vous ?

Oui.

C'est vrai aussi pour les cellules de vos formes, mais ce n'est qu'une question de compréhension. Cela viendra. *(Harmonie, III, 09–01–1991)*

C ombien de fois n'avons-nous pas dit que tout était interrelié, que ce qu'il y avait en vous était aussi comme l'Univers, que tout ce qui vous entoure est l'image de ce que vous êtes ? Nous allons apporter plus d'éclaircissements à cela pour mieux vous faire comprendre à quel point vous êtes tous reliés. Nous vous avons beaucoup parlé de la maladie. Certains nous ont demandé pourquoi le déchaînement actuel de la nature. D'autres, pourquoi il y a tant de cas de cancer actuellement, tant de cas de sida. Nous avons parlé des causes individuelles, mais il y a des raisons qui ne sont pas toutes en vous. Le fait que vous soyez tous reliés, que la matière aussi le soit, qu'elle réagisse à vous, tout cela ne fait qu'un. Voyez à quel point vous êtes reliés. Prenons le cancer, puisque c'est à la mode actuellement. Comment se fait-il que cette maladie n'était pas aussi répandue il y a 15 ou 20 de vos années qu'elle l'est actuellement ? Comment se fait-il que les catastrophes physiques que votre monde subit actuellement n'étaient pas si nombreuses et si fréquentes il y a 10 ou 15 de vos années ? Pourquoi rien ne fonctionne-t-il actuellement ? Pourquoi vos formes vont-elles de maladie en maladie ? Tout cela est très simple. La nature elle-même s'ajuste, et vos formes s'ajustent à tout ce qui provient de l'extérieur et de l'intérieur. Vous comprenez cela pour la nature ? C'est la même chose pour vos formes. À vos nouvelles nourritures, aux produits chimiques qu'elles contiennent en grandes quantités, à tout cela vos formes doivent s'ajuster. Si cette adaptation se fait sur une période de 200 ans, il n'y a pas de problème, même l'arsenic pourrait être digéré... pas d'un seul coup cependant ! Il faut habituer vos formes à manger des nourritures différentes, mais de façon graduelle. Regardez de près tous ces additifs, toute cette nouvelle façon de cuisiner, toutes ces fritures que vous absorbez depuis 20 ans. Comparez ce qui n'était pas mangé il y a 20 ans et ce qui l'est actuellement. Cette période n'a pas été assez longue pour vos formes. Ce qui s'est vécu dans les 20 dernières années seulement aurait dû l'être sur 125 de vos années pour permettre à vos formes de s'ajuster. Vous n'avez pas donné le temps nécessaire aux cellules de vos formes de s'ajuster; elles ont donc réagi comme elles le pouvaient, tant bien que mal. Certaines personnes plus fortes que d'autres, qui comprenaient ce qui leur arrivait, ont fait les ajustements nécessaires. Ajoutez à cela tout ce qui est au niveau conscient et tout ce qui est au niveau émotionnel. Nous l'avons déjà dit à plusieurs reprises : vous êtes toujours ce que vous pensez et vous serez toujours ce que vous penserez. Donc, vos cellules entières réagissent à vos pensées. Encore une fois, regardez les changements des 20 dernières années; nous ne parlons pas des améliorations techniques, car elles ont apporté leur part de problèmes, ne serait-ce que pour les emplois. Ces changements vous ont causé des problèmes, des soucis, des craintes, donc ils en ont causé aussi à vos formes. Elles n'ont pas eu le temps de s'ajuster. Autrefois, vous parliez de générations différentes. Actuellement, il faut tout au plus 10 ans pour que surviennent des changements majeurs. C'est la même chose pour la nature. Si toute cette pollution avait été faite sur 100 ou 200 ans, elle aurait pu être comprise, la nature se serait ajustée. Regardez le long de vos autoroutes. Dès que l'hiver arrive, vous employez du calcium, du sel, du sable. Tout cela recouvre vos gazons. N'est-il pas surprenant que, malgré tout cela, tous vos gazons soient verts lorsque vient l'été, que rien n'y paraisse alors que, si vous en aviez une portion minime dans votre eau, vous seriez malades car votre forme le rejetterait immédiatement. Vous n'avez pas le temps de vous ajuster actuellement. Vos formes rejettent tout d'un seul coup; il en va de même pour la nature. Il y a des limites à tout. Quand la nature se révolte — parce qu'elle peut le faire —, elle ne fait que réagir aux changements; elle a une réaction comme vos formes ont une réaction. De vous faire comprendre tout cela, de ralentir un peu vos pensées, de rendre plus simples vos vies, de faire en sorte que vous ayez accès à plus d'aide que vous n'en avez jamais eue dans votre vie, de vous ouvrir ces barrières, c'est notre but. Vous pouvez tout analyser si vous pouvez, mais cela ne vous fera pas avancer. Par contre, nous aimerions grandement qu'en vous découvrant encore plus, qu'en vous faisant encore plus confiance, vous appreniez réellement qui vous êtes. Cela vous demandera beaucoup de respect de vous-mêmes, cela vous demandera aussi de vous aimer, cela vous demandera encore des efforts envers vous-mêmes, mais cela en vaudra la peine. Il a été dit il y a 2000 ans que la foi déplaçait les montagnes. C'était trop simple parce qu'en fait, la foi, c'est se faire totalement confiance, cesser de faire ses propres analyses, vivre simplement, faire confiance à ce qu'on ne peut voir. La foi demande des efforts, de l'oubli. Dans le monde où vous vivez actuellement, nous savons que ce n'est pas chose facile, mais nous savons aussi que vous pouvez le faire. Lorsque nous vous disons que nous tirons des ficelles, cela veut dire que nous pouvons aussi faire en sorte que des événements se produisent sans qu'ils ne nuisent aux autres. Nous pouvons le faire, mais si vous n'avez pas confiance, pourquoi le ferions-nous ? Pour donner des preuves...

Et après, que demanderez-vous ? D'autres preuves. Cela n'est pas la foi, c'est le doute. Nous préconisions le lâcher prise et ce n'était pas compris. Nous entendions toutes sortes de commentaires de gens impatients qui disaient : « Si elles peuvent cesser de dire de lâcher prise ! » C'était trop; cela n'avait pas été compris. Nous avions peut-être omis de dire que le lâcher prise devait être vécu, qu'il se vivait et qu'il se communiquait. Effectivement, c'est comme l'amour, cela se communique mais il faut vouloir. Il vous faut mettre aussi le doute de côté et, ce qui est plus important, il vous faut admettre que cela ne vient pas nécessairement de vous, question d'ouvrir d'autres portes, de créer d'autres ouvertures. D'autres ont fait appel à nous dans des situations vraiment amusantes, par exemple lors de procès dans des cours de justice; nous avouons nous y être bien amusées. Certaines personnes en perdaient même leurs papiers, mais c'était pour la bonne cause. Nous ne négligeons rien. Mais soyez réalistes. *(Symphonie, III, 08–06–1991)*

E st-ce que vous ou les médecins du ciel...

Médecin veut dire soigner des formes. Hormis ceux qui sont volontaires en avion pour soigner, il n'y a pas de médecins du ciel. Nous n'en sommes pas non plus. Nous pouvons donner des conseils, épauler, donner certaines solutions, apporter certaines aides, mais vous vous guérissez vous-mêmes comme vous respirez vous-mêmes sans y penser. C'est lorsque vous intervenez avec des pensées complexes, lorsque vous vous convainquez de la maladie que vous l'avez. En d'autres termes, lorsqu'un être humain s'écoute au point d'analyser chaque douleur et de l'associer à une maladie, il se rend malade, il rend son système intolérant face à lui-même, il doute. C'est comme cela que vos formes en viennent à ne plus savoir si elles peuvent ou non s'autoguérir. Que cela semble compliqué à expliquer et pourtant c'est si simple à observer ! Rien dans vos formes — et nous ne le répéterons jamais assez — n'a le pouvoir de se guérir s'il ne le veut. Il n'y a pas une seule cellule, un seul atome qui ne sache pas cela. Mais vos conscients sont tellement puissants actuellement que vous en arrivez même à briser cette programmation intérieure et à vous convaincre du contraire. C'est cela l'anarchie dans vos formes. Continuez votre question.

Est-ce que certaines personnes peuvent être un canal pour en aider d'autres ?

Nous allons parler encore plus clairement : chaque personne est un canal, pas seulement certaines personnes. En effet, chaque personne l'est, sauf que ce n'est pas toutes les formes qui veulent être conscientes; elles ne le veulent pas toutes. Certaines vont vivre plus profondément leurs problèmes que les solutions. Vous nous demandez si certaines personnes comme vous peuvent faire plus, comme la forme devant vous [Robert] ou d'autres ici même, en s'écoutant un peu plus, en cessant d'analyser ce qui se produit, en acceptant les résultats sans en connaître les causes. C'est effectivement cela qui va vous amener plus loin et va vous faire voir des horizons que vous ne pouviez même pas espérer connaître. *(L'envol, IV, 30–05–1992)*

N*os Âmes ont choisi de vivre dans un véhicule, dans une forme. Comment prendre soin de nos formes pour que l'Âme puisse le mieux s'exprimer ?*

En acceptant de vivre, en cessant de vous casser la tête tous les jours, en cessant de planifier vos vieux jours avant d'y être rendus, en ne prévoyant pas vos préarrangements avant d'avoir vécu, en acceptant le droit d'être heureux de vivre et de ne pas vous sentir coupables pour ceux qui ne sont pas heureux de vivre. Vous ne changerez pas le monde, mais de vous changer, *vous*, peut changer le monde, car vous en faites partie. Vivre votre quotidien dans la joie, ne pas accepter ce qui ne vous convient pas, en d'autres termes : vous respecter, voilà ce qui va changer le monde ! Il ne faut pas chercher à changer tout le monde en même temps; cela ne se fera pas. *(Renaissance, III, 09–11–1991)*

C*omment se fait-il que nous ayons tant de difficulté à choisir pour soi ?*

Parce que vous ne vous connaissez pas, parce que vous ignorez le fonctionnement de vos formes. Vous venez au monde et vous vous copiez tous les uns les autres. L'originalité est plutôt rare ! Vous ignorez vos capacités. Il y a 2000 ans, il a été dit que même votre foi pouvait déplacer des montagnes. N'y voyez pas de montagne physique, mais ce que vous représentez : vos idées, vos pensées. Qu'avez-vous fait de cela ? Rien. En fait, votre technologie mise à part, votre monde n'a pas évolué, pas encore, pas dans le sens que nous l'entendons. Regardez vraiment autour de vous, pas l'avance technologique, regardez votre planète elle-même, ce grain de sable minuscule... Cette cellule unique de l'Univers est encore en pleine fusion, elle n'est même pas refroidie. Comment ne pas comprendre que vos formes ne le sont pas plus ? qu'elles sont au même point que votre planète ? C'est cela le problème actuel : vous tentez de tout devancer, de tout régir, même la matière. Il y a des limites à vos possibilités actuelles. Qu'avez-vous maîtrisé le plus dans ces 2000 dernières années ? La guerre, la destruction. C'est ce que vos mondes ont maîtrisé et vous avez répercuté cela sur vos formes : cancer, sida et autres. Et vous n'avez rien vu encore ! La toute dernière maladie vous donnera sept jours de vie et celle qui se manifestera dans moins d'une de vos années sera beaucoup plus radicale : 24 heures. Oh ! nous savons que vous chercherez des solutions mais, comme vous avez pris l'habitude de tout faire en même temps — question de sous ! —, vous ne trouverez pas plus de réponse parce que vous mettez l'essentiel de côté : vous-mêmes. Vous avez tout basé sur la technologie alors que *vou*s êtes la technologie la plus avancée. Vous avez appris à ne pas vous fier à vous-mêmes et c'est ce que nous sommes venues corriger... un rappel à l'ordre ! Reculez moins d'un siècle en arrière et regardez le nombre de guerres. Inimaginable ! Qu'il ne faut donc pas s'aimer pour se détruire comme cela. Vous pensez en termes de continents, de nations, de pays. Quelle foutaise que cela ! Vous êtes trop près de vos réalités; vous vous donnez des normes qui n'existent pas ailleurs et vous êtes encore au point de vous battre pour cela. Vous nous demandez ce qui fait que vous n'utilisez pas votre savoir ? Parce que vous l'ignorez ! Nous allons mettre cela au clair tout au long de ces sessions. Vous allez comprendre beaucoup plus. Mais comme il s'agit d'une première session, nous allons nous en tenir aux questions d'ordre général de façon à ce que vous puissiez mieux comprendre qui nous sommes et qui vous êtes. (*Diapason, I,* 21–03–1992)

À *l'heure actuelle, comment peut-on programmer nos cellules pour se garder en santé ?*

C'est une très bonne question. Nous avons débuté en vous disant de considérer l'ensemble de vos formes et non pas les parties. Si vous avez quand même dans l'idée la partie malade, parce qu'avec les années vous l'avez appris de cette façon, vous pouvez toujours vous dire que ce n'est pas la partie malade qui a une faiblesse mais les parties fortes qui n'ont pas la force de convaincre les parties faibles. En ce qui nous concerne, avoir une pensée positive, c'est d'avoir une pensée générale pour la forme, de ne pas s'apitoyer sur une seule partie. C'est aussi chercher à comprendre que, bien souvent, ce n'est pas l'organe ou telle partie de la forme qui a un problème, mais la pensée qui a fait en sorte que la maladie se déclare. S'il y avait un miroir entre vos formes et vos pensées, vous pourriez comprendre cela plus facilement. Où sont vos limites, où sont vos craintes, vous plaignez-vous souvent ? Vos formes en feront autant; et si elles ne le font pas, cessez de vous le répéter, sinon elles le feront pour que vous ayez réellement une raison de vous plaindre. Imaginez toujours ce miroir entre la pensée et la forme elle-même et vous trouverez toujours vos réponses. Lorsqu'il y aura des gens malades à vos côtés, demandez-vous ce que vous faites près d'eux. Peut-être serez-vous prochainement des leurs. *(Harmonie II, 08–12–1990)*

S *i j'ai bien compris, plus j'ai d'amour, plus mon système immunitaire est fort. Est-ce cela ?*

Vous faites une très bonne déduction. Malheureusement, cela ne se communique pas facilement, parce que les gens comprennent que l'amour va vers l'extérieur alors qu'en fait, l'amour est au centre de vos formes, il est vous-même. Ce qui se communique dans l'amour, ce sont les surplus d'amour de vos formes, les résultats de cet amour en vous. Voilà ce que vous partagez entre vous. Ceux qui communiquent l'amour seulement au niveau physique, le font pour de courtes périodes. Ceux qui ont déjà l'amour à l'intérieur d'eux et chez qui cet amour est bien ancré sont bien ensemble pour plusieurs années. Ils le sont aussi pour une autre raison : ils se respectent entre eux, ils respectent les défauts et les qualités qu'ils ont; ils n'ont pas les mêmes défauts ni les mêmes qualités, mais au moins ils le reconnaissent. Voyez-vous, le système immunitaire, dans sa complexité, est effectivement relié d'une part aux ordres qu'il donne aux cellules, mais il est, d'autre part, associé directement aux pensées que vous entretenez envers vous-même. D'ailleurs, c'est ce que vous dites lorsque vous voyez des gens qui ne sont pas en bon état : « Mais qu'est-ce que tu penses de toi ? » Vous ne dites pas : « Mais qu'est-ce que tu penses de ton bras, de ton poumon ? » Vous parlez de l'ensemble, mais vous identifiez la cause à des organes : il faut un coupable à toute chose ! Selon le degré où ils sont atteints, ces organes informent le système immunitaire de la volonté qu'ils ont de guérir et, alors seulement, le système immunitaire fonctionne, pas autrement. Par contre, si vous avez une pensée globale de votre forme, une pensée d'ensemble, que vous faites abstraction des organes comme tels pour ne voir qu'une seule masse, cela court-circuite l'information véhiculée au système immunitaire et c'est seulement dans ces cas qu'il fonctionne rapidement, pas autrement. Vous vous plaignez ? Votre système immunitaire attendra que vous cessiez de vous plaindre parce qu'il comprendra que vous n'êtes pas prêts pour une guérison. C'est vous qui donnez les ordres, pas le système immunitaire. Celui-ci répond mais n'agira pas à la place de votre pensée. Que faites-vous avec les gens atteints de sida actuellement ? Vous les isolez comme la peste, vous avez peur de respirer devant eux, vous les rendez encore deux fois plus coupables. Malgré leur volonté, ils ont peur d'eux-mêmes. Leur système immunitaire réagit de la même façon : il comprend qu'il doit en terminer avec la vie et lorsque la période de souffrances se produit, il y a accélération du processus de destruction de la forme. Comparez le sida au cancer, c'est la même chose : la réaction d'une forme au complet. Donc, lorsque vous serez malades, n'en veuillez pas à votre système immunitaire, n'en veuillez pas à une plante ou à un organe en particulier, mais plutôt à votre façon de penser en particulier. *(Harmonie, II, 08–12–1990)*

*M*a question est un peu personnelle. Je travaille avec des malades et il y a des fois où je ressens la maladie des gens un peu, je deviens vulnérable et j'ai certains malaises. Est-ce que cela veut dire que je dépasse la barrière et que je pourrais rester affectée ?

Tout à fait. C'est pour cela que nous vous disions au début qu'à moins de faire ce travail avec compassion et amour pour vous-mêmes surtout, qui faites ce travail, vous ouvrez des barrières. Remarquez que les journées où vous serez très stimulée, très joyeuse, vous ne serez pas touchée par ces malaises. Dès que vous deviendrez négative, une journée en particulier, cela vous attaquera et très rapidement. Au début, vous n'en prenez pas conscience mais avec les mois et les années, cela devient une habitude et vos formes comprennent alors qu'à force de ne pas être en bon état avec vous-mêmes, vous faites la recherche et la sélection de maladies qui vous conviendront. C'est ce que vos formes font. Elles font le choix pour vous parce que consciemment vous faites un travail avec des gens qui sont déjà atteints et qui sont des émetteurs. Nous ne parlons pas des personnes qui ont les bras cassés !

Est-ce que le fait de travailler avec des gens qui sont atteints de façon importante affecte ma forme. Est-ce que je devrais changer de travail ?

Une question pour vous. Comment considérez-vous votre travail actuellement ?

Avec beaucoup de plaisir.

Est-ce que c'est de façon continuelle ?

90 % du temps.

Donc, il y a 10 % de chance que vous soyez atteinte. Nous sommes honnêtes avec vous. Ce 10 % du temps où vous êtes vulnérable, nous espérons que ce ne sont pas 10 jours continus sur 100, car ce sont ces jours où vous auriez la chance d'être atteinte. Cependant, il y a des protections à prendre. Remarquez bien que nous n'avons pas l'habitude de répondre à des questions touchant à des gens en particulier, mais votre cas pourra en aider d'autres. Dans votre cas, il y a une pierre qui pourrait vous aider, quelques instants que nous étudions les vibrations de votre forme... L'agate. Procurez-vous une agate, portez-la le plus près possible de la base de votre cou. Écoutez bien : il ne faut pas la porter tous les jours, mais à toutes les fois que vous irez travailler et que vous vous sentirez négative, quelle qu'en soit la raison. Voici comment faire. Premièrement, concentrez-vous en vous regardant dans un miroir, en visualisant bien cette agate et en la gardant dans votre idée; concentrez vos idées sur cette matière. Il ne doit y avoir aucune pièce d'or sous la pierre car elle ferait en sorte d'annuler les vibrations. L'agathe doit être en contact direct avec la peau. Concentrez-vous sur cette matière au point de la percevoir, vous en augmenterez ainsi les vibrations et cela fera une sorte d'amplification. Bien que vous n'en visualiserez pas les effets, ceux-ci se feront ressentir dans votre forme et vous serez beaucoup moins vulnérable. Choisissez une agathe à votre goût; la matière sera la même quelle que soit son apparence; mais c'est ce qui vous convient. Une parenthèse : les pierres ne sont pas valables pour tous. Certaines personnes portent des cristaux de quartz... quelle foutaise ! Certaines personnes pourront les utiliser à profit, mais cela nuira à d'autres, et grandement ! Cela fera même tout le contraire : de l'absorption d'énergie. Cela videra leurs énergies, catalysera des énergies qui ne sont pas les leurs et apportera en premier des problèmes circulatoires dans leur forme. Ensuite, elles auront des problèmes au niveau de la pensée et elles se diront, étant encouragées dans cela, qu'elles ont trouvé l'équilibre, qu'elles ont finalement réussi une forme de méditation profonde, alors qu'il n'en est rien. Leur forme sera tout simplement déphasée de leur système d'énergie. Les pierres ne sont pas des jouets, vous savez, même si plusieurs les portent, au hasard, dans le sens réel du mot. Vous obtiendrez donc des résultats semblables : hasardeux. Si vous utilisez les pierres dans un sens réel et qu'elles conviennent bien à vos vibrations, vous pourrez en retirer les effets bénéfiques, mais en aucun temps ne portez ces pierres pendant plus de six à sept de vos jours consécutifs. Rangez-les dans un endroit de votre choix pour au moins un à deux jours. Vous pouvez porter une deuxième pierre pendant ce temps, mais nous ne le conseillons pas, car il est préférable que vos formes reprennent les vibrations qu'elles ont l'habitude d'avoir. Sinon, vous les habituerez à des forces extérieures, ce qui pourrait aussi vous nuire. Ce ne sont pas des jouets, mais des outils. *(Harmonie, II, 08–12–1990)*

*J*e voudrais savoir si les techniques de polarisation, de yoga et les autres techniques de détente sont bonnes pour la santé, dans le sens de nous protéger contre les maladies ?

Nous allons même vous donner un exemple. Prenez les poules. Elles avalent de la roche pour mieux digérer. Si vous faites cela, vous vous étoufferez. Cela fait partie de leur réalité et elles le savent. Si faire du yoga vous aide au niveau de vos formes, vous le faites. C'est donc que vous allez chercher une ressource de connaissances pouvant vous aider à vous guérir ou à vous calmer. Ce n'est pas pour tout le monde. Vous ne trouverez jamais une position qui vous calmera et qui calmera tout le monde. Ce serait trop facile. Lorsque vous pensez que quelque chose vous convient, c'est ce qui vous convient à ce moment-là. Si vous voulez faire du yoga, faites-le; c'est que cela vous convient. Si actuellement, de manger du riz tous les jours vous convient, c'est que vous en avez besoin. Cessez d'analyser dans le but de généraliser. Pensez pour vous en premier, vous pourrez aider les autres après. C'est aussi valable pour la technique de polarisation. Vos formes font en sorte de se polariser d'elles-mêmes et de façon continue. Lorsque vos formes sont altérées par la pensée, vous altérez vos champs d'énergie puisque vous les déplacez dans vos formes; vous les affaiblissez à certains endroits, mais par vos pensées. Voilà ce que vous faites ! Comme ceux qui vont chez les notaires et les avocats, vous allez donc les faire se polariser par obligation. Donc, cela fonctionnera, cela déplacera les champs d'énergie de vos formes, stimulera les parties les plus faibles, mais cela ne réglera pas le problème puisque tout au plus trois ou quatre heures après, tout sera à refaire. Cela consiste à trouver un remède mais pas une cause. Donc, vous détournez le problème, vous n'allez pas à la source et cela ne peut faire qu'une chose : vous déstabiliser, et grandement d'ailleurs, au point où vous serez obligés de vous rendre continuellement à l'extérieur pour vous faire polariser ou restimuler au niveau énergétique. Ce que nous vous disons, c'est que cela fonctionne effectivement. Toutefois, pour que cela fonctionne bien, il faut que ce vous soit expliqué lorsque c'est fait sur vous, sinon vous créez une habitude comme le goût de la pizza pour Robert et comme les autres points faibles que vous avez sur vous-mêmes. Donc, tout est bon lorsque vous savez quoi faire et pourquoi. Si vous faites cela dans l'ignorance et seulement pour être soulagés, il y a fort à parier que vous aurez des problèmes plus graves par la suite. *(Harmonie, II, 08–12–1990)*

*J*e reviens à l'expression « *qui s'assemble se ressemble* ». Il y a *des gens dans la vie courante, qui sont bien dans leur peau, qui ont la paix dans l'âme, qui s'aiment, qui donnent l'amour autour d'eux et qui attirent énormément de gens qui sont malades ou qui ont des problèmes et qui leur racontent tous leurs problèmes. Ces gens-là ne sont-ils pas vulnérables aussi ?*

Ces gens ne sont vulnérables que dans très peu de cas. Ils attirent des gens envieux qui voudraient être comme eux. Comme ils ont déjà appris à se protéger et que leur niveau de compassion les force à écouter ceux qui ont des problèmes pour les aider, ils sont déjà protégés, comme l'infirmière qui aime son travail. D'où l'importance de se confier à des gens qui peuvent vous écouter réellement, parce qu'ils auront une réponse pour vous. S'ils écoutent pour se rendre intéressants, ils ne joueront pas longtemps ce jeu.

Il m'est arrivé souvent d'attirer ce genre de personnes qui sont très négatives et, lorsque je sens que cela commence à m'atteindre, je me sauve. Quel est votre avis sur cela ?

Cela vous arrive parce que vous n'êtes pas convaincu de votre force. Vous faites actuellement des essais à ce niveau, pour vous convaincre que vous avez cette force. Cela se fera avec la pratique. Une personne qui débute au jogging ne court pas 100 km la première journée. C'est la même chose pour les sessions de groupe. Regardez la somme de connaissances que vous avez reçues en seulement deux sessions. Vous en avez eu beaucoup plus que les autres groupes auparavant; nous vous considérons comme un groupe très ouvert aussi, c'est pour cela que nous avons débuté cette session avec un thème. *(Harmonie, II, 08–12–1990)*

*S*i j'arrive à un équilibre intérieur, aurai-je encore besoin de *pierres qui vont avec mes vibrations ?*

Non, parce que vous aurez trouvé vous-même comment faire cela, votre forme s'équilibrera d'elle-même. Tout ce qui sera source extérieure sera perçue comme étrangère à votre forme et vous nuira. Vous vous en rendrez compte lorsque vous porterez ces pierres, puisque vous y faites allusion. Et c'est vrai aussi pour toutes les autres sciences mentionnées auparavant. Lorsque vous porterez des pierres, vous ferez des mouvements qui ne vous conviendront plus; vous vous rendrez vite compte, par la perception, que vous n'êtes plus vous-mêmes; et il vous arrivera même des événements très rapides dans votre vie qui ne vous conviendront plus non plus. *(Harmonie, II, 08–12–1990)*

*V**ous parliez du quartz. Or, la plupart des montres contiennent du quartz : est-ce que cela dérange ?*

Elles n'en contiennent pas en quantité valable, il n'y en a pas assez. *(Harmonie, II, 08–12–1990)*

*P**ouvez-vous nous parler du pouvoir de guérison?*

Sur les autres ou sur vous-même ?

Les deux.

Quelle question est la plus importante pour vous ?

Sur moi-même.

C'est différent. Pouvoir se guérir soi-même est une réalité de votre monde depuis toujours. Aucun miracle passé — du moins ce que vous entendez par miracle, et qui n'existe pas d'ailleurs — n'a été réalisé sans la confiance du malade, sans une foi à toute épreuve. Qui d'entre vous a réellement une telle confiance ? Qui d'entre vous ne sera pas intimidé par une personne qui n'a pas la foi et qui vous convaincra qu'il vous faut tout de même un médecin ? Si vous n'êtes pas touchés par les autres, si vous le voulez vraiment, vous pouvez vraiment vous guérir vous-même. Nul besoin de rétablir vos centres d'énergies dans vos formes. Cela se fait tout seul, lorsque vous le voulez du moins. Cela ne demande que de la confiance en soi, aucune pratique comme telle. Nous vous suggérons tout de même de trouver des questions plus précises sur les points que vous voulez vraiment toucher parce que, pour parler de guérison pour les autres, il nous faudrait analyser chaque cas en particulier. Est-ce que se guérir soi-même est possible ? Oui, cela se fait. Est-ce que c'est une réalité courante ? Non, ça ne l'est pas. Plusieurs personnes croient pouvoir rétablir les énergies chez d'autres formes, mais c'est tout le contraire qui se produit. Dites-vous bien que vos formes ont des niveaux d'énergie déséquilibrés parce que la pensée est déséquilibrée elle aussi. Lorsque vous rétablissez l'énergie à un centre jusqu'à ce que le patient ressente un soulagement, c'est que vous déplacez ce centre d'énergie ailleurs. Autrement dit, vous déplacez la concentration d'énergie de la personne d'un point de douleur qui disparaît vers un autre point qui se créera, à moins de la traiter 24 heures sur 24. Donc, encore une fois, la guérison de l'esprit passe avant la guérison de la forme. De tout temps cela a été. Existera-t-il un remède miracle pour vous éviter de penser tout en vous guérissant ? Jamais cela n'aura lieu. Dites-vous bien ceci : vous serez toujours ce que vous penserez. Vos limites se répercuteront dans vos formes. Rajoutez à cela toute cette pollution actuelle, autant au niveau des ondes que de la nourriture, et vous aurez compris ce que nous venons de vous dire. Actuellement, vous avez ce que vous appelez des restaurants rapides, avec de belles façades, de belles publicités. Effectivement, les résultats seront beaucoup plus rapides; sur cela, ils ont raison. Ils devraient vendre des préarrangements funéraires aussi; cela irait bien avec cette sorte de nourriture. Et pourtant ces endroits sont bondés tous les jours. Il faut vraiment se haïr, n'est-ce pas ? C'est vraiment s'ignorer totalement. Curieux que personne n'ait eu l'idée de faire analyser ces sauces ! Vous y retrouveriez des produits qui vous enlèveraient jusqu'au goût d'y penser. Ces formes de nourriture sont, en ce qui nous concerne, des pesticides pour vos formes, pas mieux que cela. *(Diapason, I, 21–03–1992)*

S i je résume l'essentiel de ce que vous avez dit, le point de force, la pensée, est l'élément essentiel qui s'ajoute aux mécanismes de la forme.

Vous pourriez dire qu'il y a une forme de pensée dirigée vers le côté émotionnel pour vous faire vivre des états qui sont nuisibles et une forme de pensée dirigée vers l'écoute de la forme. Actuellement, cette écoute se veut une nuisance beaucoup plus qu'autre chose. Ce n'est pas de l'écoute que vous faites, c'est de l'interférence avec vos formes. L'idéal serait que vous puissiez admettre que vous pouvez fonctionner juste en écoutant et en demandant. Ce serait l'idéal. À chaque fois, vous iriez vers les points les plus importants. Toutes les fois que, dans vos têtes, vous

vous êtes posé les questions comme il faut, vous avez eu les réponses. Mais demandez-vous combien de fois vous les avez écoutées. Vous verrez pourquoi vos formes se fatiguent d'elles-mêmes à faire des efforts qui ne réussissent pas. Dans l'ensemble, votre raisonnement est très bien. *(Diapason, III, 16–05–1992)*

*E*st-ce que les formes étaient parfaites à l'origine ?

Pas dans le monde où vous vivez actuellement et que vous appelez Terre. Pas sur cette planète. Il y a eu plusieurs mélanges dans votre monde actuel. Plusieurs formes sont venues de l'extérieur dans le but d'aider et de rehausser les niveaux de vie, et cela faisait partie d'une entente entre plusieurs autres mondes qui se côtoyaient déjà, mais ce ne fut pas facile. En effet, il fallait que vos mondes ne prennent pas peur; d'ailleurs, vous avez encore peur. Donc, il a fallu que ces formes viennent de leurs autres mondes avec des moyens ou des instruments quelconques qui ne bouleverseraient pas vos mondes. C'étaient vos choix. Donc, ils ont respecté cela du mieux qu'ils pouvaient. Eux aussi se sont multipliés à travers les vôtres. Continuez cette question intéressante.

Dans ce contexte-là, qui est venu le premier, la poule ou l'oeuf ?

Si nous vous disions l'omelette ? Parce que votre question n'est pas réelle. Vous voulez savoir si vous descendez du singe ? C'est de la foutaise, parce que les singes existent toujours, comme vous. Ils ont encore leur réalité comme vous avez la vôtre. Si vous descendiez du singe, il n'y aurait plus de singes. Il ne s'agit que de singeries... c'est un jeu de mots pour détendre.

Alors, serions-nous des produits de laboratoire ?

Dans quel sens ? Au niveau du physique, vous êtes beaucoup plus portés à le faire vous-mêmes actuellement.

Ne sommes-nous pas à expérimenter ce qui a été fait dans le passé ?

C'est exact. Dans certaines parties de votre monde, il y a eu de ces gens, mais il y a fort longtemps. Cela n'a pas été fait dans votre monde, mais certains de ceux qui y sont venus avaient été faits de cette façon; pas tous, mais quelques-uns. Ils avaient été programmés de cette façon pour apporter certains résultats. Vous êtes portés à faire les mêmes recherches actuellement. Vous verrez, dans un peu plus de 43 de vos années — cela semble très exact [2034] —, vous pourrez commander vos enfants comme vous le voudrez. Tout sera fait sur mesure. Vous pourrez choisir la couleur des yeux et des cheveux de votre enfant, même ses facultés... trois bras, comme vous voudrez. D'ailleurs, cela s'est déjà fait en laboratoire, mais pas parfaitement. Avec beaucoup de retard, votre monde fait effectivement ces expériences, mais à ses dépens, toujours dans le but d'aider les naissances. *(Symphonie, I, 06–04–1991)*

*P**ourquoi est-on ici tout simplement ?*

Parce que, si vous n'existiez pas, il faudrait recréer cela. Tel que nous l'avons dit, il faut que ces expériences aient lieu. Il y a des Âmes qui doivent vivre à ce niveau. Personne n'est perdant dans cela; les plus grands perdants sont ceux qui ne le comprennent pas. Rien dans votre monde actuel ne justifie la souffrance. Vous créez ces limites vous-mêmes, vous vous mettez des barrières dans vos vies, mais vous le faites toujours de façon consciente, comme si vous cherchiez ces problèmes. Ce n'est pas ce que les Âmes veulent. Pourquoi aussi, selon vous, y a-t-il des peuples qui en sont encore à l'âge du début de vos mondes et qui sont heureux comme cela ? Ils n'ont pas besoin de vos voitures ou de vos avions pour vivre, alors qu'il vous les faut et que vous ne trouvez même pas le bonheur dans tout cela. Serait-ce que ces gens auraient découvert une autre dimension ? Qu'ils font un avec ce qui les entoure et que cela les comble ? Quels sont ceux qui ont le plus d'avance : ceux qui ont une plus grande technologie ou ceux qui sont plus près de la vie elle-même ? Vous verrez que les valeurs que vous donnez à vos vies ne sont pas celles que les Âmes accordent à vos vies. *(Harmonie, III, 09–01–1991)*

Vos formes entendent les mots, vos Âmes reçoivent la visite. Donnant, donnant.

*O**asis*

*Vos formes
réagissent à deux stimuli :
la pensée, la nourriture.
Et les deux peuvent
s'entre-détruire.*

Le soin de la forme

J'aimerais que vous fassiez un parallèle entre notre
alimentation, nos pensées, nos stimuli, au niveau visuel ou
auditif, et notre état global ?

Vos formes réagissent à deux stimuli : la pensée, la nourriture. Et les deux peuvent s'entre-détruire. Vous aurez beau avoir une pensée idéale et vous sentir heureux, si vous absorbez de la nourriture qui ne convient pas à vos formes, vous annulez le résultat. C'est la même chose si vous faites le contraire. Si vous absorbez une nourriture idéale qui vous protège bien, qui vous nourrit bien, qui augmente le taux d'énergie vitale de vos formes, mais que vos pensées vous détruisent, que vous n'êtes pas heureux, cette énergie se retourne contre vous totalement. Vous allez être deux fois plus fort pour en finir, pour mourir en santé ! Les deux vont de pair : si vous mangez une nourriture qui énerve vos cellules, vous serez nerveux; si vous mangez une nourriture qui les calme, dans l'ambiance nécessaire, vous participez à vous-mêmes et vos pensées iront dans la même direction. Les deux vont ensemble. Prenez cet exemple : faites suivre un cours de cuisine à une personne très nerveuse, très anxieuse, qui ne trouve pas le bonheur en elle; donnez-lui tout ce qu'elle veut manger, au point où elle mangera ce que les autres n'auront pas réussi à manger. Quel résultat aura-t-elle ?

Il va y avoir un manque.

Un conflit ! Le cerveau se dit : « Comment cette forme peut-elle à la fois me donner l'énergie pour me détruire et ne pas me donner les solutions pour me guérir ? Cela ne sert à rien, sauf de souffrir un peu plus ! » Ce qu'il faut guérir en premier — c'est un peu comme la question précédente sur les maladies — c'est la cause. Guérissez d'abord vos façons de penser, acceptez cela et nourrissez-vous ensuite. Vous aurez alors la force nécessaire pour vous soutenir psychologiquement; ne faites pas le contraire. Oh ! nous pourrions vous parler de vos façons de vous nourrir. En règle générale, vous savez tous les erreurs que vous faites. Allez-vous dans ces endroits où l'on sert des nourritures rapides ? Effectivement, ce sera rapide ! Vous vous nourrissez pour en terminer ! Vous faites la même chose avec vos idées. Lorsque vous vous nourrirez avec amour, avec goût, vous ne serez pas allergiques à aucune nourriture; mais tant que vous mangerez par gourmandise, dans le but d'en terminer au plus vite, pour ne plus avoir faim, pour trouver les forces nécessaires pour passer à travers de votre « oh ! foutue journée », vous aurez des réactions à votre nourriture. Vous alimentez une cause qui va vous donner des effets ! C'est comme cela que vous vivez. Ce n'est pas si compliqué à comprendre. Ce qui est compliqué à comprendre, c'est pourquoi vous refusez le changement : par entêtement, par ignorance, parce que vous cherchez une raison de vous aimer. Quelle est votre date de naissance ?

Le 4 novembre 1955.

Nous espérions une autre réponse que cela.

1989.

Tout à fait ! Le plus important, c'est de savoir que vous vivez, pas le pourquoi. C'est le comment qui comptera ensuite et de savoir si vous vous aimerez assez pour continuer. Effectivement, c'est ce que nous vous souhaitons tous, que vous trouviez la force nécessaire et la compréhension valable pour vous aimer vraiment, quelles qu'en soient les raisons. *(L'envol, II, 11–04–1992)*

*C*omment comprendre que mon corps puisse parfois être malade *alors que moi je puisse être très bien, comme si les deux parties étaient bien distinctes, moi en dedans et mon corps ? Comment faire un ?*

Dites-vous bien une chose, si une personne a des pensées positives envers elle-même, si elle s'apprécie bien, si elle apprécie ce qu'elle vit, elle ne punit pas sa forme d'elle-même. La forme ne sera pas tentée de se détruire. Lorsque cela se produit, il faut plutôt chercher du côté des influences extérieures : la nourriture que vous absorbez, l'eau que vous buvez. Ce n'est pas toujours ce que votre pensée vit qui vous rend malade; il y a aussi des influences extérieures. Vous pourriez être super bien avec vous-mêmes, être très heureux et avoir une forme qui a des problèmes; nous excluons de cette explication la possibilité de problèmes génétiques. Vous avez juste à penser à ce que vous absorbez, à ce que vous respirez, à la quantité de choses nocives dans votre environnement; cela peut influencer vos vies, plus que jamais actuellement.

Avant, quand j'étais malade, c'était le tout qui était malade, le dedans avec.

Bien sûr, une personne qui n'est pas en santé physique est portée à être plus pessimiste, à avoir des pensées plus négatives, à penser des gens qui sont en santé qu'ils ne le méritent pas alors qu'elle le mériterait. Cela dépend dans quelle situation vous êtes pour dire cela. Lorsque vous êtes bien physiquement, tout va bien et lorsque vous êtes très malades, rien ne va. *(Les Âmes en folie, IV, 20–07–1991)*

*P**our moi, il est très important d'avoir de la qualité dans le domaine de l'alimentation. Je voudrais savoir si les produits obtenus par culture biologique sur le marché sont vraiment valables, parce qu'ils sont beaucoup plus chers ?*

Vous parlez d'une nourriture biologique ou de culture biologique ?

Plutôt de culture biologique.

Si vous avez de jeunes enfants, que vous les habituez à ce type de nourriture et que vous leur donnez une façon de penser positive, vous aurez de très bons résultats. S'il s'agit d'un adulte qui a déjà de fort mauvaises habitudes, qui a déjà une forme fort polluée, à plusieurs niveaux, cela pourrait l'aider. Vous constaterez que, pour un adulte, il est fort difficile de le faire constamment. Vous rajouterez tout le temps à la nourriture biologique une nourriture qui ne provient pas de ce type de culture, d'autres pesticides, d'autres teintures, d'autres herbicides, et cela recommencera encore. Donc, si vous pouvez n'absorber que ce type de nourriture, c'est très bien, mais nous vous souhaitons bonne chance. Pour ne faire que cela, vous devrez vous isoler dans cette société. Par contre, nous avons observé les travaux que vous faites et, encore une fois, tout comme pour les émotions et les sentiments, il doit y avoir une juste mesure. La nourriture physique doit aller de pair avec la nourriture consciente. Vous aurez beau convaincre les gens de bien se nourrir, s'ils ne se nourrissent pas consciemment, spirituellement, avec des pensées positives, ils se pollueront tout de même, parce qu'ils chercheront à se punir d'une autre façon. Ce sera plus difficile parce que vos formes seront plus en santé, donc, les exemples seront plus pénibles. Nous vous avons dit à plusieurs reprises que vos vies sont comme des pièces de théâtre où les jeux sont déjà écrits. Donc, de chercher à faire votre propre texte peut parfois vous jouer des tours. Nous sommes d'accord sur un point cependant : si vous faites attention à la manière de nourrir vos formes, il vous sera plus facile de bien penser parce que vos formes seront moins occupées à la digestion et à tout ce dont la digestion a besoin. Vous serez donc plus libres. Vous avez une autre question à ce niveau ?

> *Les aliments de culture biologique ne sont pas nombreux sur le marché. D'après ce que vous venez de dire, est-ce que cela vaut vraiment la peine d'en prendre puisque notre état dépend beaucoup plus de la pensée ?*

Il y a des gens qui prennent de l'eau distillée de façon quotidienne, puis l'oublient et prennent de l'eau régulière pendant quelques jours, puis reviennent à l'eau distillée, comme s'ils avaient dans l'idée d'avoir été sauvés pendant les quelque deux à trois jours où ils ont bu de l'eau distillée, puis ils recommencent encore une fois ce jeu. Votre organisme ne réagit pas aussi vite que cela. Selon une moyenne fort raisonnable, vous devez compter six mois pour obtenir un changement après avoir modifié votre nourriture. Durant cette période, il y aura des hauts et des bas dans le caractère, des hauts et des bas dans le fonctionnement du système digestif, des intestins surtout; c'est une période d'adaptation. C'est la même chose avec les médicaments pris sur une longue période, ainsi qu'avec les vitamines et les minéraux. Votre organisme a besoin de comprendre. Vous ne savez pas non plus que vous ne pouvez contrôler où iront les vitamines B et E. Vous ne contrôlez pas plus cela que votre respiration, mais cela se fait. Votre organisme est ainsi fait qu'il fait en sorte de trouver ce qui lui est nécessaire. Donc, toute modification entraîne des changements énormes en vous, une réadaptation, comme vous le faites quand vous changez d'emploi. Quand vous modifiez vos nourritures, votre organisme cherche le pourquoi du changement. Votre forme se demande si vous lui demanderez davantage d'efforts. Calculez six mois pour y arriver; c'est pour cela que nous vous conseillons aussi d'avoir des pensées qui seront positives pour vous. Si vous changez de nourriture simplement par crainte de la maladie, votre forme se percevra faible et agira comme une forme faible, parce que vous l'aurez considérée comme telle. Si vous changez de nourriture en considérant devenir une personne plus forte encore, comme si c'était pour vous stabiliser encore plus, ce sera au moins positif. Pour revenir à votre question, si vous ne mangez que de la nourriture de culture biologique, vous diminuez effectivement le taux de produits qui intoxiquent votre organisme. Pour un adulte comme Pierre, cela n'entraînera aucun changement notable avant 27 de vos mois, s'il ne mange que cela, donc aucune viande. S'il ajoute à son menu des grains qui ne sont pas biologiques, qui ont quand même reçu des pesticides, doublez le nombre de mois mentionné. Il mangera son crayon avant cela ! Il se sentira trop faible et cela pourra entraîner un déséquilibre. Rappelez-vous, privez-vous de nourriture et votre conscient se privera, se sentira frustré. Donc, les changements devront être graduels. Pas si facile, n'est-ce pas ? Nous trouvons que la façon que vous avez d'équilibrer les repas est très bonne. Avons-nous répondu à cette question ?

Oui, j'ai compris la nourriture sur différents plans.

Si vous utilisez toujours votre intuition avec les gens que vous aidez, vous aurez une approche encore différente. Rappelez-vous, c'est votre domaine actuellement. Donc, si vous utilisez votre intuition pour aider ces gens, vous leur direz quoi manger exactement, un peu comme une prescription. *(Les colombes, IV, 08–09–1990)*

J *'ai une question sur l'alimentation. Je voudrais en savoir plus sur la viande animale, est-ce que vous pouvez nous en parler ?*

S'il n'en tenait qu'à nous, la viande ne serait même pas une nourriture, parce que ce que nous observons actuellement dans ces viandes n'est pas très gai : tous ces médicaments, toutes ces hormones, sans compter ces maladies ! Rendez-vous compte que les viandes ont pratiquement la même consistance que vous, que les animaux ont aussi leurs maladies, par exemple le sida, qu'ils ont développé bien avant vous d'ailleurs. Ils ont tout cela, et en beaucoup plus grand nombre. Sauf que votre science actuelle est beaucoup plus occupée à les faire croître plus rapidement avec une belle couleur qu'à analyser leurs maladies. Analysez tous les produits qu'on fait ingurgiter aux animaux pour les garder en vie, pour les faire croître : trouvez-vous cela appétissant ? Nous ne mangerions pas cette nourriture. Les animaux ont une forme de conscience de la vie. S'ils étaient tués de façon noble et élevés de façon noble, le résultat serait différent. Ce n'est pas le cas. Ils sont tués de façon brutale et ils sont même conscients de ce qui se passe. Regardez une personne qui est électrocutée et vous verrez que la forme entière est stressée. Lorsque vous tuez les animaux par balles ou par choc électrique, il faut une fraction de seconde pour que chacune des cellules de l'animal reçoive le point de stress et cela continue à se propager durant sept minutes après le décès de l'animal. C'est comme une rébellion... Quelques instants que nous observions les faits actuels, nous pourrons vous rapportez cela autrement... Un de ces endroits... incroyable ! Rappelez-vous que leurs cellules sont similaires aux vôtres dans leur structure... Pendant une période de sept minutes après le décès de ces animaux, les cellules se communiquent entre elles le stress causé par cette mort : elles savent fort bien qu'elles ne seront pas greffées, qu'elles ne seront pas transplantées, donc qu'elles sont programmées pour une mort. Comme il n'y a aucun sentiment dans ces viandes, il y a concentration au moment du décès de tout ce qui était encore dans l'animal vivant, que ce soit des bactéries ou d'autres produits. Même la période de repos de ces viandes n'est plus suffisante : la concentration demeure trop forte au moment de la consommation. L'élevage constitue le deuxième problème. Personne d'entre vous ne pourrait être élevé comme cela. Ce n'est pas normal. Vous voulez notre avis réel ? Trouvez vos protéines ailleurs; il y a beaucoup mieux. C'est moins pire du côté des poissons ou de ce que vous appelez des fruits de mer, beaucoup moins pire. Les effets de l'élevage sur la viande étaient moindres il y a 40 ans. Actuellement, chez un adulte comme Pierre encore une fois, les produits absorbés et concentrés dans les viandes prendront huit mois pour s'accumuler dans l'organisme. Passé cette période, calculez deux fois la période pendant laquelle vous aurez mangé de la viande pour vous débarrasser des toxines accumulées. Donc, si vous mangez de la viande pendant 8 mois, calculez 16 mois pour en enlever les effets. Si vous en mangez pendant 10 ans, c'est 20 ans qu'il vous faudra, parce que vos cellules seront devenues pareilles à celles de la viande. Donc, il faudra vous convaincre que cela n'est plus, changer votre alimentation de façon complète, sans récidive. Ce n'est pas une cause de décès actuellement. Vos pensées sont beaucoup plus destructives que cela. Ce n'est pas un mieux non plus. *(Les colombes, IV, 08–09–1990)*

E st-ce que le poulet nourri au grain est bon ?

Si le poulet était tué de façon ordinaire, ce serait bien. Si vous mangez du poulet, nous vous conseillons de vous approvisionner chez un cultivateur qui sait fort bien comment s'y prendre pour les tuer, qui n'utilise pas les chocs électriques. La viande est alors de bien meilleure qualité.

Est-ce que la ferme [...] est mieux ?

Surtout pour la source de revenu. En ce qui concerne l'hygiène et les produits employés, sur une échelle de 100 % au niveau de la qualité, nous lui accordons 70 % comme résultat. C'est un peu mieux que la moyenne. *(Les colombes, IV, 08–09–1990)*

Q uand vous dites de tuer un animal de façon noble, non brutale, que voulez-vous dire ?

Il s'agit d'employer des moyens pour que l'animal n'ait pas le temps de voir ce qui arrive aux autres. Croyez-vous que l'animal n'a pas de stress à entendre le cri des siens qui meurent avant ? Ne croyez-vous pas qu'il sait déjà ce qui lui arrivera ? Vous-mêmes, vous auriez peur. Les animaux ne sont pas plus stupides qu'il le faut. Ils ressentent très bien cela. Vous en voulez une preuve ? C'est très simple : rendez-vous dans un abattoir, regardez les animaux qui sortent des camions, regardez-leur bien les yeux, vous verrez qu'ils sont plus qu'affolés. *(Les colombes, IV, 08–09–1990)*

*E*st-ce que le fait de tuer les animaux pour se nourrir, pour se vêtir et pour les expériences scientifiques nuit à notre relation avec tous les animaux ?

Vous parvenez du moins à leur faire peur. Lorsque vous tuez ces vaches, ces boeufs ou ces porcs, ce serait plus acceptable si vous le faisiez avec dignité. Mais actuellement, ce n'est pas le cas. Peut-être n'avez-vous jamais vu ces endroits comme il faut. Regardez ces poulaillers automatisés où les poules sont entraînées de force par des machines. Ne croyez-vous pas qu'elles savent ce qui leur arrive ? Une question pour vous : comment se comporte votre forme lorsque vous avez très très peur ? Comment se comportent vos muscles ?

Ils raidissent.

C'est pareil pour ces animaux. Les animaux ont de l'intuition, ils perçoivent ce qui leur arrive même s'ils ne comprennent pas. Avez-vous oublié cela ? Lorsque vous étiez très jeunes et que vous aviez peur d'un oncle ou d'une tante, vous alliez vous réfugier contre vos parents par crainte. Lorsqu'une personne vous approchait et vous faisait peur, vous étiez sur vos gardes. C'est la même chose chez les animaux. Ce n'est pas parce que ce sont des vaches qu'elles ne peuvent percevoir, qu'elles n'ont pas peur. Vous devriez voir leurs yeux pour le comprendre. Elles aussi contractent leurs muscles et sécrètent des hormones dans le but de se protéger et de se stimuler, comme le font vos formes. Dans certains cas, cela vous est nuisible. N'avez-vous jamais remarqué que vos viandes n'ont plus le goût qu'elles avaient il y a un peu plus de 20 de vos années. Même chose ! Vous arrivez même à voir la différence entre les oeufs des poules qui sont élevées librement et ceux des poules élevées dans ces poulaillers automatisés. Ces oeufs n'ont même plus de couleur et n'ont plus de goût. Ouvrez-vous les yeux ! Nous savons que vous devez vous nourrir, mais à quel prix ? Faites la différence entre ce que nous venons de vous décrire et les animaux domestiques. Ce n'est pas la même chose.

Les animaux domestiques savent très bien que vous ne les mangerez pas. Tout ce qu'ils ont à craindre, c'est que vous les maltraitiez, comme vous vous maltraitez dans plusieurs cas. En effet, ceux qui maltraitent les animaux se maltraitent eux-mêmes et ne font que montrer aux autres leurs agissements envers eux-mêmes.

Vous avez mentionné que, lors de l'abattage, il y a un manque de dignité. Qu'est-ce que cela signifie ?

Cela signifie qu'actuellement vous tuez pour produire. Cela veut dire que vos méthodes de tuerie sont complètement automatisées et radicales. Nous ne vous disons pas qu'il ne faut pas les égorger, mais il y a une limite ! Il faut le faire sur une base individuelle, en isolant chaque animal des autres plutôt qu'en les mettant tous en ligne, suspendus par le cou afin qu'ils puissent tout voir ce qui leur arrive. C'est cela qui faisait la différence entre autrefois et actuellement : on tuait alors chaque animal isolément. Qu'arriverait-il selon vous si vous étiez parmi 10 ou 15 personnes devant être électrocutées, que vous étiez toutes face à face, et que le premier voyait le deuxième se faire électrocuter, et ainsi de suite jusqu'à ce que votre tour vienne ? Tentez d'imaginer cela, vous verrez, vous serez plus que tendus. Nous pouvons vous assurer que vous seriez très moites et que vous voudriez mourir avant votre tour. Ce n'est pas parce qu'ils sont des animaux qu'ils n'ont pas droit à cette dignité. Vous allez manger ce qui aura eu peur. Vous aurez donc droit d'avoir peur à votre tour. *(Le fil d'Ariane, IV, 14–12–1991)*

Est-ce que l'homme a le droit de tuer les animaux pour se nourrir ?

Très curieuse question. En fait, la majorité des gens utilisent ces produits de nourriture; ils en ont le droit, mais c'est un bien grand mot ! Il s'agit d'une question de choix. Selon nos observations, le terme employé n'est pas exact. Il y avait ce que vous appelez de la viande autrefois; ce n'est plus le cas aujourd'hui. La viande n'est tout au plus qu'une pièce de tissus contenant différents produits chimiques accumulés. Nous avons déjà analysé cette question dans des sessions précédentes. Le fait d'absorber ces produits chimiques, si ce n'est pas trop courant, ne devrait pas trop vous causer de problèmes. Par contre, leur accumulation dans votre organisme, étant donné que certains d'entre eux ne se détruisent pas à la cuisson, vous causera des problèmes majeurs de santé. De toute façon, lorsque vous prendrez ces produits d'origine animale, ils devront toujours être très cuits, sans aucune trace de sang, sinon vous aurez des problèmes de santé et vous en chercherez les causes ailleurs. Le droit de tuer est une question très profonde. Pour bien comprendre, il vous faudrait observer — et vous ne l'avez pas réellement fait encore — comment ces animaux sont tués. Si vous pouviez seulement voir leurs yeux ! Contrairement aux croyances, ils ne sont pas idiots, ils ressentent la mort. Ils ressentent même celle de leurs semblables; c'est une sensation qu'ils peuvent mesurer. Il suffit de regarder leurs yeux pour comprendre qu'ils comprennent. Il faudrait aussi que vous compreniez ce qui se passe dans ces animaux. Chacune de leurs cellules est avertie de sa mort, sait très bien qu'elle cessera de vivre et se programme juste avant. C'est suffisant pour que cela se goûte. Comment ? N'avez-vous pas remarqué qu'avec les années, les viandes ne sont plus les mêmes ? La qualité n'y est plus, le produit est plus dur. Lorsque vous abattiez 20 ou 30 animaux à la fois, ils n'avaient pas le temps d'avoir peur de mourir. Maintenant que vous les abattez à la chaîne, les animaux le savent longtemps d'avance; ils sont des centaines à le percevoir. Prenez des veaux par exemple. Si vous en mettez 300 en ligne, le premier se doute de ce qui se passera, le deuxième le sait, le troisième prend peur et ainsi de suite. Que se passe-t-il une fois rendu au 200e veau ? Une peur complète, une panique. Voilà ce que les autres animaux ressentent, et c'est ce qui fait que la chair de certains d'entre eux n'a même pas la qualité suffisante pour être comestible. Donc, ce n'est pas le droit de tuer qui fait problème, mais l'ignorance dans laquelle vous le faites. Il y a plusieurs façons de tuer des animaux. Cela peut se faire de façon plus noble, sans stresser l'animal, ce qui n'est pas le cas actuellement. Nous comprenons aussi que vous avez besoin de ces produits pour vous nourrir. C'est ce que vous croyez du moins, mais ce n'est qu'une façon de comprendre la vie. Les gens qui abusent des viandes sont des gens stressés. Ils recherchent du soutien pour leur organisme, mais ils deviennent comme ce qu'ils mangent : durs. Nous approfondirons cette question tout au long des autres sessions. De plus, il serait intéressant que vous puissiez lire la transcription de la session où nous avons fait l'analyse d'une autopsie. Vous comprendrez encore davantage. Nous y reviendrons plus tard dans ces sessions. *(Maat, I, 09–11–1990)*

Comment régler les problèmes de foie ? Est-ce qu'il y a des moyens de le guérir ou faut-il suivre continuellement un régime draconien pour le reste de sa vie ?

Comme pour toutes les maladies qui peuvent être reliées à vos façons de vivre et à vos façons de penser (nous excluons encore une fois les problèmes génétiques, nous ne sommes pas des chirurgiens), regardez donc du côté de vos façons de vivre et de vos façons de croire. Regardez vos nourritures seulement ! Regardez les quantités de nourriture sucrée que vous absorbez. C'est incroyable ! Vous êtes pratiquement tous des pains de sucre et vous voulez un pancréas et un foie qui fonctionnent bien ! Vous mangez même des pommes de terre sucrées et vous rajoutez des desserts... parce que c'est bon, dites-vous ! Vous trouvez cela raisonnable ? Si vous étiez un foie, vous auriez compris la différence. Accumulez ces nourritures qui ne vous conviennent pas pendant 20 ans et reposez-nous la même question. Vos foies se font de la bile ! Vous voulez régler les problèmes de foie ? Voici un truc simple : s'il vous a fallu 10 ans pour devenir malade, calculez 10 ans pour recouvrer la santé. À vous de choisir. Certaines personnes, comme vous venez de le suggérer, utilisent des régimes draconiens, mais avez-vous pensé que s'il a fallu 20 ans à votre foie pour s'adapter à une nourriture qui ne lui convenait pas, c'est qu'il a changé ses propres habitudes cellulaires ? Il a augmenté ses formes de protection. Si, du jour au lendemain, vous lui coupez tout, comment voulez-vous qu'il réagisse ? Du jour au lendemain aussi ? Écrivez-lui, ce sera plus rapide. Il ne peut pas savoir cela. Supposons que vous venez de manger une grosse pâtisserie qui devrait vous faire vomir, mais que vous aimeriez mieux en manger une autre plutôt. Voyez l'exagération ! Puis, vous vous dites : « Oh ! c'était la dernière. Demain, ce sera draconien : je coupe tout, même les pommes de terre sucrées. » Imaginez donc ! Votre organisme ne s'attend pas à cela; pas plus que lorsque vous prenez une douche très chaude ou que vous vous trempez ensuite dans un bain glacé. Il faut lui laisser la chance de se réorganiser, de modifier graduellement ses habitudes cellulaires. Cela changera aussi vos attitudes et vos réactions face aux autres. Vous allez changer complètement parce que l'intérieur changera. Il est très simple de régler vos problèmes de foie. Premièrement, croyez que vous allez y parvenir; n'attendez pas que le foie vous démontre sa réaction. Deuxièmement, commencez à couper de façon très graduelle vos foutues nourritures sucrées et grasses. Évitez les nourritures trop lourdes qui vous prennent deux à trois jours à digérer et dont vous remplissez encore vos estomacs deux jours après, comme si vous faisiez des provisions... De vrais écureuils ! Coupez ces breuvages sucrés, coupez ces cafés aussi, tout ce qui ne vous convient pas. Coupez la viande de porc : elle contient des fibres que vos organismes ne digèrent pas bien et ces fibres s'accumulent dans vos estomacs; nous ne conseillons jamais cette viande. Coupez, peu importent quels en sont les résidus... et vous êtes très spécialisés dans la nourriture faites de résidus ! Vous savez, ces saucisses, ces pâtés de poulet et de poisson inconnu. Tentez de trouver une partie reconnaissable. Si vous n'y arrivez pas, c'est que ce n'est pas pour vous. C'est simple, n'est-ce pas ? Cela ne demande pas un cours très avancé dans l'art culinaire. Graduellement, c'est cela qui va vous changer. Par-dessus tout, vous devrez boire beaucoup, ce que vous détestez le plus vous-même. Vous êtes tous là à reconnaître que votre forme est majoritairement composée d'eau et vous ne buvez pas. Vous ne trouvez pas cela drôle ? Vous croyez que vos gazons vont s'assécher, mais pas vous ?! Il est normal que vos organes deviennent atrophiés très jeunes. Faites-les sécher, vous verrez comment ils réagiront ! Voilà comment vous agissez. Un foie a besoin de beaucoup d'eau, autant que vos reins. Tout votre organisme a besoin d'eau. De plus, dans vos villes, vous buvez cette soupe chimique que vous appelez de l'eau : vous construisez des pierres dans vos organismes. Vous absorbez toutes ces soupes chimiques et ces nourritures méconnaissables, et vous nous demandez un traitement miracle. Nous en avons un : « Ouvrez-vous les yeux ! » C'est aussi simple que cela. Apprenez à reconnaître ce qui est bon pour vous, ressentez ce que vous mangez. Si vous n'avez pas le goût de manger une nourriture, ne la mangez pas. Ne dites pas : « Il est midi, je dois manger, je suis pressée » ! Votre forme sera pressée aussi de s'en débarrasser. Respectez-vous un peu plus que cela. Avez-vous le goût de nous demander comment guérir vos reins ? Relisez la même réponse.

Le plus difficile, c'est d'avoir la volonté de faire cela. Cela fait des années que je suis une diète et il m'est difficile de toujours continuer.

Très bien, punissez votre forme ! C'est cela une diète : c'est punir sans comprendre. C'est se restreindre à des nourritures nécessaires à vos formes. Ce n'est pas de vous priver de deux ou trois de vos saucisses qui vont changer votre vie. C'est de manger de tout de façon raisonnable, mais de manger tout de même. Vous allez nous dire : « Oh ! je vais engraisser ! » Et alors, qui vous a dit que vous deviez peser 24 kilos ? Ce qui compte, c'est que vous soyez bien parce que, si vous pensez être bien, votre forme le sera avant de devenir un corps. La volonté, vous l'avez devant le miroir, vous l'avez dans ce que vous vivez, dans la maladie ou la santé. Vous voulez une bonne diète, nous en avons une bonne : mangez de tout raisonnablement, tout ce qui est reconnaissable, bien sûr. Ne trichez pas, éliminez ce qui n'a pas de sens, comme vos foutues pâtisseries pleines de sucre. Soyez raisonnables avec vous-mêmes, vous le serez avec votre forme et, si vous avez besoin d'être convaincus, nous avons un traitement miracle pour vous. Faites donc un tour dans les hôpitaux. Vous allez voir, leur odeur ne vous plaira pas. De toute façon, si vous apprenez à restreindre votre forme en la privant de ce qui pourrait être bon pour elle, vous vous restreignez aussi dans vos idées, parce que votre forme ne vous redonnera pas la joie de vivre, parce qu'elle ne sera pas heureuse elle non plus. Combien de fois n'avons-nous pas dit que vos formes communiquaient entre elles. Vous êtes ouverts à la maladie ? Votre forme contactera des formes ouvertes à cela. Vous êtes heureux ? Votre forme cherchera des formes heureuses; et si elle entre en contact avec des formes malades, elle ne sera pas malade, car elle n'aura pas besoin de la maladie pour s'exprimer. Elle aura tout. Vous êtes des êtres doublement intelligents avec vos formes et avec vos cerveaux. *(Les Âmes en folie, IV, 20–07–1991)*

V*ous parlez de l'eau comme de la soupe chimique, est-ce que l'eau de source en est autant ?*

Nous vous conseillons de bien faire analyser vos eaux de source. Dans certains cas, vous savez, les eaux de source ont traversé des sous-couches de terrain de composition douteuse, parfois sous des dépotoirs, ou même sous des cimetières. Vous n'avez jamais appris à traiter vos eaux. Analysez-les avant de les boire. Dans d'autres cas, vous trouverez qu'elles sont potables, mais qu'il y a trop de minéraux et ce n'est pas mieux, car ils s'accumuleront aussi dans vos organismes. Contrairement à ce que les scientifiques vous diront, une personne qui s'alimente bien n'a pas besoin de tous les minéraux contenus dans l'eau. De toute façon, dites-vous bien que, si nous avions répondu à cela il y a 200 de vos années — soyons généreuses, 60 de vos années —, nous vous aurions dit de boire votre eau car elle était encore potable, mais elle ne l'est pas à l'époque actuelle. Nourrissez-vous bien de tout, de façon raisonnable. Sachez apprendre ce qui vous convient comme nourriture et ayez la décence personnelle de refuser les nourritures qui ne vous conviennent pas lorsque vous mangez chez les autres. N'acceptez pas juste pour faire plaisir. Prenez une eau de source qui peut être potable une fois analysée ou prenez une eau distillée si vous hésitez. Toutefois, ne prenez l'eau distillée que si vous ne manquez de rien dans votre système alimentaire, sinon vous devez prendre des suppléments. (*Les Âmes en folie, IV, 20–07–1991*)

A u niveau de la santé de la forme, qu'est-ce qu'on doit faire et ne pas faire ? Tout à l'heure vous avez mentionné l'eau. Est-ce qu'il y a d'autres choses qu'il faudrait proscrire pour nos formes ?

Il y a tellement de choses à ne pas faire que nous devrions plutôt vous dire seulement ce que vous devriez faire. Dans la nourriture, c'est l'abus qui vous nuit. Regardez ces gens nerveux au travail qui absorbent café sur café et qui, pour s'assurer de leur malheur, vont prendre une cigarette entre les cafés. Pourquoi pas ? Tant qu'à en finir, aussi bien faire cela en grand : estomac et poumons en même temps. Quoi de mieux ! Trop de caféine est dangereux. Prendre un café une fois par deux jours ou une fois par jour ne fait pas problème, mais passé trois ou quatre fois par jour, cela devient problématique. Ce n'était pas vrai il y a 20 ou 30 de vos années, mais c'est le cas actuellement, avec vos foutues combinaisons alimentaires trop rapides ! Vous savez, ces dîners que vous prenez en cinq minutes dans ce que vous appelez *fast-food* et qui ressemblent à des soucoupes volantes dans des emballages chimiques. S'ils ont cette forme, c'est pour que vous puissiez les lancer très loin et non pas les manger. Quand au porc, il y a trop de toxines dans cette viande actuellement, beaucoup trop. Il y a 15 de vos années, ce n'était pas le cas, mais actuellement ce n'est pas comestible. Même si le porc a bon goût, il n'est pas comestible pour autant. Nous avons déjà mentionné l'eau qu'il ne faut pas boire, exception faite de l'eau distillée et de l'eau de source de haute qualité; c'est encore acceptable. Vos combinaisons alimentaires ne sont pas ce qu'il y a de mieux. Rajoutez à cela l'empressement dans vos emplois actuels, les fortes tensions que vous mettez sur vos formes, par exemple en ne répliquant pas à votre patron. C'est une tension supplémentaire pour vos formes, un non-respect de vos pensées. Cela s'ajoute au reste. Comprenez qu'avec les tensions de vos pensées actuelles, il faut une foutue bonne combinaison alimentaire, et encore. Il faut quelque part accepter de vivre pour digérer cette nourriture. Que dire aussi de tous ces produits acides que vous absorbez quotidiennement, aussi bien les abus de fruits. Et cela va même à ces produits que vous utilisez pour vous laver les cheveux. Regardez votre façon de vivre. Ne serait-ce que vos douches... Un détail, vous direz, mais très important. Vous en êtes rendus à ne plus vous laver mais à vous encrasser. Tous les jours, vous absorbez par les pores de votre peau des produits chimiques qui s'accumulent. Vous empêchez donc votre peau de respirer. Vous voulez faire des tests ? C'est très simple. Prenez une très bonne douche comme d'habitude — du moins, nous l'espérons — puis, prenez un bain sans savon et ne faites que frotter votre peau. Vous allez voir : il y aura des cernes autour de la baignoire. Vous avez choisi des méthodes rapides pour vous laver, mais vous ne comprenez pas les besoins de vos formes. Il faut dissoudre ces produits et pour cela, il faut beaucoup d'eau. Il y a des brosses aussi, nous le savons. Cette forme en a utilisé et nous le savons. Mais la peau élimine aussi les toxines de vos formes. Si vous les empêchez de sortir, c'est bien simple, elles vont se répandre dans vos formes, ce qui causera très certainement des problèmes au niveau des reins, pour ne nommer que ces organes-là. Et cela ira jusqu'à la mauvaise haleine. Vous n'éliminez plus, vous n'avez plus le temps.

Voyez comme cela peut aller dans des détails et ce n'est rien encore. Nous ne voulons pas vous faire peur. Vous nous demandez ce qu'il faut éviter ? En fait, c'est très simple. Prenez un peu plus le temps de remarquer ce que vous faites pour vivre et cela vous fera éliminer ce que vous faites pour ne pas vivre. C'est bien, n'est-ce pas ? *(Renaissance, III, 09–11–1991)*

Vous avez mentionné l'eau distillée et l'eau de source.

Si vous choisissez une eau de source, choisissez de préférence une très bonne eau de source, pas celle que vous irez chercher le long des routes.

Une marque particulière ?

Nous faisions référence aux produits que vous pouvez vous procurer assez facilement actuellement. N'allez pas dans ces campagnes où il y a des robinets vous permettant de rapporter de l'eau vous-mêmes. Cela peut vous causer des problèmes. Généralement, ces sources sont situées près des routes et des villages où il risque d'y avoir contamination à plusieurs niveaux. L'eau de source est toujours acceptable, mais elle n'est pas d'aussi bonne qualité que l'eau distillée. De toute façon, avis aux puristes : vous prenez aussi vos minéraux dans une nourriture équilibrée, mais ce n'est plus suffisant. Vous prenez tout de même des suppléments. Mieux vaut cela que ces soupes chimiques actuelles qui ne sont pas de l'eau. *(Renaissance, III, 09–11–1991)*

Au sujet de l'eau, j'en ai besoin pour vivre.

Cela ne peut même plus s'appeler de l'eau. Il y a des eaux distillées, certaines eaux de source qui sont beaucoup mieux que vos eaux de ville.

Pouvez-vous les nommer ces eaux ?

Actuellement, il n'y a pas une seule eau de ville qui soit de l'eau potable. Nous n'avons donc pas besoin de les nommer. Dans les régions situées autour de vos villes, et autour de chaque village aussi, calculez un rayon de 60 à 100 kilomètres de rayon pour que le sous-sol ne soit pas pollué. Ces eaux sont quand même mieux que vos eaux de ville. C'est pour cela que nous conseillons très régulièrement de boire des eaux distillées, de rajouter des minéraux à vos nourritures qui sont déjà très appauvries. Vous saurez au moins quels sont les minéraux que vous aurez absorbés. Actuellement, dans les analyses d'eau, vous comptez les parties par millions de minéraux, mais n'oubliez pas qu'il faut aussi compter les autres molécules. Vous verrez qu'il ne reste plus grands minéraux que vos formes peuvent absorber.

Est-ce qu'on doit faire confiance aux eaux embouteillées ?

Dans certains cas. Nous en avons observé quelques-unes. Encore là, les embouteilleurs peuvent vous tromper quand ils le veulent et vous ne le saurez pas. En effet, on fabrique parfois ces eaux embouteillées en rajoutant de l'eau d'aqueduc aux eaux de source, dans les meilleurs cas 20 %. Lorsque tout est filtré, cela ne se goûtera pas. L'eau distillée est plus sûre.

Les minéraux ajoutés seront chimiques.

Vous savez très bien que le fer proviendra de toute façon de la terre. Les minéraux proviennent de différentes sources. Vous pouvez ajouter des minéraux dans vos nourritures et vous les pro-curer dans des endroits qui vendent des produits dits naturels. N'est-ce pas amusant qu'on vous trouve des minéraux de prove-nance plus saine ? Peu importent les minéraux que vous choisirez d'ajouter, ils sont déjà beaucoup mieux que ceux qui sont actuelle-ment dans vos eaux. Installer des filtres à vos robinets ne changera pas grand chose, surtout si vous absorbez les quantités d'eau recommandées, soit au moins de 1,5 litre par jour. *(Diapason, III, 16–05–1992)*

J'aurais aimé que vous nous appreniez à soigner notre forme, à la régénérer. Est-ce que c'est possible ?

À votre avis, comment cela se fait-il ? Ne vous en faites pas, nous ne vous demandons pas comment faire. Juste votre avis.

J'ai l'impression que c'est par nos pensées.

Numéro un. Après cela ?

L'amour qu'il peut y avoir à l'intérieur de nous.

Mais si vous avez déjà des pensées positives, vous vous aimez déjà !

Oui, mais quelquefois il se passe des choses qui sont désagréables... Notre forme est brisée, blessée.

Dans le sens que vous l'exprimez, nous l'admettons. Et ensuite ?... Les agissements, les gestes que vous poserez tous les jours. Nous avons dit au groupe précédent : vous ne prenez même pas le temps de vous laver, vous prenez ce que vous appelez des douches. Vous doucher, ce n'est pas laver vos formes; vous les encrassez d'une fois à l'autre. Vous utilisez des savons parfumés, des savons très forts pour vos peaux et vous noyez vos formes sous les bulles, sous ces savons croûtés. Ceux-ci s'accumulent dans vos pores de peau. Vous croyez qu'une douche les délaye ? Faux ! Vous les accumulez d'une fois à l'autre. Votre peau, au cas où vous l'ignoriez, est le premier instrument d'élimination de votre forme. Même avant que les reins n'éliminent, vous transpirez. Vos toxines s'éliminent par la peau. Que faites-vous lorsque vous l'encrassez ? Vous empêchez votre forme d'éliminer, et ces toxines se ramassent dans votre organisme et vos reins doivent fonctionner deux fois plus. Prenez un bain de temps à autre et vous verrez; vous allez délayer ces toxines en brossant votre peau et vous allez respirer beaucoup mieux. Prendre une douche quand vous êtes pressés, d'accord, mais prenez un bain deux fois ou trois fois par semaine et brossez votre peau avec une bonne brosse. Sinon, cela équivaut à respirer dans un sac rempli de fumée; vous verrez que vos poumons ne seront pas blancs longtemps, même s'ils ne sont pas déjà blancs. Vous vous étouffez déjà de cette façon. Vous ne le faites pas par goût, mais parce que vous êtes pressés. Déjà, vous faites une erreur. En ne lâchant pas prise non plus : c'est une deuxième erreur. En ne croyant pas réussir : une autre erreur. En vivant avec le passé : une autre erreur. Pour ceux qui ne le savent pas, le passé n'est qu'un rêve et le futur, une vision. C'est aujourd'hui que vous vivez et demain sera ce que vous aurez voulu aujourd'hui. *(Le fil d'Ariane, III, 16–11–1991)*

D*evrait-on tous être végétariens pour ne plus avoir à abattre les animaux ?*

Vous ne pourrez pas changer totalement des habitudes vieilles de milliards d'années. Vous avez appris à vous nourrir avec ces viandes, à nourrir vos formes avec ces fibres. Vous nourrir seulement des produits végétaux, cela pourrait exister dans plusieurs de vos années mais il faudra plusieurs générations encore. Il faudrait qu'un couple respecte totalement non seulement la vie animale mais tout ce qu'il mangera, que ce couple ait un enfant et que cet enfant fasse la même chose, et ce, pendant trois générations. Si l'enfant de cette troisième génération absorbait de la viande, il serait malade à coup sûr parce que sa forme aurait été programmée à une autre habitude digestive. Mais ce n'est pas le cas avec vous. Vous tentez de faire cela du jour au lendemain, et cela finit par nuire à vos formes. Il faut beaucoup d'habileté pour devenir ce que vous appelez des végétariens du jour au lendemain. Nous croyons que vous êtes dans une époque de changement où tout peut vous convenir, exception faite du porc, encore une fois. Si vous êtes raisonnables en tout, vous n'aurez pas de problèmes réels. Nous ne sommes pas contre le fait que certaines personnes décident pour elles-mêmes d'être végétariennes, mais il faudra combler votre nourriture par des suppléments pour éviter des faiblesses. Une discipline stricte dans le monde où vous vivez est très difficile à observer. (*Le fil d'Ariane, IV, 14–12–1991*)

*L*es enfants de 18 mois à 2 ans qui ont toujours des sinusites, des otites ou des problèmes semblables...

Vous ne trouvez pas qu'il y a suffisamment de raisons actuellement dans votre monde pour qu'ils aient ce genre de problèmes ? Une seule gorgée d'eau contient plus de 160 000 agents différents actuellement, tous aussi dangereux les uns que les autres. Une seule goutte d'eau dans une oreille ayant déjà une infection et c'est fait; et cela se répétera de façon cyclique. Vous avez rendu vos formes tellement fragiles ! Vous avez cru bon les protéger, mais vous les détruisez de cette manière. Nous observons toutes les tentatives actuelles, des changements draconiens de régime alimentaire jusqu'au recyclage. Des extrêmes... Vous vous demandez pourquoi ces enfants sont malades ? Regardez les parents aussi, leurs habitudes, leurs comportements. Effectivement, certains enfants, même à l'âge de trois mois, n'ont pas le goût d'entendre. Vous êtes adultes et parfois vous ne voulez pas entendre non plus. Ne blâmez pas les enfants d'en faire autant. Regardez votre pollution actuelle, elle s'étend du simple savon jusqu'à la goutte d'eau. Vous vous demandez pourquoi vos formes sont intoxiquées ? Cela s'étend même jusqu'à la façon dont vous vous lavez. C'est tout de même incroyable ! Nous savons que vous avez besoin de savon pour vous laver, mais vous vous intoxiquez à chaque fois que vous vous lavez. Vous remplissez les pores de votre peau de ces produits trop forts; vous choisissez des savons contenant des parfums qui vous empoisonnent. Que vous faut-il pour que vous vous ouvriez les yeux ? Des exemples plus simples ? Nous en avons. Vous employez des antisudorifiques — oh ! nous savons que c'est aussi nécessaire —, mais vous les appliquez aux endroits qui servent à l'évacuation des déchets de vos formes. N'oubliez pas que ce qui sort de vos formes peut y rentrer. Vous dites que l'aluminium peut tuer vos formes et vous placez de l'oxyde d'aluminium sous vos bras ! Que faites-vous ? Combien en faudra-t-il pour que vos formes s'étouffent ? Vous employez des savons parfumés sur de jeunes bébés... Ne sentent-ils pas déjà le neuf, le nouveau. Ne respirent-ils pas la vie ? Ils ont un mois et vous commencez déjà à les intoxiquer. Vous ignorez tout, même cela. Brossez vos peaux, augmentez la circulation à ce niveau. C'est l'organe le plus grand de votre forme. C'est l'organe d'élimination le plus important et c'est celui auquel vous faites le moins attention. Regardez ce que vous faites pour être belles. Vous étouffez chaque pore de peau de votre visage. Vous oubliez le principal : la respiration. Parfois, nous voyons des formes tellement artificielles que même leur comportement le devient. N'ayez aucune crainte, nous vous parlerons de maladies plus tard, de leurs façons de se propager dans vos formes, de l'inconscience de votre système hospitalier actuel. C'est à notre programme, de même que le sujet des cancers.

> *À l'intérieur des médecines douces, est-ce qu'il y a moyen de soulager ce genre de problèmes, par le toucher thérapeutique ou l'ostéopathie par exemple ?*

Même la médecine traditionnelle a ses bons côtés. Mais si vous ne soulagez pas la cause en premier, vous ne guérirez rien. Donc, la cause en premier et l'aide en deuxième. À ce point, elles sont toutes valables. Nous avons certaines réserves en ce qui a trait à l'acuponcture cependant, au moins sur votre continent, parce qu'elle s'est un peu trop répandue et n'est pas employée comme elle devrait l'être. C'est devenu du travail à la chaîne. Elle aussi doit rapporter; et dès qu'une science prend cette direction, elle se perd. L'être humain en vient à être considéré comme une pièce. C'est le problème de la médecine actuelle, même si elle est parfois très nécessaire. Pour nous, guérir la cause demeure tout de même la première chose à faire. Donc, il y a du bon dans les médecines douces, un peu comme dans votre nourriture. Ce qu'il faut chercher, ce n'est pas seulement ce qui est bon, mais ce qui peut nuire dans ce qui est bon. *(Diapason, I, 21–03–1992)*

*C*omment se protéger des champs électromagnétiques ?

Actuellement, ils sont très nombreux, et à tous les niveaux. Il faut bien comprendre que le premier champ magnétique, celui de votre planète, fut équilibré de façon à ce que tout ce qui vit puisse avoir le même taux vibratoire, aussi bien une fleur que vos formes. Tout cela devrait avoir le même taux. C'est ainsi que les cellules des fleurs et celles de vos formes peuvent croître normalement. Avec votre sens du modernisme et votre technologie, vous avez fait en sorte qu'un très grand nombre de satellites balayent votre surface terrestre actuellement. Rajoutez tous ces appareils électriques que vous possédez dans vos domiciles. Rajoutez aussi des milieux de travail très informatisés qui émettent énormément de radiations et rajoutez en plus le fait que les bureaux sont maintenant construits de façon à re-projeter continuellement ces ondes, ces champs magnétiques altérés. Vous obtenez donc des formes qui, pour la grande majorité, deviennent de plus en plus altérées. Tout cela veut dire que vos cellules vibrent de façon anormale, de façon plus accélérée. Cela donne des formes qui sont nerveuses, qui deviennent tellement épuisées qu'elles sont aussi fatiguées le matin que le soir lorsqu'elles se sont couchées. Il y a des formes qui deviennent agressives. Les reins sont les premiers organes à être très attaqués et votre sang n'est pas aussi bien filtré. Vous devenez alors plus malades, plus intoxiqués et plus épuisés. C'est d'abord causé par le cerveau qui n'arrive plus à faire parvenir aux glandes tous les messages nécessaires pour entretenir vos formes.

Plus vous êtes dans des champs magnétiques altérés, plus il a de problèmes à retransmettre ses propres messages puisque les organes apprennent à ne plus le reconnaître. Il y a aussi des gens qui répondent par la violence; des gens calmes il y a 10 ans à peine changent soudainement de caractère, du tout au tout, et deviennent très violents. Vos formes réagissent, et votre technologie ne va pas en diminuant ! Certaines formes réussissent tant bien que mal à garder des taux vibratoires plus élevés, mais elles vont tomber d'un seul coup, comme si elles avaient dépassé une norme et qu'elles n'en pouvaient plus. Que croyez-vous que sont les cancers ? D'accord, ils sont causés en grande partie par vos façons de penser, le fait de ne pas vous aimer totalement, de ne pas vous accepter. Mais si ces cellules peuvent croître de façon anarchique sans être détruites, c'est parce que vos formes en sont informées trop tard, parce que les messages ne se rendent plus facilement à travers vos systèmes nerveux. Empêcher ce phénomène est très difficile. Nous avons observé l'appareil que cette forme [Robert] porte [harmoniseur de fréquences stabilisant à 7,83 hertz]. Bien sûr, il peut éliminer une très grande partie des ondes magnétiques au point de rendre la forme plus équilibrée, de faire en sorte qu'elle adopte un taux vibratoire qu'elle va reconnaître. C'est le but de cet appareil et c'est très bien fait d'ailleurs. Des produits similaires existent aussi, mais ils sont très peu nombreux, plus volumineux, et ne donnent pas plus de résultats. Ce qui compte, c'est de comprendre qu'avec ces appareils vos formes reçoivent quand même des ondes, mais qu'elles ont au moins un moyen d'en éliminer graduellement les effets. Le seul problème, une fois que vous commencez à porter ces appareils, c'est qu'il ne faut pratiquement plus les laisser de côté, sinon vous ouvrez une autre fois la porte à toutes ces ondes et elles s'installent deux fois plus dans vos formes. Une fois que vous commencez à les utiliser, vous devez continuer à le faire. Il y a d'autres moyens, mais de courte durée. Nous avons observé que les bains avec du sel de médecine [sel d'Epsom], même en très basse concentration, équilibraient très facilement le système d'énergie mais pour de courtes périodes, pas assez à long terme. Regardez les milieux de travail et les appareils dans vos domiciles. Vous allez vous rendre compte qu'ils sont plutôt nocifs actuellement. Dans 20 ans, vous aurez des circuits de protection dans chacun de ces nouveaux appareils; ce n'est pas encore fait. Correction : certains écrans de nouveaux ordinateurs ont déjà ces circuits, mais ils ne sont pas assez nombreux. Plus vous aurez d'objets modernes fonctionnant à l'électricité, plus vous verrez les champs magnétiques s'altérer. Il n'y a pas d'endroit en ce monde où les champs ne sont pas altérés. Vous allez vous rendre compte collectivement qu'à certaines heures — actuellement, au-dessus de votre continent, ce serait entre 13 h et 15 h 30 — la majorité d'entre vous allez ressentir de la fatigue. Actuellement, il y a deux satellites qui n'étaient pas là il y a six mois, l'un pour la météo et l'autre pour détecter les feux de forêts et les minéraux. Une partie de ce dernier servira aux communications d'ici deux semaines; c'est à l'essai actuellement. Ces satellites sont tellement puissants que vos formes les ressentent. À ces heures, vous verrez que cela se fera ressentir sur vos formes. Ils devraient cependant être replacés sur une autre orbite d'ici six mois tout au plus.

Est-ce que je peux savoir le nom de la compagnie qui fabrique ces ordinateurs avec écran de protection ?

IBM, mais ils sont très dispendieux. Ils ont pensé aux radiations des écrans mais pas encore à celles des circuits. Disons que c'est mieux, mais que vous avez environ 40 % de protection sur l'ensemble. Il y a d'autres moyens pour protéger vos formes; ces appareils en sont un.

Quand les appareils sont branchés mais non en marche, est-ce qu'ils peuvent quand même dégager des vibrations négatives ?

Oui, dans le cas des micro-ondes et des ordinateurs. Il y a 30 % des radiations qui s'échappent lorsqu'ils sont fermés.

Et s'ils sont débranchés ?

Il y en a trop peu pour que ce soit nocif pour vos formes. Lorsque ces ordinateurs sont branchés mais fermés et que vous êtes éloignés de plus d'un mètre, il n'y a aucun danger. Vos radios réveille-matin à transistors émettent des radiations. Vos téléphones, lorsque vous avez le combiné sur les oreilles pendant plus d'une heure consécutive, émettent autant de radiations au niveau du cerveau qu'un ordinateur pendant huit heures. Nous suggérons donc aux « mémères » d'aller plutôt rencontrer les gens. De toute façon, ceux qui auront parlé une heure au téléphone seront fatigués, pas d'avoir jasé [bavardé agréablement] mais à cause des radiations. Nous parlons de la partie acoustique des téléphones réguliers de maison, pas du boîtier lui-même; ce sont surtout ces petits appareils qui sont nocifs, leurs combinés. Lorsque le micro-ondes est branché et non en fonction, des radiations de l'ordre d'un mètre continuent d'être émises à l'avant, à l'arrière et sur les côtés. Lorsqu'il fonctionne, elles s'étendent jusqu'à deux mètres et à un niveau cancérigène pour vos formes. Si vous travaillez devant ces appareils pendant une heure, vous recevrez autant de radiations qu'une personne qui aura travaillé devant un ordinateur pendant sept jours. Quelles réactions auront vos formes ? Tout dépendra de leur état. Si vous avez déjà un cancer, vous l'aiderez à se développer; si vous êtes déjà fatigués, vous serez plus nerveux au point d'en perdre le sommeil. Et nous excluons les antennes cellulaires, qui vous bombardent quotidiennement, de même que les satellites et les postes de travail non conçus pour vos formes.

Qu'il s'agisse d'antennes de transmission, de réception de télévision, de radio, des centrales électriques et des automobiles, est-ce qu'il y a des distances à respecter pour ne pas être atteint ?

Ces appareils émettent à des fréquences tellement élevées qu'il n'y a pas beaucoup d'endroits où vous pourrez vous en cacher. En d'autres termes, ces ondes sont tellement nombreuses qu'elles passent à travers pratiquement tous les matériaux, sauf le plomb et l'eau, en grande partie. Vivre à moins d'un kilomètre de ces antennes, c'est du suicide pur et simple. Ne vous en faites pas : ils sont à développer de nouveaux systèmes, car ils en sont conscients. D'ici trois ans, cette nouvelle retransmission ne se fera plus vers vos oreilles, mais au-dessus de vos têtes, par satellites. Les systèmes actuels seront désuets mais pas moins nocifs. Si tous ces changements avaient eu lieu sur des périodes de 50 ou 100 ans, vos formes auraient pris le temps de s'ajuster, mais sur moins de cinq ans, aucune forme n'a eu le temps de le faire. C'est ce qui explique que, lorsqu'elles tentent de s'ajuster, elles ne le font pas conformément à leurs habitudes, d'où les cancers. Il n'y a pas encore assez de cancers pour le prouver, mais de toute façon cela coûterait beaucoup plus cher de changer vos systèmes actuels que de perdre des vies. Donc, ils ne changeront pas grand chose. Ils le feront sournoisement, un petit peu à la fois. N'oubliez pas que vos formes ne sont pas les seules à subir. Les plantes, les cultures et les animaux subissent aussi ces changements, cette forme d'agressivité non contrôlable... et vous en mangez ! C'est un monde en plein ajustement, un monde qui réagit fortement par la violence, sans comprendre, et ce n'est pas cela qui apportera l'équilibre.

Dans le cas du téléphone, une pause de quelques minutes par quatre heures dans le cadre du travail, est-ce suffisant pour éviter les dangers ?

Les appareils portatifs que certains postes de téléphonistes utilisent sont moins nocifs à ce niveau parce que le champ magnétique de l'amplificateur ne se trouve pas sur votre oreille comme dans les combinés des appareils courants. Mais les effets sont cumulatifs. Votre forme tente, dans un premier temps, de ne pas être touchée par ces ondes; lorsqu'elle devient fatiguée et que votre moral est moins bon, il y a relâche : elle ne se défend plus aussi bien et tente de s'ajuster à ces ondes. Comme vos formes ne peuvent pas y parvenir, il s'ensuit des réactions physiques. Le temps nécessaire pour que les réactions se manifestent dépend de l'endurance de chaque personne. Lorsque vous retournez à votre domicile et que vous ne subissez plus ces ondes, vous redevenez comme fatigués; vos formes tentent de retrouver un taux vibratoire qu'elles ne reconnaissent plus dans votre entourage et elles cherchent à adopter un taux plus élevé et s'épuisent ainsi encore plus. À titre de comparaison : une personne qui travaille devant un seul ordinateur pendant une période de huit heures doit compter cinq heures dans une bonne ambiance, sans stress familial, pour que la forme reprenne son équilibre. Les écrans au plasma n'émettent pas ces radiations. Si vous travaillez quatre heures d'affilée sur un appareil téléphonique standard, il faut au moins une heure pour en défaire les effets; après huit heures de travail, comptez jusqu'à trois heures. Si vous êtes dans un milieu qui vous énerve, devant un téléviseur qui vous montre de la violence ou même si vous écoutez un bulletin météo qui ne vous convient pas, en fait tout ce qui pourrait vous rendre agressif, même un conjoint (plus que la météo d'ailleurs... ce n'est qu'un jeu de mots !), vous ne donnez aucune chance à votre forme de retrouver son équilibre.

Effectivement, il y a des avantages à votre technologie actuelle, mais il y a beaucoup d'inconvénients. Rajoutez à ces champs magnétiques la nervosité causée par vos travaux et une nourriture rapide qui vous mène rapidement sous terre, pour pas cher, et vous comprendrez pourquoi vous avez des formes qui ne répondent plus bien.

> *Dans le cas de la conduite de l'automobile, est-ce qu'il y a des champs magnétiques aussi ?*

Il y a des champs magnétiques à la hauteur du coeur. C'est pourquoi les gens plus sensibles, comme les gens âgés et les très jeunes enfants, vont s'endormir. Pourquoi ? Parce que les gens qui sont très sensibles à ces champs magnétiques seront portés à dormir. Vous l'observerez dans vos métros où les champs sont très élevés. Partout où vous verrez certaines personnes s'endormir sans raison — ce n'est pas normal de dormir lorsque le paysage est beau — c'est parce que les formes se protègent. En dormant, elles abaissent automatiquement leur taux vibratoire et le taux ambiant n'arrive pas à prendre la relève. Cela explique aussi pourquoi, dans certains hôpitaux mal situés, on donne des produits pour faire dormir les patients afin qu'ils soient moins attaqués par les milieux ambiants. Effectivement, les gens qui sont continuellement dans des voitures développeront plus rapidement une maladie de coeur, une maladie de reins; ils auront mal à la tête plus régulièrement aussi. *(L'envol, IV, 30–05–1992)*

J'aimerais revenir sur la question des champs magnétiques. *Vous avez déjà dit que de s'en aller à la campagne serait l'idéal, sans micro-ondes, sans électricité, mais qu'il ne faut pas s'éloigner mais rester en ville pour aider les gens défavorisés, les pauvres. Que faire à ce moment-là ?*

Vous allez finir par trouver une partie de vous qui va s'équilibrer. Lorsque nous mentionnions la campagne, c'était pour expliquer ce que le modernisme actuel vous a donné de négatif comparativement à ce qui vous paraissait négatif dans le passé mais qui était positif. C'était aussi pour vous rappeler qu'à la mer ou dans la forêt, avec la nature, vous êtes plus protégés parce qu'elles reçoivent aussi ces ondes et vous protègent en en absorbant la majorité. C'est pourquoi vous vous sentez plus relaxés et plus calmes dans ces endroits. En ce qui concerne la mer, ce n'est pas l'eau comme telle mais sa teneur en sel qui fait un isolant par rapport au monde extérieur. C'est pour cela que nous avons suggéré de prendre des bains contenant du sel de médecine [Epsom] de temps à autre, surtout lorsque vous êtes très tendus. Cela vous isole de l'extérieur et permet à votre forme de s'ajuster plus rapidement à son propre taux d'énergie. Toutefois, nous n'avons jamais mentionné dans le passé, du moins nous le croyons, qu'il fallait vivre dans les villes pour aider les pauvres.

Si tout le monde s'éloigne, décide d'aller dans les campagnes...

Les campagnes deviendront des villes et les villes de grandes campagnes. Ce n'est pas pour demain. En fait, ce que nous voulions aussi apporter comme éclaircissement, c'est que, si vous allez trop souvent à la campagne, vous allez en venir à détester la ville. Mais, d'un autre côté, vos formes sont un peu plus habituées aux taux vibratoires élevés des villes. Cela ne veut pas dire que c'est bon, mais qu'elles vont avoir une période de sevrage et qu'elles vont réagir à tout changement de milieu. Cela doit être fait de façon graduelle, pas d'un seul coup. C'était le sens de nos propos. (*L'envol, IV, 30–05–1992*)

C**omment protéger notre forme contre les ondes magnétiques ?**

Vous aurez des moyens qui vous seront démontrés bientôt. Cela devrait se faire dans les ateliers. Vous ne pourrez combattre ces moyens mécaniques que par de la mécanique. Même si vous gavez vos formes de vitamines, cela ne les empêchera pas de vivre des changements de vibrations intermoléculaires causés par ces mêmes moyens mécaniques. Tout au mieux, vous mourrez en forme. (*Renaissance, IV, 07–12–1991*)

V**ous avez parlé d'ondes qui affectent nos formes. Est-ce qu'il existe des appareils ou des produits pour se protéger ?**

Nous pouvons observer ce qui se fait actuellement sur cette forme [Robert]. Nous avons observé depuis quelques mois cet appareil qu'il porte [harmoniseur de fréquences]. Nous en avons vu les effets. Effectivement, c'est un bon moyen. Nous avons aussi observé certaines matières qui absorbent l'énergie, mais le problème, c'est qu'elles en deviennent partie intégrante avec les mois et ce n'est pas très valable. C'est un peu comme les anciennes théories : soigner par la maladie elle-même, et cela réussit très bien dans la majorité des cas. C'est comme vos problèmes : si vous allez de l'avant dans un problème, vous allez le régler, pas seulement en le regardant, mais en le vivant pour le comprendre et le dépasser. La maladie, les ondes, c'est la même chose. Il faut les combattre par elles-mêmes, mais avec des fréquences plus basses. C'est ce dont nous nous sommes rendu compte. Ce n'est pas de vous isoler dans des camisoles de plomb qui serait la solution — bien sûr, ce serait bien mais ce serait un peu chaud —, mais de vous protéger avec des ondes de plus basses fréquences qui absorberont les fréquences les plus élevées. En amenant vos formes à un taux vibratoire auquel elles s'habitueront, elles pourront combattre plus facilement des taux plus élevés. Actuellement, c'est ce que nous avons observé de mieux. Le mieux serait d'éliminer complètement ces ondes, mais cela ne se fera jamais. *(Diapason, III, 16–05–1992)*

 st-ce qu'il y a une façon d'éliminer nos ondes nocives ?

Vous ne le ferez pas.

Mais dans notre corps, est-ce qu'il y a une façon de les éliminer ?

Éliminer celles qui vous parviennent ? Vous ne le ferez jamais avec vos technologies actuelles. Regardez vos fours à micro-ondes. Même vos séchoirs à cheveux ont cette faculté de retransmettre des ondes électromagnétiques de basse intensité, celles que vos formes absorbent le plus. Jetterez-vous tous vos séchoirs ? Vous débarrasserez-vous tous de vos micro-ondes ?

Oui.

Ce ne sont que des mots. Vous débarrasserez-vous même de vos téléphones cellulaires ? Même si vous jetez le vôtre, il en restera qui les utiliseront. Ce n'est pas le téléphone lui-même qui est dangereux, ce sont ces transmetteurs de très hauts niveaux qui atteignent vos formes. Ce qui se passe, c'est que vous changez le taux vibratoire de vos formes en laissant toutes ces ondes les traverser quotidiennement. Vos formes tentent de s'y adapter, d'accroître leur taux vibratoire, mais seulement jusqu'à une certaine limite. Passé cette limite, elles ne peuvent pas s'ajuster. Certaines personnes n'endureront pas cela du tout et feront dépression après dépression. D'autres se sentiront continuellement anémiques, et cela n'aura rien à voir avec le taux de fer dans leur forme, au contraire, mais elles seront affaiblies constamment par un système nerveux déficient qui n'arrive plus à se protéger. Pour d'autres, ce sera surtout des problèmes au foie, aux reins; les reins sont d'ailleurs les premiers organes touchés. Même vos ordinateurs causent ces effets, en partie. En fait, presque tout ce qui vous entoure. Comment voulez-vous éliminer tout cela ? Et nous avons passé sous silence les satellites. Ce n'est pas pour demain, sauf que vous pouvez au moins vous protéger temporairement. Ayez une pensée mieux équilibrée et vous aurez beaucoup plus de succès dans vos façons de vivre. *(Diapason, III, 16–05–1992)*

J *e pensais qu'au départ nous étions créés parfaits.*

Que vous avez donc raison !... Sauf que vous avez oublié les siècles qui ont passé.

Ai-je perdu le pouvoir de me protéger par ma pensée ?

Si c'est ce que vous voulez faire, nous vous souhaitons bonne chance ! Essayez donc de combattre les ondes d'une antenne cellulaire par votre pensée ? Tentez de passer devant un micro-ondes et de vous en protéger par votre pensée ? Foutaise que cela ! Vous pouvez vous protéger par la pensée d'une seule façon : en pensant être bien, en y croyant, en réajustant vos pensées pour être heureuse tous les jours. Cela n'empêchera pas la pollution électromagnétique actuelle de vous toucher, mais cela vous donnera plus de force pour combattre. Cela ne veut pas dire que vous garderez votre taux vibratoire ! C'est cela la différence. Si vous aviez fait ces changements sur 200 ou 300 ans, vos formes auraient appris, mais en moins de 20 ans, elles n'ont pas le temps de suivre. C'est cela votre problème. Vous avez ce qu'il faut pour être en santé, nous sommes d'accord, mais vous vous donnez aussi toutes les chances d'être malade. Vous ne passez pas chaque seconde de la journée à penser à vous équilibrer, vous ne faites pas du yoga 24 heures sur 24 car vous travaillez; donc, vous oubliez et vos formes sont préoccupées par d'autres domaines, d'autres pensées, d'autres formes de nourriture qui, bien souvent, ne leur conviennent même pas. *(Diapason, III, 16–05–1992)*

*Q*ui est atteint par ces ondes électromagnétiques ?

Vous l'êtes tous.

Vous voulez dire qu'on aurait tous besoin de cet appareil [harmoniseur de fréquences].

Nous ne faisons pas de vente nous-mêmes. Ce serait préférable mais ce n'est pas une obligation. Certaines formes vont pouvoir endurer pendant 20 ans, 30 ans... sans rien ressentir alors que d'autres vont voir la différence après seulement une heure. Tout dépendra de votre sensibilité. N'est-ce pas similaire à vos pensées ? Certaines personnes peuvent penser mal pour elles pendant des années sans être malades tandis que d'autres vont se rendre malades seulement à penser qu'elles pourraient l'être. Tout dépend de la sensibilité que vous aurez. Si vous nous demandez si vous devez vous protéger ? Vous le devrez un jour ou l'autre. *(Diapason, III, 16–05–1992)*

*C*et appareil qui nous protège, pourquoi n'en trouvons-nous pas dans tous les dépanneurs ?

Êtes-vous sérieuse en posant cette question ? Si c'était seulement dit, si vos sociétés industrialisées en venaient à vous transmettre ne serait-ce que la peur que votre fer à repasser puisse vous déséquilibrer, que feriez-vous ? Vous savez fort bien, si vous êtes raisonnable dans vos pensées, que plus cela va, plus vous en rajoutez. Il vous en faudra combien de ces instruments ? Douze ? À un moment donné, vous allez tenter de vous protéger, mais vous allez continuer de créer tout de même. À l'époque actuelle, avec le peu de protection que vous avez, avec le peu de recherches réalisées, il faut attendre que vos technologies le comprennent. Cela se fera graduellement. Donnez-vous cinq ans avant que plusieurs pays fassent connaître leurs rapports. Cela se saura. Il reste à savoir si vous resterez passifs à tout cela ou si vous croirez ce qu'ils vous diront. Ce sera votre choix. Nous croyons qu'actuellement une personne qui sait s'équilibrer dans la pensée est déjà certaine de bien se protéger à plus de 60 %. En d'autres termes, si vous travaillez dans la coiffure, vous auriez intérêt à vous procurer rapidement cet appareil. Si vous travaillez dans une cuisine où il y a beaucoup de micro-ondes, vous devriez le faire aussi. Si vous travaillez dans les lignes de haute tension, il est inutile de le mentionner. Tout dépendra de votre travail. Vous travaillez entouré de huit ordinateurs ? Ne posez pas la question, ce sera oui. Les gens qui ne travaillent pas dans ces milieux à la journée longue et qui ont une pensée bien ajustée sur eux-mêmes, un bon équilibre psychologique, réussissent à bien se protéger. Merci de nous signaler les fluorescents, nous le savons bien. C'est pourquoi nous vous avons bien dit : tout ce qui vous entoure, même vos véhicules moteurs. *(Diapason, III, 16–05–1992)*

S i on prend des drogues par exemple et qu'on sent qu'on va mourir, est-ce possible d'aller voir de votre côté et de revenir en étant sûr que ce qu'on a vu est vrai ?

Votre question est-elle de savoir si une forme, avec des moyens quels qu'ils soient, que cela soit la drogue ou la méditation, pourrait apercevoir notre monde ?

Oui.

Il y a eu des gens suffisamment doués pour le faire; il y a aussi eu des drogues permettant de le faire. Mais ce qui arrive, c'est que votre cerveau fait en sorte de rejeter cela, de vous faire peur, pour ne pas perdre constamment la conscience de sa forme. Effectivement, nous observons cela parfois. Mais ce sont des projections, un peu comme si vous aviez un poste de radio qui pouvait écouter différentes fréquences. C'est très similaire à ce que Robert fait actuellement, sauf qu'il ne peut nous voir. Mais il y en a qui peuvent le faire et observer, par projection uniquement; ils sont très peu nombreux tout de même. *(Alpha et omega, III, 18–08–1990)*

Q*u'est-ce que les drogues font aux Âmes ?*

Vous croyez que ce sont les Âmes qui se droguent ? Il n'y a pas une seule Âme, si elle le voulait, qui ne pourrait quitter vos formes. Elles sont totalement libres à ce niveau. C'est plutôt parce qu'elles respectent vos formes quoiqu'elles fassent, parce qu'elles acceptent d'apprendre encore qu'elles les gardent. Lorsque la vie devient insoutenable pour vos formes, lorsque vous n'avez plus de but, lorsqu'il vous manque de l'amour, lorsque personne ne vous donne de l'amour, vous vous punissez; vous rentrez à l'intérieur de vous-mêmes, vous croyez faire contact avec l'Âme par des drogues. Donc, vous punissez vos formes. La cigarette fait la même chose, l'alcool fait la même chose et le café fait la même chose, quoique de façon moindre. Tout ce qui est abus punit vos formes. En effet, toutes ces drogues font en sorte que vos formes deviennent esclaves. Elles brisent votre force de conscient et vous empêchent de voir clair; elles vous empêchent aussi de vous exprimer et plus vous en prenez, plus l'habitude se crée et plus vous vous créez un faux monde. La drogue existait il y a des milliers d'années. Jésus lui-même en consommait il y a 2000 ans, et pas seulement celui-ci mais la majorité de ceux qui vivaient avec lui. Il faut bien comprendre que, dans certains pays où c'est actuellement plus répandu que dans d'autres, les gens se droguent pour oublier qu'ils ont faim. Mais dans votre dimension actuelle, dans votre monde, sur ce continent, ce n'est pas la même chose : les gens agissent avec indifférence les uns face aux autres, personne ne se préoccupe du malheur des autres. Donc, les laissés-pour-compte se referment sur eux-mêmes et prennent des moyens pour oublier ce qu'ils sont. Cela explique l'usage des drogues. La première cause est le manque d'amour, le manque de respect de la forme envers elle-même, et son manque de compréhension envers la vie elle-même. *(Les flammes éternelles, II, 02–02–1991)*

P*ourquoi y a-t-il tant de gens qui se droguent présentement ?*

Peut-être sont-ils plus intelligents que vous ne le croyez, dans le sens qu'ils en ont assez et qu'ils ont décidé d'en finir d'une autre façon. Vous pouvez le voir dans ce sens. Nous n'approuvons pas ce comportement, bien sûr, parce qu'il ne mène nulle part. Non seulement ils se privent de la vie, mais ils privent aussi leur Âme de la vie, et ce n'est pas toujours bien accepté de la part de l'Âme, nous tenons à vous en aviser. C'est pour cela que les gens, dans ces conditions, ne sont bien qu'entre eux-mêmes, parce que les Âmes font en sorte que ce soit comme cela. Ces gens n'auront rien de plus. C'est vrai aussi pour toutes les formes qui emploient des produits pour refuser de voir la vie, quels qu'ils soient. *(Harmonie, II, 08–12–1990)*

V*ous avez mentionné que nous sommes fatigués à cause de nos journées qu'on n'aime pas et de la température. Supposons qu'on est heureux au travail, est-ce que la température agit ?*

Tout à fait ! Comme les attractions planétaires le font aussi sur vos comportements, comme les milieux où il y a des champs magnétiques altérés le font aussi. Cela peut provenir de vos ordinateurs, de ces nouvelles constructions ultramodernes qui créent des noeuds d'énergie pratiquement dans chaque pièce. Tout cela est majoritairement causé par les câblages électriques. Cela peut aussi provenir de ces nouveaux moyens de communication cellulaires; cela aussi modifie vos comportements. Même les moteurs de vos automobiles, même les champs magnétiques des métros sont très élevés.

Est-ce pour cela que la maladie du siècle, c'est que tout le monde est toujours fatigué ?

C'est votre monde ! Vous voulez du modernisme et c'est vous qui encouragez tout cela en créant des demandes. Il existe des moyens pour vous protéger. L'offre crée une demande. Prenez le cas d'une personne qui, en plus de toutes ces attaques extérieures aux formes, n'est pas psychologiquement prête à vivre tout cela, qui ne s'accepte pas. Sa forme va se servir de tous ces moyens extérieurs pour justifier sa maladie. Nous vous le certifions, c'est la nouvelle approche de la maladie; elle ne vient plus seulement de vos formes conscientes, mais de ces moyens extérieurs dont vous êtes inconscients. Et cela dans un pourcentage très élevé. Actuellement, plus de 35 % et cela n'ira pas en diminuant. C'est pourquoi vous avez sûrement déjà tous constaté dans ces deux dernières années — vous le constaterez dans le futur aussi — que vous avez eu à vos côtés des gens qui sont décédés sans qu'il n'y ait eu aucune raison. Des gens qui faisaient tout pour être en santé, mais qui sont morts tout de même. *(Renaissance, IV, 07–12–1991)*

E *st-ce qu'il y a des types de dépressions reliés au taux d'ensoleillement, aux saisons ?*

Tout à fait ! Vos suicides sont beaucoup plus courants en hiver qu'en été, car il y a plus de noirceur. Une personne qui vit la noirceur dans ses pensées y associe ces plus longues périodes de noirceur. Vos formes ont besoin de la lumière du jour. Si vous deviez vivre dans des cavernes, votre teint serait plutôt gris; nous ne parlons pas du bronzage mais du renouvellement des cellules de la peau qui, elles, n'auraient pas ce qu'il leur faut. Effectivement, l'éclairage est plus que nécessaire. Vous en ignorez un autre aspect : non seulement est-ce pour votre peau et votre caractère que l'éclairage est nécessaire, mais aussi pour vos pensées, au niveau des ajustements nécessaires. La lumière règle vos sommeils, vos levers, vos couchers et tout ce qui vit. Encore une fois, vous n'êtes pas très différents de la nature elle-même. *(Diapason, III, 16–05–1992)*

O *n nous a fait la démonstration d'un appareil à lumières et à sons [qui synchronise les deux hémisphères du cerveau] pour diminuer les tensions, est-ce que les résultats d'utilisation de cet appareil sont aussi prometteurs que les fabricants le disent et est-ce qu'il y a des dangers à l'utiliser ?*

Nous en avons observé les effets sur cette forme [Robert] et sur les autres qui ont utilisé cet appareil et nous pouvons vous affirmer, sans aucun doute, que les dangers physiques sont nuls. Ce que vous allez en retirer pourrait être non seulement bénéfique et profitable, mais vous allez aussi redécouvrir le calme, la paix. Nous sommes à développer avec cette forme des moyens de guérir vos formes par visualisation. Nous n'en avons pas parlé autrement qu'avant des sessions privées. Ce n'est pas encore au point mais cela viendra. Actuellement, il s'agit du moyen le plus direct et le plus puissant pour relaxer vos formes et pour les conduire rapidement à des niveaux intérieurs, et ce, avec certitude. Il y a bien quelques contre-indications. Par exemple, les déficients mentaux ne devraient le faire qu'en présence de médecins traitants ou de thérapeutes. Cela n'est pas prescrit non plus à ceux qui ont peur du noir, mais les cas sont tout de même très restreints. Nous avons observé aujourd'hui les résultats obtenus avec de la musique. Les effets sont différents mais très prometteurs, beaucoup mieux que le premier appareil. En ce qui nous concerne, c'est très bien et même excellent dans plusieurs cas observés. Nous allons travailler avec cette forme et une autre forme qui a un problème de cancer, toujours par l'entremise de cet appareil. Actuellement, il y a eu plus de 40 % d'augmentation du niveau de repos de la forme, uniquement avec cela. C'est énorme parce que cette forme en aurait été privée, si elle n'avait pas eu cet appareil. (*Harmonie, IV, 16–02–1991*)

Prenez cela avec simplicité. Nous y verrons. Vous avez tous notre amour.

Oasis

Si vous saviez
à quel point une Âme
peut être anxieuse, énervée,
lorsqu'elle prend une forme !
Quel amour elle a pour
cette forme !

La naissance

Nous avons tellement souvent observé toutes ces recherches dans vos livres concernant la vie, la naissance et la mort. Comme vous dramatisez tout cela ! Vous dramatisez même vos existences, même lorsqu'il n'y a pas de problème. Comment pouvez-vous concevoir avec tant de difficulté la présence d'une Âme dans une forme ? Comment cela se fait-il qu'il vous faille trouver tant de mots pour comprendre ? Nous n'avons pas besoin de 260 pages pour décrire l'approche d'une Âme dans une forme : cela se fait avec tellement de simplicité ! Nous ne vous décrirons pas ce qu'une Âme peut voir car ce serait inutile. Qu'est-ce que cela pourrait vous donner en fait ? Vous ne pourriez concevoir leur dimension avec vos yeux. Il est plus facile de trouver une Âme qui entre dans une forme. Le choix s'effectue souvent plus de 60, 100 ou 200 ans avant vos naissances. C'est bien planifié; ce n'est pas le fruit du hasard. Parfois vous déjouez nos prévisions : la naissance d'une forme n'a pas été planifiée pour le siècle en question, ou elle n'aura pas lieu. Dans ce cas, l'Âme retourne à l'observation ou à une autre forme qui pourrait lui convenir. Dès qu'une forme est prête, deux ou trois mois avant la naissance — en règle générale deux mois avant —, lorsque les parents sont bien ceux qui avaient été choisis et lorsque la vie de l'enfant est conforme à ce qui avait été planifié, nous faisons en sorte que l'Âme le sache. Et à cette étape, avant qu'elle n'entre dans cette forme, elle a encore une fois le choix d'accepter la forme selon les prévisions de vie ou d'en attendre une autre, un peu comme nous vous l'avons donné au début de cette session. Elle a le choix. Si elle accepte cette forme et avant d'y entrer, elle doit aussi décrire elle-même quelles seront les influences dont elle se servira étant donné ce que seront les parents et le caractère prévu de l'enfant, de façon à ce que nous nous assurions que cette forme recevra le maximum au départ. Lorsque nous en sommes sûres, nous accordons la forme à cette Âme. Comment cela se passe-t-il ? De façon plutôt simple : elle entre dans la forme elle-même. Mais, au début, comme il y a aussi la mère et l'Âme de la mère, il y a contact entre les deux Âmes de façon à s'assurer qu'il y ait une sorte de compatibilité. Si ce n'était pas le cas, cela nuirait à l'enfant dès le début. La mère pourrait même ressentir un rejet sans comprendre pourquoi. Cette étape est toujours plus délicate. Dès que l'Âme de l'enfant a fait connaissance avec l'Âme de la mère, dès que sa présence est acceptée — car la naissance est aussi une expérience pour l'Âme de la mère, pas seulement pour la mère — elle tient à la vivre cette expérience. Cela fait partie de sa façon de s'exprimer, de créer. Donc, lorsque l'Âme est acceptée et qu'elle est dans cette jeune forme, la mère le sait fort bien. Elle percevra alors en elle une anxiété, comme si la naissance était imminente : il y a empressement. Une fois l'Âme entrée dans la forme à naître, dès son approche intérieure, elle commence immédiatement sa programmation; elle commence à fournir à cette jeune forme l'expérience dont elle se servira dans le but de l'aider. Elle lui enverra des images, mais rien pour lui faire peur. Par contre, le jeune cerveau qui reçoit ces images est plutôt surpris. C'est pourquoi, deux mois avant la naissance, les enfants font beaucoup de mouvements et sursautent parfois. Certaines mères diront que l'enfant rêve. C'est une partie de la réalité : il ne réagit pas nécessairement à ce qu'il sera mais à ce qu'il voit. C'est une réaction. Ensuite, l'Âme tentera de laisser entrevoir à la forme ce qu'elle veut faire avec elle : ses buts, ses choix, l'aide qu'elle lui apportera. Puis, elle souhaite que tout aille selon ses prévisions. Pourquoi devrions-nous compliquer cela ? Il n'y a pas 3000 Entités autour pour lui souhaiter la bienvenue, etc. Cela ne se passe pas comme cela. Il y a du respect, la même forme de respect que dans la mort d'ailleurs. La vie, c'est un choix individuel. L'Entité qui devient l'Âme d'une forme, c'est bien parce qu'elle le veut et qu'elle le souhaite. C'est tout autant sa naissance à elle. Si vous saviez à quel point une Âme peut être anxieuse, énervée, lorsqu'elle prend une forme ! Quel amour elle a pour cette forme ! Vous avez tous connu cela jusqu'à l'âge de cinq, voire six ans parfois. Jusqu'à cet âge, tout se déroule comme nous l'avons mentionné, avec simplicité et ouverture. Nous assistons à la majorité de ces incarnations d'ailleurs pour nous assurer qu'il n'y a pas deux Entités; pour nous assurer aussi que c'est vraiment la forme qui conviendra à l'Entité qui la prend. Tout se déroule dans ce sens. Nous savons qu'il y a eu tellement de livres décrivant tout cela. Nous ne chercherons pas à nous rendre intéressantes : il n'y a plus rien à rajouter. Bien sûr, il y a les échanges entre les deux Âmes, jusqu'à la naissance surtout; il y a aussi, du côté de la mère, comme nous l'avons mentionné, une forme d'anxiété très très grande. Elle ressentira deux fois plus. Vous en dire plus, ce serait vous conter des histoires. C'est après que cela se corse; c'est après la naissance que tout se bouleverse. Combien de fois n'avons-nous pas mentionné que l'Univers entier est identique à l'intérieur de vos formes, que c'est la même chose, que vous n'avez même pas à songer à vos vies pour qu'elles se réalisent. Mais que d'efforts vous faites pour vous nuire ! Songez-y. Vos formes sont tellement automatisées ! Vous ne songez pas à respirer et pourtant vous respirez. Vous ne pensez pas à votre coeur mais il bat quand même. Vous ne songez pas au renouvellement de votre peau et elle se renouvelle tout de même. Vous n'avez pas à penser à vos organes pour qu'ils fonctionnent. Comment se fait-il donc que vous ayez tout de même des problèmes de santé ? Nous ne nous attarderons pas à la pollution; nous pourrions vous en parler pendant une vie entière tellement il y a de problèmes à ce niveau actuellement. Bien sûr, il y a une forte proportion de nuisance à ce niveau, mais la plus grande nuisance de toute, c'est la pollution intellectuelle : celle que vous choisissez tous les jours pour vous étouffer, pour vous empêcher de vivre, pour empêcher votre coeur de battre normalement, pour empêcher vos poumons de bien respirer, pour empêcher votre peau de bien se renouveler. Il vous suffit souvent d'une seule émotion pour déséquilibrer vos formes, d'une seule pensée pour dérégler votre vie. Et si vous n'en êtes pas conscients, vous allez en rajouter quotidiennement. Plus vous ferez cela, moins vous serez vous-mêmes et plus il vous faudra de l'aide extérieure pour respirer, pour que votre coeur batte normalement. Comment se fait-il que vous n'arriviez pas à voir cela de vous-mêmes ? Regardez l'Univers : dès qu'une étoile meurt, une autre naît, sinon ce serait le déséquilibre total. C'est exactement comme dans vos formes, sauf qu'au niveau de l'Univers, c'est bien compris et ça fonctionne très bien. Au niveau de vos formes, vous laissez trop souvent l'anarchie s'instaurer parce que vous n'avez pas encore compris comment fonctionnent vraiment vos cerveaux. Vous croyez à tort que le subconscient est une partie de vos cerveaux qui stocke vos problèmes. Quelle foutaise ! Vos problèmes sont bien conscients. Le subconscient — juste pour en aider plusieurs ici — n'est qu'un endroit dans votre cerveau où vous placez vos buts, vos souhaits, et c'est cette partie du cerveau qui se charge de bien les développer. Regardez ce que vous en faites. Dès que quelque chose ne va pas, dès que vous ne réussissez pas un point de vos vies, que faites-vous ? Vous dites : « Oh ! c'était dans mon subconscient très certainement ! » Vous vous accusez souvent à tort. Même parmi vous, nous ne trouverons pas deux personnes qui sachent vraiment comment se fixer des buts, comment les atteindre au jour le jour. Passé l'âge de six ans, vous apprenez à réagir. Nous vous conseillons de bien relire la session du dernier groupe sur les émotions, sur ce qu'elles sont réellement, et vous allez comprendre beaucoup de choses. Reliez cela à ce que nous venons de vous dire et vous verrez à quel point vous vous compliquez la vie ! Pensez à ceci : lorsque vous vous nuisez, vous nuisez à votre Âme et, lorsque vous nuisez à votre Âme, c'est à votre vie au grand complet que vous nuisez. Vous êtes faits pour fonctionner de façon autonome, sans vous casser la tête. Croyez-vous que l'Ensemble que nous représentons ait oublié des détails aussi importants ? Vos formes sont prévues pour fonctionner d'elles-mêmes, sans problème. Vos vies ? De la même façon ! Tout ce que nous avions demandé, c'était que vous puissiez y croire; et ce fut vraiment difficile. Regardez seulement ces livres : des millions et des millions de livres, tous vraiment différents mais qui veulent dire la même chose, et plusieurs sont trop compliqués. Ce n'est pas cela la vie. Nous allons tout faire au long des sessions et des futurs ateliers [*Pas de Plus*] — car ils changeront encore une fois — pour vous permettre d'aller plus loin. Notre but est de vous ramener vers ces valeurs primaires, de bien vous les faire voir, de vous les faire vivre. Notre but n'est pas de vous apporter de la matière complexe, de l'analyse; vos formes excellent déjà en cela. Ce que vous avez le plus oublié, c'est la simplicité, et c'est ce que nous allons vous faire vivre. Trop de gens croyaient que la naissance était compliquée du côté des Âmes. Cela ne l'est pas et ne l'a jamais été. (*Nouvelle ère, III, 02-05-1992*)

*Q*uels sont les chemins pour rendre acceptable ce qui nous semble inacceptable ?

Le fait de simplement l'accepter le rend acceptable. Pourquoi rendriez-vous acceptable quelque chose d'inacceptable ? Si une chose ne vous convient pas, c'est qu'elle ne vous convient pas. Ce que vous nous demandez, c'est : comment puis-je faire pour accepter ce que je n'arrive pas à accepter. Pourquoi l'accepteriez-vous ? Que voulez-vous rendre acceptable qui ne l'est pas ? Donnez-nous un exemple concret, pas une idée abstraite.

L'infertilité.

D'après ce que vous venez de nous dire, il ne s'agit pas du tout de la même question. Si nous faisons abstraction des moyens actuels permis vous permettant de procréer différemment — que vous pouvez contourner, bien sûr, et nous ne traiterons pas de ces moyens — il faut apprendre à accepter, il faut apprendre à comprendre. Votre question serait plutôt : « Que puis-je comprendre dans cette vie, étant donné mon infertilité, que je n'ai pas encore compris et qui pourrait me faire oublier ce que je vis, de façon à pouvoir m'exprimer pleinement ? » C'est légèrement différent. Disons que cette question est légèrement plus étoffée. Ce n'est pas le fait d'être infertile dans votre vie qu'il faut comprendre, mais le pourquoi. Ce n'est pas ce que vous ressentez dans la douleur de ne pas l'être, mais quelles joies vous pourriez en retirer, quelles possibilités vous avez que d'autres n'ont pas, quelles portes vous sont ouvertes, quelle liberté vous en retirerez. Vous voulez d'autres exemples ? Vous pourriez vous demander ce qu'une personne vivant à vos côtés, sachant qu'elle n'aura pas d'enfant de vous, pourrait vivre. Ne vous en faites pas, vous trouverez un bébé, même comme conjoint. Vous trouverez à combler ce besoin autrement et cela va ouvrir d'autres portes, d'autres dimensions en vous. Une question pour que vous compreniez ce que vous vivez actuellement, non pas ce bébé-là mais le vôtre. Nous savons que vous avez une bonne mémoire étant donné votre sensibilité : lorsque vous aviez cinq ans, quel était votre passe-temps favori ?

Je me contais des histoires.

Qu'avez-vous maîtrisé le plus dans cette vie, vous qui êtes très visuelle, vous qui n'avez aucun problème à rêver éveillée ? Vous le savez, bien sûr. Lorsque vous aviez 16 ans... Nous allons rendre cela plus facile. Lorsque vous aviez 21 ans, qu'avez-vous encore une fois maîtrisé le plus ? Quelle est votre plus grande qualité ?

La patience.

Effectivement, il en faut beaucoup pour se conter des histoires. Ce n'est pas seulement la patience que vous avez développée, mais l'histoire de votre propre vie, des choix que vous avez, et vous en avez beaucoup. Vous avez plus de choix que n'importe qui ici présent. Que cela puisse vous aider à mieux comprendre : cette vie qui se veut de l'observation pour vous, qui se veut une maîtrise consciente, n'aurait pu être faite autrement. Vous verrez, vous aimerez voyager, vous aimerez avoir des gens différents à vos côtés, et vous avez non seulement la patience mais la compréhension nécessaire. Si vous aviez un enfant, vous ne vivriez plus pour vous, aucunement, et vous le savez fort bien. Toutes les fois, dans votre vie, que vous vous êtes attachée à quelqu'un ou à quelque chose, qu'avez-vous fait ? Songez-y.

Je me suis oubliée.

Effectivement. Cela aurait été la même chose si vous aviez eu un enfant, vous seriez passée en second. C'est cela la raison. *(Diapason, I, 21–03–1992)*

D'où viennent les grossesses à risque, les fausses couches, les grossesses ectopiques ? Ces formes qu'on oblige à rester alitées pour bien mener la grossesse à terme, est-ce un combat de l'Âme qui hésite à s'incarner ou une Entité qui s'est faufilée malgré le conseil contraire qu'on lui a donné ?

Est-ce une question ou une question-réponse ? Puisque vous avez répondu. Il y aura toujours des personnes qui feront, de force, ce qu'elles ne devraient pas faire. Encore une fois, nous devrions entrer dans la discussion de vos médecines, de la forme qu'elles prendront avec les années. Voici un exemple. Prenez une personne âgée de 92 ans qui souffre intérieurement puisque sa forme est trop vieille, mais de qui les médecins disent : « Nous pouvons la garder mécaniquement en vie pour encore 10 ans, en faisant ceci et cela », même si cette personne n'avait plus qu'un semblant de pensée. Prenez l'Âme qui a le respect de cette forme et qui se dit : « Cette Âme a mérité cette vie et vous empêchez cette Âme de poursuivre son évolution dans le seul but de prouver que la science peut garder les gens en vie plus longtemps. » Quelle bêtise ! Il y a des gens qui ont été sous des respirateurs artificiels pendant des années, les envieriez-vous ? L'Âme non plus. Quoique bien souvent, il n'y a plus d'Âme dans ces formes parce que la forme elle-même ne pouvait être consciente de sa propre présence dans certains cas. Alors, vous demandez si les grossesses à risque sont souhaitables ? Si vous faites abstraction des problèmes génétiques et que vous prenez les cas concrets de personnes qui s'accouplent pour avoir des enfants en sachant qu'ils ne pourront pas les avoir de façon normale, peut-être qu'ils n'ont pas à en avoir ! Peut-être que, selon l'influence des formes des parents et la vie qu'ils auront à mener, selon leur progression personnelle ou individuelle, même s'ils avaient des enfants, l'Âme qui y serait ne progresserait pas normalement par manque de support dans les premières années. Mais il y a toujours votre science, votre médecine qui forcera ces cas à se produire. Certaines personnes auront tout de même des enfants qui seront très beaux physiquement. Il n'y a pas une Entité ni une Cellule qui pourrait rester indifférente à la naissance d'une forme; il y aura toujours preneur. Cependant, si une forme doit avoir une Âme qui n'est pas la sienne ou n'aurait pas dû être la sienne, ce ne sont pas les risques de grossesse qui seront dangereux mais les risques de vivre. En effet, la forme prend conscience de ce qui se passe en elle au début de sa vie. Elle peut très bien vouloir rejeter l'Âme et faire en sorte de se détruire elle-même lorsqu'elle en aura la force; c'est ce que vous appelez le suicide. Il y a plusieurs conséquences. Il nous faudrait analyser chaque cas. Le plus important n'est pas qu'au nom de vos sciences vous puissiez développer avec sécurité des naissances forcées, que ce soit la médecine ou d'autres sciences, mais de savoir qu'il y aurait un risque à forcer des Âmes qui ne sont pas prêtes à prendre des formes. Surtout si vous pensez à ce que nous vous avons dit dans une session précédente au sujet des Entités qui sont de plus en plus choisies. (*Les chercheurs de vérité*, III, 17–03–1990)

*D*ans le cas d'une interruption de grossesse, la personne doit-elle se mettre en communication avec l'être qui veut venir en elle ?

Ne croyez-vous pas que la personne qui interrompt une grossesse l'a déjà fait ? Qu'elle a perçu au plus profond d'elle qu'elle ne pouvait pas, ne voulait pas avoir l'enfant et que, si elle avait continué, cet enfant aurait pu souffrir ? Malheureusement, votre monde actuel n'est pas fait en fonction du respect. Nous nous exprimerions autrement si ces personnes continuaient leurs grossesses et que d'autres prenaient ces enfants avec amour; ils auraient d'autres chances. Mais vous n'agissez pas comme cela. Dans certains cas, il faut payer pour que l'enfant se rende à terme; dans d'autres cas, vous préférez tuer. Toutefois, nous devons vous dire qu'il y a aussi des cas où cela devait se faire, où les formes n'avaient aucune chance de réussite. En effet, il existe de tels cas, en quantité minime nous l'accordons, mais ils existent. Il y a aussi des cas où l'Âme qui était prévue pour la forme aurait causé des problèmes majeurs si la mère avait continué sa grossesse. Nous vous avons dit qu'il y avait des mémères, c'est vrai, mais comme dans votre système, il y en a qui sont plus fortes que d'autres. Donc, il faut parfois des forces extérieures pour les empêcher de s'incarner. Nous pouvons intervenir mais cela ne réussit pas toujours. En effet, il y a des Entités qui s'arrangent entre elles pour camoufler leurs intentions, contrairement à vos croyances religieuses qui vous ont apprises que Dieu voyait tout et qu'il était partout. En général, nous pouvons observer un peu partout, mais il n'y a pas toujours intérêt à le faire parce qu'il faut que vous appreniez aussi. Que cela ne vous empêche pas de prendre votre douche, nous n'observerons pas cela ! *(Harmonie, I, 17–11–1990)*

*Q*ue penser de l'avortement, en tant que choix du foetus ?

Cette question a un sens très large. Quand vous faites mention du choix du foetus, il faudrait savoir si vous faites allusion à la forme en vous uniquement, ou encore à ce qui pourrait habiter cette forme et qui n'est pas encore perceptible [l'Âme]. Il faudrait aussi savoir s'il s'agit d'avortements voulus sous influences profondes. En effet, certains parents voudront faire cesser la vie de ce que vous appelez foetus parce qu'ils savent intérieurement, ils perçoivent, non pas qu'ils n'auraient pas d'amour pour cet enfant, mais qu'il y aurait quelque chose de nuisible. Peut-être serait-ce pour eux-mêmes ? Peut-être pour la société ? Il y a des influences forcées à ce niveau. Il y a aussi le fait que certaines formes, selon les conjonctures biologiques, pourraient se développer un peu trop consciemment et qu'aucune Âme ne pourrait en venir à bout; cela aussi pourrait nuire dans les temps actuels. Il y a plusieurs cas comme cela et ils doivent être étudiés de façon individuelle. Il y a les cas purement égoïstes aussi. Ceux qui ont vécu l'avortement le savent. Nous pourrions élaborer beaucoup. C'est simplement une question d'attitude face à la vie. Il y a effectivement des enfants qui pourraient croître, mais plusieurs personnes détruisent ces foetus par égoïsme, pour ne pas que d'autres trouvent le bonheur. Plusieurs mériteraient la vie. Une mère ne pourrait tout de même pas rendre à terme son enfant pour le donner ? Combien d'entre vous, uniquement du côté matériel, pourraient donner leur deuxième téléviseur à une personne qui n'en a pas, seulement par amitié ? Combien donneraient leur deuxième voiture aux gens qui demeurent à côté de chez eux parce qu'ils n'en ont pas, même s'ils les aiment et les apprécient ? Nous savons que la comparaison est très forte, mais nous voulons vous faire comprendre que, même dans le cas d'un bien matériel comme une montre ou une radio, il vous serait difficile de donner. Alors imaginez donner un enfant ! C'est différent. Il y a par contre des pays qui ont des surplus d'enfants. C'est peut-être aussi nuisible. Dans un sens, ils sont prêts à remettre leurs enfants à d'autres pays dans la majorité des cas, pour mieux donner plusieurs exemples à ce niveau. Alors dans certains cas, cela peut-être valable; dans d'autres, cela peut être nuisible.

En tant que mère, quelle influence... ?

Nous savons la question que vous allez poser. Vous voulez que nous répondions à cela actuellement ?

Oui.

Vous avez deux choix. Vous pouvez vous rebeller et refuser le fait tel qu'il est pour vous replier sur vous-même et vous en vouloir : « J'aurais dû prévoir. » Peu importe ce que vous auriez dû faire. Vous pourriez vous en vouloir comme vous pourriez aussi dire : « Très bien, cela fera partie de mon évolution, qui sait, peut-être apprendrais-je beaucoup plus comme cela. » Il ne s'agit pas de juger les autres, vous le savez très bien. Il y a toujours à apprendre. Si garder un enfant doit développer encore plus votre compréhension des autres, votre amour des autres ou votre participation chez les autres, ce sera un plus. Il y a toujours à apprendre. Si, pour certains d'entre vous, détruire une vie est plus simple — nous préférons le mot vie à celui de foetus — il y a beaucoup à apprendre de cela. Si, pour vous, l'observation d'une nouvelle vie signifie quelque chose, faites de cette nouvelle vie ce qui lui serait le plus souhaitable au meilleur de vos connaissances. Vous pouvez exiger que cela cesse, non pas pour vous, mais pour cette autre enfant qui porte l'enfant; vous pourriez avoir cette exigence. D'un côté, celle-ci doit apprendre aussi. Les responsabilités, direz-vous ? Vous en aurez d'une façon ou d'une autre. Si ce n'est pas actuellement, ce sera un peu plus tard, mais vous l'aurez tout de même. Devant le fait accompli, mieux vaut parfois apprendre à sourire, même si pour cela vous devez pleurer. Effectivement, c'est la vie. Le foetus n'a aucun problème de développement actuellement. Peut-être aurez-vous votre réponse, celle que vous attendez depuis plusieurs mois déjà. Vous rappelez-vous, vous nous avez posé une question concernant quelqu'un qui pourrait partager vos jours et nous vous avions répondu d'attendre quelques mois, que cela se ferait. Vous l'auriez préféré un peu plus âgé mais tout de même, l'amour n'a pas d'âge. Si nous vous avions dit cela au début, vous auriez cherché le contraire et cela vous aurait nui. *(Les pèlerins, II, 24–03–1990)*

E *st-ce que l'avortement peut être pratiqué sans conséquences pour la mère et jusqu'à quel moment ?*

C'est une très bonne question. Un instant que nous observions les changements à cette loi pour votre monde actuel... Nous avons eu nous-mêmes des observations fort différentes à ce niveau. Nous en sommes venues à la conclusion que, en règle générale, bien que l'avortement n'était pas toujours voulu, il se devait d'être fait. Nous disons bien, en règle générale. Soit parce que les formes à venir auraient beaucoup trop souffert, soit que la mère aurait eu des problèmes de santé physique. Habituellement, lorsque cela doit se produire, nous en sommes informées ainsi que les Entités qui, alors, ne vont pas vers ces formes. Nous savons s'il y aura une Âme ou non dans une forme environ un mois après la conception. C'est toujours planifié; il n'y a pas de hasard en cela. Si vous désirez savoir si l'Âme pourrait être dans le foetus au moment de l'avortement, la réponse est non. Cela ne s'est jamais produit d'ailleurs. *(Alpha et omega, III, 18–08–1990)*

C *omment cela se fait-il, si l'Âme doit évoluer, qu'il y ait des avortements ?*

Parce que certaines Âmes ne peuvent rien faire dans certaines formes. Il y aurait plusieurs exemples à donner. Dans certains cas, même si ces mêmes parents avaient ces enfants, rien n'en ressortirait. Dans votre évolution actuelle, vous êtes loin d'être tous prêts à donner à ceux qui en ont besoin, aux enfants, pour donner une chance à leur Âme d'évoluer; vous préférez plutôt couper court à ces vies. C'est ainsi que cela se produit. Dans certains autres cas, il s'agit de formes qui ne pourraient se rendre à terme sans danger; ne vous posez même pas la question... Il ne faut pas exagérer non plus. Les Âmes ne prennent jamais vos formes plus de trois mois avant la naissance, c'est la limite extrême. Donc, elles ne sont pas dans les formes dans les six premiers mois; il y a une forme en développement constant. Ce sont dans les trois derniers mois avant la naissance, et majoritairement deux, que l'Âme est assurée de pouvoir envoyer une programmation à cette forme et d'être perçue. Dès que cela se produit, la mère le ressent aussi car il y a comportement différent chez l'enfant.

Est-ce que je peux me servir de mon expérience ?

Si vous voulez.

Comment cela se fait-il qu'on dise à une personne qu'elle ne peut pas rendre à terme un enfant, qu'elle ne peut pas provoquer une naissance, et qu'elle devient enceinte malgré tout et doit en subir les conséquences ?

Vous êtes des formes physiques aussi. Vous savez comment se font les enfants ? Généralement à deux... et ce n'est pas parce qu'une forme a une maladie donnée qu'elle ne peut concevoir.

Vous avez des moyens pour prévenir les naissances et nous ne vous donnerons pas de cours là-dessus. Cela se fait à deux en partant. Donc, ce sont vos choix. Nous ne pouvons tout de même pas arrêter vos relations sexuelles. Soyez réalistes ! Comment pourrions-nous empêcher deux formes physiques d'avoir des relations ensemble et même empêcher une ovulation ? La naissance d'il y a 2000 ans que l'on vous a racontée [Jésus] n'était qu'une fable. À ce moment-là aussi, il fallait être deux, même il y a 2000 ans... et cela n'a rien à voir avec les oiseaux ! C'était dans un livre, pas dans la réalité. Est-ce plus clair ?

Oui, merci.

Réajustement sur la réponse précédente, juste pour la personne qui a posé cette question. Cela ne veut pas dire qu'il faut vous en vouloir. Lorsque cela doit être fait, c'est fait. Vous savez fort bien quels en étaient les risques et nous savons fort bien que, dans votre condition, cette naissance aurait été d'une grande impossibilité. Et cela vous aurait détruite de deux façons, physiquement et psychologiquement, et ce n'était pas votre but. *(Nouvelle ère, I, 29-02-1992)*

S i, pendant la grossesse, la mère n'est pas totalement heureuse, non pas parce qu'elle ne veut pas l'enfant, mais à cause des circonstances qui l'entourent, elle, à la naissance le bébé ressentira toutes les émotions qu'elle vit. Est-ce qu'il y a moyen d'aider cet enfant ?

Vous allez vous rendre compte que les enfants qui vivent de telles situations rechercheront très tôt l'affection des autres. Lorsque ces enfants auront un an, deux ans, ils seront portés à confirmer ce qu'ils vivent avec les autres. Tout dépendra, selon votre question, du raisonnement que la mère aura face à l'enfant. Si, pour elle, il s'agit d'une bouée de secours, d'un enfant avec lequel elle pourra développer ses émotions, le raisonnement de l'enfant sera différent. Ce n'est pas qu'il ne percevra pas la douleur, mais qu'il tentera de changer cela pour le mieux. *(Nouvelle ère, I, 29-02-1992)*

J e voudrais savoir si l'Âme de mon bébé a déjà été choisie et si je peux l'aider ? Comment puis-je ressentir cela ?

Question très intéressante. Elle n'est pas encore dans la forme actuellement, mais elle le sera dans deux de vos mois. Attendez quelques instants afin que nous soyons plus précis, car vous aurez à vivre une expérience dont vous vous souviendrez... Dans sept semaines exactement, jour pour jour, l'Âme de votre enfant prendra contact avec la forme et ne la quittera plus. Mais il vous faut savoir que c'est la troisième fois que cette Âme s'incarne à vos côtés. Ce qu'il vous faudra faire avec l'ouverture d'esprit que vous avez, c'est d'y porter attention au début mais vous le percevrez très bien. Le reste sera surprise. Vous vous rendrez bien compte dans le délai mentionné de cette présence intérieure, même si cela vous fera pleurer de joie. *(Les chercheurs de vérité, IV, 21–04–1990)*

Q uand l'Âme prend-elle naissance ?

Cela peut se situer entre deux mois et deux à trois semaines avant la naissance. Certaines formes n'auront pas d'Âme pour une période pouvant s'étendre jusqu'à six mois après la naissance, mais ces cas sont toutefois très rares. Elles sont alors sous la protection des Cellules durant les deux à trois semaines précédant ou suivant la naissance. Actuellement, lorsqu'une forme attend une Âme pour une courte période, elle est sous notre protection directe et c'est une tâche que nous nous efforçons de remplir totalement pour qu'il n'y ait pas répétition d'erreurs passées. *(Les pèlerins, I, 27–01–1990)*

J e pensais que, lorsqu'on portait un enfant, l'Âme était déjà à l'intérieur; avec vous, j'ai appris que l'Âme prenait possession de la forme beaucoup plus tard.

Dans votre cas, ce sera dans le huitième mois.

Est-ce qu'on parle à la forme jusqu'à huit mois ?

Nous parlons de la croissance de la forme, du début jusqu'au huitième mois. Parce que vous créez ces formes. Cela part d'une simple cellule et se développe pour faire un ensemble qui devient une forme complète.

Est-ce que c'est aussi important de parler à une forme qu'à une forme complète unie avec l'Âme ?

Cela n'a pas le même but. Si vous voulez parler à la forme... Nous allons vérifier dans les cas vécus actuels à partir de combien de mois le foetus peut entendre l'écho... Selon ce que nous venons d'observer, dans les trois premiers mois, il y a très peu de résultats dans la conscience du foetus comme tel à cause du développement trop accéléré des nouvelles cellules. Passé trois mois, entre le troisième et le quatrième mois, il y a observation de l'ensemble, sans plus. Cependant, à partir du cinquième mois, les cellules ressentent les émotions et même les sentiments de la mère. Au sixième mois, le foetus commence sa programmation. En cela, tout ce qu'une mère peut penser est communiqué directement au foetus. Si vous analysez la maladie, ce sera fort bien enregistré par le foetus, vos émotions encore plus, de même qu'une très grande part de vos problèmes. Pendant le septième et le huitième mois, l'Âme prend possession de la forme. La forme reçoit alors non plus la programmation de la mère, sauf à de très rares exceptions, mais la programmation entière de l'Âme, selon les influences que celle-ci aura vécues. L'Âme fait aussi voir au nouveau cerveau tout ce que lui demandera la vie actuelle, de même que les influences et les talents que la forme pourra utiliser. Elle laissera aussi le foetus faire le contact avec la mère de temps à autre. Remarquez que le foetus bouge beaucoup durant ces mois parce qu'il vit alors des actions que l'Âme a vécues dans la forme précédente ou dans les formes que l'Âme voudra bien lui faire voir. Cela occupe le foetus d'ailleurs, qui n'en est plus un, selon nous. Abstraction faite des trois premiers mois, les autres mois de la croissance sont utilisés au complet. Il arrive aussi que, durant ces périodes, quelques Âmes fassent l'essai de ces formes mais de façon fort brève, sans programmation. Cela n'est pas courant, mais cela s'est fait. Très bonne question. *(Les colombes, IV, 08–09–1990)*

*E*st-ce que l'Âme a choisi la forme au moment de voir la forme apparaître ou la choisit-elle plus tard ?

Au septième mois, la forme n'est pas encore apparue, au sens de « hors de la forme de la mère ». En règle générale, les formes ont toujours été choisies, beaucoup plus maintenant que par le passé. C'est une question de temps, pas pour nous, mais pour vous. Actuellement, c'est beaucoup plus choisi, donc les Âmes choisissent effectivement les formes bien avant leur création. Il arrive aussi, et ce très souvent, que les Âmes se choisissent entre elles, père, mère et enfants, de façon à se retrouver pour vivre ensemble des expériences uniques, pour réussir plus rapidement. (*Les colombes, IV, 08–09–1990*)

*E*st-ce que l'Âme choisit à l'avance la forme qu'elle habitera et, *par conséquent, les parents qui la mettront au monde ? Qui choisit le sexe, la couleur des yeux, de la peau, des cheveux ?*

En règle générale, les parents. Les Âmes ne sont pas tellement intéressées au sexe, ni à la couleur des yeux et des cheveux. Ce qui les intéresse, c'est la conjoncture : savoir si l'Âme pourra se réaliser pleinement dans la forme, si ses parents lui permettront de vivre ce qu'elle doit vivre. Certaines Âmes recherchent des formes handicapées parce qu'elles n'ont jamais pu maîtriser l'orgueil d'une forme. Elles ont à apprendre dans vos formes, comme vous avez à apprendre avec elles. Vous voulez savoir quand une Âme prend une forme et quand elle la reprogramme ? Calculez environ deux mois avant la naissance dans plus de 95 % des fois. Même si c'était planifié, il reste tout de même que ce choix peut leur être refusé. C'est pour cela que la forme [foetus] doit avoir près de sept mois, car il est alors plus facile de contacter le conscient de cette nouvelle forme. Certains vous diront : « Les Âmes choisissent toute la forme. » Dans l'ensemble, c'est vrai. Mais en ce qui a trait à la génétique elle-même, cela n'est pas de notre domaine comme tel; par contre, si nous nous rendons compte qu'une Âme est sur le point de prendre une forme qui ne lui conviendra pas, nous ne le permettons pas parce que ce ne serait qu'abuser d'une forme; à l'avenir, ce sera refusé. Dans le passé, elles ont eu trop de liberté. Vous vivez actuellement, et depuis trois ans déjà, une période de vie que nous avons appelée « l'automne de vos vies ». Elle se continuera encore pendant un peu plus de sept ans. Oh ! cela aurait pu être une guerre, mais nous élaborerons un peu plus tard sur ce sujet dans cette session ou dans une autre. Vous vivez une période de violence, et vous n'avez encore rien vu ! Il va vous falloir être très ouverts et ne pas jouer ce jeu. Ce sera dû pour d'autres. Vous comprendrez cela un peu plus tard. (*Le fil d'Ariane, I, 28–09–1991*)

E *n parlant d'Entités, vous semblez dire qu'elles choisissent leur propre forme...*

Deux à trois mois avant la naissance; généralement deux mois avant.

Est-ce qu'elles choisissent aussi leur vie qui s'en vient ?

Tout à fait. Ce qu'elles choisissent, c'est une forme qui pourrait leur donner le plus de chances d'obtenir ce qu'elles veulent.

Alors ce que je vis, c'est ce que j'ai choisi.

Pas nécessairement. Si vous vivez pleinement heureusement ce que vous faites, il y a plus de 99 % de chances que ce soit le cas. Mais si vous ne vous acceptez pas, si vous avez des limites à votre amour-propre, posez-vous des questions; planifiez ce que vous seriez sans ces barrières. Dans quel état seriez-vous si... ? Ressentez-les en vous. Ce n'est pas pour rien que vous avez des émotions; c'est pour vous exprimer, pour aller au-delà de ces limites; sinon vous n'auriez que des émotions incontrôlables. Lorsque l'Âme entre dans la forme, deux à trois mois avant la naissance, elle programme la forme. À ce moment-là, il y a toujours plus d'activité dans les formes parce que les Âmes ont pris contact avec elles et parce que les formes savent ce qu'elles devront vivre. Une fois que la forme est dans votre monde, il suffit des six premières années seulement pour faire une différence, en plus ou en moins. *(L'envol, I, 07–03–1992)*

C *omment le choix des corps se faisait-il par les Entités auparavant ?*

Votre question est : comment les Entités faisaient-elles pour choisir leur forme ?

Oui.

Avant de répondre à cette question, il faut comprendre qu'avec vos formes, c'est la même chose qui se produit. Quels sont ceux qui décident dans vos sociétés ?

Les gouvernements.

Les gouvernements sont aussi des individus. Sans parler de

gouvernements, n'y a-t-il pas dans chaque milieu de travail, dans des postes similaires, des individus qui ont plus de caractère que d'autres ? des gens qui décident pour d'autres ? des gens qui déplacent les autres pour prendre leur place ? La même chose se passait au niveau des Entités; les plus fortes décidaient. Mais ce n'est plus le cas maintenant. Elles ont un ordre à suivre, depuis peu, et c'est mieux ainsi. Elles décident entre elles sur des bases plus équitables, sur le mérite, selon la qualité des formes et de leur milieu. Bien qu'il y ait des Entités qui se foutent de refaire 1000 ou 2000 autres expériences, celles qui veulent terminer leur cycle ont la priorité. *(L'envol, I, 07–03–1992)*

J'ai eu un bébé de 28 semaines de gestation, est-ce à dire que, lorsqu'il est né, son Âme n'était pas en contact avec lui ?

C'était le cas. Toutefois, l'Âme était à l'extérieur de sa forme pour ne pas influencer le développement de la forme elle-même. S'il y avait eu inquiétude pour la forme, l'Âme aurait pris position très rapidement. C'est un cas individuel. *(Les colombes, IV, 08–09–1990)*

*A*u moment de la naissance, est-ce qu'on peut identifier le moment où l'Âme pénètre dans le corps ?

De façon individuelle, certaines personnes qui ont la facilité de percevoir les énergies chez d'autres formes le sauraient. En règle générale, cela se produit surtout deux mois avant la naissance et, dans des cas très rares, jusqu'à deux mois après. C'est assez bien respecté. Avant la naissance, la forme doit recevoir cette programmation; elle doit savoir ce qu'elle devrait vivre, ce que l'Âme doit vivre, prendre place, façonner les énergies, s'adapter. Une personne très attentive qui porte un enfant peut généralement très bien percevoir cet instant. Mais, il faudra qu'elle le veuille, qu'elle soit attentive. *(Alpha et omega, III, 18–08–1990)*

*O*n dit que les Âmes soeurs se reconnaissent. Est-ce qu'il est possible de reconnaître, chez un nouveau-né, l'Âme d'une personne qu'on a connue et qui est décédée ?

Tout à fait. Vous allez ressentir du déjà vu, du déjà vécu.

Vous allez ressentir non pas le besoin de dialoguer, mais le besoin d'être présent seulement, comme si les mots n'avaient pas raison d'être. Dans les yeux de l'enfant, vous verrez une complicité immédiate, comme s'il approuvait. Cela demande seulement une simple ouverture au niveau des perceptions et pas de doute, sinon vous direz : « Ce n'est que mon imagination ». Parfois, des parents reviennent comme cela, dans certains cas pour redonner plus d'amour et plus de compréhension autour d'eux, pour être plus perçus. *(Nouvelle ère, I, 29-02-1992)*

P *ourquoi y a-t-il des enfants avec qui l'Âme a de la difficulté à entrer en contact ?*

Cela n'existe pas, sauf qu'il y a des conscients... N'oubliez pas que l'enfant ne vit pas seul, il y a des parents dans une famille. Si les parents font tout pour contrer ce contact, l'enfant n'aura pas le choix. Il aura bien perçu son Âme, mais il attendra d'avoir la chance d'évoluer pour faire ces changements. *(Harmonie, III, 09–01–1991)*

E *n session individuelle, vous m'avez dit que mon Âme était entrée dans ma forme quand j'avais trois mois. Je voudrais savoir pourquoi, car je n'ai pas compris et cela me dérange. Comment ma forme a-t-elle pu vivre sans mon Âme pendant ce temps-là ?*

Votre Âme n'a pu être dans votre forme avant ce délai simplement parce qu'elle était encore dans une autre forme et qu'elle avait besoin de votre forme. Lorsque cela se produit, ce sont nous, les Cellules, qui en sommes averties. Souvenez-vous de notre rôle. Nous avons un rôle de protection aussi : nous n'entrons pas dans vos formes mais nous pouvons les protéger et très bien même. Donc, durant ces trois mois, vous avez perçu des forces neutres; il n'y avait aucune influence de l'extérieur, comme si vous n'étiez pas née. Votre forme a continué sa croissance malgré cela. Dès que l'Âme que vous avez a pris contact avec votre forme, nous avons simplement quitté. Ce n'était pas nous, Oasis, mais d'autres Cellules. De toute façon, cela n'a pas influencé votre forme pendant cette période parce qu'elle avait une Âme qui lui était destinée. *(Alpha et omega, IV, 22–09–1990)*

Qu'advient-il de l'Âme d'un bébé-éprouvette ?

Une question pour vous... et nous allons répondre à la vôtre, n'ayez aucune crainte. Supposons que vous ayez le choix entre une grosse voiture, une petite voiture ou pas de voiture du tout. Dans le fond, réduisons ce choix à pas de voiture du tout ou à une petite voiture. Que choisiriez-vous ?

La petite voiture.

Vos Âmes ne sont pas plus folles. Plutôt que de ne pas avoir une forme, elles vont plutôt tenter de savoir qui aura cette forme et trouveront l'Âme qui sera la plus appropriée. Ce n'est pas plus compliqué que cela. Ce n'est pas vraiment le moyen qui compte mais le milieu où sera la forme. Est-ce que ce milieu sera propice au développement de l'Âme dans la forme ? C'est en tenant compte de cela qu'elles choisiront. Dans le passé, elles choisissaient plutôt pêle-mêle. Actuellement, c'est le contraire, depuis moins de cinq de vos années [1987]. Il y a beaucoup plus d'ordre à ce niveau. L'Âme qui a le plus de chance de se développer a préséance sur les autres, qui devront observer. Heureusement d'ailleurs ! Cela revient à la même chose que de vous dire : supposons que vous vouliez un beau plant de haricots — nous avons choisi les haricots parce que l'acidité n'est pas suggérée pour vous; nous aurions pu dire un plant de tomates, mais comme ce n'est pas bon pour votre santé, nous dirons des haricots; c'est une blague, bien sûr !) et que vous le transplantiez dans un champ où il y a beaucoup de mauvaises herbes, que se passera-t-il ?

Il va avoir de la difficulté à pousser.

Exactement. Si ce plant était dans un jardin entretenu ?

Il va croître à pleine capacité.

Faites-vous la liaison maintenant avec les Âmes dans vos formes ? Si elles sont dans un milieu propice, elles vont très rapidement gagner leur expérience et la forme en profitera. Si c'est le contraire, si l'Âme se sent étouffée, si elle n'a personne pour l'aider ou, pire encore, si elle a une forme qui rejette tout cela ou qui recherche à l'extérieur ce qui est à l'intérieur, elle n'aura que peu de chance. Si elle n'a pas de chance, vous n'en aurez pas plus.

C'est aussi simple que cela. D'où l'avantage de mettre toutes les chances de votre côté pour évoluer vous-mêmes consciemment. Cela veut dire de mettre de côté votre foutue analyse, de mettre de côté votre recherche de mille solutions lorsqu'une seule suffit. Cela veut dire aussi de prendre le temps de vous écouter, pas d'écouter tous ceux qui vous entourent. Comment vous ferez-vous à l'idée ? C'est aussi simple que cela. *(Nouvelle ère, I, 29-02-1992)*

*V*ous dites que la forme est programmée dans les deux derniers mois avant la naissance, que se passe-t-il dans les cas d'enfants prématurés de deux à quatre mois ?

Cela cause parfois certains problèmes dans nos dimensions. C'est un rôle qui nous incombe personnellement, à nous les Cellules. Dans ces cas et lorsque l'Entité ne peut intégrer la forme parce que la forme n'est pas prête à être programmée, nous protégeons ces jeunes enfants; c'est notre rôle de rendre cela neutre. En règle générale, nous permettons à l'Âme de programmer la forme à plus de sept mois, très rarement avant cela. Vous nous demandiez un peu plus tôt dans cette session pourquoi nous n'avions pas tous choisi des formes pour nous incarner. Nous savions qu'il y aurait des abus, vous savez, qu'il faudrait mettre de l'ordre dans tout cela. Mais comprenez bien que nous ne nous sommes pas sacrifiées. S'il y en avait parmi nous qui voulaient tenter l'expérience, elles le pourraient, elles sont libres. *(Les Âmes en folie, IV, 20–07–1991)*

*L*orsque l'Âme programme une forme, est-ce qu'elle programme les qualités, les défauts, le niveau d'intelligence ?

Cela est beaucoup plus héréditaire. Pour choisir une forme, l'Âme se base sur l'expérience des parents, sur les probabilités de réussite et aussi sur la force qu'elle croit avoir pour maîtriser la forme. Donc, lorsqu'elle instruit la forme, environ deux à trois mois avant la naissance selon les cas, elle lui donne aussi une part de son expérience pour éviter ce qu'elle croit être un problème futur, en espérant que cette forme s'en souvienne. Mais elle ne donne pas la couleur des yeux, ni le pourcentage d'utilisation du cerveau. Vos laboratoires sont à développer cela actuellement, pas le nôtre. *(Le fil d'Ariane, IV, 14–12–1991)*

Nous avons remarqué à plusieurs reprises que des enfants très jeunes, jusqu'à l'âge de cinq ans même, pouvaient très bien visualiser des Entités jeunes, qui sont décédées en très bas âge sans avoir eu le temps de jouer. Ces Entités étaient très bien perçues par les enfants qui vivaient actuellement. C'est une autre réalité.

Pourquoi vit-on cette réalité quand on est enfant ?

Parce que c'est nécessaire pour vous rappeler qu'un jour vous aurez à le revivre. Ce n'est pas tout le monde qui s'en souvient, mais il serait souhaitable que tous s'en rappellent. Lorsque vous êtes enfants, comme vous dites, vous n'êtes pas encore influencés par la société, par ceux qui se disent adultes. Tout vous est simple. Lorsque tout est simple, tout est possible, il n'y a pas de limite à la simplicité. Par contre, actuellement, même si un enfant disait à ses parents ce qu'il a perçu, ils lui répondraient : « C'est ton imagination, ça n'existe pas. » Déjà le doute s'insère et lorsque le doute prend place à plusieurs reprises, il est très difficile d'influencer en sens inverse. Vous avez tous vécu cela étant jeunes. Vous vous rendrez compte aussi que plus vous serez simples, plus vous reviendrez vers ces visions, mais ne les rejetez surtout pas. C'est pour cela que nous avons affirmé que l'outil le plus important est l'imagination. Croyez-y. Ne rejetez pas le fait de percevoir à l'extérieur de vous. Au contraire, construisez cette imagination et vivez-la, c'est valable. Le groupe précédent a demandé s'il était possible qu'on puisse créer des Entités avec l'imagination à un point tel qu'elles soient non seulement très visibles et perceptibles, mais qu'elles puissent avoir l'air réel. C'est un fait et c'est dans ce sens que l'imagination est puissante. Certaines personnes imagineront des êtres qui créeront le mal contre les autres et s'en serviront très bien. Heureusement que ce n'est pas la majorité ! Il y en a beaucoup plus qui utiliseront l'amour et pourront le créer. (*Les pèlerins, II, 24–03–1990*)

Vous disiez que l'Âme programme la forme de zéro à six ans, alors je ne comprends pas comment il peut y avoir changement d'Âme en bas âge.

L'Âme programme la forme lors de cette période, bien sûr, mais la forme a généralement été programmée avant la naissance tout de même. L'Âme se sert des six, voire des sept premières années pour impliquer la forme consciente entre son niveau et le niveau physique de façon que la forme puisse la reconnaître un jour. Impliquer la forme veut dire la rendre consciente, la préparer à le devenir plus tard, si jamais elle le devenait, puisqu'il n'y a aucune garantie que cela se fasse. Donc, préparer une forme veut dire prendre la totalité des connaissances acquises dans les six premières années et les deux mois avant la naissance et les intégrer de façon à ce qu'un jour, dans la vie de l'individu, peu importe qui, cela puisse être reconnu, ressenti, ce qui amènera ce même individu vers un niveau de conscience intégré à la réalité. En d'autres termes, dit plus... quel serait le mot... Tiens, ceci est un bon exemple. Cela est fait pour qu'un jour vous en veniez à comprendre que, dans le point où vous vivez actuellement, vous faites et vous faisiez déjà partie d'une autre réalité et que, lorsqu'elle est intégrée à une réalité actuelle, cette réalité devient un tout. Elle devient vraiment votre vie cette fois. Toutefois, si cela se perd, si cela s'oublie, vous passez tout droit comme devant une sortie d'autoroute. Et certaines personnes reviennent en arrière pour, soit dit en passant, régler des problèmes. Bien sûr, les gens reviennent dans leur tête vers le passé pour la même raison, pour trouver une raison de l'existence du présent, sinon le passé n'aurait pas de place. Donc, nous voulons vous rendre conscients que l'Âme prend la forme deux mois avant la naissance et qu'elle la prépare non seulement dans les deux mois avant la naissance mais dans les six premières années de vie. Elle tente pendant ces années de garder le contact avec sa forme, en faisant percevoir à sa jeune forme tout ce qui l'entoure, autant à l'intérieur qu'à l'extérieur, de façon à ce qu'un jour la forme puisse reconnaître la réalité, pas sa réalité, *la* réalité. Toutefois, la programmation de ce que l'Âme veut faire avec cette forme est faite avant la naissance. Comment pourriez-vous reconnaître actuellement ce que sont les vibrations de votre Âme en comparaison de celles de votre forme si vous n'aviez aucun souvenir de ce que c'est ? Regardez ce qui se passe avec les yeux d'un enfant dès qu'il commence à voir, que fait-il ? Il observe. Vous verrez ses yeux aller constamment de gauche à droite dans une pièce : il enregistre. Il n'analyse pas, il enregistre ce qu'il voit. L'Âme se sert de cela pour pouvoir lui faire voir la différence. Jusqu'à l'âge d'un an — rarement plus —, l'enfant peut voir les dimensions diverses d'un objet. Ce n'est que lorsque la rationalité s'installe qu'il perd cette capacité, lorsqu'il est plus centré sur lui-même. C'est pourquoi plusieurs enfants ont peur devant certains objets, ils en voient la réalité, tout comme ils pleureront devant certaines personnes, sans aucune raison, direz-vous. Ils voient plus que la personnalité. Rappelez-vous, les six ou sept premières années servent à l'Âme pour approfondir la forme vers sa réalité à elle, afin d'être reconnue plus tard. Comprenez-vous mieux cela ?

> *C'est encore confus, mais je suppose qu'en relisant je vais comprendre.*

Nous n'acceptons pas cela. Posez une question de façon différente. Dites-vous bien que, si ce n'est pas clair pour vous, ce n'est pas clair pour d'autres. Y a-t-il quelqu'un d'autre qui voulait poser une question à ce sujet ? *(Harmonie, III, 09–01–1991)*

Vous avez dit que les enfants prenaient sept ans à approfondir la forme, qu'est-ce que cela veut dire exactement, que cela n'a pas été fait dans les autres formes ?

Ce que nous avons mentionné, c'est que, dans les deux ou trois mois avant la naissance, l'Âme programme la forme pour ce qu'elle veut faire avec cette forme et lui fait entrevoir la nouvelle forme. Dans les six ou sept premières années après la naissance, l'Âme programme aussi la forme à percevoir ce qu'elle sera elle-même, et ce tout au long de l'évolution de l'enfant, pour que celui-ci ne perde pas sa réalité profonde. Cela se perd tout de même, malheureusement. Mais lorsqu'il y a reprise au niveau de la conscience profonde, peu importe l'âge, il y a un contact plus rapide parce que vous n'avez pas à vous poser ces questions. C'est déjà acquis en chacun d'entre vous. C'est vous qui allez choisir, car le contact ne peut se faire de force. Pourquoi y a-t-il des gens si malheureux alors qu'il y en a d'autres qui sont si heureux ? Cela n'a rien à voir avec l'argent, car il y a des gens très pauvres qui sont aussi très heureux. Est-ce que tout ce qu'ils font se réalise tout de même comme ils le veulent ? Ils sont bien avec eux-mêmes, ils ne reportent pas le blâme de leur pauvreté chez les autres. Vous êtes dans un monde qui est encore en guerre, donc qui n'a pas abordé encore les profondeurs de l'être, qui cherche encore. Vous avez une chance, tous autant que vous êtes, d'aller beaucoup plus loin à ce niveau. Tout cela dépendra de vous. *(Harmonie, III, 09–01–1991)*

*P*ourquoi ne connaît-on pas notre plan de vie dès les premières années afin de l'utiliser à bon escient ?

Mais cela est fait ! C'est fait dans les deux mois qui précèdent la naissance, au moment où l'Âme prévoit tant bien que mal. Cependant, il n'est pas toujours facile non plus de maîtriser les réactions des gens, des autres formes à vos côtés, et cela ne peut pas se faire seulement à partir de votre Âme. Vous avez des buts individuels, pas tous le même but dans la vie. Il serait idéal que vous vous souveniez de tout cela, mais ce serait vous donner accès aux autres vies. S'il y avait moyen que vos formes sachent exactement ce qu'elles doivent faire jour pour jour, nous le ferions. Vous êtes tellement portés à vivre et à changer votre vie à mesure que les secondes passent, à ne même pas vous écouter, que cela devient uniquement un jeu de conscience, un jeu d'intérêt, un jeu de possession. Pourtant, vous le savez tous lorsque vous êtes bien, lorsque vous êtes heureux; mais il suffit d'une seule personne, d'un seul événement, d'un seul mot parfois, pour que votre vie devienne un enfer. Lorsque cela se produit, vous oubliez tous les bons moments. Ce n'est pas la faute de l'Âme, mais de l'évolution de vos cerveaux actuels. Tout est fait pour vous démontrer que vous êtes les uniques maîtres de vos vies et vos gouvernements en font autant : c'est une forme d'esclavage. Il n'y a pas si longtemps, c'était la religion qui vous disait quoi faire. Actuellement, c'est une recherche individuelle qui s'instaure parce que vous vous êtes rendu compte que les recherches collectives n'aboutissent plus. Arrive un moment où vous n'apprenez plus et où cela devient l'expérience des autres, pas la vôtre. Donc, il serait idéal que vous vous souveniez de tout cela dès la naissance. Mais si c'était le cas, combien se suicideraient juste parce qu'ils sauraient qu'ils ont rempli la mission de l'Âme en deux ou trois ans. Que feriez-vous de vos vies ? Vous diriez : « Maintenant que j'ai fait ce que l'Âme voulait, qu'est-ce que je fais ? » N'allez pas comprendre que l'Âme doit diriger vos vies, vous devez les diriger, mais avec plus de facilité. Il s'agit de laisser votre Âme s'exprimer par vous, de la laisser placer les fils de votre vie pour ne pas que vous agissiez comme des marionnettes, comme des automates, mais que vous ayez plein choix de choisir ce que vous aimez et de rejeter ce que vous n'aimez pas. Nous observons que c'est plutôt le contraire qui se produit. Vous vous accrochez beaucoup à ce qui vous ennuie, à ce que vous n'aimez pas. Vous vous faites du mal avec cela et vous en voulez encore. Et lorsque vous vivez des instants heureux, vous trouvez toujours à dire qu'ils sont trop rares et vous ne cherchez pas à savoir comment les prolonger ces instants. Vous planifiez pour les prochains problèmes. N'est-il pas amusant de constater qu'il y en a qui ont déjà prévu leurs frais funéraires, même à 20 ou 21 ans. Ils prévoient déjà leur mort. D'autres ont 30 ans et sont déjà à préparer leur retraite. Que feront-ils pendant ces 30 années ? Ils vont se restreindre, se donner des limites, en d'autres termes, s'étouffer. Ils ne sont même pas sûrs de se rendre à cette retraite et lorsqu'ils y seront, ils ne voudront pas dépenser ces sous durement gagnés et ils continueront de se restreindre. Aucune forme ne peut vivre de restrictions. Le cancer vous le démontre bien. Jamais le monde actuel n'a eu autant de commodités, jamais dans l'histoire de votre monde vous n'avez eu autant de liberté ! N'est-il pas curieux de constater que plus vous avez de liberté individuelle, plus vous vous imposez de restrictions, plus vous vous forcez à faire des travaux que vous n'aimez pas, à vivre avec des gens qui ne vous conviennent plus. Vos formes en conviennent et se disent que, si vous faites ce qui ne vous convient pas, c'est qu'elles ne vous plaisent pas. Vous êtes portés à penser que le cerveau dirige tout et peut tout faire. Foutaise que cela ! Il n'y a pas une seule cellule de vos formes qui n'ait pas elle-même l'intelligence, qui ne sache pas où elle est, ce qu'elle doit faire. Nous allons élaborer sur ce sujet, ne vous en faites pas. Lorsque votre pensée se veut négative face à vous-mêmes, c'est toutes les cellules de vos formes qui le deviennent. Certains aiment bien la maladie parce qu'elle leur donne l'occasion de se faire plaindre. Vous allez mieux comprendre un peu plus tard. *(Le fil d'Ariane, I, 28–09–1991)*

*E*st-ce qu'on savait exactement d'avance ce qu'on allait vivre en s'incarnant ?

Vous pensez comme une Âme alors que vous êtes une forme physique; ne pensez pas à sa place. Maintenant, reformulez votre question autrement, comme si c'était vous qui la posiez.

Est-ce qu'on savait exactement ce qui devait nous arriver en tant que forme ?

La forme est programmée, et ce, deux mois avant la naissance. Elle sait très bien ce qui doit lui arriver, mais ceux qui vous accueillent dans ce monde vous font changer d'avis. Est-ce un peu plus clair ? C'est la façon dont vos parents vous accueillent, vous montrent comment vivre qui vous fait oublier tout cela. Quel est le principal point d'intérêt des parents lorsque vous venez au monde ? C'est très simple : de vous faire dire leur nom, de s'assurer que vous êtes complet, que vous n'êtes pas idiot, que vous pouvez parler, que vous saurez marcher. Tout leur intérêt va vers cela. Puis la fierté des parents de faire de vous des universitaires à trois mois, cela change vos vies ! Puis ils vous montrent les grands-parents, vous montrent qu'il vous faudra vous aussi être vieux. Lorsque vous vous amuserez trop, ils seront nerveux, vous puniront; cela vous empêchera de vous exprimer puis, lorsqu'ils seront encore plus impatients, ils vous feront garder par d'autres pour avoir des vacances, pour se reposer la tête. Cela aussi change vos habitudes, cela aussi déprogramme. Vous vous déprogrammez continuellement ! Plus vous apprenez à réagir envers vous-mêmes, puis à réagir en société, plus vous perdez tout cela; c'est là que se perd la programmation de l'Âme. C'est à ce moment-là que nous perdons le contrôle de vos formes; ce n'est pas lors de vos naissances mais dans les mois qui suivent. C'est pour cela aussi que plusieurs formes se découragent de la vie rapidement, sans savoir ce qu'elles vivent, et ce, peu importe l'âge. Elles ressentent au dedans d'elles-mêmes qu'elles ont complètement raté leur but dans la vie. Elles ne voient même pas comment elles pourraient revenir à leur mission et elles s'autodétruisent. *(Les Âmes en folie, IV, 20–07–199*

Vous avez notre amour, vous pouvez y croire.

*O*asis

*La passion,
c'est de vivre
tellement intensément,
avec une telle passion pour vous-même,
que rien ne peut vous toucher.*

La vie

Laissez-donc venir les expériences que la vie vous réserve. Vous serez au moins en mesure de les comprendre, de les utiliser. Plus vous irez de l'avant, plus vous serez en mesure vous-mêmes de modifier ces expériences, de faire en sorte que les expériences qui ne vous conviennent pas ne se produisent plus et d'attirer à vous réellement ce qui vous conviendra. C'est aussi valable pour les amis que la famille et les relations de travail. Soyez sincères, vous verrez que vous méritez ce que vous avez parce que vous n'avez pas appris à dépasser cela. Vous n'avez pas appris à demander non plus. La société dans laquelle vous vivez actuellement vous leurre. Elle vous fait croire que vous pourrez tout posséder en travaillant très fort, en possédant plusieurs cartes de crédit. Ceci n'est qu'un leurre puisque plus vous posséderez, plus vous en voudrez et plus vous devrez travailler pour l'obtenir, jusqu'au jour où vous vous rendrez compte que vous vous êtes déséquilibrés, qu'il vous manquera l'essentiel : *vous-mêmes*. Après avoir fait le tour de vos possessions, seulement pour vous rendre compte que ce sont vos biens qui vous possèdent et qui vous obligent, la majorité d'entre vous remettra sa vie en question... nous étions tentées de dire en jeu. Il y a encore beaucoup de choses que vous ignorez. Regardez : votre monde refait ce qu'il a fait dans le passé : des guerres. Elles apporteront encore une fois beaucoup de douleur, ce qui fera en sorte que, lorsque tout sera terminé, une grande majorité de gens se retourneront vers une religion, quelle qu'elle soit, pour trouver une justification à ces pleurs. Ils se demanderont les pourquoi. Mais nous ne pouvons comparer avec certitude ce qui se passe dans le monde actuel à ce qui se passait il y a 40 et 60 de vos années. C'est la même chose, sauf que cette fois, beaucoup ont compris que c'était futile. Cela ne fera pas l'affaire de vos gouvernements qu'il y ait des changements massifs à ce niveau. Nous sommes heureuses de constater cela, qu'il y ait changement au niveau de l'évolution. Jamais cela n'avait soulevé des foules dans le passé. Lorsque les gouvernements déclaraient la guerre, c'est que la guerre était déclarée. Actuellement, à tous les niveaux, il y a des jeunes qui se soulèvent, qui refusent la guerre, et c'est une première. Ce que vous faites ce soir et ce que nous faisons avec vous est aussi une première. Ce que vous déciderez de faire de vous-mêmes sera aussi une première. Si vous nous utilisez, si vous apprenez à utiliser votre Âme convenablement, d'autres le percevront, voudront s'en servir et ce sont eux qui iront vers vous. Donc, effectivement, il y aura beaucoup de changements dans chacune de vos vies, mais vous aurez le choix d'accepter ou de refuser. Ceux qui refuseront de faire ces changements ne le feront que pour une courte période car ils se remettront en question eux-mêmes. Si vous apprenez à vous dépasser, il est déjà acquis avec certitude que non seulement vous comprendrez, mais qu'il vous sera donné beaucoup. Nul besoin de vous réexpliquer la règle du donnant, donnant. *(Harmonie, III, 09-01-1991)*

*E*n fait, pourquoi la vie ?

Pour en profiter ! Ceux qui se demandent pourquoi vivre se le demandent bien souvent parce qu'ils ne vivent pas, ils subissent. Parce qu'ils ne se sentent pas libres, parce qu'ils se sont imposé ou ont fait en sorte que d'autres leur imposent des limites, ils ne voient plus l'horizon de leurs jours. Vous subissez : voilà la différence. Laissez-nous vous expliquer ce qu'il y a dans d'autres mondes. Il y a moins de biens matériels, bien sûr, mais des ouvertures que vous n'arriveriez même pas à imaginer actuellement. Ces mondes vivent pour eux-mêmes; cela implique l'harmonie et l'entente à tous les niveaux. Il y a même des changements d'Âmes entre les formes, et ce, de façon volontaire; et les formes en profitent : donnant, donnant. Dans vos vies actuellement, ce n'est pas toujours valable puisque vous attendez trop souvent des preuves. C'est plus que du doute, c'est de la non-croyance. Recevoir avant de donner n'est pas la solution. N'a-t-il pas été dit d'aimer les autres comme vous-même. Cela implique donc de vous connaître, de vous aimer vous-mêmes pour pouvoir aimer les autres. Effectivement, aimer la vie commencera toujours par s'aimer soi-même afin que les autres puissent vous aimer. Puis vous accéderez à d'autres niveaux, intérieurs et extérieurs, pour exprimer votre amour pour vous-mêmes. Rappelez-vous, vous faites l'ensemble : une forme et une Âme qui ne font qu'un. C'est ce que nous appelons l'unicité dans la dualité. Avons-nous répondu à cette question ?

Pas vraiment.

Alors, reposez cette question différemment. *(Symphonie, I, 06–04–1991)*

Q*uels sont les raisons du vide ressenti à l'intérieur ou de l'ennui ?*

Il y a deux explications à cela. Ou vous manquez d'activités consciemment ou vous refusez de voir ce qu'il y a en vous et cela nuit non seulement à l'Âme, mais à vous. Lorsque vous ressentez le vide en vous, ce n'est pas parce qu'il y a place pour apprendre plus, mais parce qu'il y a de la place pour comprendre. Ce que vous ignoriez il y a une heure et que vous savez maintenant va vous aider. Lorsque vous sentez ces vides intérieurs, non pas que votre forme soit vide, mais qu'une pensée fait en sorte qu'il y ait le vide, c'est qu'il y a une porte ouverte pour le dialogue. Profitez-en donc pour demander, c'est une bonne ouverture, et cela n'arrive pas souvent. C'est peut-être aussi l'Âme qui fait en sorte de vous faire savoir qu'elle est fatiguée, qu'il n'y a rien eu dans le passé mais que cela devrait changer bientôt. Vous comprendrez tout cela dans d'autres sessions; nous vous donnerons plus de détails. *(Harmonie, I, 17–11–1990)*

M*oi, je suis contente de vivre, j'essaie de retirer le maximum de la vie. Quand je vis intensément le moment présent avec toute la joie que ça peut apporter, est-ce que je peux dire à ce moment-là que mon Âme et moi ne faisons qu'un ?*

Tout à fait. D'ailleurs, c'est un très bon exemple. De même, lorsque vous êtes en contradiction avec vous-mêmes, vous êtes aussi en contradiction avec ce qu'elle veut. Il n'y a pas une seule personne ici ce soir qui ne le sache pas, qui ne sache pas à quel point elle se déplaît parfois. Plutôt que de vous apitoyer sur vous-mêmes et de vous dire que vous ne vous aimez pas, cherchez donc plutôt pourquoi et à qui cela nuit. Vous trouverez des solutions rapidement. Pour expliquer cela différemment, pourquoi êtes-vous si heureux lorsque vous réglez un problème ? Est-ce juste dû au fait que vous avez réglé un problème ou au fait que vous allez être bien avec vous-mêmes ? Rappelez-vous, si vous êtes bien avec vous-mêmes, votre Âme est bien en vous aussi. Donc, il ne vous reste qu'à l'utiliser. Très bonne cette question. *(Harmonie, III, 09–01–1991)*

Moi, dans cette vie-ci, ce n'est pas toujours facile, mais j'essaie de retirer le meilleur de chaque moment présent. Même si je rencontre des obstacles, j'essaie de prendre du plaisir à vivre ma vie même si ce n'est pas toujours facile.

Nous allons sûrement vous surprendre, mais il n'y a rien de négatif dans vos vies si ce n'est votre façon de voir, puisque tout est positif en fait, même un accident. Ceux qui vous diront que c'est prévu, que c'est leur karma, c'est une belle foutaise. Vos accidents d'automobile ne sont pas prévus d'avance. Par contre, malgré les souffrances qu'ils procurent, les accidents permettent à certains de se rendre compte qu'ils se sont rapprochés de ceux qu'ils aiment et inversement. Nous pouvons vous parier que tous ceux qui ont vécu des accidents de cette manière ont changé, non pas à cause de la douleur et de la souffrance, mais grâce à la découverte de la valeur de leur vie. Demandez-le à une personne qui a frôlé la mort; vous verrez qu'elle a très vite abandonné son passé et qu'elle aime vivre; d'autres devront souffrir pour arriver à cela. Donc, si vous voulez considérer tous les obstacles de la vie comme des souffrances, vous allez réellement souffrir. Si vous voulez les voir comme positifs en pensant : « Si j'ai tout cela, il y a une raison » et que vous savez en tirer le positif, si minime soit-il, nous pouvons vous promettre une chose : vous ne souffrirez pas longtemps parce que vous n'y trouverez pas de plaisir et surtout pas de justification. Il y a plus de gens que vous ne le croyez qui souffrent et qui se disent : « Oh ! je méritais cela. » Il y en a même qui disent : « Cette personne le méritait. » Attention ! il y de fortes chances que cela se produise aussi pour vous, juste pour voir si vous le méritiez aussi. Sachez donc trouver ce qui est positif dans tout ce qui peut être négatif à première vue. Vous allez voir que les problèmes ne sont pas réellement des problèmes et qu'ils le seront seulement si vous souhaitez qu'ils le deviennent. Rappelez-vous : vous récolterez toujours ce que vous semez, tôt ou tard. Refermez-vous sur vous-mêmes, refusez de vous ouvrir avec les gens qui vivent à vos côtés et vous les verrez se fermer eux aussi; vous ne réglerez rien de cette manière. Ceux d'entre vous qui ont coupé des arbres à la hache se rendront compte que certains arbres vont même parfumer la hache qui les aura coupés. Il y a de la sagesse dans cela aussi. *(Harmonie, IV, 16–02–1991)*

E *st-ce que tout ce qui nous arrive a sa raison d'être ou s'il peut vraiment y avoir des incidents de parcours ?*

Vous mentionnez les accidents d'automobile ?

Non, un vol de voiture entre autres.

Nous n'y sommes pour rien. Nous n'utilisons pas cela. Si, d'un autre côté, ce vol de voiture vous aide à marcher un peu plus, nous sommes d'accord. Vous n'êtes pas de celles qui font le plus d'exercices. Vous ne trouvez pas ?

Oui.

Donc, c'est une bonne chose. Effectivement, cela devient du hasard dans le sens des probabilités seulement et n'a rien à voir avec nous. Nous n'allons tout de même pas jusqu'à planifier de tels événements, vos accidents d'automobile non plus ! *(Renaissance, IV, 07–12–1991)*

L *e hasard existe-t-il ? Sinon, à quel point joue-t-on un rôle sur ce qui nous arrive ?*

Votre rôle dans votre vie, surtout vous en particulier, est d'apprendre ce qu'est réellement la vie, à bien comprendre que le hasard n'existe pas. Vous pouvez appeler hasard quelque chose qui se passe bien pour vous, mais en fait vous ignorez la vérité de la vie lorsque vous pensez ainsi. Le hasard n'a jamais existé. Si vous parlez des mauvais hasards, c'est-à-dire des accidents, cela peut arriver. Mais les hasards volontaires n'existent pas. Ce qui est prévu dans votre vie devra arriver. Selon votre conscience actuelle, tout ce que vous ferez entre le moment de votre naissance et le moment de votre décès sera du hasard. Mais comme le hasard n'existe pas, c'est ce que vous aurez compris de la vie qui sera : ou vous vous faites confiance et votre vie se déroule d'elle-même; ou vous vous ignorez et vous subissez ce que la vie vous réserve en percevant vos difficultés comme des fautes et des faiblesses plutôt que des points forts à utiliser. Nous vous conseillons de voir la vie comme une immense pièce de théâtre où chacun d'entre vous a un rôle à jouer. Il y en a qui sont sur la scène à jouer leur rôle; d'autres sont assis et regardent les autres jouer leur rôle alors que d'autres, comme vous, s'apprêtent à monter sur la scène. Le hasard ? Le fait que vous soyez ici ne l'est pas. Il aura fallu beaucoup de hasard, si vous y croyez, pour que vous soyez ici ce soir. Donc, vous avez encore beaucoup à apprendre. Vous avez une autre question à ce niveau ? *(Harmonie, I, 17–11–1990)*

S *'il n'y a pas de hasard, que sommes-nous dans cela. Sommes-nous seulement embarqués dans un chemin déjà tracé ?*

Puisque le hasard n'existe pas, il faudrait plutôt nous demander : qu'est-ce que la vie. Certains d'entre vous qui vivent des malheurs disent : « C'est difficile à vivre la vie. » C'est long même pour certains. Erreur ! Si vous vous dites cela, vous n'avez pas compris ce qu'est la vie. Laissez-nous vous expliquer comment cela se passe. En règle générale, deux mois, dans certains cas trois mois avant votre naissance physique, l'Âme prend possession d'une forme. Elle la programme et se fait bien voir à cette forme, qui n'a pas encore vécu. Elle fera voir ce qu'elle a vécu dans le passé, ce qu'elle devrait vivre dans cette vie, pas pour que cette forme s'en souvienne, mais pour la réconforter, lui donner confiance, espoir et sécurité. Ceci reste habituellement dans vos formes jusqu'à l'âge de six à sept ans; dans certains cas, jusqu'à ce que vous deveniez influençables, que vous perdiez davantage confiance, que les autres vous fassent voir leur réalité, que vous deveniez plus conscients. C'est pour cela que vos scientifiques ont dit qu'un enfant reçoit la majeure partie de son éducation entre sa naissance et l'âge de cinq ans, six ans dans certains cas. Nous vous suggérons que c'est bien avant cela. Vous en comprendrez encore plus au long de ces sessions, parce que vous pensez encore que les formes, ce que vous appelez des corps, ne sont que des ensembles.

Détrompez-vous, il y a beaucoup plus que cela. Vous avez deux façons de voir la vie. Vous pouvez la vivre avec confiance, en vous disant : « De toute façon, ce qui doit arriver selon ce qu'est la vie, selon le rôle que j'ai à jouer, arrivera tout de même », en supposant que vous ayez confiance en vous et une foi sans limite. Et la vie devient beaucoup plus un jeu. Pourquoi ? Très simplement parce que vous allez attirer à vous les gens qui sont dans la même condition que vous, parce que votre Âme sera plus libre de communiquer, pas seulement avec vous, mais aussi avec les autres Âmes dans les autres formes qui vous entoureront. C'est tout cela qui fera votre rôle dans cette pièce de théâtre, c'est tout cela qui fera en sorte que vous prendrez la vie avec beaucoup de plaisir. Il y a une règle, une règle universelle, autant dans notre dimension que dans la vôtre et cette règle est la même dans tous les autres mondes : la règle du donnant, donnant. Il est très facile de s'en souvenir. Ce que votre Âme vous donne comme occasion, comme chance dans la vie, vous devez le lui rendre, vous devez aller plus loin dans vos connaissances, dans votre approche vers elle. Dans votre vie, vous avez eu de multiples exemples vous démontrant que, lorsque vous aidez une autre personne, vous vous aidez; que, lorsque vous aimez sans réserve, cela vous est aussi rendu. C'est aussi le donnant, donnant. C'est la même chose au niveau des Âmes. Ce que vous leur donnez comme occasion de communiquer avec vous, de vivre à votre niveau, consciemment, cela vous sera aussi rendu. L'autre façon de vivre est la façon consciente. C'est la forme qui se dit : « Très bien, j'ai beaucoup d'éducation et je fais moi-même ma vie. » Pouvons-nous vous suggérer que vous allez avoir certains problèmes ? Pourquoi croyez-vous que votre Âme soit dans votre forme ? Pour le plaisir ? Elle doit maîtriser votre forme et elle le fera. Si ce n'est pas dans cette vie, ce sera dans une autre vie, mais elle devra le faire, sinon elle ne pourra nous rejoindre et ne pourra accéder à un niveau supérieur d'incarnations, ailleurs que dans votre monde. Donc, elles ont toutes le même but. Elles s'aident entre elles au niveau où elles sont rendues. Si vous voulez vivre de façon uniquement consciente en vous disant : « Je fais ceci, je fais cela, je décide de ma vie consciemment » et que vous ne faites aucune place pour ce qui est en vous, ce qui vous éviterait beaucoup d'efforts inutiles, vous allez vous rendre la vie compliquée pour rien; vous aurez des gens compliqués autour de vous et vous vivrez beaucoup de stress aussi. Vous développerez une chose par contre, même si cela prenait une vie entière : la confiance en vous. Il y a fort à parier qu'à la vie suivante, une fois que la confiance sera acquise, vous rechercherez beaucoup plus à l'intérieur de vous. Comprenez-vous mieux ? Nous avons essayé de rendre cela le plus simple possible. Dans ce cas, posez une autre question. Vous ne comprenez pas en fait que la vie est beaucoup plus simple que vous voulez vraiment la voir; qu'en fait, dans le système actuel de vos vies, vous ne faites qu'une chose : vous vous documentez et à tous les niveaux (nous excluons cependant l'expérience de ce soir). Vous ne le faites que dans un seul but, pour vous rendre plus sécures dans la vie, et tout cela pour vous rendre compte que tous ces efforts vous rendront encore plus insécures, et plus vous en ferez, plus vous serez insécures. Il n'y a pas de hasard, il n'y en a jamais eu et il n'y en aura jamais. Vous relirez la transcription de ce que nous venons de vous dire, ce sera beaucoup plus clair. *(Harmonie, I, 17–11–1990)*

S *'il n'y a pas de hasard, j'ai l'impression que nous sommes comme un pion.*

Vous serez un pion si vous acceptez le hasard. Si vous ne pouvez participer à la vie, même avec la confiance, vous serez un pion qui ne bougera pas; toutefois, si vous faites allusion à ce jeu que vous appelez échecs, un pion est celui qui est en avant. Nous vous accordons un point, vous êtes effectivement à l'avant de votre vie, mais il faut maintenant savoir ce que vous voulez en faire : être un pion, encaisser les coups, aller au devant des autres, être sur vos gardes et craindre ce que la vie vous réserve ? Le pion est insécure, vous savez, toujours, et c'est toujours lui qui encaisse les premiers coups. Donc, vous pouvez participer. Si vous le vivez d'une façon consciente ou intellectuelle, vous allez vous sentir comme un pion, c'est vrai; vous allez être sur vos gardes constamment et développer l'instinct de survie. Au contraire, si vous vous fiez un peu plus aux forces qu'il y a en vous, à celles de l'Âme en particulier, vous allez vous rendre compte que les événements vont prendre place d'eux-mêmes. Vous ne vous sentirez pas comme un pion, vous irez de l'avant dans la vie parce que les événements se feront d'eux-mêmes, parce que les gens autour de vous vont changer aussi. Regardez ce qui se passe lors de la représentation d'une pièce de théâtre : il y a des gens qui s'endorment en la regardant alors que d'autres la vivent comme s'ils étaient réellement sur scène. Comprenez-vous un peu mieux ?

Oui.

Vous relirez tout cela, vous verrez. La question sur le hasard était la première question. Ne vous en faites pas, vous allez apprendre beaucoup plus et cela prendra place dans votre vie. Il y a beaucoup de points que vous ignorez et c'est très bien ainsi. Vous n'aurez pas à combattre ce que nous vous en dirons puisqu'ils seront nouveaux. *(Harmonie,I, 17–11–1990)*

E *n considérant qu'il n'y a pas de hasard, est-ce que tout ce qui arrive a été prévu, par exemple les accidents ?*

Foutaise que cela. Nous n'avons pas mis des véhicules automobiles dans vos mains nous-mêmes. Vous les avez inventés. Vous allez dire que c'est une création. C'est un fait. Mais si une personne prend de l'alcool, se soûle et a un accident, ce n'est tout de même pas de notre faute. Si vous êtes distraits et que vous avez un accident, ce n'est tout de même pas de notre faute. Nous ne conduisons pas vos véhicules. Nous savons à quoi vous faites allusion. Dans vos salles d'exposition mortuaires, combien de fois, lorsque vous êtes rendus à court d'idées sur la mort d'une personne accidentée, vous dites : « Il faut croire qu'il devait en être ainsi; il faut croire que cela devait arriver. » C'est comme croire au karma; cela justifie. Mais appelez donc les choses par leur nom ! Un accident, c'est un accident; ce n'est pas du hasard, c'est un accident. Pourquoi voudrions-nous que vous ayez un accident d'automobile ? Pour punir qui ? Foutaise que cela. Nous n'avons pas ces buts. Nous ne faisons que vous parler d'amour, pas d'accidents. Si vous glissez sur une marche qui est glacée, ce n'est pas de notre faute. Nous pouvons vous aider à passer au travers par contre, même de la douleur. Mais nous ne pouvons pas soutenir votre poids qui tombe. Nous ne sommes pas là pour prévoir vos malheurs; nous tentons plutôt de vous les éviter. Par exemple, dans l'un des groupes précédents, nous étions à observer une personne au moment où elle allait très certainement avoir un accident des plus graves sur une autoroute. Nous n'avions pas les connaissances nécessaires pour intervenir, mais il y avait suffisamment d'Entités ayant de l'expérience si bien que nous avons fait en sorte, par l'influence de leur nombre, que cette personne fasse tous les gestes nécessaires pour éviter cet accident sans en être consciente. Disons que nous étions là au bon moment. Cela nous le pouvons. Mais cette personne a eu la sagesse de se laisser faire. Nous ne vous disons pas de pratiquer cela, mais nous étions là pour le prouver et nous l'avons fait. Cette personne l'a reconnu et s'en souviendra toute sa vie, soyez-en certains. Nous aimerions pouvoir le faire dans tous les cas, mais ce ne serait pas possible. *(Le fil d'Ariane, IV, 14–12–1991)*

Vous parliez tout à l'heure de glisser sur une marche. Ce peut être de glisser, l'hiver, dans un stationnement glissant. La personne qui marche sur la glace, même si elle fait attention, un accident peut lui arriver. Est-ce que, par cet accident-là, elle peut avoir quelque chose à apprendre ?

C'est une question différente de la première. Vous savez tous qu'en marchant sur une surface glacée, il y a danger de glisser, même un enfant le sait. D'un autre côté, si vous avez vraiment quelque chose à régler et que vous n'avez jamais pris le temps de le faire, qui vous dit — et ce ne sera pas votre Âme qui vous fera glisser ! — que vous ne réglerez pas cela vous-mêmes, par maladresse, juste pour vous accorder le temps dont vous aviez besoin, juste pour vous rapprocher d'une personne qui, vous le savez, prendra soin de vous, ou encore pour aller chercher de l'affection. Tout cela, ce sont des possibilités, tout comme vous pourriez simplement glisser parce que vous étiez distraite. Ce sont toutes des possibilités, selon les cas. *(Le fil d'Ariane, IV, 14–12–1991)*

Comment expliquer qu'un enfant naisse en bonne santé et qu'il attrape ensuite une maladie grave, par exemple un cancer à quatre ou six ans ?

Il y a des Âmes qui prennent des formes en sachant fort bien que ces formes n'auront pas une vie complète. Il vous faut bien comprendre que, dans plusieurs cas, quand un enfant meurt en bas âge, cela apporte des changements énormes dans la famille. Vous ne vous souvenez pas de ce que cette forme [Robert] vous disait au début ? Si le fait d'aider deux autres personnes est un but dans une vie, cette vie est réussie. C'est la même chose pour ces morts prématurées. Vous voyez toujours les côtés négatifs. Bien sûr, nous comprenons les douleurs, les peines, les serrements de coeur ressentis lorsque ces morts se produisent, mais prenez aussi conscience des bénéfices qu'elles apportent. Dans la plupart des familles où meurt un enfant, vous vous rendrez compte qu'il y avait beaucoup de détachement et que, lorsque survient ce départ, la vie prend forme, les gens se rattachent entre eux. Voyez le positif en cela. Ne blâmez pas l'enfant; bien souvent, les maladies sont génétiques. N'oubliez pas aussi que, dans plusieurs familles, il n'y avait pas d'amour non plus et que l'enfant qui meurt n'y voyait pas sa place. Les enfants ont une sensibilité que les adultes ont oubliée; ils sont donc beaucoup plus sujets à se blâmer, selon leur degré de sensibilité et leur ouverture. Nous pourrions discuter sur ce sujet pendant des jours, parce que vos exemples sont fort nombreux. Effectivement, les morts d'enfants en bas âge servent bien souvent à réunir leur famille entière, et c'est très important. Nous pourrions vous dire qu'une guerre fait la même chose sur une plus grande échelle. Certains verraient cela en disant que c'est trop difficile de perdre des gens qu'on aime. Si vous aviez un peu plus de foi, vous sauriez que vous ne les perdez pas, mais qu'ils vous ont gagnés.

Est-ce que c'est la même chose quand la mort survient par un accident de la route ou tout autre accident ?

Cela se produit dans certains cas. Lorsque les Âmes ont pris des formes, elles n'avaient pas prévu vos automobiles; vos moyens de transport actuels n'étaient pas envisagés. C'est votre évolution actuelle qui a créé tout cela. Ce que vous appelez des accidents sont effectivement des accidents dans la majorité des cas. Dans très peu de cas — et lorsque nous disons très peu de cas, c'est de l'ordre de moins de 1 % —, ces cas sont dus aux raisons que nous venons de mentionner. Ces accidents se produisent trop rapidement pour permettre des raisonnements. Si vous faites référence aux gens blessés, c'est différent. Cela pourrait apporter une plus grande compréhension de la vie, indirectement d'ailleurs, mais sachez bien que ce n'est pas le but. Si nous pouvions éviter les accidents, nous le ferions volontiers. Nous avons fait seulement quelques expériences dans les groupes précédents. À deux reprises, les gens n'ont rien compris à ce qui leur arrivait et leur voiture a repris la route; nous leur avons fait comprendre par la suite. Il serait bien que nous puissions vider la question de la maladie et de la mort à la présente session — nous savons qu'il y a de nombreuses questions à ce sujet — de même que les approches effectuées par vos formes pour se donner la maladie et la mort. Profitez de votre temps pour le faire. *(Symphonie, II, 04–05–1991)*

L orsque vous avez parlé des enfants qui meurent en bas âge, vous avez parlé de la vie complète d'une forme. Qu'est-ce qu'une vie complète ?

Selon chaque forme, une vie complète est une vie réalisée au niveau de l'Âme, en ce qui nous concerne. Pour le déterminer, nous nous basons sur le but que l'Âme s'était fixé avec une forme donnée et ce qu'elle aura réalisé par rapport à ce qu'elle s'était fixé. La vie sera complète si l'Âme a atteint son objectif et incomplète si elle ne l'a pas fait. C'est ce que nous mentionnons. Vous aviez cru cela plus compliqué ? Actuellement, chez les humains, une vie complète se situe entre 1 mois et 80 de vos années, majoritairement vers 80 de vos années. Ne dites-vous pas des gens âgés qui décèdent : « Oh ! ils ont eu une bonne vie, une vie bien remplie » ? Une vie peut être complète dans ce sens, mais ce n'est pas ce que nous considérons comme une vie complète. Pour nous, une vie complète n'est pas une vie consciente dans le sens que vous le comprenez actuellement, mais une vie consciente de ce qui est inconscient, de ce qui peut interréagir. Une fois que vous vous servez de ces outils, vous vous approchez très près de ce que d'autres mondes vivent et, croyez-nous, c'est beaucoup plus agréable. Pour cela, il faut que vous connaissiez bien vos formes; vous ne les connaissez pas encore. Vous aurez beau analyser le cerveau tant que vous voudrez, cela ne vous dira pas comment vivre. Nous sommes d'accord sur un point toutefois : grâce à votre cerveau, vous pourriez vous programmer de façon différente, mais ce n'est pas pour demain. *(Symphonie, III, 08–06–1991)*

L '*Âme quitte la forme. Or, j'avais toujours pensé que l'Âme,*
c'était la vie. Quelle est la différence entre la vie, une forme...

Cela dépend si vous êtes l'Âme ou si vous êtes la forme quand vous dites cela. Une forme qui ne vit pas, vous savez ce que vous en faites. Les deux sont la vie. De toute façon, si vous n'avez pas d'Âme, vous allez finir par perdre la vie quand même sauf que vous ne la perdrez pas de façon très consciente et pas très plaisante non plus. L'Âme et la forme, les deux sont de la vie, mais pas dans le sens que vous l'entendez. C'est pour cela que nous vous disons : si vous êtes une Âme, c'est une sorte de vie, si vous êtes une forme, c'est une autre sorte de vie, mais les deux sont faites pour se compléter. De là l'importance de vous utiliser comme il faut, d'aller au-delà de vos limites tous les jours. Si vous vouliez tous vivre pour vous plaire vous-mêmes, votre monde serait beau, mais vous vivez tellement pour plaire aux autres ! Si vous faites tous cela, vous allez tous vous changer continuellement, personne ne saura qui il est. *(Symphonie, IV, 06–07–1991)*

T *antôt vous avez dit que vivre, c'est agir, et qu'agir, c'est arrêter*
de penser et d'analyser. Vous avez aussi parlé d'agressivité. Si
c'est comme une réaction au rond de poêle auquel on touche, si on
agit automatiquement sans penser, si on a un sentiment qu'on n'aime
pas et qu'on réagit automatiquement ?

C'est toujours contre vous-même que vous agissez en premier, mais vous en faites la démonstration aux autres. Vous êtes agressif envers vous-même, mais vous voulez le démontrer aux autres comme si vous vouliez faire payer aux autres; en fait, vous vous punissez psychologiquement.

Si c'est une chose qu'on ne veut plus avoir, qu'on veut régler ?

Nous avons déjà parlé de cela au début de cette session, des moyens de passer outre et de vivre. Plus clairement, nous avons dit que vous avez le choix de renaître et de vous foutre du passé et de recommencer à neuf, mais selon des bases que vous allez vous-mêmes établir, même s'il vous faut pour cela les écrire. Nous avons dit que vous pouvez régresser aussi, afin de pouvoir revivre l'événement et mieux comprendre, avec du recul si vous voulez. Cela ne vous donne aucune garantie que vous pourrez régler le problème, mais vous pourrez au moins savoir d'où il provient. C'est cela que nous vous avons dit. Notre suggestion est de régler votre agressivité en essayant de comprendre clairement si vous en savez le pourquoi. Si vous ne le savez pas, rétablissez l'ordre, suivez un cheminement nouveau et cela va aussi réussir. Nul besoin de vivre à reculons tous les jours. Vous parliez d'un rond de poêle : si vous n'y avez jamais touché au point de vous brûler, vous allez y toucher, mais généralement vous savez tous que c'est chaud. Faites la même chose avec les souvenirs que vous voulez enterrer. S'ils ne sont pas suffisamment clairs, pourquoi voulez-vous y toucher pour guérir ? On ne touche pas à un rond de poêle pour guérir mais pour savoir s'il est chaud ! Vos souvenirs, s'ils sont restés en vous, vous font bouger, vous font agir. Si vous voulez changer vos formes actuellement, c'est qu'il y a des raisons profondes à cela. Qui vous dit que vous ne serez pas deux fois plus en colère ? Contre qui voulez-vous revenir ? Un de vos frères ? Qu'est-ce que cela donnerait ? Vous ne changerez pas le passé ni les gens que vous avez côtoyés dans le passé. En revenant aujourd'hui et en les blâmant pour quelque chose, vous allez les éloigner, c'est tout. Oh ! vous allez régler votre problème, mais de la même façon que vous le régleriez en vous éloignant volontairement actuellement ou en vous ouvrant, en disant ce que vous croyez être la vérité et en passant à autre chose. Vous auriez tous des raisons de revenir vers le passé, de corriger des choses, mais qu'est-ce que cela vous donnerait ? Vivez-vous pour demain ou pour hier ? Vous pouvez vous accrocher aux religions si vous voulez, prier du matin au soir, cela ne réglera pas non plus vos problèmes. Au contraire, cela les atténuera parce que vous allez penser à autre chose. Cessez donc de voir vos vies comme étant si compliquées. Nous ne sommes sûrement pas là pour vous les compliquer davantage. Nous pourrions rendre ces sessions complexes, employer des termes compliqués, des définitions qui veulent dire trois choses... et il vous faudrait peut-être des théologiens pour convertir cela ! (*Les Âmes en folie, II, 18–05–1991*)

V ous voulez tous avoir accès à des dimensions différentes, n'est-ce pas ? Vous savez, ce ne sont pas toujours ceux qui disent vivre des événements farfelus hors du contexte de vos vies qui vivent réellement tout cela. Nous avons toujours aimé le terme simplicité et nous y croyons d'ailleurs. Effectivement, vous allez vivre différentes étapes dans vos vies qui vous conduiront où vous le voulez, où vous le souhaitez. N'est-ce pas en fait ce que vous voulez tous ? Tout ce qu'il vous faudra apprendre, c'est à lâcher prise un peu sur vous-mêmes, à concentrer un peu moins votre conscience sur votre quotidien, à garder un peu moins d'attache envers les autres, à développer un peu plus d'attachement envers vous-mêmes, à reconnaître votre droit de vivre. C'est cela prendre sa place dans le monde, être soi-même. C'est ne pas jouer le rôle que les autres voudraient vous donner, mais le vôtre. Cela entraîne beaucoup de changements, mais une fois cela atteint, il y a beaucoup plus de joies dans la vie. Pour réussir tout cela, il faut bien vous connaître, il faut au moins que vous sachiez pourquoi vous vivez et ce qui vous empêche de mieux vivre. [...] Donc, nous vous disions de mieux vous connaître, de mieux vivre, de mieux participer à la vie; cela vous convaincra. L'extraordinaire relève beaucoup plus de l'histoire que des faits réels. De toute façon, vous trouverez toujours des livres sensationnels vous démontrant des faits plutôt inusités, improuvables mais inusités. (*Les Âmes en folie*, III, 22–06–1991)

*J*e croyais que le seul message qu'on pouvait entendre de l'Âme c'était « Aime, essaie d'aimer de plus en plus parfaitement. » Est-ce que l'Âme peut nous donner d'autres messages que celui-là ? Est-ce que l'harmonie totale est l'amour plus autre chose ou est-ce seulement l'amour ?

Si vous ignorez ce que l'Âme veut, dans quelles directions iront vos vies ? Si vous ne savez pas, au départ, ce que l'Âme veut obtenir avec vous, dans votre forme, vous aurez beau l'aimer tant que vous voudrez, cela ne l'empêchera pas de vivre ce qu'elle doit vivre. Donc, de remplir le but de votre Âme est la plus grande préoccupation de vos formes; d'ailleurs, cela va déterminer vos agissements dans vos recherches pour trouver et justifier ce que vous faites dans la vie. Si vous êtes de ceux qui disent : « Oui, mais j'aime mon travail, j'aime ce que je fais, cela me rend heureux totalement et je vis bien pour moi-même aussi », il y a de fortes chances que vous soyez dans la bonne direction. Si vous êtes de ceux qui disent : « Je n'aime pas ce que je fais, cela me tue », il y a de fortes chances que vous ne soyez pas dans la bonne direction et que ça vous tuera aussi, puisque vous donnez à la fois la question et la réponse. À quoi bon s'entêter à ce niveau ? Vous avez toutes les réponses, mais le problème c'est que vous ne voulez pas toujours les admettre. Vous attendez des événements. Être à l'écoute de soi et être à l'écoute de l'Âme, vous savez, c'est la même chose. Ce qui vous convient lui conviendra. Si vous avez du malaise, si vous n'êtes pas bien avec vous-mêmes, demandez-vous ce qui ne va pas. Demandez-vous ce qui vous rend malheureux, c'est ce qui la rendra malheureuse. De passer outre à cela, de vouloir passer outre à tout cela, d'ignorer la vérité, fera que vous vous renfermerez sur vous-mêmes et que vous ne serez pas heureux. (*Les Âmes en folie, III, 22–06–1991*)

L '*acceptation de ce qui est, comment atteindre cela ?*

Ce que vous voulez dire, c'est : comment puis-je accepter ce qui se passe dans la vie. Est-ce que c'est cela votre question ?

Ce qui se passe dans ma vie, et peut-être davantage autour de moi, la maladie, la mort d'un jeune enfant, les situations où je me sens impuissante, où je ne peux rien faire pour aider.

Comment accepter le fait que vous ne puissiez avoir la force de sauver ceux que vous aimez, la force d'accepter ce que vous ne pouvez changer ? Vous avez à la fois répondu. Vous avez des limites dans vos formes. Ceux qui ont du regret sont souvent ceux qui n'ont pu régler ce qu'ils avaient à régler du vivant de ces êtres aimés. Oh ! nous savons ce que vous pensez, nous savons qu'avec un enfant, vous n'avez pas nécessairement quelque chose à régler. Mais regardez la richesse de vos formes, ce qu'elles retirent de tous ces exemples, l'ouverture que vous avez et que vous devriez prendre face à cela. Voyez comment vos émotions, vos sentiments s'éveillent alors que, pour vous, avant que cela ne se produise, rien n'importait, vous viviez pour vivre. Tout à coup, les émotions prennent un sens, les attaches prennent un sens, non seulement celles que vous avez envers la personne disparue mais envers ceux qui restent. Il y a des gens qui se disent malheureux et qui pleurent sur cela pendant des années. Est-ce que cela change le fait ? Trouvez ce qu'il y a de positif dans ce qui vous semble négatif. Vous y trouverez toujours une réponse. Toujours. Même si cela ne devait que vous permettre de vous rendre vers les gens que vous aimez et auxquels vous n'avez jamais démontré votre amour, ce serait déjà une grande victoire. Remarquez cependant que, dans vos mondes, il vous faut toujours des événements malheureux pour vous rapprocher, de la guerre à la perte de l'être que vous aimez, plutôt que de vivre tous les jours votre amour. Pourtant, lorsque vous avez tout vécu, il n'y a pas de regret. Il y a du regret seulement lorsque vous ne vous exprimez pas et que vous savez qu'il est trop tard. Voyez, les raisons peuvent être fort différentes d'une cause à l'autre, mais il y a toujours du positif. De notre côté, le négatif n'existe pas puisque cela s'appelle expérience. Plus vous allez vous servir des expériences, moins cela se reproduira. À quoi bon refaire un exercice déjà compris ? *(Les Âmes en folie, III, 22–06–1991)*

V *ous dites qu'un des buts importants dans notre vie, c'est de prendre contact avec l'Âme. Pour vraiment prendre contact avec l'Âme, est-ce nécessaire d'éliminer les blocages qu'on a vécus ou si cela peut se faire sans éliminer ces blocages ?*

Cela dépend de la façon dont vous considérerez ces blocages dans votre tête. Si vous en vivez le côté négatif, vous ne passerez pas outre. Si, d'un autre côté, vous en trouvez le côté positif pour vous, vous allez effectivement passer outre et rien ne vous arrêtera. Tout cela est question de confiance en vous et de volonté d'y parvenir. *(Les Âmes en folie, III, 22–06–1991)*

S *ommes-nous des appelés et avons-nous un rôle important à jouer ?*

Vous êtes tous des appelés dès votre naissance, tous autant que vous êtes. Des élus, des gens qui sont plus hauts que d'autres ? Non ! Mais, en vous, vous avez le droit d'y croire. Si cela vous fait progresser personnellement, croyez-le. Mais si vous voulez vivre seulement dans la conscience des faits, nous vous souhaitons bonne chance. Trouvez-vous que le monde actuel est si beau, qu'il mérite tant ? Nous ne trouvons pas. Vous avez choisi tous autant que vous êtes — et certains d'entre vous pour la deuxième fois — de vous rapprocher de nous, de faire des efforts, d'essayer de briser les barrières conscientes qui vous étreignent et vous étouffent. Vous avez trouvé cela difficile la première fois et vous avez remis cela à plus tard. Vous refaites maintenant des efforts. À ce titre, oui, vous êtes choisis. Cela fait de vous des êtres différents, mais pas aussi différents que lorsque vous aurez terminé, parce qu'il y aura beaucoup de changements. N'oubliez pas, s'il y a des changements en vous, il y en aura aussi autour de vous. Jusqu'à quel point souhaitez-vous ces changements ? À la base, vous avez raison : vous êtes tous appelés. On nous fait remarquer qu'il y a des gens qui dansent tout près d'ici. Nous pourrions nous servir de cet exemple en vous disant qu'il y a des gens qui ne savent pas danser mais qui dansent tout de même, qui font des efforts et y croient. Et le plus amusant, c'est que nous en observons qui sont assis et qui aimeraient danser mal. Avez-vous choisi la même chose dans votre vie ? Cette musique est très bien. Comme quoi tout ce qui est simple peut vous apporter des exemples. Mais nous nous rendons compte, encore une fois, que même les gens qui dansent le plus mal croient bien danser : c'est une forme de foi. *(Renaissance, I, 14–09–1991)*

 i nous sommes ici, c'est que nous cherchons une voie quelque part...

Vous recherchez vos voies.

Oui. Vous dites de s'écouter, de ne point chercher à l'extérieur, de chercher en dedans de nous...

Mais il vous faut comprendre ce qu'il y a en dedans de vous. Il vous faut pour cela éliminer toutes ces pensées qui vous atrophient, toutes ces fausses façons de vivre, tous ces poids quotidiens que vous vous infligez. C'est notre but avant même que vous nous disiez ce que vous faites ici. C'est notre but de vous montrer une voie, une porte de sortie que vous n'aviez pas encore imaginée, de vous démontrer à quel point nous sommes plus simples que tout cela et qu'en vous, lorsqu'il y a simplicité, vous êtes bien. C'est lorsque vous vous compliquez la vie que ça va mal. Il y a tant de questions restées sans réponse, tant de goûts d'ouverture de vos parts. C'est cela notre rôle. Mais vous n'allez pas à l'intérieur, pas encore. Par contre, nous nous dirigeons vers vos Âmes, et ce, depuis trois de vos semaines dans certains cas. Nous avons réglé certains problèmes de façon à vous laisser vivre plus facilement ce que vous devez vivre. Nous avons remarqué que certains d'entre vous avaient serré les freins de leur vie, car ils s'apercevaient qu'ils en perdaient le contrôle. Lorsque vous les desserrerez, vous nous laisserez agir un peu pour vous. Continuez votre question, s'il doit y avoir continuation.

Vous y avez répondu. (Renaissance, I, 14–09–1991)

A *u moment de prendre une décision, les choix nous paraissent souvent bons tour à tour et on ne sait plus très bien si c'est notre Âme ou le conscient qui nous guide ?*

Nous allons vous offrir trois choix. Nous allons vous demander de choisir entre le contenu de trois assiettes. En nous basant sur le rêve de cette forme [Robert], nous allons mettre devant vous une pleine assiette de crème glacée, mais aussi une pleine assiette de clous et dans la troisième assiette, ce que vous voudrez, peu importe la nourriture. Il est certain que vous ne choisirez pas les clous, n'est-ce pas ?

C'est vrai.

Mais savez-vous pourquoi ?

Parce que ce n'est pas très bon, pas très digestible.

Vous pouvez très bien imaginer quel effet cela aurait en vous, n'est-ce pas ?

Oui.

Lorsque vous aurez une décision à prendre, ne pouvez-vous pas, de la même façon, imaginer ce que serait votre vie si vous deviez prendre cette décision et vous fier à ce que votre forme vous donnera comme résultat ? Serez-vous heureux avec cela ou cela vous attristera-t-il ? Cela vous énervera-t-il ? Fiez-vous à cela. Votre forme répond, vous savez. Vous l'apprendrez avec nous plus tard. Donc, vous êtes des êtres tout de même intelligents, ce qui suppose que vous êtes capables de penser, pas toujours d'agir mais de penser. Faisant cela, vous êtes capables de savoir ce que vous ressentez. Fiez-vous à cela; ne vous trichez pas. Là où vous faites erreur, c'est lorsque vous vous mettez à rêver de ce que serait le résultat. Remarquez bien ceci : toutes les fois que vous pensez pour la première fois à un problème, vous avez toujours une émotion ou un sentiment qui s'y rattache. C'est lorsque vous y pensez trop que cela se gâte, parce que vous ne savez plus quoi penser et que vous créez un problème pour avoir une solution. Vous appelez cela courir après sa queue ou faire du surplace. Soyez tous honnêtes, les meilleures décisions de vos vies vous les avez prises rapidement, toujours ! Et celles qui ont été les plus pénibles sont celles que vous avez retardées pour ensuite vous dire : « J'aurais donc dû le faire avant ! » *(Renaissance, I, 14–09–1991)*

C'est plus une réflexion reliée à la question du suicide. Il y a des étapes dans ma vie où j'ai pensé au suicide. C'est à travers ces périodes-là que j'ai appris à grandir et à m'accepter.

Pour savoir ce qu'est la vie, il faut savoir ce qu'est la perdre. La forme devant vous [Robert] a vécu cela aussi, vous savez, de très près même. C'est cela qui l'a menée où elle est actuellement. Pour apprécier quelque chose, il faut savoir ce qu'est ce quelque chose, sinon vous l'ignorez. Vous croyez tous que la vie vous est due et cela devient même ennuyant pour vous. Lorsque vous passez près de vous enlever la vie et que vous revenez à la vie — bien souvent, c'est fait volontairement — vous en connaissez alors toute la profondeur, toute la portée. Donc, vous repartez à zéro de façon consciente et il est facile d'obtenir un peu mieux. C'est une bonne parenthèse.

Pourquoi ai-je encore tendance à le refaire ?

Vous ne criez pas assez. Vous gardez trop en vous, vous temporisez trop et vous exprimez vos mots de façon trop égale. Nous disons cela parce que nous vous avons vu souvent crier mais à l'intérieur de vous et cela fait une grosse différence. Il faut vous extérioriser plus que cela. Vous pourriez très bien chanter, vous vous retenez trop. C'est comme si vous aviez mis des freins à votre vie et que vous cherchiez à vivre une dimension trop intérieure. Cela punit la forme à la longue. Criez plus souvent, vous verrez, cela vous aidera. Dites-vous bien que, lorsque vous ferez cela, ce sont toutes les cellules de votre forme qui vont crier. Ne gardez pas toujours en vous tout ce que vous vivez. Laissez votre forme s'exprimer. Soyez à l'aise de le faire. Vous avez fait des pas énormes, vous savez. Ne gâchez rien surtout. (*Renaissance, II, 05–10–1991*)

Comment devons-nous organiser notre vie présente pour nous préparer à notre fin de semaine ? Comment devons-nous vivre actuellement avec nos bibites [bestioles, au sens de problèmes] et essayer de nous en débarrasser ?

Quelques instants que nous comprenions bien votre question, surtout en ce qui concerne les « bibites » ! Une question comme celle-ci englobe tellement de points... D'un côté, vous nous dites : en préparation à notre fin de semaine avec vous, et d'un autre : comment vivre. C'est plus que simple : en ne prévoyant rien, en n'ayant aucune attente, ni envers vous ni envers nous; en développant votre confiance et en développant votre foi tous les jours. Ne vous est-il jamais venu à l'idée que tous les soirs vous mouriez, et que tous les matins vous renaissiez ? N'est-il pas bon de savoir que vous avez le choix de vivre toutes les fois que vous vous éveillez ? Rien ne vous assure, lorsque vous vous endormez, que vous allez vous rendre au lendemain. Vous n'avez aucune garantie pour cela. Pourtant, vous ne rendez grâce à personne lorsque vous vous éveillez. C'est comme un dû, comme si cela vous est dû. Pourquoi prévoir ? De toute façon, il n'y a rien à prévoir. Quels efforts mettrez-vous chacun pour bien comprendre, pour bien vous laisser vivre ? Cela changera l'effet de la fin de semaine. Mais vous vivrez cela de façon individuelle. Quel plaisir y aurait-il à vivre aujourd'hui s'il n'y avait pas de lendemain ? Qui d'entre vous songe à cela ? Songez-y ! C'est de l'espoir, vous savez. Si vous saviez tous que personne ne vivrait demain, que feriez-vous aujourd'hui ? Le fait de savoir que vous pourrez continuer le lendemain devrait vous donner le goût de vivre aujourd'hui même. Cela veut dire de ne pas faire toute sa vie dans une seule journée. Votre question est très intéressante, mais elle dénote beaucoup d'anxiété, beaucoup d'angoisse aussi, à l'idée de vous rendre à cette date. En ce qui nous concerne, voilà ce que nous pouvons vous répondre. Avons-nous répondu à votre question ?

À la première partie, oui, mais pas à la deuxième.

Reposez cette question différemment maintenant.

Comment pouvons-nous faire pour « dealer », pour s'occuper de notre quotidien tous les jours sans devenir fous dans tout cela ?

Vous savez, être fou donne beaucoup de latitude ! Là où il n'y a pas de latitude, les gens sont coincés dans leurs pensées... Vous savez, ces gens dits équilibrés qui croient que leur vie est programmée comme un cadran, minute après minute, jour après jour. Le mieux qui peut vous arriver, c'est la folie. Cela vous donne beaucoup de liberté. Cessez donc de vous mettre des pressions continuellement, en prenant tout au sérieux comme si vous deviez tout régler vous-mêmes. C'est cela qui vous cause vos problèmes de tous les jours. Vous essayez de penser à tout. Vous essayer de tout régler par vous-mêmes. De notre côté, nous voyons cela comme un doute énorme, comme un manque de confiance autant en vous qu'en nous. Nous vous avons dit combien de fois que votre Âme pouvait elle-même tirer les ficelles de votre vie. Mais pour cela, il vous faut au moins le reconnaître. Vous êtes tellement préoccupés par vos « bibites », tellement occupés à « *dealer* » comme vous dites ! Savez-vous que ce terme relève du jeu de hasard ? Qu'il veut dire non planifié ?... Que faites-vous avec les bibites ? Vous les exterminez, n'est-ce pas ? Faites-en autant avec vos problèmes quotidiens. Cessez d'y penser et passez à l'action : vous ne « dealerez » plus, vous avancerez. Cessez de voir votre quotidien comme un jeu de roulette, en croyant arriver chaque jour sur le bon numéro et en vous posant des questions continuellement. Avons-nous répondu cette fois ?

Très bien. (Renaissance, III, 09–11–1991)

C omment être en harmonie et conserver sa paix intérieure ?

Pour plusieurs ici, c'est utopique. C'est une guerre de tous les jours. La paix intérieure, c'est l'acceptation totale de soi, une confiance en soi inébranlable. Cela veut dire que vous avez appris à repousser les « mémères » de votre vie et les commères aussi, bien que cela se ressemble. Cela veut dire être tellement bien avec vous-mêmes que vous le souhaitez aussi pour les autres. Être en paix avec soi-même, c'est vivre ses émotions, vivre ses sentiments, mais c'est s'exprimer en premier, ne pas se refermer sur soi-même. Mieux que cela, c'est ne pas vivre avec le passé, vivre la journée même et accepter qu'il y aura un lendemain, mais qu'il ne sera jamais aussi important que la journée même. En vous disant cela tous les jours, toutes vos journées seront importantes. Le passé, vous ne pouvez qu'y rêver. En fait, c'est cela le passé : vous ne le vivez pas, vous le rêvez. Et que valent les rêves une fois qu'ils ont été vécus ! Une personne qui est bien avec elle-même est générale-ment en harmonie avec elle-même. Deux synonymes en fait !

Ce que je comprends, c'est qu'une fois qu'on a appris, qu'on a développé sa confiance en soi et qu'on s'est accepté de façon totale, on arrive à vivre l'harmonie ?

Il faut aussi s'exprimer de façon totale aussi, cela compte aussi ! Lorsque vous vous exprimez dans vos vies, dans vos quo-tidiens, vous ne dites bien souvent que 10 % de ce qui doit être dit. Comment voulez-vous vivre 100 % de votre vie si vous ne vous exprimez qu'à 10 ou 20 % ? Personne n'a dit que c'était facile de vivre pleinement. Si vous voulez vivre pleinement votre vie, vous devrez le faire à tous les niveaux, au niveau des émotions et des sentiments aussi. Cela veut dire apprendre à vous exprimer tous les jours. Vous avez tous admiré un jour le sommeil d'un enfant, la rapidité avec laquelle il s'endormait même après une journée qui vous aurait tous fatigués bien avant cela. Vous avez tous dit : « Oh ! mais les enfants ont de l'énergie à revendre; ils sont jeunes ! » Êtes-vous vieux ou sont-ils vraiment jeunes ? Comment se fait-il dans ce cas que vous dites parfois : il n'y a pas d'âge ? Vous savez, ces jeunes, ces enfants comme vous dites, s'ils dor-ment si bien, c'est qu'ils disent ce qu'ils pensent. C'est qu'ils font en sorte aussi que leur forme s'exprime. En d'autres termes, ils n'ont pas peur d'être eux-mêmes. Oh ! nous venons d'entendre vos réflexions : « Nous savons. Ils n'ont pas de responsabilités. Ils ne connaissent pas la vie ! » Vous l'avez sûrement oublié, mais la période la plus risquée de votre vie, vous l'avez tous déjà passée à votre naissance. Regardez ces formes qui ne cessent de croître jusqu'à l'âge de 17 ou 18 ans. Vous ne trouvez pas que cela aussi demande de l'énergie, entraîne de la fatigue et exige de la responsabilité ? Apprenez donc à vous servir de ce que vous appelez des malheurs et qui n'en sont pas, de ces expériences quotidiennes que vous appelez des « bibites » — nous n'oublierons pas ce terme. Apprenez donc à vous en servir comme des forces plutôt que comme des problèmes. Vous retournerez cela à vos avantages. Si vous prenez cela comme de vrais problèmes, vous en aurez. Lorsque vous apprendrez que les problèmes n'en sont pas et qu'ils ne sont que conscients, vous changerez vos vies au complet. Nous ne sommes pas utopiques. Qu'est-ce qui peut vous arriver de pire que mourir ? Nous avons fait un commentaire à une personne ici présente. Nous ne faisons pas souvent ces commentaires lors de sessions de groupe; nous le faisons seulement lorsque c'est très important. *(Renaissance, III, 09–11–1991)*

Nous ne le dirons jamais assez : que vous vous compliquez inutilement la vie ! Vous êtes rendus au point où il vous faut vous interroger pour savoir si vous avez le droit d'être heureux seuls, ou s'il faut justifier ce droit par le couple ou par des aventures continuelles pour vous prouver que vous avez de l'amour. Il y a seulement 20 de vos années, vos vies de couple étaient considérées comme ce qu'il y avait de plus sérieux; elles étaient basées sur les enfants... Nous savons qu'il y avait une grande part d'obligation. Mais regardez-vous actuellement : qui parmi vous sait vraiment où il en est ? Chaque jour tout change si vite qu'il vous est difficile de tout suivre. Ce que vous avez trouvé de mieux, c'est de chercher des justifications pour vous rassurer. Nous vous rassurons. Vous entreprenez des changements ? Dites-vous que c'est pour le mieux et que c'est pour vous. Démontrez votre amour mais démontrez-*vous*-le en premier. Ceux qui accumulaient pour leurs vieux jours — vous les vivez actuellement —, faites-vous donc un cadeau ! Des êtres qui ont tant d'amour et qui cherchent tant à en donner, mais qui ont tant de difficulté à s'en donner à eux-mêmes ! C'est cela qu'il faut que vous compreniez. Vous avez ce droit et c'est même une obligation, sinon ne cherchez pas l'amour à côté de vous.

Vous voulez dire qu'il faut se donner de l'amour en acceptant de vivre sa vie, d'être bien chaque jour dans ce qu'on fait ?

Totalement et, si cela ne va pas, changez cela. Sinon, vous allez changer vos formes par vos comportements, par vos attitudes, ce qui vous rendra malheureux. Ce n'est pas nécessairement chaque activité qui vous rend malheureux mais l'accumulation de tout ce qui ne va pas, comme dans vos vies de couple qui ne fonctionnent plus. L'accumulation : plutôt que de régler les problèmes au jour le jour, vous remettez sans arrêt à une autre fois, et encore à une autre fois, puis cela devient trop lourd. Combien quittent leur emploi comme cela ? La majorité, par accumulation. Est-ce une preuve d'amour de soi ou n'est-ce pas plutôt de l'endurance ? Cela rejoint vos questions sur les couples.

Pourquoi dites-vous qu'on vit nos vieux jours maintenant ?

Nous avons mentionné cela pour ceux qui accumulaient leurs sous pour leurs vieux jours, car ils vivent déjà en vieillards. Que font les gens très âgés sinon économiser leurs sous pour leurs vieux, vieux, vieux jours. Ils font cela. Il y en a qui ont 30 ans et qui font la même chose. Imaginez-les à 80 ans : ils auront trop de sous... mais ils auront de beaux enterrements ! Remarquez que plusieurs s'enterrent chaque jour de leur vie, sans sous; ils s'enterrent un peu plus d'une journée à l'autre. *(Renaissance, IV, 07–12–1991)*

J e reviens à notre groupe et aux changements dans le monde. *J'ai tellement de difficulté à changer moi-même, je ne peux pas voir comment mes changements peuvent aider les continents ou l'humanité.*

C'est pour cela que vous ne voyez pas les changements pour l'humanité; c'est parce que vous voyez le vôtre, parce qu'il vous faut accepter le vôtre d'abord. Regardez ces trois derniers mois seulement, vous avez fait énormément d'efforts, ne serait-ce que dans votre milieu familial. Nous avons tiré des ficelles pour vous en milieu d'affaires, vous le savez, pour que vous puissiez comprendre, vous retrouver, accepter de ne pas envoyer votre forme à la mort trop rapidement. Vous aviez déjà trop exigé. Considérons la relation entre vos formes et votre conscient. Dans le but d'aller plus loin, vous faites trop travailler votre forme. Ce qui se produit, c'est que d'un côté vous devenez plus riche, vous vous procurez des produits en plus grand nombre, vous obtenez une plus grande liberté mais, d'un autre côté, votre forme, elle, perd ses forces et devient plus épuisée. Alors, vous chercherez à être heureux et votre forme ne vous suivra pas, par fatigue. Vous n'aurez donc rien gagné. Un simple exemple pour vous, regardez votre passé. Ne trouvez-vous pas qu'il y aurait eu plus d'heures à passer avec votre famille dans le passé ?

Oui.

C'est tout cela qui fait qu'aujourd'hui, sans que vous ayez besoin d'y penser, votre forme réunit tout cela, tous ces événements, toute cette fatigue vécue et vous pose la question : « Es-tu plus heureux ? » C'est ce qui vous tourmente. C'est ce qu'il vous faut changer. C'est ce que vous avez tenté de faire avec nous et que vous tentez toujours de faire. Même nous accepter vous fut difficile car admettre vous pose encore un dilemme, vous qui êtes porté à faire des efforts physiques et conscients. Vous aviez à comprendre que, même si vous aviez la plus grande fortune de ce monde, vous ne seriez pas mieux pour autant, qu'il y a d'autres priorités dans la vie. *(Renaissance, IV, 07–12–1991)*

V ous mentionnez qu'il faut s'accepter. Je suis d'accord, mais quand on n'aime pas un travail, il ne suffit pas nécessairement de l'accepter, il faut le changer.

Jusque-là c'est un bon raisonnement. Parce que, si vous ne changez pas votre travail, vous allez vous changer quelque part. Vous allez vous détester de faire un travail que vous n'aimez pas. Vous allez vous dire à la longue: « Que je suis bête, que les journées sont longues ! » Une bonne journée, vous n'en pourrez plus et vous allez changer d'emploi, et vous vous direz alors : « Que je suis bête de ne pas l'avoir fait avant ! » C'est toujours comme cela. Il faudrait apprendre à vivre un peu plus avec des coups de tête parfois plutôt que de vivre avec cette fausse sécurité de l'emploi. Parce que vivre contre le courant de vos vies, c'est vous rendre malades à tous points de vue. Comme vous n'admettez pas facilement la maladie, vous la justifiez chez des gens qui vous entourent pour ne pas vous rendre encore plus malades. C'est cela vos vies. Pensez moins, agissez plus. Oh ! il y en a qui ont de la volonté, beaucoup de volonté, mais qui continuent d'accumuler. Leurs formes en prennent un grand coup. Si ces gens ne comprennent pas, s'ils attendent que leurs coeurs lâchent pour comprendre, ce sera malheureux. Que faites-vous avec vos enfants lorsqu'ils font un geste qui n'est pas bien ? Vous leur tapez sur les doigts... enfin, vous leur tapiez sur les doigts. Actuellement, vous les récompensez mais, dans le passé, vous aviez moins peur, vous les tapiez. Que faites-vous avec vous-mêmes lorsque vous faites quelque chose que vous n'aimez pas et qui n'est pas bien ? Vous vous punissez. C'est comme cela que vous avez appris à vivre : récompensés pour les bonnes actions, punis pour les mauvaises. Comme vous ne vous tapez pas vous-mêmes, vous allez vous rendre malades. Ce n'est pourtant pas compliqué. Il s'agit de vouloir et de le faire. Oh ! nous venons d'entendre deux objections : « Je vais descendre dans l'échelle sociale, je n'aurai plus mes avantages actuels, je serai inférieur. » Mais vous l'êtes déjà en acceptant de l'être dans votre propre vie, en acceptant de mourir, en refusant d'être vous-même. Se reconnaître, c'est un don. Vous l'avez tous. N'attendez pas votre dernière journée de vie pour vous dire que vous auriez dû le faire. Cette journée-là, il sera trop tard. À ceux qui ne sont pas heureux à leur travail mais qui se trouvent des raisons pour l'être, des avantages sociaux, nous souhaitons bonne chance ! Peut-être l'incinération fait-elle partie de ces avantages sociaux ? Un jour ou l'autre, ils en auront besoin. Nul ne peut vivre dans sa propre ignorance. Si vous acceptez de faire une concession en sachant que cela ne vous convient pas, c'est donc que vous vous êtes déjà jugés. Mais il n'est jamais trop tard. Rappelez-vous ce que nous vous avons dit : s'il vous faut trois ans pour vous rendre malades, il vous en faudra six pour vous rétablir, mais au moins vous n'empirez pas la cause. Il y en a qui viennent de respirer profondément. Nous espérons qu'il s'agit de soulagement. Quelques-uns se sont sentis visés effectivement. Nous faisons en sorte que cette session soit plus longue que d'habitude, pas pour que Françoise écrive plus, mais pour que vous puissiez en profiter. Nous devons accélérer cependant. (*Renaissance, IV, 07–12–1991*)

E st-ce qu'on peut vivre à l'encontre de ce que veut vivre notre
Âme ?

Tout à fait. La majorité des gens ne font que cela et c'est pourquoi rien ne va. C'est pour cela que vous recommencez expérience après expérience au point de vous décourager, au point d'en avoir assez de la vie; vous en arrivez à vous tenir avec des gens qui ne réussissent pas parce qu'ils vous comprennent, parce qu'ils sont comme vous. Nous ne nous adressons pas seulement à vous, mais nous généralisons ce fait pour que d'autres le comprennent. Le gros problème, c'est que les gens s'écoutent eux-mêmes mais ne savent pas qu'ils ne jouent qu'un jeu conscient, et cela n'est pas la réalité. De fonctionner seulement comme cela ne peut que vous amener des problèmes. Qui ne connaît pas une personne qui va de malheur en malheur, d'un emploi qu'elle n'aime pas à un autre emploi qu'elle n'aime pas et qui dit : « Moi j'aime mieux ne pas sortir car je rencontre toujours des gens que je n'aime pas. » Tout cela pour s'apercevoir qu'elle ne s'aime pas elle non plus et qu'elle ne permet pas aux autres de l'aimer. Vous vous imposez vous-mêmes vos limites, de même que vous créez votre propre monde et tout ce qui l'entoure. Nous devons vous apprendre à briser ces barrières, à cesser de vous rendre malheureux vous-mêmes et de rendre les autres malheureux. Cela ne fait que justifier le malheur, mais ne lui donne pas raison. Pour répondre en un seul mot à votre question : oui. Nous irons dans les détails plus tard; pour l'instant, ce n'est qu'une ouverture. *(Le fil d'Ariane, I, 28–09–1991)*

E st-ce qu'il y a une notion universelle et intemporelle du bien et
du mal ou est-ce culturel ?

Quelle question ! Le bien et le mal existent en tout, comme vos défauts et vos qualités. Parfois, vous allez faire mal pour vous faire mal à vous-mêmes, pour comprendre que vous n'agissez pas bien. Cela est dans tout, pas seulement à l'extérieur de votre connaissance. Dans d'autres mondes aussi, cela existe, mais vous le maîtrisez mieux que les autres. Reformulez votre question autrement.

Ce qui est bien pour moi, au Québec en 1991 et ce qui est mal, est-ce que cela ressemble à ce qui est bien et mal pour un musulman en 1991, ou pour des personnes qui ont vécu en 1300 ?

Cela est fort différent. Encore une fois, le mal qui se produit actuellement, lorsque vous faites le mal en toute conscience, c'est une part de vous qui part, qui disparaît. Ce sont vos cellules qui regrettent tout cela. Vous croyez que vous êtes limités à la pensée ? Ce n'est pas exact. Vos formes réagissent maintenant. Une preuve simple à cela ? Regardez les cas de cancer. Ce n'est pas à cause des pommes de terre, vous savez, ni de vos carottes. Cela n'a rien à voir ! Vos façons de penser, ne serait-ce que dans les 20 dernières années, ont été largement modifiées, vos façons de vous en vouloir aussi. Plus vous êtes conscients de vos valeurs, plus vous êtes conscients de vos réalités, moins vous pouvez vous tricher, parce que ce sont vos formes qui répondent. Nous pourrions parler aussi de vos comportements, ne serait-ce que de ceux qui partent travailler le matin. Dès qu'ils ont les yeux ouverts, ils se disent : « Encore une autre ! ». Dès qu'ils arrivent à leur travail : « Mon travail va me faire mourir », puis « un tel me fait mourir » et puis « un tel m'étouffe », puis « je ne suis pas heureux ». Le lendemain, ils refont la même chose. Ne savez-vous pas que vous apprenez en répétant ? N'est-ce pas comme cela que vous avez appris à lire et à écrire ? Plus vous répéterez votre malheur, plus vous en serez convaincus, et pas seulement votre cerveau mais aussi toutes les cellules de vos formes. Pas une seule de vos cellules n'ignore la réalité. À la question précédente, nous disions que vous savez faire la différence entre le bien et le mal parce que vous le ressentez bien. C'est donc toute votre forme qui le ressent. C'est la même chose lorsque vous pensez ne pas être heureux. Il est important de faire cette distinction. Voici une preuve encore plus simple. Il a été prouvé dans vos laboratoires que, si vous placez 500 cellules saines dans des bocaux différents non reliés les uns aux autres et que vous mettez une seule cellule malade dans un bocal, toutes les autres cellules vont mourir. Vous ignorez beaucoup sur vos formes. Vous croyez que vous communiquez seulement par la pensée. Foutaise ! Vos formes communiquent entre elles juste en étant rapprochées les unes des autres. Mais vous n'utilisez pas cela. Par exemple, vous avez tous vécu déjà la sensation de ne pas être à l'aise avec une personne avec laquelle vous n'avez jamais parlé, même si elle était dans votre dos. C'est que vos formes se ressentent entre elles. Plus que cela, vous dites tous : qui s'assemble se ressemble. Et vous mettez dans vos hôpitaux, quel malheur ! des gens qui ont des cancers. Vos formes sont vulnérables dans ces endroits. Même une personne en santé y deviendrait malade ! Vous ne vous connaissez pas bien. Donc, ce n'est pas en vous programmant le matin, en vous disant : « Je n'aime pas cette journée » avant qu'elle ne débute qui fera que votre forme sera heureuse de vivre. Et ce n'est pas cela qui va rendre votre Âme heureuse non plus, parce que ce serait comme de lui dire : « Je me fous de toi, je me fous de ta réalité, mon conscient me dit que je n'aime pas ce que je vis et c'est ainsi ». *(Le fil d'Ariane, I, 28–09–1991)*

 i les gens sont si malades, ne serait-ce pas parce qu'ils gardent en eux les restrictions et les limitations...

C'est ce que nous venons de dire.

Oui, mais de ne pas les exprimer, de ne pas les vivre parce que c'est en opposition avec leur notion du bien et du mal ?

Il n'y a pas une seule personne ici qui ignore ce qu'est le bien et le mal, sauf que vous vous convainquez souvent du contraire parce que cela vous arrange. Mais vous ne pouvez pas vous tricher constamment. Plus vous vous convaincrez du contraire — nous l'avons dit au début de cette session — plus cela va revenir contre vous d'une façon ou d'une autre. Vous pouvez tricher, mais vous ne pourrez pas le faire très longtemps sans corriger. Par ailleurs, vous savez très bien que, lorsque vous agissez mal envers une autre personne, vous ne pouvez vivre avec elle, vous ne pourrez pas la regarder droit dans les yeux, à moins d'être un très grand comédien. Vous le savez quand vous trichez. Vos mondes, vos nations font la même chose. Elles se nuisent entre elles et ne peuvent se regarder, cohabiter. C'est la même chose, mais à grande échelle. À plus petite échelle, c'est dans vos formes. Vous ne pouvez plus cohabiter avec vous-mêmes. Vous êtes conscients maintenant, conscients des douleurs intérieures, des maladies, et dans le détail même. Rien de mieux qu'une journée froide et une personne qui a un rhume pour faire penser aux autres qu'ils vont l'avoir. C'est excellent ! C'est la même chose lorsqu'une personne que vous aimez a le cancer. Tout de suite vous pensez à vous-même : « Si je l'avais... », et vous pensez à passer des examens. Mais vous ne pensez pas à vous changer. *(Le fil d'Ariane, I, 28–09–1991)*

*V*ous avez dit que nos vies se font à chaque seconde. Est-ce qu'on peut conclure qu'il n'y a pas de destinée ?

Vous avez la destinée que vos pensées veulent former pour vous. En fait, il importe peu à l'Âme que vous soyez médecin ou ingénieur, que vous ayez des condos partout dans ce monde. Cela ne lui importe pas. Si vous allez dans sa direction, si vous êtes pleinement heureux, elle sera heureuse malgré ce que vous posséderez. Tant mieux si vous possédez davantage. Vos destinées sont selon ce que vous tendez à être, mais c'est vous qui le décidez, pas les Âmes. Cela devrait être le contraire. *(Le fil d'Ariane, I, 28–09–1991)*

*F*inalement, c'est quoi le but de nos vies ?

De retrouver l'union de l'Âme et de la forme, de comprendre que l'Âme veut s'exprimer par vous. Et lorsque vous aurez compris comment vous exprimer et que vous aurez retrouvé le bonheur, la joie de vivre, vous pourrez le recommuniquer aux autres, ne serait-ce que parce que les autres vous verront vivre. N'oubliez pas, il existe une règle, celle du donnant, donnant. Ce que vous donnerez à votre Âme, elle vous le redonnera. Nous vous le disons, vous êtes matériels. Par exemple, si votre plus grand souhait n'était que d'avoir une automobile à vous, mais que d'un autre côté vous savez fort bien que vous faites ce qu'il faut pour être heureuse et que vous parvenez à être heureuse, votre Âme tirera les ficelles nécessaires, ne vous en faites pas. Mais il faut avoir confiance. Plus que cela, il faut savoir reconnaître que cela vient d'elle. N'est-ce pas ce que vous appelez la foi ? *(Le fil d'Ariane, I, 28–09–1991)*

E st-ce qu'elle existe, la perfection ? Est-ce qu'il y a une source
parfaite à quelque part ?

Bien sûr que la perfection existe. Une question pour vous de
notre part maintenant, avant de répondre à cela. Vous est-il arrivé
d'être très heureuse, débordante de joie ?

Oui.

Souvenez-vous de cette journée. Vous avez cela en vous ?

Oui.

Que la personne à vos côtés vous regarde bien. Demandez-
lui donc maintenant si elle ressent votre joie ? Elle vous dira non
parce que c'est vécu seulement par vous. Donc, vous savez ce
qu'est être très heureuse parce que vous l'avez vécu. Avez-vous
atteint la perfection ?

Non.

Regardez la personne à côté de vous. Sait-elle ce qu'est la
perfection pour vous ?

Non.

Exactement. Il y a des gens ici qui croient avoir atteint la perfection, selon leurs normes, parce qu'ils sont heureux, et pas seulement un jour mais tous les jours. La perfection, c'est cela. C'est
d'accepter et d'admettre d'être heureux pleinement. D'accepter le
droit de l'être. C'est comme cela que vous serez parfaits, en étant
aussi parfaits que vous le désirerez. Ne dites-vous pas qu'il y a
toujours place à l'amélioration ? Qui donc peut baser la perfection
dans votre dimension ? Une question pour vous : dans votre mentalité actuelle, est-ce que Dieu est parfait, la perfection même, tel
que vous l'avez mentionné ? Est-ce que vous vous le représentez
ainsi dans votre tête ?

J'ai besoin d'y croire.

Exactement. Quelle était donc cette question déjà ? Peut-être
aimeriez-vous la reformuler autrement ? Parce qu'en fait, c'est
cela le lien. Vous avez besoin d'y croire parce que votre vie n'est
pas totalement comblée, totalement heureuse. Vous allez y croire

lorsque vous serez heureuse tous les jours. Vous direz : « Pour moi, c'est cela être parfait, c'est cela être heureux. » Et ce sera votre définition, pas celle des autres. Donc, la perfection sera toujours ce que vous aurez décidé qu'elle sera.

Si la perfection est l'idée que je m'en fais, donc le mal et le bien sont aussi l'idée que je m'en fais ?

Tout à fait, ce sera votre dimension à vous. Encore une fois, pour revenir à notre première réponse, vos définitions du bien et du mal diffèrent d'une personne à une autre. Vous n'êtes pas toujours d'accord non plus avec certains jugements, parce que c'est l'idée d'un juge, d'une personne. De même, votre idée de la perfection et votre idée du bien et du mal est différente chez chacun d'entre vous. C'est donc dire que ce sera ce que vous voudrez donner comme limites à ces définitions qui compteront. Établir une norme, une définition totale de la perfection, du bien et du mal pour tous dans ce monde, ce n'est pas faisable parce que vous n'avez pas tous les mêmes coutumes. Dans certains pays actuellement, il est permis d'avoir trois, quatre ou même cinq épouses. Accepteriez-vous cela ? Ces gens sont parfaits avec cinq épouses, selon leur façon de voir. D'autres ont droit de regard sur d'autres vies et ils en ont le droit, selon eux. Pour vous, c'est mal; pour eux, c'est bien. La définition du mal et du bien, tout comme de la perfection, se trouve dans vos têtes, dans vos continents et dans les pays. C'est pourquoi il n'est pas toujours facile aux immigrants d'habiter un autre pays : les coutumes, les mentalités, comme vous dites. Désirez-vous reformuler la même question ?

Non, je vais y réfléchir. Je vous remercie.

Comme vous n'êtes pas certaine, vous devrez la reposer avant la fin de cette session. Reformulez votre question de façon à mieux la comprendre vous-mêmes. *(Le fil d'Ariane, I, 28–09–1991)*

 st-ce qu'on peut passer à côté de grandes joies dans la vie...

Quotidiennement.

Parce qu'on est contraint par des notions de bien et de mal ?

Tout à fait ! C'est une question fort différente de la première sur le même sujet. Tous les jours, lorsque vous vous efforcez de ne pas voir ce que vous êtes, vous passez à côté de ce qui est bon pour vous. Il n'y a plus qu'un pas à franchir pour voir ce qui est bon et ce qui est mal, et surtout pour tricher, pour rendre bon ce qui n'est pas bon et rendre mal ce qui est bon. C'est comme cela que vous agissez. Vous relirez la transcription du tout début de cette session où nous en avons discuté; cela pourrait être plus clair. En résumé : oui, et tous les jours. *(Le fil d'Ariane, I, 28–09–1991)*

*E*st-ce que la vérité et le bonheur sont accessibles dans cette incarnation ? Est-ce qu'on peut prétendre les ressentir au plus profond de soi ?

En fait, il s'agit de deux questions. Si vous pouvez les ressentir au fond de vous ? La réponse est très certainement oui. La preuve ? Lorsque quelque chose de bien arrive dans votre vie, vous le ressentez, vous savez que c'est bien et vous le vivez bien. Donc, vous savez la différence entre ressentir ce qui est bien ou non. Cela ne fait pas de doute. Quant à savoir si le bonheur est accessible dans l'incarnation présente, cela dépendra de chaque individu, de sa façon de croire et à quel point c'est ancré en lui. Pour certains, la croyance se situe seulement au niveau de la pensée superficielle : ils pensent, donc ils sont. Ce n'est pas le cas. Pour d'autres, la croyance, c'est beaucoup plus profond. Le bonheur n'est pas le même pour tous. Si vous étiez tous les mêmes, que vous viviez tous les mêmes expériences avec des Âmes qui en sont au même point, effectivement, nous pourrions répondre pour tous. Une question pour vous : vous nous parlez de bonheur, mais quelle est la limite du bonheur selon vous ? En d'autres termes, qu'est-ce que le bonheur ?

> *J'ai beaucoup de difficulté avec les mots que je veux exprimer. Pour moi, le bonheur, c'est très simple : un lever de soleil, une marche en forêt à l'automne. Des choses simples comme cela. C'est à ce moment qu'on peut ressentir vraiment au plus profond de soi ce qu'est le bonheur. Ce n'est pas dans les détails et dans la recherche des biens matériels, mais en appréciant les belles choses, la création.*

Très bien, mais que faites-vous de ceux qui ne seront heureux qu'à la condition d'avoir trois maisons, deux chalets, trois automobiles, et de ne travailler que deux mois par année ? Est-ce qu'ils se trompent ? Ou ont-ils plutôt une idée du bonheur différente de la vôtre ? Les deux sont légitimes, selon ce que vous voulez vivre. D'un côté, vous nous avez dit que pour vous le bonheur, c'est de ne faire qu'un avec ce qui vous entoure, c'est de vivre ce qui vous entoure. Sur ce point, nous sommes d'accord parce que, si vous faites cela, vous voudrez faire un avec l'Âme aussi. Par contre, si vous agissez de façon très consciente, plus mentale, vous allez vous diriger vers les biens matériels et vous allez vous y enfoncer tant que vous ne trouverez pas le bonheur, et même si vous possédez tout, ce qui est impossible. Donc, c'est artificiel. De ressentir le bonheur, oui, mais à quel prix et dans quel but ? Sachant cela, reformulez cette question autrement.

J'y reviendrai si vous le permettez.

Très bien, mais nous y tenons tout de même. *(Le fil d'Ariane, II, 19–10–1991)*

E st-ce que dans notre Univers il existe une vérité immuable ?

La vôtre. Votre présence, vous-même, celle de l'Âme, celle de la dualité dans l'unicité, donc vous. Cela est une vérité. Continuez cette question.

Ma question sur le bonheur, j'y reviendrai. Vous avez très bien répondu à la question sur la vérité, je vous remercie.

Nous vous en remercions. Le bonheur consiste, en règle générale, à s'accepter afin d'accepter ceux qui vivent avec vous et dans votre entourage. Si vous n'acceptez pas l'ensemble que vous êtes, si vous persistez à croire que l'Âme n'est que de la foutaise et que vos cerveaux régleront tout, nous vous souhaitons bonne chance ! Vous allez trouver que le bonheur s'achète. Dès que vous vous accepterez totalement, que vous comprendrez le fonctionnement de vos vies et de la vie en général, vous allez apprendre à demander, vous allez apprendre à recevoir et cela vous rendra heureux, donnera un sens à vos vies. Tant que vous chercherez sans oser, tant que vous demanderez comme des enfants gâtés, sans y croire, tant que vous demanderez juste pour avoir comme le font les enfants, vous n'aurez rien. Vous n'êtes pas des enfants « gâtés pourris ». À nos yeux, vous êtes des êtres humains, vous avez tous une Âme, cette énergie qui peut vous rendre la vie facile ou compliquée... comme vous pouvez en faire autant d'ailleurs. Vous en êtes à démêler tout cela, à distinguer le vrai du faux dans vos vies. Il est important de commencer par le début afin de pouvoir demander et d'être entendus. Qu'est-ce que le bonheur sinon d'aimer la vie, de pouvoir demander et recevoir, d'être heureux de se lever le matin et, au coucher, d'avoir hâte de se réveiller. Il n'est pas normal actuellement que vous fassiez des nuits de 8 à 12 heures et que vous vous leviez fatigués. [commentaires sur Robert et ses besoins de sommeil] Trouver le bonheur en vous est simple : il faut l'admettre, il faut commencer par admettre que vous avez droit au bonheur. Vous n'avez pas à le quêter, c'est un droit acquis, même si vos religions vous ont dit le contraire. *(Le fil d'Ariane, II, 19–10–1991)*

S i je comprends bien, plus on va se prendre en main et vivre pour nous-mêmes, moins les influences qu'on a de la société...

Compteront, parce que vous allez vous reprogrammer selon vos choix, pas selon ce que la société voudra faire de vous, pas selon ce que la société voudra que vous rapportiez. C'est toute votre vie que vous allez modifier, tous vos moyens de subsistance que vous allez rajuster.

Donc, en se changeant soi-même, on change la société autour de nous.

Comme vous êtes raisonnable dans vos agissements et vos pensées ! C'est pour cela que nous ne changeons pas une société de force, à moins d'y être obligées. De façon individuelle, vous comprenez plus vite. Voici un exemple pour bien vous le faire comprendre. Si nous vous disions : « Très bien. Votre emploi vous ennuie, nous le savons. Nous allons vous donner le choix de réajuster toute votre vie, de faire beaucoup moins de travail mais de réajuster toutes vos dépenses, de vous accorder de six à huit mois pour comprendre que vous jouiez un rôle qui n'était pas le vôtre et, après ces huit mois, vous allez comprendre qu'il vous en fallait beaucoup moins pour vivre que votre société voulait vous le faire croire ». Que feriez-vous ?

Je vous le dirai dans 10 mois.

Pour cela, il faudrait le faire. Un conseil : vous demanderez à Eugène, dans huit mois. Ce sera moins risqué. C'est bien que vous preniez cela en riant. *(Le fil d'Ariane, IV, 14–12–1991)*

*C*omment faire pour ne pas être affectés lorsqu'on voit des forts utiliser leur force pour attaquer des plus faibles, soit physiquement, psychologiquement ou moralement ?

Reformuler cela autrement.

Comment ne pas ressentir le malheur des personnes qui sont attaquées par des plus fortes ?

Vous le feriez toute votre vie s'il le fallait, vous le vivriez. Cela se fait même chez les animaux. C'est une dimension humaine que vous ne pourrez jamais éliminer. Vous savez pourquoi ? Il faudra toujours des gens supérieurs aux autres. C'est dans votre façon de voir la vie. Vous créez des échelons partout, dans vos villes, dans vos familles, dans vos gouvernements, dans vos pays. C'est la même chose individuellement. Si vous êtes prêts à admettre qu'un pays puisse en attaquer un autre, prêts à accepter, même si vous ne pouvez rien y changer, qu'il y ait des dizaines de milliers de morts, après 8 ou 10 mois, vous apprenez qu'il y a eu 2000 morts aujourd'hui dans telle guerre et cela ne vous touche plus parce que c'est devenu répétitif et que vous ne pouvez plus rien changer. Vous pouvez constater la même chose sur une base individuelle, même au niveau familial, quand un père de famille maltraite un de ses enfants ou même son épouse et que les enfants ne peuvent rien changer. Vous avez nommé des gens pour les aider, ce qui ne veut pas dire qu'ils en profitent. En quelque sorte, vous copiez parfois très bien les agissements des animaux, où le plus fort prend le moins rapide pour se défendre ou pour se nourrir. Vous avez tous fondé vos vies sur des bases monétaires, sur des échelons monétaires. Le plus riche dirige, le plus riche va faire élire celui ou celle qui l'aidera, pas celui ou celle qui va lui nuire. C'est la même chose. Vous êtes abusés par vos gouvernements chaque jour, et vous l'acceptez. Ils vont couper vos programmes sociaux et vous accepterez tout de même. Vous vous dites que vous ne pouvez rien faire et cependant vous les élisez. Lorsque vient le temps de vous défendre, c'est à vous que vous pensez. Vous n'avez jamais vu sur la rue une personne en voir une autre se faire attaquer et vous dire : « Si j'y vais, je vais me faire avoir; j'irai après. » La survie a toujours été le premier point de vos vies. Donc, sauver le monde ne se fera pas avec des mots. Vous l'avez essayé avec des gestes et ça n'a rien donné non plus. Même si vous étiez tous des mère Teresa, cela ne sauverait pas le monde. Par contre, si vous agissiez tous dans la perspective d'aimer vos vies, de vous aimer vous-mêmes, cela ferait de vous des gens qui changeraient les comportements. Si vous observez en disant : « Que puis-je faire pour éviter une telle situation ? », vous ne ferez qu'admettre votre faiblesse et cela ne vous donnerait aucune force. Même si vous étiez 10 000 personnes réunies dans une même pièce à prier pour éviter le malheur dans une seule famille, cela ne réussirait pas. Par contre, si vous étiez 5000 familles heureuses à côté d'une seule famille malheureuse, cela changerait quelque chose. (*Le fil d'Ariane, IV, 14–12–1991*)

Vous avez dit que nos gouvernements coupaient dans nos allocations, etc. Comment pouvons-nous contrer cela ? On ne peut pas faire autrement que d'élire ceux qui sont là.

Si vous faites cela à chaque fois, vous subirez toujours. Nous allons vous poser une question : quand quelque chose ne va pas chez vous, que faites-vous ?

J'essaie de discuter.

Au moins, vous vous faites voir.

Avec eux, on ne peut pas discuter.

Vous n'avez pas élu vos députés ? Ils ont des téléphones, ils peuvent vous recevoir. Mais si vous les laissez dans leur luxe, que vous ne les appelez pas, ils croiront qu'ils sont corrects. Par contre, ces gens se battent pour leur emploi tous les quatre ou cinq ans. Cela veut dire que, si vous vous plaignez majoritairement, s'ils tiennent à leur emploi, ils vont agir. C'est la seule forme de chantage que vous ayez. D'en parler dans vos salons ne changera jamais rien. *(Le fil d'Ariane, IV, 14–12–1991)*

*L*es changements, même s'ils sont parfois souhaités, ne sont pas toujours faciles à faire. Parmi vous, plusieurs font beaucoup trop d'analyse, autant de leur propre vie que de tout ce qui les entoure, comme si l'action devait passer obligatoirement par l'analyse. Plusieurs ici même sont spécialistes de l'analyse. À ceux-là, nous souhaitons d'oublier l'analyse, de trouver en eux cette porte refermée, cette dimension qui ne s'analyse pas mais qui se vit. Nous savons que vous nous parlerez de l'Âme, de vos Âmes. Difficile d'analyser cela ! En effet, il est difficile pour une personne qui analyse de croire ce qu'elle ne voit pas. Elle choisira plutôt des religions, des croyances différentes, comme si elle cherchait toujours sa voie. Les connaissances sont parfois lourdes. Plusieurs ici ont des connaissances lourdes, seulement des mots et pas de vécu, ou encore des vécus ayant appartenu aux autres. Ce n'est pas ce que nous allons vous offrir. Nous vous offrons vos vécus, le choix de diriger vos vies, d'avoir le choix de vos vies, et aussi de profiter d'une dimension qui vous est inconnue. Plusieurs ici croient être des adultes. Vous l'êtes physiquement mais, au niveau de la connaissance de vos Âmes, vous êtes des enfants, et des enfants qui ne marchent même pas. Retenez bien ceci : les connaissances ne sont pas du vécu. Ce qui se vit ne s'explique pas, cela se vit. Nous allons vous démontrer aussi comment pouvoir utiliser ce que vous ne voyez pas. Nous devrons faire du ménage dans ces livres de connaissances poussiéreux sur les tablettes de vos coeurs, notamment dans les émotions, qui sont trop vécues chez certains et pas assez chez ceux qui en ont mais qui refusent de les vivre. D'autres ici ne nous perçoivent que trop bien, mais ne savent pas quoi faire. Nous allons rendre cela beaucoup plus clair pour vous tous. Nous ne vous demanderons jamais de nous croire. Pour nous, il n'est pas important que vous croyiez à notre existence. Cela ne changera jamais le fait que nous existons et nous serons tout de même là. [...] Ne faites pas d'efforts : laissez venir en vous les changements. Percevez-les; ne croyez qu'en vous, ne vivez que pour vous. Nous venons d'entendre des commentaires... Certains diront : « Oui, mais n'est-ce pas de l'égoïsme que de vivre pour soi, que de penser à soi ? Nous demandez-vous d'être égoïstes ? » Pas dans le sens que vous le croyez. Le pire égoïsme de tous, c'est de vous oublier vous-mêmes, c'est de vivre pour les autres parce qu'en faisant cela, vous mettez votre propre vie sur une tablette, et vous n'aimerez jamais la vie comme cela. Vivre la vie pour vous afin de pouvoir la vivre avec les autres. Vous comprendre avant de comprendre les autres : c'est dans ce sens que nous avons utilisé le terme égoïsme. Entre vous et nous, très peu sont vraiment égoïstes envers eux-mêmes, mais combien utilisent le camouflage pour ne pas être eux-mêmes. Nous allons rendre cela beaucoup plus clair dans chacune de vos vies. *(Nouvelle ère, I, 29–02-–1992)*

Vous avez dit que, lorsqu'on est bien, il y a des personnes bien à nos côtés...

En effet, sinon vous allez justifier cela et attirer à vous ce qui ne vous convient pas. Mais vous devrez subir tant et aussi longtemps que vous n'aurez pas compris cela. *(Nouvelle ère, I, 29–02–1992)*

Comment faire ses choix sans briser l'harmonie autour de nous ?

Vous faites cela toute votre vie. Toute votre vie, vous voyez des gens passer à vos côtés et changer continuellement. Cela vous indique que vous changez vous-mêmes. Vous aurez l'harmonie autour de vous si vous avez l'harmonie en vous, l'entente, si vous vous approuvez vous-mêmes. Mais si vous tentez de créer l'harmonie artificiellement par votre simple présence, effectivement vous ne briserez rien, mais vous ne ferez rien non plus. Tout dépendra de ce que vous voudrez vivre vous-même. Briser l'harmonie, c'est reconnaître qu'il n'y en a pas. Créer l'harmonie, c'est reconnaître qu'elle existe. Si les gens autour de vous sont remplacés par d'autres et que vous êtes bien avec ce que vous vivez, c'est qu'ils n'avaient plus leur place à vos côtés. Vous n'avez pas à les changer vous-mêmes. Ils doivent eux-mêmes trouver des gens qui sont comme eux. C'est cela qui vous différencie; vous avez su faire un choix. *(L'envol, I, 07–03–1992)*

C *omment expliquer qu'on veuille cesser de faire quelque chose*
qu'on a longtemps désiré ?

Par manque de confiance, par abandon à force de trop y
penser. Ne dites-vous pas qu'à force de penser à quelque chose
vous finissez par y croire ? Dans certains cas, à force d'y penser,
vous oubliez aussi qu'il est possible de le faire. À force de
chercher des solutions constamment, vous trouvez des problèmes.
Pouvons-nous vous poser une question à notre tour ? Comment se
fait-il qu'à force d'y penser vous n'ayez pas agi ?

Je pense que j'ai agi justement.

Reformulez votre question.

J'ai voulu changer de travail pendant un certain nombre
d'années; maintenant que c'est fait, je n'en suis plus certaine.

Et pourquoi cela ?

C'est peut-être à cause des tensions que cela me fait vivre.

Et ces tensions vous apportent quoi ? Des limites à votre liberté et à vos choix, des limites qui vous forcent à faire des choix
différents et vous ne voulez pas de ces choix. Vous savez ce qui
arrive alors ? Cela vous isole de vous-même en vous forçant à être
différente. Vous avez tous des limites à vos endurances, et certaines personnes en ont plus que d'autres. Mais plusieurs en prennent conscience lorsqu'ils sont rendus au point de se demander :
« Qu'est-ce que cela m'apporte de plus ? Un titre, une position...
Mais qu'est-ce que je vais faire de plus avec cela ? » C'est très
simple, c'est cela. *(Nouvelle ère, I, 29–02—1992)*

P *ourquoi est-ce si difficile de voir clair dans des situations ?*

Parce que, bien souvent, si vous acceptez d'aller de l'avant,
vous savez que cela va vous faire de la peine, vous causer de la
douleur et aucun de vos cerveaux ne travaille dans ce sens. Vos
changements se font seulement lorsque vous y êtes contraints, que
vous n'en pouvez plus et que vous vous sentez forcés. Des
changements volontaires, très peu de gens en font. Au contraire,

vous les faites comme vous le pouvez quand vous n'en pouvez plus. Avez-vous déjà oublié cette personne qui a eu beaucoup de douleur en nous exprimant ce qu'elle vivait ? Si elle a fait cela avec courage devant vous tous, c'est parce qu'elle n'en pouvait plus et qu'elle voulait que cela change. C'est maintenant qu'elle changera si elle le souhaite vraiment. Elle est prête à cela, prête à admettre que ce serait une erreur de continuer; elle est prête à admettre aussi que, si elle change, elle pourra choisir parce qu'elle sait ce que c'est que de ressentir le bonheur et la joie de vivre. Donc, c'est signe qu'elle n'a rien oublié et c'est cela le changement. *(Nouvelle ère, II, 23-03-1992)*

*M**a deuxième question touche le marché de la bourse. Est-ce qu'on peut dire que le cours de la bourse va remonter ou est-ce qu'on devrait vendre actuellement ?*

Selon la tendance actuelle, non seulement sur votre continent mais sur les continents asiatique et européen, il y a des signes de stabilisation, mais cela va continuer à descendre. Le phénomène que vous appelez inflation, c'est vous qui le créez en fait. Ce n'est pas un état d'être; c'est créé, c'est voulu et bien calculé. Ce que vous appelez récession, selon ce que nous observons en Europe, devrait reprendre, mais rien n'est à prévoir à la hausse; pour des signes de stabilisation, il faudra attendre de 16 à 18 mois. Comme vous avez triché légèrement, vous allez donc poser une troisième question vous concernant.

Me concernant personnellement ?

Pas la bourse... Vous-même, votre bourse !

Je suis embêté.

Pensez-y, sinon nous allons la poser pour vous.

Allez-y.

Trop facile pour vous... C'est cela que vous avez fait dans les autres sessions.

Vous voulez dire chercher la facilité ? Je voudrais bien avoir la facilité pour moi-même.

Quel genre de facilité ?

Cela devient global, la facilité.

Pas du tout ! Pour certaines personnes, cela va entraîner la paresse; pour d'autres, une meilleure compréhension. Vous parlez de facilité, mais à quel point de vue : monétaire, émotionnel, approche des autres ? Facilité ne veut rien dire. Si vous aviez vous-même à décrire ce que vos yeux observent du monde actuellement, quel terme utiliseriez-vous ?

Je trouve le monde terne; il n'y a aucune gaieté. Je ne suis pas intéressé à embarquer dans ce bateau-là.

Dans quel bateau êtes-vous intéressé à embarquer ?

J'aimerais avoir un monde où il y a un peu plus de plaisir, quelque chose de sain. J'ignore ce que c'est exactement mais je sais qu'il y a quelque chose de meilleur. Quoi exactement, je ne peux pas l'identifier.

Et si c'était en vous et pas à l'extérieur ? Et si ce qui était à l'extérieur était le reflet de l'intérieur, ne serait-ce pas plus simple ? Trop de gens cherchent à modeler le monde à leur image sans se modeler eux-mêmes à leur propre image. Ces gens ont des idéaux et ne les appliquent pas pour eux mais pour les autres. Plusieurs ici savent ce que veut dire terne, même dans leur quotidien. Le manque d'affirmation, c'est aussi cela; le manque de foi en soi-même, c'est aussi cela. Les vrais changements dans ce monde vont se faire en vous-même en premier, pas chez les autres. Si chacun pouvait se mettre cela dans la tête, si chacun créait son idéal, le monde serait rempli d'idéaux. Mais actuellement, il y a trop de monde occupé à créer un monde plutôt que le leur. Notre approche était beaucoup plus individuelle. *(Nouvelle ère, IV, 23-05-1992)*

J e voudrais avoir la définition de la responsabilité. Comment concilier la responsabilité au moment présent, tout en tenant compte de nos besoins ?

Vous parlez de la responsabilité au niveau d'un emploi ? En subvenant aux besoins d'une famille ? Est-ce ce type de responsabilité ou la responsabilité émotionnelle ?

C'est l'ensemble de tout cela.

La réponse pourrait être fort différente selon le cas. Certaines personnes verront la responsabilité comme axée vers les autres. Si c'est le cas, comment vivrez-vous votre propre vie ? C'est de l'irresponsabilité, cela. Si, pour vous, la responsabilité, c'est d'être heureuse, en harmonie, de vivre selon vos choix... La responsabilité à quel niveau ? Face à vous-même, vous avez une responsabilité de chaque instant. Face aux autres, c'est très discutable parce que la responsabilité crée des attaches et les attaches ne donnent pas beaucoup de disponibilité dans une vie. Dans quel sens parlez-vous de responsabilité : par rapport à un conjoint ou à une vie de couple ? Dans quel sens ?

Dans la vie familiale par exemple.

Une personne ayant des enfants ?

Oui.

D'un conjoint qui ne convient plus ?

Non, pas nécessairement.

Spécifiez dans ce cas.

Au sens de distribution de tâches, de répétitions, de toujours refaire les mêmes choses, de toujours demander.

Vous parlez du bon sens ! En fait, ce n'est pas de la responsabilité, c'est du partage. Si vous arriviez à comprendre qu'une vie de couple — comme dirait la forme Robert — c'est 50 % l'un et 50 % l'autre et les deux devraient faire 100 %, sinon les deux voudront décider en même temps. Cela veut dire aussi que, si des gens sont bien ensemble, si ce qu'ils vivent les complète, la question mentionnée n'a pas lieu d'être. Si, par contre, c'est devenu une responsabilité individuelle d'utiliser le bon sens, c'est qu'il y a vraiment un problème, un problème au niveau de la communication, de l'affirmation de soi. Lorsque cela devient une responsabilité au quotidien, c'est que c'est déjà devenu un problème : qui décidera ? qui l'emportera ? Il n'y va pas seulement de la garde des enfants; c'est une question de choix individuel aussi, de liberté propre. Comme cette question était plutôt ambiguë, reformulez-la autrement.

*Comment être responsable de soi ? Je vais donner un exemple,
celui de la cigarette. On sait très bien que c'est nocif, mais si
on choisit quand même de fumer, je pense qu'on a une
responsabilité face à ce choix-là.*

Vous appelez cela une responsabilité de décider d'être pleinement soi-même ? Fumer sert à compenser, c'est un geste pour compenser autre chose. Si, pour vous, c'est une façon de trouver une forme de liberté, d'être au moins vous-même seule, nous comprenons cela. Mais la responsabilité que vous avez, ce n'est pas face à la cigarette mais beaucoup plus face à ce que cela peut entraîner, face aussi à ce que cela peut camoufler ou cacher dans votre vie. Une personne responsable apprend à s'exprimer constamment et résout les problèmes à mesure au lieu de les laisser s'accumuler. Vous avez la responsabilité de ne pas attendre les conflits, de ne pas attendre d'être dans une position inconfortable personnellement pour ensuite dissimuler cela derrière la cigarette, l'alcool ou la drogue. À la base, il y a toujours une incompréhension émotive. Dans un couple, c'est l'habitude qui s'installe plus souvent qu'autrement et, lorsque l'habitude est bien ancrée, vous recherchez la liberté tout en essayant de conserver ce que vous appelez les responsabilités. Donc, cela devient un jeu : lequel des deux aura le plus de liberté, lequel des deux aura le plus de choix, lequel des deux fera le plus de tâches, lequel des deux rapportera le plus, etc. Et ce, jusqu'au jour où il devient convenable de penser : « Pourquoi ne pas vivre seul tant qu'à y être ? » C'est ainsi que les distances se font dans des couples. *(Nouvelle ère, IV, 23-05-1992)*

D*ans nos démarches actuelles, est-ce qu'on fait bien de
persévérer ?*

Si c'est un tour de force pour vous, cela ne donnera rien. Mais si vous avez un but personnel, si vous êtes fatiguée de voir comment la vie vous dirige par le bout du nez et vous impose à peu près tout ce qui passe, vous persévérerez. Si vous n'avez pas encore assez goûté à cette vie, si la vie ne vous a pas encore assez fait plier, c'est peut-être une bonne chose de ne pas venir. Chacun d'entre vous devrait maintenant être capable de savoir ce qui lui convient, jusqu'où il veut aller. Nous ne forcerons jamais personne.

Nous ne sommes pas là pour vous nuire, mais pour vous aider à franchir une étape de votre vie que vous ne traverserez pas facilement autrement. Combien de fois n'avons-nous pas entendu, dans des sessions dites privées, des gens nous demander combien de vies il leur restait à vivre et, dès que nous disions plus de 10, leur coeur faisait un saut. Ce n'est pas de la joie, c'est du poids qu'ils y voyaient. Ce que vous aurez vraiment compris dans cette vie, les pas que vous aurez faits, c'est cela qui va compter. Avez-vous oublié le but réel de votre vie ? Que vous contactiez votre Âme et que l'Âme contacte votre conscient de façon à ce que vous puissiez tous deux en profiter dans cette vie ? Si le quotidien ne vous en a pas assez fait voir de toutes les couleurs, continuez d'agir comme vous le faites; mais si vous en avez assez, si vous voulez comprendre autrement, persévérez. Nous avons dit que ce ne serait pas facile, que cela vous forcerait à faire des changements intérieurs. Si ces changements vous demandent trop, si pour vous être mieux plus tard, être plus vous-même constitue actuellement une douleur — plus tard peut être dans 24 heures ou dans 10 minutes —, comment atteindrez-vous la joie de vivre plus tard ? Effectivement, ce n'est pas facile. Nous vous avons dit dès le début que ce n'était pas nous qu'il fallait croire mais vous, qu'il fallait ressentir en vous ce que vous voulez. Vous pouvez faire du surplace toute votre vie, prendre ce qui passe, vivre des événements qui vous font mal, ne pas savoir comment les vivre, être poussés par tous et chacun dans votre quotidien, être abusés psychologiquement. Vous avez tous le choix de conserver cette vie. Vous pouvez tous aussi vous leurrer et vous dire : « Je vais me tricher et si cela ne réussit pas, tant pis ! » Ce n'est pas ce que nous avions prévu. Lorsque nous nous adressons à des groupes, nous n'avons toujours qu'un seul but : essayer d'atteindre non seulement l'individu directement, mais aussi l'ensemble par l'individu, de façon à toucher le plus de vos quotidiens pour que vous puissiez prendre confiance, enlever le poids bien souvent inutile des connaissances acquises. Ne serait-ce que de vous enlever ce poids serait déjà beaucoup. Vous trouverez toujours des gens pour vous dire que cela n'existe pas mais cela ne nous empêchera pas d'exister. La seule chose qui les empêchera de parler, c'est de vous voir changer, de vous voir vivre et non plus subir. Il faut vous poser la question suivante : « Est-ce que je veux avancer ou continuer à vivre ce que je vis ? » Nous vous avons montré comment nous appeler lorsque vous avez vraiment besoin de nous, comment nous visualiser; vous avez tous ces moyens. Lorsque nous vous avons offert cela, nous vous avons dit que jamais dans le passé nous n'avions laissé tomber qui que ce soit. Parfois, cela prend un peu plus de temps, car nous attendons toujours le moment propice. Mais pour agir, nous agirons... pas avec des enfants gâtés, mais avec des adultes qui veulent vraiment. Si nous voyons que le fait de vous aider à sortir d'un problème est pour vous une chance d'avancement, nous vous aiderons. Nous l'avons fait à de multiples reprises par le passé. Pour certaines personnes ici, depuis quelques mois; pour d'autres, ce sera bientôt, très bientôt même. Vous aurez toujours le choix, mais rappelez-vous que pour nous le premier problème auquel vous faites face est votre conscient d'analyse, votre conscient qui croit constamment tout mener et qui ne se donne pas la chance de vivre en harmonie dans une forme. Amenez votre conscient à saisir que tout ce que vous vivez peut se vivre sans effort aucun, comme votre respiration, et sans doute aucun. Nous espérons que ce sera très clair. Il vous faut bien comprendre que, lors de la fin de semaine, en étant plus près de l'Âme et plus près de vos formes, vous serez aussi plus près de votre réalité. Vous serez donc réellement avec vous-même, ce qui n'est pas le cas dans vos quotidiens où vous n'avez vraiment ni d'endroit ni de temps pour l'être. *(Nouvelle ère, IV, 23-05-1992)*

*M**oi, je sais que je suis sur le bon chemin. Pourquoi avoir eu tant de mal avant de comprendre ?*

Parce qu'il en faut très peu à certaines personnes pour comprendre alors que d'autres doivent vivre et revivre jusqu'à ce qu'elles comprennent. Parce que d'autres ont besoin de cela pour trouver le courage nécessaire pour s'affirmer vraiment dans le futur. Parce que d'autres vont jusqu'à la maladie pour s'affirmer, très profondément. Chacun d'entre vous a ses limites. Chacun d'entre vous le sait lorsqu'il en a assez, mais il y en a qui ne font que le penser et ne font rien pour changer la situation, pour résoudre, pour passer à l'action. Donc, ils attendent que le temps passe, que le temps résolve lui-même les problèmes de la vie et cela prend habituellement beaucoup de votre temps et de vos énergies. Dites-vous bien que, si tout votre passé peut vous catapulter dans le futur, le contraire sera très excitant à vivre. S'il a fallu ce passé pour comprendre votre définition du bonheur, pour comprendre quels sont les gens qui vous conviennent et ceux qui ne vous conviendront plus, le nombre d'années n'est pas important. *(Nouvelle ère, IV, 23-05-1992)*

C omment ne pas se laisser envahir dans le monde du travail qui demande de plus en plus de perfectionnisme, de performance, d'exigences ?

Cela devient une façon de vivre et plusieurs y trouvent leur propre façon de vivre. Une question pour vous : si nous vous annoncions que vous cesserez de vivre dans 48 heures, qu'apporteriez-vous vraiment avec vous ?

Tout ce que je vais avoir développé intérieurement.

Selon votre question, qu'est-ce que vous apporteriez avec vous ?

Qu'est-ce que j'apporterais du monde du travail ?

Et de tous les détails de votre question ?

...

Tant que cela ? Cela devient de l'orgueil. Plus vous montez dans des postes de direction, plus vous sentez qu'il y a du pouvoir. Et du pouvoir sur qui ? Sur d'autres. C'est cela diriger. Certaines personnes vont jouer un rôle avec cela; certaines personnes ne seront jamais elles-mêmes dans cela. Si vous avez un travail qui exige que vous dirigiez, si vous avez fait des efforts et que vous méritez ce poste, très bien. Mais ne basez pas toute votre vie sur cela. Si vous savez mettre de côté ce qui est travail pour mettre votre vie familiale et vous-même en premier, avant tout, votre question n'a pas lieu d'être. Si, par contre, vous justifiez toute votre vie sur un seul emploi, vous passerez toute votre vie à faire des efforts pour être reconnue, mais votre être même sera mis de côté, pour plusieurs. Quelle serait votre autre question à ce sujet ?

Si je comprends bien, tout est dans la façon de me situer en étant dans ce même travail.

Bien que ce soit général comme résumé, c'est exact. Combien prendront le temps d'y penser ? Comment devenir à la fois un être naturel, bien dans sa peau, pas plus élevé que les autres socialement et à la fois remplir un rôle de dirigeant ? Si vous savez garder la simplicité, si vous savez vous accorder du temps et en accorder à ceux que vous aimez, si vous savez créer ces limites, vous serez constamment heureuse parce que vous serez comblée à la fois par un travail que vous aimerez et par des gens qui vous aimeront et que vous aimerez. Cela demande beaucoup d'équilibre. C'est pour cela que nous préférons travailler d'abord avec vous au niveau de la compréhension individuelle, au niveau du vécu individuel, vous apprendre à vous reconnaître dans vos sentiments, à ne pas jouer le rôle des émotions, même au travail. Habituellement, plus les gens ont des postes élevés ou reconnus, plus ils travaillent à des heures inhabituelles, plus ils ont des heures prolongées. Lorsqu'ils travaillent, leur famille ne les voit pas, ils ne se voient plus eux-mêmes : ils se changent pour réussir à s'admettre. Lorsque cela se produit, tout devient artificiel et les problèmes personnels sont habituellement réglés plutôt rapidement, car la carrière passe avant. C'est une roue sans fin, et les biens matériels viendront justifier l'état d'être, et l'état d'être justifiera les biens matériels, et ainsi de suite, jusqu'à ce que cela soit démontré dans l'entourage. Il y a des gens qui consacrent toute leur vie à cela. Avons-nous répondu à votre question ?

Vous me laissez un peu plus sur un point d'interrogation que sur une réponse.

Dans ce cas, posez une autre question.

C'est comme si j'entendais au fond de votre réponse... comme si je remettais en question mon choix de carrière. J'aurais envie de vous poser une question directe : est-ce que j'ai bien fait d'y rester ?

Nous avons répondu pour que vous vous remettiez en question, pas pour vous donner une réponse très claire. Si nous avions fait cela, cela aurait été notre décision, pas la vôtre. Autrement dit, si vous vous remettiez de nouveau en question après un an ou deux ans, vous vous diriez : « J'aurais donc dû faire à ma tête ! » Les événements qui se passent entre les points A et B de votre vie vont et iront toujours dans la direction de vos décisions propres. Que vous nous disiez que nous avons suscité de l'interrogation en vous, c'est un très bon signe. C'est signe que vous allez chercher encore plus une réponse; c'est signe que vous allez chercher aussi ce que vous ressentez vraiment, pas ce que vous pourriez ou auriez dû ressentir. Vous comprenez ?

Oui.

N'employez-vous pas cela en psychologie ? Si vous avez des choses à remettre en question, c'est qu'il y en a, sinon il y aurait certitude. *(Nouvelle ère, IV, 23-05-1992)*

*P*our quelle raison, dans le contexte social et économique *d'aujourd'hui, demande-t-on de plus en plus à l'être humain sans se préoccuper de ses limites et sans les respecter ?*

Parce que vous ne savez plus les reconnaître, parce qu'on vous a appris à « performer », à donner du rendement, et ce dès l'école, en vous donnant des pourcentages et en vous forçant à les atteindre. Dans votre quotidien, que faites-vous ? La même chose. Et non seulement avec vous-mêmes mais aussi avec les autres, car plus vous performez, plus vous exigez que les autres performent aussi. Cela fait des sociétés qui tentent d'atteindre des idéaux ensemble, qui performent ensemble, mais des sociétés appauvries au plan individuel, même si plusieurs sont plus riches au plan monétaire. Donc, c'est une façon de voir vos sociétés. C'est la raison pour laquelle il n'y aura plus de grands changements au niveau des théories, au niveau des religions; cela n'a jamais donné les résultats escomptés. C'est pourquoi nous avons choisi l'individualité de petits groupes : c'était beaucoup plus simple. Cela nous permet aussi de constater à quel point vous avez individuellement la volonté d'agir et de mieux vous aider.

Oui mais...

« Oui mais » veut dire non.

Lorsque la performance nous est imposée, y a-t-il un moyen...

Si un conjoint vous était imposé, que feriez-vous ? Vous l'accepteriez aussi ?

Non.

Alors, quelle est donc cette question ?

Je la pose au niveau du travail.

C'est la même chose. Dites-vous que le travail est un conjoint. Si votre travail était un conjoint, le conserveriez-vous ou chercheriez-vous quelqu'un qui vous convient selon vos propres critères ? Si le travail vous en impose trop, si le travail vous force trop à être ce que vous ne voulez pas, si le travail vous accapare tellement que, même lorsque vous êtes avec des gens que vous aimez, vous avez toujours la tête ailleurs, que faites-vous de cela ?

J'aime mon travail mais c'est le système que je n'arrive plus à supporter.

Ce n'est pas très clair, car si vous aimez vraiment ce que vous faites, c'est donc que vous supportez bien votre travail. Votre question est pour le moins ambiguë. Pourquoi parler de la société en premier si vous parlez de vous ? Vous basez-vous sur ce que les autres vivent pour savoir ce que vous vivez ?

Non. Il arrive des fois qu'on nous force à embarquer dans un système dont on ne veut pas.

Comment avez-vous réagi dans le passé lorsque vous étiez plus jeune et qu'une personne vous forçait à faire ce que vous n'aimiez pas ?

Je fuyais, je partais, je m'éloignais.

Et dans le travail, vous endurez ?

Non. Plus ou moins... J'endure dans le but de ne pas nuire à mon entourage, mais personnellement je m'arrange pour ne pas que cela m'attaque.

Êtes-vous certaine de cela ?

Presque...

Presque... et nous sommes presque certaines que ce n'est pas vrai. Vous ne pouvez pas, en pensant aux autres, vous protéger comme cela. Ce que vous faites, c'est que vous vous encouragez à subir une fonction. Dans le passé, vous étiez portée à fuir. Dans ce cas, cela aurait dû être la même chose, sinon cela vous force à être différente et c'est ce que vous n'acceptez pas : d'être forcée. Vous n'avez jamais aimé cela, n'est-ce pas ? C'est la même chose au niveau du travail. Si vous vous forcez pour le travail, vous vous forcerez pour d'autres choses jusqu'au jour où vous vous remettrez en question, jusqu'à ce que vous vous disiez : « Mais qu'est-ce que j'ai fait ? Qui sont ces gens autour de moi ? » Et vous vous direz : « Je suis fatiguée ». Mais comme vous vous direz que vous êtes assez forte pour continuer, votre forme dira : « J'arrête ! » Être soi-même, c'est tout ou rien : c'est un ensemble. Se leurrer avec des mots, avec des termes, ce n'est pas une solution. Se camoufler, se cacher derrière des situations, derrière des encouragements, ce n'est pas une solution non plus, parce qu'un jour ou l'autre vous le ferez ce changement. Pourquoi ne pas plutôt planifier ce qui vous conviendrait vraiment, le rythme qui vous conviendrait vraiment, même le type de personnes qui vous conviendrait ? Vous comprenez cela ?

Oui.

Nous en sommes presque certaines. *(Nouvelle ère, IV, 23-05-1992)*

*M*a question est reliée au doute que nous avons parfois. Comment faire la différence, pour ne pas arriver à l'angoisse devant toutes ces questions qui surviennent ?

Vous vous posez des questions lorsque vous subissez un événement et que vous en voyez les résultats. Avant de passer à l'action, posez-vous une simple question comme : suis-je bien dans ce que je vis ? Vous aurez vite votre réponse à l'intérieur de vous. Si la réponse est non, demandez-vous : que puis-je faire pour être mieux ? Vous aurez une réponse. Allez-y par déduction s'il le faut, mais vous aurez vos réponses. Le problème vient du fait que vous apprenez à subir, à réagir, mais pas à contrer les événements. En d'autres termes, vous subissez des planifications que vous ne faites pas. C'est là le problème, sinon vous ne poseriez pas cette question. C'est donc que vous anticipez vivre une situation. Pourquoi donc ? Pourquoi ne pas plutôt planifier vraiment ce que vous voulez ? Peut-être cela prendra-t-il deux mois de plus avant d'avoir un autre travail, peut-être trois mois, mais vous aurez la satisfaction d'avoir choisi ce qui vous conviendra. Et vous aimerez ce travail au moins. Pourquoi les gens changent-ils si souvent d'emploi ? Pour une raison fort simple : ils ne se sont jamais demandé ce qu'ils aimeraient à tous les niveaux et ils n'en ont jamais examiné les implications non plus. Donc, ils subissent des résultats par suite de choix non formulés correctement. N'est-ce pas la même chose dans vos vies de couple ? Des choix mal orientés... et qu'est-ce que cela donne ? Des questions comme la vôtre. (*Nouvelle ère, IV, 23-05-1992*)

C *omment on peut savoir si on est bien dans notre plan de vie ?*

Pouvons-nous vous poser une question ?

Oui.

Vous prenez un grand risque en nous laissant faire cela. Comment vous sentez-vous avec vous-même ? Soyez franche, sinon nous corrigerons.

Cela dépend des jours.

Votre plan de vie aussi ! Lorsque vous êtes bien avec vous-mêmes, lorsque vous êtes heureux de vivre, c'est que vous faites ce qu'il faut, ce que votre Âme veut d'ailleurs. Ces journées où vous vous entêtez à ne rien voir, à vouloir régler toute votre vie dans une seule journée et où vous désespérez, c'est comme savoir que vous voyez mais admettre en même temps que vous êtes aveugle. Et cela vous éloigne de votre vie. Mieux vaut vous souvenir des jours qui ont été heureux pour vous, où vous vous sentiez unie à vous-même. Recherchez cela. Et si vous le faites, votre Âme vous guidera, n'ayez aucune crainte. Combien de fois n'avez-vous pas vu des gens autour de vous faire et refaire la même erreur, pleurer constamment, se plaindre tout le temps ? Pourtant, ils refont la même erreur. C'est cela refuser de voir. C'est la même chose pour ceux qui font un travail qu'ils n'aiment pas. Qui vous dit que c'est ce que votre Âme voulait vous faire faire ? Cette forme [Robert] a combattu le travail qu'elle fait actuellement pendant près de deux de vos années avant de comprendre. Ce n'est pas le nombre d'années mais le résultat qui comptera. *(Renaissance, II, 05–10–1991)*

Q uand on pense qu'on a déjà trouvé sa voie, comment se fait-il qu'on ait encore de la résistance et qu'on ne soit pas capable d'agir ?

Comment pouvez-vous concevoir, dans votre monde actuel, couper votre lien conscient avec votre société de plus en plus intellectualisée afin de la mettre de côté et de vivre pleinement ce que vous êtes sans avoir de critiques ? Très difficile ! Vous aurez toujours à vos côtés des gens pour vous analyser, pour vous dire quoi faire, pour rire de vous, pour vous donner du doute sur vous-même. Chacun d'entre vous vit cela. Vivre au-dessus de cela, c'est vivre avec une confiance en soi telle que rien ne pourrait la détruire, pas même un regard. Cela demande beaucoup de croyance en soi. *(L'envol, I, 07–03–1992)*

D evrions-nous quitter les villes pour aller vivre à la campagne ?

Cela ne vous éloignera pas de vous-même et vous rapprochera de quoi ?

De nous-mêmes.

Tout à fait faux ! Vous pouvez vous rapprocher de vous-mêmes dans votre quotidien. N'est-ce pas qu'une personne peut être heureuse dans une ville autant qu'à la campagne ? Il n'y a pas que des gens malheureux dans les villes. Tout dépendra de ce que vous voudrez voir et vivre. Nous savons que, pour certaines personnes, c'est prendre conscience de la nature que de vivre ce qu'elle vit, c'est une chose très importante de vibrer comme la nature. Mais faire cela complètement, à plein temps, vous éloignera aussi de la réalité. Comment pourrez-vous vivre dans les villes ? En faisant en sorte que tous les habitants viennent à votre rencontre. Même vivre dans une ville a ses avantages; nous ne parlons pas d'avantages sociaux, cela n'est qu'un aspect. Mais vous avez beaucoup plus de chances d'approfondir vos formes, de faire des recherches intenses pour aller vers elles. Vous n'avez pas besoin d'être dans la nature pour percevoir vos formes. Dès que vos formes auront le même taux vibratoire que ce qui les entoure, vous saurez percevoir tout ce qui vous entourera, peu importe la distance. Nous comprenons que certaines personnes préfèrent tout de même être plus conscientes directement. Une question pour vous : que ferez-vous des pauvres, de ceux qui ont besoin d'aide ? Où seront-ils dans cette nature ? Les amènerez-vous avec vous ? N'est-ce pas une partie de vos souhaits futurs ? Nullement, n'est-ce pas ?

Oui.

Donc, faire partie d'un tout de son choix est une demande personnelle, un souhait personnel. C'est bien d'aller à la campagne une fois de temps à autre, et tant mieux pour ceux qui peuvent le vivre complètement mais, avec tous les moyens de communication actuels, vous ne serez jamais isolés. Si vous reveniez 30 ans en arrière, nous aurions été pleinement d'accord avec vous. Mais actuellement, à moins que vous ne choisissiez des régions très instables aux pôles Nord et Sud ou certaines îles très rares de l'hémisphère sud, vous ne serez nulle part à l'abri de toutes les pollutions actuelles, y compris les pollutions magnétiques de toutes fréquences. Même la nature tente actuellement de s'adapter à cela. Le changement se fait des deux côtés. D'un côté, vos formes tentent de combattre ces pollutions en s'adaptant par des maladies comme le cancer. D'un autre côté, la nature livre ses propres combats, par exemple les pluies acides. Vous le faites tous les deux et vous avez quoi ? Le résultat ! Donc, peu importe l'endroit où vous irez, un jour ou l'autre vous allez prendre contact avec une autre réalité, et une autre, et une autre encore. C'est pourquoi nous préférons vous dire de faire les changements pour vous en premier, afin de pouvoir revenir vers votre réalité propre quand vous le souhaiterez, vers l'aide que vous pourrez obtenir. Après, vous pourrez faire vos choix personnels entre un travail à la ville ou à la campagne. *(L'envol, I, 07–03–1992)*

*I*l faut bien comprendre que, lorsqu'un changement se produit dans votre quotidien, c'est que cela doit se produire pour que vous apportiez des changements, pour vous forcer à vous diriger vers ce qui vous convient. Ne nous dites pas que vous ne le savez pas; ce serait faux. Acceptez les changements et ne vous apitoyez pas sur votre sort; c'est cela qui va se réaliser. Remuez-vous un peu plus ! Votre vie n'est pas terminée. Acceptez plutôt de comprendre qu'elle commence et que vous avez le choix de vous envoler et de renaître, ou de mourir. Vous avez ces deux choix. Mais ne blâmez personne pour ces choix. Plusieurs ont cru qu'il fallait aimer les autres pour être aimé. Ce n'est pas s'aimer soi-mêmes, c'est rechercher une justification; et quand ce n'est pas vécu intensément des deux côtés, il y a toujours une personne qui n'arrive pas à vouloir vivre avec l'autre. C'est ce qui fait que vos formes ne comprennent pas ce qu'est vraiment l'amour et sont découragées dans la vie. Nous aurons à vous reparler de ce qu'est vraiment l'amour. Si vous croyez que des beaux yeux, des beaux sourires et des beaux mots peuvent gagner des coeurs, ce sera fait de façon temporaire parce que l'amour cela se vit, cela ne se voit même pas. [...] Acceptez-vous tels que vous êtes, avec vos défauts et vos qualités, et dites-vous que les deux ont servi à vous rendre là où vous êtes aujourd'hui. Recréez-vous. N'est-il pas amusant de constater que vous pouvez créer de nouvelles espèces de fleurs toutes aussi belles les unes que les autres, que vous en êtes actuellement à créer des enfants tels que vous aimeriez qu'ils soient, que vous êtes maintenant rendus au point de croire que vous pouvez aussi vous créer à votre goût ! Ce ne sera jamais ce que les autres penseront de vous qui comptera dans vos vies, mais ce que vous penserez de vous-mêmes. Ce ne sera pas le jugement des autres qui comptera mais le vôtre, et votre jugement sera toujours plus sévère que celui des autres. *(L'envol, II, 11–04–1992)*

C **omment arriver à donner plus de sens à notre vie ?**

Dans le quotidien ou tout le temps ?

Tout le temps, dans le quotidien et partout.

Cela demande beaucoup d'équilibre, beaucoup de volonté, beaucoup de lâcher prise. Cela veut dire de lâcher prise sur tout ce qui, consciemment, vous détruit; de prendre conscience que les appareils que nous avons mentionnés sont de plus en plus nocifs pour vos formes. En vous protégeant, vous récupérerez au moins des formes qui auront plus d'énergie. Regardez les buts que vous donnez à vos vies... ceux qui s'en sont donné. Pour la majorité, vous vous donnez des buts imprécis. Vous vous dites : « Je veux être mieux », mais vous ne dites pas ce que cela signifie pour vous. Il est alors difficile de vous aider. Comment ne pas vous nuire si vous ne connaissez pas vos vrais buts ? Nous n'avons pas oublié votre question; ceci y répond en partie. Donc, soyez plus clairs dans vos quotidiens, apprenez à définir vraiment ce que vous voulez. Une fois que ce sera fait, lâchez prise, passez à autre chose. N'est-ce pas cela semer pour récolter ? Pour être bien dans sa vie, pour que la vie ait un sens, il faut lui en donner un; il faut savoir le reconnaître quand vous n'êtes pas bien; il faut reconnaître aussi que vous avez les possibilités d'être bien. Soyez plus clairs dans vos demandes, moins évasifs. Combien de fois n'avons-nous pas observé des gens qui recherchaient une Âme soeur et qui se disaient seulement : « Que j'aimerais donc rencontrer quelqu'un qui m'aimerait. » C'est tout comme demande : pas de couleur de cheveux, pas de couleur d'yeux, pas de grandeur, pas de caractère, pas de qualités définies. Vous ne faites même pas cela lorsque vous achetez de la salade : vous prenez le temps de regarder et de choisir ce que vous mangerez. Lorsqu'il s'agit d'une personne avec laquelle vous pourriez passer la majorité de vos jours... comme vous n'êtes pas difficile ! Il suffit qu'il dise « Je t'aime ». Et dans trois ans, lorsqu'il l'aura bégayé plusieurs centaines de fois, qu'aurez-vous de plus ? Certains devraient vivre avec des magnétophones, ils y retrouveraient beaucoup plus de confort. Soyez plus clairs dans vos demandes, car c'est cela donner un sens à sa vie. Ceux qui rejettent la force de l'Âme, cette énergie en vous qui, dans le fond, peut tout vous donner, devront fournir deux fois plus d'efforts conscients pour trouver un sens à leur vie. Votre question rejoint la pensée de Robert cette semaine. Lui aussi a recherché cela. Malgré ce que nous lui apportons, malgré tous les événements que nous lui faisons vivre pour qu'il puisse vous les communiquer, lui aussi a été choqué par le sens que certains donnent à leur vie. Vous donnerez à votre vie le sens que vous aurez choisi vous-même. N'attendez pas après les autres pour donner un sens à votre vie, sinon vous allez servir à donner du sens à la vie des autres et vous aurez une vie qui n'aura pas de bon sens. En d'autres termes, vous avez le choix d'utiliser la vie, de la tourner à votre avantage ou d'être utilisés. Beaucoup trop ont choisi cela. Il est difficile de donner un sens à sa vie quand on n'en ressent pas le contrôle soi-même. Prenez conscience de ce que vous représentez vraiment, des forces qu'il y a en vous, de l'énergie qu'il y a en vous. C'est cela qu'il vous faut utiliser. Apprenez à remercier aussi, pas juste à recevoir. Pas un d'entre vous n'aura le même sens de l'équilibre. Ce qui compte, c'est que vous puissiez choisir et ne pas être choisi. *(L'envol, IV, 30–05–1992)*

V *ous m'avez dit que vous m'aideriez à trouver des questions, alors je suis à l'écoute.*

Vous êtes ratoureux [prendre des détours].

Je suis plutôt auditif.

C'est très bien répondu. Nous allons donc parler à un auditif. Que ressentez-vous lorsque vous êtes dans des situations données où vous devez réagir à ce qui ne vous plaît pas et que vous ne le faites pas de peur de blesser ? Comment vous sentez-vous ?

Comme je me suis toujours senti toute ma vie; c'est-à-dire que, si c'est mieux ainsi pour les autres, moi je peux endurer.

Est-ce que plusieurs ont bien entendu ? Si c'est mieux pour les autres... Et vous n'aviez pas de question pour nous ! Lorsque nous parlons de s'affirmer, lorsque nous parlons de dire ce que vous êtes comme être humain, de dire ce que vous vivez, c'est cela que nous voulons vous dire. En fait, ce n'est pas seulement votre cerveau qui se refermera, c'est toute votre forme qui deviendra tendue; c'est toute votre forme qui commencera à se dire : « Moi, je ne mérite rien; moi, je dois plaire aux autres. » Quand retrouverez-vous cet équilibre ?

Et si c'est plaisant pour moi de plaire aux autres ?

Cela deviendra un vice ! Rappelez-vous ce que nous vous avons dit : nul ne peut vivre juste pour les autres en s'oubliant. Notre question n'était pas à propos de ce que vous faites lorsque tout va bien. Notre question était : que faites-vous lorsque quelque chose ne vous convient pas et que vous n'agissez pas. Vous vous souvenez de votre réponse ? Vous endurez. Combien de temps une forme peut-elle endurer selon vous ?

Cela dépend des choses.

Des petites choses ? Pas beaucoup. Si votre question avait été : « Quel serait de votre part, dans l'observation que vous avez fait de ma vie, le mot le plus important pouvant m'aider », n'aurait-ce pas été une bonne question ?

Oui.

Vous ouvrir, vous épanouir, vous voir *vous*, vous ressentir *vous*. Vous avez appris jusqu'à ce jour que de faire en sorte de plaire vous apportait des gens qui pourraient vous aimer. Vous en êtes venu à jouer un rôle, pas nécessairement votre rôle, mais vous en êtes venu à y croire. Nous parlons aussi pour d'autres personnes ici, pas seulement pour vous. Être vrai, c'est de le dire quand cela ne plaît pas et pas seulement par le ton, mais en disant pourquoi. S'exprimer, c'est toute votre vie... s'exprimer, pas endurer ! Quand votre forme en aura assez, elle s'exprimera, vous verrez. Cela veut dire qu'à l'avenir vous devrez faire des efforts supplémentaires, pas seulement pour plaire et endurer, mais pour vous pratiquer à être vous-même, à dire à mesure ce que vous vivez, à ne plus attendre pour le faire. *(L'envol, IV, 30–05–1992)*

E st-ce que vous pouvez voir en moi, m'aider ?

Vos vies prennent des tournants différents lorsque vous les ignorez, lorsque vous en perdez le contrôle, quand des gens autres que vous prennent la direction de votre vie. Nous avons une question pour vous, qui aidera les autres aussi. Si vous deviez nous décrire par un seul mot — ne vous trompez pas, nous allons corriger — vos deux dernières années, quel serait ce mot ? Par quel mot pourriez-vous décrire les deux dernières années de votre vie, quel mot vous résumerait vous-même ?

Un bouleversement.

Et face aux autres, comment avez-vous été perçu ?

Comme étant fort et capable de surmonter les difficultés.

Donc, vous admettez que le marasme n'est pas à vos côtés, ni en avant ni en arrière de vous. Donc, il est en vous. S'il est en vous, c'est que vous ne l'avez pas maîtrisé; c'est que vous n'avez pas eu les influences nécessaires pour vous faire changer. C'est donc que vous êtes resté accroché à une situation donnée que vous n'avez pas cru bon changer, et que vous n'avez pas vu ni pris l'occasion de le faire. Il y a eu programmation de votre cerveau à ce niveau. Une question pour vous. Qu'est-ce qui caractérise une forme, selon vous ?... Prenez la forme à votre droite, regardez-la. Quelle différence y a-t-il entre elle et vous ?

Elle aussi est ici pour évoluer, tout comme moi.

Regardez les yeux de cette personne maintenant, pas autre chose. Nous allons demander à cette personne de vous sourire. Maintenant, que percevez-vous ?

Elle est très belle.

Vous allez continuer de la regarder sourire... Regardez-la bien dans les yeux. Tentez donc d'en faire autant. Gardez ce sourire. Demandez à cette personne face à vous ce qu'elle ressent de vous maintenant... Gardez le sourire, ne trichez pas.

[autre participant] Je ressens une certaine peur.

Vous qui avez posé cette question, pourriez-vous prendre un visage reflétant la peur, celui de ce matin d'ailleurs. Regardez-la et faites-le. Demandez-lui maintenant si elle vous donne raison. Demandez-lui si elle perçoit cette peur.

[autre participant] Moins maintenant.

Très bien, vous allez maintenant sourire. Forcez-vous... forcez-vous ! Maintenant, demandez-lui si elle perçoit cette peur, mais gardez le sourire.

Je vois.

Voyez-vous, c'est entre vos deux oreilles. Vous vous montez un roman et vous y croyez. C'est cela que vous vivez. Gardez le sourire, ne trichez pas. Vous trichez tous les jours en vous greffant la peur sur le visage. Votre forme correspond à cela et vous répond pleinement. Vous voulez cela ? Vous agissez comme cela. La preuve, nous venons de vous la donner. Les gens vont percevoir de vous ce que vous voudrez bien montrer et vous allez croire de vous ce que vous voudrez bien voir. Cela vous sera montré plus tard. Vous êtes un bon comédien.... Vous allez faire un exercice.

Mais auparavant, vous pouvez dire merci à cette personne... Vous l'avez fait parce qu'on vous l'a demandé ou parce que vous le ressentiez ?

Normalement, lorsqu'on demande quelque chose à quelqu'un, la politesse est de lui dire merci d'avoir participé.

Nous avons bien fait de vous le faire penser. Il serait bon que vous compreniez que vous avez aussi des qualités. Vous êtes une personne très ouverte, hyperémotive, et même plus que cela. Qu'est-ce qui vous a manqué le plus ces cinq dernières années ? ces six derniers mois ? C'est la même chose.

J'aimerais avoir quelqu'un à mes côtés, mais ce qui presse le plus, c'est de me retrouver, moi d'abord, dans mon intérieur et de vraiment savoir ce que je vais devenir.

C'est ce que vous êtes venu faire ici : chercher l'espoir de vous retrouver, de ne plus être perçu faussement par les autres. Mais tant que vous jouerez votre rôle actuel, tant que vous allez le combler, vous serez perçu comme vous l'êtes maintenant. Tous les matins et tous les soirs, vous vous regarderez dans le miroir et vous modifierez votre tenue. Modifiez tout cela, apprenez à vous sourire à vous-même. Vous avez les deux pieds sur les freins de votre vie et vous faites beaucoup de boucane [fumée]. Il faudrait apprendre à rire aussi, sinon vous n'allez voir que ce qui est sérieux. Apprenez à vous sourire et à retenir cet état en vous. Deuxièmement, n'écoutez donc plus les nouvelles; elles ne sont pas bonnes pour vous. Faites-les vous-même. Troisièmement — cela pourrait être fait en premier mais nous préférons que vous vous regardiez d'abord, et c'est valable pour les autres aussi — vous allez, dès que vous aurez les yeux ouverts, comme première pensée, vous poser cette question : qu'est-ce que je peux faire aujourd'hui pour me faire plaisir. Trouvez une seule chose. Est-ce que ce sera de vous regarder ? Nous espérons que c'est ce que vous ferez en premier. Est-ce que ce sera de vous sourire ? Très bonne décision. Est-ce que ce serait d'aller voir une personne à laquelle vous tenez et de lui dire que vous l'aimez ? Ce serait bien aussi. Est-ce que ce serait de vous acheter au moins une fleur ? Est-ce que ce serait d'avoir des pensées tendres pour des gens qui n'ont pas été capables de transmettre leur amour, dans votre famille par exemple ? Tout cela devrait vous donner le goût de vivre un peu plus, et nous ne vous avons rien appris encore. Posez-vous cette question tous les matins. Et le soir, demandez-vous : est-ce que je me suis fait plaisir ? Si votre réponse est non, demandez-vous pourquoi. Cessez de jouer comme vous le faites actuellement; vous n'allez que vous détruire. *(Diapason, I, 21–03–1992)*

J e prends des cours pour être conférencier, dois-je les poursuivre ?

C'est face à vous-même qu'il faut la tenir, la conférence, pas face aux autres. Sinon vous allez jouer un rôle, mais pas le vôtre. Vous allez chercher à être aimé, mais ce ne sera pas la solution. La conférence, c'est face à vous-même qu'il faut la faire. L'ouverture, c'est face à vous-même qu'il faut l'avoir. Il ne faut pas chercher à faire une démonstration autre que de vous-même. Il faut faire votre propre démonstration : de *vous*, de votre goût de vivre. Sinon vous ne chercherez qu'à combler des temps morts et vous serez perçu différemment de ce que vous êtes. Ne cherchez pas absolument l'amour et l'affection chez une autre personne. C'est en vous qu'il faut la trouver, sinon vous ne serez pas perçu et vous chercherez une mère, ce qui vous manque le plus d'ailleurs. *(Diapason, I, 21–03–1992)*

N ous pourrions intituler cette session *Mieux se connaître.* Quelles sont donc vos réalités ? Quelles sont donc vos forces ? Quelles sont donc vos faiblesses ? Que de fois nous avons constaté que vos formes ne pouvaient voir que l'ensemble et non pas chaque détail qui constitue votre être. Vous subissez, vous réagissez. C'est ce que vous vivez en fait. Il n'y a pas deux personnes ici qui fassent vraiment leurs choix. Vous subissez. Oh ! il y aurait mille excuses à cela pour chacun d'entre vous : les influences des parents, des amis, des gens à votre travail, de vos enfants, des pressions du quotidien. Mais il faudra choisir un jour. Regardez autour de vous et comprenez bien ce qui se passe. Ce n'est pas seulement la nature qui est agressée, mais vos formes. Cette pollution actuelle — nous ne parlerons pas de celle que vous mangez ou respirez ou buvez, mais de celle que vous n'arrivez pas à cerner, cette pollution électromagnétique, ces champs magnétiques différents. Ce type de radiations vous perdra graduellement. Chaque forme a une certaine résistance à ces radiations, mais vous êtes tellement agressés par tous ces milieux que vos formes en perdent leur programmation cellulaire actuellement, et ce à des niveaux différents pour chacun d'entre vous. À moins de vous protéger adéquatement et le plus tôt possible, vous allez avoir des formes qui n'arriveront plus à se suffire à elles-mêmes. Ce qui veut dire que vous allez subir des réactions physiques violentes et aucune greffe n'arrivera à y changer quoi que ce soit. Vous voyez l'ensemble, comme dans vos quotidiens. Ces influences électriques et magnétiques très élevées, ce n'est pas seulement au niveau du cerveau qu'elles agiront, mais au niveau des organes, indépendamment de leur position. Chaque cellule de vos formes retransmet son propre niveau d'énergie et c'est ce qui fait l'ensemble de ce que vous êtes. Lorsque vous subissez des perturbations, comme c'est le cas actuellement, vous bloquez les messages que ces cellules se transmettent les unes aux autres afin de pouvoir se renouveler. Cela affaiblit d'abord vos systèmes immunitaires et vous donne ensuite des cancers. Depuis 30 de vos jours, nous avons porté beaucoup d'attention à tous ces phénomènes, et nous pouvons vous dire avec certitude que, dans l'état actuel de votre science, un pourcentage de 30 % de vos maladies sont causées par les radiations magnétiques que vos formes reçoivent. Et ce n'est pas exagéré. Nous savons fort bien que vos sociétés ne feront rien pour contrer cela parce que cela changerait trop vos habitudes de vie. Il va falloir que vous soyez bien conscients de tout cela. Si vous aviez des questions sur ces champs magnétiques et leurs effets, nous pourrions y répondre dans la mesure des observations. Si nous n'avons pas les réponses, nous les trouverons. Nous avons observé une recherche réalisée il y a près de deux ans et nous en avons parlé lors d'une session il y a près de 12 de vos mois [avril 1991]. Cette recherche a été faite sur des cellules isolées n'ayant aucun contact les unes avec les autres. On avait placé 80 cellules humaines, toutes en bonne santé, toutes dans des bocaux différents. Ces contenants étaient tous scellés hermétiquement; il n'y avait aucun risque de contamination par l'air. Les résultats ont été plutôt surprenants. Il n'a fallu qu'une seule cellule mal programmée qui se détruit elle-même, une cellule cancéreuse, dans un autre bocal scellé pour que toutes les cellules qui étaient en forme périssent comme la cellule qui n'était pas saine ! Vous avez oublié beaucoup d'aspects dans la réalité de vos formes; vous avez oublié les radiations émises par vos propres formes. Dès qu'elles se perçoivent entre elles, elles se reprogramment. Vous allez l'apprendre à vos dépens dans vos hôpitaux, bien que ce soit déjà commencé. Nous en avons déjà parlé beaucoup dans les sessions précédentes. Vous en retrouverez des passages. Il sera très important dans le futur de bien vous protéger. Regardez ce qui se passe avec vos formes dès que vous vous sentez blessés, dès que vous sentez le poids d'une blessure : vous percevez les autres, vous les vivez et votre forme réagit mal. C'est une forme de communication. Ce qui vous sauve en fait, c'est un peu l'ignorance de tout cela. Vous subissez... et non seulement au niveau de vos émotions, puisque même cela vous ne le comprenez pas. Alors, imaginez au niveau de vos cellules ! C'est tout un monde. Rajoutez à cela les tensions créées par vos pensées, la lourdeur de vos jours pour plusieurs, le manque d'amour... Pas surprenant qu'actuellement il y ait autant de cancers, autant de maladies diverses ! C'est tout à fait incroyable ! Prenez conscience que jamais vous ne réfléchissez pour respirer, jamais vous ne pensez à votre coeur, jamais vous ne pensez — il ne vous a jamais été demandé de le faire d'ailleurs — aux cellules de votre peau qui se renouvellent continuellement, et vous continuez pourtant à vivre. Comment se fait-il que vous vous barriez la route aussi souvent pour vivre ? Comprenez que vos formes continuent à vivre malgré vos pensées et que ce qui les détruit, c'est justement votre façon de penser. Vous empêchez vos formes de réagir elles-mêmes et c'est cela qui apporte vos maladies actuelles. Prenez l'exemple d'une personne qui ne s'accepte pas, qui se referme sur elle-même. Placez cette même forme dans un milieu où les cellules sont déjà influencées par vos technologies actuelles — nous ne les nommerons pas toutes, vous en avez trop — et rajoutez-lui un conscient qui se ferme. Comment voulez-vous que, dans ces conditions, une forme puisse se diriger de façon autonome ? C'est impossible. Le secret de la vie est très simple : la journée où vous arriverez à vivre comme votre forme, sans vous casser la tête pour rien, à bien vivre, à pouvoir accepter ce qui se passe, à pouvoir admettre ce qui ne va pas, à pouvoir changer ce que vous pouvez changer, à pouvoir comprendre que peu importe ce qui se passera dans votre vie, que ce soit bon ou pas selon votre compréhension, ce jour-là, vous aurez tout de même obtenu un résultat. Et cela suppose par des changements et de l'avancement dans votre vie. Combien de fois vous arrêtez-vous pour penser à ce qui ne va pas ! Vous vous y attardez tellement que, lorsque vous êtes bien, vous passez par-dessus rapidement. Il va falloir que vous compreniez parce que c'est cela vivre : c'est apprendre à accepter; c'est apprendre et accepter que ce qui est négatif pour vous, à vos yeux, selon votre compréhension, ne l'est que pour vous, pas pour les autres. Ce que vous pensez, vous êtes seul à le penser. Si vous voulez vous rendre malheureux, vous serez seul à être malheureux. Mais comme si ce n'était pas suffisant, vous le faites vivre aux autres pour vous justifier. Il va falloir que vous corrigiez cela. Oh ! nous allons accélérer, ne vous en faites pas. Avec votre groupe, nous irons un peu plus loin; nous vous apprendrons un peu plus qu'aux autres. Est-ce que ce sera difficile ? C'est vous qui choisirez. Nous allons vous donner les clés nécessaires pour réussir, pour débarrer vos vies, pour ne plus les subir. *(Diapason, II, 25–04–1992)*

Nous vous avons demandé de croire en vous, de laisser l'analyse de côté. Nous sommes désolées si, pour vous aider, nous n'avons pas pu compliquer encore plus les choses. Mais que voulez-vous, c'est simple de vivre. Pourquoi vous donner de longues théories que vous ne pourriez pas vivre ? Nous n'avons jamais eu de limites dans ce groupe. Nous vous avons laissé poser toutes les questions que vous vouliez. Certaines personnes n'étaient pas d'accord parce que certains sujets ne leur plaisaient pas. C'était à vous de les changer. Serait-ce la même chose dans vos vies ? Vous en laissez-vous imposer ? Vous aviez tous des choix, tous autant que vous étiez. Nous n'avions aucune limite. Nous savions que parfois certaines questions n'étaient pas bien posées, n'allaient pas en profondeur. Mais nous n'avons pas voulu exagérer. Nous n'avons pas voulu vous compliquer les faits. Vous êtes déjà passés maîtres dans cet art. Notre but est de rendre simple ce qui est difficile. Vous avez entendu tout ce que nous avons dit de cette forme [Robert]. Qui parmi vous serait prêt à sacrifier, dès aujourd'hui, l'équivalent de six semaines de sa vie sans avoir la certitude que cela va servir ? Lequel d'entre vous serait prêt à changer de place avec cette forme, du moins l'intérieur de sa forme avec le sien ? Il est vrai que nous avons parfois élevé le ton, non seulement pendant les sessions mais en dehors aussi, lorsque nous avons remarqué vos réactions d'enfants : colères inutiles contre vous-mêmes, manque de compréhension. Plusieurs ont recherché des méthodes trop rapides, voulant tout régler leurs problèmes d'un seul coup. Comment voulez-vous renaître si vous ne savez même pas que vous vivez, ni comment vivre ? Notre but est pourtant très simple. Premièrement, avec ces sessions, notre but était de vous simplifier la vie, de répondre aux questions qui vous ont étouffés pendant des années à cause de la peur, de la crainte. Puis, nous voulions vous faire vivre intensivement une rencontre avec vous-même, pour que vous soyez vraiment réalistes, et de vous permettre graduellement de vous reprogrammer à votre rythme. Nous n'avons pas caché non plus que nous apprenions avec vous, que cela servirait à des millions d'autres individus plus tard. C'est cela que nous étudions, pas seulement avec vos groupes mais aussi avec d'autres groupes dans le monde. Si nous nous rendons compte que cela peut vraiment vous faire évoluer... Nous avons donné tellement d'outils par le passé ! Nous avons souvent été tellement désolées d'apprendre que la crainte du changement pour le meilleur était tellement puissante que plusieurs faisaient les sourds et les aveugles dans leur propre vie. Mais il y en a eu qui sont passés à travers les changements et qui sont sur le point de comprendre comment tout cela fonctionne. Nous savons ce que cette forme [Robert] a dit au début de cette session : elle se plaît à dire que nous sommes une façon de vivre. Dans un sens, elle n'a pas tort. Vous avez le choix et vous l'aurez toujours. Nous tenterons quand même de vous simplifier la vie, même si certaines personnes veulent se la compliquer encore plus. Que vous vous fâchiez contre nous, cela nous amuse vraiment ! Bien souvent, vous l'êtes contre vous-mêmes, contre votre propre vie. Nous sommes bien placées pour aider ceux qui veulent se compliquer la vie aussi. Des événements, nous pouvons vous en faire vivre si vous en voulez — vous aurez ainsi de bonnes raisons d'être fâchés contre nous —, mais nous pouvons aussi faire le contraire. [...] Nous aimerions que vous songiez à quelque chose d'autre. La journée où vous croirez avoir tout appris et que rien ne changera dans votre vie — pour ceux qui aiment tant les connaissances —, vous apprendrez à vos dépens que l'énergie, à la fois celle de vos formes comme celle de l'Univers, n'a vraiment pas besoin de votre conscient pour agir et qu'en fait, vous n'avez qu'à réajuster vos pensées conscientes sur cette énergie pour pouvoir vraiment vivre avec facilité une vie de qualité. [...] Ce n'est pas d'aller jusqu'au bout avec nous qui compte, mais d'aller jusqu'au bout avec vous-mêmes, comme dans vos mariages, pour le meilleur et pour le pire. Et, comme dans vos mariages, lorsque c'est au pire, vous faites des changements. Nous vous suggérons de rester dans le meilleur, de ne pas attendre le pire pour apprendre ce qu'est la vie. Effectivement, dans vos quotidiens, nous retrouvons deux types de personnalités : ceux qui font les efforts pour réussir consciemment, même s'ils doivent nuire et se nuire. Et vous en avez d'autres qui ne font rien et tout s'arrange pour eux, ce qui choque tout le monde; ils sont heureux et, pire encore, ils ont des gens heureux à leur côté. Frustrant, n'est-ce pas ? Vous allez apprendre dans le futur ce que veut dire vraiment le lâcher prise. Le secret de vos vies, c'est de cesser d'insister. Combien d'entre vous endurent jour après jour, même dans leur milieu familial, des pressions qu'ils ne peuvent plus tolérer. Bien souvent, les raisons qu'ils invoquent sont de fausses raisons émotives : la peur de se retrouver seuls, l'insécurité parfois, une fausse insécurité. Que de fois nous observons le sacrifice d'une vie ! Inutile... Tentez de vivre votre propre vie avant celle des autres, ajustez-vous à vous-mêmes, devenez plus compréhensifs et, le plus important de tout, adoptez face à vous-mêmes une attitude de gratitude et non de tolérance. *(Diapason, IV, 06–06–1992)*

Qu'est-ce que la passion ?

La passion, c'est de vivre une telle intensité de vie que tout y est rattaché. Cela veut dire vivre tellement intensément que rien ne peut vous toucher. C'est cela être passionné. Que nous aimerions donc que vous le soyez tous face à vous-mêmes ! C'est cela la passion, pas d'être à genoux mais de se tenir debout. La passion de Jésus, c'est une autre passion... pas de quoi être passionné d'ailleurs ! *(L'envol, IV, 30–05–1992)*

C'est cela le but de vos vies, la compréhension de vous-mêmes et l'amour de vous-mêmes, peu importe ce que vous devrez faire pour cela. Le but, c'est de vous aimer vous, pour pouvoir vous aimer entre vous. Soyez assurés de notre amour.

*O*asis

*Le respect de soi,
c'est être soi-même,
avec ses défauts, ses qualités,
ses sentiments et
ses émotions.*

Le respect de soi

Nous aimerions vous parler du respect. Du respect de vous-mêmes, de votre individualité et de la dualité qu'il y a en vous, de votre façon de voir la vie, de vivre parfois trop consciemment au point de ne plus vous reconnaître vous-mêmes. Savez-vous bien ce qu'est le respect ? Pas le respect des autres. Le respect des autres est trop souvent un jeu, un jeu truqué même, pipé. Savez-vous ce qu'est le respect de *vous* ? Quel amour avez-vous pour vous ? Y avez-vous même déjà pensé ? C'est très important, c'est même la base de la vie. C'est de vos vies dont nous parlons, pas de celles qui appartiennent à ceux qui ne sont pas ici. Laissez-nous un peu vous parler du respect de vous-mêmes, de ce que cela comporte. Savez-vous bien que le respect de soi-même commence par l'appréciation de soi ? Nous avons des réactions déjà. Certains d'entre vous viennent de penser : « Oh ! ce n'est pas facile tout cela, de s'aimer malgré ses défauts. » Quelques personnes l'ont pensé. Mais n'avez-vous pas pensé aussi que, si vous avez des défauts — et vous en avez tous —, vous avez aussi des qualités ? Si vous n'y pensez pas à ces qualités, c'est que vous vous attardez trop à vos propres défauts. Vous vous y attardez tellement que vous vous demandez si les autres les voient et, plus que cela, vous trouvez tous les moyens de les dissimuler. Allons donc ! Comme si les défauts n'étaient pas aussi des qualités. Plusieurs ici même sont tellement préoccupés non seulement par leur apparence mais par leur façon de s'exprimer pour être mieux perçus dans la réalité ! Ce n'est pas la simplicité tout cela. D'autres encore vont trop penser, vont même aller jusqu'à s'analyser eux-mêmes. D'autres — et plusieurs vont se reconnaître encore une fois — vont se forcer à vivre leur vie actuelle, même si elle leur déplaît, premièrement pour des raisons de sécurité et ensuite par peur de se retrouver seuls : quelle foutaise ! D'autres ici même ont fait au contraire des choix qui n'ont pas été faciles, des choix qui ont blessé des gens autour d'eux. Ce faisant, ils se sont blessés eux-mêmes et ils ont oublié le pourquoi des changements, le but à atteindre. Ils pensent, une fois les changements faits, qu'ils sont plus malheureux qu'ils ne l'étaient auparavant, parce qu'ils se disent qu'ils ont rendu des gens malheureux autour d'eux. Ils se rendent donc malheureux sans penser au but premier de leur décision. Vous aviez pourtant un but qui a entraîné ces décisions. Encore une fois, vous avez tous deux choix : de rester malheureux toute votre vie et de vous demander constamment si vous avez bien fait, ou de vivre ce que vous voulez vivre dans la confiance en vous-mêmes. Qu'est donc l'insécurité sinon la sécurité ? Et qu'est donc la sécurité si ce n'est l'insécurité ? Les plus riches sont les plus insécures. C'est une roue sans fin. Mais jusqu'où voulez-vous aller ? Est-il plus important pour vous de paraître différents, de jouer un rôle pour être acceptés des autres ou encore d'être bien avec vous-mêmes, de choisir vous-mêmes les gens que vous voudrez à vos côtés. Ceux qui ont le respect d'eux-mêmes ont fait des choix, ont voulu vivre leurs émotions pour eux, ont mis leur tempérament à dure épreuve et leurs sentiments aussi. Nous avons toujours dit que le respect de soi est le respect de ses sentiments et de ses émotions. Si vous ne respectez pas cela, vous jouez un jeu. Vous ne voulez pas paraître fragiles parce qu'un rien vous fait pleurer ? Vous allez vous modifier, jouer un rôle. Qu'y a-t-il donc de si mauvais dans le fait de montrer ses émotions, de démontrer sa sensibilité ? Rien ! Combien de fois observons-nous des gens qui se ralentissent eux-mêmes par de fausses peurs, qui jouent des rôles tant que leur forme peut le supporter. Puis, lorsqu'ils n'en peuvent plus, leur forme réagit et il est souvent trop tard. Il y a plusieurs façons de se faire plaindre ou d'aller chercher l'amour que vous n'avez pas eu. Peut-être n'avez-vous pas montré tout au long de vos jours que vous vouliez de l'amour ou peut-être ne vous êtes-vous jamais montrés vous-mêmes ? Un jour ou l'autre, il va falloir que vous fassiez des choix. Il reste à savoir quand et jusqu'où vous pourrez encore faire des choix, jusqu'à quand vous pourrez jouer un rôle. Il va falloir que vous y pensiez sérieusement. Le respect de soi, c'est être soi-même, avec ses défauts, ses qualités, ses émotions et ses sentiments. Avec ses défauts en premier, car même si vous n'en aviez pas, vous en créeriez; sinon comment sauriez-vous que vous avez des qualités ? Acceptez-vous donc tels que vous êtes et changez ce que vous n'aimez pas. Ceux qui ont le courage de le faire savent ce que nos propos veulent dire. Vous devez vous accorder du temps tout de même pour que vos formes se replacent dans leur domaine, se réajustent à de nouvelles vibrations, s'adaptent à des perceptions différentes. Faire du surplace ne mène jamais loin. Si vous avez l'impression dans votre vie de faire du surplace, demandez-vous donc premièrement si vous aimez cela. La réponse sera non, très certainement. Demandez-vous ensuite si vous aimeriez le changement. Si oui, demandez-vous quel changement. Tracez-vous des objectifs. Si vous ne prenez pas de risques dans la vie, comment saurez-vous qui vous êtes et comment apprendrez-vous quelles sont les limites de la vie ? Si vous saviez ! Vos scientifiques vous disent que, dans les meilleurs cas, 10 à 12 % de vos cerveaux sont utilisés; nous vous disons qu'en règle générale, vos formes utilisent 1 à 2 % des capacités de l'Âme, et ce, dans les très bon cas. Nous ne mentionnons pas dans ce calcul les autres formes d'énergies auxquelles vous pourriez avoir accès, car vos pensées vous empêchent de vous rendre là. Vous maîtrisez tout cela, mais pas comme vous le devriez. Nous avons fait des essais avec des gens à qui nous avons laissé volontairement plus de Cellules pour qu'elles puissent en plus grand nombre voir à quel point vos formes pourraient bien comprendre cette force. Il y a des gens qui ont des pensées d'analyse tellement fortes qu'ils se ferment à tout espoir d'ouverture vers l'extérieur et l'intérieur d'eux-mêmes. C'est ce qui est malheureux. Vous faites la même chose dans vos vies lorsque vous ne vous respectez pas. C'est pourquoi nous vous disons que le premier pas est de vous respecter. Le deuxième pas est de bien comprendre la réalité de vos vies. Tout au long de ces sessions, nous avons tenté d'éclaircir des sujets tout aussi divers les uns que les autres. Par des moyens plutôt détournés, nous avons répondu à ces questions, en sachant très bien que les réponses rejoindraient plusieurs personnes à chaque fois, pour vous aider à mieux comprendre, pour rendre plus simple la réalité. Nous avons choisi cette forme [Robert] parce que nous voulions communiquer avec vous dans des mots plus simples, les moins scientifiques possible, pour que ce soit mieux compris encore. Dans 12 de vos mois, nos mots reviendront en vous et nous reviendrons aussi de temps à autre vers chacune de vos formes pour voir les résultats, parfois pour redonner du courage aussi. Nous n'avons jamais laissé tomber aucune personne. Parfois nous avons été vers l'Âme directement, et ce dans plusieurs cas, parce que celle-ci avait besoin d'être stimulée; dans d'autres cas, c'est vers vos consciences que nous allons. Chacun d'entre vous sait cela mais vous n'avez rien vu encore. Il est difficile de résumer une vie complète en huit heures de sessions, encore moins un monde ou un univers. C'est pour cela que nous vous avons permis autant de sujets à la fois. Remarquez bien que tout cela se suit bien, se résume avec simplicité d'ailleurs. Si vous pouviez toujours vous souvenir de ce mot. Nous sommes simples, vous devriez l'être aussi; vous pourriez ainsi mieux comprendre. Nous allons donc répondre à vos questions. *(Symphonie, IV, 06–07–1991)*

P ourquoi est-ce si difficile de faire des choix ?

C'est très simple. Parce que vous ne respectez pas vos propres choix et que vous allez vers les choix des autres. Parce que beaucoup d'entre vous croient qu'ils seront heureux en rendant les autres heureux. Et ce n'est pas comme cela que vous fonctionnez. Vous voulez être heureux ? C'est à vous de le choisir. Combien d'entre vous, lorsqu'ils se lèvent le matin, ont le goût de se faire plaisir ? Très peu ! Par contre, combien d'entre vous ont déjà hâte de se coucher ? Plusieurs ! Vous pouvez être heureux sur l'oreiller, mais vous pouvez l'être aussi pleinement en étant debout. Tout dépendra des choix que vous voudrez faire dans votre vie. Mais les choix sont difficiles, comme vous le mentionnez, parce qu'ils impliquent le plus souvent des limites, soit des limites que vous ne voulez pas dépasser, soit des limites qui peuvent vous faire du mal si vous allez à l'encontre. Tout cela n'est qu'une question d'ouverture, de participation à sa propre vie. Lorsque vous aurez à faire des choix, demandez-vous plutôt : « Qu'est-ce que je peux faire comme choix qui me ferait plaisir à moi et pas aux autres ? » Vous allez voir, votre réponse sera différente, mais le résultat sera le même car, lorsque vous vous faites plaisir à vous-mêmes, vous faites plaisir aux autres. C'est la même chose dans toutes les décisions de la vie. Peu importe la décision que vous prendrez, elle changera à coup sûr la vie des gens à vos côtés en même temps que la vôtre. Faire des choix qui vous paraissent difficiles parce qu'il y a des gens à vos côtés qui ne les accepteraient pas, cela veut dire se rejeter soi-même, se placer dans une file d'attente, admettre de ne pas être capable de se réaliser pleinement. Cela vous mène à des choix secondaires, à des choix qui ne sont pas naturellement les vôtres, à des choix forcés. Et cela vous conduit directement à des problèmes de comportement. Qui d'entre vous est heureux de ne pas réaliser ce qu'il veut ? Personne ! À plus ou moins grande échelle, vous vous punissez. Tout dépend de la gravité de la situation, du problème. *(Nouvelle ère, I, 29-02-1992)*

*C*omment être en paix, en harmonie avec soi-même, et comment retrouver et garder cette lumière, ce rayonnement intérieur ?

Vous posez une question et vous donnez une réponse. En fait, la personne qui est en harmonie avec elle-même ne se pose pas la question de savoir comment garder le rayonnement intérieur déjà acquis puisqu'elle le vit. L'harmonie n'est pas utopique puisqu'elle se vit; l'harmonie n'est pas seulement une conquête, elle se vit à chaque instant. Si vous saviez tous le reconnaître lorsque vous êtes bien, si vous saviez le programmer dans vos formes, vous pourriez rappeler cet état d'être, le revivre aussi souvent que vous le voulez. L'harmonie veut dire s'harmoniser à soi-même, à ses pensées, à ses états d'être. Combien de fois n'avons-nous pas mentionné qu'en fait, des êtres tels que vous n'ont pas besoin de penser pour que tout fonctionne; c'est lorsque vous pensez que cela s'arrête. C'est la même chose pour l'harmonie. Dès que vous aurez appris à reconnaître cet état en vous, à bien le programmer en vous, vous pourrez le reprogrammer en tout temps, le vivre en tout temps et remplacer les pensées négatives par cet état d'être. Il y a tellement de méthodes pour vous ramener à l'harmonie ! Elles sont toutes différentes les unes des autres, mais toutes veulent dire la même chose. Cette harmonie vous semble inaccessible ? Foutaise que cela ! Chacune des personnes ici présente aura sa propre version de l'harmonie. Pour certaines personnes, ce serait juste de garder leur état de santé actuel; pour d'autres, ce serait de mieux s'entendre avec un conjoint; pour d'autres encore, de mieux s'entendre avec eux-mêmes. L'harmonie implique de faire un choix, de respecter ce choix et de tout faire pour obtenir ce choix, peu importe le degré de profondeur que vous choisirez d'atteindre dans l'harmonie. Demandez à qui vous voudrez combien pèse un peu d'harmonie par rapport à beaucoup d'harmonie. Ce qui compte, ce n'est pas la quantité, mais de reconnaître ce que c'est, de vouloir le conserver et de le programmer en soi. Cela ne se fera pas avec tout le monde : si vous cherchez l'harmonie, ce ne sera pas en forçant les autres à vous créer un monde. Demandez-vous : « Suis-je pleinement heureuse ? » Sinon, demandez-vous : « Qu'est-ce qui fait que je ne le suis pas ? » Et lorsque vous aurez votre réponse, demandez-vous donc : « Si je reste dans cet état, aurai-je des chances de vivre en harmonie ? » Si la réponse est négative, vous saurez qu'il faut passer outre au problème pour atteindre l'harmonie. *(Nouvelle ère, IV, 23-05-1992)*

*E*t nous commencerons par un sujet, *vous*. Vous avez tous des choix. Le premier, c'est de vous respecter. Combien de fois n'avons-nous pas entendu des gens nous appeler à l'aide et attendre ensuite que nous fassions le travail. Combien de fois ! Passez donc à l'action, remplacez ce qui ne vous convient plus par ce qui peut vous convenir le mieux. Il nous serait facile de parler seulement de théories, de la création du monde, des grands débuts, mais nous parlerions de théories que vous n'arriveriez pas à comprendre, à assimiler. Vous ignorez tout de vos formes, du fonctionnement de vos cerveaux et vous voulez savoir comment le monde a débuté. Ne serait-il pas plus important de comprendre plutôt comment *vous* pouvez débuter ? C'est cela notre rôle. À ce jour, nous avons eu plusieurs centaines de questions, sur des sujets tous aussi différents les uns que les autres. Très peu d'entre elles n'étaient que des questions de curiosité. Si c'était le cas, nous n'y répondrions pas parce que cela ne serait d'aucune utilité dans vos vies. Si nous arrivons à vous rendre curieux sur vos propres vies, sur ce que vous vivez tous les jours, à faire en sorte que vous *vous* aperceviez, ce sera une réussite. Vous parlez du monde, de sa création. Que de fois avons-nous répété que l'Univers, c'était la même chose qu'en vous ! Il forme un tout, tout comme nous. C'est la même chose. Vous êtes tellement portés à vivre en groupes, à vous comparer en groupes que vous oubliez l'individualité que vous êtes. Vous oubliez le principal : l'énergie première dans vos formes. Vous croyez que cet Univers est immense mais vous ignorez encore à quel point. Vous n'en avez pas vu le quart actuellement, même sur les cartes les mieux dessinées. Imaginez ce qui est dans vos formes ! C'est encore moins connu que l'Univers. Si vous pouviez seulement percevoir une partie de l'ensemble de l'Univers, vous y verriez la même structure que celle des atomes qui composent vos formes. C'est pour cela que tout se tient, que tout se ressemble. Vous faites trop d'efforts, c'est cela le problème. Pour certains, c'est de trop vouloir; pour d'autres, de trop attendre. Quelle est donc votre réalité dans tout cela ? Que faut-il que vous fassiez ? Que faut-il que vous compreniez pour vous rendre compte que l'Univers est une structure qui se tient, qui se respecte, qui se soutient et que c'est la même chose pour vos formes ? Chaque forme est identique à l'Univers, à la fois dans sa structure et dans sa façon de penser. Comme vous cherchez ce qui est déjà là ! *(Diapason, III, 16–05–1992)*

V ous dites que, pour réaliser un but, on doit passer
à l'action....

Passer à l'action, c'est pour réaliser un rêve. Pour réaliser un but, vous devez planifier dans tous les détails ce que vous voulez vraiment de façon à vous donner toutes les chances de le reconnaître et de reconnaître les moyens à prendre pour vous y rendre. Cela vous demandera de passer à l'action de temps à autre, bien sûr. Comme nous le disions au début de cette session, si vous souhaitez être très heureuse dans votre vie, mais que vous ne faites que le souhaiter sans définir ce qu'est le bonheur, vous ne le serez jamais et vous vous trouverez toujours malheureuse.

Pouvez-vous nous donner des exemples concrets ?

Être heureux et ne pas le voir ?

Oui.

Prenez le cas d'une personne qui vit avec une autre personne et ne l'accepte pas, ce peut être un frère, une soeur, la mère, le conjoint même. Si vous n'acceptez pas cette personne à charge et qu'à chaque jour vous rêvez d'être bien avec vous-même, d'être libre de vos choix, libre de voyager, libre de dormir quand vous le voulez, libre des responsabilités, fixez dans votre tête tous les détails vous conduisant à cet état. Voyez-vous en train de vous éloigner, de donner cette responsabilité à quelqu'un d'autre — rappelez-vous qu'il faut au moins respecter cela —, voyez la façon de vous y prendre et dans tous les détails, même le déménagement de cette ou de ces personnes, ou le vôtre s'il le faut. Vous devez vous voir très clairement dans votre tête comme si c'était déjà fait, ressentir en vous la joie que vous aurez lorsque tout cela sera fait. Une fois que vous connaissez cela, une fois que votre forme sait ce que cela veut dire, vous vous y dirigez en ligne droite. Si vous refusez cela, c'est très simple, vous allez réagir toute votre vie parce que, pour vos cerveaux, cela veut dire ne pas prendre les devants, faire du surplace. Combien ont un travail depuis 15 ou 20 ans au même endroit, savent qu'une sécurité y est rattachée, mais maudissent chaque heure du jour qu'ils vivent ? Vous appelez cela sécurité. Nous appelons cela vivre l'insécurité, non pas monétaire, mais au niveau de la valeur de vos formes, de la santé de vos formes. Il y a toutes sortes de martyrs, crucifiés ou non. Certains vivent cela dans leur quotidien, nous haïront même pour avoir dit cela, sachant très bien que c'est la vérité, alors que d'autres viennent d'avoir des réactions, se disent qu'ils vont y penser très clairement afin de changer. Une question pour vous qui en aviez pour nous : que feriez-vous avec vos vêtements si vous deviez les porter tous les jours pendant cinq ans, toujours les mêmes ?

Je les laverais tous les jours.

Et dans cinq ans, de quoi auraient-ils l'air ?

Assez usagés.

Et dans 10 ans ?

Ils ne seraient pas portables.

Et que seraient vos vies si vous deviez vivre pendant 20 ans un fait qui n'est pas acceptable actuellement ? Est-ce qu'elles seraient comme vos vêtements ?

C'est sûr.

Auriez-vous le droit d'être fâchée ? d'être en colère ? de maudire tout ce qui vous entoure ? de ne pas aimer les gens qui seraient heureux ?

Non.

Vous auriez dû dire oui, parce qu'une personne qui vit 20 ans de malheur n'acceptera pas une personne qui va lui sourire. La réalité, c'est qu'une telle personne va devenir agressive. Voyez vos vies comme des vêtements que vous porteriez tous les jours. Demandez-vous si c'est le cas actuellement. Pendant combien de temps vont-ils durer sans qu'il y ait des trous ? Pendant combien de temps les rapiécerez-vous pour ne pas montrer ces trous ? C'est cela la vie et c'est ce qui vous donne tant de choix. Faites donc pour vos choix de vie ce que vous faites pour vos vêtements : ayez du goût — du moins nous l'espérons —, choisissez des agencements et des couleurs qui vous plaisent pour bien vous sentir, bien vous ressentir ! Appliquez cela dans votre quotidien aussi. Si certaines gens vous ennuient trop, apprenez à le dire, pas à le faire voir ! Apprenez à vous affirmer dans cela et vous n'aurez aucune raison de ne pas vous aimer, aucune raison de ne pas aimer la vie. *(Diapason, IV, 06–06–1992)*

L es émotions ont toujours et auront toujours au départ une cause. Sinon, c'est un sentiment que vous avez. Trop de gens mélangent les termes. L'amour, ce n'est pas une émotion, mais vous pouvez avoir une émotion qui en découlera si votre expérience de l'amour ne vous comble pas. Sinon ce sera un sentiment que vous aurez et vous serez deux fois plus amoureux. Les gens ne comprennent pas. Certaines techniques actuelles sont beaucoup trop dangereuses. Elles font en sorte que les gens travaillent leurs émotions et cela finit par tuer vos formes autant que le pire des poisons. S'il y a une émotion, c'est qu'il y a un problème profond, et plus l'émotion est grande, plus le problème est grand, et moins vous voulez le voir. Tant que les gens ne comprendront pas cela, ils vont se blesser. Ils vont se dissimuler en eux, ils vont vouloir comprendre les émotions, ils vont les vivre, mais ils vont continuer le problème. Mais cela ne changera personne ! Cela va vous rendre encore plus malades, plus souffrants avec les années et encore moins compréhensibles seront vos vies. Donc, les émotions, oui, elles peuvent se soigner, mais pas par l'émotion elle-même, par ce qui l'a créée. Chaque individu le sait, mais chaque individu qui a des émotions ne veut pas guérir le problème, il veut oublier le problème. Mais vos formes ne sont pas conçues pour oublier, elles sont conçues pour se souvenir et, pour être certaines que vous n'oubliez pas, plus vous allez vouloir enfouir en vous les émotions, plus vous aurez un problème physique qui sera apparent. C'est pour cela que nous avons appelé une émotion une cicatrice. C'est beaucoup mieux. *(Session sur le livre, 20-06-1994)*

A mour, émotion et sentiment, pour moi, c'est synonyme. Est-ce bien cela ?

Un sentiment, c'est ce qui englobe l'émotion. L'émotion se vit, mais le sentiment vous dirige vers un comportement. Ce n'est pas le sentiment qui déclenchera les larmes, mais l'émotion qui y est contenue. Le sentiment, c'est ce qui regroupe les deux. Vous pourriez avoir le sentiment que vous avez le goût de pleurer, mais les larmes ne viendront pas parce que l'émotion ne les déclenchera pas; vous avez le sentiment de tristesse tout de même. L'émotion se vit, c'est du direct. L'émotion se démontre. Vous pourriez avoir un sentiment de colère, mais ne pas l'exprimer parce que la colère est aussi de l'émotion, de l'émotion refoulée mais de l'émotion tout de même. Donc, le sentiment englobe l'émotion, c'est ce qui vous dit si, oui ou non, vous devrez passer à l'action ou à l'émotion. *(Le fil d'Ariane, III, 16–11–1991)*

C omment faire la différence entre les émotions et les sentiments ?

Si vous parlez de l'amour, c'est un sentiment. Si vous parlez de la tolérance, c'est aussi un sentiment. Si vous parlez de la colère, c'est aussi un sentiment. Une émotion, c'est ce qui vous fait réagir. Nous pourrions comparer une émotion à une réaction de vos formes produite par des événements, peu importe ce qu'ils sont. Vous pourriez avoir le sentiment de colère et ne pas l'exprimer. Mais si vous l'associez à un événement, c'est à ce moment-là que cette protection agira; c'est là que vous vivrez une émotion. Donc, une émotion est le résultat d'événements qui vous ont blessés. Ne la confondez pas avec le sentiment de l'amour ni avec les gestes qui en découlent. Ce n'est pas une émotion que vous avez lorsque vous avez des relations sexuelles, c'est une réaction; c'est la forme entière qui réagit. La preuve, c'est que, lorsque ces relations sont terminées, vous ne restez pas avec des émotions dans votre tête, mais avec des sentiments car votre forme les a vécus. Dans le cas d'une émotion, vous subissez constamment. N'oubliez pas qu'il y a aussi des émotions que vous ignorez, que vous traînez depuis des dizaines d'années et qui vous font réagir seulement à les voir ! Supposons que votre vie soit idéale, une vie où vous seriez conscients de vivre, conscients de tout ce qui se passe à chaque seconde, de votre bien-être, de votre bonheur, des gens autour de vous, et que vous n'auriez pas besoin de faire des efforts pour que tout se règle. Ce serait cela l'idéal, que tout ce que vous souhaitez se réalise. Mais que faites-vous pour changer cela, pour vous empêcher de vivre cela ? Vous pensez à ce que vous voulez puis, dès qu'arrive un événement, vous le vivez pour vous. Vous ne le réglez pas, vous ne franchissez pas une étape supplémentaire et vous restez accrochés si cela vous blesse. Apprenez à vous exprimer, apprenez à reconnaître vos sentiments, apprenez à reconnaître ce que sont les émotions. Si vous choisissez de les vivre, faites-le pour vous en débarrasser, pas uniquement pour les conserver et les répéter. Si vous croyez que l'amour est une émotion, c'est ce qui vous manquera le plus et c'est donc ce que vous rechercherez. Il y a des émotions qui peuvent vous paraître positives s'il vous faut les vivre pour les reconnaître. Mais la majorité des émotions sont vécues sans que vous en soyez très conscients, seulement blessés. Regardez dans votre quotidien ce qui vous blesse et éliminez-le. Si les gens qui sont à vos côtés n'arrivent pas à cerner qui vous êtes, changez, soyez vous-mêmes; c'est la seule façon de ne pas vous imposer des émotions. *(Diapason, II, 25–04–1992)*

*M*algré cela, je n'arrive pas à discerner, selon mon expérience amoureuse, ce qu'est une émotion et un sentiment.

Par suite d'une relation qui n'existe plus ou qui a existé ?

Il s'agit d'une femme à mon travail dont je suis devenu amoureux il y a quelques années. Cela s'est terminé par une rupture, mais il n'y a pas vraiment eu de communication entre nous. Je crois que c'était l'amour de moi-même. Je me sens plutôt confus parce que j'ai essayé de faire le ménage, d'établir clairement ma situation : quelle est l'émotion, quel est le sentiment... Mais je me rends compte que cette expérience m'a donné accès à d'autres plans à l'intérieur de moi-même.

En fait, vous avez eu accès à des connaissances; si cela devait se répéter, vous ne le referiez pas de la même façon. Vous accéderiez à la communication, pas seulement au rêve. Vous avez vécu dans le rêve. Vous avez voulu y croire et vous étiez tellement sûr de vous, que ce n'était pas fait à l'extérieur, mais seulement en vous. Donc, vous avez développé deux choses : une émotion face à vous-même et aux relations futures, un peu comme si vous vouliez vous protéger à l'avenir pour ne pas être blessé, et vous avez développé un sentiment : celui de croire que, la prochaine fois, ce ne sera pas de la même façon. Donc, lorsque cela se reproduira, trois réactions sont à prévoir. Même si c'était le coup de foudre, votre cerveau vous dira d'attendre et il cherchera à comparer pour savoir si l'autre personne rêve ou si c'est vous, et cela causera des délais. Votre cerveau aura aussi une troisième réaction : il se demandera que faire. Donc, vous reviendrez en arrière, vous regarderez l'expérience et vous vous demanderez : « Est-ce que je prends les devants ou bien j'attends ? », de peur de vous perdre dans vos propres sentiments. Donc, l'émotion, c'est ce qui va vous protéger dans un sens, et le sentiment sera le souhait d'accéder à une relation future. Ce qu'il vous faut faire dans un tel cas, c'est de revivre cette période dans votre tête et de vous dire : « Très bien, j'ai appris qu'un rêve restera toujours un rêve et que, pour que le rêve se réalise, il me faut communiquer, m'exprimer autrement. » Donc, vous avez vécu un sentiment basé sur une émotion et cela ne vous a donné qu'un rêve.

J'ai eu beaucoup de difficulté à établir la communication, d'abord à en prendre conscience, puis à l'accepter. Ce fut plutôt une série d'embûches, peut-être parce que j'ai beaucoup de difficulté à traduire mes rêves en réalité ou à prendre la réalité pour ce qu'elle est ?

Vous savez ce que serait le terme à employer avec vous ? Oser. Pas rêver, oser. Il n'y a qu'une lettre de moins, mais cela fait toute la différence. Vous êtes un grand rêveur, hypersensible et hyperémotif. C'est comme si vous aviez un fusible qui sautait chaque fois que vous êtes sur le point d'aimer. Ce fusible s'appelle crainte, doute de plaire. D'un autre côté, vous aimez aussi votre liberté et votre choix d'action. Donc, ce que vous recherchez serait une partenaire — avis à celles qui ne dorment pas — pouvant vivre avec une personne hyperémotive, hypersensible, qui n'aurait pas besoin automatiquement de la parole pour vivre, mais capable de respecter votre choix de liberté. La crainte fait que vous n'allez pas de l'avant, que vous n'osez pas assez rapidement à chaque fois. Ce qu'il vous faut faire, c'est retrouver des priorités. Mais les concessions, ce n'est pas ce que vous aimez le plus. En fait, ce qu'il vous faudrait, ce serait une femme qui serait un peu votre mère aussi. Ne vous en faites pas, il y en a qui cherchent des enfants; c'est aussi le but de la vie. La prochaine fois, dès que vous ressentirez cela profondément, osez un peu plus, exprimez-vous pour ce que vous êtes, faites la démonstration de vous-même, pas à temps partagé, mais à plein temps. À ce jour, non seulement vous mais plusieurs ici ont refoulé leurs émotions profondément, de peur de se montrer, de peur de paraître plus faibles aux yeux des autres. C'est une erreur et agir ainsi apporte des déceptions. (*Diapason, II, 25–04–1992*)

*E*st-ce qu'on peut dire que les émotions sont propres à la forme et que le sentiment pourrait être la manifestation de l'Âme ?

Cela s'appellerait jouer sur les mots parce qu'en fait, c'est toute votre forme au complet qui est la manifestation de l'Âme. Si cette vie était idéale... Lorsque vous faites quelque chose de bien et que vous savez que c'est bien, vous avez le sentiment que c'est bien; c'est donc toute votre forme qui vit cela. Il vous arrive la même chose lorsque c'est mal. L'émotion, c'est la suite de ce que vous faites avec ce qui est mal, ce qui ne vous convient pas. Vous vous protégez pour la prochaine fois, pour ne pas vous blesser à nouveau. Si vous vivez bien, si vous êtes bien avec vous-même, ne vous cassez donc pas la tête : l'Âme aussi est bien et vous serez bien. Plus vous développerez cela, plus l'Âme réglera pour vous ce qui n'ira pas dans vos vies parce que c'est dans son intérêt. Plus vous agirez dans son intérêt, mieux vous serez. Ce n'est pas compliqué. Rappelez-vous, l'Âme s'exprime par votre forme. Vos pensées négatives ou ces émotions refoulées que vous refusez de vivre de peur de vous blesser étouffent l'Âme. Certains diront que l'Âme, c'est l'essence de toute chose, c'est ce qui est au centre. Bien que ce soit vrai, nous préférerions que vous ne fassiez pas seulement les efforts pour vous centrer sur elle, mais que vous vous centriez aussi consciemment sur ce que vous vivez. Reconnaissez-vous. C'est cela qui compte. Vos formes ne feront pas que réagir mais vont vivre. C'est tout le contraire d'une guerre, même à l'intérieur d'une forme. *(Diapason, II, 25–04–1992)*

P *ouvez-vous définir toutes les émotions ?*

Généralement, les émotions font partie de ce que vous voulez vivre. Par exemple, plusieurs ici ce soir veulent percevoir l'amour, réellement, au niveau que nous avons déjà mentionné dans les sessions précédentes. Les gens qui veulent percevoir l'amour, qui veulent le vivre, développeront en eux une plus grande sensibilité, donc une plus grande perception des autres, et ils seront souvent touchés par l'émotion des autres. En ce qui vous concerne, le plus grand cadeau que vous ne pourrez jamais vous faire, sera toujours de vivre vos émotions pour ce qu'elles seront constamment, sans gêne. Vivre vos émotions telles qu'elles seront sera une preuve du respect que vous aurez pour vous-mêmes. Si vous refoulez des pleurs, c'est que vous n'acceptez pas; par contre, si vous pleurez, c'est que vous vous donnez la chance de comprendre, de vous ouvrir. Le rire est aussi une émotion. Si, d'un côté, vous vous le refusez, vous refusez de vous épanouir. Vous pouvez très bien imaginer vos cellules en train de rire ou de pleurer au sens physique, bien sûr, mais cela existe tout de même. Peu importe les émotions, que ce soit la sensibilité, l'amour, les pleurs ou la joie, si vous ne pouvez pas les vivre, c'est que vous vous refusez la vie. Tentez au moins d'imaginer ce qu'est l'émotion. Il y a pas une seule personne ici ce soir qui n'ait pas ses propres types d'émotion. Cependant, il y en a qui se rendront nerveux eux-mêmes, qui énerveront leurs formes, qui les stresseront en refusant justement de démontrer leurs émotions devant les autres. Certains se sentiront punis de voir que les autres ne pourront accepter qu'ils puissent vivre leurs émotions et ils se diront : « Ça y est, je ne suis pas normal, je pleure souvent, je ris toujours, ils vont dire que je suis fou ! » Si rire est pour vous une façon de vous exprimer, faites-le. Par contre, si c'est de pleurer ou de vous émouvoir même devant un paysage ou une fleur vous rappellant la douceur qu'il y a en vous, faites-le aussi, c'est permis. Lors de plusieurs sessions précédentes, nous avons employé le terme originalité. Ce n'était pas seulement pour les vêtements ! Quoique certaines personnes que nous avons observées l'étaient davantage à ce niveau qu'autrement. L'originalité, c'est l'ensemble, c'est pouvoir s'exprimer avec émotion. C'est tout cela. Lorsque nous vous disons que vous êtes des êtres uniques, nous espérons que vous comprenez mieux maintenant que cela englobe aussi l'originalité et l'individualité. Vous êtes tous tellement différents que, si vous cherchez à vivre dans la similitude, vous trouverez l'ennui très rapidement. Acceptez-vous comme vous êtes. Si certains pensent que vous avez l'air fou, tant pis pour eux. Mais si vous êtes heureux ainsi, sachez au moins l'accepter. Vous n'avez pas à vous remettre en question pour une autre personne, car personne n'a l'Âme que vous avez, personne n'a l'expérience de votre vie. Nous vous prions de le croire. Nous ne vous disons pas de revivre vos peines passées, de penser à l'événement qui vous fera le plus pleurer et de pleurer ! Vos vies seraient très ennuyantes. Vous aurez compris que les émotions sont aussi naturelles en vous que de respirer. Pour bien définir vos vies, vous n'avez pas besoin de deux ou trois dictionnaires; cela se résume à simplicité et originalité, à ouverture aux émotions, mais la simplicité englobe tout cela. (*Les pèlerins, II, 24–03–1990*)

E st-ce que les émotions se situent au même niveau de votre côté ?

C'est la même chose. Seulement nous ne pouvons les exprimer tel que vous le faites. Notre taux de vibration se modifie. Nous sommes aussi sensibilisées par vos émotions que vous l'êtes lorsque vous nous percevez, lorsque vous percevez une autre dimension et que celle-ci ouvre vos émotions. Les sons font cela, la musique fait cela, ce sont des outils que vous vous êtes donnés pour vous ouvrir encore plus. (*Les pèlerins, III, 05–05–1990*)

Q uand je pense à vous et que j'ai des émotions profondes, vous les ressentez ?

Bien sûr ! Si nous sommes près de vous, nous les ressentirons. Nous ne sommes pas continuellement à vos côtés, mais lorsque nous sommes près de vous et que cela se produit, nous les ressentons. De même que ceux qui nous appellent, nous entendons cela aussi. C'est comme lorsque vous priez, nous entendons et votre Âme entend aussi. Mais vous ne dirigez pas toujours la prière comme il le faut. *(Les pèlerins, III, 05–05–1990)*

*E*st-ce qu'il y a une façon de protéger nos formes contre les cellules qui sont cancéreuses ?

Contre nous ?! Faites attention à vos termes ! [Rires] Fort bien, cela a détendu... Il y a des formes qui peuvent se prévaloir d'une protection. Il nous a été démontré très clairement que plus de 70 % des gens qui ont le cancer ne veulent même pas en guérir parce que c'est la seule fois de leur vie qu'ils voient ceux qui vivent à leur côté s'intéresser à eux, pleurer pour eux et finalement leur dire qu'ils les aiment; 70 % d'entre vous en sont rendus au point de vouloir cela. Et si nous demandions à chacun de vous de trouver immédiatement une raison valable d'aimer la vie ?... Et si nous vous demandions maintenant une seule raison de la détester ? Vous en avez tous une. Mais vous n'avez pas appris à vous exprimer. Vous avez même appris plutôt à mettre vos émotions de côté, à les refouler en vous. Quelle foutaise ! Les émotions sont vos formes qui s'expriment. Si vous ne vous montrez pas tel que vous êtes, vous trichez les autres et vos sentiments ne sont pas les mêmes. Trop, n'est-ce pas ? Vos formes ne peuvent plus subir cela. Vous avez poussé les cellules de vos formes à un point tel qu'un rien les change. Il va vous falloir être très convaincants avec vous-mêmes si vous voulez être exempts du cancer. Mais ce n'est rien car il y a déjà plusieurs années que des produits chimiques ont été développés pour vous empêcher d'avoir cette maladie. Actuellement, bien que ce ne soit pas très répandu, d'autres maladies apparaissent... Le prochain virus agira en sept jours, il sera beaucoup plus radical. Ne vous en faites pas, il y a d'autres virus en attente. Effectivement, vous pouvez vous protéger. La meilleure protection est très simple : ne gardez rien en vous, rien qui vous nuit, rien qui vous empêche de dormir. Aucun souci. Pas facile, n'est-ce pas ? Dites-le lorsque quelque chose vous ennuie, sinon vous acceptez une restriction, vous acceptez une limitation.

Plus vous accepterez de limites, plus vos formes en auront assez. Vous vous punissez vous-mêmes. Actuellement, vous mettez vos maladies sur le compte de la pollution. La pollution a une part, bien sûr, car elle encourage vos formes à être encore plus malades. Comme il ne suffit pas seulement de la pensée, qui est le point de départ de la maladie, vous absorbez des nourritures qui vous confirment qu'il faut être malades. Vous faites cela vous-mêmes, sauf que certains ne peuvent attendre et se suicident. *(Le fil d'Ariane, I, 28–09–1991)*

*P*eut-on vivre dans l'oubli ?

Certains diront : « Oui, je peux oublier. » Vous n'avez pas à revivre vos expériences passées. Certains vivent tellement le passé qu'ils ne savent pas ce qu'ils feront dans une heure. Ces personnes auront certains problèmes pour trouver l'Âme soeur, car elles n'auront pas accepté leur réalité, leur propre soeur. *(Les pèlerins, I, 27–01–1990)*

*P*ouvez-vous expliquer ce que sont les émotions ?

À la prochaine session, s'il vous plaît. Vous poserez cette question... Un instant... Ce sera la quatrième question et c'est vous qui la poserez. Cependant, ne nous demandez pas seulement de parler des émotions, cela pourrait être le titre d'une session complète. Vous trouverez une question précise où nous aborderons ce sujet. En fait, nous ferons plus qu'aborder le sujet, car ne pas fuir vos émotions constitue plus de 90 % de votre réalité actuelle. Mais vous mettez toujours tellement d'efforts pour les camoufler; même les pierres les plus dures peuvent s'écraser, s'émietter ! *(Les colombes, I, 02–06–1990)*

*V*ous avez dit que 90 % de nos émotions forment la réalité, qu'est-ce que la réalité ?

La réalité de vous-mêmes est l'acceptation de ce que vous faites de votre quotidien, de votre conscient.

Cela implique que la réalité de nos émotions, c'est d'accepter nos émotions lorsqu'elles sont là et de les vivre ?

Vous avez déjà vu un chien qui court après sa queue ? Votre question est du même type. D'avoir des émotions pour comprendre ses émotions, c'est tourner en rond. Habituellement, lorsque vous avez des émotions, c'est parce que vous voulez les vivre. Si vous acceptez de les vivre, vous êtes beaucoup plus vous-mêmes. Si vous les refoulez, vous êtes ce que vous acceptez que les autres acceptent que vous soyez : c'est très similaire à votre question, n'est-ce pas ? Lorsque les gens vivent leurs émotions, ils ont le respect d'eux-mêmes. C'est pour cela que nous avons dit, dans des sessions précédentes, que vivre vos émotions, c'est vous respecter; faites-les soigner et vous aurez besoin de soins. Nous comprenons qu'au plan psychologique, il existe des cas où les soins sont nécessaires. Ce n'est pas votre cas, ni d'aucune personne présente d'ailleurs, sinon nous vous l'aurions dit... du moins pas encore, mais ce n'est pas prévu. C'est comme votre question, nous pouvons tourner en rond. Si vous n'avez pas bien compris ce que sont les émotions, il serait fort important que vous posiez toutes vos questions à ce sujet. *(Les colombes, III, 04–08–1990)*

*P**our continuer dans les émotions, quand une personne se met à rire continuellement sans arrêt, sans se contrôler et que, tout à coup, elle se met à pleurer, est-ce que c'était le but de l'Âme avec la forme ? Qu'est-ce qui se passe exactement ?*

Curieuse question. Où pourrions-nous observer cela ?

Cela m'est déjà arrivé.

Cela arrive chez certaines personnes qui sont sensibles, surtout aux émotions, lorsqu'elles perçoivent leur Âme ou les énergies mêmes qui les entourent. Que ce soit d'autres Entités ou des Cellules, ces personnes deviennent comme euphoriques. Il arrive, lorsqu'elles sont conscientes de leur état, de leur ignorance passée ou encore des problèmes qu'elles ont dû vivre comme forme, que cela les fassent pleurer. N'oubliez pas que certaines personnes pleurent de joie, ce qui équivaut aussi à rire. Lorsque vous avez de gros problèmes, ne dites-vous pas mieux vaut en rire qu'en pleurer ? Cela remonte votre moral. Mais ne voyez pas cela comme une cause non plus, comme un plus, une obligation pour contacter l'Âme, sinon vous vous feriez arrêter... et soigner surtout ! Remarquez bien que vous ne faites pas cela tous les jours. Heureusement pour votre entourage ! *(Les colombes, IV, 08–09–1990)*

*E*st-ce que la culpabilité est une émotion ?

C'est une très bonne question. La culpabilité, comme l'amour, peut se développer, sauf qu'une personne peut se rendre coupable pour de fausses raisons. Ce peut être parce qu'elle ne sait pas, parce qu'elle ne sait pas qu'elle n'a pas à être coupable, parce qu'elle ne veut pas aller de l'avant pour régler ses propres problèmes. Elle ne se fiera qu'aux aides extérieures pour lui faire oublier ses problèmes ou pour trouver des solutions lui permettant de les oublier ou de les régler. Si vous devez faire 10 détours pour vous faire dire que, dans le fond, pour mieux comprendre, pour mieux voir, ce qu'il vous faut, c'est de dire aux gens que vous aimez le moins que vous les aimez, cela reviendra au même. Du moins, comme nous l'avons expliqué en réponse à la question précédente, si vous êtes conscients du problème, c'est donc que vous êtes intelligents et si vous vous dites intelligents, vous n'avez pas à vous refermer sur vous-mêmes mais à vous ouvrir encore plus. Si vous faites cela, vous accélérerez aussi votre vie et tous les événements se verront changés. Est-ce donc si dur de dire que vous aimez ? Même si à l'instant même vous ne le percevez pas toujours. Les gens qui reçoivent ces mots ne sont pas toujours en mesure d'analyser réellement s'il y a l'amour, mais au moins ils reçoivent. C'est comme cela que vous briserez les cycles de vos vies. Pas avec des problèmes, pas avec des moyens pour les contourner, pas en tentant de vous blanchir les idées par des camouflages, car vos formes n'oublieront pas et vous vivrez dans le regret. *(Les colombes, III, 04–08–1990)*

*C*omment peut-on apprendre à ressentir profondément nos émotions ?

En les vivant. Vous ne pouvez pas créer une émotion, c'est spontané. Certaines personnes sont bien et en pleureront, pas de peine mais de joie. Le fait de s'exprimer dans les pleurs et dans le rire importe peu. Le seul fait de l'exprimer est une façon de dire à votre forme : « J'ai compris. » Votre forme trouvera d'autres types d'émotions qui pourraient servir de soupape et aussi de protection. Vous savez, il y a des gens qui ont tellement peur de dire qu'ils aiment, qu'ils ne le feront même pas pour leur mère ou pour leur père. Ils penseront plutôt aux problèmes qu'ils ont eus avec eux et les jugeront encore une fois : « J'ai eu une enfance difficile, je leur en veux. » Faites cela et vous serez toujours face à un même miroir, face à vous-mêmes. Pourquoi, nous direz-vous ? Parce que vous n'aurez pas développé votre émotion face à ces gens. D'accord, ces gens ont eu leurs expériences; c'était leur vie, pas la vôtre. Vous dites que vous avez subi, permettez-nous d'en douter. Si vous avez subi, ne serait-ce pas pour pouvoir vous ouvrir ? Car vous en êtes conscients, et le fait d'être conscient d'un problème fait en sorte que vous puissiez comprendre que vous êtes intelligents. Donc, il vous faut régler le problème, pas y penser. Si, pour le régler, vous devez aller au devant des gens à qui vous en voulez et leur dire que, malgré la différence d'expériences vécues, vous avez quand même de l'amour et de l'acceptation pour eux, cela créera de la compassion en vous et vous apprendra à mieux accepter les autres, donc vous-mêmes. Lorsque vous aurez les mêmes problèmes, que vous ferez les mêmes erreurs, vous vous comprendrez beaucoup plus rapidement. Et lorsque vous y arriverez, vous serez en mesure de vivre vos émotions, car vous n'aurez pas contourné le problème; au contraire, vous y aurez fait face. Vous pourriez tenter de vous soigner grâce à des traitements, de prendre des pilules pour oublier, mais cela ne réglera pas le problème et ne le contournera pas non plus. Vous nierez le problème et, lorsqu'il envahira votre quotidien au point de vous empêcher de vivre, il vous faudra le régler. Ne dites-vous pas qu'il faut régler ses problèmes pour être bien avec soi-même ? Vous direz que c'est facile à dire; nous vous disons que c'est facile à faire. Tout ce qu'il vous faut, c'est la compréhension et la volonté. Prenez l'exemple d'une personne qui en veut à ses parents. Elle peut continuer de leur en vouloir toute sa vie. Lorsque ses parents n'existeront plus, comme tous les êtres humains, elle commencera à se dire : « J'aurais donc dû »; elle pensera à eux encore une fois, et ce peu importe le nombre d'années. Elle se dira toujours et toujours la même chose : « J'aurais dû leur dire que je les aimais, peut-être que c'était aussi de ma faute. » Avec les années, ces pensées grandissent en vous et le problème ne se règle pas. Mieux vaut faire face aux événements que de les subir. Réglez le problème de leur vivant, avec vos émotions. Oh ! vous pleurerez, vous pourrez rire même, mais au moins vous aurez réglé le problème. Vous reprochez à vos parents d'avoir été alcooliques; c'était un fait. Mais s'ils n'ont pas appris ce qu'était l'amour, s'ils ont manqué d'amour au point d'utiliser l'alcool et de tomber dans ce cercle vicieux, c'est que leur vie a manqué d'amour. Sachant cela, n'y aurait-il pas possibilité, à votre tour, de leur en donner un peu ? En faisant cela, vous vous en donnerez. Vous verrez, cela change votre vie d'une toute autre façon que de gagner à la loterie ! Mais cela change, sauf que le cri est intérieur... Drôle d'image !

> *Vous dites que, si l'alcoolique n'a pas été en mesure de donner de l'amour, c'est qu'il n'en a pas eu. Étant enfant d'un alcoolique, si je n'ai pas eu l'amour, je serais maintenant en mesure de le donner parce que j'en ai la conscience, est-ce cela ?*

N'est-ce pas un bon exemple ? *(Les colombes, III, 04–08–1990)*

C onnaissez-vous l'hypersensibilité ?

Comme vous, c'est une forme.

Pourquoi justement y a-t-il des gens hypersensibles ?

Les gens sont hypersensibles parce qu'ils se donnent des limites, parce qu'ils n'ont pas toujours confiance en eux, parce que leur Âme est survoltée, selon vos termes, parce qu'elle a l'habitude des formes et que la forme ne veut pas participer. Donc, ces gens sont hypersensibles à tout ce qui les entoure, y compris et surtout aux émotions. Qu'il s'agisse de leurs propres émotions ou de celles des autres, ils chercheront mille et mille exemples dans leur vie pour se justifier. Trop conscients, les hypersensibles cherchent trop de justifications et refusent surtout de faire la démonstration de leurs émotions. Pourquoi cela ? Parce qu'ils ont peur de l'inconnu, peur de se retrouver seuls. La science décrit très bien ce phénomène. Nous, nous ne faisons qu'observer. Que vous reportiez sur vos parents cette responsabilité parce qu'ils ont agi de telle ou telle façon et que vous réagissiez maintenant dans des situations similaires comme si cela vous révoltait, vous faites toujours jouer vos émotions, vos sentiments. L'hypersensibilité en ce qui nous concerne, c'est fort similaire à l'enfant qui se réveillerait à 27 ou 28 ans en se disant : « Voilà, je suis adulte et je n'ai pas vécu. » Il y a insécurité et cela fait en sorte que ces gens cherchent d'autres gens pour vivre à leurs côtés, pour se sentir sécurisés. Dès qu'ils voient que les gens ne portent pas trop attention à eux, ils se referment sur eux-mêmes et deviennent tristes et trop sensibles à tout ce qui les entoure. C'est comparable à un mal de vivre. Ce que nous vous suggérons pour cela : vivre pour vivre. Compliqué, direz-vous ? Trop simple, croyons-nous ! Vous replanifiez ce qui est déjà planifié; il est donc difficile de faire en sorte que cela se produise. Par contre, si vous prenez confiance en vous-mêmes, si vous lâchez prise, cela prendra place. Les gens qui ont ce problème croient absolument qu'il faut qu'il y ait une raison à leur hypersensibilité. Ils rechercheront des exemples dans le vécu actuel, mais ils mettront de côté la raison de l'Âme. Nous y revenons parce que, dès le début de cette session, lors de la présentation, nous vous avons dit à propos de cette fin de semaine que l'anxiété pouvait provenir de l'Âme. Donc, si votre Âme veut laisser filtrer à travers vous son anxiété, vous aurez à faire la différence [entre la vôtre et celle de votre Âme]. Nous promettons à chacun d'entre vous que vous y arriverez d'ici trois semaines; donc, l'hypersensibilité et les émotions de votre Âme aussi. Nous n'avons pas cela, comme Cellules, au même niveau que les Âmes; les Âmes sont dans des formes et, même si leur énergie est différente, elles perçoivent fort bien ce que vos formes vivent. Plusieurs d'entre elles ont trop d'expérience et l'utilisent. Dans votre cas, par exemple, c'est 20 ou 30 exemples de vie en même temps qu'il vous faudrait vivre. C'est un trop plein d'énergie de vie, à un point tel que vous ne savez plus trop où vous en êtes. Oui, vous vous aimez, ne dites pas le contraire. Oui, vous avez fait beaucoup de changements. Maintenant, ce ne sont plus des mots que vous voulez, c'est du vécu et vous avez une nouvelle part de vécu en vous depuis peu. Donc, votre problème d'hypersensibilité ne sera plus un problème, parce que vous allez apprendre à le partager. Rappelez-vous, les enfants sont tous comme cela : hypersensibles. Nous ne parlons pas des hyperactifs, leur cas est différent. L'hypersensibilité provient aussi d'une accumulation d'émotions non exprimées. *(Les colombes, IV, 08–09–1990)*

*Ê*tre hypersensible, est-ce ne pas vivre ses émotions pleinement parce que, justement, ça déborde ?

Parce qu'elles ont été refoulées trop longtemps et qu'elles veulent s'épanouir. Il y a aussi des cas d'influences extérieures, de vies antérieures. Pour le déterminer, il faudrait étudier chaque cas individuellement. Mais il n'y a pas beaucoup de personnes comme cela ici. Il arrive, et ce à quelques reprises d'ailleurs, que l'Âme veuille à tout prix vivre l'expérience émotionnelle et que cela provienne d'influences de vies passées; elle trouve alors une forme compatible avec son projet, dans un milieu familial qui s'y prêtera. C'est pour elle une façon d'attirer l'attention aussi. Voilà une autre façon d'expliquer ce phénomène. Est-ce que c'est mieux compris ?

Oui. (*Les colombes, IV, 08–09–1990*)

*V*ous dites que l'hypersensibilité, ce sont des émotions refoulées, et vous avez déjà dit que de laisser s'exprimer ses émotions, c'est se respecter. Est-ce que la personne qui est hypersensible vit seulement ses émotions à un dosage différent des autres individus ?

Cela dépend de l'expérience de chacune des personnes. Une question pour vous : que feriez-vous si par goût d'une nourriture vous en mangiez trop ou trop souvent ? Vous changeriez, n'est-ce pas ? Il en va de même pour vos émotions. Lorsque les personnes hypersensibles découvrent leurs émotions, elles ne font pas que les avoir pour les avoir, mais elles les découvrent et les vivent pleinement. À un autre stade, à une autre étape, il y en a qui aiment cela et qui continuent, un peu comme Robert et sa pizza. Plusieurs en auraient assez, pas lui. C'est pour cela que nous n'avons pas utilisé cette nourriture comme comparaison. Effectivement, avoir des émotions, c'est se respecter. Nous disons cela surtout à ceux ou celles qui ne sont pas capables de les exprimer pour qu'ils comprennent qu'il y a un développement à faire en eux. Si vous nous parlez d'un problème de débordement d'émotions, il faut en comprendre le pourquoi, mais il faut effectivement que vous respectiez ce besoin; il n'est pas nécessaire de le faire soigner comme un problème. Remarquez que, comme dans tous les cas d'excès, les gens qui agissent ainsi ont besoin de se rendre au bout dans tout ce qu'ils font, de faire leurs preuves, de foncer. C'est la même chose avec leurs émotions : ils voudront aller au fond, à la limite extrême, pour se prouver à quel point cela est, à quel point cela existe.

Donc, ce pourrait être considéré comme un besoin chez certaines personnes, pas nécessairement un problème.

Avons-nous mentionné que c'était un problème ?

Je pense que oui. Pour l'un d'entre nous, vous avez dit que l'hypersensibilité pouvait être un problème.

Cela dépend. Si c'était un problème pour l'évolution que la personne doit vivre, tout dépendra des questions qu'elle aura à nous poser elle-même. Lorsque nous nous penchons sur un cas particulier, c'est parce que nous savons ce que la personne vit; ce n'est pas nécessairement vous qui savez cela. Donc, nous utilisons les mots pour que celle-ci comprenne. Il y a des cas individuels, comme nous l'avons mentionné.

Moi, je voyais cela dans le dosage de chaque individu, parce que vous aviez déjà dit que retrouver sa simplicité, retrouver son coeur d'enfant, c'était important et les enfants sont hypersensibles...

Tout à fait, mais il y en a qui ont meilleur appétit que d'autres. Il y a des gens qui ont plus de sensibilité que d'autres; c'est cela qui fait votre monde. Dans certains cas, d'être hypersensible à l'extrême peut causer des problèmes. Une juste mesure en cela ne causera pas de problème.

On peut accepter son hypersensibilité et pas nécessairement se détruire avec cela non plus.

Tout à fait. Mais vous n'avez pas le même problème qu'elle.

Je ne le vois pas comme un problème.

D'autres, oui. Comme d'autres personnes considèrent que trop manger n'est pas un problème, même s'ils ont des ventres énormes. Ce n'est pas un problème parce qu'elles sont bien ainsi, alors que d'autres vomissent. Pour certaines personnes, ce n'est pas un excès; pour d'autres, c'est de l'excès.

À ce moment-là, est-ce qu'on peut dire que l'hypersensibilité chez certaines personnes peut même être un point fort ?

Cela dépend de ce que vous voulez en faire, mais ce pourrait l'être. Pour vous faire comprendre cela autrement, disons qu'il y a des gens qui acceptent leur condition et d'autres, non. Ceux qui l'acceptent sauront utiliser leurs faiblesses comme des forces et ceux qui font le contraire seront faibles et chercheront toujours des points forts, ce qui sera un problème pour eux. Est-ce plus clair ?

Oui, merci. (*Les colombes, IV, 08–09–1990*)

L es définitions de l'hypersensibilité que vous donnez semblent contradictoires...

Laissez-nous vous expliquer cela. Ce sera plus simple que votre question. En fait, l'hypersensibilité... Partez du terme « sensible ». Une personne sensible. Prenons l'exemple du physique. Vous savez que personne n'a la même sensibilité au niveau de la douleur. Pour plusieurs, il en faut plus qu'à d'autres. Au niveau de la spiritualité, au niveau des Âmes, c'est la même chose. Et dans tous les domaines de la vie, la sensibilité peut s'adapter. L'hypersensible, n'est-ce pas, c'est une personne qui va percevoir ce qui l'entoure, qui n'aura même pas le temps de comprendre ce qui lui arrive et sera déjà en réaction. Pour quelle raison ? Parce qu'elle a déjà vécu soit dans des vies passées, soit dans la vie actuelle, des faits, des phénomènes de vie, des expériences de vie qui lui rappellent ce qu'elle vient de voir ou d'entendre... En fait, reliez les cinq sens au mot sensibilité, parce que les cinq sens y sont reliés. Mais il y a des gens parmi vous qui, sans vouloir comprendre totalement les faits de la vie sont en réaction et souvent, ce ne sera pas toujours dans l'immédiat. Cela peut prendre une semaine, deux semaines, un an, mais la réaction prendra place. Et c'est là que les gens ne comprennent plus ce qu'ils sont. Hypersensible veut dire dépasser les limites de la sensibilité connue actuelle. Personne ne peut guérir une personne hypersensible à moins que cette personne ne comprenne avant qu'elle ne comprenne, en d'autres termes qu'elle puisse définir, comprendre, gérer ses sentiments et ses émotions de façon à pouvoir traduire simultanément sans attendre sa sensibilité. Il y a des gens qui sont de très grands médiums dans le sens de la médiumnité, pas dans le sens de ce que cette forme [Robert] fait et qui sont hypersensibles, qui vont ressentir ce que vous allez vivre en vous. Donc, ce sont des hypersensibles qui peuvent mettre des mots sur ce qu'ils ressentent. Mais il y a des gens qui viennent à nous et qui sont hypersensibles et qui nous perçoivent, et nous savons ce que cela peut faire dans leurs vies. Mais, vous savez, nous ne faisons rien pour encourager cela, nous faisons le contraire. Nous l'avons fait dans chaque session de groupe en disant : ne croyez pas en nous mais croyez en vous. Cela sous-entendait aussi : ne faites pas seulement ce que nous allons vous dire, mais faites ce que vous allez comprendre. Comme cela, vous serez vous-mêmes et vous ne tenterez pas d'être ce que nous sommes. Ce n'est pas notre expérience que vous vivez, c'est la vôtre. Et plus nous allons loin dans les sessions, plus nous leur disons : vous savez, la vie peut vivre d'elle-même; vous avez la nature qui vous le prouve et vous faites partie intégrante de la nature. Et combien de fois n'avons-nous pas dit, pour que cela soit bien compris : en fait, lorsqu'une fleur perd un pétale, vous ignorez ce qu'elle entend, ce qu'elle sent, ce qu'elle vit, ce qu'elle crie en elle parce que vous ignorez le type de vie qu'une fleur a. Vous ignorez à l'automne la douleur d'un arbre, parce que vous croyez que cela n'a pas de douleur parce que cela n'a pas de jambes, ou de bras ou de coeur. Et pourtant, c'est le contraire. Tout ce qui est organisé, tout ce qui a des cellules vit, n'a pas d'Âme comme telle, mais vit, donc peut percevoir des douleurs. Un arbre peut vous percevoir, tout comme une fleur. Mais vous ignorez tellement tout de la vie ! Vous savez, si le mot ignorance n'existait pas, par quel terme pourriez-vous le remplacer, croyez-vous ?

Hypersensibilité ?

Tout à fait. Donc, il y a beaucoup à vous apprendre, mais nous avons une règle à suivre. Nous ne voulons pas que les gens qui viennent à nous viennent pour que cela crée une religion, une secte ou un regroupement. Nous ne voulons pas cette chose ! Nous voulons que ces gens se changent d'eux-mêmes. Nous donnerons les coups de pouce nécessaires pour cela... Vous voyez, nous n'avons pas de pouces non plus, ce ne sont que des termes ! Nous donnerons les termes nécessaires pour que ces gens puissent s'aider, d'eux-mêmes, mais nous ne voulons pas les changer de force, sinon nous ne saurons jamais comment pouvoir vous changer et vous donner les outils nécessaires. *(Session sur le livre, 20–06–94)*

V *ous avez dit que, s'il n'y avait pas de place pour l'émotion, cela retournait en violence. On a parlé beaucoup de l'Âme et du corps mais quelle est la place de l'émotion ?*

L'émotion, c'est le respect de soi-même. Si vous retenez vos émotions, vous retenez ce que vous êtes. Si vous êtes une personne sensible qui préfère pleurer à l'intérieur d'elle-même pour ne pas en faire la démonstration, il vous manquera un équilibre. Combien d'entre vous retiennent leurs émotions depuis des années pour démontrer leur force, pour ne pas être jugés. Les émotions sont le respect de vous-mêmes.

Donc, retrouver ses émotions, c'est se retrouver soi-même.

Exactement ! Mais lorsque vous pleurerez, n'oubliez pas de vous demander si c'est de joie ou de peine ? Vous pourrez y penser après avoir pleuré. Lorsque vous rirez, faites la même chose. Est-ce que cela provient de l'Âme ? Est-ce une démonstration de l'Âme qui est émue d'un contact avec une forme ? Trop de gens sont soignés pour leurs émotions, cela dérange la société. Vous n'avez qu'à regarder un enfant qui pleure parmi d'autres. Cela se communique : les enfants perçoivent les pleurs, les rires et les émotions. Si vous les empêchez de pleurer, ils devront l'apprendre en voyant les autres pleurer, même s'ils doivent être violents pour cela. Vous aurez toujours semé ce que vous récoltez et vous serez toujours ce que vous pensez. Si vous vous retenez dans vos pensées, vous vous retiendrez dans l'évolution de votre forme même. Et nous n'avons pas encore abordé le chapitre des maladies pour bien vous faire comprendre d'où elles viennent ! Cela viendra. La prochaine fois que vous verrez une personne pleurer, ce ne sera pas de la consoler qui comptera, mais de l'observer. Peut-être est-ce justifiable... pour vous démontrer que vous pouvez le faire aussi ? Mais n'oubliez pas la chimie de votre forme lorsque cela se produit, c'est aussi nécessaire. *(Alpha et omega, I, 23–06–1990)*

Q*uel est le lien possible entre les émotions, l'équilibre et toutes les contrariétés qu'on a en dedans de soi et autour de soi ?*

Par les jugements que les autres auront sur vous ? Facile de juger une personne qui pleure souvent. Vous allez conclure qu'elle est faible. Vous ne jugerez pas ses raisons de pleurer, mais ce que vous verrez. La réalité de vos émotions est le miroir même de votre vie. Si vous ne laissez pas place à vos émotions, vous vous refermez sur vous-mêmes, vous vous refusez une expression. Nous ne parlons pas ici de gens atteints de maladies psychologiques, mais de gens tels que vous, qui sont en santé et qui ne veulent que vivre. Difficile d'avancer lorsque vous poussez et tirez en même temps ! Il y aura beaucoup plus de réponses à cette question plus tard. *(Alpha et omega, I, 23–06–1990)*

J*'aimerais poser une question sur les émotions. On m'a souvent dit qu'il fallait que je domine mes émotions.*

Foutaise que cela ! Les émotions sont le respect de vous-mêmes. Ceux qui sont dérangés par les émotions sont ceux qui ont le moins d'émotions eux-mêmes. Bien au contraire, plus vous démontrerez ce que vous êtes, plus vous serez vous-mêmes. Si vous voulez refouler vos émotions, vous serez un être refoulé, un être modifié. Pouvons-nous vous faire une simple remarque : les gens qui ont le plus d'émotions — ne parlons pas de problèmes psychologiques encore une fois, et vous n'en avez pas — sont des gens qui profitent de la vie au maximum, parce qu'ils aiment la vie; ce sont des gens qui n'auront pas peur de leurs émotions. Les meilleurs comédiens — nous aimons bien cet exemple; il y en a d'ailleurs deux ici — sont des gens qui pourront retransmettre les émotions pour les faire vivre. C'est ce qui fait un bon comédien. Ne ressentez-vous pas l'amour lorsqu'un comédien vous le démontre ? Vous aimez bien vivre cela. Lorsqu'une personne pleure et que vous pleurez avec elle, c'est que vous la comprenez. Lorsqu'une personne rit et que vous riez, c'est aussi parce que vous la comprenez. Vous savez, les pleurs sont parfois de la compassion, pas de la folie. Il y a des gens plus sensibles que d'autres à ce niveau, qui peuvent percevoir les autres plus facilement. Pouvons-nous vous exprimer qu'ils sont plus compatissants ? Si pleurer avec d'autres est une forme de partage pour eux, il ne faut pas qu'ils refoulent leurs pleurs. Pleurer est une forme d'amour aussi, une autre façon d'exprimer votre spiritualité. Lorsque vous allez auprès de formes décédées de gens que vous aimiez, n'avez-vous pas des pleurs ? Est-ce que ce n'est pas une certaine forme de compassion d'exprimer votre amour dans ce sens ? Vos formes sont ce qu'elles sont; elles ne sont pas de bois, mais bien vivantes. Vous voulez refouler ce trésor que sont vos émotions ? Alors, vous ne serez plus jamais vous-mêmes. Avons-nous répondu à votre question ?

Oui. (Alpha et omega, II, 21–07–1990)

Lorsque vous nous avez dit d'exprimer nos émotions, de ne pas les cacher, j'ai tout de suite pensé à l'émotion de la colère. Or on sait que la colère peut entraîner des conséquences comme des maladies graves. Comment répondre à cela ?

Oh ! nous allons le faire. Nous vous avons bien mentionné qu'il y avait des cas où les gens devaient être soignés parce qu'ils avaient des désordres créés par leurs parents, par leur entourage ou par leur travail, peu importe. Ces gens se sont déséquilibrés, mais ils doivent s'exprimer quand même. Il y a deux façons d'exprimer sa colère : par des gestes, cela nuit aux autres et ils ont besoin de soins; ou par des colères intérieures, ce que les cancers servent à exprimer. Il y a plusieurs autres formes de colère aussi. Le suicide est une forme de colère envers soi-même dans plusieurs cas. Il y a aussi les colères passagères qui sont une forme de soupape pour éviter plusieurs dysfonctions de vos cerveaux, ce que vous appelez les *burn-out*. Il y a aussi des colères pour éviter les ulcères. Il y a des gens qui sont renfermés mais il y en a d'autres qui s'expriment par la colère; ils feront des colères, mais cela n'aura aucune conséquence. Ils seront parfois perçus comme autoritaires, parfois comme extrémistes ou parfois comme soupe au lait, peu importe le terme. Même votre vocabulaire reflète ces différentes significations ! Il y a les coléreux qui sont sous traitement et qui en ont besoin. Nous vous faisons confiance pour leur démontrer ce qu'ils sont, leur dire les pourquoi de leur colère, leur en faire prendre conscience et faire en sorte qu'ils s'expriment mieux. Ici on entre dans des cas plus spécialisés alors que ce groupe n'en fait pas partie. Sachez tout de même qu'il y a des nuances dans tout cela. Nous savons qu'il y a des gens qui, selon vos compréhensions, pleurent sans raison, mais ils ont quand même des raisons de le faire. Nous avons eu devant nous des gens qui pleuraient ainsi. C'est qu'ils percevaient des énergies que vous ne pouvez percevoir vous-mêmes. Ils ne pouvaient exprimer leur amour avec leurs formes parce que c'était contraire à leur façon de penser. Donc, ils pleuraient continuellement. Des volcans d'amour qui ne peuvent s'exprimer parce que cela ne fait pas bien dans votre société ! Nous comprenons vos maladies actuelles; il y a beaucoup de refoulement dans cela. Est-ce que nous avons bien répondu à votre question ?

Oui, merci. *(Alpha et omega, II, 21–07–1990)*

*P*ourquoi les adolescents sont-ils jaloux et à quoi sert la jalousie ?

Les gens qui sont jaloux sont des gens qui ne passent pas à l'action, qui aimeraient être comme les autres ou comme les gens qu'ils jalousent, mais qui n'ont pas le courage d'être comme eux. Comme ils ne peuvent avoir ce qu'ils souhaiteraient, ils vont jalouser les autres. Simple réponse, n'est-ce pas ? La jalousie, c'est cela. Les jaloux sont des gens qui ne peuvent pas avoir ce qu'ils souhaitent, des gens qui voudraient être comme d'autres. C'est ainsi qu'ils s'opposent à ceux qu'ils jalousent : ils agissent envers ceux-ci de façon contraire parce qu'ils sont contraires à ce qu'ils voudraient être eux-mêmes. *(Les flammes éternelles, III, 11–05–1991))*

*C*omment faire pour contrôler ses émotions ?

Vous les exprimez.

Je ne suis pas capable.

Si vous êtes en colère, vous êtes capable ?

Oui, mais pas de pleurer.

Mais lorsque vient le temps de rire, riez-vous ou pleurez-vous ?

Je ris.

Donc, vous êtes capable de rire, vous êtes capable d'être en colère, et vous êtes aussi capable de pleurer, sauf qu'il vous faut plus de raisons que d'autres, parce que vous vous croyez très fort, très dur alors que vous êtes tout le contraire. Vous êtes hypersensible et cela vous met en colère de voir que les gens ne le reconnaissent pas. Voilà la différence. Mais nulle part il est écrit qu'il vous faut absolument pleurer.

Peut-être que moi je pourrais l'écrire.

Peut-être. N'avez-vous pas vécu d'expériences pouvant vous faire pleurer ? Souhaitez-vous une expérience comme cela ?

Non.

Parce que, si vous vouliez une telle expérience, nous pourrions en arranger une, juste pour vous montrer comment pleurer... et vous allez pleurer beaucoup, mais pas ici car vous êtes trop orgueilleux pour cela. Mais vous pourriez pleurer parce que vous avez perdu quelqu'un que vous aimez beaucoup, souhaitez-vous cela ? Faites attention à votre réponse.

Je ne sais pas.

Vous jouez sur les mots. Nous pouvons vous fournir une telle expérience, vous n'y tenez pas ? C'est donc, que vous n'avez pas besoin de pleurer.

Pourquoi, quand vient le temps de pleurer, n'en suis-je pas capable ?

Avez-vous une raison de faire cela ?

Non.

Dans ce cas, pourquoi pleureriez-vous ? Pourquoi pleureriez-vous si vous n'avez pas de raison de le faire ? Juste pour vous prouver que vous le pouvez ? Qu'est-ce que cela vous donnerait ?

Je saurais que je suis capable de pleurer.

Nous vous avons offert une occasion réelle; mais nous vous avertissons, si vous l'acceptez, nous le ferons, mais vous allez être vraiment malheureux. Cela pourrait durer plus qu'un jour, vous savez, même une grande partie de votre vie.

Non, non je ne veux pas.

Tant mieux pour vous car nous étions sur le point de vous accorder cela. Auriez-vous aimé mieux rire longtemps ?

Oui.

Cela pourrait arriver.

J'aimerais bien cela, car j'ai de la difficulté à rire aussi.

Même de vous ?

Je ne peux pas pleurer, ni rire, pourquoi rire de moi ?

Vous jouez encore sur les mots. Rire de soi, c'est accepter de ne pas être parfait, accepter d'être différent des autres et d'être vu comme différent. Rire de soi, c'est être assez intelligent pour voir que vous faites des erreurs et en rire. Nous avons déjà vu des humains qui n'ont jamais pleuré, mais qui ont ri toute leur vie; ils sont morts de rire en fait. Comme nous en avons vu d'autres qui ont pleuré toute leur vie et qui n'ont jamais su rire. Comme il y en a d'autres qui ont été en colère toute leur vie et qui sont morts seuls, sans personne à leur côté; s'ils n'ont pas pu s'aimer eux-mêmes, comment pouvaient-ils aimer les autres ? Ils apportaient la colère autour d'eux. Mieux vaut développer le rire, vos morts sont alors beaucoup plus agréables.

Est-ce que cela veut dire que, si je perdais un de mes parents, je pleurerais à force de trop rire ?

Voulez-vous que nous fassions cela ?

Non, non.

Vous ne ririez pas.

Pourquoi dites-vous que je pourrais rire tout au long de ma vie ?

Nous parlions d'exemple.

Je ne comprends plus.

Nous pourrions vous faire pousser une autre oreille dans le front. Effectivement, nous aussi, nous trouvons cela drôle. Ce ne serait pas drôle pour vous, n'est-ce pas ?

Non, parce que je ferais rire de moi.

Effectivement. Donc, les raisons sont diverses.

[Rires]

Voyez ? Il y a des gens qui peuvent rire et même pleurer de rire. Fort bien, fort bien. Les raisons sont multiples, autant de rire que de pleurer. Tout dépendra de ce que vous voudrez obtenir. Lorsque vous aurez le goût de pleurer, vous le ferez pour une vraie raison, pas pour pleurer sur vous-même. Comment réagiriez-vous si nous vous apprenions ce soir que vous venez de perdre vos deux parents. Vous trouveriez cela drôle ?

Non.

Croyez-nous, vous pleureriez. Personne ne vous montrerait comment. Mais vous auriez alors une raison de le faire, de même que vous ne riez pas pour rien non plus; nous non plus. C'est cela la différence, il y a des gens plus sensibles que d'autres. Il y a des gens à qui il faut beaucoup plus pour pleurer parce qu'ils n'acceptent pas de pleurer pour rien et parce qu'ils vont de l'avant; ce n'est pas un problème comme tel. Alors, ce que vous voulez nous dire, c'est : « Parfois, j'aimerais pleurer plutôt que d'exprimer ma colère. » Donc, lorsque vous êtes en colère, c'est parce que vous n'avez pas réussi à exprimer ce que vous voulez et vous êtes en colère contre vous-même parce que vous n'avez pas fait ce qu'il fallait. Qu'est-ce que cela changerait que vous pleuriez ?

Moins faire de colères.

Vous vous haïriez encore plus, parce que vous vous diriez que vous n'avez pas la force d'agir. Les colères sont des frustrations, des accumulations intérieures de pression, parce que vous n'êtes pas capable de dire ce qu'il faut. Vous attendez trop longtemps. Vous accumulez comme les écureuils; ils accumulent même quand ils en ont assez. C'est trop. Si vous apprenez à vous maîtriser, à vous exprimer lorsque c'est le temps, il n'y aura pas d'explosion comme vous êtes habitué de faire, au contraire. C'est ce qu'il vous faut dominer, apprendre à vous exprimer au fur et à mesure, à ne pas accumuler. *(Les flammes éternelles, III, 11–05–1991)*

L orsqu'on se met en colère, est-ce qu'on affaiblit ses cellules ?

Bien plus que cela. Ce n'est pas contre les autres que vous êtes en colère mais contre vous-même. Considérant l'ensemble, c'est l'ensemble qui se met en colère. Même si vous adoptez cette attitude face aux autres, il reste qu'elle est toujours face à vous-même et, dès que vous l'adoptez, que faites-vous ? Vous augmentez votre pression, donc vous augmentez la pression sur vos cellules et toutes celles qui sont faibles écoperont. Voyez-vous, la colère est une forme d'autopunition à la longue. Ce que vous faites aux autres, vous vous le faites, n'oubliez pas cela. C'est aussi pour cela — encore une fois peut-être l'avez-vous oublié — qu'il faut toujours placer un miroir entre la pensée et votre forme. Même lorsque vous le ferez pour d'autres, vous vous comprendrez mieux. Vous remarquerez que, lorsque vous avez beaucoup d'amour pour les autres, vous en avez pour vous aussi, et que les journées où vous n'en avez pas pour les autres, vous n'en avez pas pour vous : même miroir. C'est la même chose pour la colère que pour les joies. Effectivement, vous allez rendre les autres heureux en étant heureux vous-même. Ceux qui sont malheureux rendent rarement les autres heureux. *(Harmonie, II, 08–12–1990)*

Q uand on ressent de la colère, qu'est-ce qu'il faut faire à ce moment-là ?

Si vous ressentez de la colère, c'est que vous avez une raison d'être en colère, à moins de ne pas être équilibré normalement. Donc, si vous ressentez de la colère, c'est que vous en connaissez la raison. Vous avez alors deux choix, pas plus : ou vous continuez cette colère jusqu'à ce que vous vous calmiez et que vous y réfléchissiez ou, plutôt que la colère, vous réglez le problème ou les problèmes qui en sont à l'origine. Cela mettra les autres en colère mais vous, vous ne le serez plus. Ne dites-vous pas : tous pour un et un pour tous ? Donc, si tous vous connaissez les résultats, l'autre personne vous dira ce qu'elle en pense et vous en terminerez avec le problème. Les colères proviennent du fait que vous ne savez pas vous exprimer et que vous avez peur de le faire. Donc, en vous exprimant par de la colère, vous faites peur aux autres, et vous vous empêchez de vous exprimer; vous restez donc avec le problème. À force d'accumuler vos émotions, vos formes aussi deviennent en colère intérieurement; par la suite, vous vous en voudrez parce que vous aurez une maladie. Exprimez cela aussi par de la colère, mais sur vous-mêmes. *(Harmonie, II, 08–12–1990)*

Depuis que j'ai commencé les sessions de groupe, j'ai *l'impression qu'il y a un grand nettoyage au niveau des émotions. Est-ce ce qui se produit ?*

Vous n'avez rien vu encore ! [...]

Je reviens à ma question sur les émotions. Ce ménage qui se fait, je ne dois pas être la seule à le vivre, est-ce que c'est un nettoyage bénéfique pour entrer en contact avec notre Âme. Pourquoi ce genre d'émotions doit-il être vécu pour être en contact avec soi-même ?

Pour vous libérer du poids de ces pensées, de ce que vous n'avez pas dit auparavant, pour entrer en contact avec vous-mêmes consciemment; en d'autres termes, pour être bien avec vous-mêmes, pour accepter la vie plus facilement, pour la rendre plus simple. Que faites-vous lorsque vous avez les bras chargés d'épicerie et que c'est très lourd ?

J'ai hâte de les déposer.

Votre forme fait de même quand il y a trop d'émotions et de sentiments accumulés. Elle a hâte de tout déposer parce que cela devient trop lourd; et si cela devenait vraiment trop lourd, votre forme s'allongerait pour que d'autres personnes puissent alléger votre vie pour vous. C'est généralement ce que vous appelez la maladie. Que vous fassiez ce ménage de façon volontaire, de façon consciente, va seulement vous aider à être mieux.

Même si ce sont des émotions que je n'ai jamais eues que j'ai l'impression de vivre ?

Vous les avez toutes eues, sauf qu'elles peuvent avoir été refoulées en vous par peur de les vivre justement. Tout cela est déjà en vous. Vous ne créez pas de nouvelles émotions, vous les mettez à jour, vous les démontrez. Si vous n'aviez pas fait ces démonstrations, vous les auriez refoulées jusqu'à ce qu'un événement plus important vous les fasse vivre. Il y a des gens qui vont accumuler pendant 20 ou 30 ans. Ils refoulent tout à l'intérieur d'eux-mêmes. S'ils ont une bonne santé, lorsque des événements se produisent, ils souffrent d'un seul coup et blessent tous ceux qui les entourent. C'est pour cela que nous vous disons que, si vous voulez être compris des autres, il faut vous comprendre, il faut vous laisser voir tels que vous êtes. Si vous montrez aux autres que vous n'êtes pas parfaits, les autres comprendront qu'ils ne le sont pas. Il y en a qui ont besoin de voir les autres exprimer leurs émotions pour faire sortir leurs propres émotions. Il y a toujours une raison. Au moins, voyez le côté positif : lorsque c'est fait, cela n'a pas besoin d'être refait. *(Harmonie, IV, 16–02–1991)*

L'hypnothérapie peut-elle être utile pour un problème chronique, *pour un malaise physique, pour le corriger ?*

Un exemple, s'il vous plaît ?

L'asthme.

Peut-être cette personne devrait-elle apprendre à s'exprimer si c'est un problème d'asthme. Peut-être cette personne s'est-elle étouffée très longtemps. Peut-être qu'elle vit avec une personne qui l'empêche de s'exprimer. Peut-être croit-elle aussi qu'elle ne vit pas pleinement, qu'elle pourrait faire plus. Vous comprenez cela ? Donc, il y a plusieurs manifestations physiques, nous le savons, mais elles ont souvent des causes identifiables dont la maladie n'est que l'effet. Vous allez dire : « Oui, mais si je le sais ? » Oui mais !... Si vous soignez l'asthme au niveau inconscient, l'admettrez-vous ? Tous, vous avez des émotions, des sentiments qui vous sont personnels. Vous ne les écoutez pas non plus, mais vous en subissez les effets qui sont très souvent physiques. Vous vous dites : « J'aime mieux ne pas penser à cela, j'attendrai. » Lorsque vous en êtes rendus à avoir des réactions physiques, il est souvent trop tard. Rappelez-vous cela, vos formes se protègent. Nous vous avons dit que vous évoluez, vos formes aussi. Elles trouvent des moyens de concentrer la maladie autrement. Elles apprennent à se défendre et mieux encore, à se détruire. Cherchez à vous instruire sur la maladie, vous verrez ce que cela vous fera ! *(Les Âmes en folie, III, 22–06–1991)*

C omment vivre avec ses émotions ?

C'est une très bonne question. En fait, votre question donne la réponse : en les vivant. Plus vous garderez vos émotions à l'intérieur de vous, plus vous changerez et moins vous serez vous-mêmes. Et si vous n'êtes pas vous-mêmes, les gens ne vous connaîtront jamais. Les émotions sont là pour être vécues, mais il y a des distinctions à faire. Il y a les émotions qui proviennent du conscient, que vous pouvez associer à des problèmes qui sont conscients et que vous pouvez très bien discerner, et il y a les émotions qui sont indiscernables. Voici un exemple. Parfois il y a des gens qui ont des montées d'émotions, sans pouvoir les identifier, sans explication. Vous avez trouvé une expression pour traduire cela : des états d'Âme. Et c'est très réel. Vos Âmes ont aussi des émotions. Il leur arrive de ne plus en pouvoir dans vos formes, d'être fatiguées de se battre, de ne pas être écoutées ni comprises. Cela leur arrive souvent. Que vos émotions soient d'un type ou de l'autre, il vous faut apprendre à les vivre, à les reconnaître, parce que cela va vous ouvrir d'autres portes : celle des sentiments et de la parole. De refouler vos émotions est ce qui peut vous arriver de pire. Nous avons observé tellement de fois des gens qui suivent des cours pour les refouler. Quelle foutaise ! Se refermer sur soi-même revient à dire à sa forme : « Très bien, tu as quelque chose à dire mais je ne le permets pas. » Cela vous apportera à coup sûr des problèmes physiques, de la maladie. Les émotions ne sont rien d'autre que des réactions de vos formes à ce que vous refusez d'exprimer à différents niveaux, soit en voulant vous changer, soit en voulant changer les autres, soit en faisant agir les autres à votre place. Tout cela n'est pas vous. Et comme ce n'est pas vous, votre forme le refuse et trouve les moyens de vous l'exprimer; la maladie en est un. Oh ! nous entendons déjà des réactions : « Mais les maladies n'ont pas toutes cette provenance ! » C'est un fait, il y a effectivement des maladies qui sont purement physiques, mais elles sont très rares; elles sont causées plus ou moins par vos systèmes de vie actuels; nous ne vous parlerons pas de la pollution, vous savez déjà qu'elle existe. Avons-nous répondu à cette question ?

Oui.

Soyez tous très à l'aise. *(Renaissance, I, 14–09–1991)*

*C*omment vivre ses émotions sans se faire mal ? Comment faire pour ne pas refouler ses émotions ?

C'est la même question posée à l'envers. En fait, vous allez vous faire mal si vous ne vivez pas vos émotions et, si vous les vivez honnêtement, vous ne vous ferez pas mal. Vous allez vous faire mal cependant en croyant faire mal aux autres. Les émotions vont vous blesser seulement lorsque vous allez les refouler en vous, lorsque vous allez vous empêcher de les vivre. C'est cela le problème de vos sociétés, ces sociétés qui jonglent et qui jouent avec les problèmes ! C'est cela le problème. Vous ne passez pas à l'action, vous ne vivez pas individuellement vos émotions. Et c'est important. Nous ne parlons pas de la colère, mais du rire, du pleur. Vous pouvez vivre les rires et les pleurs. Cela fait partie de vos moyens d'expression. La journée où les gens vont vous voir tels que vous serez, avec vos points forts et vos points faibles — ce qui est l'équilibre en passant —, ils vont apprendre à vous aimer. Mais aimer une bombe prête à exploser, c'est plutôt risqué. Une question pour vous : que ressentez-vous lorsque vous approchez une personne dont vous savez fort bien qu'elle refoule ses émotions ?

Je suis mal à l'aise avec cette personne-là.

Parce que vous êtes dans l'incertitude, n'est-ce pas ? Vous ne savez pas si cette personne va éclater et quand ! Ne vaut-il pas mieux vivre ses émotions au jour le jour ? Cela veut dire aussi de limiter la grandeur ou l'amplitude des émotions. Regardez les gens qui pleurent. Ils attendent quoi ? Un événement très malheureux, un décès, une maladie très grave. En d'autres termes, ils attendent de justifier leurs pleurs. Lorsque cet événement se produit, ils incluent dans leurs pleurs toutes les fois et toutes les occasions diverses qu'ils auraient eues de pleurer, et cela leur donne une justification. C'est pour cela que vous recherchez de temps à autre des douleurs, des malheurs; c'est pour faire ressortir cela. Quand vous aurez bien compris ce processus, ces événements malheureux ne se produiront plus.

Lorsque j'ai une émotion, que j'ai le goût de pleurer par exemple parce que j'apprends une mauvaise nouvelle, si je me change les idées, si je visualise de belles choses à la place, je ne vivrai pas mon émotion. Vais-je l'avoir refoulée ?

Tout à fait. Ce qui se passera ensuite, c'est que vous attendrez une deuxième occasion de la vivre, et une troisième, et ainsi de suite. Vous ignorez trop souvent que, parfois, c'est aussi l'Âme qui peut pleurer et que votre forme réagit. Comme ce peut être aussi votre forme. Ne prenez donc pas de chance ! Si vous avez le goût de pleurer, c'est que votre forme en a besoin. Qui d'entre vous ne s'est pas bien senti après avoir pleuré ? C'est une réaction humaine, cela fait partie de vos programmations et doit être vécu. Dans le cas contraire, vous ne faites que vous changer les idées, que mettre un paravent devant la réalité. Plus tard, nous vous donnerons des exemples et nous vous montrerons comment contrer vos émotions lorsqu'elles deviennent trop lourdes. D'ici là, si vous sentez le besoin de pleurer, c'est que c'est trop fort pour vous, trop dur à vivre. Faites-le. Mais une fois que vous aurez pleuré, acceptez de comprendre et acceptez le fait. La fois suivante, vous ne pleurerez pas sur le même problème. *(Renaissance, III, 09–11–1991)*

*C*omment exprimer nos émotions ? Je ne trouve pas cela facile, même avec ce que vous venez d'expliquer.

Est-ce qu'il y a de la résistance en vous à ce niveau ?

Peut-être.

« Peut-être » n'existe pas. « Oui » existe, « non » existe, mais « peut-être » veut dire que vous jouez de sécurité.

Je donne un exemple : quand on est dans notre milieu de travail et que quelque chose ne fait pas notre affaire, on ne peut pas toujours dire à nos patrons ce qu'on voudrait dire.

Vous trouvez cela honnête ?

Non, mais...

Vous feriez cela pour garder votre sécurité ?

Oui.

N'est-ce pas que cela se transformera en insécurité avec les mois ?... Est-ce oui ?

Oui.

Où donc est la sécurité si vous acceptez de dire à votre forme : « Tais-toi, endure, ne dis rien. » Elle va se refermer et cela va modifier vos comportements, vos sentiments envers les gens qui travaillent avec vous, votre rendement. Pire que cela, cela va vous modifier face à vous-même car vous allez vous haïr graduellement pour ne pas vous être ouvert. Les gens qui ne s'expriment pas vont habituellement vivre juste en préparation de leurs deux à trois semaines de vacances annuelles, qu'ils planifient un an à l'avance. Bien souvent, ils vont rayer chaque jour sur le calendrier et vous dire qu'à chaque jour suffit sa peine. Et cela justifie la peine de chaque jour. Quelle belle foutaise que tout cela ! Nous comprenons votre insécurité à quitter vos emplois quand ils ne vous conviennent plus. Mais il y a un danger par contre à y rester : en gardant cette sécurité, votre forme peut finir par en avoir assez de vivre et se mettre à réagir. Cela peut se traduire par de simples douleurs, de simples problèmes d'estomac ou du système digestif tout entier, mais aussi par un cancer, tout dépendant à quel point vous ne pouvez plus vivre avec vous-mêmes. C'est comme si vous nous disiez : « J'ai de belles fleurs, mais je n'accepte pas de les montrer. Je vais les dissimuler sous une cloche de verre opaque. » Vous verrez, elles ne fleuriront pas longtemps. C'est la même chose pour vos formes. Si votre patron ne vous convient pas, il faut le dire. Il y a des façons de le dire, nous le savons... on peut le tourner en blague parfois. Mais supposons que cela ne peut pas se faire et que vous ne le dites pas : combien de temps croyez-vous pouvoir tenir ? Jusqu'à ce que votre forme tombe malade et que vos assurances d'employeur vous paient. Lorsque vous allez vous dire : « Je dois revenir au travail dans deux semaines », il y a fort à parier que vous allez être sur les freins pour deux semaines, que vous allez espérer que les jours n'avancent pas, qu'il y ait retour à l'heure avancée, une heure de plus chaque jour. Vous avez tellement répété souvent : « À chaque jour suffit sa peine », qu'il vous faut le justifier. *(Renaissance, III, 09–11–1991)*

*Q*u'est-ce qui fait qu'une personne a plus d'émotions qu'une autre ? Qu'elle a la même émotion pour plusieurs situations ?

Reformulez cela autrement. Pas la première partie, la deuxième partie de votre question. La première va avec les gens sensibles, plus ouverts.

Si on vit une joie ou une peine, c'est la même émotion.

Donnez-nous un exemple parce que c'est impossible. Vous ne pouvez pas à la fois rire pour du malheur et rire pour de la joie.

Non, mais pleurer.

Vous mentionnez pleurer de douleur...

Et de joie.

Savez-vous ce qu'est le discernement ? Que ressentez-vous lorsque vous pleurez de peine ? Où cela se passe-t-il en vous ?

En dedans.

Mais à quel endroit exactement ? Pensez à la dernière fois où vous avez pleuré de peine. N'est-ce pas au niveau du coeur ?

Oui.

Pensez maintenant à la dernière fois où vous avez pleuré de joie. Ce n'est pas le coeur qui pleure, c'est toute la tête qui éclate de rire au point d'avoir mal dans la nuque. La peine ne donne pas cela. C'est cela la différence. Vous avez tellement accordé d'importance au symbole du coeur, vous avez tellement associé à la région du coeur tout ce qui est émotion, que c'est le coeur qui est touché lorsque vous pleurez de peine. Vous avez tellement bien développé cela que cet organe en est rendu à être la première source de vos problèmes de santé. C'est énorme, vous savez. Vous apprenez à pleurer avec le coeur. Comment vous sentez-vous lorsque vous pleurez de peine ? C'est très simple. Vous vous sentez étreints, serrés en dedans de vous. Vous voyez bien que ce n'est pas la même chose que de pleurer de rire. Il est rare de constater que des gens meurent de rire à force d'être heureux. Mais le contraire n'est pas rare. Il y a des gens qui l'exprimeront par des larmes. D'autres vont pleurer en eux; ce sont les gens les plus dangereux : calculez leurs ulcères, comptez leurs cancers. Le mal d'aimer vient du mal de s'exprimer, de trop endurer en croyant bien faire, de se taire pour bien faire, en pensant que s'exprimer ramène de la colère. Donc, mieux vaut pleurer sur soi. Nous aurions pu vous dire aussi que les gens qui ne savent pas faire la différence entre pleurer de joie et pleurer de peine sont ceux qui ont de la difficulté à différencier le goût de vivre de la simple acceptation de vivre. Mais nous aurions alors répondu trop rapidement. *(Renaissance, III, 09–11–1991)*

*L**es animaux ont-ils des émotions et des sentiments ou bien est-ce là notre interprétation de leur comportement ?*

Si ce n'était pas le cas, comment se fait-il que certaines personnes les adoptent comme des humains. Une personne qui appelle son perroquet « mon garçon » croit très certainement que son perroquet la comprend. Bien sûr que les animaux vivent des émotions, comme tout ce qui peut souffrir. Même le ver de terre, même une plante peut aussi souffrir. Une plante peut souffrir pas nécessairement parce qu'elle n'est pas bien traitée, mais parce qu'elle perçoit l'énergie des gens autour d'elle. N'avez-vous jamais constaté qu'une plante n'arrive plus à se développer chez certaines personnes, ne fleurit pas, et se met à fleurir dès que vous la changez d'endroit; que certains animaux vont même aller jusqu'à s'accroupir de peur devant certaines personnes. Si ces animaux ne pouvaient vous percevoir, pourquoi agiraient-ils ainsi ? Pourquoi les animaux comprennent-ils les gens malades ? Pourquoi agissent-ils alors de façon différente ? Parce qu'ils sont ignorants ou parce qu'ils vivent leurs émotions propres ? Ce n'est pas parce qu'ils ne sourient pas qu'ils ne pleurent pas. N'avez-vous jamais entendu des animaux pleurer ? Vous devriez aller les écouter dans vos abattoirs. Vous verriez ce que c'est que des animaux stressés. Plusieurs fois nous avons constaté des comportements animaux « humains » et des comportements humains « animaux ». Les deux sont vrais. Pourquoi certaines personnes âgées ont-elles recours à l'affection d'un animal ? Parce qu'elles ont confiance qu'au moins quelque chose, si ce n'est quelqu'un, comblera leur amour. Et le fait qu'une personne âgée appelle son petit chien « mon fils », alors qu'elle a vraiment un fils, révèle très certainement que ce même fils lui manque et que l'animal lui donne plus que son propre enfant, ne serait-ce que l'écoute. Pour répondre à votre question : oui. *(Le fil d'Ariane, IV, 14–12–1991)*

*P*ourquoi les femmes sont-elles plus nombreuses dans une session comme celle-ci ?

Parce qu'elles sont plus sensibles à ce qu'elles ne voient pas, parce qu'elles ont appris à donner la vie et voudraient reprendre une partie de la vie aussi, parce qu'elles ont plus de sensibilité en majorité, parce que les hommes analysent beaucoup plus. Il est plus facile d'apprendre à une femme à aimer, à réagir. Lorsqu'elles étaient plus jeunes, elles ont moins dissimulé leurs sentiments. Donc, c'est parce qu'il leur est difficile de se camoufler, parce que, devant la dureté d'un visage, un homme peut être deux fois plus dur et ne pleurera pas, oh ! à l'intérieur, oui, mais pas à l'extérieur. On lui aura beaucoup plus démontré de ne pas fléchir, de ne pas se laisser aimer. Pour être plus simple : à cause de leur sensibilité à percevoir et à être elles-mêmes. *(Nouvelle ère, III, 02-05-1992)*

*C*ette semaine, lors de ma culbute en tracteur, est-ce que vous étiez là ?

Nous n'avions pas besoin d'être présentes pour que vous fassiez le bouffon ! Dans votre quotidien, c'est souvent ce que vous faites pour ne pas vous exprimer, pour ne pas voir. Agir ainsi a été une défense pour vous depuis quelques années. Il faut bien comprendre que c'est aussi une réaction humaine, une forme de protection. Nous ne parlerons pas de cette culbute car vous en avez parlé pour entendre autre chose. Lorsque nous vous avons demandé de poser cette question en premier, c'était pour vous forcer à vous ouvrir. Nous avons observé vos réactions, pas seulement lorsque les questions se préparaient, mais dans votre quotidien aussi. Certains vont s'enfouir dans leurs émotions; d'autres vont faire des blagues pour ne pas que les gens les touchent ou les approchent. Nous croyons que, dans votre vie actuellement, c'est en plein le temps de revenir vers vous-même. Cette fin de semaine que nous prévoyons — pas seulement pour vous, pour les autres aussi — se veut une chance inespérée de revenir vers votre Âme. C'est cela le vrai but. Même si vous ne donnez pas au mot Âme le sens d'énergie en vous — ce qu'est vraiment l'Âme —, dites-vous que c'est le centre de vous-même. Donc, cela pourrait être aussi votre essence personnelle, votre réalité, vous-même. Dans votre cas, ce sera le temps de vous comprendre davantage, de vraiment affirmer qui vous êtes. Vous avez toujours refusé dans le passé, surtout pendant ces trois dernières années, d'affirmer vos émotions pour qu'elles se manifestent, de vous laisser approcher plus facilement. Plusieurs ici font cela, ils sont sur leurs gardes. Dès qu'on les approche au niveau de leurs émotions ou de leurs sentiments, mieux vaut faire une blague, mieux vaut tourner cela en dérision. Votre question était en fait une très bonne approche pour vous dire ce que nous avions à vous dire. Quelle est votre deuxième question ? *(Nouvelle ère, IV, 23-05-1992)*

J*e voudrais savoir si notre destin est tracé dès la naissance.*

Vous venez de le tracer aujourd'hui même. Chaque fois que vous respirez, chaque fois que vous pensez, vous faites votre destin. Chaque fois que vous vous exprimez, vous le faites aussi. Si demain matin vous régliez des problèmes, cela changerait encore une fois votre destinée. C'est cela votre vraie force, non seulement la force de faire des choix valables mais des choix conscients. Cela ouvre beaucoup de possibilités. Le destin dont vous parlez consiste à savoir si l'Âme, si elle le veut avec toutes les connaissances retransmises à sa forme, peut prédire ce que la forme fera. La réponse est non. Elle espère mais ne peut toujours pas prévoir actuellement, parce que vos formes sont trop changeantes. Une seule émotion change votre destinée. Ce n'est pas normal. Beaucoup perdent le contrôle de leurs actions à ce niveau. Auparavant, nous vous disions : vivez vos émotions sinon vous vous refusez vous-mêmes. Nous le dirons encore dans d'autres groupes, mais pas dans celui-ci. Nous allons tenter une autre approche avec vous. Nous allons être plus directes. Dans certains groupes et même ici, il y a des gens qui retiennent leurs émotions, qui ne les vivent pas pleinement, et ils ont des comportements qui ne sont pas les leurs, et ils ne s'acceptent pas. Nous allons passer outre à cela avec vous. Nous allons plutôt vous dire que vous êtes esclaves de vos émotions, de vos sentiments, que vous ne les maîtrisez pas encore. Nous allons aussi vous montrer à quel point les autres les utilisent à votre place. *(Diapason, I, 21–03–1992)*

*C*ertaines personnes prennent des drogues à l'occasion pour s'aider à évoluer. Qu'en pensez-vous ?

Qu'il s'agit d'inconscience, que les drogues ne vous feront pas évoluer du tout, que les drogues vous amènent dans des états seconds. Si vous ne pouvez pas reproduire ces états consciemment, cela ne vaut rien. Pourquoi ne pas en finir ? Vivre des états seconds avec de tels produits ne veut pas dire progresser, mais oublier, perdre contact avec la réalité. Nous savons les effets des drogues sur vous, nous l'avons observé. Mais étouffer le conscient pour vivre des états seconds ne donnera rien parce que ceux qui le font vont plus loin, toujours plus loin, et finissent par créer seulement des habitudes qui, bien souvent, détruisent les formes. Vous pourriez reproduire les mêmes effets sans les drogues, seulement en le voulant. La plus grande des satisfactions n'est pas de vivre une dimension seconde, mais de vivre vraiment une seconde de votre réalité dans 24 heures, d'être vraiment vous-mêmes, de réussir à vous accepter et à être acceptés tels que vous êtes, d'avoir la force de changer les gens qui ne vous conviennent pas; de ne plus être influençables, de comprendre ce que sont vraiment vos émotions et de ne plus les subir. Si nous devions vous demander quels sont les gens qui réagissent à leurs émotions, vous diriez : tous. Ce n'est pas se connaître. Nous vous disions dans le passé — et nous croyons avoir eu raison de le faire — de vivre vos émotions, sans quoi vous vous refermeriez et ne seriez jamais vous-mêmes. Nous avons cru en disant cela que les gens vivraient leurs émotions de façon à les dépasser et qu'en dépassant leurs émotions, ils comprendraient qu'elles ne sont pas utiles, qu'elles ne sont que des protections, pas plus. Nous avons expliqué à cette forme [Robert], il y a moins de 15 de vos jours, à ses dépens d'ailleurs, ce qu'étaient les émotions. Laissez-nous vous expliquer ce que sont les émotions et vous ne les vivrez plus de la même façon. Nous avons vu les effets de cette nouvelle explication sur un groupe il y a quelques jours et vous méritez de vous le faire expliquer. Étant donné que vous aviez choisi dans cette session de mieux vous connaître, c'est donc en ce sens que nous allons répondre à la majorité de vos questions. Vous vouliez savoir ce qu'étaient vraiment les émotions et si vous deviez absolument les vivre. En fait, ce qu'il vous faut, ce n'est pas de les vivre, mais de les comprendre pour les vivre; c'est fort différent. Nous avions fait comprendre à cette forme [Robert] que les émotions étaient l'équivalent de cicatrices; qu'en fait, lorsque vous coupez votre peau et qu'une cicatrice apparaît, il s'agit d'une protection que votre forme vous fournit pour ne pas que vous vous coupiez à nouveau au même endroit. En quelque sorte, votre forme vous redonne des tissus supplémentaires sous-cutanés de façon à rendre votre peau encore plus forte, pour ne plus que vous vous blessiez au même endroit. Jamais vous ne verrez deux cicatrices au même endroit ! Vos émotions sont comme des cicatrices. Ce sont des protections que votre forme se donne pour éviter que vous ne vous blessiez encore plus. En d'autres termes, lorsque vous vivez un événement qui vous est pénible, vous y rattachez toujours une émotion, pas un sentiment. L'amour n'est pas une émotion, c'est un sentiment. Lorsque vous vivez un événement qui vous est difficile à vivre, vous vivez une émotion rattachée à l'événement et, lorsque vous revivez un événement similaire, que se passe-t-il ? Vous réagissez immédiatement. Pourquoi ? Parce que cela vous empêche de trop penser. C'est une protection, une cicatrice qui vous empêche de vous blesser trois, quatre ou cinq fois. Comme vous ne le savez pas, vous les revivez continuellement. C'est ce que vous faites tous. Pire encore, vous apprenez à vous y habituer et à les revivre de force. Une plaie ne peut pas se cicatriser si vous passez votre temps à l'ouvrir ! Tout ce que vous aurez, c'est une plaie plus grande, une cicatrice plus grande. C'est la même chose avec vos émotions. Continuez de jouer avec vos émotions, et vous allez avoir des émotions plus grandes, plus profondes, plus douloureuses, et vous ne saurez plus quoi faire avec. Vous irez donc chercher de l'aide à l'extérieur, en croyant que quelqu'un pourra refermer vos plaies. Vous trouverez au mieux des gens habiles, capables pour vous faire oublier, pas plus. Vous nous demandez : « Faut-il accepter cela ? Faut-il accepter ses émotions ? » Nous vous disons de les comprendre et d'effectuer dans votre tête la programmation nécessaire pour ne plus que cela se produise. Ce n'est pas ce que vous faites dans vos vies actuellement. Vous êtes blessés et vous vivez avec cela, vous continuez de vivre avec les

gens qui vous ont blessés comme si de rien n'était, croyant pouvoir oublier. Une question pour vous tous : jusqu'à quel point êtes-vous prêts à avoir des cicatrices en vous ? et à quelle profondeur ? Si vos émotions étaient à l'extérieur, sur votre peau, vous n'auriez que des formes pleines de cicatrices et il vous serait difficile de vous couper une fois de plus tellement vous seriez endurcis. C'est majoritairement ce qui se passe avec vos formes. Plusieurs deviennent tellement endurcis que même un événement des plus douloureux n'arriverait pas à leur faire sortir une larme, n'arriverait pas à les faire s'exprimer. Vous comprenez maintenant ? Vous vivez vos émotions à des niveaux différents. Plusieurs vont dire : « J'en ai plusieurs dans ce cas. » C'est un fait. Et si vous n'arrivez pas à comprendre ce que sont les émotions, comment pourrez-vous les éviter ? D'une façon très simple : la prochaine fois que vous vous sentirez blessés, la prochaine fois que votre orgueil sera blessé, plutôt que de plonger dans vos émotions, posez-vous cette simple question : « Est-ce que j'ai le goût de me blesser ? et pour combien de temps ? » Vos émotions peuvent vous amener jusqu'à la mort physique. Plus vite elles pourront vous couper à l'intérieur, plus vite vous pourrez en finir. Certains choisissent cela et y rajoutent drogues et alcool; cela les aide. Y a-t-il des questions sur cela ?
(Diapason, II, 25–04–1992)

*C*omment peut-on faire pour se reprogrammer et passer à travers *des émotions, pour ne plus les ressentir ?*

Premièrement, apprenez à reconnaître ce qui les cause. Deuxièmement, réglez ce qui les a causées, habituellement par la parole, sinon vous n'apprendrez pas à les maîtriser ni à les reconnaître et vous allez les revivre des dizaines de fois dans votre vie. Tout dépendra de ce que vous voudrez en faire. Plusieurs se complaisent dans les émotions et ne cherchent qu'à les vivre, pas à les comprendre, pas à les maîtriser. C'est une erreur. Donc, réglez les émotions qui vous accaparent, c'est ce qui compte pour que vous ne les subissiez plus à l'avenir, pour que vous puissiez les régler à mesure. Nous l'avons dit, vous subissez et c'est ce qui vous nuit le plus. Vous parlez de thérapies... Bien souvent, elles ne sont que justificatives. Vous cherchez des thérapies pour prolonger la réalité, pour ne pas régler à votre façon ce que vous savez faisable.

Donc, vous suivez des thérapies croyant ainsi pouvoir régler ces problèmes d'une façon différente, mais c'est faux. Posez-vous une question, une seule : « Ai-je les moyens d'être bien dans ma vie et quels sont-ils ? » Vous aurez des réponses. Réglez vos problèmes selon ce que vous vivez, selon ce que vous êtes. Cessez de chercher des moyens artificiels pour être heureux, cessez de passer par d'autres, vous n'arriverez à rien comme cela. Certains cherchent des moyens artificiels comme la drogue ou l'alcool, et qu'est-ce que cela leur donne ? Certainement pas plus d'amour. Les ateliers à venir seront conçus pour cela, pour que vous vous reprogrammiez facilement. Nous avons conçu plusieurs méthodes qui ne sont pas dans vos livres actuellement. Nous les apprenons à cette forme [Robert] pour qu'elle puisse les retransmettre. Ne vous en faites pas, vous les vivrez et c'est ce qui va vous changer. Ces sessions ont pour but de vous rendre plus conscients, d'enlever le poids de la culpabilité de vos épaules, et c'est ce que nous faisons actuellement. Nous ne pouvons pas vous reprogrammer pendant une session parce qu'il vous faut collaborer en faisant certains exercices. Nous pouvons tout de même répondre à la majorité des questions que vous avez sur vos vies actuelles. Faites en sorte que vos questions portent sur ce qui vous tient à coeur, pas juste sur les connaissances. Tentez d'oublier ce que vous avez appris dans le passé, réapprenez à vivre. Si cela n'a pas réussi dans le passé, c'est que vous n'aviez pas la bonne recette. Avant de renaître, il faut que vous sachiez vraiment qui vous êtes pour ne plus avoir à le refaire : vos valeurs, vos forces, vos faiblesses. Il y a tellement de points dans vos quotidiens qu'il vous faut régler. Le premier point est toujours le même : l'acceptation de soi, sans subir, sans influence, sans cette foutue responsabilité qui vous étouffe. Vous associez toujours responsabilité à ceux qui vivent autour de vous : enfants, conjoint, famille. Mais si vous ne vivez plus, il n'y a plus de responsabilité. Les responsabilités cessent lorsque vous cessez de vivre. Pourquoi vivre consciemment en sachant que vous ne vivez pas ? Cela ne vous mènera nulle part. *(Diapason, II, 25–04–1992)*

Q uels genres d'émotions peuvent être vécus dans l'enfance pour qu'une personne se sente très coupable ? Je voudrais des exemples précis.

Lorsqu'un enfant se rend compte, dès la naissance et même souvent deux mois avant, qu'il ne se sent pas désiré, comment voulez-vous qu'il puisse vieillir, devenir adulte et aimer à son tour ? Il développera le doute d'être aimé. Ça, c'est un exemple. Un autre exemple serait le cas d'un enfant qui, dans une famille nombreuse, ne reçoit pas l'attention nécessaire, est mis de côté ou croit être mis de côté. L'imagerie n'a pas de limite, surtout lorsque l'enfant n'a pas d'explications à ce qu'il ressent. La culpabilité peut aussi provenir d'un rejet des gens que vous ne ressentez pas alors que vous n'avez pas le goût de jouer le jeu. En d'autres termes, aimer de force. Elle peut aussi provenir d'une croyance intérieure profonde acquise qui vous dit : « Cette vie n'est pas pour que tu vives à deux mais avec toi-même afin que tu accèdes à des libertés non acquises dans des vies passées. » Vous allez vous rendre compte que ces gens sont souvent influençables parce qu'ils ont un tel besoin d'affection qu'ils ne font que rechercher de l'affection. Et comme ils n'en trouvent pas, ils se referment et se blessent. C'est comme si vous aviez une cicatrice bien refermée et que vous l'ouvriez de force. *(Diapason, II, 25–04–1992)*

J e vis des moments où un paquet d'émotions, de sentiments m'arrivent tous en même temps. Lequel choisir ? Comment mettre une bride sur ces éruptions ?

Ce qu'il faut faire, c'est de ne pas en mettre du tout ! Ce qu'il faut faire, c'est d'en reconnaître la source, de reconnaître d'où cela provient, parce que vous n'aurez que des réactions si vous ne le faites pas. Si vous ne vivez pas une émotion dans le but de comprendre d'où elle provient, ce qui la déclenche, vous n'allez que la vivre et vous rendre malheureuse. Vous pensez à mettre des brides ? Nous vous disons de les laisser tomber de façon à vivre deux fois plus vos émotions, jusqu'à ce que vous en trouviez la vraie source et jusqu'à ce que vous soyez suffisamment fatiguée de les vivre pour passer à l'action. Autrement dit, vivre des émotions, c'est se protéger soi-même face à des émotions pour ne pas régler un problème. Donc, vous vous camouflez derrière jusqu'à ce que vous en ayez assez et que vous ayez assez de force pour ne plus les vivre. Cela implique du changement. Comme la peur de l'inconnu, du changement, est généralement plus forte que la joie qu'il y aura après, vous attendez. *(Diapason, IV, 06–06–1992)*

Vous avez, comme à toutes les fois, notre amour, notre attention aussi, parce que votre cheminement nous intéresse. Nous communiquons cela, ne l'oubliez pas. Nous apprenons aussi, et nous vous remercions pour cela.

Oasis

*Vos formes
ne sont pas conçues pour vieillir,
mais vous serez toujours
ce que vous pensez.*

Le vieillissement

Ne vous est-il jamais venu à l'idée que, toutes les fois qu'une nouvelle feuille ou une nouvelle pousse débute, elle est aussi nouvelle que celle d'il y a 100 ans ? Comment se fait-il que, lorsque les cellules de vos formes se renouvellent, vous acceptez de les vieillir ? Vous n'avez aucune raison de faire cela, sauf que c'est ce qui vous a été montré : à vieillir, et très jeune encore. Regardez ce que vos parents ont tous fait dès que vous aviez l'âge de comprendre. Dès que c'était possible, ils vous montraient vos grands-parents et dès que ceux-ci mouraient, ils vous montraient leur départ. Aussitôt que vous êtes en âge de comprendre, on vous montre non pas la naissance des autres mais leur mort. Pour un jeune enfant, une forme inerte entourée de gens qui pleurent n'est pas un signe de réjouissance; cela veut dire peine et se tenir loin. Comment voulez-vous qu'une forme en pleine croissance à tous les niveaux puisse accepter avec joie d'en voir une autre partir ? C'est un non-sens. Ce n'est pas comme cela qu'il faut apprendre à mourir. Vous serez toujours ce que vous penserez. Vous croyez que vieillir est une plaie ? Regardez-vous dans le miroir; vous verrez, vous vieillirez rapidement. Vous vous plaignez de vos formes ? Vous n'avez pas fini de vous plaindre. Plus vous les rendrez conscientes de la maladie, plus vous l'aurez. Programmez-vous à comprendre ce que sont les maladies, et plus vous les comprendrez, plus il vous sera facile d'être malades. Pensez-y. Que faites-vous pour apprendre un métier ? Vous l'apprenez et vous le pratiquez. Que fait votre forme pour être malade ? Elle l'apprend et le devient, surtout si vos pensées s'orientent dans cette direction. Nous pourrions nous attarder encore sur ce sujet, mais le cas que nous devons observer avance. *(Nouvelle ère, III, 02–05–1992)*

Est-ce que nos formes pourraient vivre 300 ans ?

Très facilement. Ce sera difficile à comprendre dans votre monde actuel. Nous allons juste vous faire comprendre un simple raisonnement. Dès votre naissance, lorsque vous venez au monde, dans des hôpitaux en plus, même si vous croyez ne pas être conscients, vous l'êtes. Donc, vous voyez déjà la souffrance, vous la percevez très bien lorsque vous venez au monde. Déjà, vous naissez dans des endroits où il y a des gens qui souffrent et meurent. Puis, à partir de ce premier jour et tout au long de votre vie, dès que vous pouvez voir avec vos yeux, vous voyez des enfants autour de vous, vous voyez des gens un peu plus âgés et vous voyez aussi des vieillards. Donc, vous faites déjà la distinction entre jeunes et vieux. Puis, comme on vous l'a dit, vous vieillissez pour faire comme les autres. Et vous entendez parler de grands-parents, vous entendez parler de gens qui meurent vieux et vous vous demandez quel âge ils ont. On vous répond : « Il a 83 ans; c'est très vieux. » Et vous vous dites : c'est cela avoir l'air de 83 ans. Puis vous voyez des gens de 50 ans et vous vous dites : c'est de cela qu'ils ont l'air à 50 ans. Vous faites la même chose pour les gens de 40 et de 30 ans aussi, etc. Donc, vous vous programmez à reconnaître des groupes d'âge et lorsque vous atteignez vous-mêmes 80 ans, il vous faut — et c'est bien digéré dans vos cerveaux — avoir des rides, des cheveux blancs depuis au moins 20 ans. Vous êtes déjà programmés pour le faire; vos cerveaux le comprennent dès votre naissance. Vous reprogrammer dans le sens inverse ne se fera pas avant plusieurs centaines de vos années, tant que vos chimistes n'auront pas trouvé des produits pour vous aider, ce qui se fera d'ailleurs, mais il ne sera pas naturel de vivre 100, 150, 200 et 300 avant des siècles. Alors, lorsque les enfants viendront au monde dans 500 à 600 ans, ils verront des gens adultes mais ne pourront pas fixer d'âge, parce que leurs cerveaux ne pourront pas analyser cela. Tout n'est que programmation de vos cerveaux. Laissez-nous vous faire comprendre cela très clairement. L'été, vous voyez à l'extérieur des arbres très matures, très grands qui ont déjà plus de 200 ans. Vous avez tous vu cela dans des parcs. Avez-vous remarqué qu'au sommet et même au bout des branches les plus basses donc les plus vieilles, il y a des repousses, de nouvelles feuilles, et que ces feuilles sont aussi tendres et aussi nouvelles que la première feuille à pousser sur cet arbre ? C'est la même chose pour vos formes. Lorsqu'une cellule meurt, ce n'est pas pour être remplacée pour une cellule plus vieille mais, comme l'arbre, par une neuve. Dites à cette cellule qu'elle doit être plus vieille et elle vieillira parce que vous l'aurez convaincue de le faire. Le plus grand secret de la vie après celui d'aimer, ouvrez bien vos oreilles, il est très simple : vous serez toujours ce que vous penserez. Vieux avant l'âge ? Pensez-y et vous le serez. Pensez que vous ne pouvez pas dire que vous aimez et vous ne le direz pas... Et vous ne vous aimerez pas non plus ! C'est très important. Dans votre quotidien, vous avez intérêt à bien penser, à penser du bien de vous en premier, car cela jouera sur votre santé. Pensez du mal de vos amis et vous penserez du mal de vous-mêmes. Pensez qu'un ami est là pour vous aider, il vous aidera. Faites l'essai, vous verrez; c'est comme cela que ça fonctionne. Pensez que vous aimez quelqu'un et dites-le, puisque cela se communique, et vous aurez cela. Vous vous aimerez aussi du même coup. *(Les flammes éternelles, I, 24–11–1990)*

S elon la science, nos cellules se renouvellent à tous les sept ans. Pourquoi vieillissons-nous alors ?

Parce que vous vieillissez au moment où vous venez au monde. Au moment où votre société vous fait comprendre ce qu'est la mort, vous commencez votre cycle. Au moment aussi où vous préparez trop vite votre retraite. Vous êtes déjà convaincus que vous allez vieillir. Au cours des siècles, à force de voir des gens vieillir autour de vous, vous vous êtes dit : « C'est donc cela qui doit arriver et cela m'arrivera. » Vos formes n'ont pas été conçues pour vieillir comme cela, mais la science traduit votre vieillissement en affirmant que les cellules vont vieillir et qu'elles vieilliront tout de même, peu importe ce que vous ferez. Une fois de plus, cela vous convainc. Tout ce qu'il y a autour de vous est fait pour vous convaincre, mais ce n'est pas la réalité. Regardez la cime d'un arbre : même s'il perd ses feuilles, la simple nouvelle feuille est aussi nouvelle que la toute première; elle n'est pas plus vieille. Il n'y a que la bêtise humaine qui détruira ces arbres, par la pollution et l'ignorance. Il en va de même de vos formes. Pourquoi votre forme ne renouvellerait-elle pas ses propres cellules, toujours à partir d'une cellule originale, avec les mêmes données, en les faisant vieillir ? Prenez pour acquis que chacune des cellules composant votre forme comprend et analyse — pour faire plaisir à Mark, dites-lui bien qu'il s'agit de cellules. Donc, vos cellules analysent comme vos cerveaux et elles sont comme vos pensées. Vous voulez retarder l'apparition de vos rides ? C'est très simple, programmez-vous en ce sens, même s'il vous faut mettre de la poudre dans votre miroir pour ne pas tout à fait vous voir. Et lorsque vous verrez ceux qui ont des rides, dites-vous bien : « Peut-être n'ont-ils pas compris ? » Autre phénomène du vieillissement : tous sans exception, vous vous dites : « S'il fallait avoir ces problèmes durant 300 ans, ce serait trop ! Qu'adviendrait-il de mon hypothèque ? Je ne pourrais supporter 300 ans d'hypothèques et de dettes ! » Imaginez que vous ayez vraiment 300 ans pour régler vos petits problèmes actuels : vous prendriez votre temps ! Donc, voyez-vous, l'intérêt n'y est pas non plus et tout cela n'est que programmation de vos formes. Nous avons observé le centre d'étude sur le vieillissement qui existe actuellement en Russie. Ils ont beaucoup d'avance. Ils ont aussi fait des travaux sur l'apesanteur terrestre, jusqu'à moins 60 fois. L'apesanteur entraînait des modifications dans les cellules humaines et ralentissait énormément leur progression. Ce ne serait pas viable actuellement, mais ce serait très utile dans les soins du cancer, surtout du cancer de la peau. Mais cela viendra dans deux ou trois de vos années. *(Maat, I, 09–11–1990)*

 propos des maladies comme le cancer, au niveau génétique, qu'est-ce que c'est ?

Cela veut dire « retransmis par les parents aux enfants ».

Quelle en est la raison ?

Vous n'avez pas à trouver toujours des raisons à vos maladies. Lorsque vous n'en avez pas, vous en trouvez ! Si les deux parents retransmettent des cellules cancéreuses chez un nouveau-né, il ne faut pas chercher la raison chez le nouveau-né, mais chez les parents qui avaient déjà des cellules cancéreuses et qui ont conçu l'enfant en le sachant. Pour l'enfant, lorsque c'est génétique, il n'y a rien à faire parce que cela programme la forme différemment, et ce dès le début. Cela fait en sorte qu'il n'est plus possible de reprogrammer une forme qui ignore ce que c'est que d'être programmée sans cette maladie. Nous vous avons déjà dit dans une session précédente que vos formes sont déjà programmées par l'Âme, entre deux et trois mois avant la naissance. Cette programmation consiste en ce que cette forme devrait vivre. Mais les cellules de vos formes sont aussi programmées. Laissez-nous décrire cela d'une façon plus simple pour vous. Vous envisagez la vie sur une durée de plus ou moins 80 de vos années; donc, vous vous êtes fixé des normes. Il y a une norme pour les cheveux blancs, une norme pour les maladies de ceux qui atteindront l'âge de 40 ans, puis 50 ans et plus. Vous en êtes venus à vous programmer de groupe d'âge en groupe d'âge à un point tel qu'actuellement, il y a des gens qui ont 30 ans et même 20 ans et qui en sont déjà à préparer leur retraite de 50 ans. Mais s'y rendront-ils ? Pouvons-nous vous dire que ces gens vieilliront bien avant l'âge parce qu'ils ont changé la programmation de leur forme, qu'ils se sont dit : « Très bien, il me reste 25 ou 30 ans avant de prendre ma retraite, donc de prendre du repos. » Mettez-vous à la place de leurs cellules, que feront-elles ? Elles se diront : « S'il voit déjà le repos, nous pouvons le lui donner avant cela », et elles commencent à changer leur cycle de reproduction. C'est ainsi que vous verrez des jeunes de 30 ans avec les cheveux blancs. N'en cherchez pas la cause au niveau génétique mais au niveau de la pensée : c'est une forme de programmation. Mais comment se fait-il que, dans leurs travaux de laboratoires, les scientifiques se rendent compte que les cellules nouvelles sont toujours aussi jeunes que les premières mais qu'elles vieillissent tout de même ? C'est très simple ! Vos pensées les reprogramment. Souvenez-vous, ne pensez pas en terme d'organe mais d'ensemble. Une cellule du muscle cardiaque qui se renouvelle a la même valeur qu'une cellule qui fait pousser votre ongle d'orteil : la même valeur. Ce ne sont pas seulement les cheveux qui blanchiront, mais l'intérieur aussi qui prendra de l'âge. C'est une programmation de vos formes. Vous serez toujours ce que vous pensez. Vous avez le choix d'être des vieux jeunes ou des jeunes vieux. Prenez les arbres. Certains arbres ont plus de 300 ans, mais regardez-les de près. Les repousses au bout des branches, que ce soit à la base ou au sommet, sont aussi neuves que les premières pousses d'il y a 300 ans. C'est la même chose dans vos formes, vous les programmez. Sauf que, lorsqu'un enfant vient au monde et que cette programmation [cancer] était déjà dans la première cellule, il n'y a pratiquement aucune possibilité actuellement que ces cellules acceptent de changer cela, car elles ne savent pas faire la différence entre une cellule saine et une cellule cancéreuse. Cela pourrait se faire, mais pas avant un peu plus de 276 de vos années au moment où il y aura des régénérateurs [2256]. À cette époque, cela se fera très bien. Vous avez compris cela ?

Pourquoi cela sera-t-il possible dans 276 ans ?

Parce que ces appareils remettront les cellules de vos formes à leur place, et ce par programmation; ils réactiveront celles qui n'ont pas leur place. Ils vont comprendre cela grâce aux accélérateurs moléculaires qu'ils ont construits déjà. Cela prendra encore plusieurs de vos années. Cette technologie ne sera pas au point avant 276 de vos années. *(Harmonie, II, 08–12–1990)*

J*e reviens sur ce que vous disiez sur la programmation, le conditionnement que nous avons face au vieillissement.*

C'est aussi valable pour les maladies. Plus vous serez informés de la réalité d'une maladie, plus vous saurez comment vous la donner. Nous vous donnons un seul exemple à ce sujet et vous continuerez ensuite votre question. Ceux qui ignorent comment faire des bombes n'en font pas. Ceux qui le savent et veulent en fabriquer en font parce qu'ils savent comment le faire. Supposons que vous viviez un problème très difficile pour vous actuellement et que vous travailliez dans un milieu hospitalier. Vous êtes donc au courant de tout ce qui entoure les souffrances. Par conséquent, dès que vous aurez des symptômes quelconques, vous commencerez à créer la maladie et vous trouverez tout ce qu'il faudra pour la justifier. Rappelez-vous, dès que vous êtes conscients, vous commencez à reprogrammer vos formes, autant pour la joie que pour le malheur. Tout n'est que question d'habitude. Regardez ce qui se passe dans les communautés de gais et chez ceux qui se droguent concernant cette maladie que vous appelez le sida. Que s'est-il développé ? Une peur. Une peur telle que le simple fait pour ces gens d'avoir des relations sexuelles les mettent à l'écoute d'eux-mêmes deux fois plus et, dès qu'un malaise se fait sentir, ils pensent tout de suite au sida. Vous direz que c'est une maladie qui se transmet de cette manière, mais vous faites erreur. Regardez dans les familles où il y a eu des cancers. Les membres de ces familles développent la même hantise, la même peur. Ils sont à l'écoute deux fois plus de leur forme et si, pour le justifier, ils ne sont pas bien avec eux-mêmes et qu'ils ne règlent pas leurs problèmes, leur forme trouvera le moyen de développer un cancer, « comme par hasard ». Comprenez-vous ? Tout cela n'est que programmation de vos formes. Vous relirez la transcription de la session précédente, nous avons bien expliqué les cas de cancer, en détail même. Vous pouvez continuer votre question.

Cela ne me paraît pas évident que la conscience de ces choses-là arrive à me déprogrammer, est-ce parce que j'ai la tête pas mal dure ?

La conscience de quoi ?

La conscience du vieillissement, de la maladie, la conscience qu'il faut que je change ma pensée si je veux que ma forme change.

Il vous faudrait vivre avec des gens qui ont déjà 150 ans, car il vous faut constamment des exemples. Si vous viviez avec des gens qui meurent tous à 62 ans, comment pourriez-vous, honnêtement, vous programmer et vous dire que vous vous rendrez à 92 ans ? Difficile ! Si la moyenne d'âge dans votre famille a toujours été de 76 ans, vous vous fixerez le même point. Il arrive la même chose dans les familles où le père ou la mère sont morts, supposons de cancer, à l'âge de 62 ou 63 ans. Quand les membres de cette famille atteindront cet âge, nous leur suggérons d'être déjà bien portants, parce qu'ils seront aussi programmés à avoir peur à cet âge; c'est l'évidence même. Il n'y a pas une seule maladie qui soit causée par la forme elle-même... En fait, il y en a bien quelques-unes, mais nous vous en avons déjà parlé. Par contre, les maladies de ce siècle sont très rattachées à vos pensées, plus que vous ne pourriez le croire. Elles sont beaucoup rattachées aux émotions et aux sentiments aussi. Il est curieux que les gens des pays sous-développés — entre parenthèses développés —, qui meurent de faim peu importe l'âge, ont les taux de cancer les plus bas. Ils sont trop occupés à vivre pour avoir le cancer. Par contre, dans les sociétés stressées actuelles, dans les grandes villes où les bruits sont élevés, où les gens se sont aussi donné des buts de vie élevés, avec les tensions et tout ce qui s'ensuit, le cancer se développe et très vite même. Ce n'est pas dû aux gaz d'échappement de vos voitures, mais plutôt à ceux de l'intérieur ! Continuez tout de même votre remarque.

Mes pensées me semblent difficiles à changer puisque, dans mon environnement, je n'ai rien pour m'aider à le faire.

Il y a une façon très simple de le faire : ne pas penser à ce qui se passera dans 10 ou 20 ans, mais plutôt à ce qui se passera dans une heure ou deux. Ceux qui ont le temps de prévoir leur vieux jours n'auront pas nécessairement le temps de s'y rendre. Soyez plus occupés du jour d'aujourd'hui et vous saurez dépasser les statistiques. Ce n'est pas ce que la majorité des gens font. Il n'y a pas une seule personne ayant déjà planifié ses vieux jours qui n'ait pas peur de manquer de quoi que ce soit. Vous travaillez tous pour survivre, sauf qu'actuellement, avec ces taux de cancer élevés et toutes ces autres maladies, vous avez peur de ne pas vous y rendre... et vous n'avez rien vu encore ! Vous verrez que les gens qui ont été les plus occupés n'ont pas eu le temps de penser à vieillir; ils étaient déjà vieux lorsqu'ils y ont pensé. En fait, il vous faut une bonne éducation alimentaire en premier. Ensuite, il ne faut pas boire cette soupe chimique qui coule dans vos robinets, puisque ce n'est pratiquement plus de l'eau; bientôt il vous faudra des fourchettes pour boire. Comme troisième point, il ne faut pas planifier trop d'avance vos vieux jours car c'est une très grande erreur. De toute façon, si vous êtes trop occupés pour les planifier, vous ferez des sous, vous aurez tout de même une retraite et vous penserez à vous aussi. Quatrièmement, il faut vous offrir à vous-mêmes ce qui vous tente, il faut cesser de vous limiter constamment : « Oh ! je porterais bien telle couleur mais cela se verrait trop », etc. Si vous ne la portez pas, cela ne se verra jamais. Trouvez l'originalité qu'il y a en chacun de vous, démarquez-vous des autres. L'originalité, c'est cela. Si vous faites tout cela, l'âge ne comptera plus. Il vous faudra fermer les yeux sur ceux qui sont trop vieux à vos côtés, qui ont déjà peur. Il y a des pays où on meurt à un âge plus avancé, mais vous n'avez pas besoin d'y déménager. Vivez seulement le quotidien comme il faut et le futur sera aussi comme il faut. *(Harmonie, IV, 16–02–91)*

E st-ce qu'il existe des êtres immortels sur la Terre
actuellement ?

Complètement ? Il y a votre Âme. Des êtres physiques, dans les plus âgés ? Non, il n'en existe plus. Dans le sens que vous mentionnez, il n'y en a aucun. Il faut croire qu'il y a trop de préarrangements ! Rappelez-vous, vos formes ne sont pas conçues pour vieillir comme elles le font actuellement. Si elles le font, c'est parce que vous l'avez voulu et accepté. Vous avez fixé des normes que vous appelez des âges et, lorsque vous atteignez ces âges, vous réagissez. D'autres disent : « Heureusement que la vie n'est pas plus longue ! » C'est cela vieillir, malheureusement.

Au moment où on accepte cette réalité, à savoir que nous sommes des êtres immortels, est-ce qu'il n'y a pas danger quelque part de...

D'être enfermé ?

Sans être enfermé, de perdre son équilibre ?

Effectivement, vous seriez seul. C'est cela le problème. Graduellement, les changements se feront, mais pas aussi rapidement que plusieurs le voudraient; mais « plusieurs » ne signifie pas tous. Pour cela, il vous faudrait être comme nous, vous unir, prendre les mêmes décisions, ne choisir que ce qui est bon et serait bon pour tous, pas de choix individuel. Ce n'est pas pour demain, n'est-ce pas ? Donc, lorsque vous aurez des exemples de personnes qui sont plus âgées, vous les observerez. Actuellement, vous êtes beaucoup plus occupés à observer ceux qui vont mourir que ceux qui continuent de vivre. Vous donnez des fleurs à ceux qui meurent plutôt qu'à ceux qui vivent ! Pourquoi leur donner des fleurs ? Pour qu'ils vivent plus longtemps ! Pensez à cela. Plusieurs de ceux que vous connaissez bien ne demanderaient pas mieux que d'être aimés, de se le faire dire une seule fois. Combien de fois plusieurs d'entre vous se sont retenus pour ne pas dire qu'ils s'aimaient, n'ont pas acheté de fleurs de peur que leurs intentions soient mal comprises. Agissez, c'est ce que nous vous disons. Cessez de penser et agissez. C'est comme cela que vous allez vous changer; c'est comme cela que les autres vont changer. Si personne n'ose dire qu'il ou qu'elle aime l'autre, l'autre ne le dira pas non plus. Vous passerez votre temps à vous regarder. Vous savez, il y en a qui pleurent et prient devant des murs. Effectivement, le sol est trempé, mais le mur ne leur répond pas; il ne fait que réfléchir comme un miroir mal poli. Vous verrez qu'ils reviendront toujours pleurer devant le mur. Certains devraient plutôt s'y cogner la tête pour voir plus clair. *(Symphonie, I, 06–04–1991)*

L a médecine traditionnelle suggère de prendre des hormones dans les cas de ménopause. Qu'est-ce que vous en pensez ?

Nous n'avons pas cela nous-mêmes, vous savez. Nous observons que ces produits sont surtout faits pour ramener le taux hormonal à un taux plus élevé chez la personne qui les prend, ce qui a pour effet de ralentir ou, en d'autres termes, de retarder les effets de la ménopause, tout en en dissimulant la cause réelle. Cela peut être d'une grande utilité, d'ailleurs c'est déjà prouvé. Mais, d'un autre côté, ce ne sont pas toutes les femmes qui ont besoin d'hormones. Celles qui en ont besoin le plus sont celles qui ont longtemps redouté cette période, qui l'ont crainte et qui ont cru pendant des années et des années qu'elles l'auraient. Il y a des gens qui se disent : « Lorsque cela viendra, cela viendra », et qui se font totalement confiance sans crainte, sans se comparer avec celles qui en souffrent. N'oubliez pas que cela justifie aussi. Donc, la ménopause n'est pas vécue par tous de la même façon. Votre médecine traditionnelle ne fait pas de cas de l'individualité. Vous êtes tous des corps similaires pour les médecins. Ils ne traitent donc pas la cause mais les faits. Pour certains cas de dérèglements tels que vous mentionnez, les hormones peuvent effectivement être utiles. Il faut distinguer cette utilisation des hormones de ceux qui forcent leur partenaire à avoir leurs goûts sexuels en leur faisant prendre des hormones; cela ne doit pas se faire. *(Le fil d'Ariane, II, 19–10–1991)*

Q uand on prend de l'âge, surtout nous les femmes, les médecins nous prescrivent des hormones, est-ce que c'est nécessaire ?

Jugez-vous que c'est bon pour vous ?

Non.

Acceptez-vous de vieillir ? Que voyez-vous dans l'art de vieillir ?

Je ne veux pas vieillir mais...

Faites-vous ce qu'il faut pour cela ? Faites-vous tous les exercices nécessaires ? Nourrrissez-vous votre forme avec une nourriture convenable ? Vous accordez-vous tout ce que vous voulez pour vous, toutes les attentions nécessaires ? Dites-vous toujours ce que vous avez à dire lorsque cela se présente ? Tout cela justifiera les hormones, vous savez. Ce que vous n'aurez pas eu de vous-même, vous irez le chercher à l'extérieur de vous. Les femmes qui ont chaud parfois ont raison d'avoir chaud ou d'être mal à l'aise. Ne prenez pas l'âge en considération. Il y a des enfants qui ont 10 ans et qui sont très vieux et des gens qui en ont 80 et qui sont très jeunes. Allez-vous leur donner aussi des hormones pour qu'ils vieillissent normalement, comme le veut la société ? Effectivement, si vous ne faites rien et que vous vous dites : « Mon médecin m'a dit qu'à 43 ans j'aurais une ménopause », il y a fort à parier que vous attendrez cet âge pour l'avoir. Par contre, s'il vous dit qu'elle pourrait peut-être ne pas paraître, comment réagiriez-vous ? En vous basant sur les statistiques encore une fois ? Préparez vos formes. La ménopause est un fait établi génétiquement, elle doit avoir lieu. Pourquoi certaines personnes le vivent-elles plus que d'autres ? Encore une fois, vous allez dire que c'est génétique, mais nous allons répondre autrement. Certaines personnes vivent leur ménopause plus dramatiquement que d'autres parce qu'elles s'y attendent. D'autres sont trop occupées pour y penser; leur forme est occupée psychologiquement et en allège les manifestations. Ne vous compliquez pas la forme; vous n'êtes obligées ni de prendre des hormones ni de vieillir trop rapidement. Curieuses vos réactions, vous savez ! Lorsque vous voyez des gens qui ont 60 ans et qui ont l'air d'en avoir 30, quelles sont vos réactions immédiates ? Vous leur dites : « Vous avez dû faire une bonne vie ! » Facile à dire, n'est-ce pas ? Bien souvent, ces gens ont eu une vie très occupée. Il y en a qui sont trop occupés. L'action, pas l'oisiveté : voilà un nouveau principe de vie. Cela se change. Vous pouvez participer ou attendre. Si vous attendez la vie, vous aurez besoin d'hormones et même de plus que cela, de suppléments, etc. Nous ne passerons pas toutes vos pharmacies en revue. Vous avez des commerces spécialisés dans ce domaine. Cela fait vivre une autre partie de vos populations. Vous êtes trop occupés à vous soigner et n'avez pas assez de temps libre pour apprendre comment vivre. C'est votre problème actuel : trop de gens sont occupés à vous soigner et pas assez à vous montrer à vivre. Mais il y a un début, il y a de la bonne volonté. Nous nous sommes légèrement éloignées des hormones. *(Symphonie, II, 04–05–1991)*

*V*ous *dites que la mort n'est pas programmée et qu'on prépare sa mort soi-même. Si quelqu'un fait tout ce qu'il peut pour s'éloigner de la pollution, des dangers...*

L'utopie, vous appelez cela l'utopie.

Mais si quelqu'un fait le plus possible pour éloigner les dangers, jusqu'à quand peut-il vivre ?

Dans votre monde actuel où la compréhension de la mort fait partie de vos moeurs, fait partie de vos existences et doit en faire partie, l'espérance de vie moyenne dans 15 ou 16 de vos années sera de 80 ans pour les femmes et 71-72 ans pour les hommes. Nous l'avons dit tellement de fois, vous vous préparez à mourir et à vieillir dès votre naissance. Cela vous est montré ainsi. Tant qu'il ne vous sera pas démontré avec les siècles qu'il est possible de vivre 5 ou 10 ans de plus et même encore davantage, vous ne le comprendrez pas. Vous vivez par exemples. Il vous faut vivre cela. Vous ne pourriez l'accepter du jour au lendemain. La preuve, c'est qu'il y a des gens qui ont 100, 110, 120 ans actuellement. Vous n'êtes pas intrigués et vous n'êtes pas portés à leur demander comment ils ont vécu, juste à leur souhaiter bonne fête en vous disant : « J'espère que je ne me rendrai pas jusque-là ! » Utopie, votre question ! Beaucoup plus tard, lorsque vous souhaiterez tous vivre plus âgés, vous vivrez plus âgés. Tant que vous imaginerez les années tardives remplies des problèmes que vous vivez à 30 ou 40 ans et tant que vous vous direz : « Je n'ai pas le goût de vivre cela encore 40 ans de plus », votre question reste utopique.

J'ai quand même l'impression d'essayer de vivre le mieux que je peux et le plus longtemps possible, et de protéger ma santé.

Est-ce possible de vivre 120 ans par exemple ?

Vous comptez vous isoler pour combien de siècles ? Vous comptez ne pas voir la réalité autour de vous pour combien d'années ? Vous pouvez avoir tous les goûts du monde, mais vous êtes une personne parmi cinq milliards. Vous ne trouvez pas que vous n'aurez pas beaucoup d'exemples autour de vous ? Vous pouvez le souhaiter, nous souhaiterions que vous le pensiez tous d'ailleurs, mais faites un sondage juste parmi vous, un parmi tant d'autres. La majorité d'entre vous souhaiterait ne pas dépasser 70 ans, soyez honnêtes ! de peur de souffrir, d'avoir des maladies plus graves, d'être à la charge des autres, de ne pas avoir les moyens nécessaires pour vivre à cet âge-là. Autant de raisons qui vous empêchent de vous y rendre. Demandez à un jeune garçon de cinq ans ce qu'il pense d'une personne de 40 ans : « C'est un grand-père », répondra-t-il. Demandez à une personne de 40 ans ce qu'elle pense d'une personne de 80 : « Pas si vieux que cela ! », dira-t-elle. Vous faites encore des distinctions, grand-père à 40 mais pas vieux à 80, de peur d'y parvenir trop vite. Lorsque vous atteignez 60 ans, cette fois vous analysez tout ce qui vous entoure au cas où vous vous rendriez à 80, vous planifiez. Votre espérance de vie moyenne ne dépasse pas 80 de vos années. Les gens qui ont passé cet âge sont des gens spéciaux qui devraient être dans des cages pour être montrés aux autres, mais ils sont tellement peu nombreux à garder au moins leur conscience. Leur secret est très simple, ils ont vécu. Ils n'ont pas eu le temps d'apprendre à vivre, ils ont toujours remis cela à plus tard sachant qu'il y aurait un plus tard. C'est la recette pour vieillir. Reportez donc tous vos problèmes dans 30 ou 40 ans, vous verrez qu'ils n'existeront plus. (*Les Âmes en folie, IV, 20–07–1991*)

*I*l y a des gens qui sont terriblement négatifs et qui ont presque 90 ans et qui sont encore vivants. Comment cela se fait-il ?

Il faut comprendre que ces gens sont peut-être devenus négatifs à partir de 90 ans en voyant les plus jeunes qui ne veulent pas se rendre à cet âge. Il faut comprendre aussi que le fait d'observer et le fait de vivre sont deux choses distinctes. Vous savez fort bien que la personne qui a 80, 90 et même 70 ans n'est pas obligée de vivre les malheurs des autres. Si elle s'est rendue à ces âges, c'est qu'elle a appris à vivre pour elle-même un peu plus. Donc, entre le fait de voir ce qui se passe autour et vivre, il y a une différence. Au départ, à moins de problèmes génétiques, vous êtes tous sur un pied d'égalité lors de votre naissance : vous avez la même espérance de vie, les mêmes goûts. Vous avez tous percé des dents à ce que nous sachions et vous avez tous appris à marcher; personne n'est venu au monde en sachant cela. Plus tard, il vous est montré comment mourir et à quel âge. Remarquez bien une chose cependant : les gens qui se sont rendus à ces âges avancés se sont toujours occupés. Ils n'ont pas attendu la vie et la mort et ils n'ont pas rejeté le fait. Ils ont toujours su qu'ils devraient mourir, mais ils n'ont pas voulu savoir quand ni à quel âge. Ils se sont occupés lorsqu'ils s'ennuyaient, alors que ceux qui se sont ennuyés ont fait en sorte de devenir un peu plus amnésiques et un peu plus faibles dans leur forme, question de se faire aider par les autres. Ne dites-vous pas que vieillir, c'est retourner en enfance ?

J'en connais qui ont été négatifs toute leur vie, qui sont très âgés et ce ne sont pas des gens qui s'occupaient...

C'est ce qu'ils laissaient voir. Il y a des gens qui se rendent intéressants comme cela mais qui s'occupent autrement. Ne regardez pas cela de cette façon. Soyez plus réalistes. Dites-vous une chose, si une personne est pessimiste toute sa vie, dans le vrai sens du terme, comme vous le supposez, 24 heures par jour, elle se détruirait bien avant cet âge. Aucune forme ne peut continuer de vivre dans ces conditions. Ce que vous nous décrivez, ce sont des gens qui ont démontré de la négativité mais qui ne l'étaient pas; cela faisait parler les autres. Il y a des gens qui aiment cela, mais ce n'est réellement pas leur réalité. Montrer et vivre, ce sont deux choses. *(Les Âmes en folie, IV, 20–07–1991)*

Pourquoi mourir ?

Pour revivre. Pour démontrer à d'autres que la vie existe. Regardez vos réactions lorsque vous êtes devant une personne décédée. Si cette personne comptait beaucoup pour vous, quelles seront vos réactions ? Votre première réaction est généralement de vous dire : « J'aurais donné ma vie pour elle. Pourquoi pas moi, pourquoi cette personne ? » C'est ce que vous pensez tous. La mort sert à vous ouvrir les yeux, à vous montrer que vous vivez. Mais il y a aussi une autre réponse : vous mourez parce que vous êtes programmés à mourir, et ce dès que vous êtes très jeunes. Qui d'entre vous n'a pas été dans ces salons mortuaires où vous mettez les formes dans des boîtes ? Très jeunes vous êtes habitués à voir cela. Très jeunes vous êtes habitués à voir des gens souffrir à cause de cela. Vous commencez votre programmation de cette manière. Puis, vos parents vous ont tous parlé de vos grands-parents qui devaient mourir à cause de leur âge. Et dans votre tête vous vous disiez : « Ah ! C'est donc cela. Lorsque j'aurai 60 ou 70 ans, selon les expériences, je devrai mourir. » Et cela se répète. Nous sommes d'accord qu'en vieillissant vous vous disiez : « Ce sera à 80 ou 90 ans », mais vous êtes déjà programmés. Donc, la mort existe pour vous apprendre que la vie continue, pour vous ouvrir les yeux aussi, comme quoi vous vivez alors que d'autres meurent, et pour vous montrer aussi que vous le saviez déjà très jeunes. Vous n'êtes pas obligés de mourir physiquement à 60 ou 65 ans. Il serait facile d'imaginer actuellement une espérance de vie moyenne de 105 de vos années. Selon vos normes actuelles, ce serait faisable. Dans 60 de vos années, ce pourrait très facilement être de 115 ou 120 ans. Ce n'est pas que votre forme ne peut vivre, c'est que vous la programmez pour mourir dès qu'elle vient au monde. Regardez ce qui vous entoure. Il y a des arbres âgés de 300 à 400 ans qui reçoivent constamment vos pluies acides et qui vivent. Ne vous est-il jamais venu à l'idée que tous les printemps, les nouvelles pousses étaient identiques aux toutes premières pousses ? C'est la même chose avec vos formes. Quand vous admettrez que les cellules de vos formes ne sont pas vieillies mais nouvelles lorsqu'elles se renouvellent, vous les reprogrammerez ainsi. Mais vous les faites vieillir avant l'âge. Nous savons que vous avez des crèmes antirides, c'est donc que vous admettez les rides. Votre question touche aussi la question de ceux qui font des préarrangements. Quelle belle foutaise ! Ils ont déjà choisi leurs boîtes. C'est donc qu'ils admettent encore plus que d'autres leur mort, même s'ils sont en bonne santé. Voyez à quel point vous vous programmez et que la société se reprogramme. Vous avez déclenché des modes de cancer parce que vous y croyez tous. Il en va de même pour le sida. N'est-il pas amusant de constater que l'évolution de toutes les maladies les plus importantes a été freinée par le rire, par le refus d'abdiquer malgré les normes et, ce qui est plus important, malgré les statistiques. La journée où on répandra que 60 % de la population de votre pays a fait ses préarrangements, les gens se diront : « C'est vrai, je n'y avais pas pensé », et cela fera bientôt 61 %. Vous croyez aux statistiques et vous vous programmez selon vos statistiques. Une personne qui a un cancer fait la même chose. Elle sait déjà par son médecin qu'elle n'a aucune chance. Voilà une autre programmation !

Si nous faisons une reprogrammation dans notre vécu, qu'est-ce qui arrive avec la programmation de notre plan de vie ?

Elle est oubliée. Comme la programmation originale de la forme est oubliée, l'Âme n'est pas dans la forme qu'elle avait choisie en fait et elle attend les événements. Voilà ce qui se passe. En n'allant pas au devant de votre Âme, vous allez au devant de vous-mêmes et au devant de problèmes, nous vous le disons. Les Âmes sont beaucoup plus radicales qu'auparavant. Elles veulent obtenir, pas pour vous punir mais pour que vous puissiez vivre et comprendre ce qu'est la vie. Vous n'avez aucune idée de ce qu'elles pourraient faire pour vous. Nous avons choisi quelques personnes dans cette pièce pour leur faire vivre des expériences, des problèmes qui se régleront plus vite, des rapprochements avec des gens qui surviendront plus vite aussi. Cela pourrait aller jusqu'à une cause en cour, peu importe. Pour nous, ce n'est pas l'événement qui compte, mais seulement que vous compreniez. Nous tentons de vous démontrer que nous existons. Cela va faire en sorte que vous allez revenir aussi vers votre Âme et que vous ne la lâcherez pas. Elle peut intervenir, elle aussi. C'est à cela que servent ces sessions d'ailleurs. *(Renaissance, II, 05–10–1991)*

C omment faire pour ne pas avoir l'impression de toujours manquer de temps ?

Avoir l'impression de ne pas toujours avoir le temps ?

C'est comme si je voulais que les journées aient 48 heures pour pouvoir tout faire.

Vous vous plaignez de cela ? Plusieurs ici savent qu'elles ont

24 heures et aimeraient en avoir seulement 10, n'incluant pas le travail, 10 heures juste pour elles. Vous parlez d'avoir 48 heures dans une journée : cela veut dire que vous vous tenez occupée et que vous vivez pleinement, n'est-ce pas ? Mais cela veut aussi dire que vous aurez quelque chose à faire le lendemain, parce que 48 heures, cela fait deux de vos jours. Cette question n'a pas été bien posée. Reformulez-la pour que tous la comprennent. Pratiquez-vous à laissez sortir les mots tranquillement sans trop faire d'efforts.

Comment choisir parmi toutes les possibilités de choses que j'ai à faire ? Comment choisir le plus important ?

Avec vous, ce sera difficile parce que vous aimeriez à la fois marcher et courir en même temps, parce que vous aimeriez toujours faire deux choses à la fois, tout goûter, tout voir, parce que vous aimeriez voyager et être sur place aussi, être à la fois dans la ville et dans la nature... Vous êtes une hyperactive... de la vie ! Ce n'est pas un défaut. Il y a au moins trois personnes ici qui ne comprennent pas vraiment ce que vous êtes et qui se disent : « Je me sens étouffé seulement dans une minute; comment peut-elle vouloir vivre 48 heures ? » D'autres vous diront : « Moi qui voudrais en finir dans 48 heures et elle voudrait vivre deux années dans une ! » Vous avez une bonne recette, celle de trouver quelque chose de viable, de trouver des choix multiples. Nous aurions une question pour vous : à vivre 48 heures en une journée, aurez-vous le temps de vieillir ? Est-ce que votre forme aura le temps de vieillir ?

Oui.

Mais elle prendra plus de temps parce que vous ne vous y attendrez pas, parce que votre forme aura d'autres préoccupations. Vous avez des choix à faire, des ajustements aussi; vous avez du temps à prendre juste pour vous; nous savons que cela viendra; vous avez des voyages à planifier aussi et vous le ferez bientôt. Si vous voulez savoir quel événement vivre en premier, c'est très simple : faites votre choix. Tant et aussi longtemps que vous ne laisserez pas les autres le faire à votre place, tant et aussi longtemps que vous ne jouerez pas le rôle que la société vous assigne actuellement et que vous ne le rendrez pas obligatoire, tant et aussi longtemps que vous retrouverez le goût de vivre, vous ne vieillirez pas. Regardez ce qui fait que les gens âgés vieillissent si rapidement. Vous êtes-vous déjà demandé pourquoi, passé 65 ans, vous vieillissez si rapidement ? Et pourquoi vous voyez-vous déjà morts à 70 ans pour la grande majorité d'entre vous ? Vous êtes-vous déjà posé cette question ? Pourquoi les gens âgés deviennent-ils plus âgés, Marie-Paule ?

Ils disent adieu à leur créativité.

En d'autres termes, plus simples, ils n'arrivent plus à se fixer des buts parce qu'ils ne savent pas s'ils vont pouvoir les atteindre; ils ne croient pas avoir le temps d'avoir des buts. Donc, ils laissent leur forme à elle-même. Combien font cela pendant 20 ans ? Combien font cela pendant 30 ans ? Ils se laissent réagir, ne sont pas clairs dans leurs buts. Mais qu'est-ce qu'un but en fait ? Ce n'est pas un rêve, nous vous le disons tout de suite. Un but, c'est un cheminement quotidien pouvant vous conduire à un rêve qui sera concrétisé. Un but se définit aussi précisément que la construction d'une maison : clairement, dans les détails, pas à peu près. La journée où vous pourrez vous-même planifier votre propre idéal dans tous ses détails... C'est de vivre seul ? Visualisez tous les détails, même l'environnement. Un but, c'est la définition d'un souhait tellement clair que tout dans la vie va vous y diriger, à la fois votre conscient et les forces que vous ne pouvez percevoir, et ce des deux côtés. Combien veulent et ne savent pas ce qu'ils veulent ? Ils vont dire : « Je veux être bien. C'est tout. » Si vous ne savez pas ce que c'est que d'être bien, comment le saurez-vous lorsque vous le serez ? Donc, si vous n'êtes pas capables de vous dire à vous-mêmes ce que veut dire être bien, vous chercherez toute votre vie. Et la pire insulte pour vous-mêmes, quoique plus simple encore, serait que, tout en sachant ce que c'est qu'être bien, vous refusiez de l'être. Si vous ne prenez pas les moyens nécessaires, vous allez voir vos formes vieillir rapidement. Des rides à 30 ans, cela existe; ce n'est pas obligatoirement génétique et ce n'est pas une crème de nuit qui va vous les enlever. Enlevez tous les poils que vous voudrez, enlevez tous les cheveux blancs que vous voudrez, appliquez les crèmes que vous voudrez sur le visage et sur les bras, si vous vous sentez vieillir quand même, regardez donc ce que vous vivez, premièrement ! Deuxièmement, regardez ce que vous mangez. Troisièmement, trouvez-vous chaque jour une raison d'être heureux et, à la fin de chaque journée, demandez-vous si vous l'avez été. Si la réponse est négative, demandez-vous ce qui fait que vous ne l'avez pas été; vous trouverez la réponse. Ne faites surtout rien si vous voulez des rides ! Ne faites surtout rien si vous voulez développer une belle colère, de la couleur que vous voudrez et contre qui vous voudrez ! Avant de blâmer les autres, regardez ce que vous faites vraiment dans votre quotidien, dans votre propre vie; regardez ce que vous vous empêchez de vivre, ce qui vous étouffe autour de vous. Est-ce vous-même ou des gens qui vous entourent ? Qu'est-ce qui vous est imposé ? Qui aime vivre des situations qui lui sont imposées ? Et vous les vivez quand même ? Ne vous plaignez pas si vous avez des gestes qui sont plutôt agressifs. Vos vies sont tellement simples, pourquoi vous les compliquez-vous ainsi ? Vous cherchez des réponses que vous avez déjà et vous recherchez des connaissances pour vous empêcher de voir vos réponses, pour vous empêcher d'agir. En d'autres termes, cela justifie le fait de ne pas agir. Regardez les réactions de certains lors de votre dernière session... Ne vous en faites pas, nous savions que de parler seulement de la planète était ennuyant pour plusieurs; nous ressentions tout cela. Nous savions que nous n'avions pas besoin d'en dire autant, mais nous avons continué parce que vous avez continué, parce que ceux qui en avaient assez n'ont rien dit. Est-ce que cela suffit pour vous forcer à vous exprimer cette fois ? Est-ce qu'il aura fallu cet exemple pour que vous preniez le dessus, pour que vous modifiiez vos vibrations personnelles, pour que vous vous rendiez compte que vous faites la même chose dans votre quotidien, que vous ne parvenez pas toujours à dire ce que vous vivez et que vous êtes fatigués de vous le dire à vous-même. Ouvrez-vous les yeux ! Si vous attendez que quelqu'un d'autre vous rende heureux ou heureuses, vous allez attendre longtemps. Si vous attendez de gagner à la loterie pour vous créer un bonheur, mieux vaut ne pas acheter de billets. La loterie, c'est en chacun de vous. Un secret à ce niveau : si vous croyiez vraiment au pouvoir de gagner, si vous ressentiez cela au plus profond de vous, même au niveau créatif, et vous disiez : « Je le veux tellement que je sais que je l'aurai », vous l'auriez. Combien de preuves la vie ne vous fournit-elle pas pour développer votre foi ! Mais vous êtes encore à l'étape de chercher des preuves. Nous vous le disons pour la xième fois : ne les cherchez pas à l'extérieur de vous ni chez les autres, mais en vous-mêmes. C'est cela la chance. Si vous achetez de ces billets pas trop chers que vous devez gratter et que vous n'y croyez pas, vous ne ferez que vous salir les ongles et dépenser des sous avec lesquels vous pourriez vous offrir un bon repas... et vous n'useriez pas vos ongles ! Le jour où vous y croirez, vous aurez. Ce n'est pas compliqué. *(Diapason, IV, 06–06–1992)*

*E*st-ce que l'humain arrivera un jour à l'immortalité ?

Tant que vous aurez l'idée de la mort en tête, oubliez cela. Tant que vous verrez une personne mourir, vous saurez que cela se fait et vous chercherez à justifier la mort. Si un enfant était amené à la naissance dans certains mondes où il n'aurait même pas l'idée qu'il doit mourir, sa forme prendrait les moyens pour se reproduire elle-même. Tant que vous aurez l'idée de la mort, d'une fin, vous vous détruirez vous-mêmes. Pourtant, même une semence ne s'affaiblit pas, la dernière pousse sur un arbre de 1000 ans est aussi neuve que la première. Nous ne parlons pas ici des destructions causées par la pollution. *(Symphonie, IV, 06–07–1991)*

Si vous vous appliquez à bien vous connaître, à faire des efforts minimes pour entendre ce qu'il y a en vous, vous changerez. Vous ne subirez plus la vie, vous vivrez. Vous seuls en avez le pouvoir, mais nous pouvons vous aider, vous orienter.

*O*asis

*Ce ne sont pas
des médecines douces
qu'il vous faut mais
des vies douces.*

La maladie

Nous avons dit aujourd'hui même que certaines Âmes en avaient assez parfois et que les cellules de leurs formes étant d'accord avec elles, cela pouvait se transmettre... Mais ce n'est pas fait de façon volontaire, vous savez. Quel intérêt aurait une Âme à punir une forme ? Aucun. Sinon, vous appelleriez cela du masochisme. Les Entités n'ont pas besoin de cela. Mais c'est vous-mêmes qui *vous* donnez la santé, comme la maladie et la vieillesse d'ailleurs. L'Âme ne vieillit pas, pas plus que les cellules de vos formes en fait. Mais de façon consciente, vous les vieillissez vous-mêmes. Plus que cela encore, et ce sera nouveau pour vous, comme pour la majorité du monde qui vit sur cette planète déjà... Ce que nous allons vous dévoiler... quelques instants que nous demandions la permission pour le faire... Nous allons en surprendre plusieurs. Ce que vous ignorez sur la maladie et que votre médecine actuelle aussi ignore, sauf certains scientifiques, mais ce sera dévoilé sous peu d'ailleurs, c'est que vous n'avez pas besoin d'avoir une maladie pour la transmettre. C'est vrai pour les cancers, pour le sida et plusieurs autres maladies d'ailleurs. La majorité d'entre elles peuvent se transmettre à distance. Pourquoi croyez-vous que vous n'avez pas encore trouvé de remède efficace contre le cancer ou le sida ? Nous allons vous dire pourquoi : parce qu'il suffit de mettre en présence une personne porteuse de la maladie et des personnes trop ouvertes pour que la maladie se transmette. Pourquoi n'y en a-t-il pas plus, direz-vous ? Parce que plusieurs rejettent la maladie d'un seul trait et que leurs cellules sont déjà programmées pour cela. Combien d'entre vous ont peur de la maladie ? Combien d'entre vous ne veulent pas y penser ? Ceux qui ne veulent pas y penser ont déjà mis la clef dans la porte pour ne pas être affectés. Ceux qui y pensent trop, faites attention, cela s'attrape ! Des études seront bientôt dévoilées; nous les avons observées. Elles démontrent que, si vous mettez des cellules dans différents contenants transparents, peu importe leur nombre, et que vous placez des cellules malades ou des virus dans un seul de ces contenants, vous verrez les cellules de ce contenant mourir et, peu après, vous verrez mourir les cellules des autres contenants. Sans qu'il y ait contact, les cellules isolées dans chacun des contenants, peu importe leur nombre, des millions si vous voulez, vont toutes mourir les unes après les autres. Si les contenants sont opaques, ce sera plus long. Il y a donc transmission entre les cellules; cela vous ne le saviez pas ! Nous vous avons dit il y a fort longtemps que les cellules d'une forme communiquaient entre elles et c'est réel, mais nous n'avions pas l'autorisation jusqu'ici de vous dire que cela arrivait aussi entre les formes. Mais vous le saviez tous dans un certain sens. Combien de fois n'avez-vous pas dit d'une autre personne : « Cette personne me rend malade » ? C'est à prendre à la lettre. Si vous étiez restés trop longtemps près de cette personne, vous seriez effectivement devenus malades. Le problème actuel, c'est que dans les hôpitaux on met ensemble les gens qui ont le cancer. Les cellules cancéreuses sont déjà certaines de leur condition, mais le fait d'être entourées de gens qui ont déjà le cancer constitue un encouragement; et elles se détruisent tout de même. Vous utilisez la chimiothérapie; ce traitement rend les cellules amorphes pour un certain temps ou les déprogramme. Dans certains cas, il y a eu résultat, mais il faut comprendre que cela dépend de l'entourage et du milieu où vit l'individu beaucoup plus que du traitement lui-même. Ce traitement chimique, radioactif pour être plus exact, a un seul but : faire en sorte que les cellules perdent leur identité propre. Lorsque cela se produit, elles ne peuvent plus communiquer avec les autres. Dans certains cas, elles se renouvellent; dans d'autres, cela augmente la maladie. Si vous placez dans l'entourage de ces personnes des gens qui ont déjà le cancer, vous ne faites que rajouter de l'huile sur le feu. Ces traitements de choc ont des effets sur les cellules elles-mêmes. Il faut donc savoir que les cellules qui étaient en bonne condition perdent aussi leurs facultés. Cela peut parfois nuire, parfois aider. Les cellules saines qui ont perdu leur identité peuvent se ranger avec les cellules malades. Cela peut aussi stimuler les cellules saines. Toutefois, l'environnement est plus important que le traitement lui-même. Les gens atteints de cancers ont besoin de l'attitude positive de leur entourage. Le niveau d'amour qu'ils recevront constitue un traitement, mais le traitement le plus efficace est dans le rire. Ces maladies ne sont pas terminales, vous savez, la vieillesse non plus. Encore une fois, l'incompréhension est énorme. Ne vous en faites pas, il y a plus de 2000 de vos années, ne vous a-t-il pas été dit qu'il vous fallait renaître pour vivre ? Une connaissance nouvelle et renaître ! Alors il y a de l'espoir. Mais lorsque vous verrez des gens malades, ne les plaignez pas, dites-vous plutôt : « Qu'est-ce qu'ils n'ont pas compris ? » et « Qu'est-ce que j'ai compris pour ne pas être à leur place ? » Vous vous demandez comment aider les gens malades ? Acceptez d'être en santé, n'ayez aucune crainte de les côtoyer d'ailleurs. Vous verrez, ces gens seront attachés à vous et cela va les guérir. Nous pourrions vous parler aussi de vos techniques de médecine alternative. Certaines personnes utilisent les traitements d'énergie, la polarisation ou un autre type de traitement. C'est très bien, mais s'il n'y avait pas la confiance, il n'y aurait aucun résultat. Une autre personne vous dira : « J'ai de très bonnes pilules, elles sont très efficaces même si elles ne sont pas bonnes au goût. » Si la personne en est convaincue, il y aura changement, sinon il ne se passera rien. Un mot encore une fois. Vous avez tous déjà été dans ces établissements que vous appelez les hôpitaux. Ne trouvez-vous pas que les malades sont plus malades lors des visites qu'entre les visites ? C'est simplement pour recevoir de l'affection et de l'amour aux heures de visites; lorsqu'elles sont seules, elles ont moins besoin d'être malades. Acceptez de croire que les gens qui sont dans ces endroits ont beaucoup plus besoin d'amour qu'autre chose. Encore une fois, nous ne parlons pas de maladies physiques héréditaires ou causées par des nourritures ou par des problèmes de pollution. Nous parlons de ce qui les a conduits à ces endroits, pas du traitement comme tel. Car, voyez-vous, peu importe la maladie, le meilleur traitement est toujours meilleur avant qu'après la maladie, ce que vous appelez prévention. Le traitement préventif s'appelle amour et compréhension de la maladie. Si vous refusez de le comprendre, mieux vaut faire ce que vous appelez vos préarrangements, parce que cela se fera tout de même. Vous avez voulu des formes conscientes, des formes instruites ? C'est ce qu'elles font, elles s'instruisent, et non seulement consciemment mais même inconsciemment, de la conscience elle-même. Cela peut vous paraître embrouillé, mais lorsque vous relirez ces textes, vous comprendrez. Les cellules s'informent à la même vitesse que votre cerveau, mais elles ont plus de mémoire que vous, elles se souviennent de leur début, elles savent aussi comment se renouveler. Donc, elles communiquent entre elles, et ce, depuis le début de vos temps. C'est la même chose chez les animaux et les plantes. En voici une preuve. Prenez une plante qui a une maladie, non pas contagieuse au toucher mais présente dans ses racines. Placez une plante identique à ses côtés, sans que les deux plantes se touchent. Vous verrez que, malgré les meilleurs soins, la plante en santé dépérira, pour diverses raisons d'ailleurs, mais cela se fera tout de même. Des questions sur cela jusqu'à présent ? Soyez à l'aise. L'incompréhension de la maladie est fort importante chez vous tous. (*Les colombes, II, 07–07–1990*)

*P*ourquoi la maladie vient-elle nous bloquer, nous empêcher d'avancer, soit dans le travail ou avec des personnes ?

Vous aurez toujours le choix entre la maladie et la santé. D'un côté, il y a les gens qui abusent des nourritures, des drogues, des boissons alcoolisées, et votre pollution actuelle. Nous ne pouvons empêcher cela. Comment donner la santé à une personne qui fait tout ce qu'il ne faut pas ? D'un autre côté, il y a les gens qui s'étouffent eux-mêmes, qui se refusent à être heureux de peur de blesser les autres ou de peur d'être eux-mêmes, de façon à éloigner ceux qui croient être aimés d'eux. C'est un autre type de pollution. Personne ne peut vivre dans l'ignorance de soi-même. Mettez-vous de côté et vous mettrez votre forme de côté. Pensez être limités et vous limiterez votre forme. Refusez de croître, d'être vous-mêmes, et vous refuserez à votre forme de croître, d'être elle-même. Tout est interrelié. Il n'y a pas une seule cellule de vos formes qui ne sache cela. Actuellement, quand vous pensez à vos formes, vous pensez en pièces détachées, en organes, alors qu'il faut penser à l'ensemble de la forme. Si l'ensemble de la forme n'est pas maîtrisé par un conscient habile et plus que conscient de sa réalité, vous vous penserez en parties séparées et ce seront des parties de vous-mêmes qui seront malades. La preuve ? Regardez les formes qui se refusent en entier. Qu'ont-elles ? Des problèmes généralisés. Et qu'est-ce qui peut généraliser le problème d'une forme ? Le système immunitaire. Chez certaines personnes qui s'acceptent en partie, les problèmes se situent au niveau d'organes bien définis. Pourquoi est-ce si difficile à comprendre ? Que vous vous compliquez donc la vie ! Vous avez le droit de vivre et de mourir, mais nous avons toujours dit : vivre, c'est mourir et mourir, c'est vivre. Dites-vous bien qu'il n'y a pas de mort, il n'y a que de la vie. Pensez en ce sens et vous retrouverez une part du bonheur en vous, et c'est cela qui compte. Craignez la maladie et vous l'aurez. Il est beaucoup plus simple de penser son futur en planifiant être heureux qu'en planifiant être malades. Actuellement, tellement de gens occupent leurs pensées à prévenir la maladie qu'ils la créeront. Pensez-y un peu moins, soyez un peu plus vous-mêmes, accordez-vous ce que vous ne vous accordiez pas dans le passé et vous verrez des gens nouveaux à vos côtés et cela fera de vous une personne nouvelle. Il faut s'accepter soi-même pour accepter les autres, pas le contraire. (*L'envol*, I, 07–03–1992)

E st-ce qu'on serait totalement responsable de nos *maladies ?*

Sauf pour les maladies héréditaires et celles transmises de façon biologique.

Il s'agirait donc de les refuser.

Mais de façon consciente, non pas par des mots. Vous savez, si vous dites non uniquement, vous ne convaincrez personne. Mais si vous le faites dans la conscience, que vous vous adressez à vos cellules, comme si c'était une foule par exemple, et que vous ressentez cette énergie en vous, qui est la vôtre d'ailleurs, ce sera compris. Mais il faut parfois répéter, pas pour vos cellules mais pour que votre conscient l'assimile et en soit lui-même convaincu. Ne dites-vous pas que la mémoire est une faculté qui oublie ? Il y a des animaux que vous appelez des singes; vous leur apprenez des tours et ils les font à merveille. Mais lorsque vous les laissez tranquilles quelques heures, ils les oublient vite. Il faut leur réapprendre encore et les récompenser aussi. C'est la même chose pour vos cellules. Vous saurez qu'elles ont compris lorsque vous serez en santé. Vous saurez qu'elles n'ont pas compris, lorsque vous serez malades. C'est que vous ne les aurez pas convaincues, qu'au lieu de croire en vous-mêmes vous aurez cru à vos pensées, à vos problèmes, que vous ne vous serez pas suffisamment aimés dans l'Entité que vous êtes. Voilà ce qui apporte la maladie. Nous vous l'avons dit précédemment : même des cellules en santé placées dans un vase non communiquant mourront lorsque des cellules malades placées à proximité dans un autre vase les auront convaincues qu'elles doivent mourir. C'est la même chose avec vos formes; vous vieillissez de la même façon. Pourquoi croyez-vous que la science actuelle vous dit : « Le cancer, vous l'avez tous, mais vous ne le développez pas tous. » Vos sciences cherchent toujours, toujours, et pendant ce temps, plusieurs personnes meurent. Certaines doivent mourir, mais d'autres, non. Nous pourrions donner plusieurs exemples de cela. Vous ne pourrez jamais assez imaginer à quel point vous serez toujours ce que vous pensez. Vous êtes toujours des cultivateurs, vous semez constamment mais vous n'attendez rien de la récolte. Vous vous dites : « Très bien, je sème sans y croire. » Mais à force de semer, il arrive qu'une semence croisse, parfois dans la mauvaise direction, parfois dans la bonne direction. Cela dépendra de votre conviction et du ménage que vous aurez fait dans vos idées. Combien de fois les gens n'ont-ils pas dit : « Il ne faut pas penser à la légère. » On vous l'a répété plusieurs fois, à tous. La plupart du temps les gens ne savaient pas pourquoi ils le disaient. C'est comme ceux qui disent : « Les gens me rendent malade, le bruit me tue, mon travail m'é-touffe. » Pouvons-nous vous suggérer que c'est ce qui leur arrivera, non seulement pour l'avoir dit, mais pour s'en être convaincus. Parce que les gens qui disent cela ne le disent pas une seule fois, mais toutes les fois qu'ils vont travailler : « J'y vais à reculons. » À ce moment-là, votre forme va aussi à reculons; vos cellules se disent : « Si cette forme refuse consciemment d'aller de l'avant, d'avoir confiance consciemment, peut-être devrions-nous en faire autant et retarder notre développement ? » Et si vous persistez encore, les cellules des organes défectueux ou plus faibles chez vous vont se dire la même chose. Habituellement, c'est d'abord l'estomac. Vous savez, ces idées ne se digèrent pas bien et donnent ce que vous appelez des ulcères ! Rappelez-vous : vous serez toujours ce que vous pensez. Vous ne digérez pas votre travail, votre estomac ne digérera pas votre nourriture. Pourquoi nourrir une forme qui ne se digère pas elle-même ? C'est valable à tous les niveaux. « Je trouve que la vie ne me gâte pas », « Je n'ai pas assez »... Se pourrait-il que parmi vous plusieurs aient déjà dit cela ? Votre forme vous en demandera toujours davantage, jusqu'à ce que vous compreniez qu'être en santé était suffisant pour vous. Les gens dans les hôpitaux font tous la même promesse : « J'étais donc bien quand j'étais en santé; si je peux recouvrer la santé, je promets de faire attention. » Ils ne pensent pas alors aux idées qu'ils ont eues auparavant. Ils ne voient pas leur forme comme étant un seul ensemble, mais comme des parties qui doivent être prises séparément. C'est une autre erreur de la médecine actuelle... Ce n'est pas une critique, du moins en est-ce une constructive; il y a une différence ! Lorsque les gens soignent les organes qui ont une maladie, ils ne font pas attention à ce qui l'entoure. Ils vont soigner un foie par certaines pilules chimiques, mais ces pilules abîmeront les reins trois ans plus tard; peu leur importe pourvu qu'il y ait un résultat immédiat : production ! Si ce n'est pas assez rapide, ils trouveront des reins artificiels. Il faut que la production continue, peu importe ce qui arrivera : manque de contact. Il n'y a qu'une seule façon d'opérer des changements, et ce pour toutes les maladies, et c'est de soigner les cellules qui sont déjà fortes pour qu'elles puissent non seulement convaincre, mais restimuler les autres cellules. Cela ne se fait pas autrement que par conviction. Soignez, renforcissez ce qui entoure les parties malades et elles guériront. D'ailleurs, ne dites-vous pas que l'union fait la force ? C'est la même chose pour vos cellules. Elles se rendent à l'évidence lorsqu'il y a conviction. Mais pour y arriver, faut-il que vous rendiez toutes les cellules de votre corps faibles pour en guérir quelques-unes ? Pouvons-nous vous suggérer que, lorsque vous les affaiblissez, elles pourraient continuer de s'affaiblir ? Vous employez ce que vous appelez l'anesthésie générale à défaut d'autres méthodes actuellement, mais savez-vous que cela place votre système immunitaire dans une phase d'inefficacité complète pour 11 à 12 de vos mois ? C'est pour cela qu'ils vous donnent tant d'antibiotiques, pour renforcer tous les anticorps de votre forme, juste au cas où, parce qu'ils savent que s'il y avait infection, le système immunitaire ne répondrait pas. C'est aussi pour cela qu'ils sont pressés de voir les malades sortir des hôpitaux sitôt après les opérations; c'est pour ne pas qu'ils attrapent trop de maladies. Et la roue continue : production ! Ils n'ont pas encore trouvé de moyens efficaces pour contrer cela, ils sont trop pressés, mais cela viendra. Selon nos observations de la génération actuelle, vos systèmes immunitaires sont généralement inefficaces après des opérations pour une période s'échelonnant de 2 à 3 mois, dans les meilleurs cas, et jusqu'à 16 mois pour les autres. Certaines personnes auront la chance de ne pas côtoyer des gens ayant des maladies transmissibles, mais d'autres seront constamment chez leur médecin. Vous avez tous déjà entendu quelqu'un dire : « Depuis que je suis allé à l'hôpital, je suis toujours malade. » Ce n'est pas que ces personnes y ont pris goût, mais plutôt qu'elles ont été soignées dans l'incompréhension. Nous vous le disons, si vous soignez, soignez l'ensemble, pas seulement les parties comme vous le faites actuellement. Dans un arbre, vous ne soignez pas une feuille malade en appliquant des crèmes sur la feuille elle-même, mais vous la soignez toujours par les racines. Non pas que vous ne pourriez pas soigner seulement la feuille, mais au cas où l'arbre entier serait malade, vous prévoyez. Vous ne faites pas cela avec vos formes. Des questions ? (*Les colombes, II, 07–07–1990*)

C *omment peut-on savoir si une maladie est héréditaire ?*

Quand une maladie est héréditaire, cela se sait dans vos milieux familiaux. Si ce n'est pas connu, vous pouvez recourir à des tests pour le découvrir. Quand ces maladies sont très graves physiquement, vous avez des traitements chimiques pour les soulager. Dans certains cas, il nous a été donné de percevoir que les maladies remontaient à trois ou quatre générations auparavant. Nous avons vécu cela avec des personnes il y a un peu plus de deux mois. Il nous a fallu remonter à trois générations, mais nous ne pouvons pas faire cela pour toutes les personnes. Le simple fait de savoir que c'est génétique peut vous enlever certaines tensions, mais cela ne veut pas dire que vous n'en guérirez pas. Vous pouvez très bien faire l'essai mentionné auparavant [voir la méthode de guérison par les couleurs]. Si cela ne fonctionne pas, vous pourrez vous rendre plus loin. (*Les chercheurs de vérité, IV, 21–04–1990*)

J *'aimerais savoir si on peut se débarrasser de certaines maladies telles que l'asthme, la sinusite et les allergies, sans prendre de médicaments ?*

Si vous en trouvez la cause et que vous êtes assez intelligente pour cela, oui. Si vous vous fiez seulement à la médecine, vous attendrez encore longtemps. La médecine y parviendra avec les siècles mais, lorsque ce sera fait, vous aurez d'autres maladies. Vous souvenez-vous d'une époque de votre histoire où il n'y avait jamais de maladies ? Il n'y en a pas eu. La maladie vous est nécessaire, car elle sert à vous justifier. Si vous n'aviez pas les maladies pour vous justifier, comment le feriez-vous ? Si vous ne parlez pas, vous ne vous justifierez pas. Votre corps est l'extension de votre pensée. Chez ceux qui ne s'expriment pas, le corps ne s'exprime pas non plus, donc ce n'est plus une forme, c'est un corps. Nuance importante ! De là l'importance de votre façon de penser, surtout ce que vous pensez de vous-même. Vous penserez des autres ce que vous penserez de vous-même d'ailleurs. Donc, vos pensées vont effectivement altérer vos formes et vous n'avez pas besoin d'en être conscients pour que cela se fasse. Dans d'autres sessions, nous allons expliquer comment vos formes fonctionnent, leurs réalités, ce que vous ignorez en majorité actuellement. Vous comprendrez mieux vos agissements, vous comprendrez mieux vos maladies et vous vous comprendrez mieux aussi. Ne vous en faites pas, vous aurez des réponses à cela aussi. Cette question est bien posée. En ce qui concerne les médicaments, ce n'est pas demain que vous trouverez une pilule miracle. Par contre, vous pourriez modifier vos façons de voir la vie, cela donnerait des résultats. *(Les Âmes en folie, I, 24–04–1991)*

*P**ourquoi y a-t-il des enfants qui viennent au monde malades ?*

Cela peut être transmissible par les parents. Il y a la génétique, mais il y a plus que cela. Rappelez-vous que des cellules qui ne sont pas rattachées ensemble, dans des bocaux séparés placés à proximité, meurent les unes à la suite des autres quand un seul des contenants contient des cellules qui meurent. Lorsqu'une femme enceinte est déjà malade, l'enfant n'est pas séparé de la mère; il est dans la mère; il n'est pas dans un contenant séparé, si vous préférez. Alors la maladie se transmet de la même façon. Votre science reconnaît actuellement et depuis toujours d'ailleurs que la maladie peut être transmissible par les parents. Ce que les scientifiques ne savent pas, c'est que la maladie n'a pas besoin d'être

dans la mère elle-même, qu'elle peut se produire par le simple fait de côtoyer trop longtemps des gens malades. Avec des personnes faibles, c'est ce qui arrive. Vous avez tous vu ce qui arrive à ces gens âgés dont personne ne veut s'occuper : ils ne vivent pas plus longtemps, mais ils vieillissent beaucoup plus rapidement. C'est qu'ils s'encouragent mutuellement à mourir plus rapidement. Comme ils sont convaincus que personne ne veut d'eux, ils ne veulent plus d'eux-mêmes. C'est pour cela que plusieurs d'entre vous n'aimez pas aller dans ces endroits où l'on garde les personnes âgées. Ce n'est pas à cause des personnes âgées mais à cause de ce que vous percevez lorsque vous êtes dans ces endroits. Rappelez-vous, les cellules communiquent. C'est d'ailleurs très peu différent de ce que vous appelez la télépathie. Car, n'oubliez pas, votre cerveau est aussi formé de cellules, sauf que vous l'avez choisi comme porte d'entrée. C'est tout à fait identique à ce que nous venons de vous expliquer. La télépathie n'est rien d'autre que des cellules qui reçoivent des autres cellules. Alors si vous avez dans votre entourage des gens qui ont une maladie et qui sont bien ainsi, nous vous conseillons de refuser cette situation avant d'en être convaincus vous-mêmes, même sans le vouloir. Avez-vous des questions sur ce que nous venons de vous expliquez ?
(Les colombes, II, 07–07–1990)

S *i la maladie vient par une forme de pensée, est-ce qu'elle peut être produite par le rejet ou des pensées comme cela ?*

Nous avons mentionné, et c'est tout à fait nouveau, que vous pouvez vous donner cela vous-mêmes par la pensée, mais que cela peut aussi être communiqué par d'autres cellules, même si vous n'en êtes pas conscients.

> *Quand vous dites qu'on peut se guérir en changeant nos pensées, est-ce que c'est par des techniques de visualisation, de programmation ?*

Surtout.

M *a question est reliée aux maladies mentales. Quelle est la cause ou les causes de l'autisme ou de la psychose ?*

À laquelle des deux voulez-vous que l'on réponde ?

À l'autisme, parce que ça fait partie de l'enfance.

Pour cela, il faudrait prendre des cas séparés. Il y a des enfants qui sont très faibles et très ouverts. Nous ne savons pas tout de vos maladies physiques car nous n'avons jamais eu de formes, comme vous le savez. Nous n'avons jamais observé cette maladie en particulier, ni ce type de maladie. Toutefois, en ce qui a trait aux problèmes psychiques, nous savons qu'ils sont retransmis directement. Ces gens sont comme des portes ouvertes. Ils n'ont aucune protection et prennent sur eux les problèmes des autres, puis ils font en sorte que ce soit leurs problèmes. C'est tout le contraire de guérir, voyez-vous. Ces gens en viennent à avoir peur de tout ce qui les entoure, ils croient que la maladie est surtout pour eux. Nous vous avons parlé de télépathie. Ce n'est pas un jeu, vous savez, même si la démonstration en a été faite en ce sens. En ce qui a trait à la maladie infantile que vous avez mentionnée, il nous faudrait observer un cas, et faire non seulement son analyse mais aussi celle des parents et de leur descendance, pour pouvoir comprendre exactement ce qu'elle est. Toutes les formes de maladies ont la même source, toutes. Pour cela, nous vous suggérons de relire ce que nous venons de dire. Nous sommes certains que vous trouverez les réponses dans le comportement de ces enfants, sinon dans celui des parents, à moins que la maladie ait été transmise de façon génétique. Dans ce cas, vous avez aussi votre réponse. *(Les colombes, II, 07–07–1990)*

S i j'ai bien compris, une pensée qu'on émet aujourd'hui peut prendre forme dans deux ou trois mois. Par contre, si j'émets une pensée différente dans un mois...

Tout dépendra du temps que vous aurez mis à faire ces changements inverses.

Donc, la pensée négative devient plus forte que la positive, tout dépendant du temps qu'on y met ?

Dans certains cas, c'est vrai. S'il a fallu trois mois pour que votre forme trouve un débouché vers la maladie, un sentier la conduisant dans cette région qu'est la maladie, pouvons-nous vous suggérer qu'il vous faudra encore trois mois pour qu'elle en trouve la sortie et encore trois autres, au moins, pour que cela ne se reproduise plus et cela, dans les meilleurs cas. Ne vaut-il pas mieux une de vos pilules chimiques ? C'est beaucoup plus rapide, n'est-ce pas ? C'est une question.

Personnellement, je ne crois pas aux pilules chimiques. Je suis bien en santé; je ne crois pas aux pilules, je me fais confiance.

Très bien, nous allons donc répondre à cette question nous-mêmes. C'est un piège bien sûr, parce qu'avec vos pilules chimiques, vous réglez parfois le problème mais pas la cause. Si vous avez été assez forte pour vous convaincre d'une maladie quelconque et que vous l'avez eue selon vos pensées, votre forme, dans son intelligence, trouvera une autre façon de vous punir ou de vous récompenser selon votre façon de penser. Vous vouliez une maladie, mais pas celle-ci car elle fait trop mal ? Alors, elle vous en donnera une moins forte, moins douloureuse, mais qui vous donnera le temps de penser à vous. Est-ce plus clair dans ce sens ?

Oui.

Personne d'autre ne se soucie de la maladie ? Peut-être est-ce parce que nous vous avons donné trop à penser ? Voici encore deux ou trois mots auxquels penser. Nous pouvons vous dire que la mort physique et la vieillesse sont les mêmes résultats. Dès qu'une personne accepte de vieillir, elle accepte de mourir. C'est pour cela que nous vous avons dit il y a fort longtemps que vos schémas de pensée actuels selon lesquels vivre, c'est mourir et mourir, c'est vivre devraient être vivre pour vivre. C'est comme si vous manquiez d'imagination pour vivre 300 à 400 ans. Plusieurs se disent : « Je trouve déjà très long de vivre 40 de mes années; la vie est si lourde, pourquoi vivre 400 ans ? » Nous pourrions vous répondre en des termes fort amusants : prenez 40 de vos années de problèmes, répartissez-les sur 400 ans et vous n'aurez pas le souvenir des 40 premières années. Mais n'oubliez pas que, si vous saviez d'avance que vous alliez vivre 400 ans, vous ne seriez pas aussi pressés qu'actuellement. Chose certaine, vous auriez le temps de respirer ! Cela aussi n'a pas encore été compris. (*Les colombes, II, 07–07–1990*)

*E*st-ce possible que nous ayons des maladies avant de naître et que ces maladies-là nous aident à avancer, nous aident à évoluer encore plus ?

Vous savez, il y a des gens qui ont des maladies physiques et qui cherchent à en savoir le pourquoi; ceux-là progresseront. Mais il y en a d'autres qui ont des maladies et qui sont bien avec cela, parce que des gens vont les aimer et prendre soin d'eux; ceux-là préféreront avoir des gens qui s'ajustent à eux, qui les comprennent, artificiellement bien sûr, mais tout de même. Il y en a toujours qui demanderont plus et qui donneront moins. La juste mesure dans tout. (*Les colombes, II, 07–07–1990*)

*E*st-ce qu'il est possible de guérir d'une maladie héréditaire par la reprogrammation des cellules ?

Très bonne question. D'après nos observations, il arrive que cela puisse être possible, mais cela demande une foi et une volonté à toute épreuve. Il vous faut convaincre votre forme entière de cette possibilité, ce qui vous demande d'augmenter le taux de vibration de vos formes, donc d'élever vos taux d'énergie de façon volontaire, par vous-mêmes et non par les autres. Cela exige aussi une foi à tout épreuve quant à l'échéance. À ces conditions, cela peut être possible. Mais si quelqu'un arrivait à vous en faire douter et que vous le croyiez, vous n'auriez aucune chance de rémission. Votre forme n'est pas idiote, elle se dirait : « Elle veut cela et nous travaillons dans ce sens et elle ne croit pas en nous. » Donc, elle reviendra à sa formation habituelle. Vos formes sont comme des enfants, encore une fois, n'oubliez pas. Faites faire aux enfants de mauvais exercices, de la mauvaise façon, et ils continueront à les faire de cette façon jusqu'à ce que vous puissiez les convaincre du contraire. Si vous n'habituez pas les enfants à faire leurs besoins ailleurs que dans des couches et que vous leur dites que c'est normal, vous aurez des problèmes lorsqu'ils auront 60 ans pour leur faire croire le contraire, qu'ils peuvent le faire autrement. Plutôt que de montrer à un enfant à marcher, montrez-lui à ramper, puis dites-lui qu'il est possible de se tenir sur ses deux pieds : il ne vous croira pas à moins que vous ne puissiez le lui démontrer. Et si vous lui dites ensuite : « Tu peux quand même avancer à genoux », il recommencera à ramper, car ce sera plus simple pour lui. Vos formes sont identiques. Vous les habituez à un problème qu'elles savent être le leur parce qu'elles ont ce problème depuis la naissance et elles sont convaincues qu'il doit en être ainsi. De leur prouver le contraire, surtout lorsque vous vivez seuls, demande beaucoup de volonté. C'est pour cela que nous vous avions suggéré des modifications au niveau de votre nourriture; c'était pour que vous puissiez modifier vos propres vibrations vous-mêmes. Nous savions que vous étiez pour poser cette question, vous savez. Mais cela aurait dû être fait à l'autre session. Vous nous avez obligées à faire des recherches. Donc, c'est possible pour ceux qui le veulent. Il y a des gens qui penseront devoir ramper toute leur vie et qui ramperont. Il y a des gens qui croiront être limités par leurs pensées et qui resteront limités. Vous êtes toujours libres, tous autant que vous êtes, de modifier cela. Vous avez pourtant tous beaucoup d'imagination. Ne la mettez pas de côté; elle est aussi puissante que le sourire ! *(Les colombes, III, 04–08–1990)*

*L*es jeunes enfants qui ont des grippes, des otites, des amygdalites à répétition ne se programment sûrement pas pour avoir ces maladies-là ?

En êtes-vous bien certaine ? Combien de fois n'avez-vous pas, dès qu'un enfant attrape une grippe — parce que les virus se communiquent quand même, n'oubliez pas... Nous avons déjà donné l'exemple des gens dans cette pièce : vous êtes des adultes, donc vous raisonnez, vous avez des craintes qui se concrétisent. Les enfants ont des craintes de façon différente, mais cela ne les empêche pas non plus d'attraper des virus. Remarquez comment vous agissez comme parents. Dès qu'un enfant a sa première grippe, que faites-vous ? Vous vous empressez de le lui faire remarquer, et surtout de faire remarquer à ceux qui vous entourent que c'est la première fois que votre enfant a la grippe, pour qu'il s'en souvienne bien, puis vous trouvez des moyens de le soigner. Parce que l'enfant se dit qu'il est malade, il est malade; il ne connaît pas la gravité de sa maladie bien sûr, mais vous lui dites qu'il est malade, donc il est malade. Que faites-vous ensuite ? Vous le dorlotez un peu plus, vous le plaignez un peu plus, et il y prend goût. L'enfant n'aime pas le virus, mais il développe un goût. Donc, lorsque cet enfant aura une faiblesse au niveau de ses émotions ou dans sa vie, qu'il s'agisse d'une contrariété, d'une mésentente avec des amis, ou simplement le fait que vous le délaissiez quelque peu pour penser à autre chose ou passer à d'autres occupations, pouvons-nous vous faire la suggestion qu'il aura beaucoup de symptômes de grippe et que, si un microbe venait à passer, il ferait immédiatement un détour vers l'enfant. Donc, ne nous parlez pas de programmation chez les enfants; *vous* les programmez, ils subissent. Combien de fois n'avons-nous pas observé aussi des enfants qui communiquaient avec des Entités et leur parlaient comme à des enfants, comme à des amis, et combien de fois n'avons-nous pas vu des adultes leur dire : « Prends ta poupée ou joue avec tes camions », « Ne fais pas cela, ce n'est pas vrai » ! Donc, voyez-vous, il y a programmation constante. Effectivement, les enfants ne se programment pas d'eux-mêmes; ce sont les parents qui les programment, comme ils ont été programmés eux-mêmes. Rappelez-vous votre première grippe; vos parents vous ont plaints, vous ont fait comprendre ce que c'était; cela aussi est de la programmation. *(Les colombes, IV, 08–09–1990)*

*P**arfois j'entends des sons aigus, c'est quoi au juste ?*

Ceci est un problème au niveau du tympan interne causé par une accumulation de sébum. Cette accumulation fait en sorte de déplacer le tympan légèrement et rend votre oreille interne plus apte à entendre les ultrasons. Ces ultrasons proviennent aussi de micro-ondes, non pas ceux du four, mais ceux des appareils de communication. Cela pourrait être corrigé par l'enlèvement de l'oreille interne. *(Les flammes éternelles, I, 24–11–1990)*

*P**ourquoi les malformations et les maladies existent-elles ?*

Parlez-vous des maladies physiques à la naissance ?

Oui.

Regardez tout ce que vous mangez et vous comprendrez. Prenons l'exemple du sida. Vous en parlez beaucoup actuellement, mais les animaux ont cette maladie depuis environ 176 ans, si nous faisons la moyenne mondiale, et vous en mangez toujours. Chez certaines familles où il y a des habitudes alimentaires qui se perpétuent, vous trouverez davantage de ces malformations. Vous verrez aussi la même chose se produire chez les familles qui abusent de produits pharmaceutiques. Cela pourrait sauter une seule génération, parfois deux, et reprendre. C'est aussi une cause d'incompréhension. Vous savez, il y a des Âmes preneuses pour ces cas et ces personnes peuvent vous servir d'exemple, elles peuvent vous aider à comprendre la vie. Actuellement, la nourriture est la première cause de malformations et les produits chimiques en sont la deuxième, quoiqu'ils fassent partie de la première. En effet, les tissus animaux que vous mangez sont pleins de produits chimiques, par exemple pour tuer les parasites internes, et cela les pousse à croître dans tous les sens du terme. Votre organisme les absorbe. La personne qui attend un enfant et qui absorbe ces produits risque de causer des malformations. Comme vos cellules ne sont pas tout à fait identiques à celles des animaux, il faut qu'il y ait une accumulation pour en arriver à ce point.

Vous avez parlé des Âmes preneuses, qui sont-elles ?

Ce sont les Âmes qui prendront ces corps ayant des malformations. Elles le font parce qu'elles ont aussi à apprendre en cela. Qui vous dit que l'Âme d'une forme qui a des problèmes physiques majeurs, d'une forme repoussante peut-être pour plusieurs, n'arrivera pas à terme ? Qui vous dit que cet Âme ne réussira pas ainsi à briser son cycle d'incarnations ? Il faudrait analyser chaque cas pour cela. Il n'y a aucune de ces formes qui n'a pas d'Âme, alors que vous trouverez des formes en parfaite santé physique qui n'ont pas d'Âme. Donc, il y a du bon dans cela aussi. *(Maat, I, 09–11–1990)*

Vous *dites que la maladie se communique. Si nous avons à côtoyer des gens qui sont malades, comment faut-il se comporter ?*

Les infirmières ont une protection supplémentaire dans ce sens, sauf celles qui font leur travail de force et que nous exclurons de notre exemple. Les infirmières qui font ce travail parce qu'elles l'aiment et qui y mettent beaucoup d'amour, modifient aussi leurs vibrations et leurs énergies et repoussent les maladies hors d'elles. Dans des sessions antérieures, nous avons expliqué ce phénomène sur un autre plan, chez les personnes qui sont ennuyées par les Entités. Nous avons expliqué comment les repousser. Donc, les gens qui soignent et qui aiment cela se protègent de façon involontaire. Les gens qui rendent visite aux malades s'y rendent rarement par plaisir; ils le font et ont hâte de quitter ces lieux. Ce ne sont pas des lieux de réjouissance. Qui d'entre vous se sent à l'aise dans ces endroits ? Vous ressentez toujours des malaises, vous vous dites que ce n'est pas votre place et que vous ne souhaitez pas y être non plus. En quelque sorte, vous vous faites une forme de protection. Chez les enfants, c'est différent. Remarquez qu'on interdit les visites aux enfants en très bas âge dans vos hôpitaux; c'est donc que les responsables le savent déjà. Nous sommes d'accord car, chez les enfants, il y aurait réellement danger. C'est pour cela qu'ils ont situé les salles d'accouchement à des étages différents, par habitude; ils se rendent compte. (*Harmonie, II, 08–12–1990*)

*E*n métaphysique, on nous avait enseigné de faire des cercles de lumière blanche pour éloigner la haine ou les maladies. Est-ce que c'est un moyen de se protéger ?

C'est une très belle foutaise ! Cela équivaut à regarder la personne face à vous et à vous dire dans votre tête que vous l'aimez. Vous êtes très loin de la bulle blanche et la personne est très loin de vous entendre. Rien ne se produira. Cela pourrait fonctionner chez des gens très imaginatifs qui croiront même voir ces bulles, mais ils se protégeront non pas à cause des bulles blanches, mais parce qu'ils modifieront les vibrations de leurs cellules entières. Vous souvenez-vous du personnel soignant dans les hôpitaux qui se protège dans leur travail ? Nous vous avons dit que c'était aussi par amour. C'est la même chose pour vous. Si vous n'avez pas l'amour, foutaise pour la bulle ! Si vous l'imaginez dans un sens d'amour, pour vous protéger, cela marchera, bien sûr. Ne le faites pas par crainte de la maladie, sinon vous l'aurez, ne serait-ce que pour l'apprendre. Une seule remarque à ce sujet. Il y a plus de 2000 ans, on a raconté une parabole dans laquelle, paraît-il, une personne aurait retrouvé la vue avec de la boue et du crachat. Pouvons-nous vous suggérer qu'avant de voir, avant qu'il y ait boue et crachat — qui ne guériront jamais rien d'ailleurs — cette personne s'était fait parler [secouer les puces]. Dans le sens où cette parabole a été écrite, il ne s'agissait pas réellement d'un aveugle mais d'un homme qui refusait de voir la vérité et qui s'était fait isoler dans son propre village. Cette personne a guéri, pas de la vue physique, mais à la vue des autres. Si on avait rapporté intégralement cette parabole, vous auriez eu cette version. Donc, ne cherchez pas les miracles dans la boue et les crachats, vous allez avoir la gorge sèche !

Je me suis fait opérer et je me suis dit : « Je ne serai pas malade à mon réveil »; cela a fonctionné, est-ce que c'était de la programmation ?

Dans un certain sens, à seulement 10 %. Vous aviez agi pour vous protéger de façon volontaire. L'autre 90 % fut de la chance, parce qu'il n'y avait rien de très dangereux à vos côtés... mais pas à cause de la bulle. *(Harmonie, II, 08–12–1990)*

*Q*ue pensez-vous de la vaccination qu'on nous oblige à faire aux formes de nos enfants, du bas âge jusqu'à l'école ?

Cela dépend des problèmes auxquels ces vaccins seront associés. Vos sociétés ont tout de même réussi à combattre certaines maladies bien connues. Elles ne vaccinent pas les enfants parce qu'ils sont malades mais dans le but de les protéger plus tard. Par ailleurs, inoculer ces vaccins qui contiennent déjà des virus contrôlés déclenche parfois une autre maladie, dans la même année ou de 10 à 15 ans plus tard. Cela correspond à jouer à pile ou face. D'un côté, vous pouvez gagner et de l'autre, perdre. Mais s'il n'y avait pas de vaccination, ce serait aussi jouer à pile ou face. Ceux qui auraient été épargnés par la vaccination seraient sûrement malades, mais pas les autres; vous obtenez donc le même résultat. *(Harmonie, II, 08–12–1990)*

*E*st-ce qu'une personne qui se bat contre le cancer et qui est en voie de gagner devient beaucoup plus forte qu'auparavant ? Est-ce qu'il y a encore danger pour nous de la côtoyer, si on l'aime beaucoup et si on veut continuer à la voir ?

Une question avant de répondre à cela. Est-ce que la personne, dans l'hypothèse où ce serait vous, s'aime suffisamment aussi ou ne fait que donner de l'amour par pitié, compassion et compréhension ? Cela changera notre réponse.

...

Nous allons donc répondre aux deux. Si vous avez de l'amour pour vous-mêmes, vous donnerez de l'amour réel. Rappelez-vous, l'amour ce n'est pas que des mots, l'amour est aussi une sorte de vibration qui se retransmet entre les formes. Vous savez tous ce que l'amour sincère veut dire parce que vous avez appris à bien percevoir. Par contre, quand vous serez avec des gens qui vous aiment ou disent vous aimer et de qui vous ne ressentez rien, vous saurez qu'il ne s'agit que de mots. Si vous appliquez cela au cas d'une personne qui tente de vaincre son cancer, vous avez aussi deux réponses : ou cela n'aidera absolument pas la personne malade, donc vous nuira, ou ce sera totalement positif. Rappelez-vous du miroir entre la pensée et la forme. Vous saurez si c'est franc et honnête ou si ce n'est qu'un jeu. Est-ce que cela répond à votre question ?

Oui, très bien. (*Harmonie, II, 08–12–1990*)

O n dit qu'on peut s'attirer soi-même la maladie par les émotions.

Tout à fait vrai.

N'est-ce pas le but de l'Âme de connaître la maladie pour atteindre plus ?

Foutaise que cela ! Qu'est-ce que votre Âme a à faire avec une forme qui n'est pas en bonne santé ? Quelle théorie justifierait cela ? Au contraire, si votre Âme voulait une forme qui n'est pas en santé, que ferait-elle ? Elle n'aurait qu'à observer des formes qui ne le sont pas et prendre la leçon des autres. Rappelez-vous que leur but est de pouvoir s'exprimer, d'être créatives avec des formes. C'était leur seul but : devenir créatives, créer d'elles-mêmes, devenir indépendantes les unes des autres. Voilà leur but; ce n'est pas de rendre vos formes malades. Ce qui rend vos formes malades, ce sont vos façons de voir vos vies, c'est tout ce que vous exigez de vous en pensée, vos exigences personnelles trop grandes, vos craintes, vos peurs, votre inconscience. Bien que cela commence déjà à se savoir dans vos milieux hospitaliers, il faut bien comprendre que votre question peut être prise différemment.

Nous avons observé combien de fois dans vos hôpitaux que des gens ayant de simples débuts de cancer sont placés à côté de gens ayant des cancers très avancés. Quelle erreur ! Les énergies des formes très malades peuvent très bien se retransmettre aux autres sans que les formes ne se touchent. Vous ignorez tout de cela. D'ici 10 ou 15 de vos années, vous verrez ce qu'ils vont faire dans vos hôpitaux. Ils vont contingenter les patients selon les degrés d'avancement des maladies afin d'isoler ceux qui ont des débuts de maladie des autres; mais cela ne se fait pas encore. Prenez une forme faible psychologiquement, une forme qu'on peut facilement atteindre parce qu'elle sent que rien ne fonctionne dans sa vie, et mettez-la près d'une forme très malade. Que se passera-t-il, croyez-vous ? Il y aura contact entre les deux formes au niveau cellulaire... et c'est très sérieux ! C'est comme si vous appreniez à être malades en fait; et vous auriez raison car c'est ce qui se produit. Que de fois avons-nous observé vos hôpitaux ! Jamais nous n'y trouvons de gens heureux. Qui s'assemble se ressemble... Cela ne veut pas dire qu'il n'y a pas place pour du changement, pour de l'amour, pour des revirements de situations ! Nous plaçons parfois des gens au milieu des autres pour tenter de les changer. Annie en est une. Pour nous, son expérience est de voir à quel point vos formes peuvent être contrariées au niveau cellulaire... et aussi à quel point cela apporte des guérisons. Nous observons tout cela avec grande attention. Nous aurons des changements à apporter à tout cela. *(Nouvelle ère, I, 29-02-1992)*

*P**our les personnes qui ont des allergies, est-ce la même chose ?*

Posez-vous cette question dans le sens que nous venons de mentionner ?

Oui. Est-ce dû à des émotions refoulées comme pour les maladies en général ?

Absolument pas. Dans un sens, vos formes développent les allergies pour de multiples raisons. Dans la majorité des cas, elles sont la conséquence de vos façons de vivre, aux produits synthétiques que vous portez, aux nourritures qui ne conviennent pas à vos formes, à l'air pollué que vous respirez, à tous ces produits chimiques absorbés qui vous font réagir à tels ou tels stimuli extérieurs. Bref, les allergies sont davantage causées par des maux évolutifs que par des raisons psychologiques. Si vous parlez carrément d'allergies au pollen ou à d'autres allergènes, cela n'a rien à voir avec la façon de penser, c'est purement et simplement physique. *(Symphonie, II, 04–05–1991)*

Q *u'est-ce qui cause la sclérose en plaques, peut-elle se guérir et comment ?*

Pas actuellement. Nous avons déjà fait des recherches pour certaines personnes à ce sujet. Actuellement, nous avons observé des recherches, surtout en Russie, mais elles n'en sont qu'au tout début. Ce ne sera pas prêt avant 5 à 10 de vos années [1996-2001]. Ils devront améliorer leur système actuel. Ce système est basé sur le nombre d'atmosphères [unités de pression], très supérieur à celui de votre atmosphère actuelle. Ce sera aussi valable pour traiter les formes de cancers actuels, mais ils n'étudient pas d'applications à ce domaine maintenant. La situation pourra changer mais pas actuellement, avec aucune médecine connue. Nous en sommes désolées.

Est-ce qu'il y a une cause ou plusieurs causes à cette maladie ?

Pas une cause reliée à une personne comme telle. Cette maladie peut être transmise de génération en génération, génétiquement dites-vous. Il faut donc surtout rechercher le côté génétique de la maladie. Parfois nous avons observé que la maladie avait sauté trois à quatre générations pour ensuite refaire surface. N'en cherchez pas la première occurrence dans une vie actuelle. En règle générale, cela n'a rien à voir avec la vie actuelle de la personne atteinte. Lorsque nous parlons de règle générale, nous voulons dire la majorité des fois. Bien sûr, il y a des façons de déclencher la maladie plus rapidement. Les gens qui ne s'affirment pas, qui gardent tout pour eux, qui ont constamment peur de blesser les autres mais qui ont été souvent blessés eux-mêmes auront la sclérose plus rapidement. C'est la même chose pour l'arthrite et toutes les autres maladies. C'est aussi le cas du cancer : vous l'avez tous sauf que certains l'utilisent et d'autres, pas. Soyez certains que vous avez tous le cancer. Il y a des gens qui se serviront des maladies pour en terminer plus rapidement, d'autres pour se faire aimer, peu importe. Rappelez-vous, vous ne plaignez pas les gens en bonne santé, mais vous aimez deux fois plus les gens qui sont malades et que vous aviez mis de côté parce que vous avez peur de les perdre. C'est la même chose au niveau de l'Âme. Nous avons expliqué cela plus tôt. Dans la sclérose en plaques comme telle, lorsque la maladie se déclenche et surtout lorsque le cycle biologique en est rendu à ce point, il y a très peu à faire pour contrer la maladie. Par contre, vous pourriez être porteur et développer la maladie par votre façon de vivre. Si votre question était: « Je sais que la sclérose ne peut se guérir actuellement, mais est-ce que je peux empêcher qu'elle n'évolue ? », ce serait une question différente et nous pourrions y répondre aussi. Effectivement, il y a des moyens d'y arriver. La maladie ne régressera pas, mais elle ne progressera pas non plus, comme dans la majorité de vos maladies d'ailleurs. Mais c'est une question qui devient personnelle et qui exigerait trop d'explication pour la session actuelle. Il y a des moyens effectivement et cela demande des efforts physiques et psychologiques. Avant de les mettre en pratique, vous devez vous poser une question : « Est-ce que je veux réellement ou est-ce que c'est pour faire plaisir à d'autres ? » C'est cela la maladie, c'est bien souvent pour les autres, pour punir les autres. Rappelez-vous, pour punir les autres, il faut vous punir. Pour aimer les autres, il faut *vous* aimer aussi. Nous préférons que vous vous aimiez pour aimer les autres. Ne dites-vous pas aimer son prochain comme soi-même ? Nous vous disons plutôt de vous aimer vous-mêmes pour aimer votre prochain. C'est beaucoup plus simple et clair. Bonne question. *(Les Âmes en folie, I, 24–04–1991)*

Vous dites qu'on est trop informé de la maladie, cela veut-il dire de couper tout contact avec les médias pour se protéger ?

Il faut bien comprendre que, si nous vous disons cela, c'est pour que vous le sachiez. Une fois que vous le savez, vous ne voyez pas les gens malades de la même façon; vous êtes sur vos gardes. Si vous voulez vivre la maladie de ces gens, vous l'aurez. Par contre, si vous vous protégez en vous remontant vous-mêmes, cela fonctionnera. Dans les hôpitaux, la majorité des soignants savent bien se protéger, sinon ils seraient tous malades à force de soigner. Ce n'est pas tout le monde qui peut le faire. C'est pourquoi certains d'entre eux n'arrivent pas à approcher certains malades, car ils les savent très forts pour retransmettre leur maladie. Il y a des formes d'antipathie marquées entre certains malades et leurs soignants. La majorité de ceux qui travaillent dans le domaine médical savent déjà automatiquement comment se protéger parce qu'ils savent s'écouter, parce qu'ils voient les résultats à longueur de journée et parce qu'ils n'en veulent pas.

Est-ce la même chose pour les guerres ? Doit-on éviter de se laisser atteindre par les gens colériques autour de soi ?

Si vous voulez changer une personne qui est colérique, vous n'y arriverez pas en étant en colère contre elle, mais en étant en paix avec vous-même. Cette personne se rendra compte qu'elle est en colère contre elle-même et c'est ce qui va la changer. C'est une comparaison à petite échelle. Plus il y aura de gens comme cela, moins il y aura de raisons de se mettre en colère. Actuellement, il y a trop de provocation et c'est le contraire qui se produit. L'un montre des armes et l'autre en montre de plus puissantes encore, puis l'autre renchérit, et ainsi de suite. Finalement, vos argents vont beaucoup plus dans les efforts de guerre !

Quelle attitude dois-je adopter ? Est-ce correct de penser qu'en étant empathique face à ce qui se passe dans le monde, face aux médias, face aux sentiments des autres, aux problèmes, je me protège et j'avance ?

Si vous faites cela dans le but de garder votre équilibre, de progresser, vous avez raison. Il suffit de regarder vos nouvelles télévisées pour voir qu'il n'y a pas grand chose de réjouissant. Si vous êtes déjà déprimé après une journée de travail, comment arriverez-vous à digérer étant donné que ces nouvelles passent au moment des repas ? Difficile ! Donc, c'est pendant votre sommeil que votre digestion se fera et, comme cette période est réservée au système nerveux, vous ne vous reposerez pas. Mieux vaut écouter une musique calme ou qui vous plaît. Au moins, cela vous aidera, non pas à savoir ce qui se passe dans le monde, mais ce qui se passe en vous, dans votre monde, le premier.

On vit dans une société dans laquelle on doit fonctionner. Si on s'isole, de quoi va-t-on avoir l'air ?

De toute façon, cela ne changera rien. Vous aurez l'air de ce que vous avez l'air actuellement. Si vous ne faites qu'écouter et regarder pour vous tenir au courant, vous ne serez pas dans le courant. Vous voulez un exemple concret ? Regardez ce qui se passe actuellement dans votre propre province : vous avez des augmentations de taxes continuelles; vous écoutez tout cela à la télévision et donc le savez tous. Que faites-vous contre cela ?

On subit.

Et vous trouvez que cela va changer votre façon de payer ? Mais vous êtes au courant !

Oui, mais je peux adopter une attitude qui ne me choque pas.

Bien sûr ! Vous couperez certaines dépenses et serez taxée encore plus jusqu'à ce que vous soyez forcée de vous fâcher.

Vous dites qu'on doit se fâcher, être agressif....

Au moins vous faire entendre.

Parler lorsqu'on ne nous entend pas...

Si vous ne dites rien, vous allez passer votre vie à subir. Est-ce qu'ils vous entendent plus si vous ne parlez pas ? Si vous ne voulez pas parler, vous pouvez écrire. Si vous ne faites rien, vous êtes passifs. Nous comprenons que, pour certaines personnes, cela leur évite de se fâcher et c'est mieux ainsi. D'un autre côté, quelle colère est la meilleure selon vous ? Celle d'endurer, de ne rien dire et d'avoir un moral qui n'est pas à son meilleur tous les jours ou de se fâcher une heure sur une lettre et de prendre la chance que cela soit lu. Ces gens sont élus et s'ils reçoivent cinq millions de lettres, ils vont être forcés de comprendre que vous n'aimez pas leur façon d'agir. Si vous ne faites qu'en parler avec ceux qui mangent avec vous, vous allez être quelques personnes à ne pas digérer... et cela agira sur le moral du lendemain. Vous vous direz : « Pourquoi travailler s'il faut payer tant de taxes ? » , et en vous disant cela, vous direz à votre forme : « Tu n'as pas besoin de t'énerver, car de toute façon cela ne rapportera pas plus. » Ce faisant, vous coupez vos projets futurs. « De toute façon, je n'aurai pas les moyens pour ceci, pour cela. » Quel moral aurez-vous alors ? Nous ne suggérons pas que vous deveniez des autruches mais que vous preniez des responsabilités personnelles. Si quelque chose ne vous convient pas, au moins vous l'aurez dit. Sinon que ferez-vous dans vos vies de couple ? Ferez-vous la même chose ? Absolument. Que ferez-vous lorsque ça n'ira vraiment pas ? Comme dans vos vies de couple, vous vous séparerez d'une société, vous vous isolerez, vous vous fâcherez avec tout le monde et direz que c'est tout le monde qui n'a pas bougé. C'est une roue sans fin. Nous disons cela seulement pour que vous appreniez à vous exprimer quand c'est le temps, pas trois mois plus tard, pas lorsqu'il n'y aura plus de problèmes mais maintenant, sinon vous allez apprendre à en rajouter d'autres. *(Diapason, III, 16–05–1992)*

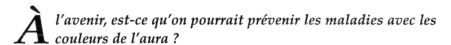 *l'avenir, est-ce qu'on pourrait prévenir les maladies avec les couleurs de l'aura ?*

Si l'imagination peut les modifier, quel jugement auriez-vous d'une personne qui peut les changer à volonté ? Les anciens écrits vous ont dit que les auras étaient les mêmes pour toutes les personnes, selon leur état d'Âme, leur état de santé et leur niveau de conscience; mais c'est faux. Bien sûr, le vert sera toujours le vert, et le rouge, le rouge. Mais si, pour tromper l'oeil d'une personne qui peut vous percevoir, vous décidiez d'élever votre taux de vibration, vous tromperiez l'oeil de la personne qui vous observera et le jugement serait faussé. Si c'était pour vous-mêmes, il n'y aurait aucune objection. Cependant, il vous faudrait vous observer sur une période d'un an et, durant cette période, il vous faudrait avoir vécu la maladie, la joie, la tristesse, le doute, l'angoisse, tout ce qui sera humain, et avoir noté aussi toutes les couleurs observées lors de ces changements d'état. Vous pouvez facilement saisir que la tâche serait très ardue et très longue mais aussi que cette habileté ne servirait que pour vous, pas pour les autres. Nous savons qu'il y a plusieurs personnes qui se sont rendues intéressantes avec des thèses en les expliquant très bien. Prenez cela avec un grain de sel. *(Les chercheurs de vérité, III, 17–03–1990)*

*Q*uand on voit ou perçoit l'aura d'une autre personne, est-ce vraiment la sienne ou est-ce la projection de la nôtre ? Comment faut-il faire pour les distinguer ?

En ce qui concerne la perception ou la vision de l'aura, ceux qui vous disent percevoir les couleurs peuvent avoir une vision faussée. En effet, pour voir l'aura d'une autre personne, ils doivent voir à travers leur propre aura. C'est très bien si les couleurs sont similaires. Mais vous savez très bien que les couleurs se mélangent et que cela peut fort bien fausser le raisonnement aussi. Cela n'a pas été mis en raisonnement par le passé. Les gens qui percevaient les auras disaient : « Ah ! que c'est beau, il y a une couleur verte et une or », puis ils décrivaient tout ce qu'ils pouvaient observer. Pouvons-nous vous suggérer que, si ces mêmes personnes pouvaient percevoir l'aura des autres, c'est donc qu'elles pouvaient percevoir la leur. Elles auraient donc dû comprendre que la vision change selon les couleurs que la vue traverse. L'aura peut avoir un rayonnement très vaste. Chez certaines personnes, l'aura sera très proche de la personne. Pour d'autres, l'aura pourrait faire très facilement un mètre. Il est difficile de vous expliquer ce qu'une personne pourrait voir elle-même. Si une personne vous dit : « Je vois très bien les couleurs de l'autre mais je ne peux percevoir la mienne », c'est qu'elle a une très bonne imagination, sinon ce ne serait pas logique. La signification de l'aura, les teintes qui lui ont été attribuées, même la définition de ces couleurs selon les caractères peut très bien s'appliquer. Il vous faut savoir cependant qu'une personne peut modifier à volonté ces mêmes couleurs, selon son état de concentration ou son état de santé physique. Si vous deviez vous fier uniquement à l'aura pour savoir si vous êtes en santé ou non, vous préféreriez très certainement ne pas les percevoir. Vous le comprendrez lorsque nous vous expliquerons notre méthode des couleurs [voir le Tome 2]. C'est un outil comme un autre. Que vous perceviez l'aura, les énergies hors d'une forme, un dédoublement de la personne au niveau des énergies, c'est une autre possibilité. Mais ce ne sont que des outils ayant plus ou moins d'intérêt parce que vous pouvez les modifier à volonté et qu'ils faussent le jugement.
(*Les chercheurs de vérité*, III, 17–03–1990)

J e voudrais savoir d'où vient le sida et est-ce que cela va se
guérir ?

De notre côté, nous appelons cela des maladies de société.
Le sida existait il y a longtemps; il était moins répandu, bien
sûr, mais il y avait alors plus de stabilité chez les couples.
Actuellement, les couples changent trop rapidement. Regardez
depuis quand le sida a évolué : depuis la grande libération sexuelle,
depuis que la majorité des peuples de ce monde ont appris qu'ils
pouvaient vivre facilement avec d'autres et que la séparation d'un
couple ne causait pas longtemps de douleur. Chez certains peuples, l'union ne dure que le temps d'un mariage, c'est-à-dire 24
heures. La production, vous savez ! Il est normal que la maladie
se soit croisée, échangée, et qu'elle se soit développée. Comme il
fallait une raison, elle s'est adaptée à un groupe social particulier
qui démontre ses émotions de façon différente. Cela a servi à justifier la maladie autant au niveau social qu'au niveau de son
développement. Maintenant que le sida touche plusieurs couches
de la société, même les enfants naissants, vous voilà aux prises
avec une maladie qui ne se justifie pas bien. Vous voilà devant une
maladie qui n'est plus limitée à un groupe de personnes seulement, mais qui est répandue dans toute la société, et ce n'est plus
accepté. Donc, vos sociétés ont entrepris des recherches et déblo-
qué des fonds pour ces recherches; ce phénomène s'accentuera.
Mais tant que vous aurez dans vos idées que le sida se développe
chez certaines personnes plus que chez d'autres, plus vous l'as-
socierez à des parties seulement de la société — nous savons ce
que vous pensez, n'ayez aucune crainte —, plus vous serez touchés
dans d'autres parties. Lorsque le sida sera considéré non pas
comme une maladie particulière à certains groupes sociaux mais
comme une maladie pouvant toucher toute la population, lorsqu'il
sera pris en considération, lorsque vous arrêterez de fuir et de rou-
gir devant ceux qui l'ont, il régressera. Un traitement miracle
n'apportera qu'une autre chose, une autre maladie aussi rapidement. Certains l'ont appelé mal de société. D'autres, plus puri-
tains, ont dit : « Ils ont eu ce qu'ils méritaient ! » Eux, ils se sont
contentés d'un cancer ! Tout dépendra de ce que vous ferez avec
vos vies, de ce que vous voudrez accepter. Ne nous dites pas que

ces gens ignorent le risque... ils le prennent. Une fois que la maladie s'est installée dans une forme qui en est consciente, il est très difficile d'arrêter vos organismes. Vous savez, ils ont la permission de continuer le développement, vous la leur donnez. Considérez encore la maladie comme un problème uniquement physique, mettez de côté la dimension psychique et sociale de la maladie et vous allez chercher longtemps les résultats. Vous obtiendrez des médications. Il existe déjà d'ailleurs deux produits à cet effet actuellement. Ils ne les commercialiseront pas car il n'y a pas assez de malades mais ils le feront lorsque cela deviendra plus payant monétairement. C'est très embryonnaire à différents niveaux. Ce n'est pas seulement pour le sida; c'est fort similaire pour le cancer : des maux de société, des maux qui justifient. Une simple remarque à ce sujet : n'avez-vous jamais vu des familles qui sont toujours malheureuses de père en fils ? Ils ont des enfants et ils sont malheureux. Ceux-ci ont des enfants à leur tour et ils sont malheureux. Cela se retransmet, vous savez. Cela devient tellement partie intégrante des cellules des formes que cela doit être sinon ce ne serait pas une vie. La maladie est fort similaire, tout dépendra du niveau d'acceptation que vous en aurez et aussi du niveau d'acceptation de vous-mêmes. Regardez actuellement ceux qui ont survécu plus longtemps que les autres au sida, comme au cancer d'ailleurs. Ce sont des gens qui se sont pris en main rapidement, qui ont refusé ce qu'ils avaient. Ils ont retardé la maladie, mais il y avait toujours des gens pour le leur reprocher, pour leur rappeler ce qu'ils avaient. Vous allez dire : « Pourquoi ne pas les isoler ? » Ce n'est pas le meilleur moyen de leur faire comprendre leur maladie; une maladie de société, c'est cela. Y a-t-il une sous-question à tout cela ?

Si je comprends bien, il existe deux médicaments déjà découverts, mais ils ne les sortiront pas sur le marché ?

Ils sont très à point. Tant qu'il y aura des sous à faire avec cela, ils attendront. Il faudra qu'ils aient des sous pour les prochaines maladies, donc ils accumulent des fonds pour les recherches futures. Cela s'est toujours fait dans vos systèmes, mais vous avez appris à l'accepter. Simple parenthèse : on nous fait remarquer que la deuxième industrie au monde au niveau des profits est l'industrie pharmacologique. Bien souvent, ceux qui détiennent ces usines développent et fabriquent aussi des produits d'armement, et même des pesticides. D'ailleurs, il n'est pas rare de voir ceux qui fabriquent des médications, fabriquer aussi des pesticides pour vos jardins; ils vous protègent et protègent vos légumes ! Absorber ces pesticides vous permet de devenir malades vous aussi et d'avoir besoin d'autres médicaments. La roue... ou la carotte devant l'âne ! Vous saviez tous cela en fait. (*Les Âmes en folie, IV, 20–07–1991*)

*L*a séropositivité, est-ce le sida ou est-ce que ce sont deux choses différentes ?

En fait, c'est la même chose, mais vous en distinguez deux. Vous avez tous le sida en fait. Le sida est déjà dans chacune de vos formes, comme le cancer, sauf qu'il faut trouver des mots pour dire qu'une personne est contagieuse ou non. Le mot restera. Si une personne est séropositive, cela veut dire pour la science qu'une partie du virus est contagieux. Si le résultat est négatif, par contre, le virus est toujours présent mais il n'est pas mis à contribution. D'un côté ou de l'autre, c'est la même chose, les deux à la fois aussi. Tout dépendra de la compréhension que vous aurez de ce fait. (*L'envol, II, 11–04–1992*)

*S*i la maladie est causée par un manque d'amour à la base, une maladie comme le sida a-t-elle sa raison d'être ?

Le sida est le mal d'une société qui ne s'accepte pas, d'une société qui vit en marge d'une autre, dans la marginalité, une société rejetée depuis toujours. Tous ici avez ce même virus, mais vous ne le développez pas tous en même temps. De même, vous tous ici pouvez développer le cancer; il n'y a pas une exception parmi les personnes présentes. Vous l'avez déjà tous. C'est acquis actuellement. Vous êtes déjà pénalisés en venant au monde; par vos façons de vivre, les systèmes immunitaires des mères et des pères sont déjà amoindris. Vous avez tous ces maladies et vous n'avez rien vu. Actuellement, le sida touche certaines parties de vos sociétés, mais des maladies plus radicales feront bientôt leur apparition. Actuellement, il y en a une qui prend sept jours, mais bientôt il y en aura une qui prendra 24 heures, plus rapide ! Continuez à vivre comme vous le faites et vous allez apprendre.

Vous avez tous des choix à faire. Le premier est de *vous* accepter; le deuxième est de vivre ce choix. Cela implique que, si vous vivez malheureux et que vous vous vous maintenez dans cet état, vous allez empirer votre sort et vos formes sont tellement à l'écoute qu'elles vont tout faire pour vous donner raison. Ce n'est pas compliqué à comprendre pourtant ! Ce n'est pas en vous enfonçant la tête dans le sable ou entre vos jambes que vous allez oublier la réalité. Vous avez le choix d'être heureux aussi. Cela implique des changements; cela implique de vous ouvrir, de communiquer, sinon vous ne vivrez pas, vous subirez. Vous allez être les esclaves des autres, c'est tout. Vous n'aurez que vous-mêmes à blâmer, pas la société, parce que c'est vous à la base qui faites cette société. Vous savez que des maladies comme le sida existent, mais vous savez aussi comment vous en protéger. Comment se fait-il que le sida continue de se propager ? Parce que vous acceptez une condition, un risque. C'est cela la réponse. Et lorsque vous avez la maladie, la culpabilisation s'installe, la mise au ban de la société, la mise à l'index. Quelles raisons auriez-vous de continuer à vivre si vous faites peur à tout le monde ? Mieux vaut en finir. C'est cela qui se produit. Le cancer, c'est une approche différente, très différente, mais similaire dans l'ensemble chez ceux qui adorent se punir. Nous ne parlerons pas des cas dont le cancer est d'ordre génétique et qui sont beaucoup moins nombreux que les autres. Il n'y a personne ici ce soir qui ignore ce qu'est le cancer. Vous le savez tellement bien que vous le craignez. Vous le savez tellement bien que votre forme le sait et, lorsque cela ira mal, lorsque vous vous en voudrez suffisamment, vous aurez déjà la recette pour en finir. Tous les jours vous êtes programmés par des connaissances sur la maladie; votre société vous les fait vivre en plus et vous le vivez bien, croyez-nous. *(Nouvelle ère, II, 23-03-1992)*

*E*st-ce la liberté sexuelle qui a fait le sida ?

C'est plutôt ce qui entoure la liberté sexuelle. Le sida, comme le cancer d'ailleurs, ont toujours été en vous sauf que ces deux maladies ne s'étaient pas développées consciemment. Vous avez appris à les développer par vos remords et surtout par vos craintes. Nous les appelons maladies sociales. Comme ces maladies sont déjà présentes en vous, elles ne se développent pas si vos formes ne sont pas stimulées négativement. Toutefois, lorsque vos formes et vos pensées en sont rendues à un niveau tel qu'elles se rendent coupables elles-mêmes, lorsque vos pensées rendent la forme coupable, la forme répond par la maladie, elle se culpabilise. D'ailleurs, il y a eu des rémissions, dans certains cas, par le rire seulement, et dans d'autres, par des moyens chimiques. Eh oui ! vous pouvez maintenant forcer vos formes à vivre malgré elles, mais cela ne réussit pas toujours. Il y a très souvent reprise de la maladie, de la même ou d'une autre. La majorité de ceux qui ont ces maladies en veulent à la société, alors ils ont ce qu'ils ont. Actuellement, le sida n'existe pas seulement chez les homosexuels, mais même dans les couples. Ce qui n'était au début qu'un virus inoffensif s'attaque maintenant au système immunitaire. Expliquer le développement du sida prendrait un temps énorme. En effet, il serait très long de vous expliquer comment ces cellules en sont venues à fabriquer elles-mêmes ce virus — car cela ne s'est pas attrapé dans l'air, vous savez. Il en est ainsi des nombreuses autres maladies dites sexuelles. À trop se défendre, votre corps en a assez et il laisse aller. Chacune des cellules de votre corps et chacun des atomes qui composent ces cellules a sa propre conscience. Les cellules et leurs atomes savent très bien ce que sont vos formes et ce qu'ils doivent faire. Lorsque vous vous sentez coupables et que vous dites à vos cellules : « Cette vie me pèse », pourquoi devraient-elles se renouveler ? Pourquoi vous donneraient-elles le goût de vivre dans une forme en santé si vous leur dites : « Je ne veux pas de cette forme » ? Les cellules communiquent bien ensemble. Vous savez, il y a des gens qui ont le virus du sida, qui en sont porteurs et qui ne développeront pas la maladie. Ils ont appris à se battre différemment, même inconsciemment. Vos vies seront de plus en plus des combats contre la violence, non seulement contre la violence perçue mais aussi contre la violence de votre forme elle-même face à ces observations de violence. Vous êtes des êtres doublement intelligents, non seulement par le cerveau mais aussi par ces milliards de cellules qui ont leur conscience et leurs responsabilités. Rendez-les coupables, elles le seront. Faites-leur voir que vous êtes heureux et elles le seront. Vous serez toujours à l'image de vos pensées, qu'elles soient créatives ou destructives. C'est votre choix. Le plus important, ce n'est pas ce que vos voisins pensent de vous, mais ce que *vous*

vous pensez de vous-mêmes. Cela peut détruire votre santé. Les personnes heureuses de leur condition, qui n'ont aucune crainte, ont des cellules conscientes qui sauront se protéger. Votre système peut être attaqué aussi bien par une grippe que par le sida. Cela dépendra de l'évolution de votre conscience de la vie. C'est la base de la vie. Plus les enfants sauront jeunes ce qu'est la vie, plus ils seront protégés. *(Les chercheurs de vérité, I, 09–12–1989)*

À *propos du sida, on s'éloigne un peu des sidéens, mais vous disiez au sujet du cancer qu'il faut s'isoler, qu'il faudrait isoler les personnes. À ce moment-là, ils ne reçoivent plus d'amour ?*

Tout à fait, mais cette maladie fait en sorte qu'il en soit ainsi. Ce n'est pas une maladie pour rapprocher les gens, ce n'est pas une maladie où l'on trouve facilement des gens pour consoler. Comme le nombre de malades ayant le sida dépasse actuellement le nombre de personnes prêtes à les aimer, cela entraîne l'effet contraire, et cela fait une chaîne, et la maladie se répand. Ces personnes ne sont pas comme vous ce soir. Elles n'ont pas reçu cette programmation; mais elles en ont reçu une différente. Une programmation très simple d'ailleurs : vous allez mourir, il n'existe aucun remède pour le sida. Ils n'ont aucune chance. C'est plutôt le problème à regarder, pas seulement l'amour que vous aurez pour eux. Rappelez-vous ce que nous vous avons dit tout à l'heure : l'amour est en vous, ce ne sont que les surplus de l'amour qui vont à l'extérieur de vous, sinon ce serait de l'hypocrisie. Tenter d'aimer une autre personne sans s'aimer soi-même est une forme de suicide, parce qu'on en vient tôt ou tard à s'en vouloir, à se tricher. C'est la vérité. *(Harmonie, II, 08–12–1990)*

C *omment aider une personne ayant un cancer ?*

Continuez à l'aimer. Démontrez-lui une connaissance de la vie plus profonde que la sienne. Si vous avez intérieurement la foi profonde de l'amour, cette forme ne le ressentira pas sans que vous n'utilisiez des mots mais l'Âme vous percevra et cela servira à encourager la forme. Neuf cas de cancer sur 10 proviennent de causes déjà établies d'avance; seul 1 cas sur 10 est génétique. Il vous serait futile quand la maladie est aussi avancée de tenter de faire comprendre à cette personne la cause de sa maladie. *(Les chercheurs de vérité, I, 09–12–1989)*

Comment aider une personne en phase terminale ?

Certaines personnes ont choisi d'être en phase terminale. Pour les aider, il vous faudrait les reprogrammer au complet. Trouvez le problème qu'elles ont et vous en trouverez le pourquoi. Toutefois, ne confondez pas les problèmes génétiques qui peuvent se communiquer de cellule en cellule et de siècle en siècle. *(Les pèlerins, I, 27–01–1990)*

Nous savons aussi que vous êtes aussi très absorbés par les valeurs de vos vies; nous savons que, si vous aviez tous le choix de pousser sur un bouton pour que tout s'arrange, vous le feriez tous. Mais cela ne fonctionne pas ainsi. Comme nous l'avons dit au début de cette session, lorsque cela ne va pas, vous attendez une réaction de vos formes plutôt que d'arranger votre situation. Et lorsque ces réactions ont lieu, vous réagissez à votre situation, parfois avec du retard, ce qui entraîne des complications dans la maladie, et c'est parfois irréversible. Notez que vous faites tous la même recherche actuellement : la recherche des miracles, des solutions rapides, moins douloureuses, moins nocives, comme vous dites, pour vos organismes. Quelle foutaise ! Rendez-vous compte ! Vous vous polluez l'esprit tous les jours jusqu'au point d'être malades et vous cherchez des solutions miracles qui n'empoisonneront pas votre organisme, alors que vous empoisonnez vos vies pour des riens. Vous trouvez cela normal ? Vous trouvez que cette recherche est équilibrée ? Ce ne sont pas des médecines douces qu'il vous faut mais des vies douces... pour éviter justement les médecines douces. C'est cela le remède idéal. Regardez ce qui change de vos jours. Toutes les fois que vous vous en êtes fait — il aura fallu plus ou moins de temps selon les individus —, c'était toujours pour vous rendre compte par la suite que vous vous en étiez fait pour rien. Vous pouvez le constater en prenant du recul mais, lorsque vous le vivez, vous n'en êtes pas conscients, vous vivez parfois vos événements avec douleur. Pourquoi ne pas devancer le temps un peu plus pour être vous-mêmes ? Vous vous croyez obligés de faire un travail que vous n'aimez pas, par insécurité. Vous l'apprenez chèrement. Nous venons d'entendre d'autres remarques : «Ce n'est pas le temps actuellement. » Mais quand sera-t-il le temps ? Si un travail ne vous convient pas, prenez au moins le temps d'y penser, de vous souhaiter mieux, de bien visualiser dans vos têtes ce que vous souhaitez. C'est la même chose pour les gens qui vivent à vos côtés. Vous voulez les changer ? Changez-vous ! C'est aussi une façon d'envisager vos vies. Sans changement, rien ne s'est jamais passé et rien ne se passera dans le futur. Tant que vous rechercherez des miracles, rien ne se produira. Tant que vous rêverez, vous ne créerez pas. Soyez réalistes. Vous croyez qu'il s'agit simplement de rétablir les soi-disant énergies d'une forme pour que celle-ci se guérisse. Mais à quel prix ? Bien souvent, au risque de vos propres vies. Ce n'est pas parce qu'une méthode porte un nom qu'elle est valable. Regardez vos produits pharmaceutiques. Plusieurs des produits actuels étaient souhaitables il y a seulement cinq ans mais, actuellement, vous vous rendez compte qu'ils ont créé des maladies très graves; et pourtant il n'y avait pas de problème il y a cinq ans. Les énergies de vos formes, cette forme d'électricité qui les parcourt, sont constamment équilibrées car elles sont autoréglables. Vos formes sont constamment à la recherche de cet équilibre. Si vous les forcez sans ajouter ce qu'il faut consciemment dans l'esprit de la personne, si vous rééquilibrez l'énergie des formes sans équilibrer la pensée de la personne, vous les forcez à se déséquilibrer à d'autres endroits, et ainsi de suite. Oui, vous apporterez des soulagements, mais ce ne seront que des soulagements temporaires. Nul ne peut forcer une forme à guérir si elle ne le veut pas. Vous pourrez atténuer les symptômes de la maladie, et ses effets parfois, mais vous allez vous rendre compte qu'après un certain temps, cette personne développera une maladie encore plus grave et que vous ne pourrez pas la guérir avec de l'énergie. Donc, le travail doit se faire à la fois au niveau de la conscience de l'individu et au niveau de l'énergie. Cela va plus loin : il faut faire en sorte d'apprendre à différencier le taux vibratoire de votre propre énergie de celui de l'autre personne, sinon vous allez mélanger votre énergie à celle de l'autre personne. Cela devient de la programmation inconsciente, ce qui veut dire que vous pouvez même transférer le mal à votre propre forme. Vous ignorez tout à ce niveau. Actuellement, cela a l'air d'un jeu pour vous, un rêve : le soulagement par l'imposition des mains. Celui que vous appelez Jésus a tenté cela aussi. Vous avez vu comment cela s'est terminé dans l'histoire ? Vos sociétés actuelles ne manqueront pas de faire la même chose à tous les niveaux. Cela ne s'est pas terminé sur la croix pour Jésus... nous voulions juste utiliser l'image. Si cette personne était capable il y a 2000 ans de dire qu'à moins d'avoir la foi, personne ne pourrait guérir, comment pouvez-vous actuellement guérir seulement en imposant les mains et en rétablissant l'énergie ? Vous ne faites que déplacer les symptômes. C'est cela que nous voulions dire au début en vous disant qu'à moins d'amener le conscient à accepter volontairement les changements, il n'y aurait que des changements de symptômes. Vous savez ce qui arrive alors ? Si la forme ne perçoit plus consciemment la douleur, elle en vient à comprendre comment s'y prendre et elle trouve une maladie beaucoup plus grave; lorsque viendra le temps de la guérir, il sera trop tard. Vos formes ne sont pas idiotes, vous savez. Seulement de vouloir comprendre comment elles fonctionnent est déjà un travail en soi. Nous considérons que vous ignorez tout sur vos formes, tout du fonctionnement de vos cerveaux et des relations intercellulaires de vos formes. Tout cela est moins connu que ce que vous connaissez de l'Univers. Il y a encore beaucoup de questions en suspens à ce sujet, pas seulement sur la façon de guérir les autres mais de vous guérir vous-mêmes, sur la façon de vous accepter vous-mêmes à travers la maladie. Que faut-il comprendre dans la maladie ? Tout cela, c'est pour vous. Vous voulez des miracles ? Croyez-y pour vous-mêmes avant tout. Quand tout fonctionnera bien pour vous-mêmes, vous serez en mesure de le faire comprendre aux autres. D'ici peu, beaucoup d'études seront publiées sur les effets des ondes à basses et à hautes fréquences. Vous ignorez tout de cela. Vous croyez que la technologie actuelle est avancée, qu'elle vous aide ? C'est en partie vrai, mais vous ne voyez pas les méfaits qu'elle cause à vos formes. Vous ne voyez pas non plus que vos cerveaux ne sont plus capables de retransmettre les ordres nécessaires aux fonctions vitales de vos formes lorsqu'elles sont bombardées constamment par toutes ces ondes. Il est encore trop tôt pour vous l'expliquer. Nous le ferons au long de ces sessions si vous posez les questions nécessaires. Faites un peu plus d'efforts et vous comprendrez cela à la fin, vous verrez. D'ailleurs, nous y verrons. Tous ces changements au niveau de vos formes doivent être compris si vous voulez vous comprendre vraiment, si vous voulez vous changer sans qu'il y ait de douleurs. Il faut comprendre cela. Nous vous avons dit antérieurement qu'une personne qui ne sait pas ce qu'elle fait peut retransmettre à sa forme non seulement les douleurs mais la maladie de la personne qu'elle soigne. Comment est-ce possible ? Très simplement. Supposons que vous soigniez une personne qui a des problèmes au niveau des reins, peu importent ces problèmes, disons un problème de fonctionnement; cela veut dire que son rein a une vibration altérée par rapport à la normale. Supposons que vous ayez aussi une faiblesse à ce niveau. Comme les cellules des formes se perçoivent, vos formes se perçoivent mutuellement. Si jamais vous étiez dans une phase où vos reins ont aussi des problèmes de plus en plus graves, que feraient vos reins ? Ils adopteraient les vibrations de l'autre forme sans que vous le sachiez. Cela se fait comme cela. Si vous avez en outre une baisse au niveau de l'énergie de votre forme — nous parlons de l'énergie totale de la forme, celle retransmise par le cerveau et la circulation sanguine —, ce serait immédiat. Vos hôpitaux ne l'ont pas encore compris, mais cela viendra. En plaçant des personnes qui ont un début de cancer dans des chambres où d'autres personnes ont des cancers similaires plus évolués, on aggrave leur cas. C'est vrai non seulement si on les place dans la même chambre mais aussi dans les autres chambres. Vous ignorez tout de cela. Vos savants en sont venus à écouter l'Univers et ils ont traduit cela par différents bruits, par différentes formes de musique. Même l'énergie d'une ampoule, d'une seule ampoule, peut atteindre l'extrémité de l'Univers. Quel que soit le temps nécessaire, elle l'atteindra. C'est comme cela que vous utilisez les sons d'ailleurs. Vos formes émettent des sons, elles vibrent. Pas besoin de les entendre, elles vibrent. C'est comme cela qu'elles se tiennent ensemble, qu'elles ne font qu'un, comme l'Univers d'ailleurs. Ignorer ce fait, c'est de l'inconscience totale. Tout cela pour vous faire comprendre que, même si vous n'y pensez pas, vos formes se perçoivent entre elles, très bien même. Si vous êtes dans les dispositions nécessaires, vous attraperez ce qu'il faudra. C'est une façon de comprendre que vous n'êtes pas obligés de penser pour que vos formes se programment. C'est ainsi que cela se fait. Pensez-y bien. Vous découvrirez plusieurs raisons qui expliqueront pourquoi certains membres de votre famille ont été plus malades dans les hôpitaux qu'avant d'y être. Vous direz : « Cela dépend de la sensibilité de chacun. » C'est un fait. Pourquoi les infirmières et les médecins ne sont-ils pas tous malades ? Parce qu'ils ont accepté leur travail, parce que leurs formes sont conscientes du niveau de protection dont elles ont besoin. Le médecin, par ses études poussées, se protège très bien : vous l'avez tous remarqué un jour ou l'autre chez ces médecins insensibles aux patients. Qu'arrive-t-il à ces infirmières qui aiment trop ? La majorité d'entre elles s'affaiblissent. Comprenez bien que, malgré votre cerveau, vos formes communiquent entre elles. D'ici 30 à 40 de vos années, ce sera un peu plus évolué dans ce domaine; vous en saurez alors un peu plus. Dans un peu moins de 100 de vos années, il existera des appareils qui écouteront vos formes — pas vos voix. Les médecins pourront ainsi calibrer les vibrations de vos formes sur des normes déjà acquises et les réparer uniquement en réajustant ces vibrations, sans opération. Cela se fera. Cela se fait déjà dans plusieurs autres mondes. Les boucheries existeront encore mais seulement pour vous nourrir, pas pour observer vos formes. Vous en êtes encore à chercher à comprendre les rejets qui surviennent lors des greffes d'organes, à chercher des produits forçant les organes transplantés à vivre. Rendez-vous compte que c'est la même chose dans votre quotidien. Combien prennent des pilules pour la même raison, pour se forcer à vivre. Cela doit changer sinon vous n'allez faire que cela : trouver des raisons pour vivre et non pas vivre. Qui d'entre vous ne se remet jamais en question ? Qui d'entre vous n'a pas une journée sur deux pour penser à une partie de cette vie qu'il n'aime pas ? C'est cela qui vous conduit à chercher des raisons de vivre. Il y a encore beaucoup à faire pour que vous compreniez bien tout cela, mais de savoir ce que nous venons de vous dire va au moins ouvrir une porte de plus. Il faut rendre vos vies moins lourdes, dédramatiser tout cela avant qu'il ne soit trop tard. C'est aussi notre but avec vous tous. (*L'envol, II, 11–04–1992*)

*E*n fait, si on veut aider quelqu'un d'autre, on n'a qu'à lui envoyer de l'amour ?

Surtout de la compréhension. Si vous connaissez bien vos couleurs, que vous en avez fait une charte et qu'elle vous convient, lorsque vous penserez aux autres, votre aide dépendra aussi du sens dans lequel iront vos pensées. Si c'est pour guérir les autres, faites-leur comprendre que vos capacités ne sont peut-être pas de guérir leur maladie, mais de leur faire comprendre ce qu'est la maladie. La majorité d'entre vous sont ici pour eux-mêmes, en premier lieu. Ce sera ce que vous refléterez envers les autres qui comptera. Si les gens vous perçoivent comme des êtres différents, ce sera l'image que vous projetterez qui comptera, et non pas ce que vous ferez avec vos doigts ou avec votre imagination dans certains cas. Certaines personnes ici présentes aident les gens avec leurs mains, mais c'est leur fonction; nous ne pourrons donc pas généraliser. Il y a des multitudes de méthodes pour susciter un début de compréhension : la numérologie, l'étude des rêves, l'astrologie, le tarot pour certaines personnes. Peu importent les moyens utilisés, c'est le résultat qui comptera. Le plus important, c'est de comprendre qu'il y a toujours plus. Si vous voulez aller plus loin, il y a toujours possibilité. Avons-nous répondu à cette question ? *(Les chercheurs de vérité, IV, 21–04–1990)*

*L*a méthode ayurvédique qui préconise le son primordial comme méthode d'autoguérison, est-ce vrai ou c'est du charlatanisme ?

Les sons sont fort similaires aux couleurs. Certaines personnes ne réagiront pas bien aux couleurs, simplement parce que ce ne sera pas assez profond comme réaction. Le son constitue une autre méthode. La preuve en est fort simple. Depuis des siècles et des siècles, vos musiques existent de façons fort différentes et il y a toujours de nouvelles compositions. Serait-ce qu'il y a de plus en plus d'imagination ou serait-ce que les sons doivent différer selon l'évolution des formes ? Pensez à cela. Vous verrez que votre musique a aussi une évolution et que vos formes ont aussi une évolution. Ce qui convenait aux formes il y a 10 de vos années, ne convient plus aux formes actuelles. Ce n'est pas une question de goût, c'est une question de vibration. Si la musique vous rappelle des sentiments, c'est très bien. Utilisez-la si elle peut vous aider; certains croient même que les vibrations de la musique peuvent créer et guérir. Nous vous suggérons que ce ne sont pas les notes, mais les longueurs d'ondes de ces mêmes vibrations qui guérissent. Dans un sens, lorsque certains de vos organes sont touchés par certaines fréquences, cela peut aider. On emploie cette méthode actuellement. Vous pourriez comparer cela à des micro-ondes; les ondes sont utilisées pour détruire ce que vous appelez des pierres. Si vous utilisez les vibrations causées par la musique elle-même, à très haut niveau, vous pouvez masser certains de vos organes, mais cela ne guérira pas automatiquement vos problèmes. Il faut qu'il y ait la pensée aussi. Actuellement, même avec votre médecine chimique, lorsqu'on vous donne des médicaments, n'oubliez pas le côté suggestif qui doit les accompagner et vous irez beaucoup mieux. Si on vous disait : « Prenez ceci, mais vous n'irez probablement pas mieux et nous essaierons autre chose », votre confiance serait très minime. (*Les chercheurs de vérité, IV, 21–04–1990*)

L *a médecine la plus évoluée est celle de la pensée. Pensez-vous que la médecine holistique soit quelque chose qui soit très bien pour nous ? Connaissez-vous The Aids ?*

Mais quel est le but réel de cette question ? Parce qu'en fait, vous nous demandez notre opinion sur une matière.

J'ai eu l'impression d'avoir eu une intuition ou une inspiration très forte un matin où mes yeux coulaient beaucoup. J'ai pensé à Monique très fortement et je me demandais si je ne pouvais pas l'aider dans une guérison semblable.

Est-ce que vous aviez confiance en cela, ou était-ce seulement... au cas où ?

Non, j'avais confiance.

Comprenez bien que, si vos maladies sont aussi causées par vos pensées, à un très fort pourcentage, les guérisons le sont aussi dans le même sens. Peu importe ce que vous utiliserez pour guérir, que ce soit pour vous-même ou pour les autres, si vous avez confiance en la méthode utilisée, vous réussirez. N'oubliez pas que, pour une même maladie chez deux personnes différentes, les moyens à utiliser seront différents encore une fois. Cependant, si votre façon de convaincre est suffisamment puissante pour convaincre la personne malade qu'elle guérira et si celle-ci vous croit, il y aura succès. Sinon, vous devrez employer une autre méthode. Donc, la guérison est basée sur la confiance et aussi la maladie, sauf que vos pensées intercèdent très souvent en cela. Pensez à ces faux médicaments que vous appelez placebo; s'ils ont guéri des gens, c'est donc qu'ils fonctionnaient par confiance. Peu importe ce que vous prendrez comme méthode ou comme produit, si vous êtes convaincants, si vous savez transmettre votre foi, cela réussira. Le résultat est dû beaucoup plus à la personne qui soigne qu'au médicament. Le simple fait d'ignorer ce qu'est une maladie en particulier vous protège déjà de celle-ci. Par contre, plus vous serez documentés, non seulement vous mais aussi les autres, sur des maladies en particulier, dans le détail, plus consciemment vous serez prêts à les accepter parce que vous saurez ce qu'elles sont; vous vous serez faits à l'idée. Inversement, il y a de fortes chances que vous n'ayez pas les maladies dont vous ignorez l'existence. Un seul exemple pour vous. Supposons qu'il y ait une personne ayant la grippe ce soir. Du simple fait que vous sachiez que vous êtes sujette à l'attraper, vous l'aurez. Ce n'est pas nécessairement parce que vous l'aurez contractée mais parce que votre organisme sait déjà ce qu'est ce virus, il en créera donc l'effet et attrapera lui-même le virus. C'est pour cela qu'il y a des gens oeuvrant en milieu hospitalier qui n'attrapent pas ces maladies; ils ont appris à les éloigner, pas pour eux-mêmes, pour ceux qui les ont; il y a nuance en cela. En effet, vos sociétés fort évoluées vous apprennent qu'il existe des maladies et, comme si ce n'était pas suffisant pour vous en convaincre, on vous en décrit les symptômes en détail, on en fait l'analyse à la télévision, on vous montre des gros plans, bref on vous en donne suffisamment pour vous convaincre. Et lorsque vous vous mettez à douter, à craindre d'avoir ces maladies, s'il y a faiblesse au niveau de vos pensées ou de certaines cellules de votre forme, vous les contractez. Pourquoi croyez-vous que le sida se soit autant répandu ? Pourquoi croyez-vous qu'il y ait autant de cas de cancer ? Nous vous avons dit, dans une session antérieure, que les cellules n'avaient pas besoin de contact entre elles pour se programmer. C'est trop nouveau pour vous encore, pour le niveau de la science actuelle, mais c'est tout de même une réalité. Vous relirez la transcription de cette session, vous comprendrez beaucoup mieux la maladie. (*Les colombes, IV, 08–09–1990*)

C omment une personne peut-elle se guérir d'une maladie ?

Comment une personne devient-elle malade ? Nous vous posons cette question.

Les causes sont parfois inconnues dans les pensées.

Demandez-le à la personne malade ou analysez-la de près. Regardez ses émotions, regardez ses sentiments envers elle-même, regardez son comportement envers son entourage, vous trouverez une faille. Cela a pu débuter lorsqu'elle était chez ses parents, il n'y a pas d'âge pour cela. Tout dépend de la volonté qu'il y a eu à programmer cette forme ou à la déprogrammer. Vous voulez savoir comment vous guérir ? Faites la même chose que lorsque vous êtes devenus malades : acceptez le fait, puis reprogrammez vos formes par une pensée plus positive, par visualisation, par reconstruction de vos cellules. Cela se fait généralement tout seul, sauf qu'il faut le savoir. Nous vous avons dit des mots qui n'avaient jamais été dits, donc vous ignoriez auparavant que vous pouviez reprogrammer vos formes. Pas les organes malades ! Concentrez-vous sur un poumon malade, vous verrez, vous le rendrez encore plus malade. Personne ne peut guérir seulement en se concentrant sur la partie malade de la forme, parce que les autres parties se trouvent ainsi être oubliées. Rappelez-vous : pas une partie, mais l'ensemble. Si vous pensez comme cela, vous comprendrez très vite le fonctionnement de vos formes. Plus important encore, vous allez les laisser tranquilles une fois que vous les aurez programmées pour qu'elles se guérissent. Occupez-vous seulement de vos pensées. Cessez d'y penser. Vous voulez un exemple ? Il y a des heures de visites dans vos hôpitaux. Demandez aux médecins ou aux infirmières à quel moment les malades sont le plus malades. Réponse ? Dès que les visites débutent ! Pourquoi ? Parce qu'ils ont des raisons d'être malades et ils s'en souviennent. Un malade sera au lit pour recevoir la visite alors qu'il était dans le corridor une heure auparavant. C'est la même chose pour vos formes : vous les programmez de la même façon par des raisonnements et, ce qui est plus important encore, vous ne lâchez pas prise. Dites à un malade qui souffre du foie que vous le plaignez, que c'est très douloureux et rajoutez ce que vous voulez pour le convaincre encore plus, vous lui donnerez des raisons d'y penser. Plus il y pensera, plus il se concentrera sur sa maladie et plus il la fera progresser ou la maintiendra. Par contre, dès que cette personne en aura assez, qu'elle pensera à autre chose, à sa famille ou à autre chose, elle guérira. *(Harmonie, II, 08–12–1990)*

*L*orsque vous parlez de travailler avec la pensée, vous voulez dire de travailler avec les cellules saines pour guérir les autres ?

Cela a toujours été.

Lorsque vous dites qu'après une opération, trois personnes sur cinq se trouvant à côté de quelqu'un qui a un cancer vont l'attraper, est-ce qu'une personne faisant un travail sur ses cellules saines peut y échapper ou est-ce irrévocable ?

Mentionnez-vous une personne innocente de cela qui l'aurait attrapé de façon involontaire par contact de cellules ?

Oui.

Quelques instants que nous trouvions des cas où cela s'est produit... Nous avons trouvé quelques cas où les gens avaient subi des opérations et ne croyaient pas à la maladie comme telle. Ces gens ont fait en sorte d'émettre une énergie autour d'eux, tout à fait involontairement d'ailleurs, qui neutralisait très bien l'influence des cellules cancéreuses. Remarquez que les gens qui sont dans les hôpitaux à cause de maladies physiques incontournables et qui ne le souhaitaient pas, ne sont généralement pas prêts à recevoir la maladie puisqu'ils en sont éloignés et que cela ne fait pas partie de leur façon de penser. Dans un certain sens, ces gens sont plus équilibrés; autrement dit, pour ces gens, les maladies ne s'attrapent pas entre les gens comme cela et, surtout, ils éloignent la maladie de leurs pensées. Donc, les vibrations de leurs cellules et le champ d'énergie de leurs formes sont modifiés, et ce, dès qu'ils reprennent conscience. De là l'importance d'avoir une pensée très forte puisque, souvenez-vous, les gens qui ont été anesthésiés ont un système immunitaire déficient pour au moins six de vos mois. *(Harmonie, II, 08–12–1990)*

*E*st-ce que la réflexologie est un moyen pour nous aider ?

Un moyen de plus seulement. C'est un moyen qui peut vous aider si vous y croyez; c'est une autre approche. C'est aussi à la base de vos naissances. C'est la première chose qui vous arrive en venant au monde : on vérifie vos réflexes. Il est donc normal que vos formes se reprogramment comme cela. Pour vous, c'est revenir à la source, réapprendre à la source. Vos cerveaux savent très bien que c'étaient les premiers mouvements de votre vie. Dans un sens, cela peut être utile. Vous savez, il pourrait y avoir abus dans cela comme dans d'autres choses. Prenez ce qui vous convient lorsque cela vous convient. Si cela vous force, ce n'est pas bon pour vous. Ce n'est qu'un moyen comme un autre. Un simple verre d'eau peut être aussi efficace. Tout dépendra de ce que vous visualiserez lorsque vous boirez et ce que vous croirez boire aussi. *(Symphonie, II, 04–05–1991)*

*D*ans une session, vous avez parlé de guérison. Tout à l'heure vous avez parlé de vie. Est-ce qu'on se dirige vers la guérison à distance ?

Comment se fait-il, dans ce cas, qu'il y ait des gens qui sont constamment en bonne santé et d'autres qui sont constamment malades ? Votre question suppose que les gens malades peuvent se guérir eux-mêmes. Il y a une part de vérité dans cela. Mais, pour guérir, il faudrait que ces gens soient conscients du pourquoi de leur maladie, il faudrait qu'ils analysent leur vie jusqu'à ce qu'ils comprennent à quel point ils se sont emmerdés eux-mêmes — et ce terme n'est pas grossier, il est à peine réel ! Par ailleurs, il y a des gens qui ne sont pas malades. Ceux-là pourraient apporter la guérison aux autres, bien sûr, car leur énergie est plus élevée habituellement. Vous dites, en d'autres termes, qu'ils ont plus de force. Effectivement, ces gens peuvent rétablir vos propres énergies si vous êtes malades, mais il ne faut pas combattre par la suite, sinon vous revenez au point de départ. Nous vous le disons : il n'y aura plus de maladies dès que vous accepterez de bien vivre, dès que vous accepterez en premier vos réalités, dès que vous cesserez de vous battre pour ce que vous ne voyez même plus, dès que vous

vous respecterez, dès que vous cesserez de subir et dès que vous cesserez de vous sentir responsables pour les autres. Cela implique plus que l'imposition des mains, sinon tout le monde pourrait s'imposer les mains. Regardez l'époque de Jésus. Ce n'était pas tous les individus qui s'adressaient à lui qui guérissaient, seulement ceux qui avaient confiance. Qui donc avait cette confiance ? Ceux qui voulaient s'en sortir. Et cela n'a pas changé aujourd'hui. Pourquoi certaines statues guérissent-elles ? Elles n'imposent pas les mains, elles n'ont aucune radiation et n'irradient aucune foi non plus. Ne serait-ce pas que les plus grands médecins du monde sont déjà entre vos deux oreilles ? Ils ne sont certainement pas dans des cliniques, parce que les médecins qui sont dans les cliniques ne tenteront même pas de vous convaincre de l'existence du médecin entre vos deux oreilles. Pensez bien à ceci la prochaine fois : si les statues peuvent guérir, vos murs peuvent le faire. Donc, vous pouvez aussi le faire vous-mêmes. Il suffit d'y croire. Trouvez l'enfant que vous aimez le plus, l'être humain que vous aimez le plus, et prenez tout l'amour auquel vous avez droit. Accordez-vous donc d'être aimés. Vous verrez que la maladie disparaît vite dans ce temps-là. *(Renaissance, III, 09–11–1991)*

Q *uelqu'un qui fait de la guérison peut-il avoir ou recevoir des marques sur sa personne ?*

Tout dépendra de la croyance de cette forme, de ce qu'elle voudra vivre, de ce que cela représentera pour elle. Si, selon ses croyances, il faut des signes évidents pour guérir une autre personne, sa forme lui en donnera, mais ce n'est pas une obligation. Cette forme devant vous [Robert] accepterait encore moins de guérir si nous devions faire en sorte que ses mains saignent à chaque fois ! En d'autres termes, cette forme [Robert] n'a pas besoin de clous. Donc, les marques de reconnaissance sont pour qui ? Pour que les autres admettent ? Une personne qui guérit avec foi et amour ne pense pas aux suites; elle pense seulement à retransmettre cette forme d'amour et de partage, puisque la guérison est du partage de soi. Si pour se convaincre et convaincre les autres une personne a besoin de signes, les marques sont possibles. *(L'envol, I, 07–03–1992)*

E st-ce qu'on peut se sortir sans séquelles d'un accident alors que les médecins disent qu'il faut apprendre à vivre avec son mal ?

Il y a des douleurs physiques qui sont parfois permanentes, mais c'est vous qui les ressentez, pas les médecins. Les médecins s'appuient sur des statistiques, sur le nombre de personnes blessées de la même façon et qui peuvent leur dire ce qu'ils ressentent. Actuellement, vos technologies vous apprennent que la douleur est un signal avant-coureur ou un signal d'entretien de la maladie qu'émet la forme selon un problème donné, ou connu, ou à découvrir. Pour répondre à votre question, une douleur peut apparaître à la suite d'une blessure profonde, mais s'il vous est appris que vous devez vivre avec la douleur, vous la vivrez, parce que vous donnerez à votre forme l'instruction d'entretenir la douleur afin de vous le confirmer [que vous devez vivre avec la douleur]. Mais pourquoi une forme vous rappelle-t-elle à l'ordre comme cela ? Tout simplement pour que vous ne vous blessiez pas de nouveau au même endroit, pour que vous sachiez que cet endroit de votre forme sera plus sensible qu'un autre à l'avenir, et cela préviendra vos mouvements. Sachant cela, si vous habituez votre forme à agir avec prudence, vous ne serez pas obligés d'entretenir la douleur et vous pourrez passer outre. Dans votre cas, il y a des appareils pouvant vous enlever cette douleur assez rapidement; vous appelez cela un TENS (*Transcutaneous Electrical Nerve Stimulator*). Bien appliqué, il pourrait enlever plus de 90 % de la douleur et aider aussi à la guérison complète. Nous savons que plusieurs médecins n'apprécient pas ces instruments et pour une raison fort simple : quand vous n'avez plus de douleur, vous n'avez plus besoin d'eux. Dans votre cas en particulier, ce serait très utile. Votre question pourrait être aussi : est-ce que des gens peuvent vivre dans le malheur toute leur vie et que ce soit un but ? Non, mais vous pouvez choisir de le vivre ainsi. Notre but est justement de vous montrer le contraire, de vous apprendre à ne plus être constamment en réaction et à vivre réellement la vie pour ce qu'elle est vraiment. Regardez les personnes âgées : toutes vont vous dire que la vie passe donc rapidement ! À 20 ans, elles disaient : « Les autres sont âgés, mais j'ai toute la vie et c'est long. » Tout dépendra vers quoi sera axée votre vie. Pour certains, 80 ans, c'est très jeune; pour d'autres, c'est très âgé. C'est dès maintenant que vous devez vous préparer, pas à 70 ans, ce sera trop tard. Vous avez actuellement une saison que vous appelez le printemps. Avez-vous remarqué qu'au bout de chaque branche d'arbre les repousses sont aussi nouvelles qu'au tout début, même chez les arbres centenaires ? Comment se fait-il que dans vos formes vous acceptiez de vieillir comme vous le faites ? Ce n'est pas une norme. Si un arbre peut le faire, imaginez vos formes. Donc, la douleur n'est pas une chose normale, mais tout dépendra de ce qu'elle cachera et de ce que vous en ferez. *(L'envol, III, 09–05–1992)*

*O**n sait que, dans certains cas de cancer ou de maladies dégénératives, certaines personnes arrivent à se guérir. Est-ce qu'une personne qui a le sida peut se guérir ?*

Oui, même chose. Il n'y a aucune maladie dont vos formes ne puissent se débarrasser. En d'autres termes, ce que vous créez, vous pouvez le détruire aussi. Si vous avez la même force pour détruire ce que vous avez créé, cela ne traînera pas. Ceux qui sont malades font bien souvent l'erreur de se concentrer sur les moyens d'arrêter la maladie plutôt que sur la cause, et cela empire habituellement, et rapidement. Voilà l'avantage d'être soi-même à 100 %.

Est-ce qu'il y a des moyens plus spécifiques pour que ces personnes-là guérissent ?

Que ces personnes se prennent en main. Rappelez-vous ce que nous avons dit un peu plus tôt au sujet de la foi, de la confiance. Si vous apprenez à écouter une personne qui vous dit : « Oh ! madame, dans six mois pas plus, vous serez morte car tous ceux qui ont cette maladie meurent en six mois », combien de chances vous donnez-vous de guérir ? Aucune ! C'est tout le système actuel qui a besoin d'être révisé. Tous ces gens défaitistes qui soignent et qui n'ont même pas confiance en ce qu'ils font... La plupart de vos médecins vont vous dire : « Si cela ne va pas mieux, revenez me voir. » Quelle confiance en soi ils ont ! « Si ces pilules ne vous font rien, rappelez-moi. » Quelle confiance ! Et vous leur faites confiance... Tant que cela fonctionnera ainsi, plus vous chercherez et moins vous trouverez. Les réponses sont en vous. Soyez honnêtes avec vous-mêmes; la première personne à respecter, c'est vous. Demandez aux gens qui ont des cancers de revenir ne serait-ce que sur les trois dernières années avant leur maladie — ce qui est le délai habituel — et demandez-leur quelles restrictions ils se sont imposées; demandez-leur ce qu'ils auraient dû faire et aussi ce qu'ils pourraient changer qui les rendrait heureux. Vous verrez comme ils seront loquaces. Mais vous n'écoutez pas. Vous croyez que quelqu'un d'autre peut vous enlever la maladie. Relisez les textes des sessions précédentes. Combien de fois n'y avons-nous pas mentionné l'intelligence de vos formes ! Il n'y a pas une seule de vos cellules, pas un atome de vos formes qui ne sache ce qu'il a à faire pour que vous viviez. C'est pourtant très clair. Barrez-leur la route par des pensées, tentez de les reprogrammer autrement et vous subirez la maladie. Apprenez ce que sont les maladies... très bien ! vous saurez comment vous les donner. Vous apprenez à calculer avec des chiffres, vous apprenez à parler avec des mots, vous apprenez à marcher en étant supportés. Tout ce que vous apprenez, vous le faites. Si on vous apprend la maladie, que ferez-vous ? Vous attendrez une occasion et vous choisirez une maladie. Une preuve ? Il suffit qu'une personne sorte sans bien se couvrir par temps froid et qu'une autre lui dise : « Ne fais pas cela, tu vas attraper la grippe », pour qu'elle l'ait. Comme elle sait ce que c'est, faites-le-lui penser et elle l'aura parce que cela aura du sens. Si vous deviez écouter tout le monde pour vos bobos, comme vous dites, vous seriez constamment dans la douleur. Si vous avez des crampes et qu'une personne vous dit que c'est le cancer d'intestin, si elle vous convainc, il n'est pas nécessaire que vous l'ayez mais vous aurez au moins peur. Si c'était, vous l'auriez. Tout dépendra de l'information que vous aurez eue. Vous fonctionnez ainsi. Apprenez plutôt comment vos formes fonctionnent, comment elles raisonnent, comment elles réagissent et vous n'aurez pas cette maladie. Nous vous montrerons tout cela plus tard. Il faut au moins, au début, que vous admettiez ce fait. Si vous ne l'admettez pas, vous aurez ce que vous aurez demandé et vous réagirez. Et ce ne sont pas des vies de réactions que nous vous souhaitons mais des vies de choix, des vies où vous pourrez vous-mêmes composer votre menu quotidien pour ne pas laisser les autres manger votre vie. Vous n'êtes pas heureux ? C'est vous qui allez changer cela. Si vous comptez sur quelqu'un d'autre, rien ne se fera. Vous aurez de beaux rêves mais les rêves ne sont pas toujours réalité. Un rêve cesse d'être un rêve lorsque vous passez à l'action, lorsque vous choisissez, lorsque vous dites : « J'en ai assez ! » Ceux qui disent qu'ils en ont assez mais ne font rien connaîtront la maladie, ils connaîtront des gens qui dirigeront leur vie à leur place, si bien que leurs formes subiront non pas seulement ce qu'elles devront subir mais ce que la société entière leur fera subir. Vous vous serez habitués à subir et vous deviendrez intolérants face à vous-mêmes et face à la société. Vous avez tout, pas une banque ne possède les richesses que vous avez. Vous avez tout ce qu'il faut pour créer, tout ce qu'il faut pour obtenir. Qu'attendez-vous ? *(L'envol, III, 09–05–1992)*

O n parle de guérison avec les couleurs, qu'en pensez-vous ?

La guérison peut être faite effectivement, mais non pas seulement en suggérant des couleurs aux personnes à guérir ou en les exposant à des couleurs. Vous aurez beau enfermer une personne souffrant de cancer dans une pièce toute rose, cela ne la guérira pas. Cependant, si vous associez ses sentiments les plus refoulés à des couleurs et si elle veut participer, ce sera fort différent. Il y aura changement chez elle car le cancer, lorsqu'il n'est pas acquis génétiquement, est aussi associé et rattaché aux pensées négatives, dans la majorité des cas. Lorsque la signification des couleurs est bien comprise, lorsque ces personnes sont suffisamment ouvertes pour communiquer, elles sont ouvertes aussi pour apprendre et leur forme est ouverte à cela. Mais vous ne pouvez rien imposer, vous ne pouvez que suggérer. Vos méthodes actuelles pour soigner à l'aide des couleurs contiennent plusieurs foutaises. La seule personne qui peut se soigner de façon volontaire, c'est vous-même. Vous pouvez être soigné chimiquement, cela semble être le cas de la majorité, mais vous vous rendrez compte que, même s'il y a rémission, un autre problème surgira tôt ou tard si la cause n'a pas été soignée : soit qu'il y ait d'autres rebondissements dans la maladie ou que la maladie soit finale. Donc, donner une charte de couleurs pour chaque maladie n'est pas chose faisable, ni même possible. Par contre, si vous voulez soigner les gens avec les couleurs, montrez-leur cette méthode, aidez-les à bien la comprendre, à bien l'assimiler. Lorsque vous apprenez à marcher à un enfant, vous le soutenez jusqu'à ce qu'il fasse ses premiers pas. S'il tombe et qu'il pleure, vous riez; vous ne pleurez pas. C'est la même chose lorsque vous apprenez la méthode des couleurs : vous pouvez tomber, être découragés et vous dire : « Cette méthode n'est pas pour moi; hier, c'était le jaune qui me donnait l'amour et aujourd'hui je suis certain que c'est le vert. » Si à ce moment-là c'était le jaune qui était associé à l'amour, c'est que c'était le jaune, et si vous voulez retrouver cette sensation, imaginez le jaune et éliminez les autres couleurs, sinon vous serez confus. C'est comme pour l'enfant qui commence à marcher; il s'accroche à tout ce qu'il y a autour de lui pour pouvoir se tenir debout. Soyez convaincus de vos forces, de vos couleurs à vous. Lorsque vous vous serez aidés de cette manière, vous pourrez aider les autres, car cela se communique. Mais, encore une fois, n'oubliez pas que vous pouvez soutenir les autres dans leur compréhension sans adopter leur méthode.

Dans le même ordre d'idée, on dit que les organes ont des couleurs. Par exemple, on dit que pour les reins, c'est le vert, etc. Est-ce vrai ?

C'est un fait, mais sans plus. Vous voudriez...

Est-ce qu'on peut, en visualisant la couleur des organes, leur donner de l'énergie ou est-ce simplement dans la pensée ?

Combien de personnes ici savaient cela ? Vous voudriez nous faire croire que, si vous dites à toutes les personnes ici présentes que les reins sont verts, leurs reins auront de l'énergie s'ils visualisent le vert ? Pourquoi ne pas savoir que vos reins existent et les visualiser en bon état ? Nous allons vous expliquer cela d'une autre façon. Prenons ce que vous appelez le coeur, que vous associez au rouge. Si le rouge signifie l'amour et que vous faites ce que vous appelez un arrêt cardiaque, ce ne sera sûrement pas la couleur rouge qui vous réanimera, ni vos verts et rouges. Alors, ne tentez pas d'associer des couleurs à tout. Comment feriez-vous si pour certains le rouge signifie l'amour, alors que pour d'autres il signifie l'agressivité, et pour d'autres encore, tout simplement le fait d'être à l'aise parce qu'ils se sentent bien avec cette couleur ? Cela voudrait-il dire que, si le rouge symbolise l'agressivité pour vous, vous ne pourrez pas aider les autres ? Il est important que vous maîtrisiez tout cela. Si votre façon de penser est bien ajustée et bien dirigée à l'intérieur, si vous faites abstraction de tous les tabous et anciennes croyances, si vous vivez dans l'instant pour vous-même et que vos pensées sont justes, le vert ou le bleu que vous associez à vos reins ne sera pas si important que cela. Vous aurez d'ailleurs du mal à imaginer chacun de vos organes ou chacune de vos glandes jouant des rôles importants et à les associer à une couleur. De toute façon, ce serait beaucoup trop jouer avec votre imagination puisque vous ne les avez pas vu vous-mêmes de près. Certaines Cellules nous font remarquer que certains organes, lorsqu'ils sont en mauvaise condition, n'ont pas les couleurs mentionnées et sont fort différents. Si ces organes sont en mauvais état, c'est qu'il y a une cause et, s'il y a une cause, ce n'est pas une visualisation mais une compréhension de la cause qui réglera le problème. *(Les chercheurs de vérité, IV, 21–04–1990)*

Une autre chose que nous aimerions que vous compreniez : peu importe ce que seront vos pensées, même si elles sont négatives, il y a une chose que vous ne pourrez jamais nous empêcher de faire, celle de vous aimer comme nous aimerions aussi que vous vous aimiez. Nous tenterons cela tout de même.

Oasis

*La mort
c'est la vie et
la vie, c'est la mort.
Si ce n'était de votre façon d'interpréter
le départ, la mort serait autant
fêtée que la naissance.*

La mort

L es événements de la vie ne sont pas toujours ce qu'ils ont l'air. Écoutez bien cette session et vous allez comprendre que ce que vous appelez la vie comprend aussi bien la mort que la naissance. L'une ne peut aller sans l'autre. Quelle est la partie la plus importante ? Ni l'une, ni l'autre. Les deux ! Et si ce n'était de la peur, de votre façon d'interpréter le départ, la mort serait autant fêtée que la naissance. Vous désiriez pouvoir accompagner une personne dans la mort. Ce pourrait être un enfant ou un adulte, vous avez le choix. Nous pourrions aussi vous décrire l'approche d'une Âme dans une jeune forme; cela pourrait aussi faire partie de cette session. Nous savons que vous avez préparé des questions. (*Nouvelle ère, III, 02–05–1992*)

C *omment se passe le transit de la mort à la vie ?*

Nous vous encourageons à poser cette question à l'autre session; ce sera la première question. Pourquoi ? Simplement parce que nous aurons à élaborer beaucoup sur ce sujet. Nous le suggérons aussi à ceux qui ont des craintes à ce propos, qui ne sont pas certains de ne pas avoir peur de la mort. Toutes les questions sur le passage de la vie à la mort, la venue ou le départ, seront permises. Faites-le dans la prochaine session parce qu'il y a trop à dire à ce sujet. (*Alpha et omega, II, 21–07–1990*)

C *omment se passe le passage de la mort et la vie, du moment où on décède jusqu'à la prochaine réincarnation ?*

Quelle serait selon vous votre plus grande crainte personnelle au niveau de la mort : est-ce le fait d'en avoir conscience jusqu'à la fin, d'être abandonné jusqu'à la fin ? Quelle serait votre crainte selon vous ?

L'inconnu.

Parce que vous pensez comme une forme, c'est à votre niveau. Laissez-nous vous décrire ce qui se produit lors de vos décès. D'après toutes les observations que nous avons eues à faire, nous pouvons vous dire que jamais une Âme ne quitte une forme tant qu'il y a conscience et, même s'il n'y a plus conscience, l'Âme reste jusqu'à la fin complète pour encourager vos formes et par respect pour elles; il n'y a pas d'abus à ce niveau. La majorité des Âmes qui quittent les formes vont avoir de la peine, mais elles ont des sensations diverses, des émotions différentes des vôtres. Elles perçoivent la mort prochaine, ce qui fait que plusieurs d'entre elles ont des problèmes à ce niveau parce qu'elles ont eu des formes qui ont bien partagé leurs expériences, qui ont bien répondu et avec lesquelles le donnant, donnant a été très bien observé. Même si cela n'avait pas été le cas, les Âmes vont rester quand même dans les formes jusqu'au dernier de vos souffles. Nous avons observé plusieurs cas où il n'y avait plus aucune conscience dans les formes et où l'Âme restait tout de même, uniquement par respect. Par une demande du conscient, il arrive aussi que dans les tout derniers instants, l'Âme projette la vision de la forme dans le cerveau de la forme, comme s'il y avait ce que vous appelez voyage astral; cette sortie hors des formes est une projection de l'Âme. Elle le fait pour rassurer, pour encourager. En règle générale, les Âmes qui quittent les formes vont garder l'image de ces formes dans le but de retrouver des Âmes qui ont partagé avec ces formes et qui se sont bien connues. Celles-ci vont faire des visualisations uniquement, des imageries de formes : c'est fort fréquent. C'est ce que certaines personnes ont vu, par projection, lors de réanimations. Cela dépend des cas. Il y a des personnes ici qui ont plusieurs questions au sujet de la mort, n'hésitez surtout pas. *(Alpha et omega, III, 18–08–1990)*

*L*orsqu'on meurt, qu'y a-t-il après le tunnel noir ?

En fait, le tunnel noir n'existe pas. C'est qu'il y a une autre dimension que le cerveau perçoit parfois. Comme les cerveaux ne peuvent percevoir cette dimension complète, ils visualisent des tunnels, des espaces, pour faire la distinction, le passage entre les deux. Toutefois, lorsque l'Âme quitte la forme après vos vies, elle retourne immédiatement avec les siens. Elle est dans son niveau, elle est attendue par les siens aussi, soit par ceux qui ont déjà vécu avec elles ou par d'autres. Le tunnel est une imagination du cerveau pour concrétiser ce qu'il voit, pour mieux comprendre. *(Les flammes éternelles, I, 24–11–1990)*

*P*ouvez-vous nous décrire comment une forme vit une *mort ?*

Nous pouvons trouver une forme sur le point de mourir, si vous voulez. Est-ce cela que vous voulez que nous vous décrivions ?

Oui.

Quelques instants que nous en trouvions une. Ce ne sera pas difficile. Vous avez deux choix : désirez-vous que nous décrivions une personne entourée de sa famille, à l'hôpital St-Luc ou une autre personne, seule dans sa chambre, à l'hôpital Maisonneuve. Vous avez le choix.

La personne entourée de sa famille.

Cette personne va décéder par suite d'un cancer. Nous prévoyons que ce sera terminé dans trois à quatre de vos minutes. Pour l'instant, cette forme est plus ou moins consciente de l'écho des siens. Il y a des pleurs actuellement autour d'elle; une des personnes n'arrive pas à pleurer. Cette forme ne ressent pas la douleur. Cela se fera dans quelques instants, ce ne sera pas très long. Actuellement, nous observons le conscient de la forme qui n'a plus aucun lien avec sa propre forme. Cependant, nous pouvons vous décrire ce qui se passe dans ce cerveau, tous les visages... Cela pourrait être fait par télécommunication dans un sens, ce cerveau vient juste de revivre ce qu'il a vécu avec tous les gens présents dans la pièce. Il n'y a aucune émotion dans la forme. L'Âme est toujours dans cette même forme. Quelques secondes, ce saut va se faire... C'est chose faite ! Quelques instants que nous observions la réaction des gens présents... Dommage que vous ne puissiez voir cela, car cela vous donnerait encore plus le goût de vivre. Au-dessus de la forme, ses grands-parents l'attendaient. Bien sûr, le conscient en tant que cerveau est mort, mais l'Âme a continué de faire le lien encore une fois, par respect pour la forme qu'elle vient de quitter. Ils sont maintenant situés devant les gens autour du lit qui observent encore cette forme. Vous ignorez cela, mais vos Âmes peuvent pleurer même si elles n'ont pas de larmes, et c'est ce que nous observons. Nous n'aimions pas vous le dire dans le passé, mais c'est ce qui se produit. Cette forme était trop jeune. Quelques instants que nous observions le délai que cela prendra... L'Âme a quitté la forme complètement et, dans quelques instants, elle ne supportera plus ce qui se passe dans cette pièce et elle quittera... C'est chose faite, la forme est seule. Nous pouvons vous dire que, dans la forme, cela s'est fait avec douceur, comme dans la majorité des cas d'ailleurs. Cela a pris quelques secondes pour que le cerveau revoie ceux qu'il avait aimés, puis il y a eu contact avec l'Âme, une forme de remerciement de sa part. Nous observons que cette forme avait fait don d'organes... Nous allons vous reconfirmer encore une fois que toutes et chacune des cellules de vos formes sont conscientes. La famille n'est plus dans cette pièce. Les cellules sont tellement conscientes et le départ de l'Âme tellement important que les cellules des organes à être prélevés continuent de se maintenir en vie, contrairement aux cellules des organes de ceux qui ne font pas don d'eux-mêmes et qui s'atrophient très rapidement. Ce phénomène est toujours remarquable. Les réserves d'énergie sont suffisantes pour garder en vie les organes de ceux qui en ont fait le don; c'est une autre forme de programmation de vos formes. Vous allez être chanceux, nous allons vous décrire l'autre personne [qui meure seule]. C'est fait... Comparativement à ce qui s'est passé avec la première personne, l'Âme avait insisté un peu plus avec le conscient et il y avait vraiment eu contact. Mais cette personne était déjà dans le coma au moment de la mort. Le phénomène est le même, sauf qu'une fois que l'Âme a quitté cette forme, elle a rejoint sa dimension. Il n'y aura pas de don d'organes dans cette forme. Nous observons que sa famille était dans une salle d'attente tout près, quel gâchis ! Nous observons aussi que cette forme n'est plus dans sa chambre. Vous voulez que nous vous décrivions l'ouverture de la forme et le prélèvement des organes ?

Non. Est-ce que prélever les organes de la forme peut déranger le départ de l'Âme ou si c'est vraiment terminé ?

Le prélèvement d'organes ne dérange absolument pas l'Âme.

Cela ne se fait que très rarement lorsque les formes vivent. Dans des cas très rares et très isolés de comas plus prolongés, des prélèvements ont eu lieu, mais encore que très rarement. Une fois que l'Âme a quitté la forme... Remarquez que l'Âme ne quittera jamais une forme avant que tout ne soit réellement terminé, que le cerveau n'ait plus aucune image. Elle attendra. Dans certaines techniques de médecine, il arrive que les Âmes se fassent vraiment bousculer. Le cas des électrochocs en est un : il y a projection de l'Âme à l'extérieur de la forme et parfois retour précipité aussi, ce qui ne réussit pas toujours. Mais le prélèvement d'organes ne nuit à l'Âme à aucun moment. Ces formes qui donnent une part d'elles-mêmes continuent en quelque sorte à communiquer la vie et elles en sont très conscientes. Pourquoi y a-t-il des rejets, même d'organes prélevés chez des formes qui voulaient donner la vie ? C'est très simple : c'est que les formes qui les recevaient n'étaient pas prêtes. C'est qu'elles avaient elles-mêmes combattu cela dans leur propre vie. Elles ont peur de recevoir d'autres cellules humaines qui les changeraient. Vous préparez les formes pour ces opérations, mais vous ne préparez pas suffisamment les conscients de ceux qui reçoivent. Il serait pourtant si simple qu'une personne qui reçoit un coeur soit consciente que ce n'est pas un outil qu'elle reçoit, un objet, mais une autre forme de vie, différente de la sienne et qui veut continuer de vivre. Voilà ce que le greffé doit comprendre, pas l'opération elle-même, pas ce qui s'y rattache, mais le fait de prendre contact avec une autre forme de vie qui vient à son secours. Jamais vous ne verrez de prélèvements qui ne réussiront pas dans ces cas. Tellement de souffrances pourraient être évitées !
(*Renaissance, II, 05–10–1991*)

L e don d'organes est-il bénéfique ?

C'est une preuve d'amour profond, une preuve que la forme va au-delà de sa forme par croyance. Lorsqu'il a été dit : « Il n'y a pas plus grand don que le don de soi », c'était davantage pour aujourd'hui qu'autrefois. Vous ne pouvez pas progresser en partant de A pour vous rendre directement à Z. Il y a B et C. Faites la progression normale, sinon vous chercherez où il y a eu manque.

Donner nos organes après la mort, est-ce bon ?

Si vous ne le faites pas, ils développeront des organes mécaniquement avec les années. Mais cela coûtera plus cher que de donner les parties de vos formes qui ne vous serviront plus. Qu'une forme soit incinérée ou qu'elle pourrisse d'elle-même, elle n'aura pas d'utilité. La réticence à donner ses organes vient de ce que la conscience croit qu'elle continuera de souffrir, qu'elle s'en rendra compte. Foutaise ! Le cerveau répond... Un instant ! Nous allons nous rendre à une forme qui va quitter ce monde... Cela prend 75 secondes au cerveau pour ne plus se souvenir. Il s'agit d'une forme qui est à l'Hôpital Maisonneuve par suite d'un accident survenu à 8 heures ce soir. Le cerveau a entendu les sons durant 75 secondes. Passé ce délai, plus rien. Intéressant... L'Âme est restée dans la forme pendant ces secondes pour ne pas blesser la forme, par respect. Après ce laps de temps, il n'y a plus ni conscience ni souvenir. Nous observons les cellules de cette forme. Lorsque cette forme était vivante, elle s'était inscrite pour un don d'organes. Les cellules étaient donc conscientes de la volonté profonde de la forme et elles l'acceptaient. Il vous faut savoir cela aussi. Rappelez-vous comment fonctionnent vos formes, rappelez-vous que chacune des vos cellules est consciente. Ce que nous venons d'observer avec plaisir, c'est que les organes donnés ont continué leur vie. Ils ont gardé une circulation qui ne se fait plus dans la forme, un taux de vibration entre elles. Si certains d'entre vous pouvaient voir cela, ils comprendraient ce qu'est la vie. Tout cela parce que ces mêmes cellules savaient très bien quel rôle elles devaient jouer et elles ont continué leur rôle. Ces cellules seront toutes en vie. Mais le contraire est aussi vrai. Les gens qui sont fermés au don d'organes détruisent eux-mêmes leurs cellules, puisque la vie cesse alors complètement. Donc, la mort est aussi la vie. Très intéressant, même pour nous.

*Q*ue se passe-t-il quand il y a rejet ?

Il y a rejet chez ceux qui reçoivent. Ce ne sont pas les organes transplantés qui rejettent car ils savent très bien qu'ils auront une autre forme. Ce sont les personnes qui les reçoivent qui n'en veulent pas; certaines de leurs cellules n'en veulent pas car leur choix était que la vie cesse. Cela peut provenir de l'Âme et non de la conscience de la personne qui reçoit les organes. Vous pouvez être conscient de vouloir vivre mais si, intérieurement, vous devez cesser de vivre et que votre forme a trouvé un organe très faible, que ce soit le coeur ou le foie, vous aurez beau le changer, les données sont déjà dans vos formes et ce n'est pas une conscience et un vouloir qui les changeront. Il y aura donc rejet, à moins que l'organe implanté provienne d'une forme qui avait elle-même une conscience et une volonté de vivre à toute épreuve. Les cellules de cet organe pourront alors communiquer cela aux autres cellules. Il est très important d'avoir une pensée positive.

Qu'entendez-vous par pensée positive ?

Le simple doute est négatif. Le simple doute de ne pas réussir est négatif et suffit pour causer la maladie. S'il s'agit d'un problème d'origine génétique et que l'organe est malade de naissance, vos cellules n'ont d'autre choix que de l'accepter. Si le problème provient plus profondément de l'Âme et de la forme en plus, un coeur, même artificiel, ne réussirait pas plus. Plutôt que d'instruire leurs malades sur ce qu'est vraiment la maladie, les médecins préfèrent garder pour eux ces connaissances, car il n'est pas payant pour eux de vous apprendre comment ne pas être malade. Alors ils émettent des prescriptions et cela flatte leur ego. Heureusement, il y a une nouvelle relève, plus consciente des changements. Tout cela, c'est la vie. Mais vous aurez toujours le choix. Vous qui cherchez un brin de vérité, un brin de foi, un peu de croyance en vous, vous êtes tellement portés à chercher à l'extérieur, tellement portés à vous servir seulement de vos yeux pour voir et de vos oreilles pour entendre que nous préférerions parfois que vous n'en ayez pas pour mieux voir et entendre. Regardez un aveugle et un sourd. Nous comprenons très bien que, dans votre monde, vous ayez besoin d'être comme les autres, de suivre. Pouvons-nous vous suggérer que, si tout le monde se suit, vous ne saurez plus qui suivre ? Par contre, si vous décidez de vous suivre, vous aurez une progression différente. Juste les mots employés ce soir vous donnent encore une chance de progresser. Nous vous avons même fait partager une expérience que nous avons visualisée; c'est très rare. Si la plus petite partie en vous accepte de se programmer elle-même pour continuer de vivre, qu'en est-il de l'ensemble de votre forme ? Qu'en est-il de la valeur de la vie, de cette réalité ? À lui seul, ce sujet pourrait vous donner à penser pendant 15 jours. C'est la base. Notre but n'est pas de faire de vous des gens « surévolués », car vous ne seriez pas acceptés dans ce monde. Nous voulons seulement vous rendre l'espoir et que vous le redonniez autour de vous. Même si vous n'employez pas de mots, le simple fait d'y penser servira à propager l'espoir autour de vous. Le simple fait de savoir que vos cellules continuent de vivre en vous seulement en étant programmées devrait vous encourager à diriger vos pensées vers les parties de votre corps qui ont besoin de ce réconfort. [...] Certains d'entre vous se serviront des pierres pour s'encourager, d'autres se serviront des couleurs, de la méditation ou de l'hypnose. Peu importe ce que vous ferez, c'est le résultat qui comptera. Il ne faut pas vous arrêter. Si ces méthodes ne vous conviennent pas, trouvez-en une autre qui vous conviendra mieux; les plus simples sont souvent les plus valables. Lorsque vous pourrez communiquer avec la matière et la ressentir, vous saurez si elle vous convient. Peu importe si c'est une fleur ou une pierre car les deux ont de la vie. Si vous préférez ressentir une fleur, sentir la vie de ses cellules, faites-le, même si vous ne réussissez pas immédiatement. Lorsque vous percevrez cela, faites la comparaison entre votre forme et cette autre matière. Vous verrez comme cela se ressemble, comme cela se tient. C'est comme l'Univers et vos vies, quand vous acceptez de vivre. *(Les chercheurs de vérité, I, 09–12–1989)*

Q ue pensez-vous des dons d'organes après la mort ?

Nous avons déjà abordé ce sujet en profondeur, dans des sessions précédentes, mais nous allons tout de même répondre brièvement. Ce qui importe, ce n'est pas tellement ce que nous en pensons, mais ce qu'en pensent ceux qui vont les donner et, surtout, ceux qui vont les recevoir. Tout au long de ces sessions, nous vous avons parlé des cellules en vous, de leur connexion entre elles. Nous vous avons dit qu'il n'y a pas une seule cellule en vous qui ne soit pas consciente de sa réalité, ni de celle de la collectivité ou du tout qui fait votre forme. Donc, chacune des cellules qui composent un organe, par exemple le coeur, connaissent leur réalité, et non seulement la leur mais aussi la vôtre. Tout ce que vous aurez fait vivre à cet organe y sera emmagasiné comme donnée. Nous vous avons dit à plusieurs reprises : vous serez toujours ce que vous pensez. Pensez du mal de vous, limitez-vous, et votre forme en fera autant; et elle le fera dans chaque partie qui la composera car elle fait un tout. C'est pourquoi une greffe d'organe peut conduire à deux résultats opposés. Supposez que vous receviez le coeur d'un donneur qui meurt subitement d'un accident, mais qui était stressé, qui ne s'acceptait pas lui-même et, par conséquent, dont la forme ne s'acceptait pas non plus. Prenez et greffez cet organe : qu'arrivera-t-il ? Lors du décès d'un tel donneur, les cellules composant les organes cessent leur propre rythme de vibrations et commencent à se détruire dès la mort parce qu'elles étaient déjà programmées à mourir. Par contre, chez un donneur dont la forme était prête à accepter le don de ses organes, qui aimait la vie et qui s'acceptait lui-même, les cellules des organes sont programmées à vivre, pas à se détruire. Donc, après le décès physique, elles maintiennent tout de même leur taux vibratoire, et ce, pour plusieurs de vos minutes. Lorsque les organes du premier donneur seront greffés, vous pouvez être assurés qu'il y aura très rapidement rejet alors que les cellules des organes du donneur qui aimait vivre chercheront le même plan vibratoire chez la personne qui recevra. Cela fera toute une différence. L'inverse est aussi valable. Il y a des gens qui reçoivent des organes, mais qui les ont justement perdus parce qu'ils n'arrivaient pas à vivre eux-mêmes. Donc, cela se répétera encore une fois, sauf chez ceux qui auront découvert le goût de la vie en attendant ces organes. Faites ce que vous voulez, mais si vous demandez un don d'organes et que vous aimez réellement la vie, assurez-vous que le donneur aimait aussi la vie. Oh ! nous savons que vous n'avez pas toujours le choix, mais vos formes ont tout de même beaucoup de problèmes lorsque cela se fait. Remarquez qu'il y a des gens qui rejetteront même un coeur artificiel. Il y aurait intérêt à regarder ce que sont ces gens avant de faire des essais. Effectivement, pour répondre très brièvement, si vous donnez vos organes de force, par crainte, vous le faites pour rien. D'un autre côté, si vous vous préparez d'avance à les donner en toute conscience des causes et des faits et si vous savez vous accepter vous-mêmes, vous avez une chance sur deux que la personne qui les reçoit les conserve. Pour en savoir plus sur ce sujet, nous vous conseillons de relire le texte de la session mentionnée. Chacune des étapes d'un prélèvement à partir d'un décès, à cette époque, y a été mentionnée. (*Harmonie, IV, 16–02–1991*)

J *'aimerais savoir l'effet que pourrait avoir la transplantation coeur-poumons-reins sur la forme et l'Âme du donneur et sur la forme et l'Âme du receveur.*

Vous trouverez la réponse à cette question dans la transcription de la dernière session du groupe précédent où nous avons décrit la transplantation d'organes d'une personne qui venait de décéder. Tout est question de programmation de la forme qui donnera et aussi de la forme qui recevra. C'est un échange, vous savez. Pour résumer brièvement, sachez qu'une forme qui donne et qui est bien programmée à cet effet gardera cette programmation intercellulaire même après le décès de la forme, et ce, pour une période d'environ 30 de vos minutes. Nous dirions que la vie est comme forcée dans ces organes, et c'est un fait. Si la transplantation est voulue par la personne qui reçoit, elle fonctionnera à coup sûr. Mais si le receveur n'a pas le goût de vivre, elle ne fonctionnera pas. Il se passe la même chose chez les gens sur qui les organes ont été prélevés sans le consentement de la forme au décès : la transplantation ne fonctionnera pas plus. Ce serait faire fi de la conscience totale des cellules de vos formes. Vous serez toujours ce que vous pensez et vous ne donnerez jamais ce que vous n'avez pas. *(Le fil d'Ariane, II, 19–10–1991)*

U *ne personne qui reçoit un organe d'une autre personne garde-t-elle quelques caractéristiques du donneur ?*

Pas quelques caractéristiques mais toutes. Si le temps le permet, après l'observation que nous aurons, nous tenterons de vous décrire une donation d'organe et les réactions qu'ont les organes voisins chez le receveur. Vous comprendrez comment cela se passe... *(Nouvelle ère, III, 02–05–1992)*

N ous passerons donc aux prélèvements et aux transplantations d'organes. Il vous faut bien comprendre cela. Pour le faire, vous pourriez relire les transcriptions des sessions de groupes où nous avions mentionné qu'il n'y a pas une seule cellule de vos formes qui ignore ce qu'elle fait exactement et ce qu'elle doit faire. Prenons une forme qui va mourir soudainement et qui a fait un don d'organes, le foie ou les reins par exemple. Si, à chaque journée, cette personne détestait sa vie, s'en voulait pour toutes sortes de raisons et n'arrivait pas à être aimée, il n'est pas difficile de comprendre quel message les cellules auront reçu ! Lorsque cette personne décède et que le rein ou le foie est prélevé, l'autre forme reçoit aussi cette programmation malgré l'espoir qu'elle aura. Lorsque le rein arrivera dans l'autre forme, vous aurez une forme qui en avait besoin pour vivre et une autre qui voulait en terminer. Que se passera-t-il ? Les cellules de l'organe transplanté n'arriveront pas à s'ajuster aux données de l'autre et, lorsque que cela se produit, il y a rejet. Cela peut prendre quelques jours, quelques heures, mais il y aura rejet. Il y a une chance sur... le nombre que vous voudrez que cela réussisse bien; c'est la même chose pour le coeur et les autres organes. Cependant, vous aurez remarqué que, lorsque le donneur et le receveur proviennent du même milieu familial, entre gens qui se connaissent, les chances de réussite sont facilement de l'ordre de 9 sur 10 parce que la personne qui reçoit connaît la personne qui donne et l'accepte; c'est cela la grande différence. En d'autres termes, si tous les gens qui sont sur le point de mourir pouvaient accepter de croire que la mort est une continuation de la vie, toutes les greffes réussiraient. Mais ce n'est pas le cas. Il ne faut pas oublier non plus le travail intellectuel que fait la personne qui reçoit l'organe. Conserve-t-elle son ancien rythme de vie ou choisit-elle d'aimer la vie ? Jusqu'à quel point ? Se bat-elle au contraire pour rester en vie en ne donnant aucune chance à l'organe greffé de se reprogrammer lui-même ? C'est cela la grande différence. Vous pouvez donner vos organes si vous le voulez, mais bien souvent, la personne qui reçoit ne peut pas se reprogrammer à temps pour recevoir. *(Nouvelle ère, III, 02–05–1992)*

E *st-ce qu'il y a un effet quelconque sur la personne qui vient de décéder ?*

Aucunement ! Une programmation de forme prend une vie. Même si une personne décède à l'âge de 20 ans, en pleine forme physique, quand tout était excellent et qu'elle était heureuse, si la personne qui reçoit l'organe a maudit sa condition pendant 10 ans, comment pouvez-vous espérer que l'amour des organes transplantés suivra ? C'est impossible. Ce n'est pas si compliqué à comprendre pourtant ! Vous programmez vos formes dans leur totalité, pas seulement entre les deux oreilles, même dans les fonctions que vous ne savez pas pouvoir maîtriser. Il y a intelligence dans tout, dans toutes vos formes, même dans la pousse de vos ongles. Pas un poil ne pousse sans la connaissance. La preuve ? Vous pouvez retracer la génétique complète d'une personne avec un seul poil. Imaginez avec un rein, avec un foie complet ! Tout ce que les gens vivent s'y sera installé. Il n'est donc pas difficile de comprendre qu'une personne qui aura maudit sa condition se sera affaiblie elle-même et ne pourra pas survivre facilement à une transplantation. Donc, cela demande un goût de vivre à toute épreuve et une foi dans ce qu'il restera à vivre. Cela demande une planification future pour laisser croire à la forme qu'il y a d'autres buts dans la vie, pas seulement que l'opération réussisse. Vous ignorez tellement vos formes ! Si nous le pouvions, nous vous ferions renaître à l'âge que vous avez, seulement pour que vous vous rendiez compte de la beauté de vos gestes, de la beauté de ce qui vous entoure, de la beauté de vos réalités, juste pour vous faire aimer encore plus la vie. *(Nouvelle ère, III, 02–05–1992)*

J*e voudrais savoir qu'est-ce qui se passe avec le corps après la mort et les étapes que l'Âme doit franchir pour être capable de revenir ?*

Le corps physique, vous l'incinérez ou vous l'enterrez et cela s'arrête là. Au niveau de l'Âme comme telle, tout dépendra des liens qu'elle aura entretenus avec les autres formes. Nous pourrions vous l'expliquer mieux que cela. Lors de votre prochaine session, si cela vous intéresse tous, nous trouverons dans vos hôpitaux deux personnes en train de mourir, une personne mourant entourée de sa famille et une autre personne mourant seule. Nous vous décrirons à mesure ce qui se passera dans la forme et au niveau de l'Âme. Planifiez-le si cela vous intéresse. Cela répondra à plusieurs de vos questions. Sinon, revenez avec la même question tout en spécifiant que vous désirez une réponse seulement sans élaboration. Vous avez compris cela ?

Pas exactement.

Pour répondre à votre question dans tous les détails avec lesquels nous aimerions le faire, il faudrait vous le faire vivre.

Pour cela, lors d'une prochaine session, nous trouverons deux personnes sur le point de mourir dans des conditions différentes et nous serons en mesure de vous décrire à mesure ce qui se passera à la fois dans le cerveau et dans l'Âme. Dans un cas, la personne mourra seule; et dans l'autre, elle sera assistée de sa famille; vous aurez les réactions de la famille, si vous voulez. Comme cela vous saurez ce que c'est que de mourir. Si vous voulez savoir quel sera le développement de l'Âme après la mort, il faut savoir quels sont les liens qu'elle entretiendra avec les autres formes qui l'ont connue. Les Âmes entretiennent des liens entre elles et, lorsque les formes qui restent en sont conscientes, lorsqu'elles restent attachées aux Âmes qui disparaissent, cela les marque et ce qu'elles vivent lors du départ de la forme modifie complètement leur cheminement futur. Pour que vous compreniez cela sans que nous sautions les étapes, il nous faut vous donner des exemples sur le vécu actuel. Accompagner une personne qui meurt en 10 ou 15 minutes, cela ne se fait pas parce que nous le ferons simultanément, au fur et à mesure que cela se déroulera, incluant les émotions de la forme, ce que le cerveau verra, et ce que l'Âme vivra et verra. Ne serait-ce pas plus intéressant comme cela ? Si cela vous faisait peur, mentionnez-le lorsque vous demanderez cette description que nous pourrions vous donner; mentionnez que vous ne voulez que des réponses spécifiques. Alors nous n'irons pas dans les détails et vous aurez des réponses simples. Toutefois, si nous allons juste dans l'à peu près, vous n'aurez jamais satisfaction à vos questions. *(Nouvelle ère, II, 23–03–1992)*

E st-ce que vous désirez toujours aborder le sujet de la mort ?

Oui.

Désirez-vous toujours que nous vous décrivions le départ d'une Âme d'une forme et la façon dont le conscient perçoit le départ ? Choisirez-vous un enfant ou un adulte ? Nous vous suggérons l'adulte.

Un adulte.

Pendant cette introduction, nous allons donc laisser d'autres Cellules rechercher un cas qui pourrait bien convenir à cette session.

Nos critères sont les suivants. Il devra y avoir une famille qui assistera au départ et la forme ne devra pas être sous forte médication afin qu'elle puisse très bien percevoir son départ. Nous ne savons pas encore où cela se situera mais ne vous en faites pas, nous trouverons. Que ce soit en Europe ou ici, ce n'est pas ce qui manque, sauf en ce qui concerne les conditions que nous devons accepter. Pendant que les autres Cellules vont faire cette recherche, nous allons commencer cette session par une ouverture. Si elles trouvent le cas désiré dans l'immédiat, nous en ferons la description et nous reviendrons à vos questions par la suite. Si ce n'est pas le cas, nous passerons à vos questions avant la description du départ. Est-ce toujours votre choix ?

Oui.

[...] Nous avons une forme à accompagner dans la mort; si c'est celle que nous choisissons, ce devrait être d'ici 15 à 20 minutes tout au plus. La famille n'est pas encore au complet mais devrait l'être d'ici 15 à 20 de vos minutes. Nous continuerons à surveiller ce cas, qui se trouve dans la ville de Québec [longue recherche du nom] au CHUL (Centre hospitalier de l'université Laval). Il s'agit d'un cas de cancer d'intestins. Cette forme semble bien prête à accepter ce qui lui arrive. Ce cas devrait être intéressant. Nous allons donc commencer à répondre à vos questions, mais nous cesserons dès que le cas sera prêt. *(Nouvelle ère, III, 02–05–1992)*

D*ans la description que vous allez faire, allez-vous nous parler de ce dont l'Âme prend conscience en mourant ?*

L'Âme ne meurt pas, c'est la forme qui meurt. Nous allons vous décrire ce que l'Âme ressentira et ce que la forme ressentira. Nous allons aussi tenter de voir ce que ressentiront les Âmes des membres de cette famille. Lorsqu'une famille est unie comme celle que nous allons observer, cela se fait aussi au niveau des Âmes. Il y a union à ce niveau, consensus. Elles se sont appuyées, elles se sont aidées dans le but de bien vivre. Ces Âmes devraient donc subir aussi une part de cette peine physique. Nous observerons cela avec vous. *(Nouvelle ère, III, 02–05–1992)*

*I*l reste tout au plus cinq à sept minutes à cette forme [au CHUL]. Elle a déjà commencé à perdre des forces. Il est trop tôt encore. Tout ce que nous observons dans cette pièce, ce sont des gens autour du lit. Il y a actuellement un prêtre qui vient de faire son entrée. Nous reviendrons à vos questions un peu plus tard. Nous allons dès maintenant faire la description de ce que nous observons. Ceux qui ont des choses sur eux, veuillez les mettre par terre. Ceux qui le souhaitent pourront fermer les yeux; nous aurons suffisamment de détails pour que vous n'ayez pas besoin d'avoir les yeux ouverts. Actuellement, nous observons que le prêtre est à préparer ses instruments pour donner l'extrême-onction à cette personne. Beaucoup d'émotions chez ceux qui sont là ! Il s'agit du père de cette famille. Nous observons que l'Âme perçoit encore plus ce que le conscient retransmet. En fait, nous pouvons vous affirmer que ce rite [derniers sacrements] est beaucoup plus pour le conscient; cela rassure la personne qui va mourir; l'Âme n'en a pas besoin. Tout au plus, ce rite aidera-t-il la forme à mieux partir consciemment. Il est à noter que cette forme était pratiquante. Deux enfants sont présents dans cette chambre. Le plus âgé a 23 ans; l'autre a 21 ans. Le père a 49 ans. Actuellement, il n'y a qu'un enfant dans la pièce; le plus jeune vient de sortir... inutile de vous décrire son état ! Il n'y a pas de médecin ni d'infirmière dans la pièce actuellement. Le prêtre a demandé aux autres de sortir pour pouvoir confesser cette forme. Quelques instants que nous observions les effets intérieurs... Cette forme est très consciente; encore une fois une erreur... Très bien ! La confession a eu pour effet de donner encore plus de calme au conscient de cette forme qui panique quelque peu devant ce départ... Oh ! pas pour la forme elle-même car elle sera bien délivrée de ses souffrances actuelles, mais beaucoup plus pour ce qu'elle laisse derrière elle. Très bien. Le travail de ce prêtre est terminé. Il reste tout au plus trois minutes avant que cette forme ne trépasse, certainement pas davantage. Actuellement, le prêtre est en retrait et c'est la famille immédiate qui est autour du lit... Il semble que ce soit le temps. Dans la forme même, nous remarquons qu'actuellement l'Âme se fait voir à ce conscient; c'est toute sa vie que la forme revoit en quelques secondes, tout au plus 10 secondes pour voir sa vie au complet. C'est aussi le temps qu'aura perçu l'Âme pour toute cette vie, pas plus que cela. Effectivement, 49 de vos années sont environ 10 secondes de notre temps. C'est fait. Le conscient de la forme ne voit plus. Le conscient perçoit actuellement une part de conscience de niveau très altéré; il ne ressent plus la forme. Il perçoit cependant les pleurs des enfants, mais n'arrive pas à réagir. Actuellement, l'épouse s'adresse à cette forme : « N'aie aucune crainte; tu as fait beaucoup plus que d'autres n'auraient fait ». Elle lui suggère de partir en paix, qu'elle l'aimera toujours. Nous observons que ce sont les cellules de la forme qui ont réagi : il y a des larmes du côté droit, mais sans que le conscient puisse diriger cette réaction. Actuellement, le conscient ressent une paix énorme, une satisfaction et un goût d'aller plus loin. Dans le conscient, dans le cerveau de cette forme, il n'y a plus de contact avec l'extérieur. Ce cerveau visualise une lumière blanche, ce qui est, nous vous le rappelons, une projection de la pensée et non la réalité. Ce cerveau perçoit toujours l'Âme, sans bien comprendre d'ailleurs. En ce qui concerne l'Âme, elle est déjà en contact avec les Âmes des trois autres formes présentes. Cette forme ne vit plus... Actuellement, nous observons une très forte réaction chez les trois autres personnes. Chez les cellules de la forme qui vient de mourir, il y a recherche pour se rattacher à ce qu'est la vie. L'Âme est toujours dans cette forme; il n'y a aucune conscience au niveau du cerveau. Seules plusieurs cellules sont encore conscientes, et ce, pour encore tout au plus 60 de vos secondes. Actuellement, les trois membres de la famille sont penchés sur la forme. Selon le dossier de cette personne, il n'y aura pas de prélèvements d'organes. L'Âme s'apprête maintenant à quitter cette forme. Nous observons que, parmi les Entités présentes, il y a le frère et le père de cette forme qui ont gardé l'apparence humaine en projection, ce qui aidera l'Âme à quitter cette forme à laquelle elle tenait beaucoup. Mais cela a un autre but; ce n'est pas tellement pour l'Âme mais pour les autres formes vivantes qui restent, car elles percevront ces autres Entités ainsi que l'Entité qui vient de quitter cette forme. L'Entité n'est plus dans cette pièce, car cela lui est trop difficile. Actuellement, nous observons deux infirmières qui tentent de réconforter cette famille. Ils ne sont plus dans la chambre et la forme est maintenant recouverte. Quelques instants... Nous observons que, une fois la famille sortie de cette pièce, l'Âme est revenue voir cette forme. C'est fait.

Il n'y a pas eu de trompettes ni de fanfare. À noter que le cerveau n'a entendu aucun son, n'a ressenti aucune douleur. Dès qu'il a compris l'autre dimension et le pas qu'il s'apprêtait à faire, ses plus grandes douleurs en dernier ont été d'entendre les pleurs et les paroles de son épouse. Avez-vous des questions sur ce que nous venons de vous décrire ? *(Nouvelle ère, III, 02–05–1992)*

*A*près que l'Âme a quitté la forme, vous avez dit qu'elle était revenue la visiter...

Seulement lorsque la famille a eu quitté les lieux.

Est-ce que l'Âme peut aussi retourner auprès de ceux qu'elle avait aimés, son épouse et ses enfants, pour les réconforter au niveau de l'Âme ?

Ce sera vécu deux fois plus difficilement par les formes qui restent. Dès que vous percevez de nouveau un être aimé à vos côtés une fois que vous savez que cette personne n'est plus, comment réagissez-vous ? Encore plus fortement. Et si vous réagissez plus fortement, cette Âme aura aussi de la peine. Rappelez-vous qu'elle avait aussi côtoyé les autres Âmes et c'est difficile pour elles autant que pour les formes consciemment. En fait, les Âmes reviennent habituellement une fois le calme rétabli, pas avant. Sinon, cela leur est trop difficile et elles savent fort bien lorsqu'elles sont perçues. *(Nouvelle ère, III, 02-05-1992)*

*E*st-ce que, dans les instants après le décès, l'Âme a constaté qu'elle n'avait pas compris certains aspects de la vie ?

Dans le cas que nous venons d'observer ?

Oui.

Elle s'est rendu compte que, tout au long de la vie de l'individu, le côté émotionnel aurait pu être un peu plus exploité de façon à ce que cette forme puisse s'ouvrir à ce qu'elle vivait. En d'autres termes, la forme qui vient de partir du monde conscient avait tout fait pour être aimée, avait établi une union familiale presque parfaite, sauf en ce qui a trait à elle-même; elle jouait un rôle, elle ne voulait pas être blessée. C'est pour cela que nous avons dit « erreur » lors de la confession que cette personne a faite, car elle venait de confesser — et cela nous pouvons le dire — qu'elle regrettait la douleur qu'elle laissait derrière elle. Qui peut se confesser de cela ? C'est de cela que l'Âme a pris conscience et c'est cela qu'elle devra retravailler dans une autre forme. Elle devra trouver une forme plus ouverte, capable de s'exprimer encore plus, pour qu'elle puisse à l'avenir encore mieux maîtriser la forme et mieux lui faire comprendre. Il est difficile pour les Âmes — très difficile, croyez-le — de réussir à briser un conscient, à percer une conscience pour que le conscient accepte de les laisser vivre. Regretter, c'est un grand mot, surtout lorsqu'il n'y a pas de possibilité de prendre la direction d'une vie. Quand un conscient gouverne malgré les efforts de l'Âme, elle pourrait regretter, oui, mais si elle ne peut rien changer, c'est autre chose. Dans le cas qui nous occupe, nous pourrions dire qu'elle a pris conscience d'un autre fait dans l'expérience qui vient de se terminer; c'était une très jeune forme tout de même. Lorsqu'il s'agit de la mort d'un enfant, il y a beaucoup plus de déchirements au niveau des Âmes. Elles vivent cela avec grande difficulté, elles se blâment souvent elles-mêmes. Quand une Âme est dans une forme, elle ressent la forme, elle ressent très bien ce que la forme vit. Lorsqu'elle quitte la forme, cela lui est difficile car c'est une dimension qu'elle perd. Pour un certain temps, elle peut continuer de visualiser cela. Lorsqu'il s'agit d'enfants, c'est beaucoup plus complexe. Lorsque les formes sont très conscientes de l'existence de l'Âme, il arrive que l'Âme comprenne qu'elle aurait pu faire un peu plus, ou s'y prendre autrement pour aider encore plus. *(Nouvelle ère, III, 02–05–1992)*

*V**ous avez dit que l'Âme a quitté la forme et qu'il y avait des Entités qui l'attendaient : est-ce toujours comme cela ?*

La majorité des fois. Tout dépend de la demande que le conscient aura faite. Nous vous avons expliqué que les gens qui restent peuvent attirer de nouveau à eux l'Entité de la personne décédée. Avant qu'une forme ne disparaisse, elle peut faire la même chose, elle peut attirer vers elle, le plus près possible, les vibrations de gens qu'elle a aimés pour s'assurer qu'elle ne partira pas seule et qu'elle sera attendue. Tout dépend du genre de départ. Il suffit d'une simple demande et cela se fera, mais ce n'est pas une obligation. Si cela peut aider, cela se fait. Tant qu'une forme vit, elle vit. Nous observons souvent que vous faites tellement d'efforts pour attirer vers vous ces Entités ! Pour les rappeler, vous n'avez qu'à recopier les vibrations que ces gens avaient auprès de vous lorsqu'ils vivaient, sans faire d'efforts. (*Nouvelle ère, III, 02–05–1992*)

J*e voudrais savoir où est rendue l'Âme actuellement.*

Actuellement, l'Âme a fait le tour de sa famille.

Après un décès, après avoir fait le tour de sa famille, où l'Âme s'en va-telle exactement ?

Elle ne quittera pas vraiment les lieux. Elle se fera moins percevoir, mais elle continuera dans le but d'apprendre à surveiller les autres membres de sa famille. Dans le cas que nous venons de mentionner, il n'y a pas d'incarnation prévue avant plus de 80 de vos années. Donc, elle continuera d'observer ceux qui restent. Dès qu'elle aura terminé le tour complet de sa famille, elle ira prendre conscience des Entités qui avaient vécu avec elle et, d'ici trois ou quatre jours, elle reviendra observer afin de tenter d'appuyer ceux qui restent. Dans ce cas précis, elle suivra sa famille. Vous verrez très rarement des Âmes qui quittent ce milieu s'éloigner vers d'autres mondes pour observer afin de mieux apprendre. Habituellement, elles restent très attachées à la dimension qu'elles viennent de quitter. Si, par contre — et cela se produit de temps à autre —, l'Âme était attendue prochainement dans une autre forme, elle irait observer ce nouveau monde qui l'attend. Lorsqu'il s'agit d'une dernière incarnation, l'Entité reste pour une courte période, un mois tout au plus, à observer ceux qui restent; puis elle quitte pour l'autre dimension qu'elle a choisie ou pour un autre monde physique; tout dépendra de son choix. Rien ne force les Âmes; aucune loi ne les force à rester près de ceux qu'elles ont aimés ou à observer votre dimension. Une fois la forme décédée, elles sont libres. Lorsqu'il s'agit de suicide, il en va autrement; cela ne se passe pas aussi facilement. Bien souvent, ces Âmes sont mises de côté et forcées d'observer. Le départ des Âmes de ces formes ne se passe pas aussi facilement non plus, pas aussi en douceur que ce que nous venons de vous décrire. *(Nouvelle ère, III, 02–05–1992)*

*D*ans le cas du père de 49 ans, les personnes qui étaient présentes, qui ont assisté au décès, est-ce que cela aide l'évolution de leur Âme ? Qu'est-ce que cela leur apporte d'avoir assisté au décès ?

Ces gens n'y ont pas assisté par plaisir. Ils l'ont fait dans le but d'appuyer une personne qu'ils aimaient; ils ont tous appris ce qu'est le soutien. Ils vont s'aimer deux fois plus encore, vont s'épauler toute leur vie parce qu'il s'agit d'une expérience unique, même pour le plus jeune qui a encore beaucoup de problèmes actuellement. Ils ont appris une chose très importante : que la mort pouvait tout de même se vivre dans l'amour et le respect, pas nécessairement dans les déchirements physiques. Bien sûr, ces gens continuent de réagir à l'heure actuelle; ils sont dans une autre pièce très proche de l'autre. Leurs Âmes ont aussi appris dans cela. Elles n'ont pas épaulé l'Âme qui quittait, mais elles étaient très absorbées par les réactions de leurs formes respectives. Elles ont appris aussi que des formes, malgré des douleurs intenses, pouvaient continuer d'aimer. Elles ont appris, ne vous en faites pas. Les formes conscientes ne sont pas prêtes de l'oublier, mais elles le vivront beaucoup mieux. Quelques instants que nous observions des changements physiques chez la mère... Nous pouvons observer, dans le cas des enfants, des sécrétions d'endorphine tout probablement causées par des douleurs émotionnelles très profondes; dans le cas de la mère, une lésion au niveau du coeur, pas très grande mais qui restera présente. Au moment du départ de son conjoint, elle vivait simultanément toute l'expérience qu'elle a eue avec lui et cela a été éprouvant pour elle. Elle aura besoin de ses enfants; heureusement qu'elle en a d'ailleurs, car elle n'aurait pas survécu plus de deux ans seule, pas dans cet état. *(Nouvelle ère, III, 02–05–1992)*

À la lumière de ce que vous venez de nous décrire, j'ai l'impression qu'il est moins difficile pour une forme de mourir que de naître. En est-il de même pour l'Âme ?

Pour l'Âme, c'est la même vie qui se continue. Il est parfois plus difficile pour une Âme de quitter une forme. Tout dépend des liens qu'elle aura établis avec les autres formes. Une forme qui développe l'amour à l'extrême adopte un taux vibratoire similaire à celui de l'Âme; c'est ce qui fait l'harmonie intérieure, l'acceptation totale, le don de soi à soi-même. Lorsque cela se produit, il n'est pas difficile de comprendre qu'une Âme peut maîtriser une forme totalement et que la forme n'a qu'à souhaiter pour obtenir parce qu'elle croit, et ce dans les deux sens du terme : croître et croire. Elle croit. Lorsque cela se produit et qu'il y a décès, il n'est pas difficile de comprendre qu'une Âme peut alors vivre des déchirements profonds comme si elle perdait la moitié d'elle-même. Cela lui est difficile, croyez-nous, parce qu'elle a appris à vivre intensément les vibrations de sa forme. Cela lui est plus facile si elle n'a rien réussi avec la forme, si elle n'a fait qu'accompagner la forme. Donc, selon les cas, l'Âme a parfois de la difficulté, parfois non. Au niveau de la naissance, c'est très similaire d'un cas à un autre. *(Nouvelle ère, III, 02–05–1992)*

*S*i une personne décède sans famille dans sa chambre, est-ce qu'elle vit la mort de la même manière ?

Pas tout à fait. Dans certains cas, avant le décès physique, il y a colère profonde et éloignement de l'Âme à l'intérieur. Des formes qui sont très en colère et qui en sont toujours conscientes, vont rejeter l'Âme totalement, la blâmant de la vie qu'elles auront eue. Cela se fait en deux ou trois secondes seulement et c'est très difficilement vécu par l'Âme. Habituellement, ces formes souffrent avant de mourir, elles souffrent beaucoup même. Lors d'accidents d'automobiles parfois, lorsque les décès ne sont pas soudains, il arrive que ces Âmes appellent à leur secours des Entités qui étaient près d'elles et elles sont accompagnées de façon très consciente. L'Âme fait revoir à la forme ce qui l'attend et le passage est beaucoup plus facile. C'est la mort de la forme dans la mort elle-même, avec facilité. Dans ce cas, il n'y a jamais de souffrance au niveau des formes. *(Nouvelle ère, III, 02–05–1992)*

S'il n'y a que le personnel infirmier autour de la personne qui décède alors que cette personne souhaitait avoir sa famille, *comment réagit-elle ? Pourquoi l'infirmière est-elle là alors que la personne attendait des proches autour d'elle ? Qu'est-ce que ressent la personne qui meurt ?*

Elle n'est plus sur place et finit par croire que l'infirmière qui est présente est un membre de sa famille. Elle veut tellement le croire qu'elle le croit au moment du décès. Vous ignorez encore tout de vos formes ! Vous pouvez tout reproduire à volonté, même les gens qui continuent de vivre et peu importe où vous serez, au point de croire que même un arbre est la personne que vous aimez le plus. Vous ignorez tout de ces phénomènes encore. Une personne sur le point de mourir en prend conscience avec choc et rapidement. En d'autres termes, même si vous étiez en train de mourir seul à l'autre bout du monde, quelques fractions de secondes suffiraient pour que votre cerveau recrée tout autour de votre forme tous les gens qu'elle a aimés et, croyant que c'est réel, votre forme les percevrait. Une simple doublure de personnage est produite. *(Nouvelle ère, III, 02–05–1992)*

I l arrive parfois que la personne, avant de décéder, devienne agitée et qu'elle tienne des propos verbaux, comme si elle faisait le ménage de sa vie.

Rappelez-vous ce que nous venons de vous décrire. La personne qui avait 49 ans a eu tout au plus de 15 à 19 de vos secondes pour repasser sa vie ! Vous aussi auriez à bouger si cela se produisait ! Si la personne a la force physique de le faire, elle bougera; sinon vous verrez souvent des larmes, vous verrez aussi les yeux réagir.

Si cette personne-là le fait de manière agressive, est-ce que c'est par regret ?

Que croyez-vous ? Si vous repassez un moment de votre vie que vous regrettez fortement, que vous savez être en cause mais que vous savez ne plus pouvoir changer, comment réagiriez-vous ? Même chose ! Ce ne sont plus les yeux qui fonctionnent lorsque cela se produit, c'est une projection intérieure complète comme si la personne y était vraiment. Vous savez que cela prend 20 secondes, mais pour cette personne il s'agit peut-être d'une heure, ce qui est faux, déphasé. C'est pour cela qu'il y a parfois réaction, mais pas au moment où la personne visualise, souvent bien avant. Lorsque cela se produit, le temps n'existe pas. *(Nouvelle ère, III, 02–05–1992)*

E *st-ce que quelqu'un pourrait accepter cette solitude-là et mourir en harmonie ?*

Tout à fait. Si ce choix est fait au niveau conscient et dans le but de vivre deux fois plus le contact avec son Âme, oui. Si la personne a la force de le faire, c'est très bien. Mais il est tout aussi important de le faire avec des gens que vous avez aimés. Tout dépendra des choix et de la force qu'auront les autres aussi.

Ce qui veut dire que la personne peut attendre d'être seule quelques secondes, lorsque la famille se retire, pour décéder.

Souvenez-vous qu'une personne peut ramener à elle les présences sans le physique. C'est donc qu'elle peut aussi savoir si les autres sont près ou non. En d'autres termes, les membres d'une famille pourraient être en direction de l'hôpital et la personne mourante, sachant très bien qu'il ne lui reste que quelques instants, pourrait très bien les percevoir et en finir rapidement si c'est ce qu'elle souhaite.

V *ous avez dit que l'Âme quittait normalement la forme 60 secondes après la mort. Qu'est-ce qui arrive lorsqu'une personne fait un arrêt cardiaque et qu'on ne la réanime que 10 minutes après ?*

Deux cas peuvent se produire. Premièrement, réanimer une forme après 10 minutes est plutôt improbable. Supposons tout de même que ce soit le cas. Il faut bien comprendre que, si la forme revient à la vie 10 minutes après, c'est qu'il y a eu des tentatives pour la réanimer. Dans ce cas, l'Âme n'aura pas quitté la forme. Dans le cas que nous avons décrit, il n'y avait rien à faire. En règle générale, dans tous les cas où aucun effort n'est entrepris pour ramener les formes à la vie, un délai de 60 secondes suffit à l'Âme avant de quitter la forme. Dans les autres cas, lorsqu'il y a espoir, elle reste à l'intérieur de la forme. Lorsqu'il y aura réanimation par choc électrique violent, l'Âme quittera la forme pendant ces courts instants, mais elle la réintégrera dès qu'il y aura espoir. En agissant ainsi, elle protège aussi sa forme, car si une Âme quitte avant le temps, il n'est pas garanti que ce soit la même Âme qui reprenne la forme. C'est ce qui explique que, parfois, après certains comas profonds de longue durée, la personne qui redevient consciente n'est pas la même et ne garde pas souvenir de ce qu'elle était, mais d'une autre réalité. Cela se produit assez régulièrement, mais très rarement cependant lors d'une réanimation, pas assez pour en parler du moins. *(Nouvelle ère, III, 02–05–1992)*

Dans le cas d'une mort par accident, est-ce que l'Âme vit les *mêmes circonstances que dans une mort paisible ?*

Vous parlez du départ ?

Oui.

S'il s'agit d'une mort physique soudaine, que ce soit une électrocution ou une mort physique violente, le cerveau n'a habituellement pas le temps requis pour revivre sa vie comme nous l'avons décrit. Il y a une perte de conscience rapide et l'Âme est habituellement projetée très rapidement hors de la forme. Il n'y a donc aucune bataille au niveau conscient. Lorsqu'il y a coma ou souffrance physique, l'Âme reste dans la forme tant qu'il y a espoir. Encore une fois, ne confondez pas les morts accidentelles avec les cas de suicides; cela ne se passe pas de la même façon. Dans les morts rapides ou violentes, les conscients n'ont habituellement pas le temps de réagir. Cela se situe entre le moment de l'impact et l'instant où le conscient peut imaginer ce qui se passe, soit une fraction de vos secondes. C'est ce qui fait que l'Âme est projetée hors de la forme, mais elle peut continuer à observer cependant. *(Nouvelle ère, III, 02–05–1992)*

Une Âme qui est subitement projetée hors d'une forme subit-elle *un choc ?*

Tout à fait ! Cela déséquilibre l'Âme parce qu'elle n'a pas pu retrouver l'équilibre de l'existence qu'elle est venue vivre, ce qui veut dire qu'elle non plus n'a pas eu le temps de compléter le départ de la forme. En règle générale, elles continuent pendant longtemps d'observer l'endroit où l'accident s'est produit, d'en chercher les raisons. Cela explique ce qui se produit dans une maison ou sur un site où il y a eu mort subite violente; l'Âme continue d'y rester jusqu'à ce qu'elle comprenne ou jusqu'à ce qu'elle se fasse comprendre et différents phénomènes peuvent être associés à cela. *(Nouvelle ère, III, 02–05–1992)*

*A**près un grave accident, est-ce bon de garder une personne artificiellement en vie en la branchant sur un appareil ?*

En général, la médecine tente et tentera de garder les formes de plus en plus longtemps vivantes, sans respecter les choix de chacun, par obligation. C'est cela votre vie future. La vie par obligation, la vie numérotée d'êtres informatisés. Il est très rare que des formes gardées artificiellement en vie par des appareils puissent revivre. Lorsque les formes sont branchées sur ces appareils, elles entendent dans 85 % des cas. Le conscient reste en vie, mais il ne réagit pas toujours; il sait très bien que cette forme ne sera plus habitée. Si cette forme se mettait à bouger, elle ne vivrait ni n'agirait comme avant. Parfois même, le conscient choisira d'abandonner la forme et de ne pas réagir. Comme dans tous les cas de coma, le conscient comprend très bien; il garde conscience de ce qui se dit autour de lui mais cela ne va pas plus loin que la conscience directe; cela ne se rend pas toujours au supra-conscient. Très peu de gens en gardent le souvenir, sauf sous hypnose profonde ou dans le cas de comas temporaires où le conscient garde contact avec l'Âme. Même les souvenirs des visions du monde des Entités et des Cellules seront oubliés lorsqu'elles ne se réincarneront plus. *(Les chercheurs de vérité, I, 09–12–1989)*

*Q**uelle serait la limite de temps à respecter pour ces formes qu'on maintient en vie par des appareils ?*

Votre science actuelle sait très bien lorsqu'il n'y a plus rien à faire sauf qu'au niveau légal, cela cause encore des problèmes. Dans 20 ans, ce ne sera plus le cas. Habituellement, passé six mois, il est très rare que l'Âme se trouve encore dans la forme, sauf lorsqu'elle croit fortement que la forme s'en sortira et qu'elle vivra. Il s'agit d'exceptions toutefois.

Il serait donc trop tôt de demander à débrancher une forme avant six mois ?

Habituellement, c'est le cas. *(Nouvelle ère, III, 02–05–1992)*

L orsqu'une personne est maintenue en vie par des appareils, est-ce que l'Âme la quitte ou reste-t-elle avec sa forme ?

Tout dépend des chances de survie de la forme. Bien souvent, il arrive qu'elle quitte sa forme, surtout après un délai prolongé, habituellement plus de six mois. Bien souvent, ces formes sont maintenues en vie artificiellement sans aucun espoir de retour. Si le conscient garde une part de responsabilité et continue de percevoir l'Âme, il combattra et ce n'est pas lui rendre service. La majorité de ces formes ne veulent plus continuer de vivre, mais ne savent comment s'exprimer. Garder une forme en vie de force ne sert pas à la forme, mais à ceux de son entourage qui continuent de vivre. *(Nouvelle ère, III, 02–05–1992)*

E st-ce que quelqu'un qui souffre et qui décède peut apporter la souffrance d'un proche ?

Reformulez cette question.

Lorsqu'une personne qui souffre du cancer par exemple, en décédant, peut-elle apporter les souffrances d'une personne qui est proche ?

Vous mentionnez l'Âme ! Est-ce qu'une Âme peut apporter les souffrances de la forme avec elle une fois qu'elle sort de la forme ou, au contraire, est-ce que la personne vivant aux côtés de cette forme peut ressentir sa douleur ? Car il s'agit de deux questions, et nous allons répondre aux deux. Dans un sens, ce n'est pas l'Âme qui souffre mais la forme, car lorsque l'Âme quitte la forme, elle apporte les connaissances. Ce qu'il vous faut savoir, c'est que l'Âme reste dans la forme même si la forme souffre, par respect pour elle. Elle ne quitte en général la forme que quelques secondes après la perte de conscience totale de la forme elle-même. L'Âme ne part pas avec les souffrances complètes, avec les douleurs. Difficile d'avoir mal a un bras lorsque vous n'en avez pas ! L'énergie n'apporte pas avec elle les souffrances. Une personne vivant près d'une personne qui souffre peut percevoir ses souffrances, mais dans l'ensemble seulement. Cela la rendra malheureuse uniquement. Il y a des gens qui ont beaucoup d'imagination et qui se donneront à eux-mêmes des maladies similaires. Prenez deux personnes, une qui a des crampes d'estomac par exemple, et la personne qui vit avec elle à longueur de journée. À force d'entendre les problèmes de santé décrits par la première, à force de s'en faire décrire les douleurs, cette deuxième personne pourrait en venir à croire qu'elle a aussi ces problèmes, par conviction, même si ce n'est pas le cas. C'est vrai pour le côté physique. Nous vous avons dit au début de cette session que l'imagination était la première de vos forces. En effet, si vous n'aviez pas l'imagination, plus de 40 % de vos maladies n'existeraient pas. Quant aux Âmes, elles peuvent savoir ce que les formes ont souffert. Elles ne gardent pas cette souffrance en quittant la forme; par contre, elles en gardent l'exemple et, si elles peuvent éviter cette souffrance à une autre forme, elles le feront. Cela suppose que les formes soient réceptives aux Âmes, qu'elles sachent s'écouter elles-mêmes, qu'elles portent une très grande attention à leur intuition, ce qui n'est pas constamment évident. Si c'était le cas, il y aurait beaucoup plus de gens heureux. Avons-nous répondu à cette question ?

Oui. (Les pèlerins, II, 24–03–1990)

*M*oi, ma forme et mon Âme font un. Lorsque je meurs, est-ce que mon identité va avec l'Âme, est-ce que mon identité continue ? J'ai l'impression que notre Âme nous donne une bonne vie mais est-ce qu'il y a plus, pour conserver notre identité ?

Ne trouvez-vous pas que c'est déjà suffisant ? En fait, vous avez bien raison, c'est un donnant, donnant continuel qui pourrait être très agréable ou fort désagréable. En ce qui a trait à l'identité d'une forme, nous avons dit qu'il arrive que, sur une période de tout au plus deux de vos ans — ce qui est très court pour les Âmes —, certaines gardent l'identité de la forme qu'elles ont eue afin de rencontrer d'autres Âmes qui auraient bien partagé cette expérience avec elles ou d'en accueillir d'autres qui les ont bien aidées. Cela se produit. Il arrive aussi, dans plusieurs exemples que nous avons observés, que des Entités ou Âmes désincarnées se refont voir même après 20 ou 30 ans lorsqu'une des leurs revient et si elles sont toujours disponibles. Elles se refont voir avec la même identité, question de remercier, d'accueillir l'autre Âme. Mais passé ce point, elles ne gardent plus ces identités. Elles les conservent en mémoire. Elles n'en oublient aucune mais elles ne vivent pas avec cette unique identité. Sinon, comment voudriez-vous qu'elles réussissent à s'incarner à nouveau lorsqu'elles ont vécu 2000, 3000 ou 4000 expériences de vies ? Il y aurait confusion et vos formes ne seraient plus jamais les mêmes. Les identités ne font pas partie de la programmation des Âmes dans vos formes, mais elles ne les ignorent pas tout de même. C'est ce qui fait que, dans certains cas de régression ou d'hypnose profonde mal dirigées, par des gens avides de curiosité, il y ait des dédoublements de personnalité, des prises de conscience de vies antérieures qui causent ces dédoublements. Cela peut se produire, comme cela se produit déjà. Il arrive aussi que des personnes ayant subi des comas prolongés redeviennent conscientes et aient souvenance de ce qu'elles étaient, mais elles ne sont plus jamais les mêmes. (Maat, IV, 09–02–1991)

P *ourquoi y a-t-il des gens qui n'ont pas encore évolué et qui meurent dans des accidents ?*

Pour deux raisons. Certains jeunes ont des accidents pour ce que c'est. Tu vois, nous ne pouvons pas tout prévoir. Votre technologie, malgré le degré d'avancement que vous lui accordez actuellement, n'est pas si avancée que cela. Il y a beaucoup de danger en cela. Si tu pouvais voir la dématérialisation, tu verrais que c'est beaucoup plus rapide que vos automobiles, beaucoup plus simple, beaucoup moins polluant. À ce niveau, les déplacements sont plus rapides. Mais vous n'êtes pas rendus à ce point. Et avec la quantité d'automobiles qui existent présentement, il y a des accidents pour ce qu'ils sont : des accidents; et c'est fort malheureux. Il faut que tu comprennes aussi que, parfois, la personne qui a eu cet accident pouvait s'être dit : « Je n'ai pas le goût d'aller à cet endroit, mais je n'irai pas demain, j'irai aujourd'hui. » Cette personne ne se sera pas fiée à son intuition ou, si tu préfères, à ce que son Âme lui disait : « Ne fais pas cela, je prévois des risques. » Il arrive, dans d'autres cas, que l'Âme sait fort bien ce que la forme veut faire, même de s'enlever la vie par exemple, et elle préférera que cela se termine autrement. Mais ce ne sont pas la majorité des cas. Dans d'autres cas, ce pourrait n'être que des vies partielles, ce que vous appelez des « morts jeunes », pour faire prendre conscience à ceux qui vivaient avec ces enfants où ils en sont, pour accélérer leurs recherches, donc leur progression. Nous comprenons fort bien que, dans tous ces cas, vos émotions puissent jouer un rôle important. Il faut comprendre aussi, et nous le savons fort bien, que les parents qui perdent leurs enfants en sont fort malheureux. Vous verrez que plusieurs d'entre eux ne rejetteront pas la vie pour autant. Ils seront très malheureux, soit, mais ils rechercheront des contacts, même avec leur enfant disparu, des vécus. C'est fort similaire à ce que nous avons dit plus tôt lorsque Jean-François nous a demandé comment ressentir les Âmes. Les gens qui ont perdu un enfant apprennent cela plus rapidement et ils sont fort différents par la suite. Ceux qui ne savent pas diront : « C'est le malheur qui leur a donné ce comportement. » Mais, voyez-vous, ces gens ont peut-être vécu quelque chose de très bon aussi, sans pouvoir vous le dire avec des mots. Ce ne serait pas compris. Avons-nous bien répondu à ta question ?

Oui. (Les colombes III, période réservée à des enfants, 04–08–1990)

À la mort, quelle est la différence entre une Âme expérimentée et une Âme qui ne l'est pas ?

Une Âme qui n'est pas expérimentée ne restera pas près de la dépouille; elle va plutôt retrouver les autres Âmes qui ont vécu avec elle, par goût de partage. Une Âme qui a eu plusieurs formes auparavant sera plus attachée à sa forme et gardera aussi beaucoup plus longtemps l'énergie dans une forme décédée, de son énergie bien sûr, de façon à pouvoir être certaine. N'oubliez pas une chose : lorsque le moment viendra, votre cerveau saura très bien quoi faire. Il y a eu des cas où les gens vous ont dit : « J'ai revu toute ma vie en quelques secondes. » Vous savez, l'Âme peut faire voir beaucoup plus qu'une vie en quelques secondes. Elle peut faire voir toutes les autres vies aussi, un peu pour dire à la forme : « Regarde, tu m'as fait réaliser tout cela et, ensemble, nous avons appris ceci. » C'est une forme d'encouragement. Plusieurs ont vécu cela, un peu comme si, à la dernière minute, vos formes se disaient : « Est-ce que cela en valait la peine ? » Mais il y a de moins en moins d'Âmes inexpérimentées, pas à l'époque actuelle. *(Alpha et omega, III, 18–08–1990)*

*V*ous avez parlé de l'énergie dégagée par les formes après la mort. Quand il s'agit d'une Âme expérimentée, est-ce qu'on peut...

D'ailleurs, une Âme expérimentée peut être beaucoup plus perçue des autres, de ceux qui vivent.

> *Est-ce cela qu'on peut percevoir de certaines formes, de ceux qu'on appelle des saints, qui seraient morts même des centaines d'années auparavant ? Est-ce possible de sentir encore cette énergie, par exemple celle du frère André ou de saint François d'Assise ?*

Quelle serait votre question sur ces deux personnages ?

> *Est-ce qu'on parle du même phénomène ? Est-ce ce qu'on peut percevoir, à ce qu'on nous dit, avec ces anciennes formes-là ?*

Lorsque les gens sont rattachés par l'idée, par la pensée ou par l'imagination à un personnage, peu importe lequel, il arrive parfois que l'Âme du personnage se sente près d'eux aussi. Vous souvenez-vous, nous vous avons dit : « Que ce soit pour nous appeler nous-mêmes ou d'autres Entités, utilisez l'image, pas les mots. » Que faites-vous lorsque vous voulez vous souvenir d'une personne décédée ? Vous vous l'imaginez, n'est-ce pas ? En faisant cela, vous faites appel à elle, vous faites une demande et elle peut très bien être entendue, surtout si l'Âme n'a pas choisi d'autres incarnations. Comme expérience, il est très intéressant aussi pour une Âme de ressentir les contacts demandés par d'autres formes. Lorsque des milliers et des millions de personnes pensent ensemble à elle, elle n'a pas le choix, elle vient, mais seulement si elle n'est pas réincarnée. Si elle l'est, nous souhaitons que votre foi soit très forte parce que ce sera votre foi qui jouera un rôle dans la réalisation de votre demande, pas l'Âme.

> *Dans les deux exemples donnés, pouvez-vous nous dire si ces Âmes sont réincarnées ?*

Depuis fort longtemps. Une seule parenthèse à ce sujet. Vous êtes tous des formes; donc, lorsque vous pensez, vous pensez forme, vous utilisez l'imagination, la visualisation, car vos pensées sont ainsi faites. Lorsqu'il y a décès, vous vous imaginez donc qu'il y a encore pensée au niveau des formes, parce que vous n'avez pas vu notre monde. Notre dimension est fort différente. Ce que nous voulons vous faire comprendre par cela, c'est que vos Âmes, par attachement aux formes ou parce qu'elles sont rattachées à des gens qui pensent trop à elles, vont être forcées de rester et de ne pas continuer leur évolution. Combien de fois n'avons-nous pas eu à intervenir parce que des gens pensaient trop, soit à leur père, soit à leur frère, peu importe, avec une pensée tellement bien dirigée, tellement forte, qu'ils disaient : « C'est comme s'il était à côté de moi ! » C'était cela aussi. Les Âmes gardent toutes les impressions d'une forme après le décès, toutes, même les émotions. C'est pour cela que, lorsque vous pouvez les contacter, vous pouvez les comprendre, les percevoir. C'est pour cela aussi qu'elles vous perçoivent quand vous avez vos propres émotions, sinon vous ne pourriez les percevoir. (*Alpha et omega, III, 18–08–1990*)

E st-ce qu'il y a des gens qui peuvent effectivement mourir et dont l'Âme s'en va et revient ? Est-ce qu'il y a des cas où cela arrive, est-ce que c'est une mission de l'Âme ?

De revenir dans une forme décédée ?

Dans le sens qu'elle est morte depuis 30 secondes et que l'Âme a eu le temps de vivre beaucoup de choses, non seulement des images, et qu'elle revient vers la forme qui a intégré ces expériences-là. Est-ce qu'elle peut en parler ?

Entre la forme et l'Âme ?

Oui.

Vous savez ce que vous appelez 30 secondes...

Je ne sais pas combien il y a de temps avant que le cerveau soit atteint.

Dans le cas mentionné, aucunement. L'échange se fait tout au plus en trois ou quatre de vos secondes. Lorsque vos formes décèdent, l'Âme ne prend guère que trois à quatre secondes pour repasser toute une vie. C'est vrai pour toutes vos formes. Les gens qui sont revenus à la vie vous disent : « Cela a dû prendre une heure ou deux. » C'est beaucoup plus rapide. Cela dépend des cas. Il y a des formes qui ne sont pas intéressées à cela; lorsqu'elles ont terminé, c'est terminé. Elles savent qu'elles vont périr et ne sont pas intéressées à revoir leur vie. En règle générale, lorsque la forme décède, très rares sont les Âmes qui vont insister auprès de leur ex-forme. *(Alpha et omega, III, 18–08–1990)*

*Q*uand vous parlez de la barrière infranchissable entre l'Âme et la forme, que la forme ne peut passer, et la barrière entre les Entités et les Cellules, pouvez-nous l'expliquer davantage ?

Parlez-vous de notre dimension qu'aucune Entité ne pourrait franchir tant qu'elle n'y serait pas autorisée ?

Oui. Il est supposé y avoir un mur quand on meurt, qu'on ne peut franchir avant que les autres ne viennent nous chercher ?

Foutaise que cela ! Vos Âmes n'ont pas besoin de mur à traverser, elles savent fort bien où elles doivent aller. Certaines personnes qui ont revécu se sont souvenu d'avoir vu des parents ou des amis venir les chercher. Nous vous avons dit que les Âmes utilisaient les visualisations d'énergie pour recréer les formes qu'elles avaient, mais c'est à leur niveau, pas au vôtre. Si les Entités utilisent cela pour encourager une Âme à aller vers les siens, vers les Entités qu'elle a connues, il n'y a aucun problème à cela. C'est dans leur dimension que cela se passe. Elles n'ont aucune limite à cela, aucune barrière non plus et surtout aucun mur; il n'y a aucun mur de notre côté. Vous avez d'autres croyances comme celle-là ?

Oui. Quand l'Âme est rendue de l'autre bord, est-ce qu'elle est consciente qu'elle n'a pas...

Nous aimons votre terme.

Est-ce qu'elle est consciente qu'elle n'a plus de forme ?

Bien sûr, parce qu'elle a assisté sa forme jusqu'au dernier instant et que, bien souvent, elle a aussi suivi les formes qui continuent de vivre pendant quelques heures, quelques jours ou quelques années dans plusieurs cas, dans le but de les encourager à vivre surtout. Il s'agit encore de cas individuels. Lorsqu'elles ne sont plus dans vos formes, elles ont pleine liberté de rester avec celles qu'elles ont connues ou d'aller vers celles qu'elles ont déjà connues. C'est leur choix. Il arrive aussi que vos pensées, lorsqu'elles sont trop fortes, les forcent même à rester près de vous et cela peut leur nuire; cela rejoint quelque peu la question précédente. Il arrive toujours un temps où vous les oubliez et les Âmes sont alors plus libres. Il arrive aussi que les Âmes se réincarnent dans les minutes suivantes; cela dépendra. Nous avons même observé des formes qui avaient plus de deux ou trois de vos semaines et qui attendaient leur Âme, parce qu'elle était encore dans une autre forme. Lorsque cela se produit, nous prenons nous-mêmes en charge ces formes pour être certaines que ce ne sera pas une autre Entité que prévue qui prenne la forme. Nous régissons dans ce sens. *(Alpha et omega, III, 18–08–1990)*

*M*oi, je suis rendu à penser que, lorsque les Âmes des gens autour de nous nous quittent, on les pleure après leur mort tandis qu'on devrait se réjouir, et lorsqu'un bébé vient au monde on est content : faudrait-il pleurer ?*

Vous n'avez aucune raison de pleurer puisque l'Âme continue son expérience. Vous parlez des formes, voyez-vous. Vous avez aussi une Âme en vous.

Pour moi, c'est un changement terrible à faire en soi-même. On n'a pas été élevé comme cela, alors c'est tout un changement.

C'est pour cela que vous êtes ici, ce soir. Nous comprenons pourquoi vous pleurez vos morts, nous comprenons vos sentiments à leur égard. Dites-vous bien cependant qu'il y a deux raisons pour les pleurer : ou vous les avez trop aimés ou mal aimés, ou vous regrettez de ne pas leur avoir dit ce que vous deviez leur dire et c'est sur vous que vous pleurez, pas sur eux. C'est la majorité des cas. Nous ne vous le répéterons jamais assez : cessez de penser que l'amour n'est qu'en pensée, vous ne sauverez personne comme cela. Si vous voulez vraiment aimer, utilisez donc les instruments que vous avez : dites-le. Regardez qui vous voudrez dans cette pièce, prenez une personne qui ne vous regarde pas actuellement et dites-vous : je l'aime. Puis allez voir cette personne et demandez-lui si elle vous a entendu. À moins que vous ne soyez toutes les deux à faire de la télépathie, elle ne vous aura pas entendu. Alors, imaginez que vous le faites à l'échelle d'un monde ! Même si vous étiez deux millions de personnes à émettre uniquement des pensées d'amour, vous ne seriez pas plus perçus, sauf entre vous, et encore par habitude, pas avec certitude. Par contre, soyez deux millions à répéter que vous vous aimez et vous comprendrez. Donc, lorsque vous pleurez des gens que vous avez aimés ou cru aimer, ce n'est pas toujours eux que vous pleurez, mais vous-mêmes. Vous pleurez par regret de ne pas vous être ouverts. Il y a des moyens pour corriger cela. Nous vous le donnerons à la troisième session. *(Maat, II, 01–12–1990)*

Est-ce qu'on choisit la manière de mourir ? Je connais quelqu'un qui est sûr de mourir, qui est prêt à mourir et qui dit : « Ils ne viennent pas me chercher. »

Non, vous ne choisissez pas toujours. Nous vous avons déjà dit que, parfois, les accidents étaient des accidents, que nous n'y pouvions rien. Il en va de même de vos morts. Ne croyez surtout pas que nous les planifions, c'est une fausse croyance : vous les programmez vous-mêmes. Tout à fait. Lorsqu'une personne s'en veut constamment, lorsque vous vous en voulez constamment, lorsque vous tuez vous-mêmes vos formes, que vous les rendez malades, ce n'est pas de notre faute. C'est vous qui faites cela de façon consciente. Donc, vous choisissez votre façon de mourir. Lorsqu'une personne vous dit qu'elle est prête à mourir, ce qu'elle vous dit en fait c'est : « Je suis prête à comprendre pourquoi je dois mourir. » Elle veut, bien sûr, mais elle n'est pas prête parce qu'elle n'a pas compris le pourquoi de sa mort. Il y aura un groupe comme cela bientôt avec lequel nous pourrons nous exprimer à ce niveau; les participants pourront comprendre. Regardez vos agissements quotidiens, vous acceptez-vous pleinement ? Si ce n'est pas le cas, votre forme non plus ne s'accepte pas. Elle trouvera un moyen de se punir pour ne pas avoir réussi à vous plaire. Vous pensez que le cerveau régit tout; vous faites une erreur, une grande erreur. Vos formes sont aussi indépendantes que l'est votre pensée, mais elles ont des limites. À force de vous répéter que vous ne vous aimez pas, pourquoi devraient-elles vivre ? Elles vous écouteront. C'est de cette manière que vous programmez vos morts. Rappelons que vos véhicules automobiles sont responsables d'une grande majorité de vos accidents. Lorsqu'une personne que vous aimez décède dans un de ces accidents, vous direz-vous que c'était dû ou regarderez-vous plutôt ce que vous pouvez apprendre dans cette douleur ? Ne verrez-vous pas qu'il y a beaucoup à trouver dans la simplicité de la mort ? Beaucoup à apprendre ? Lors du décès d'une personne que vous aimez, ne trouvez-vous pas que vos valeurs changent ? Que vos emplois n'ont plus la même valeur, que vos biens matériels sont futiles ? Mais vous l'oubliez trop rapidement ! Il y a plus que cela dans vos vies. Que de mots nous pourrions vous dire. Nous savons que vos questions sont encore très nombreuses. Vous n'avez pas réellement abordé les sujets de l'Âme et de la mort, bien que vous ayez eu plusieurs questions à ce propos, et cependant, vous en êtes à votre troisième rencontre. Que de questions il vous reste ! *(Maat, III, 13–01–1991)*

Q u'est-ce que je peux faire pour quelqu'un sur le point de mourir qui souffre beaucoup, est-ce que je peux lui donner...

La question serait plutôt, qu'est-ce que je peux me donner en voyant cela.

Non, aussi les aider.

Souffrir pour les autres ?

Non, penser à eux. Quand on les voit mourir, qu'ils sont prêts à mourir et qu'ils souffrent, quoi leur dire ?

De quelle souffrance parlez-vous ? De la souffrance physique ou de la souffrance psychologique, sachant qu'ils vont mourir ? Les deux sont des souffrances. La souffrance physique est visible, mais la souffrance psychologique se laisse deviner. Toutes les morts sont malheureuses, même la vieillesse est malheureuse parce qu'elle démontre une ignorance, une ignorance de vos réalités. Lorsque vous voyez des gens souffrir, qu'est-ce que cela vous fait à vous ? Oh ! vous direz que cela vous fait de la peine, mais à part cela ? Voir souffrir des gens vous met à l'envers comme vous dites et peut même vous empêcher de faire votre vie de tous les jours, n'est-ce pas ? Et cela vous trotte dans la tête jusqu'au décès. Vous en venez même à souhaiter que cette personne meure plus tôt, n'est-ce pas ?

Oui.

Qu'est-ce que cela vous donnera une fois que la personne sera décédée ? Moins de poids ?

Oui. Mais c'est pour la personne.

Très bien, mais pour vous aussi d'ailleurs. Une autre question pour vous : une fois que c'est terminé, tracez-vous un trait sur cela, en disant : « C'est fini, c'est fini, c'est tout » ? Vous gardez une place dans votre coeur pour ces personnes, mais que retirez-vous réellement de l'expérience de la vie dans cela ? Est-ce que cette personne est morte pour rien, outre le problème qu'elle avait ? Si vous aviez de l'amour pour cette personne, comme vous dites, qu'est-ce que cela modifie en vous ? Quelle ouverture y a-t-il eue ? Quel est le côté positif de cette mort ? Voici une autre question à vous poser : qu'ai-je retiré de la mort de cette personne que j'aimais et en quoi pourrait-elle m'aider ? Et vous trouverez toujours une réponse. Trois fois sur quatre, vous direz : à comprendre que je vois ma propre vie avec les tracas quotidiens et les gens qui s'énervent tout autour de moi, et que tout cela est futile parce que moi aussi je pourrais mourir dans une heure, ou même dans deux minutes. Tout cela va vous conduire à trouver de nouvelles valeurs. Regardez votre monde. Toutes les fois qu'il y a une guerre, vous remettez vos vies en question. Antérieurement, vous vous retourniez tout de suite vers Dieu, qui est l'Ensemble, et vous vous disiez d'accepter ceux qui restaient avec vous. Futilité. Les avez-vous acceptés vous-mêmes ? Nous vous retournons encore une fois la question : vous acceptez-vous ? Ou vous faut-il la mort d'autres personnes pour vous saisir ? Il n'y a rien d'inutile. Une souffrance cache une joie, ne serait-ce que d'avoir découvert la réalité de votre vie ? N'oubliez jamais de remercier celui ou celle qui est morte pour vous avoir fait comprendre cela. Voyez qu'il y a un côté positif. Si cela vous attriste, c'est parce que vous êtes tristes sur vous-mêmes, c'est parce que vous refusez une réalité, vous refusez de voir plus profond en vous, au cas où cela changerait votre vie. Il est bien plus facile de dire que c'était le karma de cette personne, que cela devait se produire, que Dieu l'a rappelée comme si l'Ensemble avait cela à faire. Lorsque les Âmes choisissent vos formes, ce n'est pas pour les détruire qu'elles le font, sinon, pourquoi le feraient-elles ? Mais lorsque tout va bien, il vous faut des problèmes. Vous n'arrivez pas encore à concevoir qu'une vie peut se réaliser sans problème. Bien pire que cela, vous refusez même l'aide de vos Âmes, au cas où elles dirigeraient vos vies et éloigneraient vos amis. Oh ! cela va vous changer. Mais dites-vous bien que, si cela change vos amis, peut-être devaient-ils être changés aussi, sinon vous les garderiez autour de vous. Avons-nous répondu à cela ?

Oui. (Maat, III, 13–01–1991)

E *st-ce que vous pouvez me décrire le genre d'environnement dans lequel je me retrouverais en décédant ? Serait-il équivalent à la qualité de mon évolution ? Autrement dit, si j'ai pris une très mauvaise tangente dans mon évolution, vais-je me retrouver dans un endroit équivalent ?*

Cela n'a rien à voir. Sauf, encore une fois, au risque de nous répéter, au niveau des Entités entre elles. Elles ne sont pas là pour se nuire. Mais si elles peuvent s'entraider, et surtout si ce cas est acceptable pour elles, elles le feront. Elles ont quand même de la compassion. N'empêche que si cela s'est produit volontairement, autrement dit si l'Âme a agi volontairement pour nuire à une forme, elle est fortement réprimandée de leur côté. Ne vous en faites pas, vous n'apporterez pas avec vous votre voiture, donc les problèmes non plus. Les Âmes font une synthèse de leur vie avec la forme lorsqu'elles la quittent. C'est pourquoi certaines formes qui ont repris vie diront avoir vu leur vie se dérouler. L'Âme refait toujours avec cette forme, par respect aussi, la synthèse de ce qu'elle a appris avec elle. Croyez-nous, cela se fait rapidement. C'est ce qui est pris en considération lorsque l'Âme arrive dans son propre milieu avec ses semblables. Pas un geste isolé, l'ensemble. *(Harmonie, III, 09–01–1991)*

S *i ce n'est pas le départ de l'Âme qui fait que la personne décède, qu'est-ce que c'est ? Qu'est-ce qui tue la forme ?*

La forme elle-même.

Lorsqu'une personne est malade depuis longtemps, qu'est-ce qui décide que c'est à cette seconde-là qu'elle décède ?

La forme qui en a assez de se battre et qui, d'un commun accord avec l'Âme, sans penser, sans analyser tout cela, en a assez. Elles décident ensemble. En règle générale, ces décès se font la nuit, rarement le jour, parce que le jour les formes se remettent souvent en question. Elles ne savent pas si elles doivent tenir à la vie ou non. C'est lorsqu'elles sont face à elles-mêmes qu'elles décident. *(Symphonie, IV, 06–07–1991)*

*E*st-ce que la date de notre mort et notre façon de mourir sont *programmées ? Par exemple, dans le cas d'un accident grave, une chute d'avion où plusieurs personnes meurent et qu'une seule personne reste en vie ?*

Vous appelez cela des accidents. Nous ne prévoyons pas ces choses-là. Rappelez-vous qu'au tout début vous n'aviez pas ces avions, ni ces automobiles. S'il fallait prévoir chacun de vos accidents, il faudrait trois Entités par Âme pour vous épauler, juste pour tout prévoir. Remarquez que cela ne serait pas possible. Vous agissez encore très consciemment. Prenons l'exemple d'une personne qui n'a pas d'automobile parce qu'elle ne veut pas s'endetter. Rendons cela encore plus compliqué. Cette personne décide du jour au lendemain de se procurer un beau véhicule : nous n'y sommes pour rien, vous savez. Elle ne sait pas conduire et se tue : nous n'y sommes encore une fois pour rien. De toute façon, elle n'aurait pas écouté si nous lui avions dit de ne pas conduire, car elle était trop consciente. Nous ne prévoyons pas ces choses-là et ne nous dites pas non plus que c'est le karma !

Est-ce que le moment de notre mort et notre façon de mourir est programmé, est-ce qu'on décide cela et cela peut-il changer ?

Vous nous avez parlé d'un accident d'avion ou d'un accident d'automobile. En ce qui a trait aux maladies, regardez seulement ce que vous mangez. Regardez seulement la pollution qui vous entoure. Ce n'est pas en diminution. Nous avons remarqué — ne craignez rien, nous n'avons pas fini notre réponse — que le monde animal actuel s'adaptait mieux que vous aux changements, il s'adaptait mieux à la pollution et savait s'éloigner le moment venu. Mais vous ne faites pas cela, vous restez au même endroit. Vos formes sont attaquées de toutes parts. Vous ne leur laissez pas le temps de s'adapter. Pour répondre à votre question, comment voulez-vous que nous puissions prévoir tout cela, l'heure et la seconde même ? Vous les prévoyez vous-mêmes. Faites l'inventaire de vos pensées, vous allez voir qu'il y a beaucoup plus de négatif que de positif et lorsqu'il y a du positif, c'est pour combattre le négatif. Donc, vous ne laissez pas vos formes s'ajuster réellement. Vous les forcez à s'ajuster et cela apporte des changements majeurs dans vos vies. Pensez-y bien. Avec tous les préparatifs nécessaires à une Entité pour bien gérer une forme, pensez-vous réellement qu'elle pourrait prévoir aussi le décès de cette forme avec tous les efforts que cela demande ? Ce n'est pas le but visé. De prévoir la mort telle que vous l'entendez, ce n'est pas dans nos objectifs, mais beaucoup plus dans les vôtres. Vous prévoyez tout, même vos préarrangements funéraires. Nous ne prévoyons pas cela, c'est vous qui le faites ! Vos vies comportent beaucoup plus de risques qu'il y a seulement cinq de vos années et il n'y a aucune comparaison possible avec la vie d'il y a 30 ans. Prenez cela en considération. Pour répondre plus brièvement : non. Vous ne trouvez pas que dans les agissements de tous les jours... Prenez seulement ceux qui travaillent de force à poursuivre un travail qu'ils n'aiment pas, seulement pour le salaire : vous croyez qu'ils travaillent pour leur propre bien ?

Non.

Nous non plus. Donc, à force d'accumuler du stress, ces gens finissent par ne plus aimer non seulement leur travail, mais tout ce qu'ils vivent. En agissant ainsi, ils punissent leur forme et cela entraînera très certainement la maladie, si ce n'est de forts déséquilibres psychologiques. Vous croyez que nous pouvons prévoir cela ? Certaines personnes — juste pour vous démontrer le grotesque de certaines vies — savent qu'ils travaillent avec des produits dangereux et respirent ces produits, mais ils continuent de travailler pour la paye. Vous croyez que ces gens font tout pour vivre ? Ils disent : « Mais j'ai une famille à faire vivre ! » Nous répondons que ce ne sont pas tous les gens qui font des travaux dangereux. Nous pourrions continuer comme cela pendant des heures. Tant que vous vivrez trop consciemment, sans analyser ni les causes ni les conséquences, et juste par intérêt, les préarrangements seront toujours une bonne solution. *(Les Âmes en folie, IV, 20–07–1991)*

*E*st-ce que c'est la forme qui décide de mourir et l'Âme qui la quitte alors ?

Tous les jours. Et chacun d'entre vous, quelque part, vous faites ce choix. Ne vous en faites surtout pas. Vos Âmes ne vous quitteront pas avant que vos formes ne s'arrêtent complètement de vivre. Et même encore, elles resteront un peu pour s'en assurer. Vous nous parlez de mort. Tous les jours, dans vos agissements, vous mourez un peu. Lorsque vous refusez d'être vous-mêmes, vous mourez un peu. Lorsque vous refusez à votre forme le repos qu'elle réclame, c'est cela que vous faites. Lorsque vous refusez d'être aimés, c'est aussi cela que vous faites. Nous ne mentionnerons pas les drogues, les boissons alcoolisées, les cigarettes et tout cela; c'est déjà trop conscient dans vos formes et vous le savez fort bien. Le plus dangereux de tout cela, ce sont vos agissements quotidiens envers vous-mêmes, l'acceptation que vous faites de vous. Dites-vous bien ceci : toutes les fois que vous avez une pensée négative face à vous-mêmes, une non-acceptation, c'est la mort que vous faites entrer graduellement. Nous vous l'avons dit : toute pensée quelle qu'elle soit se répercute dans vos formes. Une personne plus tôt nous demandait : est-ce que vivre nos émotions est bien ? Nous avons dit oui, et si vous les refoulez, vous les accumulez. C'est la même chose au niveau de vos pensées négatives, aussi minimes soient-elles. Si vous n'apprenez pas à vous en débarrasser, elles s'accumulent, et cela ne se pèse pas. C'est présent et cela agit à chaque heure, à chaque seconde de vos vies; et vous en êtes toujours les premiers surpris quand quelque chose ne va pas. Nous ne mentionnerons pas non plus ce que vous absorbez et que vous appelez de l'eau. Cela ne devrait même pas s'appeler comme cela. Ces soupes chimiques qui vont agir comme des bombes à retardement dans vos formes. Nous ne comprenons pas que vous buviez cela. Tout cela va avoir des réactions un jour ou l'autre. *(Renaissance, III, 09–11–1991)*

*Q*uand une personne a une maladie incurable, est-ce qu'elle choisit elle-même le moment de partir ou est-ce que cela lui est imposé ?

Lorsqu'une forme est sur le point de partir, le conscient a beaucoup plus de puissance que l'Âme, en ce sens que le conscient peut retarder le décès de plusieurs mois, même dans le cas d'une maladie incurable; c'est ce que vous appelez parfois des miracles. Tout dépend de ce qui entoure ces causes. S'il n'était que des Âmes, elles aimeraient bien mieux garder vos formes pendant 200 ou 300 ans.

> *Quand la personne sait qu'elle va mourir, est-ce qu'elle tient vraiment à ce que toute sa famille soit là ou est-ce qu'elle pourrait partir subitement ?*

Elle pourrait partir avant l'arrivée de sa famille. Dans le cas que nous allons observer, il s'agit d'une famille très unie. Dans ce cas, la forme a fait des efforts immenses pour garder sa conscience jusqu'au moment choisi. En fait, elle a retardé sa mort de deux jours pour être bien certaine que ceux qu'elle a aimés soient présents. Effectivement, vos formes peuvent retarder tout cela, comme elles peuvent aussi quitter avant le temps. Question de choix. Il arrive souvent que, même aux derniers instants, les formes ont tellement de force de caractère qu'elles refusent même le contact de l'Âme. Nous vous décrirons cela plus en détail lorsque le temps viendra. Vous comprendrez ce qu'une forme peut voir et ressentir. Il faut bien que vous compreniez aussi que, lorsqu'une Âme quitte une forme, elle a deux choix : soit de se faire voir au conscient, de l'aider au départ et de lui faire vivre une part de sa dimension, soit de laisser cette forme partir consciemment, comme si la forme avait décidé d'elle-même tout au long de sa vie de vivre et de mourir. Cela n'empêche pas l'Âme de quitter une forme pour autant. Dans le cas que vous allez pouvoir vivre à distance, c'est un choix bien voulu aux deux niveaux. *(Nouvelle ère, III, 02–05–1992)*

*A*près une mort lente ou subite, l'Âme a-t-elle un certain détachement à faire face aux Âmes qu'elle a aimées sur Terre ?

Tout à fait. C'est pourquoi elles ne reviennent pas souvent

auprès des formes qui sont mortes, pour ne pas être doublement perçues, pour ne pas le revivre non plus. Elles vivent cela tout aussi intensément que vous. Nous [les Cellules] n'avons pas vécu ce que sont les émotions des formes, leurs joies, mais pour les Âmes, surtout lorsque c'est récent, c'est comme si elles continuaient à les vivre. Oh ! pas comme vous, pas avec des larmes et des rires, mais cela modifie le taux de vibration qu'elles ont entre elles. C'est de cette façon qu'elles se comprennent et c'est aussi de cette façon que vous percevez les Âmes de ceux que vous avez aimés; vous percevez des taux de vibration altérés et votre cerveau convient tout de suite qu'il s'agit de leur présence, sinon vous ne sauriez pas comment cela se produit. Le même phénomène se produit lorsqu'après deux ou trois mois, quelques heures dans certains cas, vous les rappelez à vos côtés en recopiant leurs vibrations. Regardez comment cela se produit. Supposons qu'il s'agisse d'une personne que vous ayez vraiment aimée. Lorsque vous fermez vos yeux, vous ressentez encore sa présence. Et ce faisant, vous recopiez en vous l'image vibratoire de cette personne; c'est comme si vous l'appeliez. Si cette Entité est dans les parages ou si elle n'est pas occupée, elle viendra et vous aurez ce que vous aurez demandé. Donc, quand vous perdez un être aimé, plus vous pleurez intensément, plus cela vous blessera, mais plus vous blesserez l'Âme aussi et plus elle aura de la difficulté à vous aider. En fait, ce n'est pas l'Âme qui meurt, c'est la forme, mais pas le conscient de la forme, car l'Âme aura gardé l'empreinte complète de cette forme et c'est ce que vous continuez de percevoir après une mort physique. Donc vous pouvez effectivement les rappeler à vous quand vous voulez, mais si c'est pour pleurer, elles vont tout faire pour s'éloigner et vous allez vous sentir deux fois plus seule qu'auparavant. Si, par contre, vous les faites revenir dans le but de les comprendre, d'aimer, de croire que ces Entités peuvent vous aider, elles le feront, sauf si c'est au détriment de votre propre vie. Elles n'en ont pas le droit, mais elles pourront vous épauler dans les moments difficiles sans problème... Nous aimerions poursuivre sur le sujet de la mort de façon à ce que tous ceux et toutes celles qui ont encore peur de la mort puissent poser leurs questions concernant leurs craintes, leurs peurs, concernant ce qu'ils imaginent de la mort. *(Nouvelle ère, III, 02–05–1992)*

*V*ous mentionniez qu'on pouvait demander quelque chose aux Âmes des disparus, qu'on pouvait penser à eux. Est-ce qu'on nuit à leur propre évolution spirituelle lorsqu'on s'y rattache en pensant à eux ou en leur demandant des choses ?

C'est bien souvent à votre propre évolution que vous nuisez parce que vous apprenez à les percevoir et vous vous fiez à elles. Vous empêchez ainsi votre propre évolution et non seulement nuisez-vous à ces Âmes, mais vous vous nuisez à vous-mêmes. C'est pour cela que nous vous avons dit que, dans certains cas, ces Entités attendront plusieurs années avant de prendre une autre forme. Dans d'autres cas, elles seront pressées de le faire et vous leur nuirez énormément en les rappelant lorsqu'elles sont dans une autre forme; ce sera perçu même par un nouveau-né, fera partie de sa programmation future et pourra lui nuire énormément. Vous pouvez penser à un être aimé pendant 3 ans, 4 ans, 10 ans et même 20 ans; puis tout à coup vous avez des problèmes à l'imaginer tellement cela vous semble loin. C'est à ce moment-là qu'il vous faut cesser de le rappeler à vous : c'est le signe que l'Entité perd une conscience pour en adopter une autre. *(Nouvelle ère, III, 02–05–1992)*

*V*ous avez dit tantôt que les Entités restent autour de ceux qu'elles ont aimés avant de se réincarner... [Oasis signale la présence d'une Entité juste à la droite de la personne qui pose la question]. Je voudrais savoir si une Entité reste attachée aux Âmes qu'elle a aimées dans la dernière vie qu'elle a vécue, jusqu'à ce qu'elle se réincarne.

C'est majoritairement le cas. Tout dépendra du lien que les gens qui continuent de vivre vont entretenir et aussi de l'habileté qu'ils auront développée dans leurs perceptions. Pour certaines personnes, cela semble loin d'eux, ce n'est pas réaliste, alors que d'autres perçoivent même les plantes. Ces dernières seront donc très sensibles à l'approche de ces Entités; c'est cela la différence. Si vous étiez très habile, vous pourriez non seulement nuire à une Entité mais la rendre captive. *(Nouvelle ère, III, 02–05–1992)*

*F*ace à la peur de la mort, vous dites que c'est parce qu'on a peur de la vie. Pourriez-vous élaborer un peu ?

Prenez une personne qui a peur de la vie comme telle, peur des réactions suscitées dans son quotidien, peur de s'affirmer dans son quotidien. Comment pourrait-elle s'affirmer dans la mort, alors que la mort est une affirmation à revivre, une continuité, une affirmation de l'amour ? C'est comme cela que vous devez percevoir la mort. Mais si, dans vos quotidiens, vous n'arrivez pas à être vraiment vous-mêmes, à donner le maximum de vous-mêmes, à bien percevoir vos jours, à bien jouer votre rôle d'amour, comment pouvez-vous envisager la mort elle-même autrement que par la peur ? Donc, c'est beaucoup plus relié au doute et aux craintes de vivre qu'au fait lui-même. Dans le cas que nous venons de vous décrire, en quelques minutes seulement et avant que la forme ne ressente la souffrance, elle avait déjà perdu contact, et le conscient se croyait hors de la forme. Il n'y a pas de crainte à y avoir dans cela. Ceux qui croient que la mort est une souffrance la percevront comme cela, car ils habitueront leur cerveau à y croire et le vivront. C'est comme dans vos quotidiens; c'est la même chose... C'est une continuité. *(Nouvelle ère, III, 02–05–1992)*

Q *uelles attitudes suggérez-vous d'adopter face à une personne en phase terminale qui n'accepte pas la mort ?*

Cette personne va mourir de toute façon. Il ne s'agit pas de la convaincre qu'elle va mourir, elle le sait déjà. Une personne qui n'accepte pas d'affronter la mort en face est une personne qui revient sur son vécu tous les jours. C'est une personne qui regrette et qui ne sait pas comment regretter. C'est une personne qui balance toute sa vie dans le néant et qui voudrait tout recommencer. Tous ceux qui sont sur le point de mourir ressentent bien cela, tous le savent lorsqu'il est temps de lâcher prise. Donc, lorsque vous serez face à une personne qui rejette la mort, sachez que ce n'est pas la mort physique qu'elle rejette, mais la vie physique elle-même, les conditions de la vie. C'est que la forme se dit qu'elle n'a pas eu ce qu'elle attendait de la vie et qu'elle ne veut plus mourir. Habituellement, il suffit de beaucoup d'amour de la part des gens qui l'entourent pour qu'elle comprenne, pas seulement des pleurs. *(Nouvelle ère, III, 02–05–1992)*

E st-ce qu'une personne qui décède peut passer des messages par les rêves ?

Cela arrive parfois. Tout dépend de l'habileté que vous aurez à les recevoir. Vous pourriez aussi bien les recevoir lorsque vous êtes éveillés, mais beaucoup ont très peur de cela. *(Nouvelle ère, III, 02–05–1992)*

O n dit qu'on s'attribue ses propres maladies. Comment de jeunes enfants s'attribuent-ils des maladies comme la leucémie et en meurent ?

Si vous faites abstraction du niveau génétique, il y aurait intérêt à regarder ce que ces enfants vivent aussi, leur milieu, leur entourage. Sont-ils exposés à des sources très élevées de pollution ? Ont-ils tout l'amour qu'ils méritent ? Que vivent-ils ?

Le mien, oui.

Reformulez cela autrement.

J'ai un enfant qui est décédé de leucémie. Son désir de vivre était très fort; il avait beaucoup de courage. J'ai de la difficulté à accepter que la mort en ait décidé autrement.

Qu'avez-vous vraiment appris dans cette expérience ? Quelle a été votre plus grande leçon de vie dans cela ?

Le détachement ?

Nous allons formuler cela autrement pour avoir une autre réponse aussi. Vous avez appris le détachement. Sans cet événement, quand l'auriez-vous vraiment appris ? Pas encore, n'est-ce pas ? Qu'avez-vous le plus remarqué ? Quel est votre plus grand souvenir de cet être ? Quels sont les souvenirs les plus marquants que vous avez gardés des huit derniers mois de sa vie ? Ne serait-ce qu'une seule leçon de vie, que serait-elle ?

Son courage.

Combien cela coûte-t-il ? Fixez-y un prix. Difficile, n'est-ce pas ? Difficile de fixer un prix au courage. Il avait aussi la volonté d'avoir ce courage jusqu'au bout. Si vous mettiez cela en pratique vous-même, rien ne pourrait vous arrêter, rien dans ce monde.

Qu'avez-vous fait depuis ? Soyez très à l'aise. Psychologiquement, qu'avez-vous vécu depuis ce temps ?

J'ai appris beaucoup. Dans ma vie personnelle, il y a beaucoup de choses qui se sont éteintes.

Des choses auxquelles vous teniez ?

Oui.

Y avait-il vraiment des raisons ?

Pour moi, oui.

Si vous aviez à vous donner une note sur une échelle de 1 à 10, où se trouvait votre courage personnel il y a deux ans ?

Elle serait basse.

Maintenant, aujourd'hui ?

Cinq.

N'est-ce pas de l'amélioration ?

Oui.

Et selon vous, qu'est-ce qui a fait que vous soyez passée de moins deux à plus cinq ?

Les efforts que j'ai faits.

Par des efforts. Pouvons-nous vous faire une suggestion ? Aimeriez-vous atteindre 10 rapidement ?

Oui.

Fermez vos yeux... Vous allez revenir à cet instant qui, dans votre tête, vous a amenée à dire que cet enfant faisait beaucoup d'efforts pour être fort, pour être convaincant. Vous l'avez dans votre tête ?

Oui.

C'est très clair ?

Oui.

Vous le ressentez en vous ?

Oui.

À combien sur 10 ressentez-vous cela ?

Dix.

Nous dirions 12... Vous allez continuer à garder cela en vous, à le ressentir très fort ce courage, cette force. Vous l'avez toujours ?

Oui.

Si vous voulez, vous pouvez serrer les poings. Vous êtes sûre que vous avez encore cela ?

Oui.

Vous allez ouvrir les yeux et continuer de garder cela en vous. Gardez cette sensation du plus 10, gardez la sensation de sa présence en vous. Êtes-vous toujours au même nombre ?

Oui.

Pourquoi disiez-vous 5 si en fait vous avez 12 ? Tout cela ne provient que du jeu du cerveau qui vous fait faire des efforts pour justifier la peine, pour justifier la souffrance physique et morale. Vous pouvez en tout temps vivre des records en vous, seulement personne ne vous l'a appris. Vous l'apprendrez au deuxième Pas de plus. C'est cela se reprogrammer pour se reconnaître, pour ne plus vivre des « diminutifs » conscients. En tout temps, lorsque vous voudrez vous rappeler la force que votre enfant vous a donnée dans cette vie, revenez dans votre tête à l'instant précis de cette session et vous retrouverez tout de suite la même force. Pratiquez cela 10 ou 20 fois et vous le conserverez. Cet enfant, à qui vous avez donné la vie, vous la redonne. C'est cela la vie. Il vous a redonné à votre tour ce qui vous manquait le plus dans cette vie : la force, la volonté et le courage de passer à travers toutes les épreuves. Plusieurs diront que la naissance est le moment le plus douloureux d'une vie. Nous vous demandons pour qui ? Pour celle qui met au monde ou pour celui qui vient au monde ? Et est-ce que le fait de voir le jour et de mourir alors qu'on est encore jeune n'équivaut pas aux souffrances physiques d'une mère ? Ce que vous venez de faire, c'est de prendre le courage de démontrer devant tous à quel point vous pouviez reprendre vous-même votre courage et nous vous en remercions. Cela prenait beaucoup de force et nous savons qu'à l'avenir vous pourrez rappeler cela en vous à volonté. C'est fort bien. *(Diapason, IV, 06–06–1992)*

E st-ce qu'il est important de laisser s'écouler un laps de temps entre la mort et l'incinération en ce qui concerne l'Âme ?

Lorsque l'Âme est certaine que la forme ne peut reprendre vie, elle quitte la forme. Lors de prélèvements d'organes, nous avons également observé la programmation que les cellules de ces organes avaient reçue, pour voir si elle démontrait que les cellules de ces organes devaient continuer de vivre ou non. Il y a de fausses croyances à ce sujet; par exemple, vous croyez que de brûler vos formes nuit à l'Âme. Vous ne brûlerez pas l'Âme, n'ayez crainte, et l'Âme peut réimaginer sa forme quand elle le voudra. *(Alpha et omega, III, 18–08–1990)*

P our respecter nos formes, étant donné que nos cellules sont intelligentes et conscientes, quelle est la meilleure façon de détruire le corps après la mort ? Par respect pour la forme, doit-on enterrer le corps ou l'incinérer ?

Cela n'a aucune importance. Lorsque c'est terminé, c'est terminé. Il est trop tard pour penser à une forme décédée de cancer en lui disant : « Très bien, maintenant nous allons t'offrir ce que tu veux, enterrement ou incinération. » Mieux vaut penser à la personne lorsqu'elle est vivante. Que vous disposiez de la forme d'une façon ou de l'autre, cela n'empêche pas l'Âme de sortir de la forme, aucunement. Ce n'est pas le feu qui lui fera peur. *(Les colombes, IV, 08–09–1990)*

S elon les croyances, si l'Âme est encore attachée un peu au corps lors de la mort et si l'incinération se fait trop tôt, est-ce qu'il se peut qu'il y ait sensibilité au niveau de la forme ?

Foutaise que cela ! Cela ne peut se faire. Nous avons observé que vos cerveaux répondaient après ce que vous appelez la mort clinique durant une période de deux à trois de vos minutes. Passé ce laps de temps, le cerveau ne répond plus; il ne réagira pas non plus. Aucunement. Cela n'est pas comparable au coma, cela n'a rien à y voir. Dans la majorité des cas de coma observés, nous pouvons vous dire que les cerveaux entendent très bien, mais ne réagissent pas. *(Alpha et omega, III, 18–08–1990)*

E *st-ce qu'être incinéré ou être enterré a une influence ?*

Aucune. Sauf dans les formes avant qu'elles meurent; cela leur fait peur.

Est-ce qu'on devrait respecter un certain délai après la mort ?

Au moins trois minutes. Une fois que l'Âme a quitté la forme, donc qu'elle est certaine que la forme ne revivra plus, il n'y a rien à faire. Vos cellules ne crieront pas parce qu'elles brûleront; elles ne vivront plus elles non plus, même si certaines continuent de se développer. Mais il n'y aura pas la conscience totale de tout cela. L'ensemble n'y sera pas. *(Renaissance, II, 05–10–1991)*

Q *u'est-ce qui arrive aux gens qui sont enterrés vivants, aux Âmes de ces gens-là ?*

Ces Âmes restent avec ces formes jusqu'à la fin aussi. Mais il reste que ces conscients sont très marqués. Ce n'est pas chose courante dans le siècle actuel. Nous pouvons observer cela dans certains pays moins développés que le vôtre. De telles erreurs peuvent toujours se produire, mais très rarement tout de même. Pour constater des cas semblables, il faut reculer à il y a 60 de vos années. Actuellement, les incinérations se font dans les 12 heures suivant la mort et, lorsqu'il y a mise en terre, vos lois exigent l'embaumement. Montrez-nous donc une forme embaumée qui bouge ! Mais ces lois n'existaient pas il y a 50 à 60 de vos années. *(Renaissance, II, 05–10–1991)*

C *ombien de temps faut-il laisser reposer la forme avant de l'embaumer ou de l'incinérer ?*

Vous pouvez le faire dans l'heure qui suit, sans aucun problème. Si vous laissiez cette forme se décomposer, il y aurait encore de la vie, mais pas la vie de la forme telle que vous la connaissiez; une nouvelle forme de vie se développerait, des insectes y prendraient place. Dès qu'il y a assurance que cette forme ne peut revenir à la vie, il n'y a aucun problème. En règle générale, l'Âme sort de la forme dans les 60 secondes suivant le décès afin de s'assurer qu'il n'y aura pas de tentative de réanimation et qu'elle ne sera pas forcée de quitter la forme. Attendez une heure tout au plus, il n'est pas nécessaire d'attendre davantage. *(Nouvelle ère, III, 02–05–1992)*

*P*eut-on percevoir d'avance notre mort ?

Parlez-vous de la règle générale et même de ceux qui sont en santé ?

Oui.

La réponse est effectivement oui. Si vous vous refusez la vérité, si vous vous mettez une main devant les yeux, vous ne verrez pas ce qui est face à vous. C'est la même chose pour la pensée. Si vous vous refusez cette éventualité, vous vous refuserez la possibilité de l'apprendre. Si, au contraire, vous êtes une personne ouverte qui se fie à ses intuitions et qui peut vivre ce qu'est la vie réellement — et à cette condition seulement —, vous percevrez bien votre mort. Non seulement pour vous-même, mais aussi pour ceux qui seront autour de vous. C'est une forme de clairvoyance ou même de clairaudience parfois. Cette question était très originale. *(Les pèlerins, II, 24–03–1990)*

*E*st-ce possible que certaines personnes sachent d'avance qu'elles vont mourir ?

Oh ! mais tout à fait. Dans les cas de maladie, c'est très courant. Tout dépend de l'ouverture de la personne. Dans les cas de prémonition, cela aussi peut se réaliser, et il y a un bon côté : si cette prémonition vous avertit d'un danger et que vous agissez en vous disant que ce n'est pas imaginaire mais réel, cela vous sauve. Dans le cas de la maladie, il sera trop tard. À la prochaine incarnation, l'Âme saura, mais il sera trop tard pour sa forme actuelle. Était-ce cela le but de cette question ?

Oui.

Il arrive aussi que certains individus créent eux-mêmes leur mort, leur prémonition de la mort, tous les jours, en n'aimant pas ce qu'ils font, en ne s'aimant pas eux-mêmes. Cela revient à vous regarder dans un miroir et à vous dire : « Ce sera pour bientôt, j'espère. » Cela programme la forme directement. Voulez-vous un petit truc très facile pour savoir où vous en êtes vous-mêmes ? C'est très simple. Placez une de vos photographies à un endroit que vous fréquentez tous les jours et, lorsque vous arriverez vis-à-vis, notez immédiatement votre sentiment face à ce que vous verrez, face à vous-même. Vous allez avoir des réponses très frappantes, non seulement quant au niveau d'acceptation de vous-mêmes, mais quant au degré d'acceptation de la forme face à elle-même, du jugement qu'elle aura sur elle-même. Voulez-vous un truc encore plus radical ? Séparez les pages de votre livre favori avec votre photographie comme signet. Vous allez comprendre très rapidement ce que nous venons de vous dire. Tentez de vous approuver toutes les fois que vous vous verrez. Vous verrez, cela fera des miracles. *(Renaissance, II, 05–10–1991)*

Que faut-il penser du livre intitulé La vie après la vie ?

Bien sûr, il y a des exagérations dans ce livre. Les images dont certaines formes se souviennent, et ce dans de très rares cas, dépendent du niveau de connaissance et de maîtrise ainsi que du désir qu'a l'Âme que la forme en garde le souvenir. En réalité, ce ne sont pas des tunnels que les gens voient. Certaines formes qui perdent conscience en voient, mais lorsqu'il y a une connexion directe entre l'Âme et la forme, elles entrevoient une lumière de plus en plus forte. Elles voient d'autres formes qui ont déjà vécu et qui ont choisi de garder l'apparence qu'elles avaient lorsqu'elles vivaient. Nous fonctionnons par images et non par des mots. *(Les chercheurs de vérité, I, 09–12–1989)*

Après un coma, certaines personnes disent avoir vu un tunnel. Est-ce exact ?

Oui. Pour ne pas faire peur aux formes qui sont conscientes mais sans réaction, certaines Âmes leur feront voir cela. Ces images sont celles que perçoivent les formes quand les Âmes les quittent vers différents niveaux. Il y a hiérarchie dans vos sociétés; c'est similaire du côté des Âmes. Certaines Âmes doivent traverser différentes étapes de conscience pour quitter leur forme et faire place à une Âme plus habile. Certaines formes se souviennent de lumières blanches très intenses. D'autres se rendront à des niveaux moindres et verront des tunnels. Vos cerveaux imaginent beaucoup pour garder contact avec l'Âme. Dans la majorité des cas, c'est ce qu'ils font lors de l'anesthésie générale, qui se pratiquera encore pendant 30 ans. Lors d'anesthésies générales, vos systèmes immunitaires sont fortement touchés durant 12 mois et ne peuvent reprendre leurs fonctions. Par la suite, vous êtes d'ailleurs plus sujets à attraper facilement tous les rhumes ou virus imaginables dans votre environnement. C'est pourquoi les antibiotiques existent. Sous anesthésie, la majorité des Âmes quittent les formes pour se ressourcer et savoir si elles peuvent continuer. Les formes ont la conscience des cellules. *(Les pèlerins, I, 27–01–1990)*

*P*ourquoi y a-t-il des gens qui meurent et qui ont l'impression d'avoir été très loin dans la mort et qui reviennent ?

Dans les faits, ces gens ne sont pas sortis consciemment de leurs formes, mais c'est la pensée de l'Âme qui revient qui laisse cette impression au cerveau. En fait, le cerveau imagine souvent des tourbillons, des tunnels, peu importe, pour se représenter ce qui se passe, mais le fait est autre. L'Âme n'a pas à traverser de tunnels ni de tourbillons. C'est un peu comme dans votre monde, c'est très parallèle à votre monde. L'impression qui reste dépend surtout de la force et de l'habitude de l'Âme, de sa force de conviction dirigée vers la forme, et de sa force d'imagination aussi; cela dépend des cas. Il y a des Âmes qui ont l'habitude des formes, d'autres moins. Il arrive que, lorsqu'une forme reprend vie, l'Âme reprenne sa forme. Mais il arrive aussi, si l'Âme était convaincue de perdre sa forme, que ce soit une autre Âme qui reprenne cette forme. Cela s'est vu à plusieurs reprises mais ce n'est pas courant. *(Alpha et omega, III, 18–08–1990)*

*E*st-ce la projection de l'Âme sur le cerveau qui se produit lors de la mort clinique ?

Tout à fait. *(Alpha et omega, III, 18–08–1990)*

D es études américaines parlent de gens qui sont cliniquement morts et qui rapportent des images et des sensations. Est-ce que ce sont des messages que leur Âme a voulu leur transmettre ou s'ils les ont réellement vues ou ressenties ?

Il faut parfois des témoignages comme cela pour redonner confiance à d'autres qui ne croient pas. Disons que ces gens rapportent des expériences réelles dans le but aussi bien de donner plus de courage et de volonté à ceux qui souffrent que de donner de l'espoir à ceux qui le veulent. Voyez-y une simple expérience de la vie pouvant vous aider. *(Harmonie, III, 09–01–1991)*

Q u'arrive-t-il aux personnes qui sont déclarées cliniquement mortes et qui reviennent ?

En fait, rien du tout. Elles reviennent à la vie. Il y a deux choses qui se passent. Premièrement, la forme n'est pas morte puisqu'elle ne revivrait pas, donc elle a en fait gardé un minimum vital. Deuxièmement, ce n'est pas le conscient qui sort de la forme, mais l'Âme. Cependant, l'Âme sait fort bien qu'elle reviendra. Donc, elle maintient un lien de connaissance avec la forme elle-même. C'est ce qui explique que certaines personnes vous diront tout ce qui se sera passé, même à leur domicile pendant que cela s'est produit. L'Âme, voyez-vous, retransmet. Ce n'est pas le cerveau qui part se promener et ce n'est pas l'électricité de votre forme non plus, car elle garde la forme au minimum. C'est l'Âme qui retransmet. Cela donne une raison à la forme de rester en vie d'ailleurs. Si la forme perdait le contact avec l'Âme, il n'y aurait plus aucune chance de vie, ce serait la panique. Les cas de perte de conscience prolongée sont similaires; cela se produit réellement. Dans certaines formes opérées aussi, très régulièrement. L'Âme en profite pour retourner vers son milieu, étant donné qu'elle ne peut faire réagir la forme; cela se produit couramment. Bien sûr, cela se produit également dans les cas de coma, qui sont similaires; c'est même très courant. *(Symphonie, II, 04–05–1991)*

C es personnes tiennent toutes le même langage, qu'elles ont vu un tunnel, une lumière, comment expliquez-vous cela ?

C'est ce qu'elles ont vu. Le tunnel n'est autre que le passage conscient d'une noirceur intérieure vers une clarté extérieure. Il vient aussi du fait que vos cerveaux ont toujours des problèmes pour retraduire ces mêmes intuitions. Refaire des images à partir d'une forme et refaire des images à partir d'une Âme sont fort différents dans leur mécanique, dirions-nous, mais pas dans le fait. Lorsque la forme sait fort bien que l'Âme n'y est plus, elle s'efforce de garder contact et l'Âme en fait autant. L'espace entre ces deux niveaux de conscience ou cette connexion entre les deux, si vous voulez, c'est le tunnel, cet espace noir; la lumière n'est autre que l'ouverture. Par la suite, tout dépendant des cas, certaines Âmes retransmettent les images de personnes physiques qu'elles ont connues. D'autres vont dans les environs immédiats, peu importe; c'est leur choix. Bien souvent, elles veulent satisfaire la forme, ne serait-ce que la convaincre de l'existence d'autres mondes. Il n'y a rien pour rien, vous savez. D'autres personnes, plus habiles encore, ne verront pas ce tunnel, mais verront directement l'autre réalité, tout dépendra. Nous avons vu aussi, dans des cas d'électrochocs surtout, des Âmes complètement projetées à l'extérieur des formes; cela produit des noirceurs complètes, puis des retours très brutaux dans la forme. Les visions sont différentes selon les cas.

Les rêves font-ils partie des phénomènes que vous décrivez ?

Tout à fait. Volontairement ou non. Les gens les plus habiles, ceux qui créent leurs rêves — peu le font mais c'est une possibilité — peuvent se servir d'images extérieures et les capter pour les visualiser pour vous, peu importe. C'est une possibilité, cela dépendra de la peur que vous aurez surtout. Quand il y a danger que vos formes s'habituent, ça ne se fait pas. Par contre, si cela peut vous aider, cela se fera. *(Symphonie, II, 04–05–1991)*

E *n ce qui concerne les personnes qui meurent cliniquement et qui reviennent à la vie, ce qui est écrit ou les images qu'on nous montre, est-ce vrai ?*

Oubliez cela, cela fait surtout vendre des livres, mais ce n'est pas la réalité. Les dédoublements tels que le montrent certaines illustrations visuelles, forme pour forme qui se dédoublent, ce n'est pas la réalité, mais si vous voulez le voir de cette manière, faites-le. Nous avons dit cependant que certaines Âmes reproduisent l'aspect visuel de leur forme. Si vous le voyez de cette façon, c'est réel, mais cela ne provient pas de l'énergie de l'Âme. Cela donne confiance aux formes et elles n'ont pas peur lorsqu'elles se voient. C'est différent. Dites-vous bien une chose cependant : les morts qui reviennent à la vie trois jours après, vous voyez le genre, cela se voyait il y a plusieurs de vos années parce que les instruments n'étaient pas suffisamment précis pour déceler la vie. Mais actuellement, si cela se produit pour une courte période, vos instruments peuvent déceler s'il y a vie ou non. Dans certaines cliniques ou certains hôpitaux moins bien équipés, qui n'ont pas la capacité de percevoir la vie dans une forme, cela peut s'expliquer. Mais en règle générale, cela ne se produit plus. Les arrêts de vie sont plus courts. *(Symphonie, II, 04–05–1991)*

Certaines personnes racontent leur mort clinique : elles sont mortes, elles se rendent compte que leur forme ne vit plus, elles se retrouvent dans le noir, puis dans un tunnel, et se dirigent vers la lumière. Certaines d'entre elles rencontrent des personnes connues et reviennent à la vie après une réanimation. Est-ce le même phénomène qui se produit lors d'une mort réelle ?

Pratiquement la même chose sauf que, lorsque le temps n'est pas venu pour une forme et que l'Âme sait très bien que la forme revivra, elle garde conscient le cerveau, de façon à lui faire voir une part de sa réalité à elle. Mais elle quitte la forme, pour retourner dans sa dimension. Parfois, l'Âme fera en sorte de montrer à sa forme ce que celle-ci voulait voir, par exemple un membre de sa famille disparu. D'autres voudront voir un tunnel parce qu'ils auront entendu parler du tunnel de la mort. Quelle foutaise ! C'est uniquement dans le cerveau, pas dans l'autre dimension; il n'y a pas de tunnel de ce côté. Donc, l'Âme lui fait voir cela pendant qu'elle va dans sa dimension. Mais il s'agit uniquement de l'énergie du cerveau. Certaines personnes vivront cela d'ailleurs lorsqu'elles se feront endormir lors d'opérations. *(Renaissance, II, 05–10–1991)*

Tout à l'heure, on parlait de lumière noire dans le tunnel. N'y a-t-il pas plutôt une lumière blanche ?

Cela dépendra de l'éducation des cerveaux. Vous oubliez un phénomène. Vous oubliez que les gens qui reviennent à la vie sont bien souvent dans des cliniques, qu'ils ont reçu des médicaments, des électrochocs. Vos formes réagissent à cela. Une question pour vous : que ressentez-vous lorsque vous recevez un coup sur la tête ?

Je ne sais pas.

Vous voyez ce que vous appelez des étoiles, même si elles n'en sont pas. C'est la même chose au niveau de votre cerveau lorsqu'une réaction chimique s'y fait. Il a des réactions, des étourdissements, et qu'est-ce qu'un étourdissement, sinon une spirale ? Vous dites tellement souvent que la tête vous tourne que, si vous n'êtes pas conscients, le cerveau — qui sait — vous fera voir une spirale sans que vous ne tourniez pour autant. Selon le produit absorbé, selon les méthodes employées pour ramener une personne à la vie, cet étourdissement intérieur sera traduit par le cerveau comme un tunnel ou une spirale. Mais il est très rare que des gens qui sont passés de la vie à la mort et vice versa, sans aide, puissent vous raconter cela. C'est donc une question de clarté, de produits employés et aussi d'ouverture consciente. L'Âme peut aussi faire voir à la forme quelque chose d'associé à sa religion. Ce n'est pas aussi compliqué que vous le croyez. Cela se fait toujours très rapidement. Il arrive aussi que certaines formes aient vu beaucoup de visiteurs autour d'elles; c'étaient les Entités qui observaient. Lorsque l'Âme s'est projetée hors de la forme, elle s'est retrouvée parmi ces Entités. Et comme l'Âme a toujours un lien avec le cerveau, ou la forme si vous préférez, ces images se sont emmagasinées et resteront. Selon la méthode de réanimation utilisée, la forme pourrait garder ces images ou les perdre. Nul besoin de vous dire que vos convictions antérieures y sont pour beaucoup. *(Renaissance, II, 05–10–1991)*

Pourquoi les gens qui vivent l'expérience de la vie après la vie sont-ils tellement changés lorsqu'ils reviennent ?

Parce qu'ils se rendent compte que la vie n'était pas ce qu'ils pensaient, qu'il existe d'autres dimensions. Habituellement, ces gens n'y croyaient pas auparavant et ces révélations les mettent en confiance. En outre, ils se disent : « Qu'est-ce qui peut m'arriver de pire que de mourir ? De mal vivre, de trouver le quotidien lourd, de vivre avec des gens lourds, en plus de m'alourdir en ne m'affirmant pas. » Donc, ces gens ne recherchent plus les situations de vie qui leur pèsent. Bien au contraire, ils veulent profiter de l'outil qu'est la forme pour s'exprimer comme il faut, pour se démontrer. Cela ne se voit pas seulement chez les gens qui ont vécu ces expériences, mais aussi chez les astronautes. Nous avons observé tellement de cas comme cela. Et ces gens, croyez-le ou non, réalignent leur vie rapidement. Vous le savez, mais vous n'avez aucune idée de l'ampleur du changement. Combien de fois nous vous avons dit : « Votre monde est très petit. » Entendez par là, votre Terre. Elle n'est même pas refroidie et si minuscule ! Vous prenez trop au sérieux la fausse réalité de la vie. La réalité de la vie est toute autre, vous savez. Si vous étiez à quelques milliers de milles ou de kilomètres de ce monde, vous ne verriez pas les individus mais l'ensemble, dans toute sa fragilité, et cela vous ferait penser autrement. Ce qui ressemble le plus à votre monde, c'est vous-mêmes comme individus. Vous-mêmes, dans votre peau comme vous dites, vous ne vous voyez pas. Vous voyez ce qui est comme vous, ce qui vous entoure. Si vous aviez la chance de vous voir de l'extérieur, il y a fort à parier que vous seriez 9 personnes sur 10 à ne pas aimer ce que vous verriez même face à vous-mêmes : fausse réalité, fausse peur, fausse crainte de la vie. Pourquoi faut-il que vous soyez près de mourir pour voir vos vies ? Cela reste une énigme pour nous. Que vous vous entêtiez à ce point, que vous attendiez la mort pour accepter la vie, pour enfin la vouloir, pour la souhaiter, reste une énigme. Très bizarre, n'est-ce pas ? *(Renaissance, III, 09–11–1991)*

*L*ors de cette expérience de la vie après la vie, est-ce qu'il se peut que l'Âme soit remplacée par une autre ?

Très rarement; même pas assez fréquemment pour dire oui. Il peut arriver dans certains cas de suicide ratés que l'Âme préfère céder sa place à une autre, ce qui peut apporter de bons résultats. Ce sont seulement ces cas. Si vous faites référence à ces morts cliniques où les gens reviennent à la vie, l'Âme n'est jamais bien loin et elle reprend sa forme. C'est majoritairement ce qui se passe dans les morts cliniques; pas dans les cas de suicide manqué. Il est bien de savoir que cela existe, mais nous préférons tout de même davantage la vie dans la vie que la vie après la vie. *(Renaissance, III, 09–11–1991)*

L'euthanasie, est-ce un suicide ?

Si vous étiez à la place de ceux qui n'ont aucune chance de survivre, par exemple dans les cas avancés de cancer ou de sida, choisiriez-vous de voir les vôtres souffrir ou de terminer votre vie sans souffrir ? Même vous, vous choisiriez l'euthanasie. Aucun médicament miracle ne peut sauver ces malades. Si une forme s'est rendue jusque-là, c'est qu'elle le voulait réellement, sauf dans le cas de certaines maladies biologiques retransmises de famille en famille ou de maladies retransmises de personne à personne. Après le cancer et le sida, trois autres maladies suivront. Il y a moins de huit mois, une autre maladie a fait son apparition. Elle est plus expéditive; il lui suffit de sept jours pour vous enlever la vie. Jusqu'où voulez-vous que vos corps vous amènent ? Jusqu'à ce que vous ne puissiez respirer et que ce soit terminé ? Les changements de conscience collective devront se faire, sinon les maladies sociales continueront de progresser. Si certaines formes doivent subir la maladie, si c'est leur choix de ne plus vivre, s'il leur a fallu de 30 à 40 ans pour bâtir cette maladie, si elles ne veulent plus entendre parler de la vie et qu'elles préfèrent souffrir dans la maladie. Le choix leur revient. Dans 40 ans, cette question ne se posera plus. Ce sera un choix individuel, ce qui ne vous est pas permis actuellement. Ce sont les horreurs de la dernière guerre qui sont toujours en conscience. *(Les chercheurs de vérité, I, 09–12–1989)*

En certaines circonstances, est-il correct de tuer une forme ?

Donnez-nous des explications sur cela.

Par exemple, est-il correct de tuer les formes qui ont détruit leur cerveau ?

Vous parlez des cas de maladies avancées ?

Oui, de maladie mentale avancée.

Tout à fait, parce qu'il s'agit dans ces cas de formes qui n'ont plus rien à attendre d'elles-mêmes. Vous pouvez choisir de les garder sous médication comme des cobayes, mais qu'est-ce que cela donnerait de plus ? Vous direz : le respect de la vie... mais personne ne veut de ces gens ! Que faites-vous de ces formes qui souffrent de cancers, de sida, des gens à qui les médecins donnent tout au plus un mois de vie ? Trouvez-vous humain ou égoïste de les laisser vivre ? Dans ce sens, nous répondons dans l'affirmative. Vos lois en viendront à cela très bientôt d'ailleurs. Mettez-vous à la place de ces gens et vous comprendrez. *(Maat, III, 13–01–1991)*

*M*a question porte sur l'euthanasie.

Nous vous répondrons plus en détail dans d'autres sessions, mais nous pouvons vous donner maintenant une réponse plus brève. Veuillez continuer pour que tous entendent.

Dans le cas où l'un de nos proches a une maladie incurable et qu'on croit qu'il va mourir, est-ce que quelqu'un peut l'aider à accéder à la mort ?

De façon à ce que cette personne en finisse elle-même ?

Qu'elle en finisse elle-même, quand son souhait est d'en finir avec la souffrance.

Laissez-nous vous expliquer un petit bout de vos évolutions. Normalement, une personne qui sait qu'elle ne pourra plus s'en réchapper, qu'elle devra mourir, du moins la forme, devrait avoir ce choix, parce que ce n'est pas seulement la forme qui fait le choix mais aussi l'Âme. L'Âme ne veut pas faire souffrir une forme. Au contraire, lorsque la forme souffre, l'Âme souffre aussi et, lorsque vous pleurez, ce n'est pas seulement la forme qui pleure mais l'Âme, de ne pas avoir réussi. Tout cela fait partie de la réalité. Si la personne qui doit mourir le veut, c'est parce qu'elle le sait. Votre monde actuel n'a pas encore tout compris; il se culpabilise, car il voit cela comme enlever la vie. Pouvons-nous vous suggérer que mourir, c'est vivre, et vivre, c'est mourir ? Songez-y, c'est important pour plusieurs. Il y a effectivement de l'amour et de la compréhension dans cet acte, pas seulement pour la forme qui doit en terminer et qui en est consciente, mais pour l'Âme aussi. Dans le futur, nous aurons des cas de ce type, un groupe spécial; il est déjà prévu. Nous étudierons aussi sur eux à quel point l'Âme peut bien percevoir et décider, et cela pourrait abréger certains cas. Il y a une autre cause qui pourrait mieux vous faire comprendre ce qu'est l'euthanasie. Dans certains cas, des formes qui doivent mourir ont peur consciemment d'oublier ce à quoi elles ont droit, c'est-à-dire de revivre toute leur vie consciemment, de faire une sorte de synthèse de ce qu'elles auront vécu pour mieux recommencer une autre vie. Si vous faites terminer ces formes dans la souffrance, leurs Âmes auront beaucoup de problèmes à commencer une autre vie parce qu'elles auront aussi souffert, souffert d'amour pour ces mêmes formes. *(Harmonie, I, 17–11–1990)*

 st-ce qu'on a le droit de décider de notre vie lors d'une maladie ? A-t-on le droit de se suicider lorsqu'on est très malade ?

Vous ne le ferez pas. Parlez-vous de l'euthanasie ?

Soit de l'euthanasie, soit du suicide.

Ce n'est pas la même chose. Si vous parlez de ces gens qui, selon votre expression, sont de vrais légumes, sont branchés sur des appareils spécialisés sans lesquels la vie n'existerait pas, ou encore de ces gens paralysés totalement et qui sont aussi des formes de légumes — bien sûr, ça ne se mange pas, mais au sens figuré — ceux-ci ont le droit de demander l'euthanasie. Vous appelez cela dignité de vivre, dignité humaine. Ces gens ne sont pas fous pour autant; ils savent très bien qu'ils nuisent et ne se sentent pas aimés pleinement. Les blâmeriez-vous ? Si ces gens n'ont aucune chance de retour à la vie, qu'ils sont à charge après avoir tout fait pour qu'il en soit autrement, ils ont droit à l'euthanasie. Les Âmes ne peuvent pas aller plus loin non plus dans de telles formes. Mais ces choix devraient être individuels, ils ne devraient pas être laissés entre les mains de gens ignorants. La décision n'appartient pas à des juges, mais à la personne qui juge de sa propre vie. Nous ne parlons pas de gens qui apprennent qu'ils ont une maladie et qui veulent en finir, mais des cas de coma prolongé et des cas sans retour où la souffrance est inhumaine. Sans hésitation : oui.

Nous faisons très souvent tout ce que nous pouvons pour aider cela nous-mêmes. La souffrance n'est pas partie de vos vies, c'est une acceptation de vos formes et de vos sociétés, mais pas un fait réel. Dans ce sens, la réponse est oui. Pour le suicide, c'est différent. Il faudrait pour cela analyser chaque cas et nous n'aurions pas assez de cette vie pour tout analyser. Sachez ceci par contre : les gens qui se suicident ont tout de même suffisamment de conscience pour savoir ce qu'ils font. Croyez-nous, cela demande tout de même un peu de courage, pas de la folie. (*Le fil d'Ariane*, III, 16–11–1991)

V *ous avez parlé de l'euthanasie comme étant une bonne chose...*

Ne généralisez pas tout de même... dans des cas extrêmes seulement.

Moi, je juge que nous n'avons pas le droit moral de décider si telle ou telle personne doit être branchée sur des appareils de survie.

S'il y avait un bouton dans la main de ceux qui décident pour eux-mêmes, la question ne se poserait même pas. Ce sont eux qui décideraient, pas les médecins non plus. Ils ne sont pas des juges. Et, du côté moral, cela les détruirait à la longue. Ils auraient peur d'avoir parmi leurs malades des gens qui en seraient rendus à ces étapes, ils auraient peur de devenir des bourreaux. Ils sont humains eux aussi, vous savez. Si la personne qui veut mourir le souhaite à ce point, si son cas est à ce point désespéré qu'elle est devenue comme un robot ou dépendante de robots, même si elle doit pousser un bouton avec la langue pour en terminer, c'est elle qui doit décider, c'est son choix. Qui vous dit que ce choix ne vient pas de l'Âme aussi. C'est cela le choix. Il y en a parmi vous qui fument beaucoup trop, qui ont choisi eux aussi l'euthanasie. Que faites-vous pour les en empêcher ? Il y a même des juges qui fument, vous savez. Tout cela revient à dire à ceux qui boivent trop : « C'est un problème que vous avez. » Mais ce n'est pas seulement un problème, c'est aussi de l'euthanasie quelque part. On leur fournit des instruments doux, des instruments permis pour le faire. Lorsque vient le temps de fermer les yeux, lorsque vient le temps de trop les ouvrir sur des cas de personnes qui souffrent, ce n'est plus permis. Nous pourrions aller encore beaucoup plus loin dans nos propos. Ces enfants placés sur des tablettes, c'est aussi de l'euthanasie à 10 % parce que, si cela continue, ce sera le pourcentage de suicide chez les enfants d'ici cinq de vos années tout au plus. Un sur 10 ! Vous n'avez pas fini d'en voir. Cela aussi est de l'euthanasie, dans le sens large du terme. Si vous nous demandez si ceux qui sont découragés de la vie pourraient tous avoir des chaises électriques pour en finir... nous ne sommes pas d'accord. Nous ne parlons pas de la même euthanasie. Avons-nous répondu à votre question ?

De façon détournée, un peu...

C'est que nous n'avons pas seulement répondu pour vous.

Ce que je veux réellement savoir concerne les médecins qui ont branché des gens. Avant même de prendre la décision de brancher quelqu'un sur une machine, est-ce qu'on a réellement le droit de se prétendre assez grand ou assez connaissant pour le faire ? Si l'Âme voulait réellement rester en vie, elle n'aurait pas besoin de la machine.

C'est la personne malade qui doit d'abord choisir. Si elle croit à cet espoir, si elle a encore des choses à régler dans cette vie et qu'elle accepte d'être branchée pour quelque temps, cela la regarde.

Si la personne est inconsciente.

Vous parlez des cas de coma ?

Coma, accidents, peu importe.

Il y a de ces cas qui reviennent à la vie aussi. Mais si le coma dure deux ou trois de vos années et que le cerveau est réellement atteint, que voulez-vous faire de plus avec ces formes ? Les mettre en boîte ? Vous savez, il y a des limites à tout. Habituellement, dans les formes que vous nous mentionnez, les médecins avertissent déjà les familles qu'il n'y a plus rien à faire.

Moi, c'est avant de brancher quelqu'un. Selon moi, nous n'avons pas le droit de brancher quelqu'un.

Cela dépendra des cas. Dans certains cas, il y a espoir tout de même. Dans d'autres cas, il n'y en a pas. Dans les cas où c'est définitif, où seule une seule machine peut tenir en vie artificiellement et où il n'y aurait pas de vie sans machine, la vie n'est déjà plus et il n'est pas utile de brancher. Encore là, vous allez avoir des problèmes de société face à cela. Qui décidera quoi ? Vos juges accepteront-ils de passer pour des bourreaux ou renverront-ils la balle aux médecins qui passeront alors eux-mêmes pour des bourreaux ? Ne serait-ce pas aux familles de décider, de juger, selon les avis des médecins ? Comment vous sentiriez-vous si vous aviez à décider cela vous-même ? Auriez-vous l'impression d'avoir vous-même enlevé la vie ?

En tout cas, moi je sais que je ne voudrais jamais être branché sur une machine.

En tout cas, vous ne le serez pas. *(Le fil d'Ariane, III, 16–11–1991)*

Si une personne en perte d'autonomie choisit l'euthanasie, par exemple une personne atteinte de la maladie d'Alzheimer, comment l'Âme peut-elle vivre cela ? Comment cela se passe-t-il ?

Une personne qui choisit l'euthanasie, dans un pareil cas, le fait par respect de l'être humain. Vous en viendrez à cela dans vos sociétés et plus vite que vous ne le croyez. Ce que l'Âme vivra alors, elle l'acceptera parce qu'elle ne peut plus s'exprimer dans la forme. Et, par respect pour la forme, elle en viendra aussi à souhaiter l'euthanasie, pas seulement dans les cas mentionnés, mais aussi dans les cas de coma prolongé (plus de six mois habituellement) et dans les cas de paralysie complète où les gens souffrent plus en tentant de se tolérer eux-mêmes, ce qui est plus souffrant que la maladie elle-même. Ces gens auront le choix; ce sera leur choix. *(Diapason, IV, 06–06–1992)*

Soyez assurés d'une chose, nous vous entendons et nous ferons ce que nous pourrons pour aider, mais vous devrez prouver que vous ferez ce qu'il faudra aussi pour et en cela. Vous pouvez être assurés de notre amour pour vous.

Oasis

*La distance
n'existe pas
et, si ce n'était d'une
coordination de l'énergie,
la matière non plus.*

Les faux espaces

Nous savons que cette session se déroulera en deux parties, avec la possibilité d'y rajouter deux autres parties. En première partie, nous avons cru bon mettre à jour tout ce que nous avons pu apprendre dans les autres groupes qui ont aussi cheminé avec des Cellules. Est-ce que ce sera facile ? Ne vous attardez pas aux mots... Recherchez en vous les échos des propos que nous tiendrons. Si vous n'y comprenez rien au début, laissez venir : vous en viendrez à tout comprendre. Nous avons tant à vous dire ! Mais nous ignorons si la voix de cette forme [Robert] nous le permettra. Comment mettre en place toutes ces connaissances que vous avez reçues ? Comment comprendre tout cela ? Quelle est donc cette réalité, non seulement ce que vos formes représentent, mais aussi vos Âmes, les Entités et les Cellules ? De quoi sont-elles faites ces Entités ? Quelle est donc cette relation qui fait que votre monde matériel, les objets, existent aussi ? Combien de fois, dans le passé, n'avons-nous pas dit : les Cellules dans l'Ensemble sont comme vos formes; et vos formes dans l'Ensemble sont comme tout ce qui vit. Nous n'avions pas alors l'autorisation de vous révéler ce qui les reliait. Maintenant, c'est chose faite, et le but de cette session est de vous le révéler. Lorsque nous aurons terminé nos propos, nous pourrons répondre à ceux parmi vous qui ont des questions à ce sujet. Et si le temps le permet, nous passerons aux questions que vous avez préparées... enfin, à celles qui n'auront pas eu de réponses.

Depuis le début des temps, vous n'avez recherché qu'une chose : qui est Dieu, quelle est la réalité. Pour cela, il y a eu des religions. L'une d'elle vous apprend que Dieu créa l'homme à son image. Pour ceux qui ne pratiquent pas cette religion, vous veniez du singe, etc. Où donc se trouve la vérité ? Que vous êtes à l'image de Dieu. C'est ce que nous vous disons depuis le début. Mais, encore une fois, c'était trop général, pas assez spécifique. Pour bien comprendre ce que vous êtes, il vous faut admettre que vous vivez dans un monde où il y a quatre dimensions. La première dimension est celle qui vous concerne le plus au niveau des connaissances : c'est tout qui est observable, de la poussière au Soleil, tout ce qui est compris entre ces formats ou grandeurs, tout ce qui est visible. Ne vous leurrez pas : vous avez toujours mis des normes sur ce que vous pouviez voir ! La première dimension est donc celle qu'il vous est facile d'observer, au microscope ou à l'oeil nu. La deuxième dimension constitue un monde que vous ignorez totalement : celui de l'infiniment petit, de l'ordre des atomes. Vous verrez les relations que cela aura tout à l'heure. Par contraste, il y a une troisième dimension, un autre monde : celui de l'infiniment grand, l'Univers. Ne vous illusionnez surtout pas : ce que vos scientifiques ont découvert n'est rien; ils n'ont rien vu de ce qu'est réellement l'Univers. Où se situe votre niveau de conscience ? Disons dans le milieu de tout cela. Vous avez donc appris à vivre avec et ce que vous n'arriviez pas à comprendre, vous deviez l'analyser avec des formulations ou d'autres moyens. Il faut que la science approuve ! C'est le cheminement que vous avez choisi, celui de l'apprentissage par la recherche. De notre côté, nous aimerions sauter des étapes parce qu'actuellement vous les brûlez. Souvenez-vous...

Combien de fois n'avons-nous pas mentionné que, pour la majorité, vous en êtes à l'automne de vos vies; il vous reste un peu plus de six de vos années et encore ! Rappelez-vous, nous avons dit que c'était le temps du ménage. C'est ce que vous faites habituellement au printemps, vous faites de la place. Et c'est effectivement ce qui se produit : vos sociétés font de la place. Dans le passé, au risque de nous répéter — nous ne le ferons pas souvent dans cette session —, combien de fois n'avez-vous pas appris seulement lorsqu'il y avait souffrance, douleur ? Il semble que ce soit comme cela que vous appreniez le mieux, que cela justifie votre apprentissage. Vous avez appris à vous faire soigner ? Nous allons vous apprendre à vous soigner. Ce ne sera peut-être pas facile à comprendre mais, nous le répétons, ne faites aucun effort. Laissez entrer ces mots en vous, vous les comprendrez tôt ou tard. Nous allons aussi vous mettre en garde contre ce qui se passe actuellement dans vos milieux de vie respectifs : les pollutions actuelles par les champs magnétiques, les ondes nocives. Nous savons que ces pollutions n'ont pas encore atteint le summum de ce que vous pourrez endurer mais, pour plusieurs, c'est déjà le cas.

Que de phénomènes inexplicables pourrez-vous comprendre après ces explications ! Ne tentez pas de tout expliquer aux autres, gardez cela pour vous dans un premier temps; cela va même modifier plusieurs formes. Donc, nous vous avons dit que votre conscient était adapté à ce que vous pouviez voir parce que c'est ainsi que vous avez appris à croire; il vous faut toucher pour croire. Lors de la fin de semaine que vous avez eue avec nous, nous avons démontré par différents moyens qu'il était possible de ressentir ce que vous ne pouviez voir. Nous l'avons fait dans un but très précis : vous permettre de comprendre ce qui va suivre. Dans le passé, nous vous avons dit que nous ne ferions rien qui ne soit utile, pas de mots perdus. Vous comprendrez tout cela. Donc, il va falloir que vous réorientiez votre façon de penser dans les mois à venir, sinon vous ne comprendrez pas ce qui se passera dans ce monde.

Nous allons en surprendre plusieurs. Vous avez toujours cru que l'espace existait, même les distances entre vous... Elles n'ont jamais existé ! Nous vous avons dit que le temps n'existait pas pour nous mais que, pour vous, c'était une façon de savoir où vous en étiez : des heures, des jours, des mois, des années. Comme c'était linéaire, cela vous permettait de connaître votre cheminement. Rappelez-vous : ce que vous voyez, vous le croyez. Il faut commencer dès maintenant à comprendre qu'aucune distance n'existe, pas plus dans vos formes que dans la matière.

Prenons la matière par exemple : il n'y a pas un seul objet qui n'ait de l'énergie. Les objets ont eux aussi quatre dimensions. Vous en voyez l'ensemble, du moins l'harmonie de l'ensemble. Comparez-les à vos formes : c'est la même chose. Qu'en est-il réellement ? Nous avons parlé d'un simple objet, de ce que vous pouviez voir. Mais qu'en est-il si vous disséquez un objet quel qu'il soit ? Vous le faites disparaître tout à fait. C'est la même chose avec vos formes, si vous le voulez vraiment. C'est une grande possibilité qui vient avec la compréhension. Considérez vos propres formes : vous en êtes rendus à chercher ce qui peut causer la maladie. Il est difficile en fait de trouver des remèdes à ce qui est incompréhensible. Lorsque nous vous avons dit que les formes dans les hôpitaux communiquaient entre elles, nous ne parlions pas de communication par la voix, mais de communication entre les cellules; nous irions même jusqu'à dire que la communication se fait au niveau des atomes des formes. C'est en le comprenant que vous pourrez vous comprendre; c'est la seule façon. Qu'est-ce qui crée ce que vous êtes ? Qu'est-ce qui fait que vos formes ont cette forme actuellement, cette apparence ? Une seule chose : l'harmonie au niveau des cellules. La preuve ? Regardez les formes qui ont le cancer : c'est l'anarchie complète ! Vous êtes tellement portés à ignorer vos forces ! C'est incroyable !

Lorsque nous parlions des pensées... Tellement de gens vous ont dit : vous serez ce que vous penserez. Qu'est-ce que cela veut dire ? Qu'est-ce que cela cache ? Cela dit que vous subissez les résultats de vos pensées, bien sûr, mais comment peut-il en être ainsi ? C'est que vous êtes des êtres qui fonctionnent avec des espaces inexistants, que vous croyez fonctionner avec un ensemble, mais en fait c'est beaucoup plus vaste que cela ! Ceci va vous surprendre : il n'y a pas une seule forme de vie, de la plante à l'être humain, qui ne fonctionne au niveau de l'atome même. Si les plus petites particules de vos formes devaient toutes se séparer, vous disparaîtriez; vous n'existeriez plus. Elles sont indissociables ! Nous vous le disons parce que c'est de l'énergie pure, parce que c'est l'harmonie au niveau des atomes de vos formes qui crée vos cellules et crée vos formes. C'est de l'énergie qui communique, qui a même le pouvoir de choisir entre vivre et mourir. En fait, la communication au niveau des atomes de vos formes — nous dirons au niveau des cellules, cela vous simplifiera la tâche... En fait, la communication entre les ensembles cellulaires de vos formes est tellement puissante qu'elles décident d'elles-mêmes quelles cellules doivent mourir et lesquelles doivent vivre. C'est un monde intérieur et vous êtes le reflet de cette harmonie. Si vous appreniez à vous servir de votre cerveau, vous sauriez que cet outil ne sert qu'à vous communiquer à nouveau l'ensemble et le résultat de ce qu'elles vivent. Lorsque nous vous disons de vous fier à votre intuition, cela comprend, bien sûr, les messages que vos formes vous envoient. Cela comprend aussi l'énergie de l'Âme, mais nous ne mélangerons pas cette énergie avec celle de vos formes car vous n'êtes pas prêts à le comprendre; nous le ferons un peu plus tard dans cette session. Donc, l'intuition comprend la totalité de ce que votre forme vit, à partir des atomes et des cellules qui, à leur tour, composent les organes et les membres. Il y a un complet accord entre les cellules. Nous avons dit que nous étions un peu comme vos formes, comme l'Univers. C'est la même chose au niveau des cellules de vos formes. Dès que l'une d'entre elles est malade, elle décide si elle doit continuer d'exister ou si elle doit faire place à d'autres. Et vous n'avez même pas à y penser. L'énergie de vos formes est une énergie totalement intelligente ! Lorsque nous vous avons parlé des gens qui reçoivent des organes, nous avons même décrit ce que les cellules de ces formes vivaient. C'était aussi cela, et aucune pensée n'aurait pu changer ce que les cellules avaient décidé, ce que cette énergie globale avait décidé.

Le pire, c'est que vous ignorez la force d'une pensée ! Vous savez que vous serez ce que vous penserez, d'accord, mais vous croyez qu'une pensée est une image. Vous aurez beau imager, vous n'obtiendrez pas davantage. Comprenez bien qu'une pensée, c'est de l'énergie redistribuée dans votre forme. Si vous ne faites que penser dans votre tête, rien ne se passera. Mais si vous y ajoutez les sentiments, les émotions, le vécu, vous reprogrammez votre forme chaque fois, dès et aussi rapidement qu'elle le ressent. Chaque fois que vous pleurez de tristesse sur vous-mêmes, cela reprogramme la forme et la punit bien souvent. Comprenez bien qu'à l'avenir, vous serez ce que vous ressentirez dans vos formes, non pas parce que votre cerveau l'aura décidé, mais parce qu'il vous aura retourné la réponse et que vous aurez commencé à réagir. Mais vous réagissez pour l'ensemble et c'est une erreur. L'ensemble de votre forme va réagir mais, encore une fois, c'est chaque cellule et chaque atome qui réagit de façon individuelle, comme les personnes dans ce groupe d'ailleurs. Vous aurez des réactions diverses, selon vos expériences, selon ce que vous aurez compris. Au niveau des cellules de vos formes, c'est la même chose. Chaque atome est relié, chaque cellule est reliée. Ce ne sont que des compositions qui se tiennent ensemble harmonieusement; vous êtes portés à l'oublier.

L'Univers fonctionne de la même façon. Nous n'inclurons pas les êtres humains dans l'Univers puisque vous êtes déjà un monde par vous-mêmes. Ne vous êtes-vous jamais demandé ce qui faisait que les planètes, avec leur poids, tenaient en place ? Et s'il y avait une organisation très similaire à celle de vos formes qui faisait que tout se tenait ? Comprenez que c'est identique à vos formes et que l'espace n'existe pas. Pour vous le faire comprendre, disons que c'est le monde du très grand, de tout ce qui est énorme, de tout ce qui peut dépasser votre compréhension. Nous vous avons dit que les cellules de vos formes, jusqu'à l'infiniment petit, se retenaient entre elles lorsqu'il y avait harmonie et que cette harmonie créait la forme même de tout ce qui vit dans le monde que vous pouvez observer. Si vous pouviez agrandir cela dans votre tête, vous verriez que l'Univers, cet espace qui selon votre pensée actuelle existe entre les planètes et les étoiles, n'est créé que par leurs déplacements. En fait, ce n'est pas un espace qui est créé, c'est un lien. Certains diront : « Mais c'est de la gravité ! » Très bien. Tentez de faire cela avec une simple bille et vous verrez qu'elle ne flottera pas; trois billes non plus. Il n'y a pas de distance dans l'Univers, pas plus que dans vos formes, mais vous ne pouvez voir l'Ensemble que cela représente. Prenez quatre dimensions et n'en faites qu'une : c'est cela l'Ensemble. Plusieurs diront : « Mais où se trouve Dieu dans tout cela ? » Il vous a été appris que Dieu était partout à la fois. Dans vos plus vieux livres, Dieu voyait tout. N'avez-vous jamais pensé que cela voulait dire que s'il voyait tout, c'est qu'il était tout, même ces faux espaces qui sont en fait de l'énergie déplacée entre des formes ? C'est le milieu où nous vivons, c'est notre monde. Pour vous, c'est énorme, pas pour nous. Certains d'entre vous se demandaient constamment : « Où vivent les Cellules ? Où vivent les Entités ? Où vivent nos Âmes ? » Dans ces faux espaces. En ce sens, il est normal que nous soyons partout, que les distances n'existent pas puisque nous ne les créons pas dans nos déplacements : ce n'est que pour la matière.

Encore une fois, comprenez que, si ce n'était d'une coordination de l'énergie, la matière elle-même n'existerait pas non plus. C'est cela la réalité. Vous vivez dans un monde où vous avez appris à créer des lieux, des endroits, des distances; vous avez fixé des repères mais ils sont faux, complètement faux. Regardez ce qui se passe au niveau de vos formes, votre vieillissement prématuré. En effet, pour nous, mourir à 90 de vos années, c'est prématuré. Nous vous l'avons dit, mais vous ignorez tellement de choses de vos formes que vous les faites vieillir. Qu'est-ce que cela veut dire ? Cela veut dire une seule chose : vous êtes de grands communicateurs. Même face à vous-mêmes, vous arrivez à donner des ordres et les cellules vous obéissent : elles augmentent leur taux vibratoire ou le diminuent. Lorsque nous vous disons que la forme devant vous [Robert] est une vieille forme, c'est que depuis qu'elle travaille avec nous, pour nous, elle a tellement baissé son cycle vibratoire que ses cellules ne se reproduisent plus; maintenant, elles ont appris cela. Vieillir, c'est cela. C'est énorme ce que nous venons de vous dire. Nous espérons que vous le comprenez bien. Comme nous l'avons mentionné au début de cette session, les pollutions extérieures par les ondes et les champs magnétiques altérés, qu'elles soient locales, continentales ou planétaires, sont à ce point grandes actuellement que les cellules, les atomes de vos formes — rappelez-vous, c'est la base même — ont déjà changé leur programmation de force. En changeant leur taux vibratoire dans l'accélération actuelle, que se passe-t-il ? Cela dépasse la simple volonté; cela dépasse même le conscient. Ce sont des programmations forcées que vous recevez. Lorsque cela se produit, vos cellules, de par leurs atomes, augmentent leurs vibrations et sont ainsi détruites malgré elles.

C'est la même chose au niveau de l'Univers. Pourquoi, croyez-vous, avons-nous choisi la période actuelle pour faire autant de vérifications de ce que vous faites ? Pourquoi avons-nous fait en sorte que d'autres mondes se rapprochent du vôtre ? Autant pour nous protéger que pour vous protéger. Tout comme un changement dans vos formes crée des changements au niveau de l'apparence même, une seule planète peut complètement déséquilibrer l'Ensemble au niveau de l'Univers. Votre planète est comme un cancer actuellement et nous ne pouvons permettre cela dans votre coin d'Univers, même s'il est minime et même si, dans l'Univers entier, votre planète ne représente qu'un atome, pas plus ! Pour ceux qui ne le savent pas, votre planète ne se voit pas à l'oeil nu; dans l'Univers, vous êtes un atome. En cela, le très grand ressemble à l'infiniment petit; seules les échelles de grandeurs changent. Un seul changement au niveau d'un atome changerait la structure entière. Si un tel changement était permis, il y aurait aussi des changements similaires dans d'autres mondes par réaction. Rappelez-vous que l'espace entre ces mondes n'existe pas : tout cela communique ensemble. Si vous pouviez ne serait-ce qu'entendre ces vibrations, vous seriez transportés ! En fait, c'est l'Univers entier qui communique ensemble, la matière elle-même. Un seul changement et c'est l'Univers entier qui se rechange ! Vous nous direz : comment se fait-il qu'il y ait des étoiles qui implosent, des planètes qui entrent en collision ? C'est très simple. Vous avez un système immunitaire ? Nous avons le nôtre. Lorsque nous voyons survenir des changements, nous n'avons pas toujours le choix. Habituellement, ce ne sont pas des mondes habités, mais cela se produit. Tout est pareil... Si vous étiez à l'extérieur de votre monde, plus vous vous en éloigneriez, plus vous verriez l'Ensemble; plus vous verriez que ces espaces n'en sont pas puisque vous ne vieillissez pas sans l'attraction même que crée votre monde actuel.

Pour nous exprimer plus clairement dans tout cela, nous avons mis en relief, ou en parallèle, vos formes dans l'Ensemble et l'Univers dans l'Ensemble. S'il fallait disséquer une forme jusqu'à sa plus petite partie, vous y verriez l'Univers, c'est certain, avec tout ce qui peut graviter. Dieu vous a faits à son image ? C'est vrai. Vous êtes comme l'Ensemble. Ce qui est encore plus intéressant, c'est que vous réagissez comme un ensemble, comme l'Univers : vous vous détruisez dans certaines parties de vos formes, vous êtes bien dans d'autres. Toute votre forme communique avec elle-même. Rappelez-vous : chaque atome de vos formes est intelligent, et il y en a des milliards. C'est la même chose au niveau de l'Univers : tout se sait parce que tout communique ensemble. Voyez l'importance de bien comprendre que si tout communique dans l'infiniment petit ainsi que dans l'infiniment grand, ce n'est plus une question de format, de grandeur, ni d'espace puisque cela n'a jamais existé. Tout cela est donc de la communication, mais pas une communication comme celle que vous imaginez.

Regardez-nous par contre; tout ce que cette forme [Robert] reçoit, ce sont des formes d'impulsions, des formes d'énergie que son cerveau décortique en images, et ces images deviennent la parole. Il y a des millions d'impulsions pour une simple image. C'est comme cela que nous communiquons, et c'est comme cela que vos formes communiquent entre elles, pas avec la pensée telle que vous la comprenez. Vous pouvez les détruire et vous pouvez les aider. Tout dépendra de ce que vous aurez appris de l'écoute de vous-mêmes. Plusieurs scientifiques écoutent l'espace. Nous vous disons d'écouter l'intérieur de vos formes. Traduisez cela par : écoutez vos intuitions, écoutez l'état total de la forme, car sans elle vous n'existez pas. On vous a appris que vous retournerez en poussière. À moins que nous nous trompions, c'est de l'infiniment petit. Donc, que ce soit de l'infiniment grand ou de l'infiniment petit, c'est la même chose. Combien de fois n'avons-nous pas dit que chaque nouvelle pousse d'un arbre est aussi neuve, aussi vivante que la feuille qu'elle remplace ? Dans vos formes, c'est la même chose. Chaque cellule est normalement remplacée par une cellule neuve, à moins que vous n'ayez fixé des mois, des années à vos vies et que vous les ayez habituées à vieillir, comme c'est le cas actuellement. Donc, nous nous situons dans un faux espace créé par la matière elle-même et vos Âmes ne se situent pas non plus dans un endroit spécifique de vos formes : c'est une énergie parallèle à la vôtre. Encore une fois, comprenez qu'il ne s'agit pas de l'énergie d'une pensée, mais de l'état complet de la forme. Ceux parmi vous qui ont ressenti leur Âme, qui vivent des états d'être, nous dirions même altérés (des jouissances personnelles à ce niveau), ne le vivent pas au niveau du cerveau : c'est la forme entière qui le vit. Votre cerveau ne fait que retraduire; c'est un moyen de compréhension. Si vous n'apprenez pas cela, vous allez simplement vous détruire, et ce serait fort dommage.

Vous aurez maintenant compris que l'énergie de chaque atome de vos formes communique à votre cerveau l'état général. Et l'Âme dans cela ? Rappelez-vous que ces atomes, dans leurs déplacements, créent de l'énergie, votre énergie physique; en se déplaçant — comme les mondes, comme tout ce qui est dans l'Univers d'ailleurs —, ils créent de faux espaces. Nous disons de faux espaces parce que selon votre façon de concevoir le monde, ces espaces existent. Mais s'ils ne sont créés que par les déplacements, ils sont tous interreliés, sinon l'Univers entier s'effondrerait. Au niveau de vos formes, l'Âme se situe aussi dans les déplacements. Donc, elle est dans votre forme complète, selon ce que vous aurez appris d'elle. Il vous est facile d'appeler cela une Âme, mais c'est une énergie consciente, très consciente, même de vos vies passées... avec d'autres formes, bien sûr ! C'est cela qui programme vos formes. Vous rejetez cela ? Vous rejetez plus de 50 % de votre réalité et vous ne profitez que de 50 % de l'énergie de vos formes !

La vie, c'est une expérience que vous vivrez à deux, la forme et l'Âme, votre énergie et cette autre énergie qui est en vous. Encore une fois, comprenez ce que cela veut dire : comme votre Âme est dans les déplacements entre la matière elle-même, même entre les atomes, entre les cellules de vos formes, elle peut donc communiquer et retransmettre à l'énergie propre de vos formes toutes les données nécessaires, toutes les réponses que vous souhaitez. Vous pouvez vous concentrer sur certaines parties de vos formes si vous le souhaitez, concentrer cette énergie au même endroit si vous voulez, mais c'est le conscient qui créera cet effet. L'Âme est dans toute votre forme. Est-ce que cette énergie peut sortir de vos formes ? Mais tout à fait. Entre la matière, tout ce que vous appellez espace ou distance et qui n'existe pas mais qui se retient — ce qui crée l'harmonie dans la matière d'ailleurs —, c'est là que vous nous trouverez et c'est cet ensemble qui fait que toutes ces énergies s'harmonisent. Vous pourriez chercher cela, sans comprendre, pendant des milliards d'années, et vous ne trouveriez rien. Vous en arriveriez même à croire que Dieu, en fait, n'est que dans vos têtes. Vous ne pouvez voir vos pensées et pourtant elles agissent dans vos formes : c'est de l'énergie que vous créez à partir d'images, c'est votre façon de communiquer avec l'infiniment petit en vous. Nous allons maintenant faire une pause pour ceux qui auraient des questions à nous poser à ce sujet.

C onsciemment, est-ce qu'il est bon de favoriser le fait que l'on sente notre Âme partout à travers le corps dans des moments décisifs, de faire en sorte de l'augmenter ?

Tout à fait ! Plus vous en deviendrez conscients, plus vous serez conscients de toutes ces autres énergies qui vous entourent. En réponse à vos questions sur les guides, nous vous avons appris qu'ils étaient des Entités qui vous observaient mais qui n'entraient que très rarement en contact avec vos formes. Comment est-ce possible selon vous ? De la même façon que vous venez de nous poser cette question, par interrelation consciente de niveaux d'énergie. Rappelez-vous votre réaction avant le début de cette session : cela voulait dire que vous avez compris, en vous, que vous faisiez partie d'un tout et que ce tout était disponible, comme il l'a toujours été. Lorsque vous serez conscients de ce qu'est l'Âme, de l'endroit où elle se situe dans votre forme — donc dans toute votre forme —, lorsque vous saurez la différence entre l'énergie de la forme et celle de l'Âme, lorsque vous apprendrez à les différencier, vous aurez le choix de vivre deux dimensions, et de façon consciente. Alors, vous pourrez aussi bien communiquer avec des Cellules comme nous, lorsque votre forme sera en état de le faire, lorsque les cellules de votre forme l'auront accepté, qu'avec d'autres Entités, d'autres énergies qui sont autour de vos formes et entre ces mondes. Rappelez-vous, vous êtes aussi inter-reliés dans vos formes que la matière l'est dans l'Ensemble; et comme vous devenez matière dans l'harmonie même, vous faites partie du tout, autant de ces faux espaces que des espaces que vous croyez exister.

Q uel est le taux vibratoire idéal pour nos cellules et comment le conserver ?

Vos taux vibratoires sont altérés actuellement par vos technologies, notamment par un certain satellite placé dernièrement juste au-dessus de votre continent. Nous vous avons mis en garde il y a près de trois mois contre ce que ce satellite peut créer dans vos formes entre 13 heures et 16 heures. Pas une forme n'y est insensible. Ce satellite a été créé pour l'étude des sous-sols. Les ondes émises pour sonder les sous-sols passent aussi à travers vos formes et de façon tellement forte que plusieurs cellules en perdent même leur programmation. Ne cherchez pas seulement à l'intérieur de vous les causes des maladies : il y en a aussi à l'extérieur. Donc, vos vibrations s'en trouvent modifiées. En plus de ces ondes néfastes, vos propres pensées modifient constamment votre taux d'énergie, ce qui fait que votre taux vibratoire change constamment. Vous pourriez être en amour et, deux secondes après, ressentir de la haine ou de la colère. Que vous arrive-t-il en fait ? Vous vous éloignez ou vous vous rapprochez d'un taux vibratoire idéal. Si on se réfère à la question précédente, lorsqu'une personne est consciente de la valeur de l'énergie de l'Âme, de ce pouvoir qu'elle a en elle, elle adapte les cellules de sa forme à reconnaître les vibrations de cette énergie. Et il est ensuite pratiquement impossible de les modifier de nouveau. Il s'agit donc de prendre l'empreinte de l'énergie de l'Âme, de l'adapter et de vous en servir. Donc, votre question... C'est un peu comme tout ce qui peut relier l'Univers : changeant. Était-ce le but de cette question ?

*E*st-ce qu'il y aurait moyen de conserver une énergie idéale, d'aller chercher cette énergie-là ?

À part certains moyens artificiels comme ces appareils qui rétablissent d'une certaine façon le champ magnétique de vos formes, de façon individuelle, il n'y a pas beaucoup d'autres moyens, si ce n'est le fait d'être très conscient et de vivre à un point de conscience tel que ce n'est plus l'énergie de votre forme mais celle de votre Âme — donc l'énergie qui retient l'harmonie de tout — qui prendra la relève. Pourquoi avons-nous tant insisté sur l'importance de ressentir l'Âme en vous et, lors de cette fin de semaine avec nous, de nous ressentir ? C'était pour vous forcer à vous ressentir au plus profond de vous, à passer outre à cette foutue habitude de tout analyser et de tout vouloir diriger dans votre vie. Vous avez tellement employé l'énergie à toutes les sauces que vous en venez à croire que vous avez plusieurs types d'énergie dans vos formes. C'est de la foutaise ! Vous n'avez qu'un seul type d'énergie. Bien sûr, il peut y avoir blocage, mais il y a des raisons aux blocages. Lorsque vous évitez de découvrir ces raisons, lorsque vous vous appuyez uniquement sur vous-mêmes, sur le conscient, c'est à ce moment-là que vous commettez une erreur puisque vous habituez vos formes à des taux vibratoires qui ne vous donneront jamais vos réponses. Effectivement, pour répondre à votre question à deux volets, vous pouvez facilement vous prémunir de façon individuelle contre les modifications forcées de vos taux vibratoires grâce aux moyens mécaniques déjà mentionnés [harmoniseur de fréquences], ou vous pouvez le faire de façon très consciente. Nous vous le disons tout de suite, cela demande un suivi de chaque instant. C'est vivre avec une partie de votre conscient, bien sûr, mais un conscient conscient non pas des connaissances mais de ce qu'il peut retraduire. Voilà ce qu'est votre cerveau : un traducteur, un traducteur entre l'énergie même et le compréhensible, le quotidien, le conscient. Nous espérons que ce sera très clair cette fois. Lorsque vous vous mettez à penser, même en vous forçant pour prier, comprenez-vous maintenant pourquoi ce n'est pas entendu ? Vous ne dirigez pas ces demandes au bon endroit. Ne cherchez pas un ciel ou un paradis physique, vous l'avez déjà en vous, mais vous ne l'utilisez pas. Vous le labourez par contre. Vous le labourez avec des pensées qui ne sont pas toujours ajustées; vous avez aussi appris à vous plaindre, à ne pas utiliser cette force que vous avez, mais à la chercher à l'extérieur de vous. Dites-vous bien ceci : lorsque vous implorez Dieu, vous implorez l'Ensemble. Et lorsque vous implorez l'Ensemble, vous implorez tout ce qui harmonise la matière elle-même, tout ce qui empêche vos mondes de s'effondrer. Lorsque nous disons « vos mondes », nous pensons aux planètes, en fait, à tout ce qui est astre. C'est cela qui se passe. En fait, nous venons de vous dire que vous avez la même chose en vous, la même énergie. Elle est moins concentrée que la nôtre puisqu'elle est occupée dans une forme, mais son but est le même : se faire traduire. Nous vous avons toujours dit : « Le but de la vie, c'est de rendre l'Âme consciente de la forme et de rendre la forme consciente de ce qu'est l'Âme ». Lorsque les deux profiteront de cette conscience mutuelle, l'Âme ne reviendra plus. Comprenez-vous maintenant ? C'est cela votre réalité, la réalité de vos vies, la réalité de l'Univers. Ne compliquez pas davantage les choses. Vous êtes toutes et tous interreliés. Même entre vos formes, les espaces n'existent pas actuellement puisque c'est dans ces faux espaces que l'énergie existe et c'est ce qui explique que vos mondes existent aussi. Si nous devions permettre l'anarchie à ce niveau... Il vaut mieux être énergie que forme vivante. Vous avez une autre question ?

*E*st-ce que les avantages émotifs sont supérieurs aux désavantages quand on entraîne le conscient à intensifier le ressenti de l'Âme dans la forme ?

Le problème, c'est que, lorsque ces énergies que vous appelez Âmes ont choisi de s'exprimer dans des formes, elles n'ont pas choisi des formes ayant subi des altérations par des drogues : elles les ont eues conscientes. Bien sûr, vous pouvez altérer vos niveaux de conscience par des drogues; vous pouvez aussi le faire avec des moyens mécaniques, par impulsions visuelles et auditives; vous pouvez même le faire par une méditation très profonde. Mais vous oubliez une chose importante : l'expérience. Nous aurions considéré comme une tricherie qu'une Âme réussisse à se faire entendre d'un cerveau en lui communiquant la possibilité de le faire en entrant dans des niveaux de conscience altérés qui feraient en sorte qu'elle soit perçue au niveau de la matière. Ce serait tricherie et tromperie et cela ne compte pas, pas pour nous ! Elles ont eu des formes avec des énergies propres et elles doivent les rendre comme elles les ont eues, c'est-à-dire non altérées ! Est-il possible pour une forme d'acquérir une conscience de l'Âme et d'en conscientiser la présence au point de la vivre à l'aide de moyens artificiels tels que la drogue ? La réponse est oui. Et pas nécessairement avec des drogues très fortes puisque vos cerveaux fournissent eux-mêmes ces drogues de façon naturelle. C'est cela la méditation. Chez ceux qui méditent profondément, qui ont maîtrisé leur forme par des techniques, le cerveau sécrète toutes les substances chimiques nécessaires pour leur faire vivre ces dimensions. D'où l'avantage des méditations pour plusieurs. Certaines personnes vont chercher à méditer toute leur vie et vont y perdre beaucoup de temps — nous parlons de temps pour vos dimensions, pas la nôtre — alors que d'autres vont vivre des expériences très profondes. Il y a effectivement plusieurs moyens de percevoir cette autre énergie en vous, mais ils ne vous permettent pas d'utiliser cette énergie. Vous ne percevez alors qu'une moitié seulement de vos réalités, vous êtes une moitié. Et comme vous êtes une moitié inconsciente, vous ne pouvez pas utiliser l'énergie de l'Âme dans ces états. Vous avez l'impression d'y baigner — lorsque nous disons cela, nous ne mentionnons que le conscient —, mais en fait, c'est l'énergie même de votre forme qui est retraduite par le cerveau et qui vous donne cette impression. En fait, vous êtes toujours dans votre forme, mais vous ne pouvez pas commander cette énergie et elle ne peut pas commander non plus, car elle sait que la forme n'écoutera pas. Il n'y a qu'un pas à franchir pour comprendre pourquoi certaines personnes s'enlèvent la vie lorsqu'elles sont dans ces états altérés. Lorsque ces énergies, celle de l'Âme entre autres, deviennent hyperconscientes dans la forme, trop de données surgissent en même temps et vos cerveaux ne savent pas les traduire. Bien souvent, cela vous dépasse et tout ce qui vous dépasse vous change... de force ! Plusieurs choisissent alors de s'enlever la vie; d'autres le font de façon très consciente. Comment expliquer le suicide ?   Vous pourriez trouver mille raisons ayant poussé certains individus à se suicider : leurs malheurs familiaux, etc. Ne vous est-il jamais venu à l'idée que ces formes en arrivaient aussi à percevoir d'autres niveaux intérieurs en eux et qu'en fait, ce sont ces niveaux qu'elles n'ont pu traduire, qui leur ont donné le courage d'affronter la réalité de la vie elle-même. Disons que vous ne maîtrisez pas tous très bien les énergies dans vos formes et que vous apprenez à réagir fortement. Il faut bien comprendre que vos cerveaux eux-mêmes, cette matière qu'ils représentent, sont en fait là pour traduire l'état général de vos formes et communiquer la réponse. Ils peuvent très bien ne vouloir communiquer qu'une seule partie de vos réalités. Autrement dit, ils peuvent très bien refuser de traduire 50 % de l'énergie de vos formes, cette autre énergie qui vous interrelie tous ensemble, celle de l'Âme. Comprenez-vous mieux ? Lorsque cela se produit, vous aurez beau analyser tout ce que vous voudrez, essayer de comprendre tout ce que vous voudrez, rien ne se produira dans vos vies. Vous serez dans le doute, uniquement.

E *st-ce que les émotions se trouvent à être le langage de l'Âme ?*

C'est une très bonne question puisque les émotions ont un double effet. Nous vous avons appris dans les premiers groupes que vous deviez les vivre afin de savoir qui vous étiez, souvenez-vous. Nous avions cru qu'en les vivant vous apprendriez aussi ce qu'elles étaient, mais nous n'avions pas prévu vos réactions. Nous avons donc modifié notre approche et nous vous avons dit, grâce à l'expérience des autres groupes aussi, que c'était l'équivalent d'une blessure en vous, que vous pouviez alimenter cela et vous blesser plus profondément, ou régler cette émotion pour passer à une autre jusqu'à ce que vous deveniez en harmonie avec vous-mêmes, jusqu'à ce que vous rétablissiez ces énergies en vous. Votre question va nous forcer à vous donner un autre éclaircissement. En fait, les émotions sont des traductions intégrales et totales de vos formes au niveau cellulaire entier. Lorsque nous disons cellulaire, nous pensons aussi aux atomes qui composent les cellules. Une émotion, c'est une réaction globale d'une forme et c'est la forme entière qui réagit. Donc, si vous ne contrôlez pas l'énergie de vos formes, vous subissez vos émotions. Lorsque vos cellules réagissent, il vous faut retraduire ces changements. Alors, non seulement vivez-vous vos émotions au niveau de la forme entière, mais vous avez aussi des réactions physiques parce que cela ne se traduit pas en mots. Vous avez des images de votre état d'être : bien souvent vous verrez des pleurs, de la colère accompagner l'émotion. C'est une forme d'apprentissage. Au début de cette session, nous avons dit que l'humanité a toujours choisi d'apprendre dans la souffrance, dans ce qui la faisait souffrir, parce que c'est ce qui vous fait réagir. C'est ce que vous faites, à plus petite échelle, de façon individuelle, avec vos émotions lorsque vous ne les maîtrisez pas. Tant que vous ne saurez pas comment maîtriser l'énergie de vos formes, tant que vous n'admettrez pas l'interrelation complète des énergies conscientes d'une forme — et nous ne mentionnons pas votre cerveau dans cela, c'est le traducteur —, tant que vous ne maîtriserez pas l'énergie, vous ne maîtriserez pas vos émotions; vous ne maîtriserez pas vos sentiments non plus, et encore moins vos émotions. Une émotion, c'est un moyen de comprendre que vous ne comprenez pas. Comme il y a de sous-questions ! Nous allons donc répondre à une seconde question, de vous-même, étant donné que votre vie en fut une d'émotions, en majuscules.

*E*st-ce qu'on doit commencer par travailler nos énergies avant d'essayer de travailler nos émotions ? Si c'est le cas, pouvez-vous expliquer comment on travaille les énergies ?

Voici ce qui se passe. Chaque fois que vous avez des émotions, vous modifiez de nouveau votre taux vibratoire en entier; et plus vos émotions sont intenses, plus vous modifiez votre taux en profondeur, ce qui vous amène à craindre les émotions. En somme, c'est une forme de protection puisque personne ne peut vivre complètement dans des émotions. Vous ne pourriez pas vivre longtemps comme ça parce que vos formes ne supporteraient pas de tels niveaux de vibrations. Cela veut dire que si vous n'apprenez pas à identifier ce qui se passe dans vos formes, à reconnaître les parties de vos formes qui réagissent le plus aux émotions, vous ne les maîtriserez pas. Vous avez tous, de façon individuelle, des points plus sensibles que d'autres : vous allez retraduire l'émotion de tellement de façons différentes ! Certaines personnes retraduiront leurs émotions dans la maladie, et très rapidement ! Chez d'autres, les émotions entraîneront des problèmes de peau, ou encore des problèmes de coeur. Votre endurance est individuelle. Nul ne vit les émotions de la même façon. Nul ne vibre avec la même intensité, ce qui nous fait faire un parallèle avec le coup de foudre. Nous vous disions que le coup de foudre ne se passe pas seulement au niveau physique, mais surtout au niveau de l'énergie des Âmes, qui apprennent à se reconnaître. Mais les Âmes ne se reconnaissent pas visuellement, puisqu'elles n'ont pas d'yeux, mais dans leurs vibrations mêmes. Elles se reconnaissent parce que leur taux vibratoire change avec l'expérience qu'elles ont de vos vies; c'est un peu similaire à ce que vos énergies de forme vivent entre elles. Vous voyez cela lorsqu'un enfant pleure et que d'autres pleurent aussi, lorsqu'une personne bâille et en fait bâiller d'autres : de l'énergie. Certaines personnes perçoivent plus que d'autres, certaines personnes ont plus d'émotions que d'autres. Mais les gens qui ont des émotions les racontent généralement à des gens qui ont des émotions comme les leurs. Ainsi, elles se reconnaissent entre elles. Pour ne pas vivre cela, il faut le reconnaître, se l'avouer. Vous allez dire : avouer quoi ? Avouer que vous n'avez pas traduit ce qu'il fallait, que vous n'avez pas traduit vos messages. En fait, vous les avez véhiculés à votre façon. Donc, vous n'avez pas été à l'écoute, ce qui veut dire qu'il vous faut plus d'apprentissage, plus d'expérience, et les Âmes peuvent elles-mêmes les provoquer pour atteindre leur but. Qu'elles passent par des émotions ou des expériences, c'est leur choix; mais vous avez le contrôle de ces choix, sauf que vous l'ignorez. Nous espérons que maintenant vous le saurez.

*V**ous avez mentionné que les Âmes s'incarnent dans des formes pour s'exprimer. Le font-elles du fait qu'elles ont donné naissance aux formes ?*

Si vous lisez bien entre les lignes de ce que nous avons mentionné au niveau de la création, vous avez compris. Nous avons mentionné dès le début que les espaces n'existant pas, ce sont les énergies harmonisées qui créèrent la matière elle-même. De là, il est facile de comprendre ce qui a pu créer vos formes. Nous ne disons pas que c'est le cas sur votre planète, mais en ce qui concerne l'origine des premières formes, vous avez en grande partie raison.

V ous avez parlé du contrôle des émotions. J'aimerais que vous donniez un sens à ce mot. Il m'est venu deux mots à l'esprit : *la compassion et l'harmonie. Dans quel sens parlez-vous du contrôle ?*

Certainement pas dans le sens de la compassion personnelle. Lorsque nous parlons du contrôle, c'est de la reconnaissance même, de votre façon de reconnaître vos états d'être, du choix que vous avez de les vivre ou de les rejeter. Jusqu'à maintenant, vous avez été portés à penser en fonction de ce que vous pouviez voir, de ce que vous pouviez identifier. Nous vous avons dit que les espaces n'existaient pas et qu'en fait, c'était l'énergie qu'il y avait entre ces faux espaces qui harmonisait la matière elle-même. Sans savoir cela, comment pouviez-vous réussir à surmonter vos émotions ? De façon détournée, en les reconnaissant, en les rejetant et en laissant savoir à la forme entière que vous les rejetiez ! Et cela altérait l'état général de vos formes. Pour contrôler ses émotions, il faut répéter, répéter continuellement. C'est cela la répétition dans vos formes. C'est la même chose au niveau des cellules : elles se reproduisent à force de répéter les mêmes mouvements. Recréez vos pensées de la même façon, mais recherchez l'autre dimension en vous, cette autre partie de vous qui, parfois, est un peu trop sage. Elle a des réponses à vous communiquer, vivez-les.

À propos des émotions, vous dites que si j'ai envie de rire, que je le fasse ou non, c'est mon rôle de reconnaître par exemple que j'ai envie de rire, de pleurer ou de me mettre en colère. Ces émotions, dois-je les neutraliser ? Ou dois-je les vivre en reconnaissant pourquoi je les vis ?

Il n'y a pas un seul être humain qui n'ait vécu ces émotions au moins une fois. Si vous revivez vos émotions deux fois, trois fois et plus, c'est que cela vous arrange. Cela vous empêche aussi d'aller vers la source même du problème. Vivre les émotions pour savoir ce que vous vivez, c'est une chose; mais il faut aller de l'avant, les identifier une fois, et ensuite faire des choix. Ce que nous vous avons appris, c'est au niveau de la forme elle-même, de l'énergie appartenant à la forme. Qu'en est-il de l'énergie de l'Âme ? Il vous faut apprendre à compenser vos émotions par l'énergie de l'Âme, à identifier cette autre source qui pourrait prendre place dès qu'une émotion veut surgir, pas après, et à la substituer à l'émotion afin d'avoir des réponses valables. Si vous lisez bien entre les lignes, nous vous avons dit que nos énergies, qui circulent entre ces matières, entre ces mondes, existent pour harmoniser, pour retenir ce qui vit. Comprenez que c'est aussi le cas dans vos formes. Si les Âmes sont dans vos formes, ce n'est pas pour les détruire, mais pour une raison valable : elles veulent y avoir accès pour les harmoniser. Lorsque vous apprendrez à abaisser votre taux vibratoire et à l'harmoniser avec celui de l'Âme, rien ne vous arrêtera; aucune émotion ne pourra prendre place. Vous serez sûrs de vous et vous aurez raison de l'être car vous serez reliés à ce qui est harmonieux. C'est une autre façon de vous expliquer l'expression qui s'assemble se ressemble, c'est synonyme.

> *Si je comprends bien, c'est comme le vieux dicton : se tourner la langue sept fois avant de parler. Autrement dit, si je me sens devenir en colère contre quelqu'un, c'est de me dire : arrête, et de demander à mon Âme de prendre le dessus pour ne pas vivre cette colère.*

Rappelez-vous que, si vous demandez avec des mots, vous n'aurez rien. Retraduisez immédiatement les paroles que vous emploierez en vibrations dans vos formes. Lorsque vous direz le simple mot amour, ne serait-ce que pour vous pratiquer, ne le dites pas seulement avec votre voix; laissez-le vibrer entièrement dans votre forme. Et lorsqu'il vibrera de la pointe de vos cheveux jusqu'au bout de vos ongles d'orteils, vous saurez ce qu'est l'amour, pas autrement. Lorsque vos paroles deviendront une communication totale d'amour, lorsque vous aurez remplacé vos émotions et que vous vous serez accordés, dans vos formes, à des taux vibratoires infiniment supérieurs à ceux que peuvent émettre votre forme, vous ne pourrez jamais vivre des émotions intenses dans le sens que vous venez de nous mentionner. Lorsque nous mentionnons la forme, nous mentionnons l'énergie même de la forme, ce qui harmonise la matière elle-même. Il ne s'agit pas de votre cerveau, car il ne fait que traduire l'état. La preuve ? Lorsqu'une personne est malade, c'est son cerveau qui lui dit où elle a mal. C'est la même chose pour toute forme d'énergie circulant dans la forme et à travers elle. Si votre cerveau retraduit une fatigue intense et que vous vivez dans un milieu où des appareils électroniques modifient vos vibrations, vous ressentirez de la fatigue et cette fatigue veut dire de vous éloigner de cet endroit. Ceux qui n'écoutent pas doivent se rendre à la maladie, mais ce sera alors la volonté de la forme en entier. C'est la même chose lorsque vous prenez des décisions face à votre quotidien, quelles qu'elles soient. Vous pensez que ces décisions se prennent au niveau de la pensée, du cerveau même ? Vous vous trompez. C'est la forme entière qui décide, même au niveau de ses atomes, ce que vous ne pouvez voir. Le jour où vous briserez l'harmonie de vos formes, vous allez les détruire. Si vous le faites moins consciemment, ce sera par la maladie; à un autre niveau, par le suicide. Et un peu plus tard, vous apprendrez à créer des virus qui vont vous détruire en 24 heures, quoique ce soit déjà commencé sur ce continent et dans le nord de l'Europe... Ça commence même à se savoir. Lorsque vos formes l'apprendront, vous saurez ce que veut dire l'automne de vos vies.

*D*evrait-on s'exprimer en fonction de s'harmoniser avec les autres ?

Correction : de façon à vous harmoniser avec vous-mêmes en premier, sinon vous ne sauriez reconnaître les vibrations des autres et vous vous adapteriez aux autres. C'est ce qui fait que plusieurs personnes ne vivent pas leur vie, mais ne vivent que les influences des gens qui veulent les rendre comme eux. Reformulez cette question correctement.

En s'harmonisant avec soi-même, on reproduit ce lien qu'est notre Âme vis-à-vis tout ce qu'elle tient en équilibre dans la matière ? Je le vois comme cela.

Nous allons faire une simple distinction. L'énergie qui retient vos formes ensemble n'est pas celle de l'Âme, c'est celle de la forme elle-même, sa propre énergie. L'énergie de l'Âme interrelie vos formes aux autres. C'est ce que nous voulions expliquer par « l'espace-qui-n'existe-pas ». Ce sont les déplacements de vos formes elles-mêmes qui créent cela, et la matière elle-même peut aussi créer cela.

*V*oulez-vous nous donner une méthode concrète pour arriver à *une communication tangible, à part l'image, avec une personne décédée dans notre entourage.*

Vous en êtes encore à analyser les gens qui ont vécu... Lorsqu'une forme quitte vos dimensions, lorsqu'elle cesse de vibrer, lorsque l'énergie est dissoute et qu'il n'y a plus d'harmonie, bref lorsqu'elle meurt, ce n'est pas l'énergie de la forme elle-même mais l'Âme qui continue son déplacement vers d'autres choix, vers d'autres formes. Contacter des êtres que vous avez connus et qui ne sont plus ? Vous pourriez les capter, à priori, si certaines Âmes sont consentantes. Cela vous demandera beaucoup de pratique et devra être vécu tellement de fois, ne serait-ce que pour y croire, que ces énergies en viendront à prendre la place de l'énergie de votre Âme, puisqu'il s'agit de contact entre Âmes. Cela demande non seulement un apprentissage, mais une reconnaissance totale, une foi, pour ne pas perdre l'énergie de votre Âme propre. C'est comme cela que vous pouvez contacter : lorsqu'il y a échange au niveau des énergies. C'est comme cela que votre cerveau peut traduire, sinon il ne reconnaîtrait rien de cela. Vous ne trouverez pas de réponses dans les sons, ni dans la visualisation : vous le percevrez. Et plus vous croirez que cela peut se faire, plus cette énergie prendra la place de la vôtre et plus vous aurez, grâce à l'habitude de changer d'empreinte, la possibilité de prendre celle d'une autre et de reprendre la vôtre à volonté. Mais cela demande une complète maîtrise. À quoi cela pourrait-il vous servir ?

Ça me donnerait une idée de leur environnement.

Lorsque ces énergies quittent les formes, elles reviennent dans leurs champs de déplacements de formes; autrement dit, elles re-viennent autour d'autres formes, communiquent entre elles. Ce sont ces énergies qui harmonisent; donc, elles se tiennent dans les dimensions qu'elles auront choisies. Notre dimension n'est pas près de vos formes puisque nous n'avons pas choisi cette expérience.

Elle se situe beaucoup plus entre les mondes, dans l'harmonie totale. C'est ce qui nous donne l'avantage de pouvoir gérer les énergies autour de vos formes de matière vivante. Donc, contacter d'autres Âmes de personnes connues décédées ne pourrait qu'augmenter votre adhésion au suicide, votre goût de disparaître. Cela fait l'objet d'une règle de notre côté. À part certaines expériences, comme celle qui se passe devant vous — que plusieurs pourraient rejeter d'ailleurs —, il y a des limites à ce que nous pouvons permettre. Certaines personnes traduisent des soi-disant messages, parfois réels, de personnes disparues; mais elles ne le font que par intuition de ce qu'elles ont cru entendre. Bien sûr, elles le font par échanges d'énergie, pas au niveau du cerveau, mais selon ce que le cerveau aura traduit. Si vous comprenez bien cela, vous comprendrez qu'en fait vous pourriez tous vivre des relations de perception de ces autres dimensions. Mais comme votre dimension est aussi énergétique, et de façon différente, c'est toujours la vôtre qui prévaudra. Ne cherchez donc pas à l'extérieur puisque c'est comme à l'intérieur. Tentez plutôt de percevoir vos états d'être, localisez-les et étendez-les à toute votre forme plutôt que de les concentrer seulement au niveau du cerveau. Par contre, le cerveau saura vous dire si vous avez compris ou non.

Vous avez parlé des émotions et vous avez dit qu'une personne qui vit beaucoup d'émotions, c'est qu'elle a de la difficulté à se contrôler. Si on ne vit pas beaucoup d'émotions, est-ce que ça veut dire qu'on comprend bien ce que notre forme et notre Âme essaient de transmettre comme message ?

Prenons votre cas en particulier et nous serons très brèves. Quels ont été vos moyens de vous échapper du conscient ?

Il y en a eu plusieurs.

Et qu'est-ce que ces moyens ont créé dans votre forme ?

Des malaises.

Et des habitudes ! Que vous a-t-il fallu faire pour passer outre à ces habitudes ?

Passer à l'action.

Être deux fois plus conscient ! Et plus vous surmontez des étapes, plus vous savez comment et pourquoi vous devez le faire, plus votre forme change, et pas seulement en apparence, car les effets seront apparents, mais intérieurement aussi. Chaque fois que vous prenez une décision, quelle qu'elle soit, vous modifiez vos taux vibratoires, ce qui influe sur la rapidité de renouvellement de vos cellules : vous vous dirigez vers la maladie ou vers la santé. Dans votre cas, si vous n'aviez pas écouté, vous ne seriez même plus ici. Disons que vous avez eu l'opportunité de changer et c'est ce qui vous a fait changer. Ceux qui sont en contact avec leur Âme n'arrivent même pas à le dire parce qu'ils le vivent : c'est une relation qui ne peut être décrite par des mots.

Vous êtes en train de me dire que je ne comprends pas plus vite que cela ?

Et qu'il vous faut encore écouter ! Cela ne veut pas dire de vous trouver encore une foutue mauvaise habitude ! En fait, vous pourriez même créer un dictionnaire de mauvaises habitudes... C'est à votre avantage : comme vous les avez eues, vous pouvez les reconnaître chez les autres.

Q uel serait sur nous l'effet d'une prise de conscience constante et complète de nos émotions et de la présence de notre Âme ?

Autrement dit, l'effet d'une conscience complète sur vous ? Premièrement, l'Âme aurait la certitude qu'elle en est à sa dernière expérience. Deuxièmement, elle ferait tout ce qu'elle pourrait pour conserver cet état, c'est-à-dire pour communiquer à sa façon avec les énergies qui sont siennes... Et rappelez-vous : pas de distance, pas d'espace, donc c'est immédiat ! Vos demandes seraient alors exaucées, car votre Âme prendrait les moyens pour que d'autres formes puissent lui obéir. Lorsque vous vivez cette dimension-là, vous ressentez à la fois une paix et un amour tellement énormes que vous n'avez même plus l'impression de votre forme puisque vous êtes aussi consciemment interrelié à tout ce qui vit. C'est ce que nous disions lors de la fin de semaine : s'harmoniser à des gens, à des plantes, à tout ce qui vit. Vous faites des choix. Tout cela peut vous faire apprendre. Était-ce le sens de votre question ?

Oui, mais quel serait l'effet sur le corps lui-même ?

Il n'y aurait pratiquement aucun vieillissement au niveau cellulaire. Les nouvelles cellules seraient identiques aux cellules remplacées; il n'y aurait donc pratiquement pas de vieillissement. Le seul vieillissement possible viendrait de l'extérieur : du climat, des dérangements cellulaires causés par des énergies provenant de moyens non naturels, des champs magnétiques altérés, des hautes fréquences, etc. Toutefois, cela donnerait des formes capables aussi de comprendre ces changements et capables de changer d'endroit d'elles-mêmes, donc des formes très compréhensives.

Au contraire, si on vit un creux dans notre vie, est-ce parce que, quelque part, on n'a pas fait le bon choix ?

Si vous vivez ce que vous appelez un creux, ou un espace, ou quelque chose que vous ne pouvez discerner, c'est effectivement parce que vous avez perdu quelque peu contact avec la réalité qui devrait être vraiment la vraie, la seule. Certaines personnes vivront des espaces intérieurs, d'autres vivront des émotions; tout dépendra de l'endurance que vous aurez et, bien sûr, de la traduction que vous en ferez. Mais des vides intérieurs peuvent aussi être des liens qui vous préparent à mieux percevoir une autre énergie en vous. Le cerveau ne traduira pas, mais sera en attente, en attente de compréhension altérée; c'est aussi une possibilité.

Q*uand vous dites qu'on analyse trop, que fait le cerveau à ce moment-là ? Est-ce qu'il...*

Il fait du surplace, il veut maîtriser lui-même; donc, il revient sur lui-même.

Il cesse de traduire ce que notre forme essaie de dire ?

Tout à fait ! Non seulement ce que votre forme pourrait dire mais ce que votre Âme pourrait dire à votre forme et ce que tout ce qui leur est interrelié pourrait aussi vous dire. Donc, vous vous coupez de plus de 50 % de votre réalité. Certaines formes vont vouloir se couper de cette réalité pour ne pas perdre leur réalité propre : celle de se gouverner elles-mêmes. Effectivement, une forme pourrait vivre sans Âme mais, n'ayant pas l'énergie nécessaire à la compréhension, elle se détruirait quand même ou se ferait détruire. Tant et aussi longtemps que le cerveau se battra avec lui-même, croyant pouvoir à la fois traduire et ordonner — voyez là l'analyse — rien ne se passera. Vous ne rechercherez que des traductions et non des faits, non des réalités... vous ferez du surplace. Cela fait quoi ? Cela fait des gens qui se créent un monde bien à eux et qui y croient tellement qu'ils s'isolent et finissent par pleurer sur eux-mêmes sans le montrer. De l'endurcissement personnel, des mondes à part, c'est ce que vous créez lorsque vous sombrez totalement dans l'analyse. Vous voulez gouverner ? Regardez ces questions que vous avez préparées pour nous : vous avez fait des efforts; cela vous a demandé une part d'analyse, et aussi une part de concession face aux autres. Pourquoi avons-nous fait cela, croyez-vous ? Pour une seule raison : vous faire comprendre l'interrelation, même consciente, qui existe entre vous. Vous avez le choix de vous harmoniser consciemment pour en venir à une entente intérieure ou de rejeter votre réalité. Si vous la rejetez, cela devient de l'analyse personnelle, de l'éloignement car cela revient à dire : « J'ai décidé de faire mon monde à moi, mon monde à part ». Cela s'éloigne de la réalité des autres et les autres ne vous reconnaissent plus.

Bien que nous ayons déjà répondu en grande partie à vos questions et que, par déduction, vous trouverez facilement les réponses à vos questions actuelles, vous étiez surtout à la recherche de ce qu'est l'amour vrai, de ce qu'est la communication. Nous avons débuté en vous disant qu'il fallait d'abord être à l'écoute de vous-mêmes; pour cela, nous avons dû vous expliquer ce qu'était l'Univers, ce qu'étaient vos formes, où se situait l'Âme, où était votre propre réalité. La traduction n'est pas la même pour tous, mais selon ce que vous choisissez. Même sans traduction, combien de fois n'avez-vous pas entendu des mots et en avez-vous traduit autre chose qui a modifié vos états d'être ? Des dizaines de fois. Ceux qui regardent sans voir comprendront maintenant ceux qui entendent sans entendre, car c'est la même chose. Vous avez appris à traduire selon ce que vous souhaitez, selon ce que vous voulez vivre, selon la punition que vous vous serez imposée. Vous aurez la tolérance ou l'acceptation... des choix. Il ne reste qu'un pas très minime à franchir pour savoir comment faire pour harmoniser ces énergies dans une même famille et, pour cela, nous allons répondre à une question ou deux. Un pas minime. Ce pas s'appelle comprendre, compréhension. Vous identifiez votre Âme, sa vibration; vous la vivez pleinement et, avec elle, vous rétablissez le lien. C'est cela le paradis : une communication complète entre les formes, sans mots. Il y a beaucoup de chemin à faire avant d'y parvenir. Rappelez-vous, après l'automne, c'est l'hiver. La majorité des personnes ont bien compris ce que nous venons de dire... Vous pouvez avoir des doutes, analyser, chercher la vérité dans des livres, mais qu'est-ce que cela donnerait si vous ne la vivez pas ?

*P**ourquoi arrive-t-on présentement à cette période de l'hiver ?*

Vous avez encore plus de six années avant que cette période ne commence.

Était-ce une nécessité dans le plan actuel de notre humanité ?

Pas une nécessité, une obligation. Pourquoi croyez-vous que nous faisons tout cela avec vous ?

C'est un plan d'urgence ?

Tout à fait ! Si nous ne pouvons pas le faire avec vous, nous ne réussirons pas à le communiquer sur une plus grande échelle. Nous avons tenté de le faire par un bain d'énergie déjà, et nous l'avons refait récemment sur une seule personne. Nous avons vu ce qui se passait alors dans vos formes : vous n'étiez pas prêts pour cela. Nous ne pouvons espérer maîtriser vos formes en les forçant dans l'entière relation. Cela ne pouvait avoir lieu. Donc, il ne nous restait que les explications, que des approches... disons alternatives.

*Y**a-t-il une façon de nous aider à reconnaître les énergies, autant celles de notre Âme et de notre forme que celles des Cellules ?*

N'est-ce pas ce que nous avons fait ?

J'ai peur de passer à côté.

Le simple fait de le vouloir va vous faire porter deux fois plus attention. Si vous vous concentrez sur la peur de passer à côté, vous passerez à côté. Pensez aux avantages de réussir plutôt qu'aux désavantages de ne pas réussir. Comprenez bien qu'il va vous falloir relire ce texte à quelques reprises pour que nos propos soient mieux compris. Rappelez-vous, et ceci est très important : tous autant que vous êtes, vous ne faites qu'un et chaque fois que vous rechercherez vos identités propres, que vous les forcerez, que vous les graverez en vous, vous vous éloignerez d'autant plus de la seule réalité, celle qui vous relie et qui est la même que celle qui relie l'Univers et la matière. Repensez à ce que nous avons dit sur l'Âme, sur sa position en vous, sur ses capacités; nous ne le répéterons pas. Nous l'avons dit pour une seule raison : voir les effets immédiats en vous. Est-ce que ce sont des connaissances qui pourraient ouvrir la porte de votre conscient ? Nous l'ignorons encore. Cela va nous aider à communiquer encore mieux avec vous et va aussi vous apprendre à communiquer encore mieux avec tout ce qui vit parmi vous. D'un autre côté, il vous faut comprendre nos craintes. Si nous divulguions certains points — nous l'avons dit dès le début —, cela pourrait non seulement nous anéantir, mais vous anéantir aussi.

Retenez bien tout cela. Ne cherchez pas à analyser plus loin; laissez ces vibrations entrer en vous. Nous allons faire en sorte que ceux qui ont la concentration nécessaire puissent ressentir ce que nous sommes; et nous allons maintenant faire entrer des Cellules. Ne cherchez pas à comprendre. Nous allons les laisser à vos côtés pour l'équivalent d'une de vos heures, seulement pour vous aider un peu plus. Rappelez-vous ceci : notre but n'est pas de faire de vous des gens différents des autres, mais de vous rendre conscients de vous-mêmes. Étant pleinement conscients de vous-mêmes, vous le serez de votre réalité et de tout ce qui peut vivre autour de vous et en vous, ce qui est la même chose.

Nous continuerons d'entendre vos appels. Traduisez-les comme il se doit et vous recevrez. C'est avec amour que nous devons quitter cette forme [Robert]. Nous la remercions et nous vous remercions. *(Session générale des groupes, 12–09–1992)*

*O*asis

Index

C

et disparité des besoins sexuels, IV, 599

et équilibre psychologique des enfants, IV, 550

et garde partagée des enfants, IV, 539-540

et impact sur les Âmes, IV, 548

et impact sur les enfants, IV, 537-552

et insécurité des enfants, IV, 539

et maladie infantile, IV, 542

et perte d'authenticité, IV, 596

et possibilité d'être soi-même, IV, 538

et rejet des enfants, IV, 540, 541, 547

et relations sexuelles forcées, IV, 599

responsabilité des parents dans le, IV, 537, 544, 546-547

sens du, IV, 667

Doctrines religieuses, IV, 555

Doigté, IV, 234

Domination

des autres, IV, 521

des enfants, IV, 485

du conjoint, IV, 485, 576-577, 579, 580-582, 591-592, 601-602

par contrat de mariage, IV, 587

Domotique, III, 31; IV, 78

Donation(s), II, 44

systèmes de, II, 565

Don, II, 47

d'organes (voir organes)

de charité, IV, 231-232

de soi, II, 563, 587; IV, 144, 642

de soi à soi, IV, 232

des langues, II, 615

pour la recherche médicale, IV, 286

Donnant, donnant, I, 128, 153, 159, 160, 169, 170, 188, 193, 198, 206, 214, 247, 279, 282, 288, 297, 338, 413, 604, 629; II, 101, 201, 202, 203, 204, 205, 206, 207, 329-330, 336-337, 409, 420, 421, 423, 480, 523, 524, 585; III, 77, 119, 260, 263, 309, 324, 623, 626, 695

Donner l'exemple, III, 410-411, 412, 413

Double naissance, IV, 353 à 402

conscience de la, IV, 385

Douches, I, 355, 358

Douleur(s), I, 316; III, 546

et cerveau, 136

évaluation individuelle de la, II, 497

physiques, IV, 285

Doute(s), I, 68, 69, 84, 114, 164, 189, 230, 237, 245, 246, 288, 296, 399, 408, 458; II, 169, 180, 234, 374, 399, 415, 495; III, 294, 316, 407, 412, 434, 514, 615; IV, 104, 105, 223, 229, 240, 264, 563, 591, 603

d'être aimé, I, 525, 557; III, 294, 316, 323, 324, 331

et société, III, 413

pour renforcer les croyances, III, 385

résistance individuelle à la, III, 584

Dramatisation des problèmes, IV, 239

Drogues, I, 117, 372, 451, 521, 523, 524, 553, 555, 556, 642, 681; II, 115, 257, 332, 413, 520, 535, 536; III, 4, 43, 127, 200, 455, 467, 474, 494, 514, 562, 586; IV, 233, 423, 435, 467, 482

contact avec une autre dimension par les, II, 535

et adolescents, IV, 453

et fusion, IV, 122

et manque d'amour, IV, 469

Droit

d'être heureux, IV, 231

de mourir, I, 555

de tuer, I, 660

de vivre, I, 421, 555; IV, 223, 246

Dualité, I, 150, 151, 225, 226, 259, 409, 441, 477; II, 24, 67, 68, 301, 389, 420, 469, 526, 600; III, 236, 399, 403; IV, 98, 120, 168

Dysfonctions du cerveau (voir cerveau)

Dysharmonie entre l'Âme et la forme, III, 322, 521

E

Eau, I, 359, 343, 359; II, 386; III, 43; IV, 297, 347, 348, 474

consommation quotidienne d'eau, IV, 296

de source sûre, I, 353, 354, 355, 356, 474

de ville, I, 352, 356

distillée, I, 344, 354, 355, 356; III, 6; IV, 302, 305, 322, 474

distillée et addition de minéraux, IV, 306

du robinet, IV, 296, 302, 305

embouteillée, I, 357

et mémoire de guérison, IV, 301

et mémoire de l'Univers, IV, 301

goutte d', I, 280

importance de boire de l'eau, IV, 299-306, 321-322

non potable, I, 536, 642

potable, I, 343; IV, 568

potable par osmose inversée, IV, 302, 305

pure, IV, 301-302

qualité de l', IV, 276

Échange d'Âmes dans le foetus, IV, 386

Échec, rôle de, III, 514

Eckankar, I, 173

École(s), IV, 427, 453

et enseignement de la réalité de la vie, IV, 466

et mère au foyer, 463-464

et pensée positive contre la violence, IV, 468

et visualisation contre la violence, IV, 468

primaire et violence, IV, 465

violence à l', IV, 454

Écologie, II, 55

Écoute

de l'Âme, III, 579, 601

de l'enfant en soi, II, 509

de sa forme, III, 329, 552, 579

de soi, II, 470, 534; III, 105, 350, 544, 601, 675; IV, 111-112, 366

de soi et guérison, IV, 349

des autres, II, 565-566

du coeur, III, 545

totale, II, 667

Index

715

G

Invention(s), I, 162; II, 263; IV, 20, 310
Irak, II, 46
Iran, II, 46
Iridologie, II, 84
Irresponsabilité, I, 450; III, 296
Islam, II, 605
Isolement, II, 199, 384

J

Jalousie, I, 506; III, 209, 229, 404, 524
    dans la famille, IV, 496
Japon, II, 37, 38, 601; III, 3, 4; IV, 446
Japonais, IV, 78
Je-m'en-foutisme, II, 630
Jésus, I, 61, 181, 196, 277, 372, 390, 473, 562, 594;
    II, 10, 19, 126, 476, 595, 612, 615, 619, 639; III,
    62, 89, 157, 478, 511, 689; IV, 653
    date de naissance de, II, 615
    éducation à, IV, 458
    enfants de, II, 619
    époque de, II, 628
    famille de, II, 619
    guérisons par, II, 10; III, 593
    mariage de, II, 619
    message de, II, 628
    réincarnation de, IV, 208-209
    sexualité de, III, 477
Jeu de la vie, IV, 348
Jeu de rôles (voir rôles)
Jeûne, II, 474
    danger du, II, 474
    équilibre alimentaire préférable au, II, 474
Jeunes, I, 86, 227
    comme habiles comédiens, II, 384
    en groupe, III, 507
    espoir des, IV, 465
    et interdits, III, 507
    groupes de, IV, 226-227
    sans espoir et maladie, IV, 470-471
    suicide chez les, III, 2, 51, 57; IV, 356, 410,
        418, 429, 455, 468, 469-471
    violence chez les, III, 51
    violents, II, 84
Jeux
    électroniques violents et éducation des
        enfants, IV, 433, 453, 456, 481, 523
    télévisés, III, 44
    vidéo violents, IV, 468-469
    violents et besoin de défoulement, IV, 432
    violents et naïveté des parents, IV, 432
    violents et tendre enfance, IV, 432
    violents et reprogrammation des jeunes
        enfants à partir de vies antérieures, IV,
        468
Jogging, IV, 143
Joie, III, 140, 602
    de l'Âme, III, 591; IV, 146
    de vivre, III, 249-250, 298-299, 514; IV, 296,
        542, 614, 651

physique, IV, 146
    seuil de, III, 231
Jouissance sexuelle, et religion, IV, 542
Journaux, III, 69
Jugement, II, 120
    de soi-même, II, 508; III, 209
    des autres, III, 545
    des autres contre soi, II, 571
    dernier ou éternel, II, 631; III, 109, 209, 534
Jules Verne, II, 38
Jumeaux, III, 277
    entente entre les, IV, 380
    isolement social des, IV, 380
Justice, I, 111; II, 145, 146; III, 146-150
    divine, II, 47, 183, 185
    personnelle, III, 210
Justification, II, 233, 322, 392, 564, 613; III, 176,
    229, 577
    comme frein au lâcher prise, III, 353
    de l'amour, II, 571; III, 383, 392, 435
    de la vie, III, 194
    des faits, III, 615
    de la vie, III, 194
    du bonheur, III, 229, 600
    du malheur, III, 556, 579
    en blâmant les autres, III, 543
    par le karma, II, 383
    par le travail, II, 366

K

Karma, I, 218, 410, 415; II, 32, 55, 182 à 200, 478;
    III, 125, 169, 175-178, 673; IV, 2, 102
    actuel, II, 195; IV, 156
    bons ou mauvais, II, 194
    comme attache religieuse, II, 186
    comme justification, II, 182, 186, 187, 195,
        197, 383; III, 120
    comme moyen d'évitement, II, 187, 190
    comme refus d'apprendre, II, 191
    comme rejet de soi, II, 192
    comme soupape, II, 189
    des vies passées, II, 656
    et maladie, IV, 333
    handicap comme, II, 183
    maladie génétique résultant du, II, 188
Kynesthésiques, III, 418
Kundalini, II, 256-258
    danger de la, II, 259
    dans des sectes, II, 259

L

Laboratoire, II, 49
Lâcher prise, I, 165, 166, 170, 201, 231, 326, 421,
    461, 462, 473, 498; II, 102, 318, 356, 391, 477,
    514, 521, 525, 534, 555, 663; III, 66, 321 à 368,
    394, 647, 657, 658, 659, 676; IV, 411
    accumulation de, III, 345
    dans le quotidien, IV, 310

impact sur les gens âgés des, III, 44;
Loi de l'effet contraire, II, 20, 40, 649, 654, 666, 669
Loi du retour, II, 177, 189, 200, 202, 203
Loisir, IV, 584
Longévité de la forme, IV, 276-278
Longueur d'onde, II, 416, 662
Los Angeles, IV, 209
Loterie, I, 547
Lumière, I, 374, 567, 655; II, 264, 636; IV, 13
blanche, I, 618; II, 134-135

M

Macho(s), III, 497
Magie, IV, 195, 197-199
Main
lecture des lignes de la, IV, 185, 209-210
Main-d'oeuvre, III, 33
Maître(s), I, 6, 20, 60, 181; II, 14, 40, 469-470, 473-475, 477, 485, 609, 664
dans l'art de se nuire, II, 14
de ses observations, II, 651
spirituel, II, 532
Maîtrise
d'une personne par une autre, III, 443
de la forme par la cerveau, IV, 181
des pensées collectives, IV, 202
réciproque de l'Âme et de la forme, II, 673; IV, 103, 104
Mal, I, 264, 434, 436, 439
acceptation du, II, 170
d'aimer, I, 518
de s'exprimer, I, 518
de société, I, 577
ou bien, II, 482, 553
vivre avec son, I, 563
Malade(s),
accompagnement de, IV, 256
contingentement des, I, 538, 570
en quête d'amour à l'hôpital, IV, 189
raison d'être, IV, 280
visite aux, I, 553
Maladie(s), I, 111, 174, 176, 254, 302, 307, 309, 317, 324, 328, 513, 551 à 600, 641, 688; II, 194, 197, 203, 276-277, 643, 668; III, 26, 42, 100; IV, 11, 21, 110, 254, 268, 280, 406, 631, 656
à venir, IV, 287
acceptation de la, IV, 281-283
actuelles, II, 60
aggravation de la, IV, 313, 342
amplification de la, IV, 326
attention exagérée accordée aux, II, 327
biologiques, I, 660; III, 621
causes de l'aggravation de la, IV, 348
causes de la, II, 663-664, 573; IV, 288, 290, 312, 348
comme niveau superficiel de conscience, IV, 258

comme preuve de la présence de l'Âme, IV, 304
comme résultat d'un désaccord entre l'Âme et la forme, IV, 180
comme temps de réflexion, IV, 314
concentration sur la, et aggravation, IV, 333-336
croyance en la, IV, 337
d'Alzheimer, I, 665
dangers de l'information sur la, II, 367; IV, 318
de la maladie, IV, 342
définition de la, IV, 268, 281, 282, 285, 287
dégénératives, I, 539, 554, 564, 571; IV, 341-343
délai d'expression de la, IV, 285, 288
des exigences, III, 28
déséquilibre chimique et, IV, 534
enlever la, II, 668
et acceptation de soi, IV, 336
et besoin de changement, III, 571-573
et état d'être, IV, 281
et être en état de penser, IV, 313
et jeunes sans espoir, IV, 470-471
et karma, IV, 333
et manque d'écoute de soi, III, 662
et non-choix, IV, 331
et pensée, III, 40, 290
et refoulement, IV, 285
et rejet de la forme, IV, 347
et rejet de la vie, IV, 347
et sociétés, III, 562; IV, 304
et statistiques médicales, III, 569
et vies antérieures, IV, 333-336
état de réception de la, III, 576; IV, 279
futures, IV, 329
généralisées, I, 554
génétiques, III, 341; IV, 280
génétiques causées par l'alimentation, III, 163
guérison des causes de la, IV, 302, 310, 313-314, 328
héréditaires, I, 216, 532, 533, 555, 558, 563, 571; II, 189
imaginaires, IV, 337
incurables, I, 533, 643, 661, 592; IV, 291, 343
infantiles, I, 561, 564; IV, 534
infantiles génétiques, IV, 472
infantiles virales, IV, 472
infirmières et, II, 669
influence de l'information dans les, I, 540, 541; II, 556, 558, 590 (voir aussi statistiques)
langage de la, II, 157
mentales, I, 560, 661; II, 89; III, 362, 529; IV, 399
mortalité par la, III, 111
non-existence de la, IV, 269
non génétiques transmises par les parents, I, 527
non terminales, I, 553

transplantation (voir greffes d'organes)
types d'énergie des, IV, 266
Organisation des Nations-Unies (ONU), IV, 47, 661
Organismes charitables, II, 45
Orgasme(s), I, 37, 74, 239; II, 216, 422; III, 202, 432-433, 454, 597, 636; IV, 111
absence d', III, 475
faux, III, 455
intensité relative des, III, 472-474
nécessité de l', III, 476
types d', III, 474
Orgueil, I, 135, 255, 523; II, 371; III, 200; IV, 220, 228, 514, 597
Orientation après les études, III, 311
Orientation sexuelle, III,. 470-471
expression de l', III, 470
puberté et, III, 471
Originalité, I, 60, 491, 536, 584; II, 171, 193, 374, 535, 595, 675, 679; III, 26, 59, 185, 327, 360, 377, 437, 668; IV, 217 à 247, 508, 530, 595, 615, 644, 650
manque d', IV, 460
Origine des races, IV, 31 à 53
Origine externe des réponses spontanées, IV, 146-147
Oser, III, 368, 384, 388-389; IV, 230, 619, 650
Osmose inversée, IV, 305, 322
Otites, I, 359
Oubli, II, 169
de la conscience de vie, IV, 401
de soi, III, 530, 572
de vivre, IV, 486
et don de soi, IV, 144
Ouest américain, III, 74
Ouïja, jeu de, IV, 518
Ouverture(s), I, 153, 162, 226, 409, 468, 479; II, 206, 220, 638; III, 85, 642; IV, 221; 441
à soi-même, II, 324
aux autres formes, II, 659
aux émotions, I, 491
aux énergies extérieures, IV, 223
consciente, II, 664
dire son amour et, IV, 564-565
inconsciente, II, 664
par la parole, II, 286; IV, 564-565
période d', IV, 416

P

Paix, III, 65, 84; IV, 117, 162
avec soi-même, IV, 297
et harmonie avec soi-même, IV, 255
intérieure, I, 428; II, 632; III, 34
Pancréas, I, 351
Pape, II, 593, 607, 616
Parabole
de l'aveugle, I, 536; IV, 644
de l'enfant prodigue, I, 243; IV, 643

de la multiplication des pains, IV, 264, 515, 643
Paradis, I, 38, 681, 694; II, 13; III, 103
sur Terre, II, 616
Parasitisme, III, 303-310
Pardon, III, 174, 153 à 180, 298, 403, 446, 612, 634; IV, 665
aide au, III, 160
d'une personne décédée, III, 153
de soi, IV, 498, 648-649, 662
des autres, IV, 498
Parents, II, 184, 191; III, 510
adoptifs et équilibre des enfants, IV, 487-488
âgés, 522, 523
agressivité des, IV, 466
bonne conscience des, IV, 488-489
carence des, et éducation des enfants, IV, 442
carriérisme et absence des, IV, 478
confiance des, envers leurs enfants, IV, 447
conscientisation des, IV, 488
contact physique des, avec leurs enfants, IV, 445
des pays occidentaux, IV, 445
des pays orientaux, IV, 445
dormant avec leurs enfants, IV, 445
et choix d'avoir des enfants, IV, 539
et démonstration de fragilité, IV, 478
et vies antérieures, IV, 493
étouffants, IV, 485
expérience des, transmise aux enfants, IV, 447-451
hypocrisie des, IV, 463
individualistes, IV, 460
influence des, IV, 524
intensité de l'amour des, IV, 420
manquant d'amour, IV, 520
manque d'ouverture des, IV, 523
partage des tâches par les, IV, 413-415
perte de l'instinct des, IV, 422
présence des, IV, 417
qualité de la présence des, IV, 434
responsabilité des, dans le divorce, IV, 537
responsabilité des, dans la naissance d'un enfant, IV, 542
responsables du cheminement spirituel de leurs enfants, IV, 448
rôle des, IV, 405, 423-424, 485
rôle des, et délinquance, IV, 483
soutenant la mission de vie de leurs enfants, IV, 447-451
vivre pour les, III, 527
Paresse, III, 338, 351, 364; IV, 225, 243
Parole, II, 3, 175; III, 172-174, 174, 432, 456, 462, 464, 473, 479, 497-498, 508, 511, 558, 589; IV, 229, 394, 501, 524, 533, 564, 572
dans les mondes extérieurs, IV, 65, 66
pouvoir de la, III, 482-483, 530
Partage, I, 230; II, 575; III, 147

302, 303, 331, 340, 544
de donations, II, 565
de justice actuel, III, 61
de l'Univers, I, 676
de santé actuel, I, 564; III, 596
digestif, III, 154
militaires, II, 48
nerveux, I, 362, 369
nerveux et sexualité, III, 458
Swavenada, II, 608

T

Tabous, I, 600; III, 505
Talents, I, 260; III, 339; IV, 227, 656
Tarot, I, 556, 588; IV, 185, 241
Tasses de thé, lecture dans les, IV, 185, 241
Taux d'énergie, II, 600
de l'Âme élevé à celui de la forme, II, 600
de la forme abaissé à celui de l'Âme, II, 600
Taux d'ensoleillement, I, 374
Taux de fatigue, III, 686
Taux vibratoire, IV, 162, 258, 278-279, 320
augmentation du, de l'Âme, IV, 151
de l'Âme dans la fusion, IV, 133, 157
de la nature, IV, 129
des Âmes, II, 241, 258, 259, 324, 328; IV, 131-132
des Cellules, II, 58, 241, 328; IV, 214
des Entités, II, 58, 328
des formes, II, 259, 262, 270, 324, 328, 527; III, 41, 421, 422, 427, 610; IV, 119, 133
des formes au contact avec les Cellules, IV, 174
des hémisphères du cerveau, IV, 315
des organes, IV, 126, 129-130
et contact avec l'Âme, IV, 165
et fatigue, IV, 602
et fusion, IV, 129
et guérison, IV, 345
(voir aussi vibrations)
Techniques de polarité, IV, 319
Technologie(s), I, 6, 66, 240, 328; III, 12, 26, 33, 34, 91, 100, 592; IV, 100, 362, 479
actuelles,IV, 455
de protection, III, 36
de propulsion des vaisseaux spatiaux, IV, 67
des mondes extérieurs, III, 39; IV, 86
et évolution, IV, 89
miniaturisation des, IV, 78
Télécommunication, I, 605
Télékynésie, IV, 191-195
recherche en, aux États-Unis, IV, 192
Télépathie, I, 560, 561; II, 499-500, 662; III, 515-516
comme lien entre deux Âmes, II, 661
Téléportation, IV, 79
Télescope(s), IV, 1, 10

Télévision, I, 45; III, 11
Températures, changements des, III, 102
Temps, I, 83, 126, 288; II, 29, 636; III, 86, 172-174, 653-654, 663
calcul du, par les Cellules, III, 250
de réaction variable, IV, 496
de vivre, I, 244; II, 31
stabilité du, IV, 450
Tendre enfance, IV, 405 à 436
apprentissage de la dimension intérieure durant la, IV, 424
et films d'horreur, IV, 432
et jeux violents, IV, 405, 432
et rôle des parents, IV, 405, 423-424
et rôle du père, IV, 413
importance de la, IV, 420
TENS (*Transcutaneous Electrical Nerve Stimulator*), I, 595
Tensions
corporelles, IV, 275
corporelles, causes des, IV, 275-276
et sexualité, III, 453, 456, 474
Terre, I, 3, 11, 12, 18, 38, 48, 337; II, 29 à 63, 42; III, 4; IV, 6, 26, 88
but de l'expérience de peuplement de la, IV, 38-39, 49
comme laboratoire, II, 49; IV, 43, 49, 51, 84-85
énergie nouvelle sur la, II, 290
évolution actuelle de la, II, 49
impact des pensées sur la, III, 39
sons de la, II, 170
vibrations de la, II, 170; III, 34
Terreur, II, 602
Tête, II, 671
Textes d'Oasis, III, 412
Thaïlande, IV, 37
Thé, tirer au, IV, 185, 241
Théologie, I, 239, 420; IV, 653, 661, 668
Théorie des contraires, III, 552, 648, 661; IV, 342
Théories fausses
véhiculées par la médecine, III, 96
véhiculées par les religions, III, 96
Thérapeute(s), IV, 308-309
abus par des, IV, 310
et vécu, IV, 308
pouvoir transféré au, IV, 331
Thérapies, I, 523; IV, 308-309
alternatives, IV, 313
énergétiques, IV, 311
par les animaux, III, 4
Thèse, II, 613
Tibet, IV, 80
Tibétains, II, 83; III, 63
Tics, II, 357
Tiers-Monde, II, 44, 45, 49, 51-52; IV, 36, 551
Timidité, III, 196, 512-513; IV, 225-227, 574
Tireur ou tireuse de cartes, IV, 197, 312
Tolérance(s), I, 486, 693; II, 7; III, 232; IV, 234

de soi, III, 359
idiote, III, 66,
Tomates résistantes, IV, 295
Tombeau du frère André, II,
énergie absorbée par le, II, 265, 267
Toxines, I, 355, 358
Toucher(s),
de l'Âme, III, 650, 669
provenant de l'Âme, II, 486
provenant de l'imagination, II, 486
Traduction, II, 657, 662; III, 625, 628
d'un état d'être, III, 572
de la forme par le cerveau, I, 692, 693; II,
314, 418, 522, 658; III, 594, 618, 646,
651
de la totalité des cellules, IV, 262
des valeurs, IV, 272
en images, II, 522
Traitement(s)
chimiques (voir médecine
chimique)
de choc, I, 552
d'énergie, I, 553
d'énergie sur d'autres formes, II, 645
radioactif, I, 552
Transcendance, I, 205
Transe(s), I, 111, 153, 215; II, 520
conscientes, II, 521, 622; IV, 185
éveillée, IV, 185
semi-conscientes, I, 44; II, 86
Transfert, I, 153, 454, 455, 457, 459, 552
d'énergie dans d'autres formes, II, 645
des pensées, II, 521
Transplantations (voir greffes)
Travail, I, 355, 516; II, 14, 572, 573
à domicile et éducation des enfants, IV,
421
acceptation d'un, désagréable, IV, 526
collègue colérique du, III, 525
comme drogue, IV, 487
concession et sécurité au, IV, 592-594
des deux parents, IV, 632
être malheureux au, III, 550, 553
marché du, III, 512
milieux de, III, 17, 510-511
relations de, I, 407
motivation au, II, 506
Tremblements de terre, I, 76; II, 37; III, 3
délai des, III, 67
Triangle des Bermudes, IV, 77-79
Tricherie, I, 436, 440, 466, 492, 682; IV, 222
avec soi-même, IV, 221, 224-225, 228, 238
Tricité, I, 150
Tristesse, III, 592
de l'Âme, III, 591
Troisième oeil, II, 257
Tunnel
de lumière, II, 136
noir, I, 604, 653, 655, 657, 658
Tuerie à l'école Polytechnique, II, 96

U

Ulcères, I, 518; II, 189; III, 177, 346-347, 636
Ultrasons, I, 533
Unicité, I, 150, 151, 226, 259, 409, 441; II, 24,
420, 469, 595; III, 1, 236; IV, 120, 168, 271,
319, 533
Unification des marchés, III, 665
Union
de continents, III, 35
des coeurs, IV, 609
des énergies (voir union de l'Âme et de la
forme)
des formes (mère-enfant à naître) durant
la grossesse, IV, 385
parfaite entre formes, IV, 556 (voir coup
de foudre)
totale des énergies, IV, 650
Union de l'Âme et de la forme, I, 437, 623; II,
19, 340, 341; IV, 3, 24, 48, 70, 97 à 134, 165,
194, 201, 289, 317, 363, 375, 376, 487, 546,
548, 633, 638, 643, 646, 652, 667, 668
conséquences de l', IV, 101-103
préparation à l', IV, 641
Univers, I, 2, 11, 16, 18, 66, 306, 483, 586, 670,
695; II, 2, 22, 25, 36, 54, 101, 414, 418, 423,
491, 586, 629; III, 619, 666-667; IV, 1-26, 52,
110, 118, 160, 224, 258, 261, 265, 270, 274,
383, 455, 636, 654; IV, 1 à 27
chant de l', I, 32, 586; IV, 605, 630, 654,
655, 656
déséquilibre dans l', III, 24, 34
déstabilisation de l', IV, 86, 89-90
dialogue avec l', IV, 341
dimension de l', IV, 9, 10-11, 14
équilibre de l', II, 55; III, 37
forme à l'image de l', IV, 251
harmonie avec l', IV, 24
hiérarchie dans l', II, 9, 12
hyperconscience de l', 252
impact négatif des humains sur l', III, 45,
118
intérieur, IV, 9, 26-27
musique de l' (voir chant de l')
pouvoir sur l'énergie de l', IV, 265
ressemblance des formes avec l', (voir
formes)
Terre dans l', II, 170
Utopie religieuse, II, 575

V

Vaccination, I, 536, 568; IV, 315-316
Vaisseaux spatiaux, IV, 60, 67, 71, 75, 78, 79,
80, 81, 87
technologies de propulsion des, IV, 67
très puissant, IV, 83
Valeurs, I, 24, 59, 70, 382; II, 531; III, 1, 22, 28,
69, 79, 83, 85; III, 183, 217
de la vie, IV, 243

WXYZ